여러분의 합격을 응원하는

해커스소[illegible]특별 혜택!

FREE 소방학개론 **특강**

해커스소방(fire.Hackers.com) 접속 후 로그인 ▶ 상단의 [무료강좌 → 소방 무료강의] 클릭하여 이용

해커스소방 온라인 단과강의 **20% 할인쿠폰**

E4F4D5E857DBF88F

해커스소방(fire.Hackers.com) 접속 후 로그인 ▶ 상단의 [내강의실] 클릭 ▶
좌측의 [인강 → 결제관리 → 쿠폰 확인] 클릭 ▶ 위 쿠폰번호 입력 후 이용

* 등록 후 7일간 사용 가능(ID당 1회에 한해 등록 가능)

해커스소방 무제한 수강상품[패스] **5만원 할인쿠폰**

9939878372AEFCPU

해커스소방(fire.Hackers.com) 접속 후 로그인 ▶ 상단의 [내강의실] 클릭 ▶
좌측의 [인강 → 결제관리 → 쿠폰 확인] 클릭 ▶ 위 쿠폰번호 입력 후 이용

* 등록 후 7일간 사용 가능(ID당 1회에 한해 등록 가능)
* 특별 할인상품 적용 불가

쿠폰 이용 관련 문의 **1588-4055**

단기 합격을 위한 해커스소방 커리큘럼

입문

탄탄한 기본기와 핵심 개념 완성!

누구나 이해하기 쉬운 개념 설명과 풍부한 예시로 부담없이 쌩기초 다지기

TIP 베이스가 있다면 **기본 단계**부터!

기본+심화

필수 개념 학습으로 이론 완성!

반드시 알아야 할 기본 개념과 문제풀이 전략을 학습하고
심화 개념 학습으로 고득점을 위한 응용력 다지기

기출+예상 문제풀이

문제풀이로 집중 학습하고 실력 업그레이드!

기출문제의 유형과 출제 의도를 이해하고 최신 출제 경향을 반영한
예상문제를 풀어보며 본인의 취약영역을 파악 및 보완하기

동형문제풀이

동형모의고사로 실전력 강화!

실제 시험과 같은 형태의 실전모의고사를 풀어보며 실전감각 극대화

최종 마무리

시험 직전 실전 시뮬레이션!

각 과목별 시험에 출제되는 내용들을 최종 점검하며 실전 완성

PASS

* 커리큘럼 및 세부 일정은 상이할 수 있으며,
자세한 사항은 해커스소방 사이트에서 확인하세요.

해커스소방

김정희 소방학개론

기본서 | 2권

해커스소방

서문

"포기하지 않으면 반드시 꿈은 이루어집니다."

반갑습니다. 수험생 여러분!!!
해커스소방에서 소방학개론과 소방관계법규 과목을 강의하는 김정희입니다.

1. 소방학개론 · 소방관계법규는 하나의 과목입니다.

소방학개론과 소방관계법규는 서로 밀접한 관계를 가지고 있습니다. 소방학개론의 소방시설, 위험물, 소화론 및 재난관리 등이 법규를 기본으로 한 분야라는 점을 예시로 들 수 있겠네요. 이렇듯 소방용어와 개념이 서로가 유기적인 관계를 갖고 있으므로 이를 극대화할 수 있는 학습전략이 중요합니다.

2. 시험장에서는 'INPUT'이 아니라 'OUTPUT'의 과정인 것을 기억하여야 합니다.

결국 시험의 승패는 시험장에서 결정됩니다. 시험을 위한 준비과정에서 중요한 포인트 중의 하나는 입력하는 행위(INPUT)라기보다 학습한 내용을 출력해 내는 행위(OUTPUT)라 할 수 있습니다. 학습은 전략적 'INPUT'을 통한 순조로운 'OUTPUT'이 될 수 있도록 하는 것이 가장 중요합니다. 'OUTPUT'을 고려하지 않고 입력하는 데만 집중하면 시험장에서 무용지물이 될 내용들만을 힘들게 학습하게 됩니다. 따라서 본 교재는 학습효율을 높이기 위하여 'OUTPUT'이 용이한 콘텐츠로 본 교재를 구성하였습니다. 간결한 표와 [정희's 톡talk]의 개념은 수험생 여러분을 처음에는 분명히 놀랍게 할 것이고, 시험을 보고난 후에는 감탄하게 될 것임을 자신합니다.

3. 소방공무험 시험에선 기본서의 선택이 가장 중요합니다.

전쟁에서 어떤 무기를 가지고 전쟁터에 가는 것만큼, 소방공무원 시험에서 어떤 교재를 가지고 준비하느냐는 합격이 성패를 좌우하는 가장 중요한 요소 중의 하나입니다. 이제는 소방학개론과 소방관계법규 과목에서, 핵심정리와 단편적인 필기노트, 기출문제의 학습만으로는 결코 좋은 점수와 합격을 기대하기 어렵다는 것을 우리는 실제 시험에서 경험했습니다. 이에 대비하여 꾸준히 기본서의 중요성을 강조하고 충분한 컨텐츠와 완성도 높은 기본서를 집필하고자 최선을 다하였습니다. 전공과목의 중요성이 증대되고 있는 상황에서 어떤 책의 기본서를 가지고 시작하느냐는 합격을 위한 가장 중요한 선택이 될 것이 분명합니다.

어떻게 학습해야 할까요?

소방학개론의 학습범위는 소방관계법규와 같이 명확하지 않습니다. 또한 기출문제는 출제범위를 벗어나 출제되는 경우도 있어 학습에 어려움이 많습니다. 게다가 최근에는 난도가 높은 계산문제까지 출제되어 수험생의 학습 부담감이 극도로 높아지고 있는 추세입니다. 이러한 어려움을 조금이나마 덜어줄 수 있도록 이 교재의 활용법을 공개합니다!

1. [스토리텔링]을 통한 교재의 구성

소방학개론 과목은 예비 소방공무원이 알아야 할 기본지식을 구성한 내용입니다.
화재를 진압하기 위한 소화는 화재의 정확한 이해에서부터 시작됩니다. 일반적으로 화재는 물로 소화합니다. 하지만 연소론 · 화재론을 학습하면 물로 소화할 수 없는 위험한 화재가 있음을 알게 됩니다. 보다 정확한 소화를 위해서는 화재와 연소의 선행학습이 필요한 것이지요. 본 책의 구성은 자연스럽게 연소론(폭발론), 화재론, 소화론의 순으로 구성되어 있습니다. 총 9개의 PART가 자연스럽게 구성되어 있어 소방학 전체를 여러분이 쉽게 따라갈 수 있고, 한편의 영화를 보듯 자연스럽게 소방학에 입문하게 됩니다.

2. 개념 이해가 쏙쏙 들어오는 표와 그림

내용의 전개가 잘 되어 있다 하더라도 연소론, 폭발론, 화재론 및 소화론 분야의 개념은 쉽게 여러분에게 다가오지 않습니다. 이를 위해 표와 그림과 같은 다양한 콘텐츠가 시각화되어 구성되어 있습니다. 아무리 학습하여도 소방시설과 위험물 PART는 막연하고 어려운 분야입니다. 소방시설의 작동원리와 구성에 대한 이해, 위험물 분야의 각론 등 다양한 콘텐츠가 여러분을 고득점으로 안내할 것입니다.

3. 밑줄 쫙! 강의에서 강조한 내용을 담은 [정희's 톡talk]

시험에 잘 나오는 내용 및 함정, 이해하기 어려운 내용들은 [정희's 톡talk]으로 정리하였습니다. 강의에서 설명하던 내용을 직접 교재에 담았으니, 강의 내용을 떠올리며 다시 한번 복습한다면 머릿속에 오래오래 남을 거예요!

소방학개론은 방대하고 이해하여야 하는 내용들이 많지만 한번 그 틀을 잘 잡아둔다면 나중에 여러분에게 높은 점수를 가져다줄 효자 과목이 되어 있을 것이므로 우리 함께 소방학개론을 정복해봅시다! 화이팅!!

저자 김정희

목차

2권

PART 6 위험물

PART 7 소방조직

PART 8 구조구급론

PART 9 재난관리론

MINI 법령집

1권

해커스소방 **김정희 소방학개론** 기본서

PART 6

위험물

CHAPTER 1 위험물 개요

1 위험물 개요 C

1. 위험물 관련 규정

「위험물안전관리법」 제2조 【정의】 ① 이 법에서 사용하는 용어의 정의는 다음과 같다.
1. "위험물"이라 함은 인화성 또는 발화성 등의 성질을 가지는 것으로서 대통령령이 정하는 물품을 말한다.

제3조 【적용제외】 이 법은 항공기 · 선박(「선박법」 제1조의2 제1항의 규정에 따른 선박을 말한다) · 철도 및 궤도에 의한 위험물의 저장 · 취급 및 운반에 있어서는 이를 적용하지 아니한다.

위험물이란 일반적으로 인간, 생명체 또는 환경에 위험을 일으키는 물질을 말한다. 위험물은 인간과 환경에 위해나 손실을 발생하는 물질로 매우 폭넓고 광범위하다고 할 수 있다. 위험물을 구분하는 목적과 기준에 따라 관련 규정에 따른 위험물에 포함될 수도 있고, 포함되지 않을 수도 있다. 「위험물안전관리법」상 위험물은 **인화성 또는 발화성 등의 성질을 가지는 것으로서 대통령령이 정하는 물품**을 말한다.

(1) 「위험물안전관리법 시행령」상 위험물

① 제1류 위험물(산화성 고체)
② 제2류 위험물(가연성 고체)
③ 제3류 위험물(자연발화성 및 금수성 물질)
④ 제4류 위험물(인화성 액체)
⑤ 제5류 위험물(자기반응성 물질)
⑥ 제6류 위험물(산화성 액체)

(2) 「철도안전법 시행령」상 위험물

① 철도운송 중 폭발할 우려가 있는 것
② 마찰 · 충격 · 흡습(吸濕) 등 주위의 상황으로 인하여 발화할 우려가 있는 것
③ 인화성 · 산화성 등이 강하여 그 물질 자체의 성질에 따라 발화할 우려가 있는 것
④ 용기가 파손될 경우 내용물이 누출되어 철도차량 · 레일 · 기구 또는 다른 화물 등을 부식시키거나 침해할 우려가 있는 것
⑤ 유독성 가스를 발생시킬 우려가 있는 것
⑥ 그 밖에 화물의 성질상 철도시설 · 철도차량 · 철도종사자 · 여객 등에 위해나 손상을 끼칠 우려가 있는 것

핵심 기출

「위험물안전관리법」상 위험물에 대한 정의이다. ( ) 안에 들어갈 내용으로 옳은 것은?

20. 소방간부

위험물이라 함은 (ㄱ) 또는 (ㄴ) 등의 성질을 가지는 것으로서 (ㄷ)이 정하는 물품을 말한다.

	ㄱ	ㄴ	ㄷ
①	가연성	발화성	국무총리령
②	가연성	폭발성	대통령령
③	인화성	발화성	대통령령
④	인화성	폭발성	대통령령
⑤	인화성	발화성	국무총리령

정답 ③

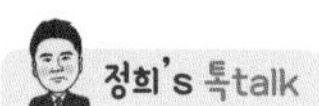

소방학개론에서 다루는 위험물
소방학개론에서 다루는 위험물은 일반적으로 「위험물안전관리법」상의 위험물을 대상으로 합니다.

「위험물안전관리법」의 적용
「위험물안전관리법」은 항공기 · 선박(「선박법」 제1조의2 제1항의 규정에 따른 선박) · 철도 및 궤도에 의한 위험물의 저장 · 취급 및 운반에 있어서는 이를 적용하지 않습니다.

(3) 「항공안전법 시행규칙」상 위험물

항공기를 이용하여 폭발성이나 연소성이 높은 물건 등 국토교통부령으로 정하는 위험물을 다음과 같이 분류하고 있다.

① 폭발성 물질

② 가스류

③ 인화성 액체

④ 가연성 물질류

⑤ 산화성 물질류

⑥ 독물류

⑦ 방사성 물질류

⑧ 부식성 물질류

⑨ 그 밖에 국토교통부장관이 정하여 고시하는 물질류

(4) 「위험물 선박운송 및 저장규칙」상 위험물

① 화약류

② 고압가스

③ 인화성 액체류

④ 가연성 물질류

⑤ 산화성 물질류

⑥ 독물류

(5) 「고압가스 안전관리법 시행령」상 고압가스의 종류 및 범위

① 상용(常用)의 온도에서 압력(게이지압력을 말함)이 1MPa 이상이 되는 압축가스로서 실제로 그 압력이 1MPa 이상이 되는 것 또는 35℃의 온도에서 압력이 1MPa 이상이 되는 압축가스(아세틸렌가스 제외)

② 15℃의 온도에서 압력이 0Pa을 초과하는 아세틸렌가스

③ 상용의 온도에서 압력이 0.2MPa 이상이 되는 액화가스로서 실제로 그 압력이 0.2MPa 이상이 되는 것 또는 압력이 0.2MPa이 되는 경우의 온도가 35℃ 이하인 액화가스

④ 35℃의 온도에서 압력이 0Pa을 초과하는 액화가스 중 액화시안화수소 · 액화브롬화메탄 및 액화산화에틸렌가스

2. 위험물의 분류

「위험물안전관리법 시행령」 제2조 【위험물】「위험물안전관리법」 제2조 제1항 제1호에서 "대통령령이 정하는 물품"이라 함은 별표 1에 규정된 위험물을 말한다.

(1) 산화성 고체(제1류 위험물)

① 다른 물질을 강하게 산화시키는 성질을 가지고 있는 **강산화제**이다.

② 물질 자체는 연소하지 않는 **불연성 물질**이다.

③ 가연물과 혼합할 때 열 · 충격 · 마찰에 의해 분해하여 매우 강렬하게 연소를 일으키는 물질이다.

(2) 가연성 고체(제2류 위험물)

① 고체로서 **화염에 의한 발화의 위험성 또는 인화의 위험성**이 큰 고체로서 발화하기 쉽고 비교적 낮은 온도에서 **착화하기 쉬운 물질**이다.

② 산화제와 접촉하면 마찰 또는 충격으로 급격하게 폭발할 수 있는 **가연성(이연성) 물질**이다.

③ 모두 산소를 함유하고 있지 않은 강한 환원성 물질이며, 비중이 1보다 크다.

(3) 자연발화성 및 금수성 물질(제3류 위험물)

① 고체 또는 액체로서 **공기 중에서 발화의 위험성**이 있거나 **물과 접촉하여 발화하거나 가연성 가스를 발생하는 성질을 가지는 물질**이다.

② 무기화합물과 유기화합물로 구성되어 있다.

③ 가열하거나 강산화성 물질 · 강산류와 접촉하면 위험성이 현저히 증가한다.

(4) 인화성 액체(제4류 위험물)

① **인화성**을 가지는 물질이며 대부분 유기화합물이다.

② 제4류 위험물이 대량으로 연소하고 있을 때는 많은 대류열과 복사열로 인하여 화재가 확대되고 흑색 연기가 많이 발생하며 화재진압이 매우 곤란해진다.

③ **전기적으로 부도체이므로 정전기 축적이 용이하여 점화원으로 작용할 수 있다.**

(5) 자기반응성 물질(제5류 위험물)

① 물질 자체에 산소를 포함하고 있어 산소공급원 없이도 연소가 일어난다.

② 고체 또는 액체로서 폭발의 위험성을 가지는 물질이다.

③ 불안정한 물질로서 공기 중에서 장기간 저장 시 분해반응을 일으키며, **분해열의 축적에 의하여 자연발화의 위험**이 있다.

(6) 산화성 액체(제6류 위험물)

① 물질 자체는 **불연성**이다.

② 가연물과 혼합하면 가연물의 연소를 촉진하는 조연성 물질이다.

③ 물질의 액체 비중이 1보다 크므로 물보다 무겁다.

정희's 톡talk

제1류와 제6류 위험물은 불연성 물질에 해당하나, 아주 강한 산화제에 해당하므로 위험물로 규정하고 있습니다.

핵심 적중

01 위험물에 대한 설명 중 옳은 것은?

① 제1류 위험물은 산화성 액체이다.
② 제2류 위험물은 가연성 고체이다.
③ 제3류 위험물은 인화성 액체이다.
④ 제5류 위험물은 산화성 고체이다.

정답 ②

02 다음 아래에 설명하는 (A)로 가장 적절한 것은?

(A)은/는 고체로서 화염에 의한 발화의 위험성 또는 인화의 위험성을 판단하기 위하여 고시로 정하는 시험에서 고시로 정하는 성질과 상태를 나타내는 것이다.

① 인화성 고체
② 가연성 고체
③ 산화성 고체
④ 자기반응성 물질

정답 ②

03 다음 중 위험물의 종류로 옳은 것은?

① 산화성 액체 - 질산 - 제6류
② 산화성 고체 - 황화린 - 제1류
③ 인화성 액체 - 휘발유 - 제5류
④ 자기반응성 물질 - 황린 - 제5류

정답 ①

3. 위험물의 위험성

(1) 산화성

① 한 개 이상의 전자들이 이동하는 반응을 산화 - 환원반응(Oxidation-reuction reaction)이라고 한다. 전자를 잃는 것을 산화라고 정의하고, 전자를 얻는 것을 환원이라고 정의한다.

② 산화 상태(산화수)라는 개념은 화합물을 구성하는 원자들에 대하여 전하를 할당함으로써 산화 - 환원반응에서 전자들의 이동 행로를 알 수 있게 해 준다. **산화는 산화 상태의 증가(전자를 잃음)**를 말하며, **환원은 산화 상태의 감소**를 말한다.

③ **산화제는 환원(전자를 얻음)되는 원소를 포함하는 반응물**로 정의한다. 마찬가지로 환원제는 산화(전자를 잃음)되는 원소를 포함하는 반응물을 말한다.

(2) 인화성

① 가연성 증기를 발생하는 액체 또는 고체가 공기 중에서 **불꽃에 접촉할 때** 도화선이 되어 표면 근처에서 연소하기에 충분한 농도의 증기를 발생하여 불이 붙는 성질을 인화성이라 한다.

② 이때의 최저온도를 인화점라고 말한다.

(3) 자연발화성

① 가연성 물질이 화염이나 전기불꽃 등의 직접적인 점화원을 주지 않고 공기 중에서 가열한 경우 어느 시점에서 **열의 축적으로 자연적으로 연소 또는 발화**가 개시되는데, 이를 발화성이라 한다. 이때 필요한 최저온도를 발화점 또는 착화점이라고 말한다.

② **발화점은 물질의 비점과 융점 등 물질 특유의 정수(定數)는 아니고 그 수치가 측정 방법 · 조건에 의하여 유동적인** 특징이 있다.

③ 가연성 물질 등을 상온에서 발화온도까지 가열하기에 소요되는 열량을 착화열이라고 말한다. 이때 가연성 물질 등을 연소시키기에 필요한 공기도 발화온도까지 가열하여야 한다. 그 열량도 합산하여 착화열로 한다.

(4) 금수성

① **물과 반응하여 발화하거나 가연성 가스를 발생시키는 성질**을 말한다.

② 일반적으로 물을 소화약제로 많이 사용하는데, 금수성이 있는 물질의 화재 시 물을 사용하게 되면 화재를 더욱 키우는 역할을 하기 때문에 주의하여야 한다.

(5) 자기반응성

① 외부로부터 **산소공급원이 없이도 가열, 충격 등에 의하여 연소하거나 폭발을 일으킬 수 있는 성질**을 말한다.

② 물질 자체에 포함되어 있는 산소에 의하여 연소한다.

③ **자기반응성이 있는 물질은 산소의 농도를 낮추는 질식소화효과가 없다.**

4. 위험성이 둘 이상일 경우

위험물은 하나의 위험성을 가질 경우도 있지만 둘 이상의 위험성을 가질 경우도 있다. 위험물을 구분하는 데 위험성 간의 경합이 있어 문제가 될 수 있다. 하나의 위험물이 둘 이상의 위험성을 가질 경우를 「위험물안전관리법」상에서는 **복수성상물품**이라 하며, 이러한 경우 더 위험한 위험성을 그 위험물의 성상으로 한다.

정희's 톡talk

복수성상물품의 판단

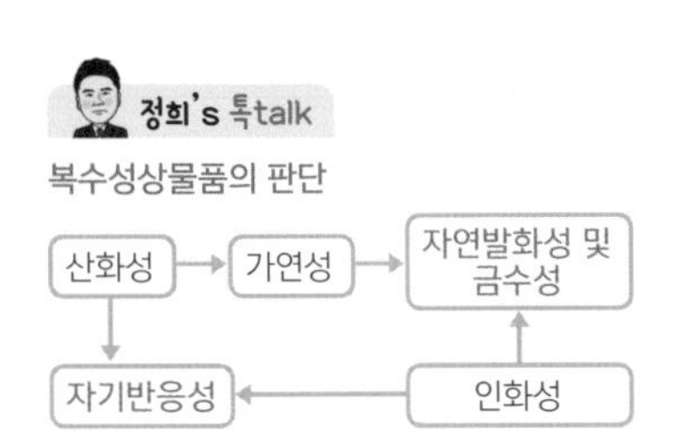

(1) 위험물이 산화성과 가연성을 동시에 가지는 경우

위험물이 가지는 산화성보다는 가연성이 더 위험한 성질로서 가연성의 성상을 가지는 것으로 본다.

(2) 위험물이 산화성과 자기반응성을 동시에 가지는 경우

위험물이 가지는 산화성보다는 자기반응성이 더 위험한 성질로서 자기반응성의 성상을 가지는 것으로 본다.

(3) 위험물이 가연성과 자연발화성 및 금수성을 동시에 가지는 경우

위험물이 가지는 가연성보다는 자연발화성 및 금수성이 더 위험한 성질로서 자연발화성 및 금수성의 성상을 가지는 것으로 본다.

(4) 위험물이 자연발화성 및 금수성과 인화성을 동시에 가지는 경우

위험물이 가지는 인화성보다는 자연발화성 및 금수성이 더 위험한 성질로서 **자연발화성 및 금수성의 성상**을 가지는 것으로 본다.

(5) 위험물이 인화성과 자기반응성을 동시에 가지는 경우

위험물이 가지는 인화성보다는 **자기반응성**이 더 위험한 성질로서 자기반응성이 있는 것으로 본다.

참고 유해위험성의 분류 및 전달방법

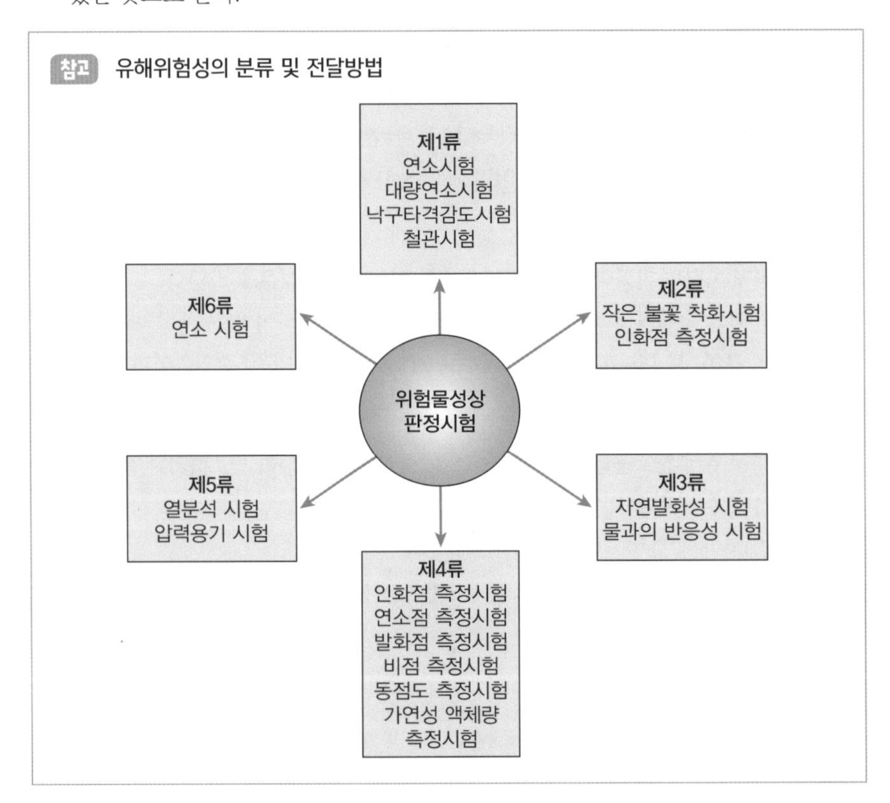

5. 위험물 분류 및 표지에 관한 기준

(1) GHS(Globally Harmonized System on Classication and Labeling for Chemicals)

① GHS란 화학물질 분류표지에 관한 세계조화시스템으로서, 전 세계적으로 통일된 분류기준에 따라 화학물질의 유해위험성을 분류하고, 통일된 형태의 경고표지 및 MSDS로 정보를 전달하는 방법을 말한다.

② 화학물질의 분류표지에 관한 세계조화시스템은 화학물질의 국제 교역이 넓게 행해지고 있는 현실을 반영하여 세계적으로 통일된 접근방법에 의한 화학물질의 안전한 사용 · 운송 · 폐기의 수단을 확보하기 위하여 도입되었다.

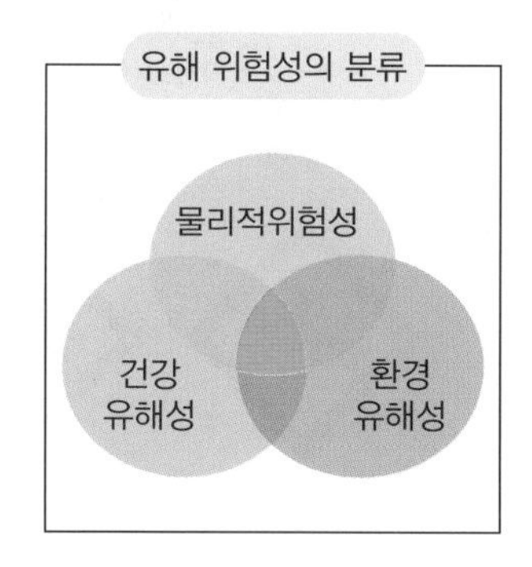

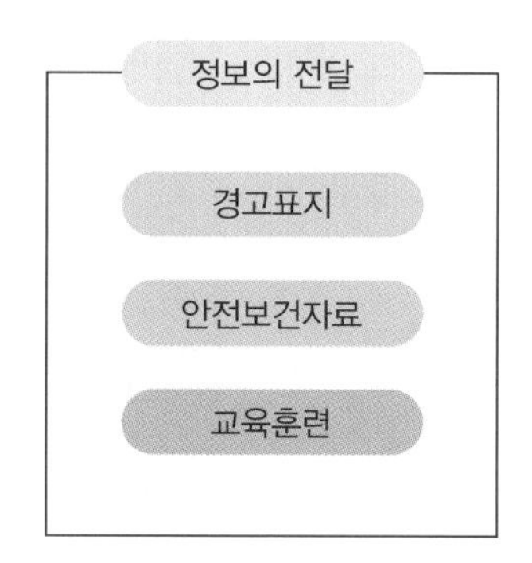

(2) 주요내용

① **유해 위험성 분류(「산업안전보건법 시행규칙」 [별표 18])**

㉠ **물리적 위험성(16개):** 폭발성 물질, 인화성 가스, 에어로졸, 산화성 가스, 고압가스, 인화성 액체, 인화성 고체, 자기반응성 물질, 자연발화성 액체, 자연발화성 고체, 자기발열성 물질, 물반응성 물질, 산화성 액체, 산화성 고체, 유기과산화물, 금속부식성 물질

㉡ **건강 및 환경 유해성(13개):** 급성 독성물질, 피부 부식성 또는 자극성 물질, 심한 눈 손상성 또는 자극성 물질, 호흡기 과민성 물질, 피부 과민성 물질, 발암성 물질, 생식세포 변이원성 물질, 생식독성 물질, 특정 표적장기 독성 물질(1회 노출), 특정 표적장기 독성 물질(반복 노출), 흡인 유해성 물질, 수생 환경 유해성 물질, 오존층 유해성 물질

② **경고표지**

㉠ **제품정보:** 물질명 또는 제품명, 함량 등에 관한 정보

㉡ **그림문자:** 분류기준에 따라 위험성의 내용을 나타내는 그림

㉢ **신호어:** 위험성의 심각성 정도에 따라 표시하는 '위험' 또는 '경고'로 표시하는 문구

㉣ **유해 · 위험 문구(H-CODE):** 분류기준에 따라 위험성을 알리는 문구

㉤ **예방조치 문구(P-CODE):** 화학물질에 노출되거나 부적절한 저장 · 취급 등으로 발생하는 위험성을 방지 또는 최소화하기 위한 권고조치를 명시한 문구

㉥ **공급자 정보:** 제조자 또는 공급자의 명칭, 연락처 등에 관한 정보

③ 표지부착방법

㉠ 운송그림문자의 우선 적용 표시, 운송과 조합한 표시도 가능하도록 규정

㉡ 전체 크기 및 그림문자 크기를 탄력적으로 조정 가능

(3) 표시방법

구분	표시방법		구분	표시방법	
1. 폭발성 물질 또는 화약류	▲ 폭탄의 폭발(Exploding bomb)		5. 고압가스	▲ 가스실린더	
	신호어	위험/경고		신호어	경고
2. 인화성 가스 6. 인화성 액체 9. 인화성 에어로졸	▲ 불꽃(Flame)		8. 자기반응성 물질 및 혼합물 15. 유기과산화물	▲ 폭탄의 폭발과 불꽃	
	신호어	위험/경고		신호어	위험/경고
11. 자기발열성 물질 및 혼합물 12. 물반응성 물질 및 혼합물	▲ 불꽃(Flame)		9. 자연발화성 액체 10. 자연발화성 고체	▲ 불꽃(Flame)	
	신호어	위험/경고		신호어	경고
4. 산화성 가스 13. 산화성 액체 14. 산화성 고체	▲ 원위의 불꽃(Flame over circle)		16. 금속부식성 물질	▲ 부식성(Corrosion)	
	신호어	위험/경고		신호어	경고

2 위험물의 품명 및 지정수량 A

관계법규 「위험물안전관리법 시행령」 제2조 및 제3조 관련 [별표 1]

시행령 [별표 1]

[별표 1] 위험물 및 지정수량

위험물				지정수량
유별	성질	품명		
제1류	산화성 고체	1. 아염소산염류		50kg
		2. 염소산염류		50kg
		3. 과염소산염류		50kg
		4. 무기과산화물		50kg
		5. 브롬산염류		300kg
		6. 질산염류		300kg
		7. 요오드산염류		300kg
		8. 과망간산염류		1,000kg
		9. 중크롬산염류		1,000kg
		10. 행정안전부령으로 정하는 것		50kg, 300kg 또는 1,000kg
		11. 제1호 내지 제10호의 1에 해당하는 어느 하나 이상을 함유한 것		
제2류	가연성 고체	1. 황화린		100kg
		2. 적린		100kg
		3. 유황		100kg
		4. 철분		500kg
		5. 금속분		500kg
		6. 마그네슘		500kg
		7. 행정안전부령으로 정하는 것		100kg 또는 500kg
		8. 제1호 내지 제7호의 1에 해당하는 어느 하나 이상을 함유한 것		
		9. 인화성 고체		1,000kg
제3류	자연 발화성 물질 및 금수성 물질	1. 칼륨		10kg
		2. 나트륨		10kg
		3. 알킬알루미늄		10kg
		4. 알킬리튬		10kg
		5. 황린		20kg
		6. 알칼리금속(칼륨 및 나트륨을 제외한다) 및 알칼리토금속		50kg
		7. 유기금속화합물(알킬알루미늄 및 알킬리튬을 제외한다)		50kg
		8. 금속의 수소화물		300kg
		9. 금속의 인화물		300kg
		10. 칼슘 또는 알루미늄의 탄화물		300kg
		11. 행정안전부령으로 정하는 것		10kg, 20kg, 50kg 또는 300kg
		12. 제1호 내지 제11호의 1에 해당하는 어느 하나 이상을 함유한 것		
제4류	인화성 액체	1. 특수인화물		50L
		2. 제1석유류	비수용성 액체	200L
			수용성 액체	400L
		3. 알코올류		400L
		4. 제2석유류	비수용성 액체	1,000L
			수용성 액체	2,000L
		5 제3석유류	비수용성 액체	2,000L
			수용성 액체	4,000L
		6. 제4석유류		6,000L
		7. 동식물유류		10,000L
제5류	자기 반응성 물질	1. 유기과산화물		10kg
		2. 질산에스테르류		10kg
		3. 니트로화합물		200kg
		4. 니트로소화합물		200kg
		5. 아조화합물		200kg
		6. 디아조화합물		
		7. 히드라진 유도체		200kg
		8. 히드록실아민		100kg
		9. 히드록실아민염류		100kg
		10. 행정안전부령으로 정하는 것		10kg, 100kg 또는 200kg
		11. 제1호 내지 제10호의 1에 해당하는 어느 하나 이상을 함유한 것		
제6류	산화성 액체	1. 과염소산		300kg
		2. 과산화수소		300kg
		3. 질산		300kg
		4. 행정안전부령으로 정하는 것		300kg
		5. 제1호 내지 제4호의 1에 해당하는 어느 하나 이상을 함유한 것		300kg

핵심 적중

01 위험물인 마그네슘의 지정수량으로 옳은 것은?

① 50kg ② 100kg
③ 200kg ④ 500kg

정답 ④

02 「위험물안전관리법」에 의한 위험물로 옳지 않은 것은?

① 염소산염류
② 과염소산
③ 프로판 가스
④ 진한질산

정답 ③

03 「위험물안전관리법 시행령」상 유별 위험물의 품명과 지정수량을 옳게 연결한 것은? 22. 소방간부

유별	품명	지정수량
① 제2류	적린, 유황, 마그네슘	100kg
② 제3류	알킬알루미늄, 유기과산화물	10kg
③ 제4류	제4석유류	10,000ℓ
④ 제5류	히드록실아민, 히드록실아민염류	100kg
⑤ 제6류	과염소산염류, 나트륨	200kg

정답 ④

04 「위험물안전관리법 시행령」상 제1류 위험물에 관한 내용이다. ( ) 안에 들어갈 내용으로 옳은 것은? 22. 소방간부

> 고체로서 (ㄱ)의 잠재적인 위험성 또는 (ㄴ)에 대한 민감성을 판단하기 위하여 소방청장이 정하여 고시하는 시험에서 고시로 정하는 성질과 상태를 나타내는 것을 말한다.

ㄱ	ㄴ
① 폭발력	발화
② 산화력	충격
③ 환원력	분해
④ 산화력	폭발
⑤ 환원력	연소

정답 ②

(1) 주요 위험물 정의

① **유황**: 순도가 60wt% **이상**인 것(이 경우 순도측정에 있어서 불순물은 활석 등 불연성 물질과 수분에 한함)

② **철분**: 철의 분말로서, 53μm의 표준체를 통과하는 것이 50wt% 미만인 것은 제외

③ **금속분**

㉠ 알칼리금속 · 알칼리토류금속 · 철 및 마그네슘 외의 금속의 분말

㉡ **구리분 · 니켈분** 및 150μm의 체를 통과하는 것이 50wt% 미만인 것은 제외

④ **마그네슘 및 마그네슘을 함유한 것**

㉠ 2mm의 체를 통과하지 아니하는 덩어리 상태의 것은 제외

㉡ 지름 2mm **이상**의 막대 모양의 것은 제외

⑤ **인화성 고체**: 고형알코올 그 밖에 1기압에서 **인화점이 40℃ 미만인 고체**

⑥ **과산화수소**: 농도가 36wt% 이상인 것

⑦ **질산**: 비중이 1.49 **이상**인 것

참고 위험물의 유별 정의(「위험물안전관리법 시행령」 [별표 1])

구분	정의
제1류 위험물 (산화성 고체)	고체로서 산화력의 잠재적인 위험성 또는 충격에 대한 민감성을 판단하기 위하여 소방청장이 정하여 고시하는 시험에서 고시로 정하는 성질과 상태를 나타내는 것을 말한다.
제2류 위험물 (가연성 고체)	고체로서 화염에 의한 발화의 위험성 또는 인화의 위험성을 판단하기 위하여 고시로 정하는 시험에서 고시로 정하는 성질과 상태를 나타내는 것을 말한다.
제3류 위험물 (자연발화성 및 금수성 물질)	고체 또는 액체로서 공기 중에서 발화의 위험성이 있거나 물과 접촉하여 발화하거나 가연성 가스를 발생하는 위험성이 있는 것을 말한다.
제4류 위험물 (인화성 액체)	액체(제3석유류, 제4석유류 및 동식물유류에 있어서는 1기압과 섭씨 20도에서 액상인 것에 한함)로서 인화의 위험성이 있는 것을 말한다.
제5류 위험물 (자기반응성 물질)	고체 또는 액체로서 폭발의 위험성 또는 가열분해의 격렬함을 판단하기 위하여 고시로 정하는 시험에서 고시로 정하는 성질과 상태를 나타내는 것을 말한다.
제6류 위험물 (산화성 액체)	액체로서 산화력의 잠재적인 위험성을 판단하기 위하여 고시로 정하는 시험에서 고시로 정하는 성질과 상태를 나타내는 것을 말한다.

참고 행정안전부령이 정하는 위험물의 종류

유별	품명	유별	품명
제1류	과요오드산염류	제1류	차아염소산염류
	요오드산		염소화이소시아눌산
	크롬, 납 또는 요오드의 산화물		퍼옥소이황산염류
	아질산염류		퍼옥소붕산염류
제3류	염소화규소화합물	제5류	금속의 아지화합물
제6류	할로겐간화합물		질산구아니딘

(2) 인화성 액체의 분류

① **특수인화물**: 이황화탄소, 디에틸에테르, 그 밖에 1기압에서 **발화점**이 100℃ 이하인 것 또는 **인화점**이 -20℃ 이하이고 **비점**이 40℃ 이하인 것

② **제1석유류**: **아세톤, 휘발유** 그 밖에 1기압에서 **인화점이** 21℃ **미만인** 것

③ **알코올류**: 1분자를 구성하는 탄소원자의 수가 1개부터 3개까지인 포화1가 알코올(변성알코올 포함)

④ **제2석유류**: **등유, 경유** 그 밖에 1기압에서 **인화점이** 21℃ **이상** 70℃ **미만**인 것(도료류 그 밖의 물품에 있어서 가연성 액체량이 40wt% 이하이면서 **인화점이** 40℃ **이상**인 동시에 **연소점이** 60℃ **이상**인 것은 제외)

⑤ **제3석유류**: **중유, 클레오소트유**, 그 밖에 1기압에서 **인화점이** 70℃ **이상** 200℃ **미만**인 것(도료류, 그 밖의 물품은 가연성 액체량이 40wt% 이하인 것은 제외)

⑥ **제4석유류**: **기어유, 실린더유**, 그 밖에 1기압에서 **인화점이** 200℃ **이상** 250℃ **미만**의 것(도료류, 그 밖의 물품은 가연성 액체량이 40wt% 이하인 것은 제외)

⑦ **동식물유류**: 동물의 지육 등 또는 식물의 종자나 과육으로부터 추출한 것으로서 1기압에서 **인화점이** 250℃ **미만인** 것

핵심 적중

01 다음 중 특수인화물로서 옳은 것은?

① 중유
② 클레오소트유
③ 디에틸에테르
④ 실린더유

정답 ③

02 다음은 제1석유류에 대한 설명이다. ( ) 안에 들어갈 내용으로 옳은 것은?
19. 공채

> 제1석유류는 아세톤, 휘발유 그 밖에 1기압에서 (가)이 섭씨 (나)도 미만인 것이다.

	가	나
①	발화점	21
②	발화점	25
③	인화점	21
④	인화점	25

정답 ③

03 제2석유류에 대한 설명이다. (ㄱ)~(ㄷ)에 알맞은 것은?
19. 소방간부

> 제2석유류는 등유, 경유 그 밖에 1기압에서 인화점이 (ㄱ)℃ 이상 70도 미만인 것을 말한다. 다만, 도료류 그 밖의 물품에 있어서 가연성 액체량이 (ㄴ)wt% 이하이면서 인화점이 40℃ 이상인 동시에 연소점이 (ㄷ)℃ 이상인 것은 제외한다.

	ㄱ	ㄴ	ㄷ
①	18	10	40
②	20	20	45
③	20	25	50
④	21	30	55
⑤	21	40	60

정답 ⑤

핵심기출

「위험물안전관리법 시행령」상 위험물에 대한 규정으로 옳지 않은 것은? 23. 소방간부

① "인화성고체"라 함은 고형알코올 그 밖에 1기압에서 인화점이 섭씨40도 미만인 고체를 말한다.
② "철분"이라 함은 철의 분말로서 53마이크로미터의 표준체를 통과하는 것이 50중량퍼센트 미만인 것은 제외한다.
③ 유황은 순도가 60중량퍼센트 이상인 것을 말한다. 이 경우 순도측정에 있어서 불순물은 활석 등 불연성물질과 수분에 한한다.
④ "금속분"이라 함은 알칼리금속·알칼리토류금속·철 및 구리외의 금속의 분말을 말하고, 마그네슘분·니켈분 및 150마이크로미터의 체를 통과하는 것이 50중량퍼센트 미만인 것은 제외한다.
⑤ "제3석유류"라 함은 중유, 클레오소트유 그 밖에 1기압에서 인화점이 섭씨 70도 이상 섭씨 200도 미만인 것을 말한다. 다만, 도료류 그 밖의 물품은 가연성 액체량이 40중량퍼센트 이하인 것은 제외한다.

정답 ④

참고 인화성 액체 분류(영 제3조)

인화성 액체	종류	그 밖의 것(1기압 상태에서)
특수인화물	이황화탄소, 디에틸에테르	· 발화점 100℃ 이하 · 인화점 -20℃ 이하이고 비점 40℃ 이하
알코올류	-	탄소원자 수 1~3개 포화1가 알코올 (변성알코올 포함)
제1석유류	아세톤, 휘발유	인화점 21℃ 미만
제2석유류	등유, 경유	인화점 21℃ 이상 ~ 70℃ 미만[1]
제3석유류	중유, 클레오소트유	인화점 70℃ 이상 ~ 200℃ 미만[2]
제4석유류	기어유, 실린더유	인화점 200℃ 이상 ~ 250℃ 미만[2]
동식물유류	동물의 지육·식물의 종자	인화점 250℃ 미만

1) 도료류, 가연성 액체량 40wt% 이하이면서 인화점이 40℃ 이상인 동시에 연소점이 60℃ 이상인 것은 제외
2) 가연성 액체량이 40wt% 이하인 것은 제외

참고 물질의 상(「위험물안전관리법 시행령」 [별표1])

1. 어떠한 물질이 위험물에 해당하는지 여부를 따질 경우 그 물질의 상이 무엇인지 가장 먼저 확인하여야 한다.

구분	정의
고체	액체 및 기체 외의 것
액체	1기압 및 섭씨 20도에서 액상인 것 또는 섭씨 20도 초과 섭씨 40도 이하에서 액상인 것
기체	1기압 및 섭씨 20도에서 기상인 것

2. **액상:** 수직으로 된 시험관(안지름 30mm, 높이 120mm의 원통형유리관을 말한다)에 시료를 55mm까지 채운 다음 당해 시험관을 수평으로 하였을 때 시료액면의 선단이 30mm를 이동하는 데 걸리는 시간이 90초 이내에 있는 것을 말한다.

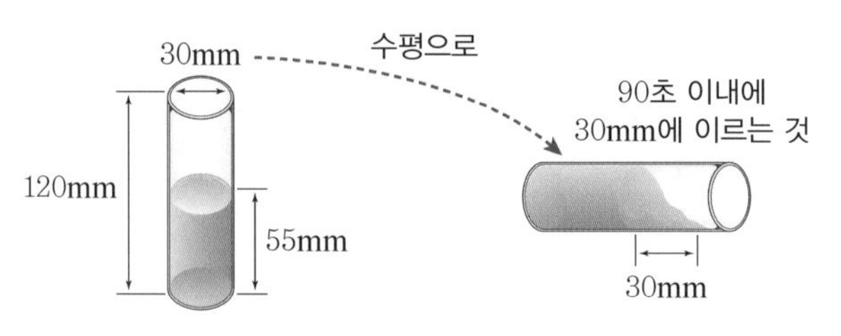

3 위험물제조소등의 구분 C

정희's 톡talk

소방관계법규에서는 중요하지만, 소방학개론에서는 개념과 분류 정도만 학습하시면 됩니다.

제2조 【정의】 ① 이 법에서 사용하는 용어의 정의는 다음과 같다.

2. "지정수량"이라 함은 위험물의 종류별로 위험성을 고려하여 대통령령이 정하는 수량으로서 제6호의 규정에 의한 제조소등의 설치허가 등에 있어서 최저의 기준이 되는 수량을 말한다.
3. "제조소"라 함은 위험물을 제조할 목적으로 지정수량 이상의 위험물을 취급하기 위하여 제6조 제1항의 규정에 따른 허가(동조 제3항의 규정에 따라 허가가 면제된 경우 및 제7조 제2항의 규정에 따라 협의로써 허가를 받은 것으로 보는 경우를 포함한다. 이하 제4호 및 제5호에서 같다)를 받은 장소를 말한다.
4. "저장소"라 함은 지정수량 이상의 위험물을 저장하기 위한 대통령령이 정하는 장소로서 제6조 제1항의 규정에 따른 허가를 받은 장소를 말한다.
5. "취급소"라 함은 지정수량 이상의 위험물을 제조 외의 목적으로 취급하기 위한 대통령령이 정하는 장소로서 제6조 제1항의 규정에 따른 허가를 받은 장소를 말한다.
6. "제조소등"이라 함은 제3호 내지 제5호의 제조소 · 저장소 및 취급소를 말한다.

(1) 위험물제조소등

위험물제조소등은 제조소 · 저장소 및 취급소를 말한다. 「위험물안전관리법」 제5조에 따르면 지정수량 이상의 위험물을 저장하거나 취급하기 위해서는 「위험물안전관리법 시행규칙」에서 정하는 기준에 적합하게 시설을 갖추고 허가 및 완공검사를 받도록 규정하고 있다.

핵심 적중

다음 중 위험물제조소등으로 옳지 않은 것은?

① 위험물취급소
② 위험물저장소
③ 위험물운반소
④ 위험물제조소

정답 ③

(2) 위험물제조소등의 분류

① **제조소:** 위험물을 제조할 목적으로 지정수량 이상의 위험물을 취급하기 위하여 규정에 따른 허가를 받은 장소를 말한다.

② **저장소:** 지정수량 이상의 위험물을 저장하기 위한 대통령령이 정하는 장소로서 규정에 따른 허가를 받은 장소를 말한다. 그 형태에 따라 8가지 저장소를 구분한다.

㉠ 옥내저장소
㉡ 옥외탱크저장소
㉢ 옥내탱크저장소
㉣ 지하탱크저장소
㉤ 간이탱크저장소
㉥ 이동탱크저장소
㉦ 옥외저장소
㉧ 암반탱크저장소

③ **취급소:** 지정수량 이상의 위험물을 제조 외의 목적으로 취급하기 위한 대통령령이 정하는 장소로서 규정에 따른 허가를 받은 장소를 말한다. 취급소는 주유취급소 · 판매취급소 · 이송취급소 · 일반취급소로 구분된다.

정희's 톡talk

주유취급소
주유취급소는 흔히 우리 주변에서 볼 수 있는 주유소를 말합니다.

ⓖ **주유취급소:** 고정된 주유설비(항공기에 주유하는 경우에는 차량에 설치된 주유설비를 포함)에 의하여 자동차 · 항공기 또는 선박 등의 **연료탱크에 직접 주유**하기 위하여 위험물을 취급하는 장소(위험물을 용기에 옮겨 담거나 차량에 고정된 5,000L 이하의 탱크에 주입하기 위하여 고정된 급유설비를 병설한 장소를 포함)

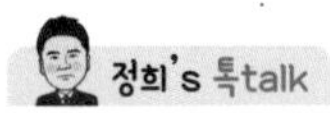

판매취급소

판매취급소는 우리 생활 공간에 가까운 곳에 위치해 있었으나, 현재는 생활환경의 변화로 많은 곳이 있지 않습니다.

ⓛ **판매취급소:** 점포에서 위험물을 용기에 담아 판매하기 위하여 **지정수량의 40배 이하**의 위험물을 취급하는 장소

ⓒ **이송취급소:** **배관 및 이에 부속된 설비**에 의하여 위험물을 이송하는 장소. 다만, 다음에 해당하는 경우의 장소를 제외한다.

ⓐ 「송유관 안전관리법」에 의한 송유관에 의하여 위험물을 이송하는 경우

ⓑ 제조소등에 관계된 시설(배관 제외) 및 그 부지가 같은 사업소 안에 있고 당해 사업소 안에서만 위험물을 이송하는 경우

ⓒ 사업소와 사업소의 사이에 도로(폭 2m 이상의 일반교통에 이용되는 도로로서 자동차의 통행이 가능한 것을 말함)만 있고 사업소와 사업소 사이의 이송배관이 그 도로를 횡단하는 경우

ⓓ 사업소와 사업소 사이의 이송배관이 제3자(당해 사업소와 관련이 있거나 유사한 사업을 하는 자에 한함)의 토지만을 통과하는 경우로서 당해 배관의 길이가 100m 이하인 경우

ⓔ 해상구조물에 설치된 배관(이송되는 위험물이 [별표 1]의 제4류 위험물 중 제1석유류인 경우에는 배관의 안지름이 30cm 미만인 것에 한함)으로서 해당 해상구조물에 설치된 배관이 길이가 30m 이하인 경우

ⓕ 사업소와 사업소 사이의 이송배관이 ⓒ 내지 ⓔ에 의한 경우 중 2 이상에 해당하는 경우

ⓖ 「농어촌 전기공급사업 촉진법」에 따라 설치된 자가발전시설에 사용되는 위험물을 이송하는 경우

ⓔ **일반취급소:** 주유취급소, 판매취급소 및 이송취급소 외의 장소(「석유 및 석유대체연료 사업법」 제29조의 규정에 의한 가짜석유제품에 해당하는 위험물을 취급하는 경우의 장소를 제외)

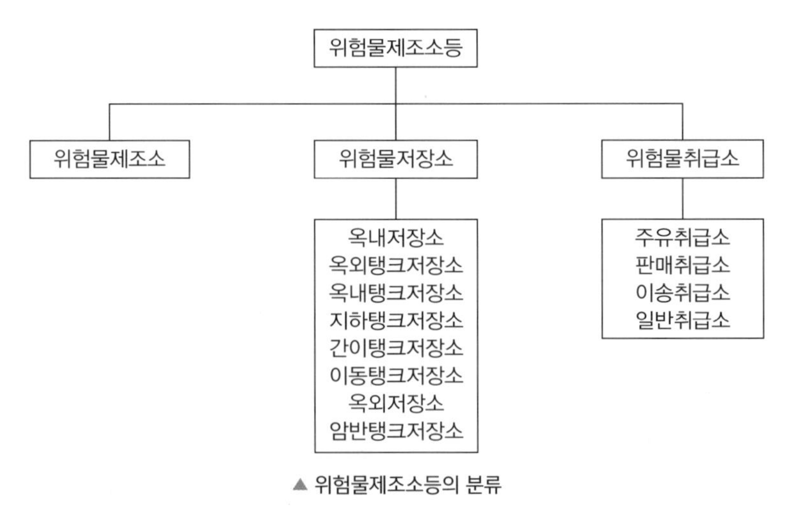

▲ 위험물제조소등의 분류

참고 지정수량 이상의 위험물을 저장하기 위한 장소와 그에 따른 저장소의 구분

지정수량 이상의 위험물을 저장하기 위한 장소	저장소의 구분
1. 옥내에 저장(위험물을 저장하는 데 따르는 취급을 포함)하는 장소(옥내탱크저장소 제외)	옥내저장소
2. 옥외에 있는 탱크에 위험물을 저장하는 장소(지하탱크, 간이탱크, 이동탱크, 암반탱크 제외)	옥외탱크저장소
3. 옥내에 있는 탱크에 위험물을 저장하는 장소	옥내탱크저장소
4. 지하에 매설한 탱크에 위험물을 저장하는 장소	지하탱크저장소
5. 간이탱크에 위험물을 저장하는 장소	간이탱크저장소
6. 차량에 고정된 탱크에 위험물을 저장하는 장소	이동탱크저장소
7. 옥외에 다음에 해당하는 위험물을 저장하는 장소. 다만, 2.의 장소를 제외한다(옥외탱크저장소 제외). · 제2류 위험물 중 유황 또는 인화성 고체(인화점이 섭씨 0도 이상인 것에 한함) · 제4류 위험물 중 제1석유류(인화점이 섭씨 0도 이상인 것에 한함) · 알코올류 · 제2석유류 · 제3석유류 · 제4석유류 및 동식물유류 · 제6류 위험물 · 제2류 위험물 및 제4류 위험물 중 특별시 · 광역시 또는 도의 조례에서 정하는 위험물(「관세법」 제154조의 규정에 의한 보세구역 안에 저장하는 경우에 한함) · 「국제해사기구에 관한 협약」에 의하여 설치된 국제해사기구가 채택한 「국제해상위험물규칙」(IMDG Code)에 적합한 용기에 수납된 위험물	옥외저장소
8. 암반 내의 공간을 이용한 탱크에 액체의 위험물을 저장하는 장소	암반탱크저장소

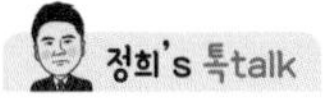

옥외저장소의 특성상 비교적 위험성에 노출되어 있어 위험물 중 비교적 덜 위험하며 외부에 저장할 수 있는 것으로 제한하고 있습니다.

참고 제조소와 일반취급소의 구별(중앙소방학교 예방실무Ⅱ)

제조소는 위험물을 제조하는 시설이므로 생산제품이 위험물이다. 이는 위험물을 원료로 하여 위험물을 제조 · 생산하는 경우(원유를 원료로 휘발유, 등유, 경유, 중유 등을 생산하는 경우)와 비위험물을 원료로 하여 위험물을 제조 · 생산하는 경우(감자를 원료로 알코올을 생산하는 경우)가 있는데 제조소는 원료가 위험물인지 비위험물인지 여부를 가리지 않고 생산제품이 위험물이면 제조소에 속한다. 그러나 제조소와 유사한 제조시설을 가지고 있다 하더라도 생산제품이 위험물이 아닐 경우 제조소가 아닌 일반취급소로 분류한다. 따라서 제조소와 일반취급소를 구분하는 기준은 생산제품이 위험물인지 여부이다.

CHAPTER 2 위험물 유별 성상 등

1 제1류 위험물(산화성 고체) B

(1) 위험물의 지정수량 및 품명

품명	지정수량	위험등급
아염소산염❶류[아염소산($HClO_2$)]	50kg	Ⅰ
염소산염류[염소산($HClO_3$)]		
과염소산염류[과염소산($HClO_4$)]		
무기과산화물		
브롬산염류[브롬산($HBrO_3$)]	300kg	Ⅱ
질산염류[질산(HNO_3)]		
요오드산염류[요오드(HIO_3)]		
과망간산염류[과망간산(HM_nO_4)]	1000kg	Ⅲ
중크롬산염류[중크롬산(HM_nO_4)]		

(2) 공통성질

① 일반적으로 불연성이며 산소를 함유하고 있는 강산화제이다.

② 대부분 무색 결정 또는 백색 분말이며 비중이 1보다 크고, 물에 잘 녹는다.

③ 물과 반응하여 열과 산소를 발생시키는 것도 있다.

④ KNO_3, $NaNO_3$, NH_4NO_3와 같은 질산염류는 조해성이 있다.

⑤ 조연성 물질로서 반응성이 풍부하여 열, 충격, 마찰 또는 분해를 촉진하는 약품과의 접촉으로 폭발의 위험성이 있다.

⑥ 대부분 산소를 포함하는 무기화합물이다(염소화이소시아눌산 제외).

⑦ 단독으로 분해 · 폭발하는 경우는 적지만 가연물이 혼합되어 있을 때는 연소 · 폭발한다.

(3) 저장 및 취급방법

① 알칼리금속의 과산화물 및 이를 함유한 것은 물과의 접촉을 금지한다.

② 화기엄금하고, 가열 · 충격 · 타격 · 마찰을 금지한다.

③ 대부분 조해성을 가지므로 습기에 주의하며, 밀폐하여 저장한다.

④ 제2류 · 제3류 · 제4류 그리고 제5류 위험물과의 접촉을 막는 조치가 필요하다.

⑤ 통풍이 잘 되는 차가운 곳에 저장한다.

⑥ 산화되기 쉬운 물질과 화재 위험이 있는 곳으로부터 떨어진 장소에 저장한다.

용어사전

❶ 아염소산염: 아염소산의 수소가 금속 또는 양성원자단으로 치환된 화합물

핵심 적중

01 제1류 위험물이 아닌 것은?

① 질산염류 ② 무기과산화물
③ 요오드산 ④ 과염소산

정답 ④

02 제1류 위험물에 대한 설명으로 가장 옳은 것은? 17. 하반기 공채

① 산화성 고체이며 대부분 물에 잘 녹는다.
② 가연성 고체로서 강산화제로 작용을 한다.
③ 무기과산화물은 물주수를 통한 냉각소화가 적합하다.
④ 과산화수소, 과염소산, 질산, 유기과산화물이 제1류 위험물에 해당한다.

정답 ①

03 제1류 위험물의 일반적 성질에 대한 설명으로 옳지 않은 것은? 18. 하반기 공채

① 불연성 물질이다.
② 강력한 환원제이다.
③ 대부분 무기화합물이다.
④ 다른 가연물의 연소를 돕는 지연성 물질이다.

정답 ②

(4) 소화방법 및 화재진압대책

① 산소의 분해 방지를 위하여 물과 급격히 반응하지 않는 것은 물로 주수하는 냉각소화가 효과적이다. 화재 주위의 가연물과는 격리하거나 주위 가연물의 소화에 주력하는 것이 바람직하다.

② 무기과산화물은 금수성이 있으므로 물을 사용하여서는 아니 된다. 주로 초기단계에서는 마른 모래, 소화질석을 사용한 질식소화가 효과적이다.

③ 가연물과 혼합하여 연소하고 있는 경우는 폭발의 위험이 있으므로 충분한 거리를 확보하는 등 안전사고에 주의하여야 한다.

④ 자신은 불연성이기 때문에 가연물 종류에 따라 화재진압대책을 수립하여야 한다.

⑤ CO_2, 포, 할론, 분말에 의한 질식소화는 효과가 적으므로 사용에 주의하여야 한다.

⑥ 소화 작업 시 공기호흡기, 보안경, 방호의 등 보호장구를 착용하여야 한다.

⑦ 화재 진압 후 소화잔수는 산화성이 있으므로 화재 현장 내의 건조된 가연물은 연소성이 증가할 위험성이 있으므로 주의하여야 한다.

(5) 종류별 특징

① 무기과산화물(Inorganic Peroxide)

㉠ 과산화수소(H_2O_2)의 수소가 금속으로 치환된 화합물을 말한다.

㉡ 알칼리금속의 과산화물(Na_2O_2)과 알칼리토금속의 과산화물(MgO_2)이 있다.

㉢ 분자 중에 있는 산소원자 간의 - O - O - 결합력이 약하여 불안정하므로 안정된 상태로 되려는 성질이 있다.

㉣ 과산화나트륨(Sodium peroxide, Na_2O_2)

ⓐ 산화제, 표백제, 살균제, 소독제 등에 사용된다.

ⓑ 강한 산화제로서 가열하면 쉽게 산소를 방출한다.

$$2Na_2O_2 \rightarrow 2Na_2O + O_2 \uparrow$$

ⓒ 과산화나트륨(Na_2O_2)의 반응식은 다음과 같다.

- 물과 반응
  $2Na_2O_2 + 2H_2O \rightarrow 4NaOH + O_2 \uparrow$ (수산화나트륨 + 산소)
- 가열분해반응
  $2Na_2O_2 \xrightarrow[\triangle]{} + 2Na_2O + O_2 \uparrow$ (산화나트륨 + 산소)
- 탄산가스와 반응
  $2Na_2O_2 + 2CO_2 \rightarrow 2Na_2CO_3 + O_2 \uparrow$ (탄산나트륨 + 산소)
- 염산과 반응
  $Na_2O_2 + 2HCl \rightarrow 2NaCl + H_2O_2$(염화나트륨 + 과산화수소)
- 초산과 반응
  $Na_2O_2 + 2CH_3COOH \rightarrow 2CH_3COONa + H_2O_2$(초산나트륨 + 과산화수소)

ⓓ 자신뿐만 아니라 물과 반응하여 생긴 NaOH가 부식성이므로 소화작업 시에는 반드시 방호의, 고무장갑, 고무장화를 착용하여야 한다.

ⓔ 절대주수엄금, CO_2 · 할로겐소화 불가, 소화질석 · 마른 모래로 질식소화한다.

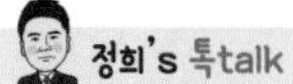

마른 모래, 팽창질석(소화질석) 등은 거의 모든 위험물에 소화적응성이 있습니다. 그러나 위험물 화재는 대형화재이므로 초기소화가 아니면 그 사용이 제한적입니다.

핵심기출

01 위험물의 종류에 따른 소화방법으로 옳지 않은 것은? 21. 공채

① 제1류 위험물인 알칼리금속의 과산화물은 물을 사용한다.
② 제2류 위험물인 마그네슘은 건조사를 사용한다.
③ 제3류 위험물인 알킬알루미늄은 건조사를 사용한다.
④ 제4류 위험물인 알코올은 내알코올포(泡, foam)를 사용한다.

정답 ①

02 위험물에 화재 시 소화대책에 대한 설명으로 옳은 것만 고른 것은? 18. 상반기 공채

ㄱ. 제1류 위험물 - 무기과산화물은 주수소화를 금하고 마른 모래 등을 활용한 질식소화가 효과적이다.
ㄴ. 제2류 위험물 - 철분과 황화린은 마른 모래 등의 건식소화보다는 주수소화가 효과적이다.
ㄷ. 제3류 위험물 - 황린을 제외한 나머지 위험물은 주수소화가 효과적이다.
ㄹ. 제5류 위험물 - 모든 제5류 위험물은 주수소화를 금한다.

① ㄱ ② ㄱ, ㄴ, ㄷ
③ ㄴ, ㄷ, ㄹ ④ ㄱ, ㄴ, ㄷ, ㄹ

정답 ①

03 물과 반응하여 산소를 발생시키는 위험물로 옳은 것은? 24. 공채·경채

① 칼륨
② 탄화칼슘
③ 과산화나트륨
④ 오황화인

정답 ①

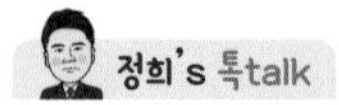

과산화나트륨과 이산화탄소 반응식

$2Na_2O_2 + 2CO_2 \rightarrow 2Na_2CO_3 + O_2 \uparrow$
(탄산나트륨) (산소)

염소산칼륨 분해반응식

1. 400℃

$2KClO_3 \rightarrow KClO_4 + KCl + O_2$ (염소산칼륨)(과염소산칼륨)(염소산칼륨)(산소)

2. 540℃ ~ 560℃

$2KClO_3 \rightarrow 2KCl + 3O_2$

ⓜ **과산화칼륨**(Potassium Peroxide, K_2O_2)

ⓐ 무색 또는 오렌지색의 분말로 흡습성이 있으며 에탄올에 용해된다.

ⓑ 가열하면 분해하여 산소를 방출한다.

$2K_2O_2 \rightarrow 2K_2O + O_2 \uparrow$

ⓒ **과산화칼륨 + 물**

$2K_2O_2 + 2H_2O \rightarrow 4KOH + O_2$

ⓑ MgO_2(**과산화마그네슘**)

ⓐ 물에 녹지 않으며, 산에 녹아 과산화수소(H_2O_2)를 발생한다(산과 반응).

$MgO_2 + 2HCl \rightarrow MgCl_2 + H_2O_2 \uparrow$

ⓑ 가열분해하여 산화마그네슘과 산소(O_2)를 발생한다.

$2MgO_2 \rightarrow 2MgO + O_2 \uparrow$

ⓢ CaO_2(**과산화칼슘**)

ⓐ 산과 반응하여 과산화수소를 낸다.

$CaO_2 + 2HCl \rightarrow CaCl_2 + H_2O_2$

ⓑ 분해 온도 이상으로 가열하면 폭발의 위험이 있다.

② **질산염류**(Nitrate)

ⓖ **질산**(HNO_3)**의 수소가 금속 또는 양성원자단으로 치환된 화합물**을 말한다.

ⓛ 강한 산화제로 폭약의 원료로 사용된다.

ⓓ **조해성**이 강하다.

ⓡ **질산나트륨**($NaNO_3$)

ⓐ 무색 · 무취의 투명한 결정 또는 분말이며, 물 · 글리세린에 잘 녹고, 수용액은 중성이다.

ⓑ 산화제, 분석시약, 열처리제 등에 사용된다.

ⓒ 질산나트륨의 반응식은 다음과 같다.

열분해 반응식 $2NaNO_3 \xrightarrow[\triangle]{} + 2NaNO_2 + O_2 \uparrow$ (아질산나트륨 + 산소)

ⓜ **질산칼륨**(KNO_3)

ⓐ 분해온도는 400℃이며, 무색 또는 백색결정 또는 분말이고, 초석이라고 부른다.

ⓑ 글리세린에 잘 녹고 알코올에는 난용이나 흡습성은 없다.

ⓒ 질산칼륨의 반응식은 다음과 같다.

열분해 반응식 $2KNO_3 \xrightarrow[\triangle]{} + 2KNO_2 + O_2 \uparrow$ (아질산칼륨 + 산소)

③ 과망간산염류(Permanganate)

㉠ 과망간산나트륨(Sodium Permanganate, $NaMnO_4$)

ⓐ 살균제, 소독제, 산화제, 해독제로 이용되는 적자색 결정으로 물에 잘 녹는다.

ⓑ 녹는점(170℃) 이상으로 가열하면 산소를 방출한다.

$$2NaMnO_4 \rightarrow Na_2MnO_4 + MnO_2 + O_2 \uparrow$$

㉡ 과망간산칼륨(Potassium Permanganate, $KMnO_4$)

ⓐ 흑자색의 결정으로 단맛이 있으며 물, 알코올, 초산, 아세톤에 녹는다.

ⓑ 가열하면 녹는점(240℃)에서 분해하여 산소를 방출한다.

$$2KMnO_4 \rightarrow K_2MnO_4 + MnO_2 + O_2 \uparrow$$

(과망간산칼륨) (망간산칼륨) (이산화망간) (산소)

④ 중크롬산염류(Dichromate)

㉠ 중크롬산($H_2Cr_2O_7$)의 수소를 금속 또는 양성원자단으로 치환한 화합물을 말한다.

㉡ 성냥 · 의약품의 원료로 사용된다.

㉢ 중크롬산칼륨($K_2Cr_2O_7$)

ⓐ 등적색의 판상결정으로 쓴맛이 있고 물에는 녹으나 알코올에는 녹지 않는다.

ⓑ 산화제 · 성냥 · 촉매 · 의약 · 염료에 쓰인다.

ⓒ 500℃ 이상에서 분해하여 산소를 발생한다.

$$4K_2Cr_2O_7 \rightarrow 4K_2CrO_4 + 2Cr_2O_3 + 3O_2$$

참고 위험물의 위험등급(시행규칙 [별표 19])

1. 위험등급 I 의 위험물
   - 제1류 위험물 중 아염소산염류, 염소산염류, 과염소산염류, 무기과산화물 그 밖에 지정수량이 50kg인 위험물
   - 제3류 위험물 중 칼륨, 나트륨, 알킬알루미늄, 알킬리튬, 황린 그 밖에 지정수량이 10kg 또는 20kg인 위험물
   - 제4류 위험물 중 특수인화물
   - 제5류 위험물 중 유기과산화물, 질산에스테르류 그 밖에 지정수량이 10kg인 위험물
   - 제6류 위험물
2. 위험등급 II 의 위험물
   - 제1류 위험물 중 브롬산염류, 질산염류, 요오드산염류 그 밖에 지정수량이 300kg인 위험물
   - 제2류 위험물 중 황화린, 적린, 유황 그 밖에 지정수량이 100kg인 위험물
   - 제3류 위험물 중 알칼리금속(칼륨 및 나트륨을 제외한다) 및 알칼리토금속, 유기금속화합물(알킬알루미늄 및 알킬리튬을 제외한다) 그 밖에 지정수량이 50kg인 위험물
   - 제4류 위험물 중 제1석유류 및 알코올류
   - 제5류 위험물 중 제1호 라목에 정하는 위험물 외의 것
3. 위험등급 III 의 위험물

   1. 및 2.에 정하지 아니한 위험물

2 제2류 위험물(가연성 고체) B

(1) 위험물의 지정수량 및 품명

품명	지정수량	위험등급
황화린[황과 적린의 화합물: 삼황화인(P_4S_3), 오황화인(P_2S_5)]	100kg	Ⅱ
적린(성냥의 원료인 붉은 인)		
유황(순도가 60wt% 이상)		
철분(53㎛ 표준체 50wt% 이상)	500kg	Ⅲ
금속분(알칼리금속 · 알칼리토금속 · 철 · 마그네슘 외)		
마그네슘(2mm의 체를 통과하지 아니하는 덩어리 상태의 것과 직경 2mm 이상의 막대 모양의 것은 제외)		
인화성 고체(1기압에서 인화점이 40℃ 미만인 고체)	1000kg	

(2) 공통성질

① 모두 산소를 함유하고 있지 않은 강한 환원성 물질(환원제)이다.

② 비중이 1보다 큰 가연성 고체로서 비교적 낮은 온도에서 착화하기 쉽다.

③ 산화제와 접촉하면 급격하게 폭발할 수 있는 가연성 물질이며, 연소속도가 빠르고 연소열이 큰 고체이다.

④ 철분 · 금속분 · 마그네슘은 물과 산의 접촉으로 수소가스를 발생하고 발열한다. 금속분은 습기와 접촉할 때 자연발화의 위험성이 있다.

⑤ 금속분 · 유황가루 · 철분은 밀폐된 공간 내에서 점화원이 있으면 분진폭발을 일으킨다.

(3) 저장 및 취급방법

① 철분 · 금속분 · 마그네슘분의 경우는 물 또는 묽은 산과의 접촉을 피한다.

② 강산화제(제1류 위험물 또는 제6류 위험물)와 혼합을 피한다.

③ 저장용기를 밀폐하고 위험물의 누출을 방지한다.

④ 통풍이 잘 되는 냉암소(冷暗所)에 저장한다.

⑤ 화기엄금, 가열엄금, 고온체와의 접촉을 방지한다.

(4) 소화방법 및 화재진압대책

① 철분 · 금속분 · 마그네슘은 마른 모래 · 건조분말 · 금속화재용 분말소화약제를 사용하여 질식소화한다.

② 황화린은 이산화탄소소화약제 · 마른 모래 · 건조분말에 의한 질식소화한다.

③ 냉각소화가 적당하다(금속분 · 철분 · 마그네슘 · 황화린 제외).

④ 분진폭발이 우려되는 경우 충분히 안전거리를 확보하여야 한다.

⑤ 제2류 위험물 화재 시는 다량의 열과 유독성의 연기를 발생하므로 반드시 방호복과 공기호흡기를 착용하여야 한다.

핵심 적중

01 제2류 위험물에 대한 설명으로 옳지 않은 것은?

① 가연성 물질이다.
② 강한 환원성을 가지고 있는 물질이다.
③ 철분은 물과 반응하여 수소기체가 발생한다.
④ 적린, 황린, 유황은 제2류 위험물이다.

정답 ④

02 위험물 지정수량이 다른 하나는? 19. 공채

① 탄화칼슘
② 과염소산
③ 마그네슘
④ 금속의 인화물

정답 ③

정희's 톡talk

금속분, 철분, 마그네슘이 연소하고 있을 때 주수하면 급격히 발생한 수증기의 압력이나 분해에 의해서 발생한 수소에 의해 폭발의 위험이 있습니다.

핵심 기출

위험물에 대한 설명으로 옳지 않은 것은? 17. 상반기 공채

① 제1류 위험물 - 불연성 물질로서 가열, 충격에 의해 산소를 방출하는 강산화성 고체이다.
② 제2류 위험물 - 마그네슘, 유황, 적린은 주수에 의한 냉각소화가 가능하다.
③ 제3류 위험물 - 자연발화의 위험성이 있는 것을 말한다.
④ 제5류 위험물 - 자기 자신이 산소를 함유하고 있는 자기반응성 물질이다.

정답 ②

(5) 종류별 특징 〈소방간부 출제범위〉

① **황화린**(Phosphorus sulfide)

㉠ 인의 황화물을 통틀어 이르는 말이다.

㉡ 대표적인 황화린은 **삼황화린**(P_4S_3), **오황화린**(P_2S_5), **칠황화린**(P_4S_7)이다.

㉢ 산화제 · 가연물 · 강산류 · 금속분과의 혼합을 방지한다.

㉣ **CO_2 · 건조분말 · 마른 모래로 질식소화한다.**

㉤ 물이나 알칼리와 반응하면 분해하여 황화수소(H_2S)와 인산(H_3PO_4)으로 된다.

$P_2S_5 + 8H_2O \rightarrow 5H_2S + 2H_3PO_4$

② **적린**(Red phosphorus, P)

㉠ **적린은 암적색 무취의 분말로 황린과 동소체이다.** 공기를 차단한 상태에서 황린을 약 260℃로 가열하면 생성된다(적린의 증기를 냉각시키면 황린이 된다).

㉡ **황린과 달리 안정적이다.**

㉢ 연소하면 황린과 같이 유독성 P_2O_5의 흰 연기를 발생한다.

$4P + 5O_2 \rightarrow 2P_2O_5\uparrow$ (오산화린)

㉣ 화재 시 다량의 물로 **냉각소화**한다.

㉤ 황린과 달리 발화성이 없고, 독성이 약하다.

③ **유황**(Sulfur, Thion, S)

㉠ 순도가 60wt% **이상**인 것을 위험물로 분류한다.

㉡ 물에 불용, 알코올에 난용이고 이황화탄소에 잘 녹는다.

㉢ 미세한 분말상태로 공기 중 부유하면 **분진폭발**을 일으킨다.

㉣ **전기의 부도체**이며 마찰에 의해 정전기가 발생할 우려가 있다.

㉤ **황 연소반응식:** 공기 중에서 연소하면 푸른 빛을 내며 **아황산가스(SO_2)**를 발생한다.

$S + O_2 \rightarrow SO_2$ (아황산가스)

④ **철분**(Iron powder, Ferrum powder, Fe)

㉠ **53㎛의 표준체를 통과하는 것이 50wt% 미만인 것은 제외한다.**

㉡ 회백색의 광택이 나는 **금속분말로서 미세한 분말일수록 작은 점화원에 의해 분진폭발**한다. 연소하기 쉽고 절삭유와 같은 기름이 묻은 철분을 장기간 방치하면 **자연발화**한다.

㉢ **수증기와 반응하면 수소를 발생하고 경우에 따라 폭발한다.**

㉣ **상온에서 묽은 산과 반응하여 수소를 발생한다.**

$Fe + 2HCl \rightarrow FeCl_2 + H_2\uparrow$ (염화제일철)

㉤ 공기 중에서 서서히 소화하여 산화철(Fe_2O_3)이 되어 은백색의 광택이 황갈색으로 변한다.

$4Fe + 3O_3 \rightarrow 2Fe_2O_3$

핵심기출

「위험물안전관리법 시행령」상 자연발화성 물질 및 금수성 물질 중 지정수량이 다른 것은?

24. 소방간부

① 황린
② 칼륨
③ 나트륨
④ 알킬리튬
⑤ 알킬알루미늄

정답 ①

정희's 톡talk

오황화린 연소반응식

$P_2S_5 + 7.5O_2 \rightarrow P_2O_5 + 5SO_2$ (오황화린)(산소) (오산화인) (이산화황)

⑤ 금속분(Metal powder)

㉠ 알칼리금속 · 알칼리토류금속 · 철 및 마그네슘 외의 금속의 분말을 말하고, 구리분 · 니켈분 및 150마이크로미터의 체를 통과하는 것이 50중량퍼센트 미만인 것은 제외한다.

㉡ **화재 시 물을 이용한 냉각소화는 부적당하다.** 주수로 인하여 급격히 발생하는 수증기의 압력과 수증기 분해에 의한 수소발생에 의하여 금속분이 비산 · 폭발하여 화재범위를 넓히는 위험이 있다.

㉢ 알루미늄 + 물의 반응

$2Al + 6H_2O \rightarrow 2Al(OH)_3 + 3H_2$ (수산화알루미늄)

㉣ 알루미늄 + 산소의 반응

$4Al + 3O_2 \rightarrow 2Al_2O_3$ (산화알루미늄)

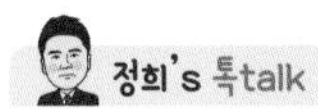

알루미늄의 염산과의 반응

$Al + 3HCl \rightarrow AlCl_3 + 1.5H_2$

⑥ 마그네슘(Magnesium, Mg)

㉠ **2mm의 체를 통과하지 아니하는 덩어리 상태의 것과 직경 2mm 이상의 막대모양의 것은 위험물에서 제외한다.**

㉡ 공기 중 부식성은 적으나 산이나 염류에 의해 침식당한다.

㉢ 열전도율 · 전기 전도율은 알루미늄보다 낮다.

㉣ 공기 중 미세한 분말이 부유하면 **분진폭발**의 위험이 있다.

㉤ 산이나 더운물에 반응하여 수소를 발생하며, 많은 반응열에 의하여 발화한다.

$Mg + 2HCl \rightarrow MgCl_2 + H_2\uparrow + Qkcal$ (염화마그네슘)

$Mg + 2H_2O \rightarrow Mg(OH)_2 + H_2$ (온수)

㉥ 가열하면 연소하기 쉽고 백광 또는 푸른 불꽃을 내며, 양이 많은 경우 순간적으로 맹렬히 폭발한다.

$2Mg + O_2 \rightarrow 2MgO$ (산화마그네슘)

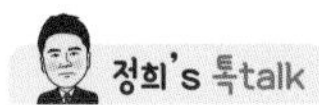

연소 시 주수하면 위험성 증대

1. 연소: $2Mg + O_2 \rightarrow 2MgO$ + 발열
2. 주수: $Mg + 2H_2O \rightarrow Mg(OH)_2 + H_2\uparrow$
3. 수소폭발: $2H_2 + O_2 \rightarrow 2H_2O$

핵심 기출

위험물의 유별 특성 중 옳은 것만을 〈보기〉에서 있는 대로 고른 것은? 23. 공채

〈보기〉
- ㄱ. 아염소산나트륨은 불연성, 조해성, 수용성이며, 무색 또는 백색의 결정성 분말 형태이다.
- ㄴ. 마그네슘은 끓는 물과 접촉 시 수소가스를 발생시킨다.
- ㄷ. 황린은 공기 중 상온에 노출되면 액화되면서 자연발화를 일으킨다.

① ㄱ, ㄴ
② ㄱ, ㄷ
③ ㄴ, ㄷ
④ ㄱ, ㄴ, ㄷ

정답 ④

⑦ 인화성 고체(Inflammable solid)

㉠ 인화성 고체는 고형알코올 그 밖에 1기압에서 **인화점이 40℃ 미만인 고체**이다.

㉡ 대부분 유기화합물로서 인화성 고체 또는 반고체 상태이므로 성질은 거의 제4류 위험물과 유사하다.

㉢ **제조소등의 게시판 및 운반용기 외부**에 표시해야 하는 주의사항은 **'화기엄금'**으로 한다.

㉣ 상온(20℃) 이상에서 가연성 증기를 발생한다.

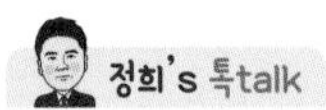

마그네슘 + 이산화탄소 소화기 반응

$2Mg + CO_2 \rightarrow 2MgO + C$

1. 탄소가 발생해 공기 중에서 폭발의 위험이 있습니다.
2. 이산화탄소 소화기로 마그네슘을 소화해서는 안됩니다.

3 제3류 위험물(자연발화성 및 금수성 물질) A

(1) 위험물의 지정수량 및 품명

품명	지정수량	위험등급
1. 칼륨(K) 2. 나트륨(Na) 3. 알킬알루미늄: 알킬기(C_nH_{2n+1}, R)와 알루미늄(Al)의 화합물 4. 알킬리튬: 알킬기(C_nH_{2n+1}, R)와 리튬(Li)의 화합물	10kg	Ⅰ
5. 황린(P_4)	20kg	
6. 알칼리금속 및 알칼리토금속(나트륨, 칼륨, 마그네슘은 제외) 7. 유기금속화합물(알킬알루미늄 및 알킬리튬은 제외)	50kg	Ⅱ
8. 금속의 수소화물(수소와 금속원소의 화합물) 9. 금속의 인화물(인과 금속원소의 화합물) 10. 칼슘 또는 알루미늄의 탄화물(칼슘의 탄화물 또는 알루미늄의 탄화물)	300kg	Ⅲ
11. 그 밖에 행정안전부령이 정하는 것(염소화규소화합물)	300kg	–
12. 1.~11.의 어느 하나 이상을 함유한 것	10kg, 20kg, 50kg, 또는 300kg	

(2) 공통성질

① 무기화합물과 유기화합물로 구성되어 있다.

② 칼륨(K)·나트륨(Na)·알킬알루미늄(RAl)·알킬리튬(RLi)을 제외하고 물보다 무겁다.

③ 대부분이 고체이다(단, 알킬알루미늄·알킬리튬은 고체 또는 액체).

④ 칼륨·나트륨·알칼리금속·알칼리토금속은 보호액(석유) 속에 보관한다.

⑤ 가열 또는 강산화성 물질·강산류와 접촉으로 위험성이 증가한다.

(3) 저장 및 취급방법

① 제1류 위험물, 제6류 위험물 등 산화성 물질과 강산류와의 접촉을 방지한다.

② 용기는 완전히 밀봉하고, 파손 및 부식을 막으며, 수분과의 접촉을 방지한다.

③ 알킬알루미늄·알킬리튬·유기금속화합물류는 화기를 엄금하고 용기 내압이 상승하지 않도록 한다.

④ **알킬알루미늄·알킬리튬**은 공기나 물을 만나면 격렬하게 반응하여 발화할 수 있다. 특히 저장 시 수분의 접촉을 차단하기 위하여 **헥산 속에 저장**한다.

⑤ **황린은 공기 중에서 산화를 피하기 위하여 물 속에 저장**한다. 황린의 저장액인 물의 증발 또는 용기파손에 의한 물의 누출을 방지하여야 한다.

핵심 적중

01 다음 중 제3류 위험물의 종류로 옳지 않은 것은?
① 염소화규소화합물
② 황화린
③ 칼륨
④ 금속의 수소화합물
정답 ②

02 다음 중 위험물의 지정수량으로 옳은 것은? 17. 하반기 공채
① 중크롬산염류 - 10kg
② 알킬리튬 - 10kg
③ 니트로화합물 - 100kg
④ 질산 - 100kg
정답 ②

03 「위험물안전관리법」상 위험물의 분류 중 가연성 고체가 아닌 것은? 18. 하반기 공채
① 황린 ② 적린
③ 유황 ④ 황화린
정답 ①

04 「위험물안전관리법 시행령」상 제3류 위험물의 품명 및 지정수량으로 옳은 것은? 20. 소방간부
① 나트륨 - 5kg
② 황린 - 10kg
③ 알칼리토금속 - 30kg
④ 알킬리튬 - 50kg
⑤ 금속의 인화물 - 300kg
정답 ⑤

05 「위험물안전관리법 시행령」상 위험물에 관한 설명으로 옳은 것은? 22. 소방간부
① 제1류 위험물 중에 무기과산화물은 주수를 이용한 냉각소화가 적합하다.
② 제2류 위험물은 다른 가연물의 연소를 돕는 조연성 물질이다.
③ 제3류 위험물 중에 황린은 공기 중 산화를 방지하기 위해 물 속에 저장한다.
④ 제4류 위험물은 수용성 액체로 물에 의한 희석소화가 적합하다.
⑤ 제5류 위험물은 포, 이산화탄소에 의한 질식소화가 적합하다.
정답 ③

핵심기출

위험물의 소화방법에 관한 내용으로 옳은 것만을 〈보기〉에서 있는 대로 고른 것은?

24. 공채·경채

〈보기〉

ㄱ. 황린: 물을 이용한 냉각소화
ㄴ. 유황: 물을 이용한 냉각소화
ㄷ. 경유, 휘발유: 포 소화약제를 이용한 질식소화
ㄹ. 탄화알루미늄, 알킬알루미늄: 건조사, 팽창질석을 이용한 질식소화

① ㄱ, ㄷ
② ㄴ, ㄹ
③ ㄱ, ㄷ, ㄹ
④ ㄱ, ㄴ, ㄷ, ㄹ

정답 ④

$2(CH_3)_3Al + 12O_2 \rightarrow Al_2O_3 + 9H_2O + 6CO_2$
(산화알루미늄)

(4) 소화방법 및 화재진압대책

① 황린을 제외하고는 절대로 물을 사용하여서는 아니 된다.
② 금속화재용 분말소화약제에 의한 질식소화를 한다.
③ K · Na은 적절한 소화약제가 없으므로 연소확대 방지에 주력하여야 한다.
④ 마른 모래 · 팽창질석 · 팽창진주암 · 건조석회(생석회 · CaO)로 상황에 따라 조심스럽게 질식소화한다.

(5) 종류별 특징

① **칼륨**(Potassium, K)

㉠ 실온공기 중 빠르게 산화되어 피막(K_2O)을 형성하여 광택을 잃는다.

$$4K + O_2 \rightarrow 2K_2O$$

㉡ **공기 중 방치하면 자연발화의 위험**이 있고, 가열하면 적자색의 불꽃을 내며 연소한다.

㉢ 물과 격렬히 반응하여 발열하고 수소와 열을 발생한다.

$$2K + 2H_2O \rightarrow 2KOH + H_2\uparrow + Qkcal$$

㉣ 칼륨의 소화방법은 마른모래 정도가 있으나 대량일 경우 소화가 어렵다. **물 · 사염화탄소(CCl_4) 또는 CO_2와는 폭발반응하므로 절대 사용할 수 없다.**

② **나트륨**(Sodium, Na)

㉠ 환원제 · 유기합성 · 합금 · 무기합성 · 염료 등 매우 다양하게 쓰인다.

㉡ 물과 격렬히 반응하여 발열하고 수소를 발생한다.

$$2Na + 2H_2O \rightarrow 2NaOH + H_2\uparrow + Qkcal$$

㉢ 액체암모니아 · 알코올과도 K와 같이 반응하여 수소를 발생한다. CO_2 · CCl_4와도 K와 같이 폭발적으로 반응한다.

㉣ **나트륨 연소반응식**

$$4Na + O_2 \rightarrow 2Na_2O$$

③ **알킬알루미늄**(Alkyl Aluminium)

㉠ 알킬기 $C_nH_{2n} + 1$(R)과 알루미늄의 화합물을 알킬알루미늄(R-Al)이라 하며 할로겐이 들어간 경우가 있다.

㉡ **트리메틸알루미늄**(TMA) **+ 물**

$$(CH_3)_3Al + 3H_2O \rightarrow Al(OH)_3 + 3CH_4$$
(메탄)

㉢ **트리에틸알루미늄**(Triethyl Aluminium, $(C_2H_5)_3Al$): 물과 반응하여 에탄가스(C_2H_6)를 발생하고 발열 · 폭발한다.

$$(C_2H_5)_3Al + 3H_2O \rightarrow Al(OH)_3 + 3C_2H_6\uparrow$$
(에탄)

④ 황린(Yellow phosphorus, White phosphorus, P_4, 백린)

㉠ **화재 시에는 물로 냉각소화하되 가급적 분무주수한다.** 초기소화에는 포 · CO_2, 분말소화약제도 유효하며, 젖은 모래 · 흙 등으로 질식소화할 수 있다.

㉡ **미분상의 발화점은** 34℃이고, 고형상의 발화점은 60℃(**습한 공기 중에서는** 30℃)이다.

㉢ 물에 불용하여 벤젠 · 이황화탄소에 녹는다. 따라서 **물 속에 저장**한다(알칼리제를 넣어 pH9 정도 유지).

㉣ 발화점이 매우 낮아 공기 중에 노출되면 서서히 **자연발화**를 일으키고 어두운 곳에서 청백색의 인광을 낸다.

㉤ 공기 중에 격렬하게 연소하여 유독성 가스인 **오산화인**(P_2O_5)의 백연을 낸다.

$$P_4 + 5O_2 \rightarrow 2P_2O_5\uparrow + Qkcal$$
(황린) (오산화린)

㉥ NaOH 등 강알칼리 용액과 반응하여 맹독성의 **포스핀가스**(PH_3)를 발생한다.

⑤ 알칼리금속 및 알칼리토금속(지정수량 50kg)

㉠ **알칼리금속**: Li, Rb, Cs, Fr(K · Na 제외)

㉡ **알칼리토금속**: Be, Ca, Sr, Ba, Ra(Mg 제외)

㉢ 공기 중의 산소 · 수증기 · 이산화탄소와 반응하여 산화물 · 탄산염의 표면피막을 만들어 공기를 격리하기 때문에 상온에서 급격한 반응은 일어나지 않는다.

㉣ **수분에 대해서는 급격한 발열과 수소가스를 동반하여 연소에 이른다.**

㉤ **칼슘+물**

$$Ca + 2H_2O \rightarrow Ca(OH)_2 + H_2$$
(수산화칼슘)

⑥ 유기금속화합물류(Organometallic Compounds)(지정수량 50kg)

㉠ 알킬기와 아닐기 등 탄화수소기와 금속원자가 결합된 화합물이다.

㉡ **대부분 공기 중에서 자연발화하며, 금수성도 함께 가지는 것이 많다.**

㉢ 공기 · 물 · 산화제 · 가연물과 철저히 격리하고 저장용기에 **불활성 가스**를 봉입한다.

⑦ 금속의 수소화물(Hydride)(지정수량 300kg)

㉠ 금속과 수소의 화합물이다. 무색결정으로 비휘발성이며 녹는점이 높다.

㉡ **수소화나트륨**(NaH)은 회백색의 결정 또는 분말이며 불안정하고 유독한 가연성 물질이다. 건조한 공기 중에서는 안정하지만 습한 공기 중에 노출되면 자연발화한다.

㉢ **수소화칼륨**(KH)은 금속염의 환원제 · 촉매 · 시약 · 수소발생원으로 사용된다. 자연발화온도는 300℃ 이하이고 건조공기 중에서는 안정하며, 환원성이 강하다.

핵심 적중

01 황린에 대한 설명 중 옳은 것은?

① 공기 중에서 안정한 물질이다.
② 물, 이황화탄소, 벤젠에 잘 녹는다.
③ 알칼리 수용액과 반응하여 유독한 포스핀 가스가 발생한다.
④ 제2류 위험물에 해당한다.

정답 ③

02 위험물 중 황린(P_4)에 관한 설명으로 옳지 않은 것은? 24. 소방간부

① 제3류 위험물이다.
② 미분상의 발화점은 34℃이다.
③ 연소할 때 오산화인(P_2O_5)의 백색 연기를 낸다.
④ 물에 대해 위험한 반응을 초래하는 물질이다.
⑤ 백색 또는 담황색의 고체이다.

정답 ④

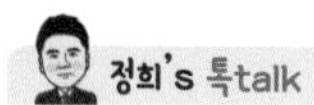

황린

1. 황린을 물속에 보관하는 이유는 인화수소(PH_3) 가스의 발생을 억제하기 위해서입니다.
2. 황린의 특징
   - 백색 또는 담황색의 고체로 강한 마늘 냄새가 납니다.
   - 증기는 공기보다 무거우며, 가연성입니다.
   - 물에는 녹지 않으나 벤젠, 알코올에는 약간 녹고, 이황화탄소 등에는 잘 녹습니다.
   - 공기를 차단하고 약 260℃로 가열하면 적린(붉은 인)이 됩니다.
3. 황린 연소 시 발생하는 오산화인(P_2O_5)의 증기는 유독하며, 흡수성이 강하고 물과 접촉하여 인산(H_3PO_4)을 생성하므로 부식성이 있습니다.

$$2P_2O_5 + 6H_2O \rightarrow 4H_3PO_4$$

$$KH + H_2O \rightarrow KOH + H_2$$
(수소화칼륨)　(수산화칼륨)

㉣ **수소화알루미늄리튬(Lithium Aluminium Hydride, $LiAlH_4$)**: 물과 접촉 시 수소를 발생하고 발화한다.

$$LiAlH_4 + 4H_2O \rightarrow LiOH + Al(OH)_3 + 4H_2\uparrow + Qkcal$$

⑧ **금속의 인화물(Phosphide)(지정수량 300kg)**

㉠ 인(P)과 양성원소의 화합물이다.

㉡ **인화칼슘(인화석회, Ca_3P_2)**은 건조한 공기 중엔 안정하나 300℃ 이상에서 산화한다.

㉢ **인화칼슘**은 물 · 산과 격렬하게 반응하여 **포스핀(인화수소, PH_3)**을 발생한다.

$$Ca_3P_2 + 6H_2O \rightarrow 3Ca(OH)_2 + 2PH_3\uparrow$$
$$Ca_3P_2 + 6HCl \rightarrow 3CaCl_2 + 2PH_3\uparrow$$

㉣ 인화칼륨은 물 · 산과의 접촉으로 포스핀(PH_3)을 발생한다. 밀폐용기에 넣어 환기가 잘되는 찬 곳에 저장한다.

㉤ **인화알루미늄 + 물**

$$AlP + 3H_2O \rightarrow Al(OH)_3 + PH_3$$

⑨ **칼슘 또는 알루미늄의 탄화물(Carbide)(지정수량 300kg)**

㉠ **탄화칼슘(CaC_2, 칼슘카바이드, 탄화석회)**

ⓐ 순수한 것은 무색투명하나 대부분 흑회색의 불규칙한 덩어리이다.

ⓑ 아세틸렌 제조 · 석회질소제조 · 야금 · 용접용단봉 · 유기합성 · 탈수제 등에 사용된다.

ⓒ 건조한 공기 중에서는 안정하지만 350℃ 이상으로 가열하면 산화한다.

$$2CaC_2 + 5O_2 \rightarrow 2CaO + 4CO_2\uparrow$$

ⓓ 물과 심하게 반응하여 수산화칼슘(소석회)과 아세틸렌가스를 발생한다.

$$CaC_2 + 2H_2O \rightarrow Ca(OH)_2 + C_2H_2\uparrow$$
(수산화칼슘)(아세틸렌)

㉡ **탄화알루미늄(Al_4C_3, 알루미늄카바이드)**

ⓐ 순수한 것은 백색이지만 통상은 불순물 때문에 황색의 결정을 이룬다.

ⓑ 촉매 · 메탄가스의 발생 · 금속산화물의 환원 · 질화알루미늄의 제조 등에 사용된다.

ⓒ 상온에서 물과 반응하여 **메탄가스**를 만든다.

$$Al_4C_3 + 12H_2O \rightarrow 4Al(OH)_3 + 3CH_4\uparrow$$
(수산화알루미늄) (메탄)

핵심 기출

01 위험물의 유별 소화방법으로 옳지 않은 것은? 23. 공채

① 탄화칼슘 화재 시 다량의 물로 냉각소화할 수 있다.
② 수용성 메틸알코올 화재에는 내알코올포를 사용한다.
③ 알킬알루미늄은 마른모래, 팽창질석, 팽창진주암으로 소화한다.
④ 적린은 다량의 물로 냉각소화하며, 소량의 적린인 경우에는 마른모래나 이산화탄소 소화약제도 일시적인 효과가 있다.

정답 ①

02 위험물과 물이 반응할 때 발생하는 가스로 옳지 않은 것은? 22. 공채

	위험물	가스
①	탄화알루미늄	아세틸렌
②	인화칼슘	포스핀
③	수소화알루미늄리튬	수소
④	트리에틸알루미늄	에테인

정답 ①

4 제4류 위험물(인화성 액체) A

(1) 위험물의 지정수량 및 품명

종류		지정수량	위험등급
특수인화물	디에틸에테르, 이황화탄소	50L	Ⅰ
제1석유류	비수용성: 휘발유, 벤젠	200L	Ⅱ
	수용성: 아세톤, 시안화수소	400L	
알코올류	메틸알코올, 에틸알코올	400L	
제2석유류	비수용성: 등유, 경유	1,000L	Ⅲ
	수용성: 아세트산, 히드라진	2,000L	
제3석유류	비수용성: 중유, 클레오소트유	2,000L	
	수용성: 글리세린	4,000L	
제4석유류	기어유, 실린더유	6,000L	
동식물유류	정어리 기름	10,000L	

(2) 공통성질

① 물보다 가볍고 물에 녹지 않는 것이 많으며, 대부분 유기화합물이다.

② **발생증기는 가연성이며 대부분의 증기비중은 공기보다 무겁다.** 발생된 증기는 연소하한이 낮아 매우 인화하기 쉽다.

③ **전기의 불량도체**로서 정전기의 축적이 용이하고 이것이 점화원이 되는 때가 많다.

④ **인화점·발화점이 낮은 것은 위험성이 높다.** 비교적 발화점이 낮고 폭발위험성이 공존한다.

⑤ 유동하는 액체화재는 연소확대의 위험이 있고 소화가 곤란하다.

⑥ 인화성 액체의 화재 시 물을 방수하면 오히려 화재면적을 확대시키는 결과를 가져온다.

⑦ **이황화탄소는 발화점(착화점)이** 100℃로 매우 낮아 자연발화의 위험이 있다.

⑧ 화재 시 많은 대류열과 복사열로 인하여 화재가 확대되고 흑색 연기가 많이 발생하며 화재진압이 매우 곤란해진다.

(3) 저장 및 취급방법

① 불티·불꽃·화기, 그 밖의 열원의 접근을 피한다.

② 직사광선을 차단하고 통풍과 발생증기의 배출에 노력한다.

③ **정전기의 발생·축적, 스파크의 발생을 억제하여야 한다.**

④ 낮은 온도를 유지하고 찬 곳에 저장한다.

⑤ 인화점이 낮은 석유류에는 **불연성 가스**를 봉입하여 혼합기체의 형성을 억제하여야 한다.

핵심 적중

01 「위험물안전관리법」상 제1석유류로 옳은 것? 18. 소방간부

① 경유 ② 등유
③ 휘발유 ④ 중유
⑤ 클레오소트유

정답 ③

02 제4류 위험물에 대한 설명으로 옳지 않은 것은? 20. 공채

① 물보다 가볍고 물에 녹지 않는 것이 많다.
② 일반적으로 부도체 성질이 강하여 정전기 축적이 쉽다.
③ 발생증기는 가연성이며, 증기비중은 대부분 공기보다 가볍다.
④ 사용량이 많은 휘발유, 경유 등은 연소하한계가 낮아 매우 인화하기 쉽다.

정답 ③

03 「위험물안전관리법」에서 규정하고 있는 제4류 위험물의 공통성질이 아닌 것은?

① 전기적으로 도체이므로 정전기가 점화원으로 작용할 수 없다.
② 증기는 공기와 약간만 혼합되어도 연소의 우려가 있으며, 비교적 낮은 발화점을 가진다.
③ 대부분 물보다 가벼우며, 물에 잘 녹지 않는다.
④ 대부분 증기는 공기보다 무거우며 체류하기 쉽다. 단, 시안화수소는 제외한다.

정답 ①

04 제4류 위험물에 대한 설명으로 옳은 것은?

① 대부분 물질이 물에 쉽게 용해된다.
② 발생하는 대부분의 증기는 공기보다 가볍다.
③ 전기적으로 도체이다.
④ 이황화탄소는 발화점이 낮아 자연발화의 위험이 있다.

정답 ④

(4) 소화방법 및 화재진압대책

① 소규모화재는 CO_2 · 포 · 물분무 · 분말 · 할론소화약제를 이용하여 소화하고, **대규모화재는 포소화약제를 이용하여 질식소화**한다.

② 수용성과 비수용성, 물보다 무거운 것과 물보다 가벼운 것으로 가연물을 구분하여 진압방안을 연계함으로써 화재를 진압하여야 한다.

③ **수용성 석유류**의 화재는 알코올형포 · 다량의 물로 **희석소화**한다.

④ 물보다 무거운 석유류의 화재는 석유류의 유동을 일으키지 않고 물로 피복하여 질식소화가 가능하다. 직접적인 물에 의한 냉각소화는 적당하지 않다.

⑤ 대량화재의 경우는 방사열 때문에 접근이 곤란하므로 안전거리를 확보한다.

⑥ 대형탱크의 화재 발생 시에는 보일오버, 슬롭오버 등 유류화재의 이상현상에 비하여 신중한 전술이 요구된다.

(5) 종류별 특징

① 특수인화물

㉠ **이황화탄소 · 디에틸에테르** 등이 있다.

㉡ 1기압에서 **발화점이 100℃ 이하인** 액체이거나 **인화점이 -20℃ 이하이고 비점이 40℃ 이하인 액체**이다.

㉢ 발화점 · 인화점 · 끓는점이 매우 낮아서 휘발하기 쉽다.

㉣ **이황화탄소(CS_2)는 물에 녹지 않고 물보다 무거우므로 물 속에 저장한다.**

㉤ 디에틸에테르는 무색투명한 액체로서 휘발성이 매우 높고 마취성을 가진다.

㉥ 산화프로필렌(C_3H_6O)은 의약중간제품 · 용제 · 화장품 등에 사용된다. 반응성이 풍부하여 Cu · Mg · Ag · Hg 및 $FeCl_2$와 접촉 시 폭발성 혼합물을 생성한다.

② 제1석유류

㉠ 제1석유류에는 **아세톤 · 휘발유** 등이 있으며, 1기압에서 **인화점이 21℃ 미만인 것**이다.

㉡ **아세톤**은 무색의 독특한 냄새(과일냄새)를 내며 휘발성이 강한 액체이다. 증기는 매우 유독하며 아세틸렌을 녹이므로 아세틸렌 저장에 이용된다.

㉢ **휘발유**는 원유에서 끓는점에 의한 분별증류를 하여 얻어지는 유분 중에서 **가장 낮은 온도에서 분출되는 것**으로 대략적으로 탄소수가 5개에서 9개까지의 포화 및 불포화 탄화수소의 혼합물로, 한 종류의 휘발유에 포함되어 있는 탄화수소 수는 수십 종류에서 수백 종류나 된다(분자식 대략 $C_5H_{12} \sim C_9H_2O$).

㉣ **휘발유는 전기의 불량도체로서 정전기를 발생 · 축적할 위험이 있고, 점화원이 될 수 있다.**

㉤ **벤젠**(C_6H_6)은 무색투명한 액체로 독특한 냄새가 나는 휘발성 액체이다. 방향족 탄화수소 중 가장 간단한 구조를 가진다. 또한, 휘발하기 쉽고 인화점이 낮아서 정전기 스파크와 같은 아주 작은 점화원에 의해서도 인화한다.

핵심 적중

위험물과 저장방법의 연결이 옳지 않은 것은?

① 황린: 물속에 저장
② 나트륨, 칼륨(알칼리 금속): 등유 속에 저장
③ 이황화탄소: 알루미늄이나 수은 속에 저장
④ 아세틸렌: 규조토, 목탄 등 고체입자에 아세톤, DMF에 용해시켜 저장

정답 ③

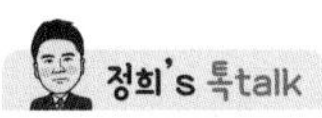

이황화탄소(CS_2)

1. 휘발하기 쉽고 인화성이 강하며, 제4류 위험물 중 착화점이 가장 낮습니다.
2. 연소 시 유독한 아황산가스를 발생합니다.

$$CS_2 + 3O_2 \rightarrow CO_2 + 2SO_2\uparrow$$
(이황화탄소) (이산화황)

3. 연소범위가 넓고 물과 150℃ 이상으로 가열하면 분해되어 이산화탄소와 황화수소가 발생합니다.

$$CS_2 + 2H_2O \rightarrow CO_2\uparrow + 2H_2S\uparrow$$
(황화수소)

③ 제2석유류

㉠ 제2석유류에는 **등유·경유** 등이 있으며, 1기압에서 **인화점이** 21℃ **이상** 70℃ **미만인** 것이다.

㉡ 등유는 원유의 상압증류 시 휘발유와 경유 사이에서 유출되는 탄소수 C_9~C_{18} 정도의 포화, 불포화탄화수소의 혼합물이다.

㉢ 경유는 원유의 상압증류 시 등유보다 조금 높은 온도에서 유출되는 탄소수 C_{11}~C_{19} 정도의 포화, 불포화탄화수소의 혼합물로 등유와 비슷한 성질을 지닌다.

㉣ **히드라진**(N_2H_4)은 물과 비슷한 온도범위에서 액체로 존재하며 외관도 물과 같이 무색투명하다. 일반적으로 암모니아 냄새가 나며, 알칼리성으로 부식성이 큰 맹독성 물질이다.

㉤ 히드라진은 공기 중에서 가열하면 약 180℃에서 분해하여 암모니아·질소·수소가스를 발생한다.

$$2N_2H_4 \rightarrow 2NH_3\uparrow + N_2\uparrow + H_2\uparrow$$

㉥ 히드라진의 증기가 공기와 혼합하면 폭발적으로 연소한다.

$$N_2H_4 + O_2 \rightarrow N_2\uparrow + H_2O\uparrow$$

㉦ **클로로벤젠**(C_6H_5Cl, **염화비닐**): 비수용성 액체

④ 제3석유류

㉠ 제3석유류에는 **중유·클레오소트유** 등이 있다.

㉡ 중유는 갈색 또는 암갈색 액체로 원유 중 300℃ 이상에서 분리되는 유분이다.

㉢ 중유는 탱크화재 시 보일오버·슬롭오버를 일으킨다.

㉣ **에틸렌글리콜**은 무색의 끈끈한 액체로서 단맛이 나며 흡습성이 있다. 일반적으로 부동액(자동차용), 글리세린의 대용, 내한 윤활유 등으로 사용된다.

㉤ **글리세린**은 무색의 끈기 있는 액체로 단맛이 나며 흡습성이 있다.

㉥ **니트로벤젠**($C_6H_5NO_2$): 비수용성 액체

⑤ 제4석유류

㉠ 제4석유류에는 **기어유·실린더유** 등이 있다. 인화점이 높아서 가열하지 않는 한 인화 위험은 없으나 일단 액온이 상승하여 연소되면 소화가 매우 곤란하다.

㉡ 기어유와 실린더유는 윤활유의 한 종류이다.

⑥ 동식물유류

㉠ 동식물유류는 동물의 지육 등 또는 식물의 종자나 과육으로부터 추출한 것으로서 1기압에서 **인화점이** 250℃ **미만인** 것이다.

㉡ 건성유가 다공성 가연물에 배어들어 장기 방치될 때 자연발화를 일으키므로 섬유류나 다공성 물질에 스며들지 않도록 하여야 한다.

정희's 톡talk

제1석유류
1. 아세톤: CH_3COCH_3(수용성)
2. 휘발유: C_5H_{12}~C_9H_{20}(비수용성)
3. 벤젠: C_6H_6(비수용성)
4. 톨루엔: $C_6H_5CH_3$(비수용성)

정희's 톡talk

제4류 위험물 연소반응식
1. 아세트알데히드 산화반응식(특수인화물)

$$2CH_3CHO + O_2 \rightarrow 2CH_3COOH$$
(아세트알데히드) (초산, 아세트산)

2. 아세톤 연소반응식(제1석유류 수용성)

$$CH_3COCH_3 + 4O_2 \rightarrow 3CO_2 + 3H_2O$$
(아세톤)

3. 메틸알코올 연소반응식(알코올류)

$$2CH_3OH + 3O_2 \rightarrow 2CO_2 + 4H_2O$$

4. 에틸알코올 연소반응식(알코올류)

$$C_2H_5OH + 3O_2 \rightarrow 2CO_2 + 3H_2O$$

5. 초산(아세트산) 연소반응식(제2석유류)

$$CH_3COOH + 2O_2 \rightarrow 2CO_2 + 2H_2O$$

5	제5류 위험물(자기반응성 물질)	B

(1) 위험물의 지정수량 및 품명

품명	지정수량	위험등급
유기과산화물: 과산화기(-O-O-)를 가진 유기화합물	10Kg	Ⅰ
질산에스테르류: 질산(HNO_3)의 수소가 알킬기로 치환된 형태의 화합물		
니트로화합물: 니트로기($-NO_2$)	200Kg	Ⅱ
니트로소화합물: 니트로소기(-NO)		
아조화합물: 아조기(-N=N-)		
디아조화합물: 디아조기($=N_2$)		
히드라진 유도체: 히드라진(N_2H_4)으로부터 유도된 화합물		
히드록실아민: 히드록실아민(NH_2OH) 히드록실아민염류: 히드록실아민(NH_2OH)과 산의 화합물	100Kg	

(2) 공통성질

① 대부분 유기화합물이며 유기과산화물을 제외하고는 질소를 함유한 **유기질소화합물**이다.

② 히드라진 유도체는 무기 화합물이다.

③ 자기 자신이 연소에 필요한 산소를 가지고 있기 때문에 외부로부터 산소의 공급이 없어도 점화원만 있으면 연소 또는 폭발을 일으킬 수 있는 **자기연소성 물질**이다.

④ 모두 가연성의 액체 또는 고체물질이고 연소할 때는 다량의 유독가스를 발생한다.

⑤ 불안정한 물질로서 공기 중 장기간 저장 시 분해하여 분해열이 축적되는 분위기에서는 자연발화의 위험이 있다.

⑥ 가열 · 충격 · 타격 · 마찰 등에 의하여 폭발할 위험성이 높다.

⑦ 강산화제 또는 강산류와 접촉 시 위험성이 현저히 증가한다.

⑧ **연소속도가 대단히 빨라서 폭발성이 있다.** 화약 · 폭약의 원료로 많이 쓰인다.

⑨ 대부분이 물에 잘 녹지 않으며 물과 반응하지 않는다.

(3) 저장 및 취급방법

① 위험성이 크고 폭발로 이어지는 것이 많으므로 안전조치가 중요하다.

② 점화원의 통제가 요구되고, 충격 · 마찰 · 타격 등 요인을 주의하여야 한다.

③ 직사광선의 차단, 강산화제 · 강산류와의 접촉을 방지한다.

④ 안정제가 함유된 것은 안정제의 증발을 막고, 증발된 경우에는 즉시 보충한다.

핵심기출

01 「위험물안전관리법 시행령」상 제5류 자기반응성 물질 중 지정수량이 가장 적은 것은? 23. 소방간부

① 아조화합물
② 유기과산화물
③ 니트로화합물
④ 디아조화합물
⑤ 히드라진 유도체

정답 ②

02 「위험물안전관리법 시행령」상 위험물 및 지정수량이 올바르게 짝지어진 것은? 19. 소방간부

	유별	품명	지정수량
①	제1류	과망간산염류	300kg
②	제2류	마그네슘	100kg
③	제3류	과염소산	300kg
④	제4류	알코올류	200kg
⑤	제5류	유기과산화물	10kg

정답 ⑤

03 「위험물안전관리법」상 제5류 위험물의 품명 및 지정수량으로 옳게 연결된 것은? 18. 소방간부

① 유기과산화물 - 10kg
② 질산에스테르류 - 20kg
③ 니트로화합물 - 100kg
④ 니트로소화합물 - 100kg
⑤ 아조화합물 - 300kg

정답 ①

04 위험물의 종류에 따른 일반적 성상을 나타낸 것으로 옳은 것은? 19. 공채

① 산화성 고체는 환원성 물질이며 황린과 철분을 포함한다.
② 인화성 액체는 전기 전도체이며 휘발유와 등유를 포함한다.
③ 가연성 고체는 불연성 물질이며 질산염류와 무기과산화물을 포함한다.
④ 자기반응성 물질은 연소 또는 폭발을 일으킬 수 있는 물질이며 유기과산화물, 질산에스테르류를 포함한다.

정답 ④

05 화재진압 시 주수소화에 적응성 있는 위험물로 옳은 것은? 20. 공채

① 황화린
② 질산에스테르류
③ 유기금속화합물
④ 알칼리금속의 과산화물

정답 ②

(4) 소화방법 및 화재진압대책

① 자기반응성 물질은 자체에 산소를 함유하고 있기 때문에 이산화탄소·할론·분말·포소화약제에 의한 질식소화는 효과가 없다.

② 제5류 위험물의 화재 시에는 많은 양의 물에 의한 냉각소화가 가장 효과적이다. 초기화재 또는 소량의 화재에는 분말로 일시에 화염을 제거하여 소화할 수 있으나 재발화가 염려되므로 결국 최종적으로는 물로 냉각소화하여야 한다.

③ 밀폐된 공간 내에서 화재 발생 시에는 유독가스가 발생하므로 반드시 공기호흡기를 착용하여야 한다.

④ 화재 진압 시에는 충분한 안전거리를 유지하여야 한다.

(5) 종류별 특징

① 유기과산화물(Organic Peroxide)

㉠ 일반적으로 -O-O- 기를 가진 산화물을 과산화물(Peroxide)이라 하고, 양 끝단에 유기화합물이 붙으면 유기과산화물이 되고 무기화합물이 붙으면 제1류 위험물(산화성 고체)인 무기과산화물이 된다.

㉡ 유기과산화물은 산소와 산소 사이의 결합이 약하기 때문에 가열·충격·마찰에 의하여 분해되고 분해된 산소에 의하여 강한 산화작용을 일으켜 폭발한다.

㉢ 유기과산화물이 누설되었을 때 액체인 경우 팽창질석과 팽창진주암으로 흡수시키고 고체인 경우 팽창질석·팽창진주암을 혼합하여 제거한다.

② 질산에스테르류(Nitric Ester)

㉠ 질산에스테르류는 질산(HNO_3)의 수소가 알킬기로 치환된 형태의 화합물이다.

㉡ 알코올기를 가진 화합물을 질산과 반응시켜 알코올기가 질산기로 치환된 에스테르이다.

$$ROH + HNO_3 \rightarrow RONO_2 + H_2O$$

㉢ 니트로셀룰로오스는 무색 또는 백색 고체이고 다이너마이트 원료·무연화약 등에 사용된다.

㉣ 니트로글리세린는 순수한 것은 무색투명한 기름형태의 액체이다. 규조토에 흡수시킨 것을 다이너마이트라 하며, 무연화약의 주체이기도 하다.

③ 히드라진 유도체(Hydrazine Derivatives)

㉠ 히드라진(N_2H_4)은 제4류 위험물(제2석유류)이지만, 히드라진으로부터 유도된 화합물은 제5류 위험물의 한 품명(히드라진 유도체)으로 정하고 있다.

㉡ 히드라진 유도체는 폭발성, 강한 환원성 물질이고 연소속도가 빠르다.

핵심기출

01 제5류 위험물의 소화대책으로 옳지 않은 것은? 18. 하반기 공채

① 외부로부터의 산소 유입을 차단한다.
② 화재 초기에는 다량의 물로 냉각소화하는 것이 효과적이다.
③ 항상 안전거리를 유지하고 접근할 때에는 엄폐물을 이용한다.
④ 밀폐된 공간에서 화재 시 공기호흡기를 착용하여 질식되지 않도록 주의한다.

정답 ①

02 다음 설명에 해당하는 위험물은? 21. 소방간부

- 물질 자체에 산소가 함유되어 있어 외부로부터 산소 공급이 없어도 점화원만 있으면 연소·폭발이 가능하다.
- 연소속도가 빠르며 폭발적이다.
- 가열, 충격, 타격, 마찰 등에 의해서 폭발할 위험성이 높으며 강산화제 또는 강산류와 접촉 시 연소·폭발 가능성이 현저히 증가한다.

① 유기과산화물
② 이황화탄소
③ 과염소산
④ 염소산염류
⑤ 알칼리금속

정답 ①

6 제6류 위험물(산화성 액체) B

(1) 위험물의 지정수량 및 품명

품명	지정수량	위험등급	주의사항 표시 [운반] [제조소]
과염소산: $HClO_4$	300Kg	I	가연물 접촉주의 [제조소] 규정 없음
과산화수소: H_2O_2, 농도가 36wt% 이상인 것			
질산: HNO_3, 비중이 1.49 이상인 것			

(2) 공통성질

① 모두 **불연성 물질**이지만 다른 물질의 연소를 돕는 산화성 · 지연성 액체이다.

② 물질의 액체 비중이 1보다 커서 물보다 무겁다.

③ 산소를 많이 함유하고 있으며(할로겐간화합물 제외) 물보다 무겁고 물에 잘 녹는다.

④ 증기는 유독하며(**과산화수소 제외**) 피부와 접촉 시 점막을 부식시키는 유독성 · 부식성 물질이다.

⑤ 염기와 반응하거나 물과 접촉할 때 발열한다.

⑥ 강산성 염류나 물과 접촉 시 발열하게 되며 이때 가연성 물질이 혼재되어 있으면 혼촉발화의 위험이 있다(단, **과산화수소는 물과 반응하지 않는다**).

⑦ 강산성의 액체이다(H_2O_2는 제외).

(3) 저장 및 취급방법

① 가연물질이나 분해촉진을 유발하는 약품류와는 접촉을 피한다.

② 용기 내 물 · 습기의 침투를 방지하고, 가연성 물질 · 강산화제 · 강산류와의 접촉을 방지한다.

③ 가열에 의한 유독성 가스의 발생을 방지한다.

④ 내산성 용기에 저장을 한다.

(4) 소화방법 및 화재진압대책

① **소량화재는 다량의 물로 희석할 수 있지만 원칙적으로 물을 사용하지 말아야 한다. 건조사나 인산염류의 분말 등을 사용한다.**

② **유출 시 마른 모래나 중화제로 처리한다.**

③ 화재 진압 시는 공기호흡기 · 방호의 · 고무장갑 · 고무장화 등 보호장구는 반드시 착용한다.

④ **과산화수소는 양의 대소에 관계없이 대량의 물로 희석소화한다.**

핵심기출

01 제6류 위험물의 일반적 성질로 옳지 않은 것은? 21. 소방간부

① 불연성 물질로 산소공급원 역할을 한다.
② 증기는 유독하며 부식성이 강하다.
③ 물과 접촉하는 경우 모두 심하게 발열한다.
④ 비중이 1보다 크며 물에 잘 녹는다.
⑤ 다른 물질의 연소를 돕는 조연성 물질이다.

정답 ③

02 제6류 위험물에 관한 설명으로 옳지 않은 것은? 18. 소방간부

① 과산화수소는 물과 접촉하면서 심하게 발열한다.
② 불연성 물질이다.
③ 산소를 함유하고 있다.
④ 대표적 성질은 산화성 액체이다.
⑤ 물질의 액체 비중이 1보다 커서 물보다 무겁다.

정답 ①

(5) 종류별 특징

① 과염소산($HClO_4$)

㉠ 무색무취의 기름형태의 액체이며 공기노출 시 발연(HCl 가스)한다.

㉡ 황산이나 질산보다 더 강력한 산이며, 순도 72.4% 이상의 과염소산은 위험해서 상품으로 유통되지 않는다. 염소의 산소산 중 가장 강한 산에 해당한다($HClO < HClO_2 < HClO_3 < HClO_4$).

㉢ 매우 불안정하며 강력한 산화성, 불연성 · 유독성 · 자극성 · 부식성 물질이다.

㉣ 알코올과 에테르에 폭발위험이 있고, 불순물과 섞여 있는 것은 폭발이 쉽다.

㉤ **과염소산 분해식**

$$HClO_4 \rightarrow HCl + 2O_2$$
(과염소산) (염산) (산소)

② 과산화수소(H_2O_2)

㉠ **농도가** 36wt% **이상인 것**이 해당한다.

㉡ 순수한 것은 점성이 있는 무색투명한 액체로 다량인 경우는 청색을 띤다.

㉢ 표백제 · 의약품 · 소독제 · 로켓연료 등으로 사용된다.

㉣ 불연성이지만 강한 표백작용과 살균작용하며 반응성이 크다.

㉤ **과산화수소 분해반응식**

$$2H_2O_2 \rightarrow 2H_2O + O_2$$
(과산화수소) (물) (산소)

③ 질산(HNO_3)

㉠ **비중이** 1.49 **이상인 것**만 위험물로 규정한다.

㉡ 무색 또는 담황색의 유독성 · 부식성 액체로서 공기와 접촉으로 백연을 발생한다.

㉢ 피부에 닿으면 화상을 입고 눈에 들어가면 실명의 위험이 있다.

㉣ 강한 산화성 물질로 3대 강산(황산 · 질산 · 염산) 중 하나이다.

㉤ **질산 분해반응식**

$$4HNO_3 \rightarrow 2H_2O + 4NO_2 + O_2$$
(질산) (물) (이산화질소)(산소)

㉥ 햇빛에 의해 분해하여 NO_2를 발생시키므로 갈색병에 넣어 냉암소에 보관한다.

핵심기출

「위험물안전관리법」 및 같은 법 시행령, 시행규칙상 위험물의 지정수량과 위험등급의 연결이 옳지 않은 것은? 24. 공채 · 경채

① 황린 - 20kg - Ⅰ등급
② 마그네슘 - 500kg - Ⅲ등급
③ 유기과산화물 - 10kg - Ⅰ등급
④ 과염소산 - 300kg - Ⅱ등급

정답 ④

핵심 적중

질산에 대한 설명으로 옳은 것은?

① 산화력은 없고 강한 환원력이 있다.
② 자체 연소성이 있다.
③ 질산은 비중이 1.49 이상인 경우 위험물로 취급한다.
④ 조연성과 부식성이 없다

정답 ③

참고 위험물 유별 소화방법

유별	특성	소화방법 및 주의사항
제1류 산화성 고체	1. 일반적으로는 불연성이지만 분자 내에 산소를 다량 함유하여 그 산소에 의하여 다른 물질을 연소시키는 산화제이다. 2. 가열 등에 의하여 급격하게 분해, 산소를 방출하기 때문에 다른 가연물의 연소를 조장(助長)하고 때로는 폭발하는 경우도 있다.	1. 직사·분무방수, 포말소화, 건조사가 효과적이다. 2. 분말소화는 인산염류를 사용한 것을 사용한다. 3. 알칼리금속의 과산화물에의 방수는 절대엄금이다(마른 모래·소화질석을 이용한 질식소화).
제2류 가연성 고체	1. 모두 타기 쉬운 고체이고 비교적 저온에서 발화한다. 2. 공기 중에서 발화하는 성질을 가지고 있다(황화린). 3. 산이나 물과 접촉하면 발열한다. 4. 연소할 때에 유독가스가 발생한다.	1. 질식 또는 방수소화 방법을 취한다. 2. 금수성 물질(금속분 등)은 건조사로 질식소화의 방법을 취한다. 3. 직사, 분무방수, 포말소화, 건조사로 소화하지만 고압방수에 의한 위험물의 비산은 피한다.
제3류 자연발화성 및 금수성 물질	1. 물과 작용하여 발열반응을 일으키거나 가연성 가스를 발생하여 연소하는 성질을 가진 금수성 물질이다. 2. 금속칼륨, 금속나트륨은 공기 중에서 타고 물과 격렬하게 반응하여 폭발하는 경우가 있으므로, 물, 습기에 접촉하지 않도록 석유 등의 보호액 속에 저장한다.	1. 방수소화를 피하고 주위로의 연소방지에 중점을 둔다. 2. 직접 소화방법으로서는 건조사로 질식소화 또는 금속화재용 분말소화제를 사용하는 정도이다.
제4류 인화성 액체	1. 액체이며 인화점이 낮은 것은 상온에서도 불꽃이나 불티 등에 의하여 인화한다. 2. 연소는 폭발과 같은 비정상 연소도 있지만 보통은 개방적인 액면에서 계속적으로 발생하는 증기의 연소이다. 3. 제4류 위험물의 대부분은 물보다도 가볍고 물에 녹지 않는다. 따라서 유출된 위험물이 물 위에 떠서 물과 함께 유동하며 광범위하게 확산되어 위험구역을 확대시키는 경우가 있다.	1. 소화방법은 질식소화가 효과적이다. 2. 소화는 포, 분말, CO_2가스, 건조사 등을 주로 사용하지만 상황에 따라서는 탱크용기 등을 외부에서 냉각시켜 가연성 증기의 발생을 억제하는 수단도 생각할 수 있다. 3. 유류화재에 대한 방수소화의 효과는 인화점이 낮고 휘발성이 강한 것은 방수에 의한 냉각소화는 불가능하다. 그러나 소량이면 분무방수에 의한 화세 억제의 효과가 있다.
제5류 자기반응성 물질	가열, 마찰, 충격에 의하여 착화하고 폭발하는 것이 많고, 장시간 방치하면 자연발화하는 것도 있다.	1. 일반적으로 대량방수에 의하여 냉각소화한다. 2. 산소함유물질이므로 질식소화는 효과가 없다. 3. 위험물이 소량일 때 또는 화재의 초기에는 소화가 가능하지만 그 이상일 때는 폭발에 주의하면서 원격소화한다.
제6류 산화성 액체	1. 물보다 무겁고 물에 녹지만 그때 격렬하게 발열한다. 2. 강산류인 동시에 강산화제이다.	1. 위험물 자체는 연소하지 않으므로 연소물에 맞는 소화방법을 취한다. 2. 유출사고 시는 유동범위가 최소화되도록 적극적으로 방어하고 소다회, 중탄산소다, 소석회 등의 중화제를 사용한다. 소량일 때에는 건조사, 흙 등으로 흡수시킨다.

CHAPTER 3 위험물시설의 안전관리

1 제조소 B

(1) 안전거리

안전거리란 건축물의 외벽 또는 이에 상당하는 인공구조물의 외측으로부터 당해 제조소의 외벽 또는 이에 상당하는 인공구조물의 외측까지 사이의 수평거리이다. 위험물제조소 또는 그 구성 부분과 다른 공작물 또는 방호대상물과 소방안전상, 공해 등의 환경안전상 확보하여야 할 수평거리를 말한다.

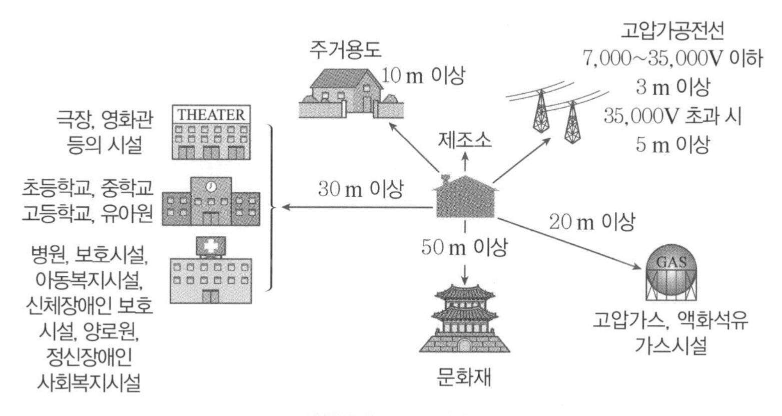

▲ 위험물제조소의 안전거리

참고 안전거리

구분		안전거리(m)
유형문화재와 기념물 중 지정문화재		50
학교·병원·극장 (다수인 수용)	· 학교 · 병원급 의료기관 · 공연장·영화상영관(유사한 시설 300명 이상 수용) · 아동복지시설·노인복지시설·(유사한 시설 20명 이상 수용)	30
고압가스·액화석유가스·도시가스를 저장 또는 취급		20
주거용 건축물·공작물		10
특고압가공전선	사용전압이 35,000V 초과	5
	사용전압이 7,000V 초과 35,000V 이하	3

(2) 보유공지

위험물을 취급하는 건축물, 기타시설의 주위에서 화재 등이 발생하는 경우 연소 확대 방지 및 초기소화 등 소화활동 공간과 피난상 확보하여야 할 **절대공지**를 말한다. 절대공간(절대공지)이란 어떠한 물건도 놓여 있어서는 안 되는 공간이라는 의미이다. 즉, 안전거리가 단순 거리의 개념이라면 보유공지는 공간의 규제개념이다.

① **보유공지:** 보유공지의 보유기준은 위험물을 취급하는 건축물 그 밖의 시설의 주위에는 그 취급하는 위험물의 최대수량에 따라 달리 규정하고 있다.

취급하는 위험물의 최대수량	공지의 너비
지정수량의 10배 이하	3m 이상
지정수량의 10배 초과	5m 이상

② **보유공지 설정 시 유의사항**

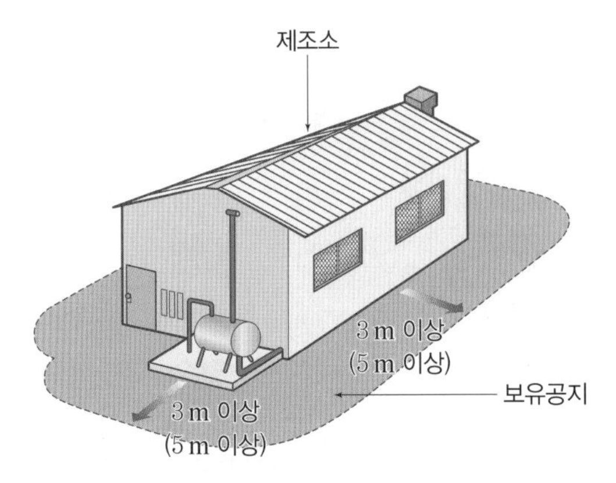

▲ 보유공지의 예시

㉠ 보유공지는 위험물을 취급하는 건축물 기타 공작물의 주위에 연속하여 설치하는 것으로 한다.

㉡ 보유공지는 수평의 단단한 지반이어야 하며, 지반면 및 윗부분에는 원칙적으로 다른 물건 등이 없어야 한다.

(3) 표지 및 게시판

① **위험물제조소 표지 설치기준**

㉠ 표지는 한 변의 길이 0.3m 이상, 다른 한 변의 길이 0.6m 이상

㉡ 표지의 바탕은 백색으로 문자는 흑색으로 할 것

② **게시판 설치**

㉠ 게시판은 한 변의 길이가 0.3m 이상, 다른 한 변의 길이가 0.6m 이상인 직사각형

㉡ 위험물의 유별 · 품명 및 저장최대수량 또는 취급최대수량, 지정수량의 배수 및 안전관리자의 성명 또는 직명을 기재

㉢ 게시판의 바탕은 백색으로 문자는 흑색으로 할 것

정희's 톡talk

위험물제조소 표지 및 게시판

1. 표지는 위험물을 저장 또는 취급하는 시설을 구분하고 방화상의 주의를 환기시키기 위해 설치하는 것으로 '위험물제조소'라고 표시하여야 합니다.
2. 게시판은 방화에 관하여 필요한 사항을 기재한 것입니다.

핵심 적중

'위험물제조소'의 표지의 바탕 및 문자의 색으로 옳은 것은?

① 백색바탕, 흑색문자
② 청색바탕, 백색문자
③ 적색바탕, 백색문자
④ 황색바탕, 적색문자

정답 ①

참고 **표지 및 게시판**

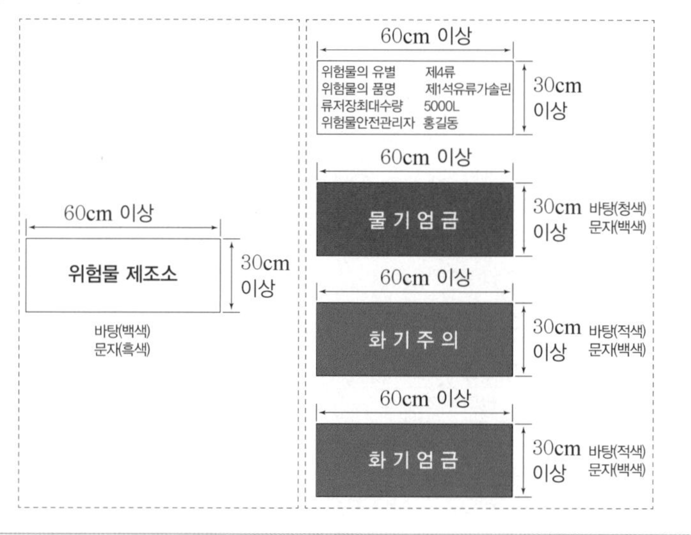

③ 주의사항을 표시한 게시판 설치

㉠ 제1류 위험물 중 알칼리금속의 과산화물과 이를 함유한 것 또는 제3류 위험물 중 금수성 물질에 있어서는 '물기엄금'이라 표시한다.

㉡ 제2류 위험물(인화성 고체 제외)에 있어서는 '화기주의'라 표시한다.

㉢ 제2류 위험물 중 인화성 고체, 제3류 위험물 중 자연발화성 물질, 제4류 위험물 또는 제5류 위험물에 있어서는 '화기엄금'이라 표시한다.

저장 또는 취급 위험물	주의사항	게시판의 색
· 제1류 위험물 중 알칼리금속의 과산화물 · 제3류 위험물 중 금수성 물질	물기엄금	청색바탕에 백색문자
· 제2류 위험물(인화성 고체 제외)	화기주의	적색바탕에 백색문자
· 제2류 위험물 중 인화성 고체 · 제3류 위험물 중 자연발화성 물질 · 제4류 위험물 · 제5류 위험물	화기엄금	적색바탕에 백색문자

참고 **위험물의 운반용기 외부에 수납하는 위험물에 따른 주의사항 표시(시행규칙 [별표 19])**

1. 제1류 위험물 중 알칼리금속의 과산화물 또는 이를 함유한 것에 있어서는 '화기·충격주의', '물기엄금' 및 '가연물접촉주의', 그 밖의 것에 있어서는 '화기·충격주의' 및 '가연물접촉주의'라 표시한다.
2. 제2류 위험물 중 철분·금속분·마그네슘 또는 이들 중 어느 하나 이상을 함유한 것에 있어서는 '화기주의' 및 '물기엄금', 인화성 고체에 있어서는 '화기엄금', 그 밖의 것에 있어서는 '화기주의'라 표시한다.
3. 제3류 위험물 중 자연발화성 물질에 있어서는 '화기엄금' 및 '공기접촉엄금', 금수성물질에 있어서는 '물기엄금'이라 표시한다.
4. 제4류 위험물에 있어서는 '화기엄금'이라 표시한다.
5. 제5류 위험물에 있어서는 '화기엄금' 및 '충격주의'라 표시한다.
6. 제6류 위험물에 있어서는 '가연물접촉주의'라 표시한다.

핵심기출

「위험물안전관리법 시행규칙」상 수납하는 위험물의 종류에 따라 운반용기의 외부에 표시하여야 할 주의사항으로 옳지 않은 것은?

21. 소방간부

① 제1류 위험물 중 알칼리금속의 과산화물 또는 이를 함유한 것에 있어서는 '화기·충격주의', '물기엄금' 및 '가연물접촉주의'
② 제2류 위험물 중 철분·금속분·마그네슘 또는 이들 중 어느 하나 이상을 함유한 것에 있어서는 '화기주의' 및 '물기엄금'
③ 제3류 위험물 중 자연발화성 물질에 있어서는 '화기엄금' 및 '공기접촉엄금', 금수성 물질에 있어서는 '물기엄금'
④ 제4류 위험물에 있어서는 '화기엄금'
⑤ 제5류 위험물에 있어서는 '화기주의' 및 '충격주의'

정답 ⑤

(4) 건축물의 구조

① 지하층[1]이 없도록 하여야 한다.

② 벽 · 기둥 · 바닥 · 보 · 서까래 및 계단을 불연재료로 하고, 연소의 우려가 있는 외벽은 개구부가 없는 내화구조의 벽으로 하여야 한다.

③ **지붕**은 폭발력이 위로 방출될 정도의 **가벼운 불연재료**로 한다.

④ 출입구와 비상구에는 갑종방화문 또는 을종방화문을 설치한다.

⑤ **연소의 우려가 있는 외벽에 설치:** 자동폐쇄식의 갑종방화문을 설치한다.

⑥ **건축물의 창 및 출입구:** 망입유리로 한다.

⑦ **건축물의 바닥:** 최저부에 집유설비를 설치한다.

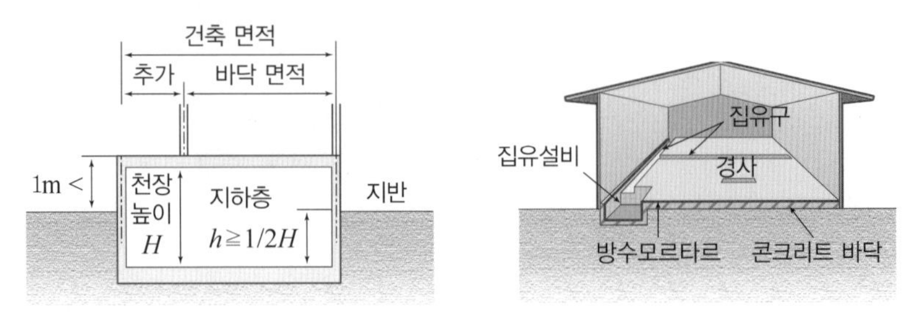

▲ 지하층에 해당하는 경우　　▲ 액체위험물을 취급하는 건축물의 바닥

(5) 채광 · 조명 및 환기설비

① **채광 · 조명:** 화재의 위험이 높은 위험물을 취급하는 건축물이기 때문에 연소의 우려가 없는 장소에 설치하며, 재료는 불연재료를 사용하여야 하고, 사고 발생 시 피해를 최소화하기 위하여 **채광면적은 최소**로 하도록 규정하고 있다.

㉠ **채광설비:** 불연재료

㉡ **조명설비**

ⓐ 가연성 가스 등이 체류할 우려가 있는 장소의 조명등은 방폭등

ⓑ 전선은 내화 · 내열전선

② **환기설비:** 실내의 가연성 증기 등 오염된 공기를 환기시켜 사고 발생을 방지하고 작업환경을 쾌적하게 하기 위한 설비이다.

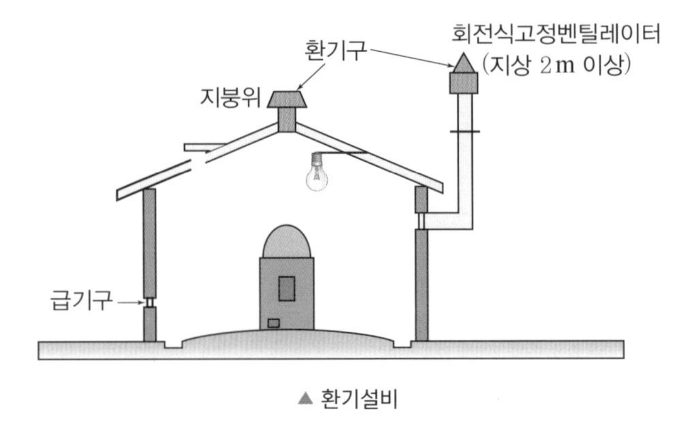

▲ 환기설비

용어사전

[1] **지하층:** 건축물의 바닥이 지표면 아래에 있는 층으로 그 바닥으로부터 지표면까지의 평균높이가 해당 층높이의 1/2 이상인 것을 말한다. 지하층에 해당되지 않는 경우라도 바닥면이 지반면보다 낮은 경우에는 가연성증기 또는 미분의 배출설비를 고려할 필요가 있다. 지하층에서 위험물을 취급하면 가연성증기가 체류하기 쉽고 또한 화재 발생 시의 피난, 소방활동의 곤란하기 때문에 지하층의 설치를 금지하고 있다.

㉠ 환기는 **자연배기방식**으로 할 것

㉡ 급기구는 당해 급기구가 설치된 실의 바닥면적 150m²마다 1개 이상(급기구의 크기는 800cm² **이상**). 다만, 바닥면적이 150m² 미만인 경우에는 다음의 크기로 하여야 한다.

바닥면적	급기구의 면적
60m² 미만	150cm² 이상
60m² 이상 90m² 미만	300cm² 이상
90m² 이상 120m² 미만	450cm² 이상
120m² 이상 150m² 미만	600cm² 이상

㉢ **급기구는 낮은 곳에 설치**하고 가는 눈의 구리망 등으로 인화방지망을 설치할 것

㉣ 환기구는 **지붕 위 또는 지상** 2m **이상의 높이**에 회전식 고정벤틸레이터 또는 루프팬방식으로 설치할 것

③ 배출설비가 설치되어 유효하게 환기가 되는 건축물에는 환기설비를 하지 아니할 수 있고, 조명설비가 설치되어 유효하게 조도가 확보되는 건축물에는 채광설비를 하지 아니할 수 있다.

(6) 배출설비

가연성의 증기 또는 미분이 체류할 우려가 있는 건축물에는 배출설비를 설치하여야 한다.

① **배출설비**: 국소방식으로 한다. 단, 다음의 경우에는 전역방식으로 할 수 있다.

㉠ 위험물취급설비가 배관이음 등으로만 된 경우

㉡ 건축물의 구조 · 작업장소의 분포 등의 조건에 의하여 전역방식이 유효한 경우

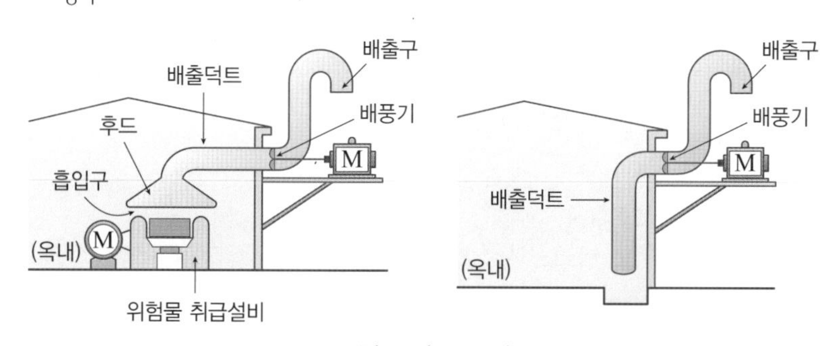

▲ 배출설비(국소방식)

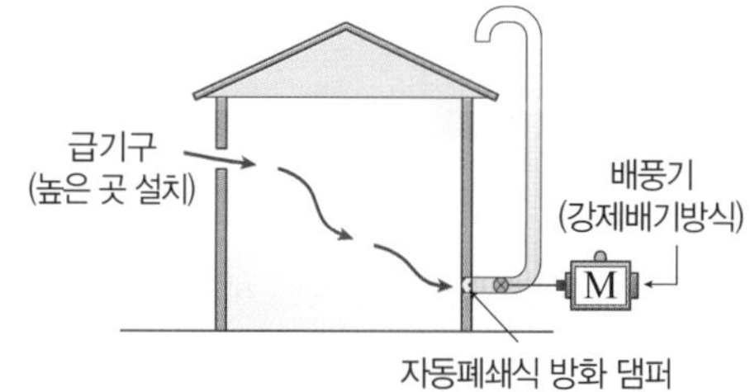

▲ 배출설비(전역방식)

② 배출설비는 배풍기 · 배출덕트 · 후드 등을 이용하여 강제적으로 배출하는 것으로 하여야 한다.

③ 배출능력은 1시간당 배출장소 용적의 20배 이상인 것으로 하여야 한다. 다만, 전역방식의 경우에는 바닥면적 $1m^2$당 $18m^3$ 이상으로 할 수 있다.

④ **배출설비의 급기구 및 배출구 기준**

㉠ **급기구는 높은 곳에 설치**하고, 가는 눈의 구리망 등으로 인화방지망을 설치할 것

㉡ 배출구는 지상 2m 이상으로서 연소의 우려가 없는 장소에 설치하고, 배출덕트가 관통하는 벽부분의 바로 가까이에 화재 시 자동으로 폐쇄되는 방화댐퍼를 설치할 것

⑤ **배풍기: 강제배기방식**(옥내덕트의 내압이 대기압 이상이 되지 아니하는 위치에 설치)

(7) 옥외설비의 바닥

① 바닥의 둘레에 높이 0.15m 이상의 턱 설치

② 바닥은 콘크리트 등 위험물이 스며들지 아니하는 재료

③ **바닥의 최저부**: 집유설비

④ 집유설비에 유분리장치 설치

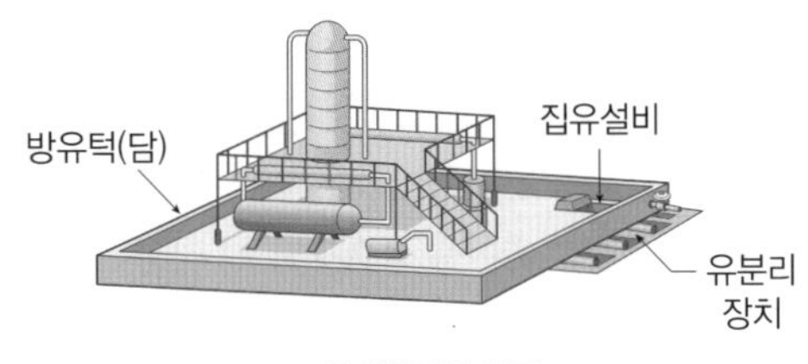

▲ 옥외설비의 바닥

(8) 기타설비

① 위험물의 누출 · 비산 방지

② 가열 · 냉각설비 등의 온도측정장치

③ 가열건조설비

④ **압력계 및 안전장치**

㉠ 자동적으로 압력의 상승을 정지시키는 장치

㉡ 감압측에 안전밸브를 부착한 감압밸브

㉢ 안전밸브를 병용하는 경보장치

㉣ 파괴판

⑤ 전기설비

⑥ **정전기 제거설비**

㉠ 접지에 의한 방법

㉡ 공기 중의 **상대습도를 70% 이상으로 하는 방법**

㉢ 공기를 이온화하는 방법

⑦ **피뢰설비: 지정수량의 10배 이상**의 위험물을 취급하는 제조소에 설치

⑧ 전동기 등

(9) 위험물 취급탱크 설치기준

① 옥외에 있는 취급탱크(용량이 지정수량의 5분의 1 미만인 것은 제외)

㉠ **탱크의 구조 및 기준:** 액체위험물(이황화탄소 제외)을 취급하는 탱크 주위에 설치한다.

㉡ 옥외에 있는 위험물취급탱크로서 액체위험물(이황화탄소 제외)을 취급하는 것의 주위에 방유제를 설치하는 기준

ⓐ **방유제의 용량:** 당해 탱크용량의 50% 이상

ⓑ **2 이상의 취급탱크 주위에 하나의 방유제를 설치하는 경우:** 최대인 것 50%에 나머지 탱크용량 합계의 10%를 가산한 양 이상

ⓒ **방유제의 구조 · 설비:** 옥외저장탱크의 방유제의 기준에 적합하게 할 것

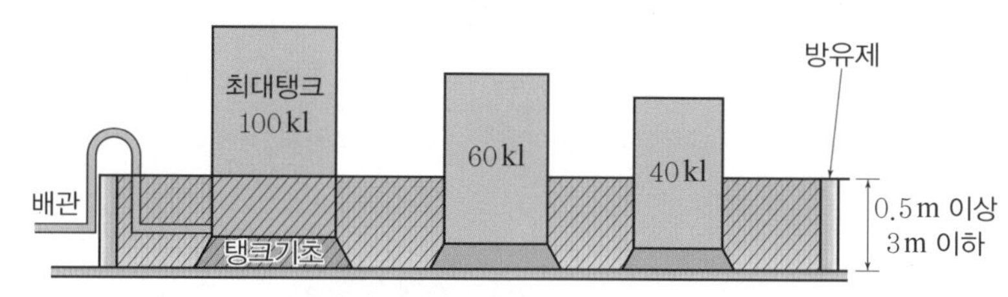

1. 방유제의 용량으로서 산정되는 부분은 사선으로 나타낸 부분을 말한다.
2. 방유제의 필요용량은 다음과 같이 산정한다.
100kl×1/2+(60kl+40kl)×1/10
따라서 방유제 필요용량은 60kl 이상이다.

▲ 방유제 용량의 산정

② 옥내에 있는 위험물취급탱크(용량이 지정수량의 5분의 1 미만인 것은 제외)

㉠ 옥내탱크저장소의 위험물을 저장 또는 취급하는 탱크의 구조 및 설비의 기준을 준용할 것

㉡ **방유턱:** 위험물취급탱크의 주위에는 턱을 설치하는 등 위험물이 누설된 경우에 그 유출을 방지하기 위한 조치를 할 것. 이 경우 당해조치는 탱크에 수납하는 위험물의 양을 전부 수용할 수 있도록 하여야 한다.

(10) 고인화점 위험물의 제조소의 특례

① **고인화점위험물의 제조소:** 인화점이 100℃ 이상인 제4류 위험물만을 100℃ 미만의 온도에서 취급하는 제조소를 말한다.

② **완화규정 적용:** 인화점이 높고 취급하는 주위온도가 낮아 위험성이 적기 때문에 완화된 규정을 적용하고 있다.

(11) 위험물의 성질에 따른 제조소의 특례 〈소방간부 출제범위〉

① 알킬알루미늄 등을 취급하는 제조소

㉠ 알킬알루미늄 등을 취급하는 설비의 주위에는 누설범위를 국한하기 위한 설비와 누설된 알킬알루미늄 등을 안전한 장소에 설치된 저장실에 유입시킬 수 있는 설비를 갖추어야 한다.

㉡ 알킬알루미늄 등을 취급하는 설비에는 불활성기체를 봉입하는 장치를 갖추어야 한다.

② 아세트알데히드 등을 취급하는 제조소

㉠ 아세트알데히드 등을 취급하는 설비에는 구리, 마그네슘, 수은, 은 또는 이러한 것을 성분으로 하는 합금을 사용하면 해당 위험물이 이러한 금속 등과 반응하여 폭발성 화합물을 만들 우려가 있으므로 제한한다.

㉡ 아세트알데히드 등을 취급하는 설비에는 연소성 혼합기체의 생성에 의한 폭발을 방지하기 위한 불활성기체 또는 수증기를 봉입하는 장치를 갖추어야 한다.

㉢ 아세트알데히드 등을 취급하는 탱크(옥외에 있는 탱크 또는 옥내에 있는 탱크로서 그 용량이 지정수량의 5분의 1 미만의 것을 제외)에는 냉각장치 또는 저온을 유지하기 위한 장치(보냉장치) 및 연소성 혼합기체의 생성에 의한 폭발을 방지하기 위한 불활성기체를 봉입하는 장치를 갖추어야 한다. 다만, 지하에 있는 탱크가 아세트알데히드 등의 온도를 저온으로 유지할 수 있는 구조인 경우에는 냉각장치 및 보냉장치를 갖추지 아니할 수 있다.

2 옥외탱크저장소 B

옥외탱크저장소란 옥외의 탱크에 위험물을 저장 또는 취급하기 위한 저장소를 말한다. 개방형 탱크, 원추형탱크(콘루프탱크), 원형탱크, 부상지붕식 탱크, 구형탱크가 있으며 그 외에 땅 속에 있는 지중탱크와 바다 위의 해상탱크 등으로 구분된다.

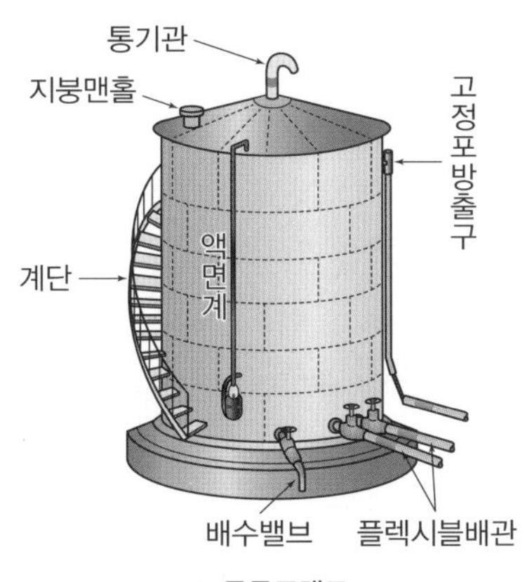

▲ 콘루프탱크

(1) 안전거리

위험물제조소의 안전거리와 동일하다(p.421 참고).

(2) 보유공지

옥외저장탱크의 주위에는 그 저장 또는 취급하는 위험물의 최대수량에 따라 옥외저장탱크의 측면으로부터 다음 표에 의한 너비의 공지를 보유하여야 한다.

저장 또는 취급하는 위험물의 최대수량	공지의 너비
지정수량의 500배 이하	3m 이상
지정수량의 500배 초과 1,000배 이하	5m 이상
지정수량의 1,000배 초과 2,000배 이하	9m 이상
지정수량의 2,000배 초과 3,000배 이하	12m 이상
지정수량의 3,000배 초과 4,000배 이하	15m 이상
지정수량의 4,000배 초과	탱크의 수평단면의 최대지름과 높이 중 큰 것과 같은 거리 이상 (30m 초과: 30m, 15m 미만: 15m)

(3) 표지 및 게시판

① 옥외탱크저장소에는 기준에 따라 보기 쉬운 곳에 '위험물 옥외탱크저장소'라는 표시를 한 표지와 방화에 관하여 필요한 사항을 게시한 게시판을 설치하여야 한다.

② 탱크의 군에 있어서는 표지 및 게시판을 그 의미 전달에 지장이 없는 범위 안에서 보기 쉬운 곳에 일괄하여 설치할 수 있다. 이 경우 게시판과 각 탱크가 대응될 수 있도록 하는 조치를 강구하여야 한다.

(4) 특정옥외저장탱크의 기초 및 지반

① **특정옥외탱크지정소**: 옥외탱크저장소 중 그 저장 또는 취급하는 액체위험물의 **최대수량이 100만L 이상의 것**을 말한다.

② 특정옥외저장탱크는 위험물을 대량 저장하는 탱크로서 워낙 크고 무겁기 때문에 '특정옥외저장탱크'의 기초 및 지반은 해당 기초 및 지반상에 설치하는 특정옥외저장탱크 및 그 부속설비의 자중, 저장하는 위험물의 중량 등의 하중(탱크하중)에 의하여 발생하는 응력에 대하여 안전한 것으로 하여야 한다.

(5) 준특정옥외저장탱크의 기초 및 지반

① **준특정옥외탱크지정소**: 옥외탱크저장소 중 그 저장 또는 취급하는 액체위험물의 **최대수량이 50만L 이상 100만L 미만의 것**을 말한다.

② 준특정옥외탱크도 특정옥외탱크와 더불어 대량저장탱크로서 '준특정옥외저장탱크'의 기초 및 지반은 탱크하중에 의하여 발생하는 응력에 대하여 안전한 것으로 하여야 한다.

(6) 옥외저장탱크의 외부구조 및 설비

① 옥외저장탱크는 위험물의 폭발 등에 의하여 탱크 내의 압력이 비정상적으로 상승하는 경우에 내부의 가스 또는 증기를 상부로 방출할 수 있는 구조로 하여야 한다.

② 옥외저장탱크 중 **압력탱크 외**의 탱크에 있어서 밸브 없는 통기관 또는 대기밸브부착 통기관의 설치기준은 다음과 같다.

㉠ **밸브 없는 통기관**

ⓐ **직경은 30mm 이상**일 것

ⓑ 선단은 수평면보다 45도 이상 구부려 빗물 등의 침투를 막는 구조로 할 것

ⓒ 가는 눈의 구리망 등으로 인화방지장치를 할 것

ⓓ 가연성의 증기를 회수하기 위한 밸브를 통기관에 설치하는 경우에 있어서는 당해 통기관의 밸브는 저장탱크에 위험물을 주입하는 경우를 제외하고는 항상 개방되어 있는 구조로 하는 한편, 폐쇄하였을 경우에 있어서는 10kPa 이하의 압력에서 개방되는 구조로 할 것. 이 경우 개방된 부분의 유효단면적은 777.15mm^2 이상이어야 한다.

㉡ **대기밸브 부착 통기관**: 5kPa **이하의 압력 차이로 작동할 수 있을 것**

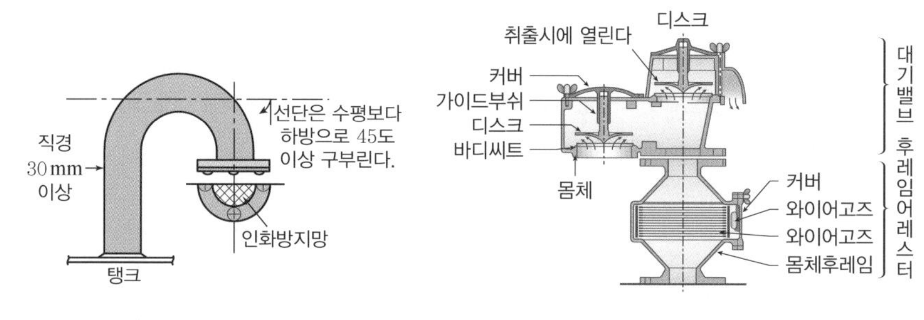

▲ 밸브 없는 통기관 그림　　▲ 대기밸브 부착 통기관

③ 지정수량의 10배 이상인 옥외탱크저장소(제6류 위험물의 옥외탱크저장소를 제외)에는 규정에 준하여 피뢰침을 설치하여야 한다.

④ 액체위험물의 옥외저장탱크의 주위에는 방유제를 설치하여야 한다.

⑤ 제3류 위험물 중 금수성 물질(고체에 한함)의 옥외저장탱크에는 방수성의 불연재료로 만든 피복설비를 설치하여야 한다.

⑥ **이황화탄소**의 옥외저장탱크는 벽 및 바닥의 두께가 0.2m 이상이고 누수가 되지 아니하는 **철근콘크리트의 수조**에 넣어 보관하여야 한다. 이 경우 보유공지 · 통기관 및 자동계량장치는 생략할 수 있다.

(7) 펌프설치

① 보유공지

㉠ 옥외저장탱크의 펌프설비는 비교적 다량의 위험물을 취급하는 설비이고 탱크와 떨어진 위치에 설치되는 수가 많다. 이 때문에 **펌프설비의 주위에는 너비 3m 이상의 공지를 보유하여야 한다. 다만, 방화상 유효한 격벽을 설치하는 경우와 제6류 위험물 또는 지정수량의 10배 이하 위험물의 옥외저장탱크의 펌프설비에 있어서는 그러하지 아니하다.**

㉡ 펌프설비로부터 옥외저장탱크까지의 사이에는 해당 **옥외저장탱크의 보유공지 너비의 3분의 1 이상의 거리를 유지하여야 한다.**

② **펌프 기초:** 펌프설비는 전동기에 의하여 구동되므로 견고한 기초 위에 고정시켜야 한다.

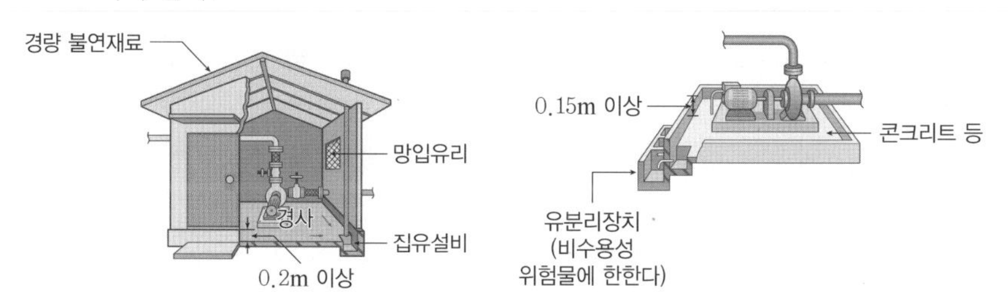

▲ 옥외저장탱크의 펌프실의 구조　　▲ 펌프실 외에 설치된 펌프

(8) 방유제(이황화탄소 제외)

인화성 액체위험물(이황화탄소 제외)의 옥외탱크저장소의 탱크 주위에는 탱크에서 누설되는 경우에 그 유출 확산을 방지하기 위하여 다음 기준에 따라 방유제를 설치하여야 한다.

① **방유제의 용량**

㉠ **탱크가 1개:** 그 탱크 용량의 110% 이상

㉡ **탱크가 2개 이상:** 그 탱크 중 용량이 최대인 것의 용량의 110% 이상[방유제의 용량 = 당해 방유제의 내용적 - (용량이 최대인 탱크 외의 탱크의 방유제 높이 이하 부분의 용적 + 당해 방유제 내에 있는 모든 탱크의 지반면 이상 부분의 기초의 체적 + 간막이 둑의 체적 및 당해 방유제 내에 있는 배관 등의 체적)]

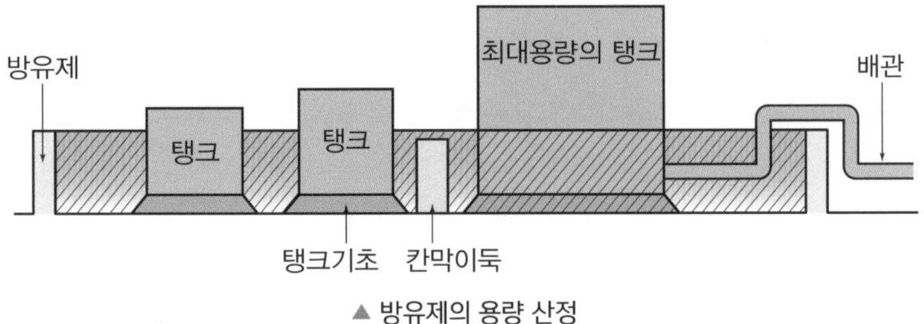

▲ 방유제의 용량 산정

② **방유제는 높이 0.5m 이상 3m 이하, 두께 0.2m 이상, 지하매설깊이 1m 이상**

③ 방유제 내의 면적은 80,000m^2 **이하**

④ 방유제 내의 설치하는 옥외저장탱크의 수는 10 이하로 할 것

⑤ 방유제 외면의 2분의 1 이상은 자동차 등이 통행할 수 있는 3m 이상의 노면폭을 확보한 구내도로에 직접 접하도록 할 것

⑥ 방유제는 옥외저장탱크의 지름에 따라 그 탱크의 옆판으로부터 다음에 정하는 거리를 유지할 것. 다만, 인화점이 200℃ 이상인 위험물을 저장 또는 취급하는 것에 있어서는 그러하지 아니하다.

㉠ **지름이 15m 미만:** 탱크 높이의 3분의 1 이상

㉡ **지름이 15m 이상:** 탱크 높이의 2분의 1 이상

⑦ 방유제는 철근콘크리트로 하고, 방유제와 옥외저장탱크 사이의 지표면은 불연성과 불침윤성이 있는 구조(철근콘크리트 등)로 할 것

⑧ **용량이 1,000만L 이상인 옥외저장탱크의 주위에 설치하는 방유제:** 간막이 둑을 설치할 것

㉠ 간막이 둑의 높이는 0.3m 이상으로 하되, 방유제의 높이보다 0.2m 이상 낮게 할 것

㉡ 간막이 둑은 흙 또는 철근콘크리트로 할 것

㉢ 간막이 둑의 용량은 간막이 둑 안에 설치된 탱크 용량의 10% 이상

⑨ 높이가 1m를 넘는 방유제 및 간막이 둑의 안팎에는 방유제 내에 출입하기 위한 계단 또는 경사로를 약 50m**마다 설치**할 것

⑩ 이황화탄소의 저장탱크

㉠ 이황화탄소(CS_2)의 옥외저장소탱크는 물 속에 잠긴 탱크로 하지 않으면 안 된다. 이황화탄소는 특수인화물로 분류되며 비중 1.3으로 물에 용해되지 않는다.

㉡ 탱크는 수압 및 내압에 대하여 충분히 안전한 것으로 하고 또 부양(浮揚)방지 조치를 위하여 밴드 등으로 기초에 고정하는 것이 필요하다. 탱크를 넣는 수조는 두께 0.2m 이상의 철근콘크리트 구조로서 물이 새지 않는 것이어야 한다.

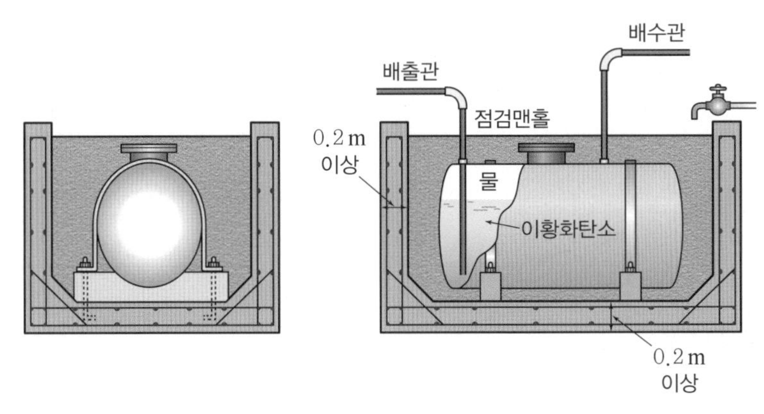

▲ 이황화탄소의 저장탱크

(9) 고인화점 위험물의 옥외탱크저장소의 특례

고인화점 위험물(인화점이 100℃ 이상인 제4류 위험물)만을 100℃ 미만의 온도에서 저장 또는 취급하는 옥외탱크저장소에 대하여 해당 위험물의 특성으로 인하여 기준의 일부를 완화하여 규정하고 있다.

① **안전거리:** 고인화점 위험물의 제조소의 안전거리에 관한 사항을 준용한다.

② 보유공지

저장 또는 취급하는 위험물의 최대수량	공지의 너비
지정수량의 2,000배 이하	3m 이상
지정수량의 2,000배 초과 4,000배 이하	5m 이상
지정수량의 4,000배 초과	· 탱크의 수평단면의 최대지름(횡형인 경우에는 긴 변)과 높이 중 큰 것의 3분의 1과 같은 거리 이상 · 다만, 5m 미만으로 하여서는 아니 됨

3 주유취급소 B

주유취급소란 고정된 주유설비에 의하여 위험물을 자동차 또는 선박 등의 연료탱크에 직접 주유할 것을 목적으로 하는 취급소를 말한다. 주유취급소는 주유대상에 따라 자동차용 · 항공기용 · 선박용 · 철도용으로, 이용형태에 따라 영업용과 자가용으로, 주유취급소의 구조에 따라 옥내형과 옥외형으로 구분한다.

(1) 주유공지 및 급유공지

① 주유취급소의 고정주유설비[1]의 주위에는 주유를 받으려는 자동차 등이 출입할 수 있도록 너비 15m 이상, 길이 6m 이상의 콘크리트 등으로 포장한 공지(주유공지)를 보유하여야 하고, 고정급유설비[2]를 설치하는 경우에는 고정급유설비의 호스기기의 주위에 필요한 공지(급유공지)를 보유하여야 한다.

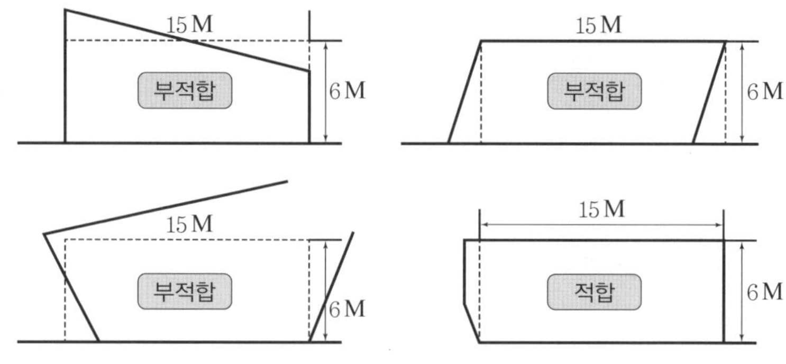

▲ 주유공지 설치 부적합 예

② 공지의 바닥은 주위 지면보다 높게 하고, 그 표면을 적당하게 경사지게 하여 새어나온 기름 그 밖의 액체가 공지의 외부로 유출되지 아니하도록 배수구 · 집유설비 및 유분리장치를 하여야 한다.

(2) 표지 및 게시판

① 주유 중 엔진 정지: 황색바탕에 흑색문자

② 화기엄금: 적색바탕에 백색문자

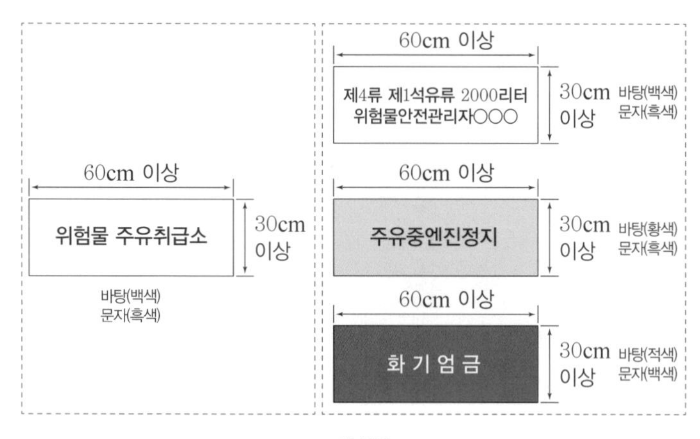

▲ 게시판

용어사전

❶ 고정주유설비: 펌프기기 및 호스기기로 되어 위험물을 자동차 등에 직접 주유하기 위한 설비로서 현수식의 것을 포함한다.

❷ 고정급유설비: 펌프기기 및 호스기기로 되어 위험물을 용기에 옮겨 담거나 이동저장탱크에 주입하기 위한 설비로서 현수식의 것을 포함한다.

(3) 주유취급소에서 저장·취급할 수 있는 탱크

① **자동차 등에 주유하기 위한 고정주유설비에 직접 접속하는 전용탱크:** 50,000L 이하

② **고정급유설비에 직접 접속하는 전용탱크:** 50,000L 이하

③ **보일러 등에 직접 접속하는 전용탱크:** 10,000L 이하

④ **자동차 등을 점검·정비하는 작업장 등에서 사용하는 폐유·윤활유 등의 위험물을 저장하는 탱크:** 2,000L 이하의 탱크

⑤ 고정주유설비 또는 고정급유설비에 직접 접속하는 3기 이하의 간이탱크

(4) 고정주유설비 등

① 주유취급소에는 자동차 등의 연료탱크에 직접 주유하기 위한 고정주유설비를 설치하여야 한다.

② **주유취급소의 고정주유설비 및 고정급유설비**

㉠ **펌프기기 주유관 선단에서의 최대 토출량**

종류	토출량
제1석유류	50L/min 이하
경유	180L/min 이하
등유	80L/min 이하

㉡ **이동저장탱크**에 주입하기 위한 고정급유설비의 펌프기기는 최대토출량이 **분당 300L 이하**인 것으로 할 수 있으며, 분당 토출량이 200L 이상인 것의 경우에는 주유설비에 관계된 모든 배관의 안지름을 40mm 이상으로 하여야 한다.

③ 고정주유설비 또는 고정급유설비의 **주유관의 길이는** 5m **이내**로 하여야 한다.

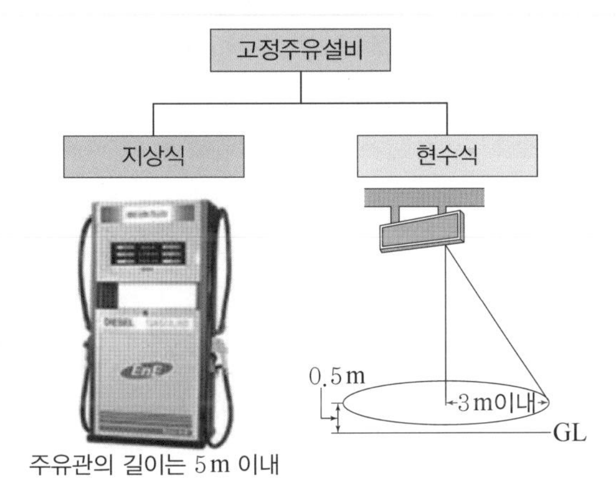

▲ 고정주유설비

④ 고정주유설비 등

㉠ 고정주유설비의 중심선을 기점으로 이격거리

ⓐ **도로경계선:** 4m 이상

ⓑ **대지경계선 · 담 및 건축물의 벽까지** 2m(개구부가 없는 벽으로부터는 1m) 이상

㉡ 고정급유설비의 중심선을 기점으로 이격거리

ⓐ **도로경계선:** 4m 이상

ⓑ 건축물의 벽까지 2m(개구부가 없는 벽까지는 1m) 이상

ⓒ **부지경계선 및 담까지 1m 이상**

㉢ 고정주유설비와 고정급유설비의 사이에는 4m 이상

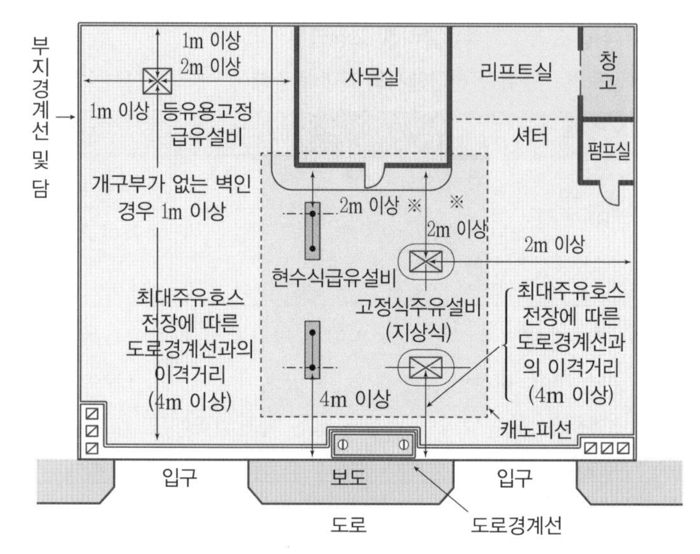

▲ 고정주유설비 및 고정급유설비의 설치 위치

(5) 건축물 등의 제한(설치 가능한 건축물 및 시설)

① 주유 또는 등유 · 경유를 옮겨 담기 위한 작업장

② 주유취급소의 업무를 행하기 위한 사무소

③ 자동차 등의 점검 및 간이정비를 위한 작업장

④ 자동차 등의 세정을 위한 작업장

⑤ 주유취급소에 출입하는 사람을 대상으로 한 점포 · 휴게음식점 또는 전시장

⑥ 주유취급소의 관계자가 거주하는 주거시설

⑦ 전기자동차용 충전설비

⑧ **그 밖의 소방청장이 정하여 고시하는 건축물 또는 시설:** 건축물 중 주유취급소의 직원 외의 자가 출입하는 ②, ③ 및 ⑤의 용도에 제공하는 부분의 **면적의 합은** 1,000m²**를 초과할 수 없다.**

(6) 건축물 등의 구조(「주유취급소에 설치하는 건축물 위치 및 구조의 기준」)

① 건축물, 창 및 출입구의 구조

㉠ 건축물의 벽 · 기둥 · 바닥 · 보 및 지붕을 **내화구조 또는 불연재료**로 할 것. 다만, 사무소, 간이정비를 위한 작업장 휴게음식점 등 면적의 합이 $500m^2$를 초과하는 경우에는 건축물의 벽을 내화구조로 하여야 한다.

㉡ 창 및 출입구에는 방화문 또는 불연재료로 된 문을 설치할 것. 이 경우 사무소, 간이정비를 위한 작업장 휴게음식점 등 면적의 합이 $500m^2$를 초과하는 주유취급소로서 하나의 구획실의 면적이 $500m^2$를 초과하거나 2층 이상의 층에 설치하는 경우에는 해당 구획실 또는 해당 층의 2면 이상의 벽에 각각 출입구를 설치하여야 한다.

② 거주시설의 용도에 사용하는 부분은 개구부가 없는 내화구조의 바닥 또는 벽으로 당해 건축물의 다른 부분과 구획하고 주유를 위한 작업장 등 위험물취급장소에 면한 쪽의 벽에는 출입구를 설치하지 아니할 것

③ 사무실 등의 창 및 출입구에 유리를 사용하는 경우에는 **망입유리 또는 강화유리**로 할 것. 이 경우 강화유리의 두께는 창에는 8mm 이상, 출입구에는 12mm 이상으로 하여야 한다.

④ 건축물 중 사무실 그 밖의 화기를 사용하는 곳은 누설한 가연성의 증기가 그 내부에 유입되지 않는 구조로 하여야 한다.

㉠ **출입구는 건축물의 안에서 밖으로 수시로 개방할 수 있는 자동폐쇄식의 것으로 할 것**

㉡ 출입구 또는 사이통로의 문턱의 높이를 15cm 이상으로 할 것

㉢ 높이 1m 이하의 부분에 있는 창 등은 밀폐시킬 것

⑤ **자동차 등의 점검 · 정비를 행하는 설비의 기준**

㉠ 고정주유설비로부터 4m 이상, 도로경계선으로부터 2m 이상 떨어지게 할 것

㉡ 위험물을 취급하는 설비는 위험물의 누설 · 넘침 또는 비산을 방지할 수 있는 구조로 할 것

⑥ **자동차 등의 세정을 행하는 설비의 기준**

㉠ 증기세차기를 설치하는 경우에는 그 주위의 불연재료로 된 높이 1m 이상의 담을 설치하고 출입구가 고정주유설비에 면하지 아니하도록 할 것. 이 경우 담은 고정주유설비로부터 4m 이상 떨어지게 하여야 한다.

㉡ 증기세차기 외의 세차기를 설치하는 경우에는 고정주유설비로부터 4m 이상, 도로경계선으로부터 2m 이상 떨어지게 할 것

⑦ **주유원간이대기실 설치기준**

㉠ 불연재료로 할 것

㉡ **바퀴가 부착되지 아니한 고정식일 것**

㉢ 차량의 출입 및 주유작업에 장애를 주지 아니하는 위치에 설치할 것

㉣ 바닥면적이 $2.5m^2$ 이하일 것. 다만, 주유공지 및 급유공지 외의 장소에 설치하는 것은 그러하지 아니하다.

(7) 담 또는 벽

주유취급소의 주위에는 자동차 등이 출입하는 쪽외의 부분에 **높이 2m 이상**의 내화구조 또는 불연재료의 담 또는 벽을 설치하되, 주유취급소의 인근에 연소의 우려가 있는 건축물이 있는 경우에는 소방청장이 정하여 고시하는 바에 따라 방화상 유효한 높이로 하여야 한다.

(8) 주유취급소에 캐노피의 설치기준

① 배관이 캐노피 내부를 통과할 경우에는 1개 이상의 점검구를 설치할 것

② 캐노피 외부의 점검이 곤란한 장소에 배관을 설치하는 경우에는 용접이음으로 할 것

③ 캐노피 외부의 배관이 일광열의 영향을 받을 우려가 있는 경우에는 단열재로 피복할 것

(9) 펌프실 등의 구조

① 바닥은 위험물이 침투하지 아니하는 구조로 하고 적당한 경사를 두어 집유설비를 설치할 것

② 펌프실 등에는 위험물을 취급하는 데 필요한 채광·조명 및 환기의 설비를 할 것

③ 가연성 증기가 체류할 우려가 있는 펌프실 등에는 그 증기를 옥외에 배출하는 설비를 설치할 것

④ 고정주유설비 또는 고정급유설비중 펌프기기를 호스기기와 분리하여 설치하는 경우에는 펌프실의 출입구를 주유공지 또는 급유공지에 접하도록 하고, 자동폐쇄식의 갑종방화문을 설치할 것

⑤ 펌프실 등에는 보기 쉬운 곳에 '위험물 펌프실', '위험물 취급실' 등의 표시를 한 표지와 게시판을 설치할 것

⑥ 출입구에는 바닥으로부터 0.1m 이상의 턱을 설치할 것

▲ 주유취급소

4 옥내저장소 D

(1) 옥내저장소

옥내저장소란 위험물을 용기에 수납하여 저장창고에서 저장 또는 취급하는 시설을 말한다. 위험물을 대량으로 저장함에 따라 **저장창고의 층수, 면적, 처마높이 등을 제한하여 위험성을 증대시키지 않도록 하고 있다.**

(2) 옥내저장소의 보유공지

옥내저장소의 주위에는 그 저장 또는 취급하는 위험물의 최대수량에 따라 다음에 의한 너비의 공지를 보유하여야 한다.

저장 또는 취급하는 위험물의 최대수량	공지의 너비	
	내화구조 건축물	그 밖의 건축물
지정수량의 5배 이하	-	0.5m 이상
지정수량의 5배 초과 10배 이하	1m 이상	1.5m 이상
지정수량의 10배 초과 20배 이하	2m 이상	3m 이상
지정수량의 20배 초과 50배 이하	3m 이상	5m 이상
지정수량의 50배 초과 200배 이하	5m 이상	10m 이상
지정수량의 200배 초과	10m 이상	15m 이상

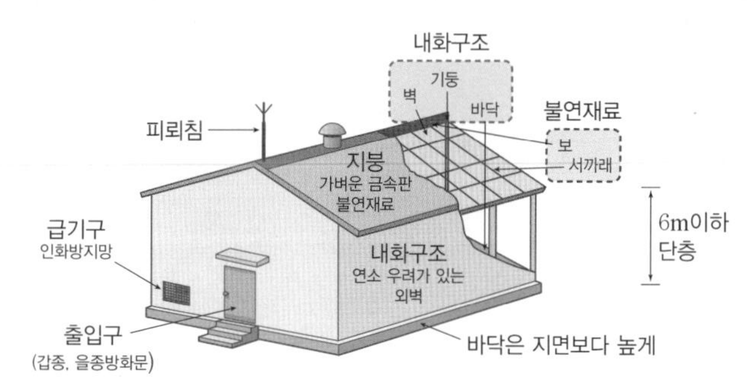

▲ 옥내저장소의 구조

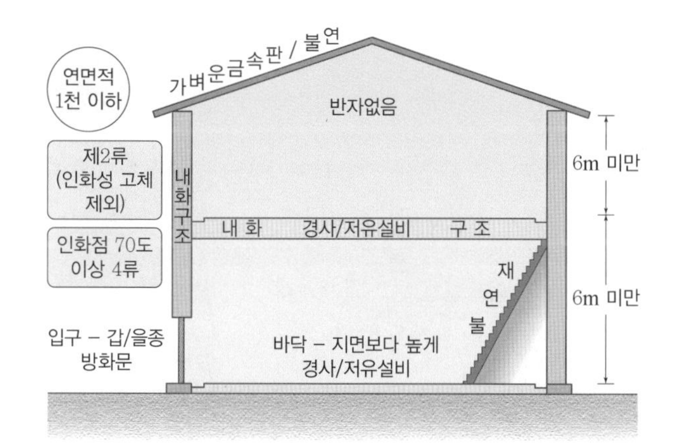

▲ 다층건물의 저장창고의 구조

5 옥내탱크저장소 D

(1) 옥내탱크저장소

옥내탱크저장소란 옥내에 있는 탱크에서 위험물을 저장·취급하는 저장소를 말한다. 옥내에 있는 탱크라는 의미에서 이중의 안전장치를 가지고 있는 시설이며, 저장용량을 제한하고 있어 비교적 안전한 저장소라고 볼 수 있다.

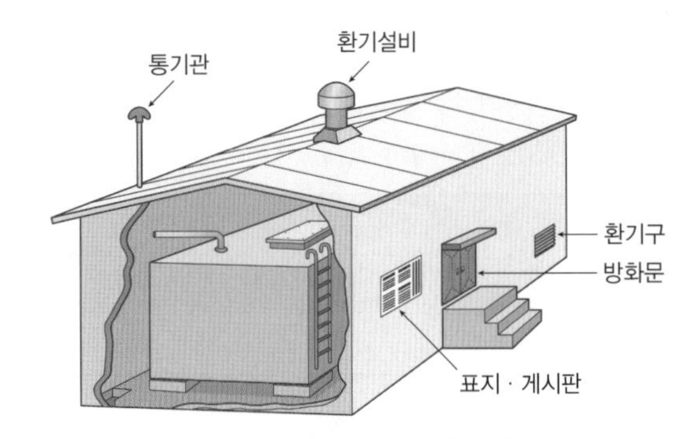

▲ 단층건축물의 탱크전용실 예

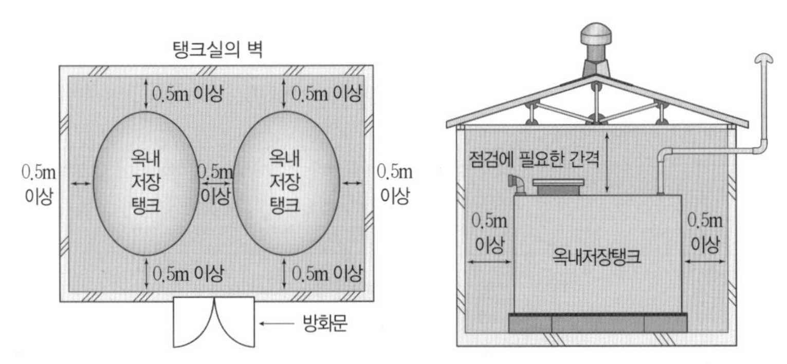

▲ 탱크와 전용실 간, 탱크 상호 간 간격

(2) 탱크의 용량

옥내저장탱크의 용량(동일한 탱크전용실에 옥내저장탱크를 2 이상 설치하는 경우에는 각 탱크의 용량의 합계를 말함)은 지정수량의 40배(제4석유류 및 동식물유류 외의 제4류 위험물에 있어서는 해당 수량이 20,000L를 초과할 때에는 20,000L) 이하로 하여야 한다.

(3) 옥내저장탱크의 구조

옥내저장탱크의 구조에 관한 기준은 옥외저장탱크를 준용하도록 되어 있다.

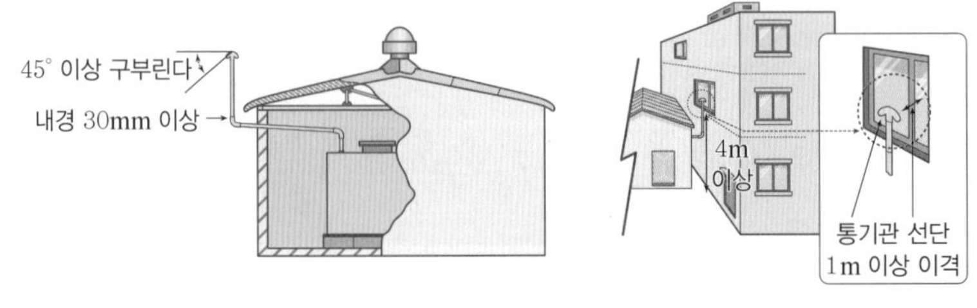

▲ 통기관의 설치 예

6	지하탱크저장소	B

(1) 지하탱크저장소

① 지하에 매설되어 있는 탱크에 위험물을 저장 · 취급하는 저장소를 말한다.

② 탱크가 지하 땅 속에 설치되기 때문에 일반적으로 안전한 시설로 알려져 있어 가장 보편적으로 설치되는 시설이다.

(2) 지하탱크저장소의 분류

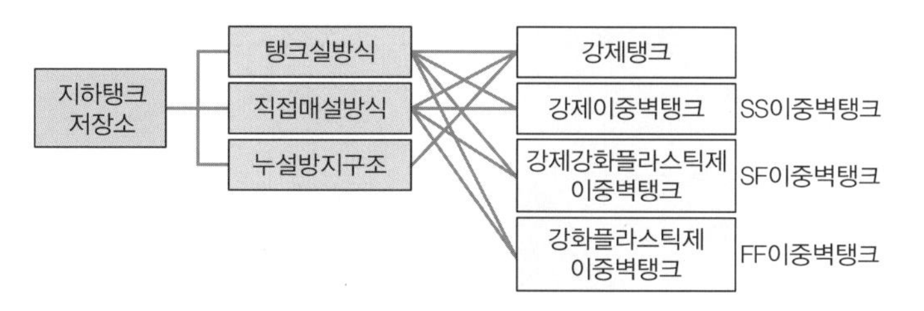

(3) 일반적인 지하저장탱크의 시설기준

① 위험물을 저장 또는 취급하는 **지하저장탱크는 지면 아래 설치된 탱크전용실에 설치하여야 한다.**

② 제4류 위험물을 저장하는 지하저장탱크에 있어 설치위치, 덮개의 구조, 뚜껑의 지지방법, 탱크의 고정에 대하여 관련기준에 적합할 경우에는 탱크실을 생략하고 탱크를 직접 지하에 매설할 수 있다.

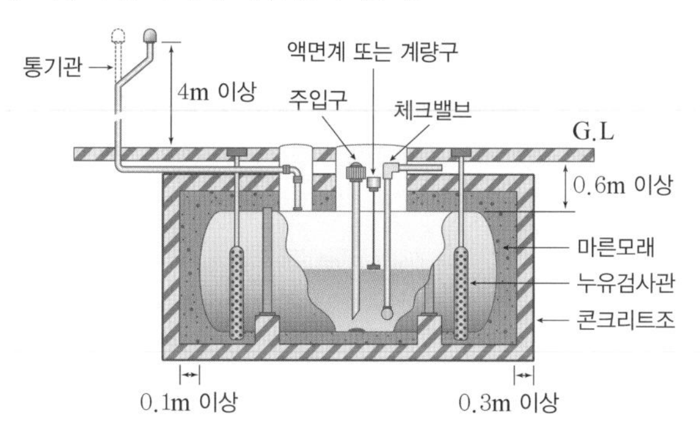

▲ 탱크전용실에 설치된 지하저장탱크

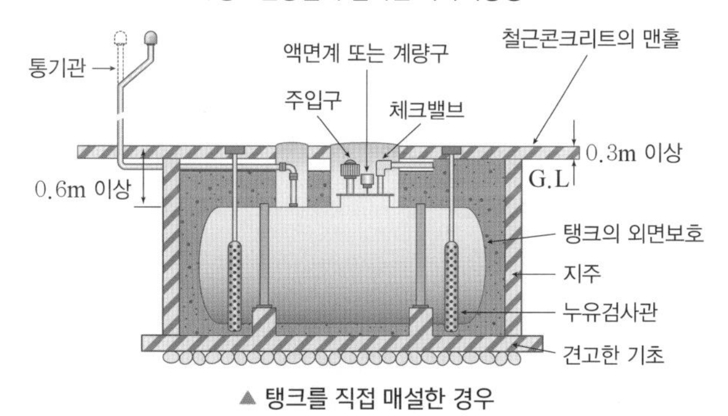

▲ 탱크를 직접 매설한 경우

7 간이탱크저장소 D

(1) 간이탱크저장소

간이탱크저장소란 **간이탱크에 위험물을 저장하는 저장소**를 말한다. 간이탱크는 말 그대로 작은 탱크를 말하며 실제로 **용량을** 600L **이하**로 정하고 있다.

(2) 시설기준

① **설치장소**: 간이탱크저장소는 옥외에 설치하는 것을 원칙으로 한다. 다만, 단층 건물에 설치하는 옥내탱크저장소의 기준에 준하여 탱크 전용실의 구조, 창 및 출입구, 바닥에 관한 시설을 하고, 옥내저장소의 기준에 따라 채광, 채광 · 조명 · 환기 및 배출의 설비를 적합하게 설치하는 경우에는 옥내에 설치할 수 있다.

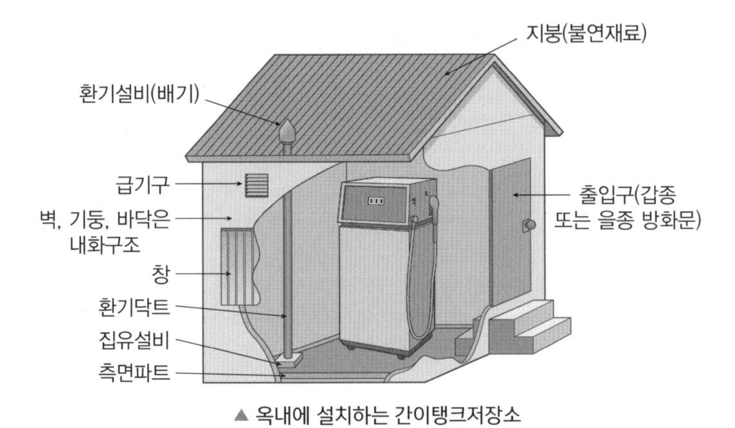

▲ 옥내에 설치하는 간이탱크저장소

② **탱크의 수 및 용량**: 하나의 간이탱크저장소에는 **간이저장탱크를** 3**개까지 설치할 수 있으며 동일한 위험물은** 2**개 이상 설치할 수 없다**. 하나의 탱크 용량은 600L 이하이어야 한다.

8 이동탱크저장소 C

(1) 이동탱크저장소

① **의의**: 차량(견인되는 차 포함)에 고정된 탱크에 위험물을 저장하고 취급하는 장소를 말한다.

② **종류**: 이동탱크저장소의 종류로는 단일 형식의 것(탱크로리) 및 피견인차형식의 것(세미트레일러)이 있다. 또한 탱크를 탈착하는 구조인지 여부에 따라 컨테이너방식(탱크컨테이너를 적재하는 것) 및 컨테이너방식 이외의 것으로 구분된다.

(2) 이동저장탱크의 구조

① **탱크의 재질 및 시험**: 탱크는 두께 3.2mm 이상의 강철판 또는 이와 동등 이상의 강도 · 내식성 및 내열성이 있는 재료 및 구조로 위험물이 새지 않도록 제작하여야 하며, 압력탱크 외의 탱크는 70kPa의 압력으로, 압력탱크는 최대상용압력의 1.5배의 압력으로 각각 10분간의 수압시험을 실시하여 새거나 변형되지 않아야 한다.

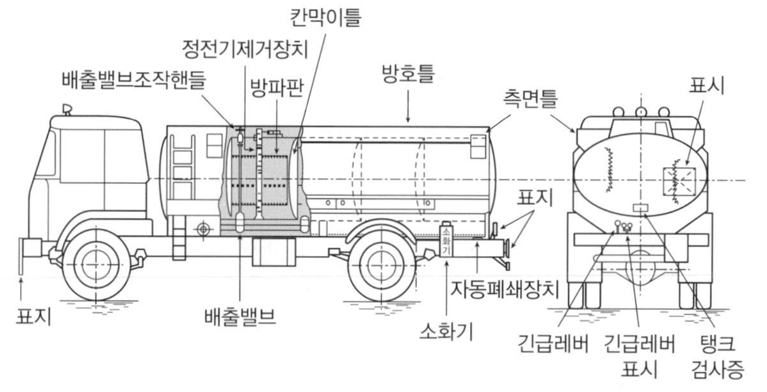

▲ 일반적인 이동탱크저장소의 구조

② 방파판: 방파판은 주행 중의 이동탱크저장소에 있어서의 위험물의 출렁임을 방지하여, 주행 중 차량의 안전성을 확보하기 위하여 설치하는 것이다. 다만, 칸막이로 구획된 부분의 용량이 2,000L 미만인 부분에는 방파판을 설치하지 아니할 수 있다.

③ **측면틀 및 방호틀**: 맨홀, 주입구 및 안전장치 등이 탱크의 상부에 돌출되어 있는 탱크에 있어서는 부속장치의 손상을 방지하기 위한 측면틀 및 방호틀을 설치하여야 한다. 다만, 피견인자동차에 고정된 탱크에는 측면틀을 설치하지 아니할 수 있다.

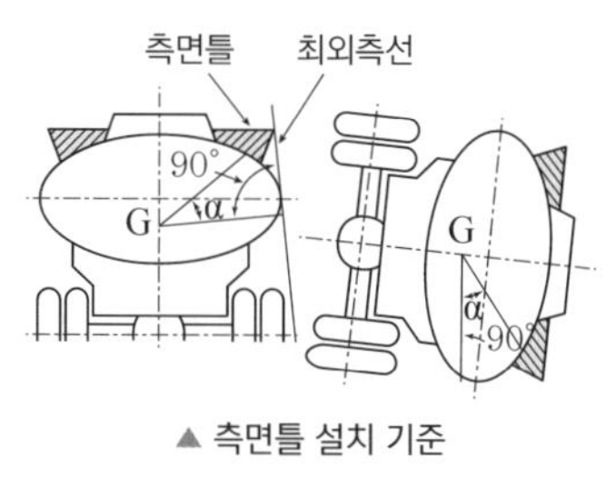

▲ 측면틀 설치 기준

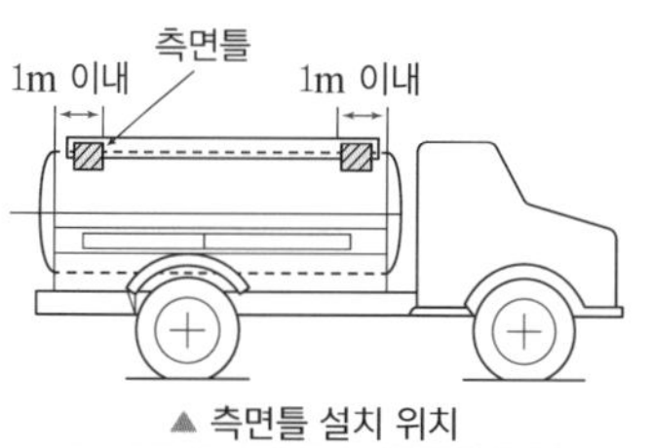

▲ 측면틀 설치 위치

9 옥외저장소 D

(1) 옥외저장소

① 옥외의 장소에서 용기나 드럼 등에 위험물을 넣어 저장하는 장소를 말한다.

② 옥외에 저장하게 되면 기상의 영향으로 화재 내지는 폭발이 발생할 수 있기 때문에 다른 저장소에 비하여 비교적 위험성이 높은 저장소라고 할 수 있다.

(2) 저장·취급품명 제한

① 제2류 위험물 중 유황 또는 인화성 고체(인화점이 0℃ 이상인 것에 한함)

② 제4류 위험물 중 제1석유류(인화점이 0℃ 이상인 것에 한함)·알코올류·제2석유류·제3석유류·제4석유류 및 동식물유류

③ 제6류 위험물

④ 제2류 위험물 및 제4류 위험물물 중 특별시·광역시 또는 도의 조례에서 정하는 위험물(「관세법」 제154조의 규정에 의한 보세구역 안에 저장하는 경우에 한함)

⑤ 국제해사기구에 관한 협약에 의하여 설치된 국제해사기구가 채택한 「국제해상 위험물 규칙(IMDG Code)」에 적합한 용기에 수납된 위험물

(3) 위험물을 용기에 수납하여 저장·취급하는 옥외저장소 시설기준

① **안전거리:** 옥외저장소는 위험성이 높은 저장소로서 위험물제조소의 기준에 준하여 안전거리를 두어야 한다.

② 보유공지

저장 또는 취급하는 위험물의 최대수량	공지의 너비
지정수량의 10배 이하	3m 이상
지정수량의 10배 초과 20배 이하	5m 이상
지정수량의 20배 초과 50배 이하	9m 이상
지정수량의 50배 초과 200배 이하	12m 이상
지정수량의 200배 초과	15m 이상

③ **설치장소:** 옥외저장소는 습기가 없고 배수가 잘 되는 장소에 설치하여야 한다. 또한 위험물을 저장 또는 취급하는 장소의 주위에는 경계표시(울타리의 기능이 있는 것에 한함)를 하여 명확하게 구분하여야 한다.

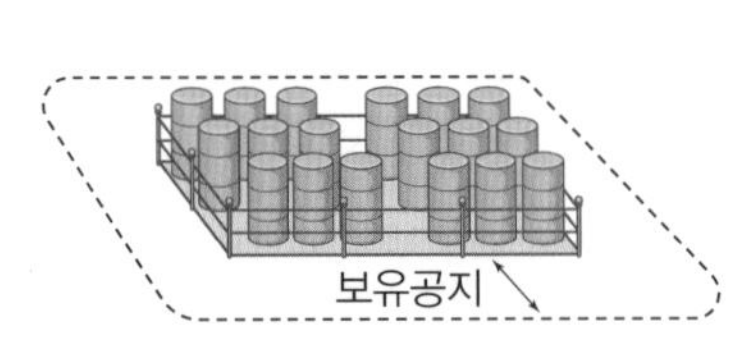

▲ 옥외저장소의 울타리

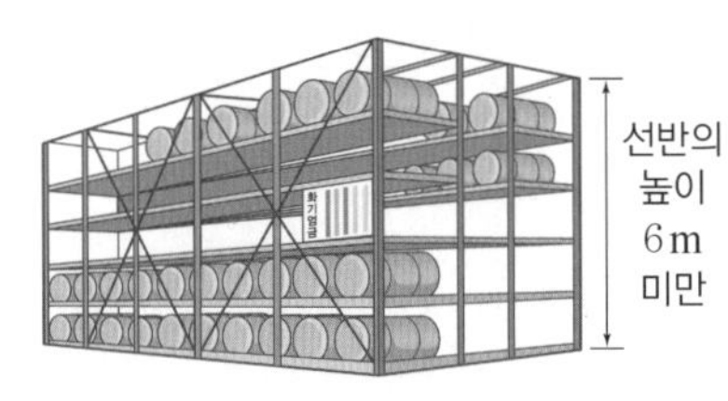

▲ 옥외저장소의 선반

10 암반탱크저장소 D

(1) 암반탱크저장소

① 암반탱크저장소란 **암반 내의 공간을 이용한 탱크에 액체의 위험물을 저장하는 장소**를 말한다.

② 지하수면 아래의 천연암반을 굴착하여 공간을 만들어 액체위험물을 저장하며 **증기의 발생 및 위험물의 누출을 지하수압으로 조절하는 저장소**이다.

(2) 시설기준

① 암반탱크

㉠ 암반탱크는 액체위험물을 저장하는 암반으로 이루어진 탱크로서 지하수의 수압을 이용하여 액체위험물을 저장하기 때문에 지하암반은 암반투수계수가 1초당 10만분의 1m 이하인 천연암반이어야 한다.

㉡ 암반탱크 내에 저장할 위험물의 증기압을 억제하고 위험물의 누출을 막을 수 있도록 지하수면 하에 설치하여야 한다.

㉢ 암반탱크의 내벽은 암반균열에 의한 낙반을 방지할 수 있도록 볼트·콘크리트 등으로 보강하여야 한다.

② 암반탱크의 수리조건

㉠ 암반탱크 내로 유입되는 지하수의 양은 암반 내의 지하수 충전량보다 적어야 한다.

㉡ 암반탱크의 상부로 물을 주입하여 수압을 유지할 필요가 있을 경우에는 수벽공을 설치하여야 한다.

㉢ 암반탱크에 가해지는 지하수압은 저장소의 최대 운영압보다 항상 크게 유지하여야 한다.

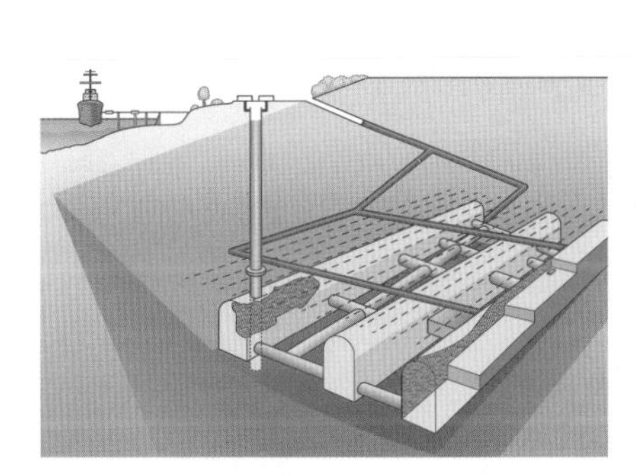

▲ 암반탱크저장소의 예

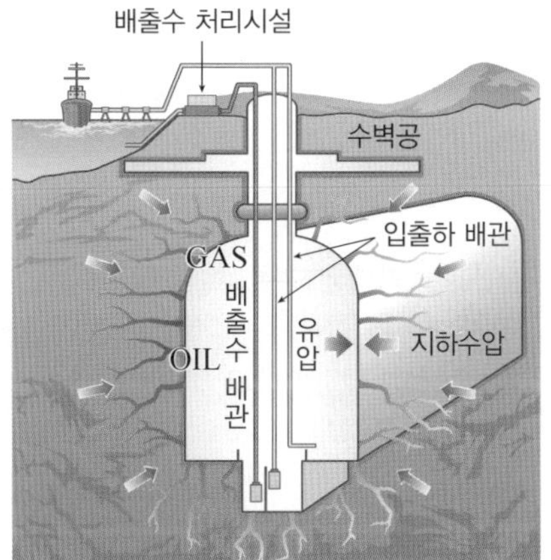

▲ 암반탱크저장소의 저장원리

11 판매취급소 D

판매취급소란 점포에서 위험물을 용기에 담아 판매하기 위하여 지정수량의 40배 이하의 위험물을 취급하는 장소를 말한다. 위험물안전관리법령에서는 저장 또는 취급하는 수량의 지정수량 배수에 따라 제1종 판매취급소와 제2종 판매취급소로 구분하고 있다.

(1) 제1종 판매취급소

① 제1종 판매취급소란 저장 또는 취급하는 위험물의 수량이 **지정수량의 20배 이하**인 판매취급소를 말한다.

② **설치 위치**

㉠ 제1종 판매취급소는 건축물의 1층에 설치하여야 한다.

㉡ 건축물의 지하층이나 2층 이상의 층에는 설치할 수 없다. 건축물의 일부에 설치할 수 있으며, 판매취급소의 용도로 사용하는 부분 외의 용도에 대한 특별한 규정은 없다.

③ **건축물의 구조**: 건축물의 벽은 제1종 판매취급소의 용도로 사용되는 건축물의 부분은 내화구조 또는 불연재료로 하고, 판매취급소로 사용되는 부분과 다른 용도로 사용하는 부분과의 격벽은 내화구조로 하여야 한다.

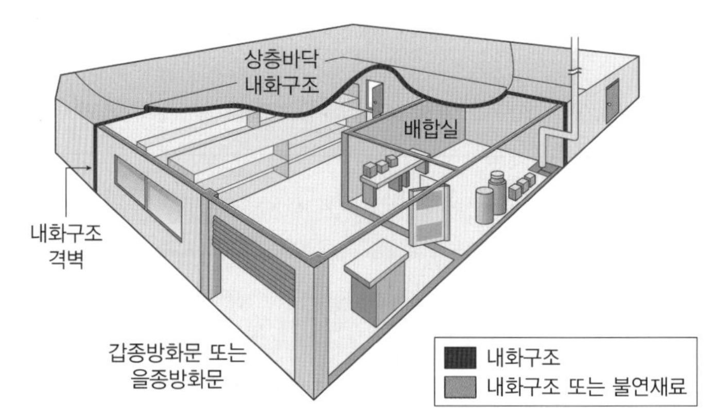

▲ 제1종 판매취급소의 구조

(2) 제2종 판매취급소

제2종 판매취급소란 저장 또는 취급하는 위험물의 수량이 **지정수량의 40배 이하인 판매취급소**를 말한다.

12 이송취급소 D

(1) 이송취급소

이송취급소란 배관 및 이에 부속하는 설비에 의하여 위험물을 이송하는 취급소를 말한다.

(2) 이송취급소에 해당하지 않는 경우

① 「송유관안전관리법」에 의한 송유관에 의하여 위험물을 이송하는 경우

② 제조소등에 관계된 시설(배관 제외) 및 그 부지가 같은 사업소 안에 있고 해당 사업소 안에서만 위험물을 이송하는 경우

③ 사업소와 사업소의 사이에 도로(폭 2m 이상의 일반교통에 이용되는 도로로서 자동차의 통행이 가능한 것을 말함)만 있고 사업소와 사업소 사이의 이송배관이 그 도로를 횡단하는 경우

④ 사업소와 사업소 사이의 이송배관이 제3자(해당 사업소와 관련이 있거나 유사한 사업을 하는 자에 한함)의 토지만을 통과하는 경우로서 해당 배관의 길이가 100m 이하인 경우

⑤ 해상구조물에 설치된 배관(이송되는 위험물이 별표 1의 제4류 위험물 중 제1석유류인 경우에는 배관의 내경이 30cm 미만인 것에 한함)으로서 해당 해상구조물에 설치된 배관의 길이가 30m 이하인 경우

⑥ 사업소와 사업소 사이의 이송배관이 상기한 (3) 내지 (5)의 규정에 의한 경우 중 2 이상에 해당하는 경우

⑦ 「농어촌 전기공급사업 촉진법」에 따라 설치된 자가발전시설에 사용되는 위험물을 이송하는 경우

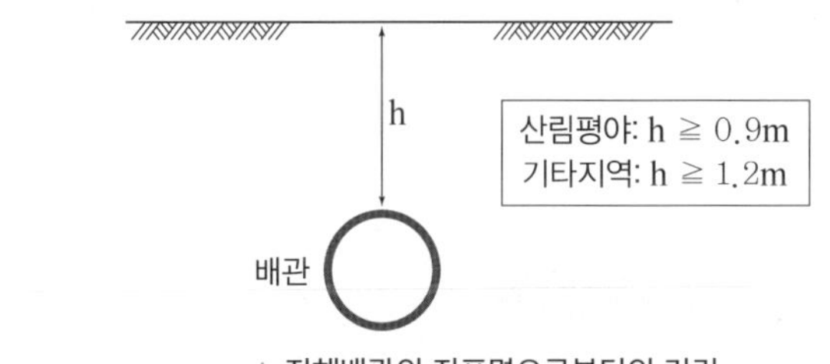

▲ 지해배관의 지표면으로부터의 거리

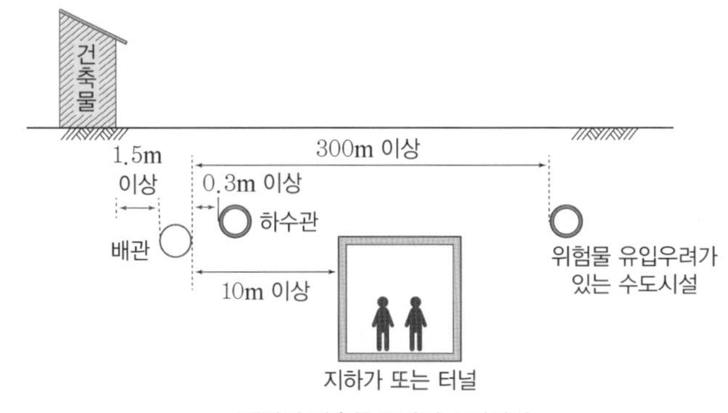

▲ 배관과 건축물 등과의 수평거리

13 일반취급소 D

(1) 일반취급소

일반취급소란 위험물을 취급하기 위한 시설을 설치한 주유취급소, 판매취급소, 이송취급소 외의 장소를 말한다. 일반적으로 제품을 생산하는 공정 중에 위험물을 이용하여 제품을 가공하거나 세척 또는 버너 등을 이용하여 소비하는 취급소가 여기에 해당한다.

(2) 분무도장작업 등의 일반취급소

도장, 인쇄 또는 도포를 위하여 제2류 위험물 또는 제4류 위험물(특수인화물 제외)을 취급하는 일반취급소로서 저장 또는 취급수량이 지정수량의 30배 미만이고 위험물을 취급하는 설비를 건축물에 설치하는 경우에 한한다.

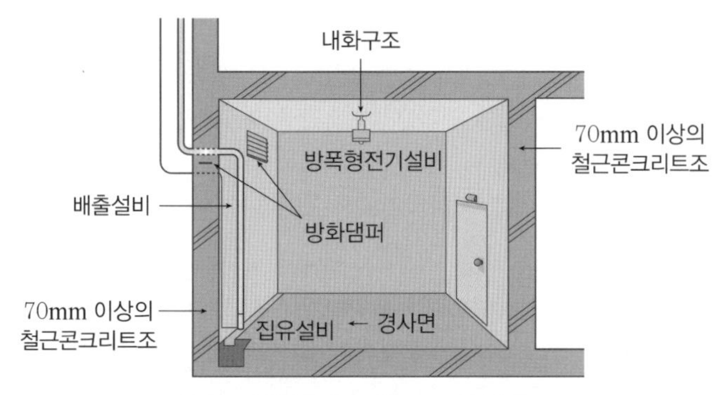

▲ 분무도장작업등의 일반취급소의 건축물 구조

(3) 세정작업의 일반취급소

세정을 위하여 위험물(인화점이 40℃ 이상인 제4류 위험물에 한함)을 취급하는 일반취급소로서 저장 또는 취급하는 수량이 지정수량의 30배 미만이고 위험물을 취급하는 설비를 건축물에 설치하는 경우에 한한다.

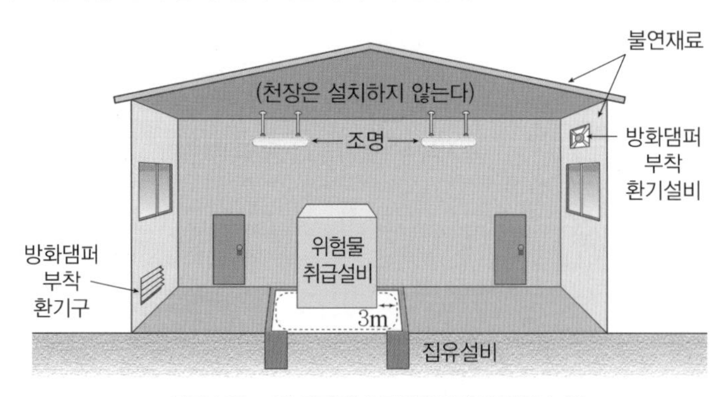

▲ 지정수량 10배 미만의 세정작업의 일반취급소 예

MEMO

해커스소방 **김정희 소방학개론** 기본서

PART 7

소방조직

CHAPTER 1 소방의 역사 및 조직

1 소방의 역사 I B

1. 삼국시대

국가 조직이 완성되고 고대 신분제도가 확립됨에 따라 귀족과 관리들은 군사, 정치, 제례 등을 담당하고 일반 평민이나 노예들은 생산을 담당하는 사회적 분업이 나타나게 되었다. 사람들은 대개 구릉을 이용하여 성을 축조하고, 도성이나 읍성에 거주하는 것이 일반적이었다.

(1) 도성의 축조술 발전으로 왕궁, 관촌, 성문 등 큰 규모의 건축물이 축조되고 가옥은 서로 연접하여 지어짐에 따라 **삼국시대에 들어 화재가 사회적 재앙으로 등장**하게 되었다.

(2) 소방이 전문적인 행정 분야로 분화되지는 않았다.

(3) 도성이나 읍성에서는 군사들과 성민들이 협력하여 불을 껐고 지방은 부락 단위로 소방활동이 이루어졌을 것으로 보인다.

(4) 신라시대 **미추왕 원년**(서기 262년)에 금성 서문에서 화재 발생으로 인가 백여 동이 연소되었고 **진평왕** 18년(서기 596년)에는 영흥사에 불이 나 왕이 친히 이재민을 구제하였다는 기록이 있다.

2. 통일신라시대

상업의 발달로 대도시에 시장·상점이 늘어나고 경주는 상업도시로 번창하였다. 삼국통일 전에는 경주에는 시장이 1개소뿐이었던 것으로 보이나, 통일 후에는 동·서·남 세 군데에 시장이 생겼다.

(1) 도시가 번창하고 인가가 조밀해짐에 따라 화재가 자주 발생하였을 것으로 추측되며, 삼국사기 기록에는 경주의 **영묘사에서 여러 번의 화재가 발생**하였던 것으로 기록되어 있다.

(2) 화재를 담당하는 별도의 조직이 없었으므로 군대와 백성들이 화재를 진화하였다.

(3) 화재에 대한 방화의식

백성들은 초가 대신 기와 지붕을 하고, 나무 대신 숯을 이용하여 밥을 지었다(헌강왕 6년).

핵심기출

우리나라 소방의 시대별 발전과정에 관한 내용으로 옳은 것만을 〈보기〉에서 고른 것은?

23. 소방간부

〈보기〉
ㄱ. 고려시대: 금화도감을 설치하였다.
ㄴ. 조선시대: 일본에서 들여온 수총기를 궁정소방대에 처음으로 구비하였다.
ㄷ. 일제강점기: 우리나라 최초로 소방서를 설치하였다.
ㄹ. 미군정시대: 소방을 경찰에서 분리하여 최초로 독립된 자치적 소방제도를 시행하였다.

① ㄱ, ㄴ ② ㄱ, ㄹ
③ ㄴ, ㄷ ④ ㄴ, ㄹ
⑤ ㄷ, ㄹ

정답 ⑤

3. 고려시대

국가 차원의 소방 관련 제도는 고려시대에 들어와서 마련되기 시작하였다. 현재와 같이 화재를 담당하는 전문 조직은 없었으며 '**금화제도**'라는 명칭으로 화기를 단속하고 예방하였다. 도읍지였던 개경 지역은 지리적으로 협소하고 건물들이 밀집하였으며, 화재가 발생하게 되면 민가 및 상가로 확대되어 수백 동씩 연소되는 경우가 많았다. 특히 왜구의 방화·약탈이 심하여 궁전과 창고의 대형 화재가 많았다는 기록이 있다.

(1) 대창의 화재

① **고려시대에는 별도의 금화관서와 금화조직 없이 군에서 소방업무를 담당하였다.**

② 문종 20년 2월 운흥창의 전소, 선종 7년 3월 신흥창의 화재 등 다수의 **대창의 화재**가 발생하였다.

③ 각 관아에서는 금화업무를 엄격히 하도록 하고 화재가 있을 때에는 이를 규찰하며, 대창에는 금화를 담당하는 관리를 배치하였다.

(2) 금화원(금화관리자)제도

고려시대 전기부터 수도 개성과 각 지방 창고 소재지에 화재 예방 관계를 담당하는 관원을 두었던 제도로, **우리나라 최초 소방행정의 근원이라는 점에서 의미**가 있다.

① 고려시대 전기부터 수도 개성과 각 지방 소재지에 화재 예방 관계를 담당하는 관원을 두었던 제도이다.

② 금화원 제도는 **우리나라 최초 소방행정의 근원**이다.

③ 다만, 화재를 담당하는 전문조직이나 관서가 있었던 것은 아니었다.

(3) 화통도감

화약 제조와 사용량이 늘어감에 따라 **화통도감**을 설치하여 특별관리하였다.

(4) 실화자에 대한 처벌

① **방화 및 실화자에 대한 처벌제도:** 방화에 소홀한 관리는 그 책임을 물어 관직을 박탈하기도 하였고 일반 백성이 방화한 경우 징역형에, 실화한 경우 볼기를 치는 신체형에 처하였다.

② 이외에도 화재를 예방하기 위해 창고를 지하에 설치하거나, 건물이 밀집한 개경에서는 화재 시 연소 확대를 막기 위해 지붕을 기와로 짓도록 하였다.

> **참고 민간인 실화자에 대한 처벌**
>
> 민간인이 방화나 실화를 하였을 때에는 엄중 처벌하였다. 2월 1일부터 10월 3일 사이에 실화로 전야를 소실한 자는 태(笞) 50, 인가와 재물을 연소한 경우는 장(杖) 80, 관아·묘사 및 사가·사택 재물에 방화한 자는 가옥의 간수와 재물의 많고 적음에 구별 없이 도(徒) 3년형에 처하였다.

정희's 톡talk

화재기록

고려 제23대 왕 고종 12년(1226년) 10월 저상, 봉원, 목친, 함원 등 4전(殿)이 모두 전소되는 화재가 발생하자 이듬해에는 지하 창고를 짓게 하였는데 그 규모는 20만석을 능히 저장할 수 있는 정도로 큰 것이었다고 합니다. 이러한 지하시설을 만들게 된 것도 잦은 병란에 따른 화재에 대비하기 위한 것이었습니다.

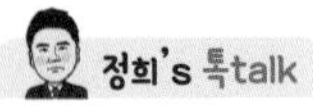

세종 8년~구한말
1. 1426년 2월 금화도감(병조)
2. 1426년 8월 수성금화도감(공조)
3. 1895년 총무국(경무청)
4. 1925년 경성소방서 설치

금화법령
조선시대의 금화법령은 경국대전의 편찬으로 골격이 만들어졌습니다. 경국대전은 중앙 직제 및 관직 등을 규정하고 있는 이전(吏典)에서 소방관서인 수성금화사를, 군사에 관한 병전(兵典)에서 순행, 방화, 금화 관계 법령을, 형벌에 관한 형전(刑典)에서 실화 및 방화에 대한 처벌을 규정하고 있습니다.
1. 순행(巡行): 야간에 아장 또는 부장 같은 장교와 병조 소속 군사들이 통행인을 단속하고 화재에 대비하기 위해 궁궐 안팎을 순찰하며 근무하는 것
2. 금화(禁火): 병조, 의금부, 형조, 한성부, 수성금화사 및 5부의 숙직하는 관원이 순행하여 화재를 단속하는 것
3. 방화(防火): 철에 따라 불씨를 바꾸는 풍습
4. 실화 및 방화에 관한 형률: 태조 17년(1417년) 호조의 계에 따라 실화자와 방화자에 대한 형률을 시행

핵심 기출

우리나라 소방 역사에 대한 설명으로 옳은 것만을 모두 고른 것은? 21. 공채

ㄱ. 고려시대에는 소방(消防)을 소재(消災)라 하였으며, 화통도감을 신설하였다.
ㄴ. 조선시대 세종 8년에 금화도감을 설치하였다.
ㄷ. 1915년에 우리나라 최초 소방본부인 경성소방서를 설치하였다.
ㄹ. 1945년에 중앙소방위원회 및 중앙소방청을 설치하였다.

① ㄱ, ㄴ ② ㄱ, ㄴ, ㄷ
③ ㄴ, ㄷ, ㄹ ④ ㄱ, ㄴ, ㄷ, ㄹ

정답 ①

4. 조선시대

(1) 금화조건

궁중 화재에 대비하여 **세종 5년(1423년) 6월에 병조에서 금화조건을 규정하여 시행**하였다. 궁궐에서 화재가 발생한 경우 진압방법을 구체적으로 규정하였다.

① 화재가 너무 커져 불을 끄는 데 부득이하게 외부인이 필요한 경우에는 내신이 아패(牙牌)를 가지고 외부인을 인솔하도록 하였다.

② 군사는 병조의 진무소에서, 각 사(司)는 사헌부에서, 방리 사람들은 한성부에서 불을 끄러 왔는지 감시하도록 하였다.

③ 공조에서 사다리, 저수기, 물 푸는 그릇 등을 만들어 궐 내 각 처소에 놓아 두도록 하였다.

④ 궐 내에 화재가 발생하면 불이 완전히 꺼질 때까지 종을 치게 하였고, 불을 끄는 군사를 미리 정하여 그들 외에는 출입을 금하도록 하였다.

(2) 금화조직의 설치 및 변천

① **금화도감의 설치:** 세종 8년(1426년) 2월경 한성부에서 대화재가 발생하였다. 이를 계기로 그 해 **병조에 금화도감을 설치**하였다. **상비 소방제도로서의 관서는 아니지만 화재를 방비하는 독자적인 소방관리부서로서 우리나라 최초의 소방관서**이다. 금화도감은 제조 7명, 사 5명, 부사 6명, 판관 6명으로 구성되었다.

② 금화도감의 금화대책으로는 통금시간이 지나 불을 끄는 사람에게 신패(信牌)를 발급하여 불을 끄러 가는 증명을 하였고, 화재를 진압할 때 군인은 병조에서, 각 관아의 노비는 한성부에서 감독하였다. 또한 뜻밖의 화재 발생 시 의금부가 종루를 담당하면서 종을 쳐 담당관원이나 군인에게 화재를 알렸다.

(3) 수성금화도감으로의 병합

① 성문도감과 금화도감은 상시로 다스릴 일이 없는데 각각 따로 설치하여 모든 사령을 접대하는 폐단이 있어 1426년 6월에 이를 병합하여 **공조 소속으로 수성금화도감을 설치**하였다. 수성금화도감은 성의 수리와 길과 다리의 수리 및 도량과 하천의 정비를 담당하였으며 제조 4명, 사 2명, 부사 2명, 판관 2명으로 구성되었다.

② **세종 13년(1431년)에는 수성금화도감에서는 금화군**을 편성하여 실제적인 금화책을 세웠다.

(4) 금화도감의 한성부 합속

① **세조 6년(1460년) 5월 금화도감을 한성부에 속하는 기구로 하는 관제 개편으로 인하여 최초의 소방관서인 금화도감은 폐지되었다.**

② 이후 금화도감이 합속된 후 명확한 기록을 찾기는 어렵지만 1484년(성종 15년) 기록에 의하면 수성금화도감과 수성금화사가 혼용되어 있고 이후로는 수성금화사라 언급된 것으로 추정되었다. 이에 따라 수성금화도감은 수성금화사로 격상되어 경국대전에 법제화되었다.

③ **금화사는 금화도감이 불을 끄기 위한 금화군을 멸화군으로 개칭하여 이들로 하여금 화재를 진압하게 하였다는 기록이 있다.**

(5) 구화조직

① 조선왕조실록에 금화도감의 지휘하에 편성된 금화군이라는 기록이 있다.

② 세종 13년(1431년) 4월 금화도감을 설치한 후에도 화재가 그치지 않아 의정부, 6조, 한성부, 금화도감 제조 등이 논의하여 금화군을 만들었다.

③ 세조 13년(1467년) 세종 때의 금화군을 멸화군으로 개편하였다.

④ 멸화군은 도끼, 쇠갈고리, 불 덮개 등 구화기구를 의무적으로 갖춘 50명의 일정 인원으로 구성된 구화조직이다.

⑤ 오가작통제는 세종 13년(1431년)에 시행하였는데, 불을 놓고 물건을 훔치는 화적(火賊)들에 대한 대비로 설치된 제도이다.

(6) 갑오경장의 경찰관제와 소방

① 1894년 갑오경장을 통하여 종래의 좌우 포도청을 없애고 한성 5부의 경찰 사무를 합하여 경무청을 설치하였다. 이때의 경무청은 한성 5부 관내를 담당하는 기구였다.

② 1895년 4월 29일에는 경무청 직제를 제정하여 경무청에 경무사관방 제1 · 2보 아래 총무국을 두도록 하였으며 총무국에서 수화소방에 관한 사무를 분장하도록 하였다. 그해 5월 3일 「경무청 처무 세칙」을 만들어 수화소방은 난파선 및 출화 · 홍수 등에 관계하는 구호에 관하는 사항으로 규정하였다. 이때가 현재까지는 소방이라는 용어를 처음으로 사용하였던 기록이다.

(7) 구한말 ~ 일제강점기

① 최초의 장비 수입은 중국으로부터 수입한 수총기이다(경종 3년, 1723년).

② 1906년에 일본인이 한국 내에 화재보험회사 대리점을 설치하기 시작해서 1908년에는 우리나라 최초 화재보험회사를 설립하였으며, 화재보험제도는 1925년경에 실시되었다.

③ 1910년 한일합병 이전부터 상비소방수가 있었고, 소방조에 상비소방수를 둘 수 있도록 명문화하였다.

④ 1912년에는 경성소방조 상비대를 경성소방소로 개편하였다.

⑤ 1925년에는 조선총독부 지방 관제를 개정하여 최초의 소방서인 경성소방서(현 종로소방서)가 설치되었다.

⑥ 1939년 「경방단규칙」을 공포하여 소방조와 수방단을 통합하여 경방단을 설치하였다.

정희's 톡talk

화재 대비 정책

우리나라 최초의 소방관청은 금화도감, 조선시대 소방대는 금화군으로 화재를 대비한 각종 정책을 세종 때 시행하였습니다.

오가작통제

한 마을마다 다섯 집에 장(長)을 두고, 장(長)마다 각각 통기(統記)가 있어 다섯 집의 인명을 기록하면, 도감이 통기를 보고 단독자를 제외하고는 존비를 막론하고 수를 정하여 모두 물통을 준비하였다가 불이 나면 근처의 각 호가 각각 그 집을 구하도록 한 것입니다.

정희's 톡talk

세조 6년(1460년) 5월에는 기구를 개편하고 관원 수를 줄이게 되어 금화도감이 한성부에 합병, 우리나라 최초의 소방관서인 금화도감은 34년 만에 폐지되었습니다.

핵심 적중

일제강점기 때 설치된 최초의 소방서는 경성소방서이다. 설치년도는?

① 1915년 ② 1920년
③ 1925년 ④ 1930년

정답 ③

참고 **소방조 및 민간소방조직**

1. **일제 강점기:** 대도시 및 개항지에 일본인들이 증가하게 되어 자신들의 재산을 보고하고자 의용소방조를 설치하기 시작했다.
2. **1889년:** 경성에 소방펌프 1대를 비치하여 소방조를 설치한 것이 한국 내 일본인 소방의 효시이다.
3. **1890년대와 1900년대 초반:** 각 개항지에 영사관규칙으로 「소방조규칙」이 제정·시행되었고, 관민으로부터 각출금을 거두어 펌프를 구입하고 출동 수당을 지급하는 상비소방수제도가 생겼다.
4. **1909년:** 어사칙령으로 「소방조규칙」을 제정·시행하였다.
5. **1912년:** 경성소방조 상비대를 경성소방소로 개편하였고, 1925년에는 조선총독부 제104호 지방관제를 개정하여 경성에 소방서를 설치하였다.
6. **1915년:** 조선총독부령 제65호 「소방조규칙」에 의거하여 자치적 조직으로 지방청년 중심의 민간 소방대를 조직하였다.
7. **1939년:** 조선총독부령으로 소방조와 수방단을 해체하여 경방단으로 통합(경무국 내에 방호과, 도 경찰부에 방호과 설치)하였다.

2 소방의 역사 II A

1. 미군정시기(1945 ~ 1948) - 자치소방체제

(1) 개요

경무국의 경비과를 인수한 미 군정청은 소방업무와 통신업무를 통폐합하여 소방과를 설치하였고, 1945년 11월에는 소방과를 소방부로 개칭하는 동시에 도 경찰부에도 소방과를 설치하였다.

(2) 경찰조직 내의 소방과 자치소방제도의 실시

① 미군정청이 조선총독부를 인수할 당시 소방행정이 경무국 통신과에 속해 있었다. 이에 미군정청은 **소방업무를 자치단체에서 관리하도록** 1946년 4월 10일에 「소방부 및 소방위원회의 창설에 관한 건」을 공포하였다.

② **1946년 4월 10일 군정법 제66호에 따라 소방부 및 소방위원회를 설치하고 소방조직 및 업무를 경찰로부터 완전 독립하여 자치소방체제로 전환하였다.**

③ 이후 중앙 및 도에 소방청을 설립하였다.

④ **중앙소방위원회**

㉠ **중앙소방위원회는 상무부 토목국**(1946년 8월 7일)을 설치하였다. 위원회는 7인의 위원으로 구성하였다.

㉡ **1947년 남조선 과도정부로 개칭된 후에는 중앙소방위원회 집행기구로 소방청을** 설치하였다. 소방청에는 청장 1인, 서기관 1인을 두고 군정고문 1인을 두었으며 조직으로는 총무과 · 소방과 · 예방과를 두었다.

⑤ **도 소방위원회**

㉠ 각 도에는 소방기관으로 도 **소방위원회**를 설치하고 소화 및 방화의 전문지식을 가진 인사 중에서 도지사가 임명하는 5인으로 구성하였다.

㉡ 도 소방위원회의 사무집행기구로는 서울에 소방부, 도에는 소방청을 두었으며, 각 도 소방청에는 소방과와 예방과를 두었다.

(3) 신분제도

① 미군정 시기의 경찰공무원과 소방공무원의 신분은 미군정 실시 직후에는 일제강점기의 것을 답습하였다.

② 1945년 12월 「경찰관명과 사무분장」, 1946년 1월 「경무국 경무부에 관한 건」을 공포하면서 계급구조를 명문화하였다.

③ 이에 따라 소방서에 근무하던 소방서장 이하의 간부도 새로운 관명을 사용하게 되어 소방서장은 감찰관 또는 경감으로 칭하였다. 하위 직원은 소방수 부장과 소방수를 1948년 11월 17일 대통령령 제30호로 「인사사무 처리규정」이 제정될 때까지 계속되었다.

정희's 톡talk

미군정시기(1945 ~ 1948)
1. 중앙: 중앙소방위원회(소방청)
2. 각 도: 도소방위원회(지방소방청)
3. 시 · 읍 · 면: 소방부
→ 소방을 경찰로부터 분리하였습니다.

핵심기출

01 소방 조직의 설치가 시기순으로 옳게 나열된 것은? 24. 공채 · 경채

① 내무부 소방과 - 내무부 소방국 - 도 소방위원회 - 시 · 도소방본부
② 도 소방위원회 - 내무부 소방국 - 시 · 도 소방본부 - 소방방재청
③ 중앙소방위원회 - 내무부 소방국 - 도 소방위원회 - 소방방재청
④ 내무부 소방국 - 중앙소방위원회 - 소방방재청 - 소방청

정답 ②

02 대한민국 정부 수립 이후 중앙소방조직의 변천 과정을 시간적 순서대로 옳게 나열한 것은? 24. 소방간부

① 소방방재청 - 내무부 소방국 - 내무부 치안국 소방과 - 국민안전처 중앙소방본부 - 소방청
② 소방방재청 - 내무부 치안국 소방과 - 내무부 소방국 - 국민안전처 중앙소방본부 - 소방청
③ 내무부 소방국 - 내무부 치안국 소방과 - 국민안전처 중앙소방본부 - 소방방재청 - 소방청
④ 내무부 경찰국 소방과 - 내무부 소방국 - 소방청 - 국민안전처 중앙소방본부 - 소방방재청
⑤ 내무부 치안국 소방과 - 내무부 소방국 - 소방방재청 - 국민안전처 중앙소방본부 - 소방청

정답 ⑤

초창기 정부수립 이후(1948 ~ 1970)
1. 중앙: 내무부 치안국 소방과
2. 각 도: 지방경찰국

핵심기출

정부수립 이후 초창기(1948 ~ 1970)의 소방조직체제에 대해 옳은 것은? 17. 상반기 공채

① 이원적소방체제
② 국가소방체제
③ 자치소방체제
④ 행정소방체제

정답 ②

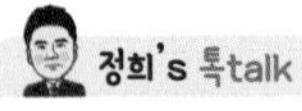

1. 1958년 3월 11일: 소방법 제정
2. 1952년: 내무부령 소방조사규정

2. 정부수립 이후 초창기(1948 ~ 1970)

(1) 개요

1948년 9월 미군정 시대의 경무부, 소방위원회를 인수한 내무부는 그해 내무부 직제를 확정하였다. 소방행정을 중앙은 내무부 치안국(소방과)에 두었고, 각 도의 소방청은 지방경찰국에 두었다. 미군정 시대의 소방청과 자치소방기구는 경찰기구로 흡수되어 소방행정은 경찰행정체제 속에 두었다.

(2) 중앙 및 지방소방조직

① 정부수립과 동시에 소방은 다시 국가소방체제로 경찰사무에 포함되어 운영되었다.
② 중앙소방위원회는 내무부 치안국 소방과에 소방계와 훈련계를 두고 사무를 분장하였다.
③ 1969년 1월 7일 「경찰공무원법」이 제정됨에 따라 소방계장을 소방총경으로 보하도록 하였다.
④ 미군정 과도정부 시기에는 소방서 수가 50개소에 달하였다. 이후 1950년에는 23개소 소방서만 존치시키고 27개 소방서를 폐지하였으나 그 후에 소방서의 수는 계속 증가하였다.

(3) 신분제도

① 1949년 「국가공무원법」 제정 시부터 1969년까지 일반직공무원으로 하였다.
② 1967년 「경찰공무원법」이 제정됨으로써 소방공무원의 신분은 일반직공무원에서 분리되어 별정직인 경찰공무원의 소방직으로 신분이 바뀌게 되었다.
③ 1981년 4월 20일 「국가공무원법」에 소방공무원을 별정직공무원에서 특정직공무원으로 분류하였다.

(4) 소방업무의 법제화

대한민국 정부가 수립되면서 소방업무는 법률이 아닌 내무부령으로 「소방조사규정」을 제정하면서 시작되었다. 체계적인 화재예방과 소방 수요의 증가로 「소방법」 제정의 필요성이 제기됨에 따라 1958년 3월 11일 법률 제485호로 「소방법」이 제정·공포되었다.

① 1958년 「소방법」이 제정·공포되면서 우리나라에서 체계적이고 독립적인 소방법이 법제화되기 시작하였다. 제정 당시의 소방의 업무 영역은 풍수해, 설해의 예방·경계·진압으로 규정하여 자연재해까지 소방의 업무로 규정하였다.
② 관련법이 제정(「풍수해대책법」 1967년 2월 28일)되고 1967년 「소방법」에 개정되어 소방의 업무는 화재의 예방과 진압·경계에 국한되었다.

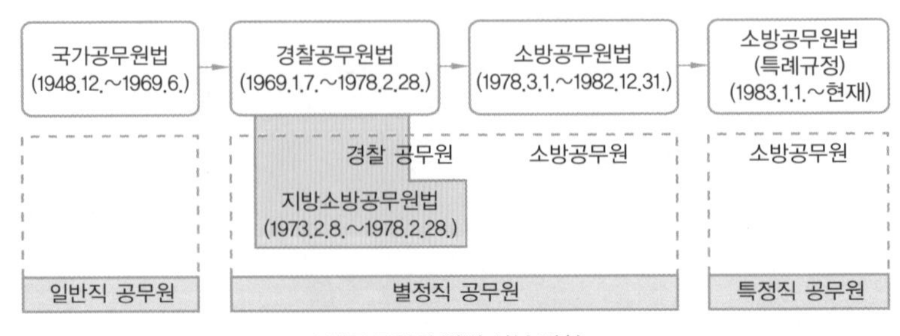

▲ 소방공무원의 법적 신분 변천

3. 발전기(1970 ~ 1992)

(1) 개요

① 소방행정이 자치사무 또는 국가사무로의 시행 여부에 대해서는 과거부터 많은 논의가 있었다. 당시에 시대적 상황에서 소방행정체제의 본질적인 문제를 검토한바, 소방사무를 지방자치단체 고유사무로 전환하는 것이 합리적이라고 판단하였다. 따라서 1970년 8월 3일 **법률 제2210호로 「정부조직법」을 개정하여 내무부의 소방기능을 삭제하고 소방사무를 자치단체에 이양하였다.**

② 이후 「정부조직법」 개정으로 자치사무의 근거를 마련한 뒤 1970년 12월 31일 「소방법」을 개정하여 지방자치단체가 소방사무를 집행하도록 하는 조항을 신설하였다. 그러나 이 역시 부칙에 서울특별시와 부산시만 1971년 1월 1일부터 시행하도록 하였다.

(2) 중앙소방조직과 지방소방조직

① 중앙소방조직은 1974년 12월 31일 **내무부 치안국이 치안본부로 개편되었으며,** 제1부, 제2부, 제3부를 두면서 치안본부의 제2부 내에 **소방과를 두어** 분장하게 하였다.

② 1972년 서울과 부산의 관련 조례의 제정과 개정을 통해 비로소 **서울과 부산에 소방본부를 설치하여 소방사무를 관장하게 하였다.**

③ **국가소방과 자치소방의 이원화 시기였다.** 서울과 부산은 소방본부를 설치하였고, 다른 지역은 국가소방체제였다.

(3) 신분제도

① 1973년 2월 8일 **「지방소방공무원법」이 제정되어** 소방공무원의 신분이 이원화되는 소방행정체제에 큰 변화가 있었다. 국가직은 경찰공무원 소방직으로, 지방직은 지방소방공무원으로 이원화되었다.

② **1975년 내무부에 민방위본부 설치로 민방위제도를 실시하게 되면서 치안본부 소방과에서 민방위본부 소방국으로 이관되었고 소방이 경찰로부터 분리되었다.**

③ **1977년 12월 31일 「소방공무원법」이 제정되었고, 1978년 3월 1일 시행되어 소방공무원은 국가공무원 및 지방공무원 모두 소방공무원으로 신분이 일원화되었다.**

④ **「소방공무원법」 시행의 의미**

㉠ 소방공무원만을 규율하는 독자적인 신분법을 가지게 되어 소방제도와 소방업무의 특수성에 맞춘 소방공무원의 신분제도를 운영할 수 있게 되었다.

㉡ 단일 신분법을 가지게 되었다는 것에 의미가 있다. 즉, 국가소방공무원과 지방소방공무원으로 완전히 분리된 상황에서 그 신분을 단일법으로 규율하였다는 것에 의미가 있다.

(4) 소방업무의 법제화

① 1983년 12월 30일 「소방법」을 개정하여 소방본부장 또는 소방서장은 구급대를 편성·운영할 수 있다는 규정을 신설하여 구급업무를 소방의 업무 영역으로 명문화하였다.

정희's 톡talk

발전기(1970 ~ 1992년)
1. 1974년 내무부 치안본부 소방과
2. 1975년 내무부 민방위본부 소방국
3. 1978년 소방학교 설치(1995년 중앙소방학교 개칭)

「정부조직법」 부칙
1. 부칙(제2210호, 1970.8.3)으로 서울과 부산에서만 지방사무로 실시되었고, 다른 지역에서는 재정사정을 감안하여 일정한 시기까지 시행이 유보되었습니다.
2. 소방업무가 민방위 업무 체제의 한 분야로 자리 잡기 전까지 실시되지 못하고 종전과 같이 경찰행정체제에서 소방사무를 담당하였습니다.

소방장비 보강
1. 1971년 서울 대연각호텔 화재를 계기로 전국 주요도시에 소방장비를 보강
2. 1976년 7월 「소방장비관리규정」을 제정하여 보유장비의 관리유지와 성능향상
3. 1976년 8월 「소방력 기준에 관한 규칙」을 제정 및 보강기준 마련
4. 1997년 국산화에 노력
5. 1998년 국내 소방차 생산품을 규격화

핵심 적중

01 「소방공무원법」은 몇 년부터 시행되었는가?
① 1958년 ② 1965년
③ 1975년 ④ 1978년

정답 ④

02 우리나라 소방 역사에 대한 설명으로 옳지 않은 것은? 20. 공채
① 조선 시대인 1426년(세종 8년) 금화도감이 설치되었다.
② 일제강점기인 1925년 최초의 소방서가 설치되었다.
③ 미군정 시대인 1946년 중앙소방위원회가 설치되었다.
④ 대한민국 정부 수립 이후인 1948년 「소방법」이 제정·공포되었다.

정답 ④

② 서울올림픽(1988) 개최 시 인명안전을 위한 필요성이 제기됨에 따라 119구조대가 창설되었고 1989년 12월 30일 「소방법」을 개정하여 "소방본부장 또는 소방서장은 **구조대**를 편성 · 운영할 수 있다."라는 규정을 마련하여 소방의 기본업무로 법제화하였다.

③ 1999년 2월 5일 「소방법」 제1조를 개정하여 **구조 · 구급 업무까지 소방의 목적으로 명문화**하게 되었다.

4. 현재(1992년 이후) - 광역소방행정체계

(1) 개요

① 국가소방제도는 소방의 지휘 체계가 확립되어 효율적으로 관리되는 측면이 있었으나, 지역의 소방환경에 능동적으로 대처하지 못하는 문제점이 나타났는데 지방자치화 시대의 출범을 앞둔 시점에서 이와 상충되는 문제점이 발생하였다.

② 1991년 **5월 31일 「정부조직법」과 「소방법」을 개정하여 광역소방행정체제를 규정하였다.**

③ 1991년 12월 31일 「소방기관 설치 및 정원에 관한 규정」을 제정하고, 그해 「지방세법」 및 동 시행령을 개정하여 시 · 군세인 소방공동시설세를 도세로 전환하였다.

④ 1992년 **광역자치소방으로 전환하여 시 · 도지사의 책임으로 일원화되는 체계**를 가지게 된다.

(2) 광역소방조직

① 1992년 **3월 28일 「행정기구와 정원에 관한 규정」을 개정하여 도에 소방본부를 설치할 수 있는 근거를 마련하였다.**

② 각 도의 조례와 규칙을 개정하여 1992년 16개 **시 · 도 전체에 소방본부가 설치됨으로써 소방업무를 수행**하게 되었다.

(3) 재난관리의 중요성 대두

① 대형 재난사고로 인하여 1994년 **12월에 방재국**을 신설하였다.

② 1995년 **5월에 소방국 내 구조구급과를 신설**하였다.

③ 성수대교 붕괴, 삼풍백화점 붕괴 등 대형재난이 발생함에 따라 1995년 **7월 18일 「재난관리법」을 제정**하여 소방서장에게 지휘권을 부여하였으며, 소방조직이 재난현장에서 주도적으로 임무를 수행할 수 있도록 하였다.

④ 1994년 충주호 유람선 화재로 인한 「수난구호법」의 개정으로 내수면에 의한 수난구호업무도 소방관서에 부여되었다. 2004년 **3월 11일 「재난관리법」이 폐지됨과 동시에 「재난 및 안전관리 기본법」이 탄생하였다.**

⑤ 삼풍백화점 붕괴 이후인 1995년 7월 18일 「재난관리법」을 제정하고 내무부 민방위본부를 민방위재난통제본부로 확대 · 개편함과 동시에 재난관리국과 소방국 내 장비통신과를 신설하였다.

⑥ 1998년 **2월 총무처와 내무부를 통합하여 행정자치부가 출범**하면서 민방위국에 재난관리국이 다시 흡수되어 민방위재난관리국으로 개칭되었다.

1991년 12월 14일 소방법이 개정됨에 따라 1992년 4월 10일 각 도에 소방본부가 설치됨으로써 소방업무는 시 · 도지사의 책임으로 일원화되었습니다.

핵심기출

01 우리나라 소방의 발전과정에 대한 설명 중 옳지 않은 것은? 18. 하반기 공채

① 최초의 소방관서는 금화도감이다.
② 일제강점기에 최초의 소방서가 설치되었다.
③ 갑오개혁 이후 '소방'이라는 용어를 처음 사용하였다.
④ 대한민국 정부수립과 동시에 소방본부가 설치되었다.

정답 ④

02 해방 이후의 소방조직 변천과정을 과거부터 현재까지 옳게 나열한 것은? 19. 공채

ㄱ. 중앙에는 중앙소방위원회를 두고, 지방에는 도 소방위원회를 두어 독립된 자치소방제도를 시행하였다.
ㄴ. 소방행정이 경찰행정 사무에 포함하여 시 · 군까지 일괄적으로 관리하는 국가소방체제로 전환하였다.
ㄷ. 서울과 부산은 소방본부를 설치하였고, 다른 지역은 국가소방체제로 국가소방과 자치소방의 이원화시기였다.
ㄹ. 소방사무가 시 · 도 사무로 전환되어 전국 시 · 도에 소방본부가 설치되었다.

① ㄱ → ㄴ → ㄷ → ㄹ
② ㄱ → ㄴ → ㄹ → ㄷ
③ ㄴ → ㄱ → ㄷ → ㄹ
④ ㄴ → ㄱ → ㄹ → ㄷ

정답 ①

5. 소방방재청 출범

(1) 개요

① 1990년 이후 삼풍백화점 붕괴사고, 성수대교 붕괴사고, 대구 지하철 화재사고 등 대형재난이 연속되면서 국민들의 안전에 대한 불안감이 커져 갔다.

② 2002년 태풍 루사와 2003년 태풍 매미 피해 등을 계기로 각종 재난으로부터 국민의 생명과 재산을 보호하기 위한 근본적인 재난관리시스템의 필요성이 대두되었다.

③ 참여정부에서 재난 없는 안전한국 건설을 국정의 최우선 과제로 설정하고 안정적인 재난관리 기반을 마련하고자 2004년 6월 1일 **종합적인 국가 재난관리 전담기구인 소방방재청을 개청**하였다.

(2) 소방방재청

① 국가 재난관리 전담기구의 명칭이 소방방재청으로 확정되고 기능이 설정됨에 따라 본청과 소속기관에 대한 구체적인 직제 마련 작업이 시작되었다.

② **본청의 기구는** 7국 28과 267명 **규모의 정원이 확정되었고, 소속기관은 국립방재연구소, 중앙소방학교, 중앙119구조대, 민방위교육과 등을 두었다.**

③ 개청준비단에서의 소방방재청 개청으로 3국 1관(기획관리관 · 예방대비국 · 대응관리국 · 복구지원국)과 4개 소속 기관체제로 직제 제정 및 정원을 확정하고 소방방재청의 기본체제를 마련하였다.

④ 2004년 **「정부조직법」에 따라 소방청장은 정무직 또는 소방공무원으로, 차장은 별정직 1급 또는 소방공무원으로 보임하도록 하였다. 청장이나 차장 중 한명은 반드시 소방직공무원으로 보임할 수 있도록 하였다.**

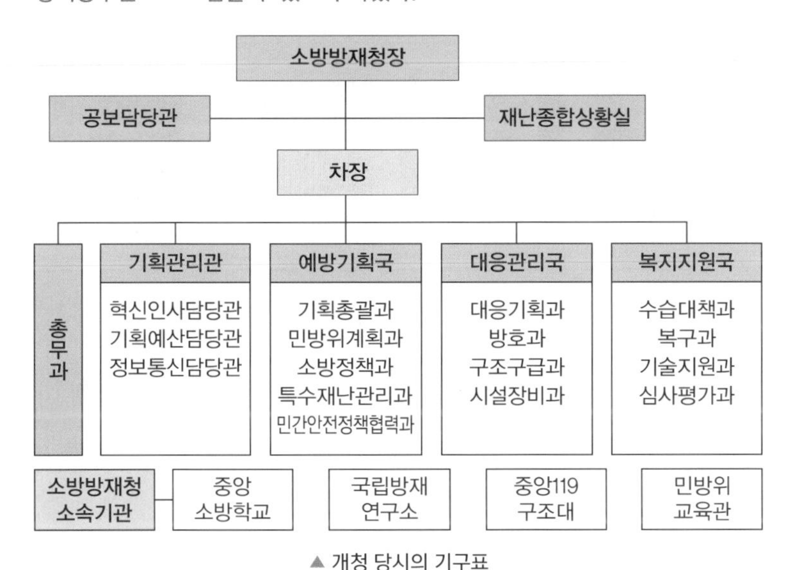

▲ 개청 당시의 기구표

핵심기출

다음 소방의 역사발전과정에 대한 설명으로 옳은 것을 고르면? 18. 상반기 공채

> 가. 세종 8년 금화도감이 설치되었다.
> 나. 일제시대에는 상비소방수제도가 있었다.
> 다. 정부수립 후 1958년 「소방법」이 제정되었다.
> 라. 2004년 소방방재청이 신설되었다.

① 가, 나 ② 가, 나, 다
③ 가, 나, 라 ④ 가, 나, 다, 라

정답 ④

소방조직 7 해커스소방 김정희 소방학개론 기본서

6. 국민안전처의 출범

(1) 개요

① 2014년 발생한 대형사고의 발생으로 사회 전반에 재난사고의 경각심이 급속히 높아지게 되었다.

② 국가재난안전관리시스템의 전면적 혁신에 대한 공감대가 형성되었고 범정부 차원의 재난안전관리 총괄기구의 출범 논의가 시작되었다.

③ 2014년 11월 7일 국회를 통과한 「정부조직법」 개정안이 11월 18일 국무회의에서 의결을 거쳐 19일 공포 · 시행됨으로써 공식 출범하게 되었다.

(2) 국민안전처의 조직

① 재난안전관리에 관한 장관급 부처로 1차관 · 2본부 · 4실 · 19국(관) · 76과(담당관) · 12개 소속기관과 총 10,045명의 인원으로 공식출범하게 되었다.

② 주요 조직은 분산된 재난 대응 체계를 통합하고 재난 현장에서의 전문성과 대응성을 강화하는 데 목적을 두었다.

③ **육상 재난과 해상 재난을 통합 관리하기 위하여 소방방재청과 해양경찰청을 중앙소방본부와 해양경비안전본부로 개편하여 외청이 아닌 본부로 편제하였다.** 전문성과 독립성을 보장하기 위하여 본부장을 차관급으로 하였다.

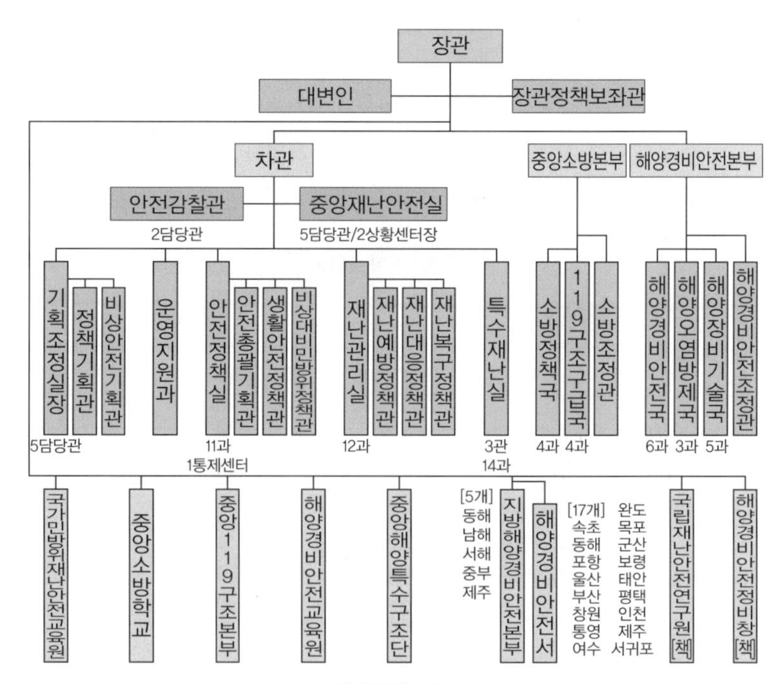

▲ 국민안전처 조직도

7. 소방청의 출범(육상재난 대응 총괄기관)

(1) 개요

① 국민안전처는 재난관련 정책 수립 및 각 부처의 안전관련 업무에 대한 총괄·조정은 가능하나, 그 역할이 각각의 부처에서 불수용되었을 경우 추진되지 않는 조직의 한계를 보였다.

② 소방과 해경의 조직 간 이질적 조직 문화로 인하여 갈등과 역효과가 발생하기도 하고, 안사와 예산 운영이 독립되었다고 하지만 소방 예산 운영에 실질적 독립은 보장되지 못하는 문제점이 발생하기도 하였다.

③ 국민안전처는 역할과 기능이 서로 다른 조직을 물리적으로 통합하는 데 문제가 복잡해지고 책임 소재가 불분명해지는 구조적 문제를 노출하였다.

④ 재난관리의 기능 중 '예방'은 부처별 정책과 연계되어 추진되어야 효율적이고, '복구'는 '예방'과 연계되어 시행되는 것이 바람직하기에 당시 국민안전처 재난관리 기능에 대한 재분류 논의가 필요하게 되었다.

⑤ 예방과 복구는 소관 부처에서 담당하고, 대응 기능은 독립시켜 재난 대응 전담기관으로서의 소방청 신설의 필요성이 대두되었다.

(2) 소방청

① 2017년 7월 26일 개정된 「정부조직법」에서는 소방 정책 및 구조·구급 등 소방에 대한 현장 대응 역량을 위하여 **행정안전부장관 소속으로 소방청을 신설**하였다.

② 소방청의 조직 개편 직제 및 정원은 최종적으로 1관 2국 14과 189명으로 확정되었다.

③ 국민안전처와 행정자치부를 통합하여 행정안전부를 신설하고, 신설되는 행정안전부에 재난 및 안전관리를 전담할 재난안전관리본부를 설치하였다.

④ 해양주권 수호 역량을 강화하기 위하여 해양수산부장관 소속으로 해양경찰청을 신설하였다.

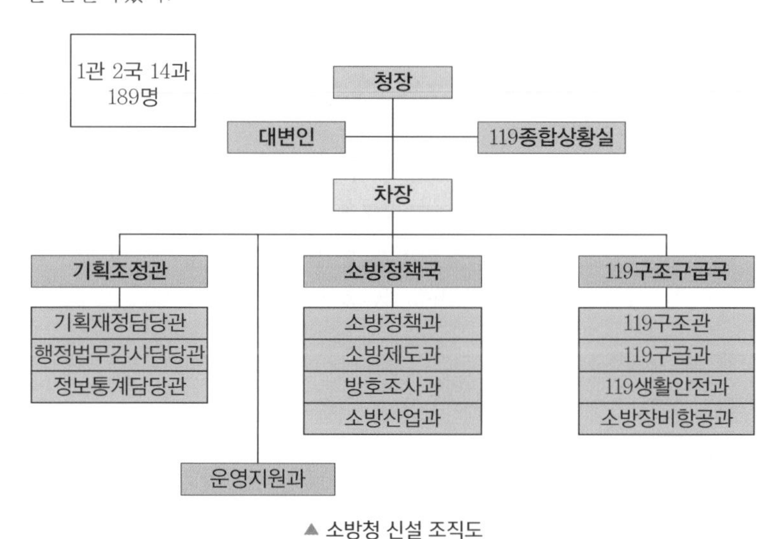

▲ 소방청 신설 조직도

핵심기출

소방행정조직의 발전 과정에 관한 설명으로 옳지 않은 것은? 24. 공채·경채

① 1426년(세종 8년)에 독자적인 소방 관리를 위해 금화도감을 설치하였으며 이후 성문도감과 병합하여 수성금화도감으로 개편하였다.
② 1894년에 경무청이 설치되고, '소방'이란 용어가 처음으로 사용되었다.
③ 1948년에 대한민국 정부가 수립되고 국가 소방체제로 전환하면서 소방행정조직이 경찰에서 분리되었다.
④ 2017년에 「정부조직법」 개정으로 국민안전처를 해체하고 소방청을 개설하였다.

정답 ③

3 소방행정 및 소방조직 B

1. 소방의 정의

소방의 사전적 의미는 '불이 나지 않도록 미리 막고, 불이 났을 때 불을 끄는 일', 즉 화재의 예방·경계·진압에 국한된 개념이다. 고려시대에는 '소재(消災)', 조선시대에는 '금화(禁火)'로 불리기도 하였다. 최근에는 재난·재해 그 밖의 위급한 상황에서의 구조·구급의 개념까지 확대되었고, 나아가 사회안전의 확보라는 개념까지 포괄하여 사용한다.

(1) 협의적 소방과 광의적 소방

① **협의의 소방:** 소방관서에서 일상적으로 행하는 업무, 즉 화재를 예방·경계하거나 진압하고, 재난·재해, 그 밖의 위급한 상황에서 구조·구급활동 등을 통하여 국민의 생명·신체 및 재산을 보호하는 것을 말한다.

② **광의의 소방:** 「소방기본법」 제1조에 규정된 소방활동을 넘어 현대사회의 다양한 소방서비스 요구에 부합하는, 각종 재난 및 안전관련 업무까지를 포함한다.

(2) 형식적 의미의 소방과 실질적 의미의 소방

① **형식적 의미의 소방:** 입법자가 소방기관에 부여한 일체의 사무로서 실정법상 **'소방기관'이 수행하는 모든 사무**를 의미한다. 즉, 소방기관이 수행하는 입법적 활동과 사법적 활동도 포함된다.

② **실질적 의미의 소방:** **'소방작용'의 내용 및 성질을 기준으로 한 개념으로** '화재의 예방·경계·진압·조사와 재난·재해, 그 밖의 위급한 상황에서의 구조·구급활동 등을 통해 국민의 생명과 신체 및 재산을 보호하기 위한 작용'을 말한다. 여기에는 타 행정기관이 행하는 행위도 포함된다.

(3) 소방의 기본적 임무와 파생적 임무

① **소방의 기본적 임무:** 사회공동체 및 구성원의 안전을 화재로부터 보호하는 것이다. 현대 정부의 기능 중 질서기능, 그중에서도 보안기능에 속한다. 화재의 예방·경계·진압을 통해 국민의 생명·신체 및 재산을 보호하는 임무가 이에 해당한다.

② **소방의 파생적 임무:** 정부의 기능 중 봉사기능, 그 가운데에서도 직접적 서비스 기능에 속하는 것으로 **구조대 및 구급대의 운영** 등이 이에 해당한다.

정희's 톡talk

소방 캐릭터 영이와 웅이

현재 소방의 캐릭터는 안전을 책임지는 안전지킴이로 국민을 위해 희생·봉사하는 영웅(HERO)을 의미하며, 통합 캐릭터의 명칭을 '영웅이'로 하고, 여자 캐릭터는 '영이', 남자 캐릭터는 '웅이'로 국민들이 기억하기 쉽고 친근하게 부를 수 있는 이름을 붙였습니다.

소방학

1. 소방학이란 소방을 연구하는 학문으로, 당대에 '소방'으로 정의되는 개념에 관련한 지식을 종합하여 질서정연하게 체계화한 학문을 말합니다(소방학총론 73쪽, 최성룡 著).
2. 소방학이 부실하면 소방정책과 기획 등이 부실하여 소방행정은 실패할 수밖에 없고, 소방행정환경이 건강하지 못하면 그 환경에서 성장한 소방학이 허약할 수밖에 없습니다(소방학개론 181쪽, 최성룡 著).
3. 소방은 소방조직체가 소방목적을 달성하기 위해 소방관계법의 테두리 내에서 자유롭게 작용하는 의식적·인위적·계획적인 노력에 의한 협동행위나 의사결정을 하는 관리적 공행정입니다(소방학개론 170쪽, 최성룡 著).

2. 소방행정

(1) 개념

소방학은 소방주체가 보다 수준 높고 발전지향적인 소방행정을 수행할 수 있도록 안내하는 역할을 담당하고, 소방행정은 소방학의 존재이유이며 소방학이라는 학문이 성장 · 발전할 수 있도록 영양소를 제공해 준다. 이처럼 소방행정과 소방학은 상호 보완적 관계를 맺고 있다.

(2) 소방행정의 분류적 특징

① 고도의 공공행정: 소방행정은 화재를 예방 · 경계하고 진압하여 국민의 생명 · 신체 및 재산을 보호함을 주된 목적으로 하는 고도의 공공행정이다.

② 국민생명유지행정: 소방행정은 화재뿐만 아니라 각종 재난 · 재해 및 기타 위급상황에 처한 국민의 신체와 생명을 구조 · 구급하는 것을 목적으로 하는 국민생명유지행정이다.

③ 특수전문행정: 소방행정은 화재뿐만 아니라 각종 재난 · 재해 및 기타 위급한 상황에 대처하는 것을 목적으로 하는 특수전문행정이다.

④ 사회목적적 행정: 소방행정은 사회의 공공안녕, 질서유지 또는 사회의 공공복리증진을 목적으로 하는 사회목적적 행정이다.

(3) 소방행정의 업무적 특성

① **현장성**: 현장중심의 업무 특성을 말한다.

② **대기성**: 상시적 대응 태세를 확보하여야 한다(↔ 임시성).

③ **신속 · 정확성**: 신속 · 정확한 대처를 통한 실효성을 확보하여야 한다.

④ **전문성**: 소방지식과 다양한 분야의 전문성이 요구되는 종합과학성을 지닌다.

⑤ **일체성**: 강력한 지휘 · 명령권과 기동성이 확립된 일사분란한 지휘체계를 가진다.

⑥ 가외성(잉여성): 현재 필요한 소방력보다 많은 여유자원을 확보하여야 한다.

⑦ **위험성**: 소방업무의 전 과정에는 위험성이 내재되어 있다.

⑧ **결과성**: 과정 · 절차를 중시하는 일반행정과 달리 상대적으로 결과가 중요하다.

(4) 소방행정작용의 특성

① **우월성**: 소방행정기관이 당사자의 허락을 받지 않고 일방적인 결정에 의하여 행정조치를 취하는 것으로, 화재의 예방조치와 강제처분 등이 해당한다.

② **획일성**: 소방대상물의 용도가 같으면 원칙적으로 소방법령의 적용에 있어서 획일적으로 적용되어야 한다는 원칙을 말한다.

③ **기술성**: 소방행정은 공공의 위험을 배제하는 수단, 방법을 강구함에 있어서 재난 · 재해로부터 국민의 생명 · 재산의 보호를 우선한다는 특성을 가진다.

④ **강제성**: 소방행정의 실효성을 확보하기 위하여 행정객체가 소방행정법에 의해 부과된 의무를 위반한 경우에 그 에 대해 제재를 가할 수 있고, 직접 자력으로 행정내용을 강제 · 실현할 수 있다.

3. 소방조직론

(1) 개요

① 베버(Max Weber)는 '조직이란 계속적이고 의도적인 특정한 종류의 활동체계'라고 정의하였고, '조직에는 목적과 경계가 있고 공식적인 구조와 과정이 있다'고 보았다. 일반적으로 조직은 일정한 규모의 구성원들이 그들이 세운 목표를 위해 구조를 이루고 있는 유기체이다.

② 조직의 특징으로는 반드시 이루고자 하는 **목표**가 있어야 하고, **일정한 체계**를 갖추어야 한다. 이루고자 하는 목표 달성을 위한 **일정 규모 이상의 구성원**이 필요하며 주변 환경과 교류할 수 있는 유기체이어야 한다.

(2) 조직의 유형

① **수혜자를 기준으로 한 분류**(Scott & Blau)

㉠ 조직구성원이 서로 이익을 보는 호혜적 조직(정당)

㉡ 조직의 서비스를 이용하는 고객이 수익자가 되는 서비스 조직(병원)

㉢ 소유주가 기업조직의 주된 수혜자가 되는 기업조직(은행)

㉣ **일반 국민을 위해 서비스를 제공하는 공익조직(소방 · 경찰 · 군)**

② **사회적 기능을 기준으로 한 분류**(T. Parsons)

㉠ 경제적 생산과 분배의 기능을 하는 경제조직(회사)

㉡ 사회의 목표와 가치를 창설하는 정치조직(행정기관)

㉢ 사회의 갈등을 조정하고 안정을 유지하는 통합조직(정당)

㉣ 사회체제의 유형을 유지하기 위한 형상유지조직(학교 · 교회)

③ **조직구성원의 참여도를 기준으로 한 분류**(Likert)

㉠ 조직의 최고관리자 단독으로 모든 결정권을 행사하는 수탈적 권위체제

㉡ 하급자에게 일정범위의 결정권(최종결정에 앞서 고위층의 결재 필요)이 주어지는 온정적 권위체제

㉢ 상부에서 주요정책을 결정하지만 한정된 범위에서 결정권이 하급자에게 주어지는 협의체제

㉣ 조직구성원이 집단으로 결정에 참여할 수 있는 집단참여체제

④ **복종의 정도를 기준으로 한 분류**(Etzioni): 조직관리자의 권력행사정도와 구성원의 관여정도라는 두 가지 기준으로 조직을 9가지 유형을 나누고 있다.

㉠ 통제수단으로 강제가 사용되고 대부분의 구성원이 소외의식을 느끼는 강제적 조직(교도소 · 강제구금되는 정신병원)

㉡ 통제수단으로 경제적 보상이 사용되고 대부분의 구성원이 타산적 성향을 지닌 공리적 조직(사기업)

㉢ 통제수단이 규범적 권력(이념 · 당헌 등)이 사용되고 구성원이 높은 귀속감을 지닌 규범적 조직(**정당 · 종교조직 · 소방조직**)

(3) 동기부여 이론

① 욕구이론(A. H. Maslow)

㉠ 식욕, 휴식 · 호흡에 대한 욕구 등 인간의 생존에 직결되는 **생리적 욕구**

㉡ 외부의 위험, 공포 · 불안 등에 벗어나고 싶은 욕구, 강력한 보호자를 찾게 되는 욕구 등 육체적 · 정신적 · 심리적 안전을 추구하는 **안전욕구**

㉢ 타인과의 교류를 통한 애정을 찾게 되는 욕구와 일정 집단에 가입하고 싶은 욕구 등의 **사회적 욕구**

㉣ 타인과의 관계에서 존경과 높은 평가를 받고자 하는 **존경의 욕구**

㉤ 자기 자신의 잠재력을 최대한 실현하고자 하는 **자아실현의 욕구**

② 성취욕구이론(D. C. McClelland)

㉠ 문제해결에 대해 개인적으로 책임을 져야 하는 상황을 좋아한다.

㉡ 적당한 목표설정을 하고 계산된 위험을 감수하는 경향이 강하다.

㉢ 진행한 일의 성과에 대한 평가(Feedback)를 원한다.

(4) 소방관료조직의 개념

① **관료제의 개념:** 일반적으로 관료제란 '대규모 조직에서 많은 업무를 신속하고 효율적으로 수행하기 위하여 미리 정해진 법 규정과 절차에 따라 업무를 수행하는 계층적인 조직구조'를 말한다.

② **베버(Weber)의 관료제의 유형**

㉠ 베버(Weber)는 지배의 정당성을 기준으로 지배의 유형을 세 가지로 나누었다.

㉡ 관료제의 유형을 가산적 관료제 · 카리스마적 관료제 · 합법적 관료제로 구분하였다.

참고 관료제

구분	지배의 정당성	특징(권한의 정당성)
가산적 관료제	전통적 지배	가산적 관료제는 전통을 권력의 원천으로 본 중세시대나 조선시대의 관료제가 전형적인 예에 해당함
카리스마적 관료제	카리스마적 지배	카리스마적 관료제에서 권력의 원천은 초월적 지도자의 비범성이나 선천적 자질에 해당함
합법적 관료제	합법적 지배	합법적 관료제는 근대적 관료제로서 권력의 정당성이 법규에 있으며 베버(Weber)는 합법적 관료제를 이상적인 근대적 관료제로 봄

(5) 소방조직의 구조

소방조직의 구조를 기능중심조직 · 분업중심조직 · 애드호크라시조직으로 구분하기도 한다(소방학개론 103쪽, 최진종 著).

① **기능중심조직:** 수행하는 목표에 따라 인력 · 자원 · 기술을 배분하는 방식으로 전통적인 소방관서의 조직형태이다. 고도로 전문화된 소규모의 조직이 업무 유형에 따라 대응하는 방식이다. 즉, 화재진화를 위한 진압대, 구조를 위한 구조대, 응급환자를 위한 구급대 등으로 편성하는 것과 같다.

핵심 적중

욕구이론(A. H. Maslow)의 설명 중 옳지 않은 것은?

① 식욕, 휴식, 호흡에 대한 욕구 등 인간의 생존에 직결되는 생활적 욕구
② 외부의 위험, 공포·불안 등에 벗어나고 싶은 욕구, 강력한 보호자를 찾게 되는 욕구 등 육체적·정신적·심리적 안전을 추구하는 안전욕구
③ 타인과의 교류를 통해 애정을 찾게 되는 욕구와 일정 집단에 가입하고 싶은 욕구 등의 사회적 욕구
④ 타인과의 관계에서 존경과 높은 평가를 받고 싶어하는 존경의 욕구
⑤ 자기 자신의 잠재력을 최대한 실현하고 싶어하는 자아실현의 욕구

정답 ①

② **분업중심조직**: 소방수요가 증가하거나 소방서와 같은 하위조직이 증가하는 등 조직의 규모가 커지면서 보다 세분화된 업무를 서비스 수요자 중심으로 구성하는 방식을 말한다. 고객의 욕구를 쉽게 만족시킬 수 있고 변화하는 환경에 적응하기 쉬운 장점이 있으나 비효율적인 자원사용, 낮은 전문화와 직업훈련, 통제와 조정의 곤란이라는 단점이 있다.

③ **애드호크라시조직**: 해결해야 할 문제를 중심으로 구성된 **전문가집단으로, 임시적·역동적·유기적인 조직**을 말한다. 애드로호크라시조직의 대표적인 것이 매트릭스조직으로 이중적인 상사의 감독과 명령체계를 가지는 것을 가장 큰 특징으로 한다. 일반적인 업무는 자기가 원래 속한 기능중심 조직부서의 지휘감독을 받으며, 특별한 프로젝트에 대해서는 프로젝트 관리자의 지휘감독을 받는다.

(6) 소방조직의 원리

① **계층제의 원리**: 가톨릭의 교권제도에서 유래된 것으로 업무에 대한 권한과 책임의 정도에 따라 상하의 계층을 설정하는 것이다.

② **통솔범위의 원리**: 한 명의 상관이 부하를 효과적으로 직접 통솔할 수 있는 부하의 수가 통솔범위이다. 한 사람이 효과적으로 통솔할 수 있는 부하의 수는 7 ~ 12명이 적당하고, 비상시에는 3 ~ 4명이 적당하다고 본다.

③ **명령통일의 원리**: 오직 한 사람의 상관으로부터 명령을 받고 그에게 보고해야 한다는 것이다. 어느 조직에서든 수장이 있어야 하고, 하위 조직에서도 같은 원리가 적용된다. 상관으로 하여금 통제를 용이하게 하여 부하의 안전과 복지를 확보할 수 있다.

④ **분업의 원리**: 한 가지 주된 업무를 분담시키는 것이 분업의 원리이다. 기능의 원리 또는 전문화의 원리라고도 한다.

⑤ **조정의 원리**: 각 부분이 공동목표를 달성하기 위해 행동을 통일하고 공동체의 노력으로 질서정연하게 배열하는 것을 말한다. **무니(J. Mooney)는 조직의 원리 중 조정의 원리가 제1원리**라고 주장한다.

⑥ **계선의 원리**: 특정 사안에 대한 결정에 있어서 의사결정과정에서는 **개인의 의견이 참여되지만 결정을 내리는 것은 개인이 아닌 소속기관의 장**이다.

참고 소방조직과 소방행정기구의 비교

구분	소방조직	소방행정기구
구성요소	인적·물적 요소 포함	인적·물적 요소 포함하지 않음
중점	소방조직구조를 편성·유지·개혁해 나가는 과정	소방조직 그 자체
개념	동태적 개념	정태적 개념

핵심 적중

01 소방조직의 구조를 구분할 때 수행하는 목표에 따라 인력, 자원과 기술을 배분하는 방식은 어떤 조직인가?

① 분업중심조직
② 기능중심조직
③ 전통중심조직
④ 애드호크라시조직

정답 ②

02 소방조직의 원리에 해당하지 않는 것은? 21. 공채

① 조정의 원리
② 계층제의 원리
③ 명령분산의 원리
④ 통솔범위의 원리

정답 ③

4. 우리나라의 소방행정조직

(1) 국가소방행정조직

① 소방업무는 광역지방자치단체의 업무이지만 소방업무의 전반적인 분야를 총괄하기 위하여 「정부조직법」에 중앙감독기구인 소방청이 규정되어 있다.

② 소방청장이 소방업무의 책임자이고, 소방행정사무를 관장하는 국가소방행정조직이다.

③ 국가소방행정조직은 직접적 국가소방조직과 간접적 국가소방조직으로 분류할 수 있다.

㉠ 직접적 국가소방행정조직: 소방청, 중앙소방학교 및 중앙119구조본부

㉡ 간접적 국가소방행정조직: 한국소방안전원, 한국소방산업기술원

(2) 지방소방행정조직

① 우리나라는 소방행정조직을 국가소방과 지방소방으로 이원적 운영을 해 오다가 1992년에 일원적 광역소방체제로 전환하였다.

② 지방소방행정조직은 민주성 · 효과성 · 능률성이 있어 소방행정사무를 통일적으로 처리할 수 있다.

요약NOTE 소방행정조직

중앙소방행정조직	지방소방행정조직	민간소방조직
· 직접적 소방행정조직: 소방청, 중앙소방학교, 중앙119구조본부 · 간접적 소방행정조직: 한국소방안전원, 대한소방공제회, 한국소방산업기술원, 소방산업공제조합	소방본부, 소방서, 119안전센터 · 구조대 · 구급대 · 소방정대, 지방소방학교(8개), 서울종합방재센터, 의무소방대	의용소방대, 소방안전관리조직(소방안전관리자), 위험물안전관리조직(위험물안전관리자 · 자체소방대), 기타(소방시설업 · 소방시설관리업 · 탱크안전성능시험자 · 위험물안전관리대행기관)

참고 소방행정체제의 장점 · 단점

구분	광역자치 소방행정체제	기초자치 소방행정체제
장점	· 소방업무의 효율적 운영 가능 · 소방인사의 효율성 · 재정이 부족한 시 · 군에 재정적 부담 경감 · 소방의 균형적 발전에 기여	· 책임과 권한이 명확 · 소방조직의 확대 발전 · 일반행정과 용이한 협조체제 · 각 지역별 특성에 따른 소방서비스 수행
단점	· 도와 시 · 군의 권한 · 책임 불분명 · 지역특성에 맞는 소방조직의 육성 및 발전 저해 · 시 · 군은 자주적 소방력이 미흡하고, 불균형적 소방서비스를 가짐	· 재정자립도가 낮은 시 · 군에서는 소방력 확보가 어려움 · 소방공무원의 고령화 및 사기 저하 · 소방서 간 협조체제가 미흡 · 기초자치단체장의 관심도에 따라 소방 위상 및 역할에 차이가 발생

정희's 톡talk

중앙소방학교

1. 1978년에 개교한 이래로 1995년 중앙소방학교로 개칭되어 응급구조사 양성기관으로 지정되었고, 2001년 의무소방원 교육훈련기관으로 지정되었습니다.
2. 중앙소방학교는 교육지원과, 인재개발과, 교육훈련과, 인재채용팀, 소방과학연구실로 구성되어 있습니다.

5. 소방인사

(1) 소방인사행정의 개념

① 소방인사행정은 정부조직 내의 인적자원의 관리활동을 말한다.

② 소방인사행정의 기능은 소방인적자원의 확보 · 개발 · 관리 · 통제 등으로 분류된다.

(2) 소방인사행정의 특성

① 정부의 인적자원관리는 법적 제약에 따른 인사의 경직성이 강하다.

② 인적자원에 대한 노동가치의 산출이 곤란하다.

③ 정부는 일반기업에 비하여 특이성이 강한 직무들로 구성되어 있다.

④ 정부의 인적자원관리에는 정치성과 공공성이 강하게 반영된다.

(3) 인사행정의 이념

① **효율성(생산성)**: 일반적으로 비용최소화 측면에서의 경제성, 투입 - 산출 비율로서의 능률성, 목표달성도를 의미하는 효과성을 모두 함축하는 의미이다. 생산성과 유사한 개념으로 이해할 수 있다.

② **민주성**: 인사행정의 민주성이란 입법부가 만든 법과 대통령의 명령을 따르는 합법성을 의미하기도 한다. 현대에는 법규에 형식적으로 순응하는 것이 아니라 국민이 요구하는 가치와 이익의 실현을 위한 위민행정이 되도록 인사제도와 관리가 뒷받침되어야 할 것이다.

③ **형평성**: 형평성의 소극적인 의미는 인종, 성별, 연령, 출신지역 등에 상관없이 동등한 기회를 부여하는 것을 의미한다.

④ **공무원의 권익보호**: 정부나 상관의 자의적인 판단에 의하여 공무원이 불이익을 받는 일이 없도록 하여야 한다. 소극적으로는 신분상의 불이익과 같은 권익침해를 받지 않아야 하고, 적극적인 권익보호로는 법적인 측면뿐만 아니라 경제적 · 사회적 · 심리적 측면에서 인간다운 삶을 향유할 수 있도록 하는 것이다.

핵심 적중

인사행정 중 비용최소화 측면에서의 경제성(economy), 투입 - 산출 비율로서의 능률성(efficiency), 목표달성도를 의미하는 효과성(effectiveness)을 모두 함축하는 의미를 가진 이념은?

① 민주성 ② 효율성
③ 형평성 ④ 능률성

정답 ②

(4) 소방교육훈련의 목적

국민의 안전과 복리증진을 위해서 필요한 기술과 소방지식을 습득하고 소방공무원의 올바른 가치관과 태도를 지니는 것이다.

① 소방공무원 자질의 향상을 위한 소방업무에 대한 지식의 증진

② 문제해결능력을 위한 개인능력과 기술의 향상

③ 심리적 및 행동적으로 보다 큰 성과를 이루기 위한 동기와 대인관계의 향상

(5) 소방승진

하위계급에 재직하고 있는 공무원을 근무성적, 경력, 훈련성적 등에 따라 우수한 자를 상위직급에 임용하는 것을 말한다. 소방공무원 승진임용은 **심사승진임용, 시험승진임용, 특별승진임용과 근속승진제**로 구분되며, 법령에 규정하지 아니한 승진임용방법으로는 임용권자 재량에 의한 승진이 있다.

① **임용권자 임의선발에 의한 승진임용**: 소방감 이상 계급

② **승진심사에 의한 승진임용**: 소방준감 이하 계급

③ **승진심사와 승진시험을 병행한 승진임용**: 소방령 이하 계급

(6) 근무성적평정의 목적

소방공무원의 일상의 직무수행능력과 자질 및 실적 등을 평가하여 이를 인사관리에 활용하는 것이다. 소방에서는 1973년 **「지방소방공무원법」이 제정·공포됨에 따라** 1978년 **독자적인 근무성적 평정을 시작**하게 되었다.

① 소방조직과 소방행정의 발전

② 인사조치의 기준 확보

③ 인사기술의 평가기준 제시

> **참고 근무성적평정의 방법**
>
> 1. **도표식 평정법**: 3 ~ 5단계로 나누어 척도에 점수를 배정해 신뢰도와 정확도가 높다.
> 2. **강제배분법**: 분포제한법이라 하며, 집중화 관대화현상을 제한하기 위해 강제배분한다.
> 3. **산출기록법**: 소요된 시간을 기준으로 평가하는 방법으로 질을 평가하기 어렵다.
> 4. **지도기록법**: 평가보다는 근무상황을 지도하고 교정하는 것으로 보조수단으로 활용한다.
> 5. **서열법**: 근무성적을 비교하고 분석하여 서열을 정하는 방법이다.
> 6. **대인비교법**: 표준인물을 선택하여 대인을 비교하여 평가하는 것이다.
> 7. **체크리스트법**: 구체적 업무수행상태에 대한 체크리스트를 작성하여 중앙인사기관에서 평가한다.
> 8. **서술식 보고법**: 서술적인 문장으로 기록하여 평정하는 것이다.

6. 소방재정 〈소방간부 출제범위〉

(1) 「국가재정법」상의 원칙

① **회계연도 독립의 원칙**: 각 회계연도(1.1. ~ 12.31.)의 경비는 그 연도의 세입 또는 수입으로 충당하여야 한다.

② **예산총계주의**: 1회계연도 기간 동안의 일체의 수입(세입)과 지출(세출)은 상호간에 상계하여서는 안 되고, 그 전액을 예산에 계상하여 집행하여야 한다.

③ **결산의 원칙**: 정부는 결산이 정부회계에 관한 기준에 의하여 재정에 관한 유용하고 적절한 정보를 제공할 수 있도록 객관적인 자료와 증거에 따라 공정하게 이루어지게 하여야 한다.

④ **기금관리·운영의 원칙**: 기금관리주체는 그 기금의 설치목적과 공익에 맞게 기금을 관리·운영하여야 한다.

⑤ **기금자산운용의 원칙**: 기금관리주체는 유동성·안정성·수익성 및 공공성을 고려하여 기금자산을 투명하고 효율적으로 운용하여야 한다.

⑥ **의결권 행사의 원칙**: 기금관리주체는 기금이 보유하고 있는 주식의 의결권을 기금의 이익을 위하여 신의에 따라 성실하게 행사하여야 하고, 그 행사내용을 공시하여야 한다.

정희's 톡talk

경비의 계상방법

1. **총계예산**: 예산을 계상하는 데 있어서 경비를 제외하지 않고 세입·세출 총액을 계상하는 것으로, 우리나라를 비롯한 대부분의 국가가 채택하고 있습니다.
2. **순계예산**: 예산을 계상하는 데 있어서 경비를 제외한 순세입·순세출만을 예산에 계상하는 것을 말합니다.

(2) 예산

① **일반회계예산**: 일반적인 조세수입 등을 주요 세입으로 하여 국가의 일반적인 세출에 충당하기 위하여 설치하는 예산을 말한다.

② **특별회계예산**: 특정한 세입으로 특정한 세출에 충당하기 위하여 일반회계예산과 구분하여 계리할 필요가 있을 때 법률로써 설치하는 예산을 말한다.

③ **기금**: 국가가 특정한 목적을 위하여 특정한 자금을 신축적으로 운용할 필요가 있을 때에 한하여 법률로써 설치하는 예산을 말한다(「국가재정법」 제5조 제1항).

(3) 예산편성절차에 따른 분류

① **본예산**: 정기국회의 심의를 거쳐 최초로 편성되어 국회에서 심의 · 의결하여 확정된 예산을 말한다. 정부는 회계연도마다 예산안을 편성하여 회계연도 개시 90일 전까지 국회에 제출하고, 국회는 회계연도 개시 30일 전까지 이를 의결하여야 한다.

② **수정예산**: 예산안이 국회에 제출되고 심의를 거쳐 성립되기 전에 부득이한 사유가 있는 경우 그 내용의 일부를 수정하여 작성되는 예산안을 말한다.

③ **추가경정예산**: 국회의 심의 · 의결로 예산안이 확정된 이후에 발생한 부득이한 사유로 인하여 이미 성립된 예산에 추가변경을 가할 필요가 있을 때 편성되는 예산을 말한다.

(4) 본예산 불성립 시 집행제도에 따른 분류

① **준예산**: 새로운 회계연도가 개시될 때까지 예산안이 의결되지 않을 경우 정부는 국회에서 예산안이 의결될 때까지 일정한 비용에 한하여 전년도 예산에 준하여 집행한다.

② **잠정예산**: 예산안이 회계연도 개시 전까지 성립되지 아니한 경우에 일정기간 동안 필요한 경비의 지출을 허용하도록 잠정적으로 만든 예산을 말한다.

③ **신임예산**: 의회는 총액만 결정하고 구체적인 용도는 행정부가 결정하여 지출을 하도록 하는 것으로서, 정상적인 예산절차의 예외에 해당한다. 전시 등에 있어서는 지출액과 지출시기를 정확하게 예측하기가 어렵고, 또 국가안보상 그 내용을 밝힐 수가 없다. 이러한 경우에 사용되는 것이 신임예산이다.

(5) 예산결정방식에 따른 분류

① **영기준예산**(ZBB; Zero Base Budget): 계속사업 · 신규사업을 불문하고 모든 사업의 타당성을 전면분석하여 사업의 우선순위를 정한 다음 전년도 예산을 기준으로 하지 않고 영기준(Zero Base)에서 출발하여 예산을 편성 · 결정하는 예산제도를 말한다.

② **일몰법**(SSL; Sun-Set Law): 특정한 사업이나 기관이 보통 3 ~ 7년으로 정해진 일정 기간이 지나면 자동적으로 폐지되도록 하는 법률을 말한다.

③ **품목별예산제도**(LIBS; Line Item Budget System): 예산의 편성 · 분류를 정부가 구입 · 지출하고자 하는 물품 또는 서비스를 중심으로 편성하는 예산으로 행정활동에 소요되는 물품이나 용역별로 나열하여 그 내용을 금전적으로 표시하는 것을 말한다.

CHAPTER 2 소방공무원법 등

1 국가공무원법 B

1. 총칙

(1) 목적(제1조)

이 법은 각급 기관에서 근무하는 모든 국가공무원에게 적용할 인사행정의 근본기준을 확립하여 그 공정을 기함과 아울러 국가공무원에게 국민 전체의 봉사자로서 행정의 민주적이며 능률적인 운영을 기하게 하는 것을 목적으로 한다.

(2) 공무원의 구분(제2조)

① 국가공무원(공무원)은 **경력직공무원**과 **특수경력직공무원**으로 구분한다.

② **경력직공무원**: 실적과 자격에 따라 임용되고 그 신분이 보장되며 평생 동안(근무기간을 정하여 임용하는 공무원의 경우에는 그 기간 동안) 공무원으로 근무할 것이 예정되는 공무원을 말한다.

㉠ **일반직공무원**: 기술·연구 또는 행정 일반에 대한 업무를 담당하는 공무원

㉡ **특정직공무원**: 법관, 검사, 외무공무원, 경찰공무원, **소방공무원**, 교육공무원, 군인, 군무원, 헌법재판소 헌법연구관, 국가정보원의 직원, 경호공무원과 특수 분야의 업무를 담당하는 공무원으로서 다른 법률에서 특정직공무원으로 지정하는 공무원

③ **특수경력직공무원**: 경력직공무원 외의 공무원을 말하며, 그 종류는 다음과 같다.

㉠ **정무직공무원**

ⓐ 선거로 취임하거나 임명할 때 국회의 동의가 필요한 공무원

ⓑ 고도의 정책결정 업무를 담당하거나 이러한 업무를 보조하는 공무원으로서 법률이나 대통령령(대통령비서실 및 국가안보실의 조직에 관한 대통령령만 해당)에서 정무직으로 지정하는 공무원

㉡ **별정직공무원**: 비서관·비서 등 보좌업무 등을 수행하거나 특정한 업무 수행을 위하여 법령에서 별정직으로 지정하는 공무원

(3) 일반직공무원의 계급 구분 등(제4조)

① 일반직공무원은 **1급부터 9급까지의 계급**으로 구분하며, 직군과 직렬별로 분류한다. 다만, 고위공무원단에 속하는 공무원은 그러하지 아니하다.

② 다음 공무원에 대하여는 대통령령 등으로 정하는 바에 따라 ①에 따른 계급 구분이나 직군 및 직렬의 분류를 적용하지 아니할 수 있다.

㉠ 특수 업무 분야에 종사하는 공무원

㉡ 연구·지도·특수기술 직렬의 공무원

핵심 기출

우리나라 소방행정에 관한 설명으로 옳은 것은? 20. 공채

① 미군정 시대에는 소방행정을 경찰에서 분리하여 자치소방행정체제를 도입하였다.
② 1972년 전국 시·도에 소방본부를 설치·운영하고 광역소방행정체제로 전환하였다.
③ 소방공무원은 공무원 분류상 경력직공무원 중 특수경력직공무원에 해당한다.
④ 소방공무원의 징계 중 경징계에는 정직, 감봉, 견책이 있다.

정답 ①

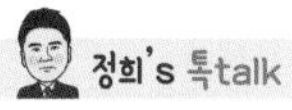

「국가공무원법」

제2조【공무원의 구분】 ④ 별정직공무원의 채용조건·임용절차·근무상한연령, 그 밖에 필요한 사항은 국회규칙, 대법원규칙, 헌법재판소규칙, 중앙선거관리위원회규칙 또는 대통령령으로 정한다.

정희's 톡talk

「법원인사사무규칙」 제18조의2
(징계 등 처분기록의 말소)
1. 징계처분의 경과 기간
 · 강등: 9년 · 정직: 7년
 · 감봉: 5년 · 견책: 3년
2. 무효 또는 취소의 결정
3. 일반사면

핵심 적중

01 「국가공무원법」 및 「소방공무원 징계령」에서 정하고 있는 소방공무원의 징계에 관한 내용으로 옳은 것은? 22. 소방간부
① 중징계의 종류에는 파면, 해임, 강등, 정직, 감봉이 있다.
② 경징계의 종류에는 견책, 훈계, 경고가 있다.
③ 소방정인 지방소방학교장에 관한 징계는 시·도에 설치된 징계위원회에서 심의·의결한다.
④ 정직은 1개월 이상 3개월 이하의 기간으로 하고, 정직 처분을 받은 자는 그 기간 중 공무원의 신분은 보유하나 직무에 종사하지 못하며 보수는 전액을 감한다.
⑤ 감봉은 1개월 이상 3개월 이하의 기간 동안 보수의 2분의 1을 감한다.
정답 ④

02 임용결격사유가 아닌 것은?
① 파산선고를 받고 복권되지 아니한 자
② 금고 이상의 실형을 선고받고 그 집행이 종료되거나 집행을 받지 아니하기로 확정된 후 2년이 지나지 아니한 자
③ 금고 이상의 형을 선고받고 그 집행유예 기간이 끝난 날부터 2년이 지나지 아니한 자
④ 징계로 파면처분을 받은 때부터 5년이 지나지 아니한 자
⑤ 징계로 해임처분을 받은 때부터 3년이 지나지 아니한 자
정답 ②

03 소방공무원의 결격사유에 대한 설명 중 옳지 않은 것은?
① 피성년후견인 또는 피한정후견인
② 금고 이상의 형의 선고유예를 받은 경우에 그 선고유예 기간 중에 있는 자
③ 금고 이상의 형을 선고받고 그 집행유예 기간이 끝난 날부터 1년이 지나지 아니한 자
④ 징계로 의하여 파면처분을 받은 때부터 5년이 지나지 아니한 자
정답 ③

(4) 정의(제5조)

① **직위**: 1명의 공무원에게 부여할 수 있는 직무와 책임을 말한다.
② **직급**: 직무의 종류·곤란성과 책임도가 상당히 유사한 직위의 군을 말한다.
③ **정급**: 직위를 직급 또는 직무등급에 배정하는 것을 말한다.
④ **강임**: 같은 직렬 내에서 하위 직급에 임명하거나, 하위 직급이 없어 다른 직렬의 **하위 직급**으로 임명하거나 고위공무원단에 속하는 일반직공무원을 고위공무원단 직위가 아닌 **하위 직위**에 임명하는 것을 말한다.
⑤ **전직**: 직렬을 달리하는 임명을 말한다.
⑥ **전보**: 같은 직급 내에서의 보직 변경 또는 고위공무원단 직위 간의 보직 변경을 말한다.
⑦ **직군**: 직무의 성질이 **유사한 직렬의 군**을 말한다.
⑧ **직렬**: 직무의 종류가 유사하고 그 책임과 곤란성의 정도가 서로 다른 직급의 군을 말한다.
⑨ **직류**: 같은 직렬 내에서 담당 분야가 같은 직무의 군을 말한다.
⑩ **직무등급**: 직무의 곤란성과 책임도가 상당히 유사한 직위의 군을 말한다.

(5) 인사기록(제19조)

① 국가기관의 장은 그 소속 공무원의 인사기록을 작성·유지·보관하여야 한다.
② ①의 인사기록에 관한 사항은 **대통령령 등**으로 정한다.

2. 임용과 시험

(1) 결격사유(제33조)

① 피성년후견인
② **파산선고를 받고 복권되지 아니한 자**
③ 금고 이상의 실형을 선고받고 그 집행이 종료되거나 집행을 받지 아니하기로 확정된 후 5년이 지나지 아니한 자
④ 금고 이상의 형을 선고받고 그 **집행유예** 기간이 끝난 날부터 2년이 지나지 아니한 자
⑤ 금고 이상의 형의 선고유예를 받은 경우에 그 **선고유예기간 중**에 있는 자
⑥ 법원의 판결 또는 다른 법률에 따라 자격이 상실되거나 정지된 자
⑦ 공무원으로 재직기간 중 직무와 관련하여 「형법」 제355조 및 제356조에 규정된 죄를 범한 자로서 **300만원 이상의 벌금형**을 선고받고 그 형이 확정된 후 2년이 지나지 아니한 자
⑧ **100만원 이상의 벌금형을 선고받고 그 형이 확정된 후 3년이 지나지 아니한 사람**
 ㉠ 「성폭력범죄의 처벌 등에 관한 특례법」 제2조에 따른 성폭력범죄
 ㉡ 「정보통신망 이용촉진 및 정보보호 등에 관한 법률」 제74조 제1항 제2호 및 제3호에 규정된 죄
 ㉢ 「스토킹범죄의 처벌 등에 관한 법률」 제2조 제2호에 따른 스토킹범죄

⑨ **미성년자에 대한 다음의 어느 하나에 해당하는 죄를 저질러 파면·해임되거나 형 또는 치료감호를 선고받아 그 형 또는 치료감호가 확정된 사람(집행유예를 선고받은 후 그 집행유예기간이 경과한 사람을 포함한다)**

㉠「성폭력범죄의 처벌 등에 관한 특례법」 제2조에 따른 성폭력범죄

㉡「아동·청소년의 성보호에 관한 법률」 제2조 제2호에 따른 아동·청소년대상 성범죄

⑩ 징계로 **파면처분**을 받은 때부터 5년이 지나지 아니한 자

⑪ 징계로 **해임처분**을 받은 때부터 3년이 지나지 아니한 자

(2) 시보임용(제29조)

① 5급 **공무원**을 신규채용하는 경우에는 1년, 6급 **이하의 공무원**을 신규채용하는 경우에는 6개월간 각각 **시보(試補)로 임용**하고 그 기간의 근무성적·교육훈련성적과 공무원으로서의 자질을 고려하여 정규공무원으로 임용한다. 다만, 대통령령 등으로 정하는 경우에는 시보임용을 면제하거나 그 기간을 단축할 수 있다.

> **참고 공무원임용령**
>
> **제25조【시보임용의 면제 및 기간 단축】** ① 제24조에 따라 시보 공무원이 될 사람이 받은 교육훈련 기간이 있는 경우에는 그 기간에 따라 시보임용을 면제하거나 시보임용기간을 단축할 수 있다.
>
> ② 다음 각 호의 경우에는 시보임용을 면제한다.
>
> 1. 제31조의 승진소요최저연수를 초과하여 재직하고 제32조의 승진임용 제한 사유에 해당하지 아니하는 사람으로서 승진예정 계급에 해당하는 채용시험에 합격하여 임용된 경우
> 2. 정규의 일반직 국가공무원 또는 일반직 지방공무원이었던 사람(임기제공무원으로만 근무했던 사람은 법 제29조 제1항에 따른 계급별 시보임용 기간 이상 근무한 경우로 한정한다)이 퇴직 당시의 계급(인사혁신처장이 정하는 임용계급에 상당하는 계급을 포함한다. 이하 이 호에서 같다)이나 그 이하의 계급으로 임용된 경우
> 3. 수습직원이 법 제26조의4 제1항에 따라 6급(우정직공무원의 경우에는 우정3급을 말한다) 이하의 공무원으로 임용된 경우
> 4. 임기제공무원으로 임용된 경우

② 휴직한 기간, 직위해제기간 및 징계에 따른 정직이나 감봉처분을 받은 기간은 ①의 시보임용기간에 넣어 계산하지 아니한다.

(3) 승진(제40조)

① **승진임용**은 **근무성적평정·경력평정**, 그 밖에 **능력의 실증**에 따른다. 다만, 1급부터 3급까지의 공무원으로의 승진임용 및 고위공무원단 직위로의 승진임용의 경우에는 **능력과 경력** 등을 고려하여 임용하며, 5급 공무원으로의 승진임용의 경우에는 **승진시험**을 거치도록 하되, 필요하다고 인정하면 대통령령 등으로 정하는 바에 따라 승진심사위원회의 심사를 거쳐 임용할 수 있다.

② 6급 이하 공무원으로의 승진임용의 경우 필요하다고 인정하면 대통령령 등으로 정하는 바에 따라 **승진시험을 병용(竝用)**할 수 있다.

③ 승진에 필요한 계급별 최저 근무연수, 승진 제한, 그 밖에 승진에 필요한 사항은 대통령령 등으로 정한다.

> **참고** 공무원임용령
>
> 제31조 【승진소요최저연수】 ① 공무원이 승진하려면 다음 각 호의 구분에 따른 기간 동안 해당 계급에 재직하여야 한다.
>
> 1. 일반직공무원(우정직공무원은 제외한다)
>   가. 4급: 3년 이상 나. 5급: 4년 이상
>   다. 6급: 3년 6개월 이상 라. 7급 및 8급: 2년 이상
>   마. 9급: 1년 6개월 이상
>
> 제32조 【승진임용의 제한】 ① 공무원이 다음 각 호의 어느 하나에 해당하는 경우에는 승진임용될 수 없다.
>
> 1. 징계처분 요구 또는 징계의결 요구, 징계처분, 직위해제, 휴직(법 제71조 제1항 제1호에 따른 휴직 중 「공무원 재해보상법」에 따른 공무상 질병 또는 부상으로 인한 휴직자를 제35조의2 제1항 제4호 또는 제5호에 따라 특별승진임용하는 경우는 제외한다) 또는 시보임용 기간 중에 있는 경우
> 2. 징계처분의 집행이 끝난 날부터 다음 각 목의 기간[법 제78조의2 제1항 각 호의 어느 하나에 해당하는 사유로 인한 징계처분과 소극행정, 음주운전(음주측정에 응하지 않은 경우를 포함한다), 성폭력, 성희롱 및 성매매에 따른 징계처분의 경우에는 각각 6개월을 더한 기간]이 지나지 않은 경우
>   가. 강등 · 정직: 18개월
>   나. 감봉: 12개월
>   다. 견책: 6개월

3. 신분 보장 및 징계

(1) 직위해제(제73조의3)

① 직무수행 능력이 부족하거나 근무성적이 극히 나쁜 자

② 파면 · 해임 · 강등 또는 정직에 해당하는 징계 의결이 요구 중인 자

③ 형사 사건으로 기소된 자(약식명령이 청구된 자는 제외)

④ 고위공무원단에 속하는 일반직공무원으로서 제70조의2 제1항 제2호부터 제5호까지의 사유로 적격심사를 요구받은 자

⑤ 금품비위, 성범죄 등 대통령령으로 정하는 비위행위로 인하여 감사원 및 검찰 · 경찰 등 수사기관에서 조사나 수사 중인 자로서 비위의 정도가 중대하고 이로 인하여 정상적인 업무수행을 기대하기 현저히 어려운 자

(2) 징계의 종류 및 징계의 효력(제79조 및 제80조)

징계는 견책(譴責) · 감봉 · 정직 · 강등 · 해임 · 파면으로 구분한다.

① 견책(譴責)은 전과(前過)에 대하여 훈계하고 회개하게 한다.

② 감봉은 **1개월 이상 3개월 이하**의 기간 동안 보수의 **3분의 1**을 감한다.

③ 정직은 **1개월 이상 3개월 이하**의 기간으로 하고, 정직 처분을 받은 자는 그 기간 중 **공무원의 신분은 보유하나** 직무에 종사하지 못하며 **보수는 전액을 감한다.**

④ 강등은 1계급 아래로 직급을 내리고(고위공무원단에 속하는 공무원은 3급으로 임용하고, 연구관 및 지도관은 연구사 및 지도사로 함) **공무원신분은 보유하나 3개월간 직무에 종사하지 못하며 그 기간 중 보수는 전액을 감한다.**

⑤ 해임

⑥ 파면

정희's 톡talk

「소방공무원 징계령」

제1조의2 【정의】 이 영에서 사용하는 용어의 뜻은 다음과 같다.

1. "중징계"란 파면, 해임, 강등 또는 정직을 말한다.
2. "경징계"란 감봉 또는 견책을 말한다.

핵심 기출

징계의 종류 중 중징계에 해당하지 않는 것은?

18. 상반기 공채

① 해임 ② 강등
③ 정직 ④ 견책

정답 ④

2 소방공무원법 A

(1) 목적

이 법은 **소방공무원**의 책임 및 직무의 중요성과 신분 및 근무조건의 특수성에 비추어 그 임용, 교육훈련, 복무, 신분보장 등에 관하여 **「국가공무원법」에 대한 특례를 규정하는** 것을 목적으로 한다.

(2) 정의

① **임용**: 신규채용 · 승진 · 전보 · 파견 · 강임 · 휴직 · 직위해제 · 정직 · 강등 · 복직 · 면직 · 해임 및 파면을 말한다.

② **전보**: 소방공무원의 같은 계급 및 자격 내에서의 근무기관이나 부서를 달리하는 임용을 말한다.

③ **강임**: 동종의 직무 내에서 하위의 직위에 임명하는 것을 말한다.

④ **복직**: 휴직 · 직위해제 또는 정직(강등에 따른 정직 포함) 중에 있는 소방공무원을 직위에 복귀시키는 것을 말한다.

(3) 소방공무원 계급 구분에 따른 주요 내용

① 계급 구분

계급	계급장	계급	계급장
소방총감		소방정	
소방정감		소방령	
소방감		소방경	
소방준감		소방위	
소방장		소방교	
소방사		소방사 시보	

② 근속승진

㉠ **소방사를 소방교로 근속승진임용**: 해당 계급에서 4년 이상 근속자

㉡ **소방교를 소방장으로 근속승진임용**: 해당 계급에서 5년 이상 근속자

㉢ **소방장을 소방위로 근속승진임용**: 해당 계급에서 6년 **6개월** 이상 근속자

㉣ **소방위를 소방경으로 근속승진임용**: 해당 계급에서 8년 이상 근속자

「소방공무원법」

제15조【근속승진】 ② 근속승진임용의 기준, 절차 등에 관하여 필요한 사항은 대통령령으로 정한다.

③ 정년(제25조)

㉠ 소방공무원의 연령 정년: 60세

㉡ 계급정년

ⓐ 소방감: 4년

ⓑ 소방준감: 6년

ⓒ 소방정: 11년

ⓓ 소방령: 14년

㉢ 소방청장은 전시, 사변, 그 밖에 이에 준하는 비상사태에서는 2년의 범위에서 계급정년을 연장할 수 있다. 이 경우 소방령 이상의 소방공무원에 대해서는 행정안전부장관의 제청으로 국무총리를 거쳐 대통령의 승인을 받아야 한다.

㉣ 소방공무원은 그 정년이 되는 날이 1월에서 6월 사이에 있는 경우에는 6월 30일에 당연히 퇴직하고, 7월에서 12월 사이에 있는 경우에는 12월 31일에 당연히 퇴직한다.

요약NOTE 소방공무원 계급 구분에 따른 주요 내용

계급	근속승진	계급정년	시보기간	승진소요 최저근무연수	임용권자
소방총감	-	-	1년간	-	소방청장의 제청으로 국무총리를 거쳐 대통령이 임용한다.
소방정감	-	-		-	
소방감	-	4년		-	
소방준감	-	6년		-	
소방정	-	11년		4년	
소방령	-	14년		3년	
소방경	-	-		3년	소방청장
소방위	8년 이상	-		2년	
소방장	6년 6개월 이상	-	6개월간	2년	
소방교	5년 이상	-		1년	
소방사	4년 이상	-		1년	

핵심기출

「소방공무원법」상 근속승진과 계급정년의 내용으로 옳은 것은? 24. 소방간부

	근속승진	계급정년
① 소방사를 소방교로	해당 계급에서 4년 이상 근속자	소방령: 14년
② 소방장을 소방위로	해당 계급에서 7년 6개월 이상 근속자	소방준감: 6년
③ 소방위를 소방경으로	해당 계급에서 8년 이상 근속자	소방경: 18년
④ 소방교를 소방장으로	해당 계급에서 6년 이상 근속자	소방감: 5년
⑤ 소방경을 소방령으로	해당 계급에서 10년 이상 근속자	소방정: 10년

정답 ①

정희's 톡talk

「소방공무원 승진임용 규정」

제5조【승진소요최저근무연수】① 소방공무원이 승진하려면 다음 각 호의 구분에 따른 기간 이상 해당 계급에 재직하여야 한다.
1. 소방정: 4년
2. 소방령: 3년
3. 소방경: 3년
4. 소방위: 2년
5. 소방장: 2년
6. 소방교: 1년
7. 소방사: 1년

「소방공무원임용령」

제22조【시보임용 소방공무원】① 임용권자 또는 임용제청권자는 시보임용기간 중의 소방공무원(시보임용소방공무원)에 대하여 근무상황을 항상 지도·감독하여야 한다.
② 임용권자 또는 임용제청권자는 시보임용소방공무원이 다음 각 호의 어느 하나에 해당하여 정규 소방공무원으로 임용하는 것이 부적당하다고 인정되는 경우에는 면직시키거나 면직을 제청할 수 있다.
1. 징계사유에 해당하는 경우
2. 제24조 제1항에 따른 교육훈련 성적이 만점의 6할 미만인 경우
3. 근무성적평정점이 만점의 5할 미만인 경우

(4) 시보임용

> **제23조【시보임용의 면제 및 기간단축】** ① 제24조에 따라 시보임용예정자가 받은 교육훈련기간은 이를 시보로 임용되어 근무한 것으로 보아 시보임용 기간을 단축할 수 있다.
> ② 다음 각 호의 1에 해당하는 경우에는 시보임용을 면제한다.
> 1. 소방공무원으로서 소방공무원승진임용규정에서 정하는 상위계급에의 승진에 필요한 자격요건을 갖춘 자가 승진예정계급에 해당하는 계급의 공개경쟁채용시험에 합격하여 임용되는 경우
> 2. 정규의 소방공무원이었던 자가 퇴직당시의 계급 또는 그 하위의 계급으로 임용되는 경우

① 소방공무원을 신규채용할 때에는 **소방장 이하는 6개월간 시보로** 임용하고, **소방위 이상은 1년간 시보로** 임용하며, **그 기간이 만료된 다음 날에 정규 소방공무원으로 임용한다.** 다만, 대통령령으로 정하는 경우에는 시보임용을 면제하거나 그 기간을 단축할 수 있다.

② 휴직기간, 직위해제기간 및 징계에 의한 정직처분 또는 감봉처분을 받은 기간은 시보임용기간에 포함하지 아니한다.

③ 소방공무원으로 임용되기 전에 그 임용과 관련하여 소방공무원 교육훈련기관에서 교육훈련을 받은 기간은 시보임용기간에 포함한다.

④ 시보임용기간 중에 있는 소방공무원이 근무성적 또는 교육훈련성적이 불량할 때에는 「국가공무원법」 제68조 또는 제70조에도 불구하고 면직시키거나 면직을 제청할 수 있다.

(5) 임용권자(제6조)

① **소방령 이상의 소방공무원**은 소방청장의 제청으로 국무총리를 거쳐 **대통령이 임용**한다. 다만, **소방총감은 대통령이 임명**하고, **소방령 이상 소방준감 이하의 소방공무원에 대한 전보, 휴직, 직위해제, 강등, 정직 및 복직은 소방청장**이 한다.

② **소방경 이하의 소방공무원은 소방청장**이 임용한다.

③ 대통령은 ①에 따른 임용권의 일부를 대통령령으로 정하는 바에 따라 소방청장 또는 시·도지사에게 위임할 수 있다.

④ 소방청장은 ① 단서 후단 및 ②에 따른 임용권의 일부를 대통령령으로 정하는 바에 따라 시·도지사 및 소방청 소속기관의 장에게 위임할 수 있다.

⑤ 시·도지사는 ③ 및 ④에 따라 위임받은 임용권의 일부를 대통령령으로 정하는 바에 따라 그 소속기관의 장에게 다시 위임할 수 있다.

⑥ 임용권자(임용권을 위임받은 사람 포함)는 대통령령으로 정하는 바에 따라 소속 소방공무원의 인사기록을 작성·보관하여야 한다.

관계법규 임용권의 위임

소방공무원임용령	NOTE
제3조【임용권의 위임】 ① 대통령은 「소방공무원법」(이하 "법"이라 한다) 제6조 제3항에 따라 소방청과 그 소속기관의 소방정 및 소방령에 대한 임용권과 소방정인 지방소방학교장에 대한 임용권을 소방청장에게 위임하고, 시·도 소속 소방령 이상의 소방공무원(소방본부장 및 지방소방학교장은 제외한다)에 대한 임용권을 특별시장·광역시장·특별자치시장·도지사·특별자치도지사(이하 "시·도지사"라 한다)에게 위임한다. ② 소방청장은 법 제6조 제4항에 따라 중앙소방학교 소속 소방공무원 중 소방령에 대한 전보·휴직·직위해제·정직 및 복직에 관한 권한과 소방경 이하의 소방공무원에 대한 임용권을 중앙소방학교장에게 위임한다. ③ 소방청장은 법 제6조 제4항에 따라 중앙119구조본부 소속 소방공무원 중 소방령에 대한 전보·휴직·직위해제·정직 및 복직에 관한 권한과 소방경 이하의 소방공무원에 대한 임용권을 중앙119구조본부장에게 위임한다. ④ 중앙119구조본부장은 119특수구조대 소속 소방경 이하의 소방공무원에 대한 해당 119특수구조대 안에서의 전보권을 해당 119특수구조대장에게 다시 위임한다. ⑤ 소방청장은 법 제6조 제4항에 따라 다음 각 호의 권한을 시·도지사에게 위임한다. 1. 시·도 소속 소방령 이상 소방준감 이하의 소방공무원(소방본부장 및 지방소방학교장은 제외한다)에 대한 전보, 휴직, 직위해제, 강등, 정직 및 복직에 관한 권한 2. 소방정인 지방소방학교장에 대한 휴직, 직위해제, 정직 및 복직에 관한 권한 3. 시·도 소속 소방경 이하의 소방공무원에 대한 임용권 ⑥ 시·도지사는 법 제6조 제5항에 따라 그 관할구역 안의 지방소방학교·서울종합방재센터·소방서 소속 소방경 이하(서울소방학교·경기소방학교 및 서울종합방재센터의 경우에는 소방령 이하)의 소방공무원에 대한 해당 기관 안에서의 전보권과 소방위 이하의 소방공무원에 대한 휴직·직위해제·정직 및 복직에 관한 권한을 지방소방학교장·서울종합방재센터장 또는 소방서장에게 위임한다. ⑦ 제2항 및 제3항에 따라 임용권을 위임받은 중앙소방학교장 및 중앙119구조본부장은 소속 소방공무원을 승진시키려면 미리 소방청장에게 보고하여야 한다. ⑧ 소방청장은 소방공무원의 정원의 조정 또는 소방기관 상호간의 인사교류 등 인사행정 운영상 필요한 때에는 제2항, 제3항 및 제5항 제2호에도 불구하고 그 임용권을 직접 행사할 수 있다.	

관계법규 임용권자 및 임용권의 위임

<table>
<tr><th colspan="5">소방공무원법</th><th colspan="3">소방공무원 임용령</th></tr>
<tr><th colspan="3">임용권자</th><th colspan="2">위임규정(대통령령)</th><th colspan="2">대상</th><th>임용권자</th></tr>
<tr><td rowspan="6">소방령 이상 (대통령)</td><td rowspan="3">소방총감 [대통령 임명]</td><td rowspan="3">① 대통령</td><td colspan="2" rowspan="3">③ 대통령은 제1항에 따른 임용권의 일부를 소방청장 또는 시·도지사에게 위임</td><td colspan="2">소방청과 그 소속기관 소방정 및 소방령의 임용권</td><td rowspan="2">소방청장</td></tr>
<tr><td colspan="2">소방정 지방소방학교 장의 임용권</td></tr>
<tr><td colspan="2">시·도 소속 소방령 이상(소방본부장 및 지방소방학교장은 제외한다)</td><td>시·도지사</td></tr>
<tr><td rowspan="3">소방령, 소방정, 소방준감의 전보, 휴직, 직위해제, 강등, 정직, 복직</td><td rowspan="3">① 소방청장</td><td rowspan="2">④ 소방청장은 제1항 단서 후단 임용권의 일부를 시·도지사 또는 소방청 소속기관의 장에게 위임</td><td rowspan="2"></td><td rowspan="2">중앙소방학교 (중앙119 구조본부)</td><td>소방령에 대한 전보·휴직·직위해제·정직 및 복직</td><td rowspan="2">중앙소방학교 장 (중앙119구조본부장)</td></tr>
<tr><td>소방경 이하 임용권</td></tr>
<tr><td></td><td>⑤ 그 소속기관의 장(중앙119 구조본부장)</td><td colspan="2">119특수구조대 소속 소방경 이하 (전보)</td><td>119특수구조대장</td></tr>
<tr><td colspan="3" rowspan="5">소방경 이하 (소방청장)</td><td rowspan="5">④ 소방청장은 제2항의 임용권의 일부를 시·도지사 또는 소방청 소속기관의 장에게 위임</td><td rowspan="3"></td><td>시·도 소속 소방령 이상 소방준감 이하(소방본부장 및 지방소방학교장은 제외한다)</td><td>전보, 휴직, 직위해제, 강등, 정직 및 복직</td><td rowspan="3">시·도지사</td></tr>
<tr><td>소방정인 지방소방학교장</td><td>휴직, 직위해제, 정직 및 복직</td></tr>
<tr><td colspan="2">시·도 소속 소방경 이하 임용권</td></tr>
<tr><td rowspan="2">⑤ 그 소속기관의 장 (시·도지사)</td><td rowspan="2">지방소방학교
서울종합방재센터
소방서
119특수대응단
소방체험관</td><td>소방경 이하(서울소방학교·경기소방학교 및 서울종합방재센터의 경우): 전보권</td><td rowspan="2">지방소방학교장
서울종합방재센터장
소방서장
119특수대응단장
소방체험관장</td></tr>
<tr><td>소방위 이하: 휴직·직위해제·정직 및 복직에 관한 권한</td></tr>
</table>

(6) 소방공무원인사위원회의 설치(제4조)

① 소방공무원인사위원회의 설치

㉠ 소방공무원의 인사(人事)에 관한 중요사항에 대하여 소방청장의 자문에 응하게 하기 위하여 **소방청**에 소방공무원인사위원회(인사위원회)를 둔다. 다만, **시·도지사가 임용권을 행사하는 경우에는 시·도에 인사위원회**를 둔다.

㉡ 인사위원회의 구성 및 운영에 필요한 사항은 대통령령으로 정한다.

② **인사위위회의 기능(제5조)**: 인사위원회는 다음의 사항을 심의한다.

㉠ 소방공무원의 인사행정에 관한 방침과 기준 및 기본계획에 관한 사항

㉡ 소방공무원의 인사에 관한 법령의 제정·개정 또는 폐지에 관한 사항

㉢ 그 밖에 소방청장과 시·도지사가 해당 인사위원회의 회의에 부치는 사항

관계법규 소방공무원인사위원회

소방공무원임용령	NOTE
제8조【소방공무원인사위원회의 구성】 ① 법 제4조에 따른 소방공무원인사위원회(이하 "인사위원회"라 한다)는 위원장을 포함한 5명 이상 7명 이하의 위원으로 구성한다. ② 소방청에 설치된 인사위원회의 위원장은 소방청차장이, 시·도에 설치된 인사위원회의 위원장은 「지방자치법 시행령」 제73조에 따른 해당 지방자치단체의 부단체장(행정부시장·행정부지사를 말한다)이 되고, 위원은 인사위원회가 설치된 기관의 장이 소속 소방정 이상의 소방공무원 중에서 임명한다. **제9조【위원장의 직무】** ① 위원장은 인사위원회의 사무를 총괄하며, 인사위원회를 대표한다. ② 위원장이 부득이한 사유로 직무를 수행할 수 없는 때에는 위원 중에서 최상위의 직위 또는 선임의 공무원이 그 직무를 대행한다. **제10조【회의】** ① 위원장은 인사위원회의 회의를 소집하고 그 의장이 된다. ② 회의는 재적위원 3분의 2 이상의 출석과 출석위원 과반수의 찬성으로 의결한다. **제11조【간사】** ① 인사위원회에 간사 약간인을 둔다. ② 간사는 인사위원회가 설치된 기관의 장이 소속공무원 중에서 임명한다. ③ 간사는 위원장의 명을 받아 인사위원회의 사무를 처리한다. **제12조【심의사항의 보고】** 위원장은 인사위원회에서 심의된 사항을 지체 없이 당해 인사위원회가 설치된 기관의 장에게 보고하여야 한다.	

(7) 신규채용(제7조) 〈소방간부 출제범위〉

① 공개채용시험

㉠ 소방공무원의 신규채용은 **공개경쟁시험**으로 한다.

㉡ **소방위의 신규채용**은 대통령령으로 정하는 자격을 갖추고 공개경쟁시험으로 선발된 사람(소방간부후보생)으로서 정하여진 교육훈련을 마친 사람 중에서 한다.

참고 소방공무원채용시험의 응시연령(「소방공무원임용령」 [별표 2])

계급별	공개경쟁채용시험	경력경쟁채용시험 등
소방령 이상	25세 이상 40세 이하	20세 이상 45세 이하
소방경 · 소방위	-	23세 이상 40세 이하 (사업 · 운송용 조종사 또는 항공 · 항공공장정비사는 23세 이상 45세 이하)
소방장 · 소방교	-	20세 이상 40세 이하 (사업 · 운송용 조종사 또는 항공 · 항공공장정비사는 23세 이상 40세 이하)
소방사	18세 이상 40세 이하	18세 이상 40세 이하

② 경력경쟁채용시험

㉠ 「국가공무원법」에 따라 직위가 없어지거나 과원이 되어 퇴직한 소방공무원이나 신체 · 정신상의 장애로 장기 요양이 필요하여 휴직하였다가 휴직기간이 만료되어 퇴직한 소방공무원을 퇴직한 날부터 3년(「공무원 재해보상법」에 따른 공무상 부상 또는 질병으로 인한 휴직의 경우에는 5년) 이내에 퇴직 시에 재직하였던 계급 또는 그에 상응하는 계급의 소방공무원으로 재임용하는 경우

㉡ 공개경쟁시험으로 임용하는 것이 부적당한 경우에 임용예정 직무에 관련된 자격증 소지자를 임용하는 경우

㉢ 임용예정직에 상응하는 근무실적 또는 연구실적이 있거나 소방에 관한 전문기술교육을 받은 사람을 임용하는 경우

㉣ 「국가공무원법」 또는 「지방공무원법」에 따른 5급 공무원의 공개경쟁채용시험이나 「사법시험법」(법률 제9747호로 폐지되기 전의 것을 말함)에 따른 사법시험 또는 「변호사시험법」에 따른 변호사시험에 합격한 사람을 소방령 이하의 소방공무원으로 임용하는 경우

㉤ 외국어에 능통한 사람을 임용하는 경우

㉥ 경찰공무원을 그 계급에 상응하는 소방공무원으로 임용하는 경우

㉦ 소방업무에 경험이 있는 의용소방대원을 소방사 계급의 소방공무원으로 임용하는 경우

(8) 교육훈련(제20조)

① **소방청장**은 모든 소방공무원에게 균등한 교육훈련의 기회가 주어지도록 교육훈련에 관한 종합적인 기획 및 조정을 하여야 하며, 소방공무원의 교육훈련을 위한 소방학교를 설치 · 운영하여야 한다.

② 시 · 도지사는 소속 소방공무원의 교육훈련을 위한 교육훈련기관을 설치 · 운영할 수 있다.

③ 소방청장 또는 시 · 도지사는 교육훈련을 위하여 필요할 때에는 대통령령으로 정하는 바에 따라 소방공무원을 국내외의 교육기관에 위탁하거나 「지방공무원 교육훈련법」에 따른 교육훈련기관에서 교육훈련을 받게 할 수 있다.

(9) 공상소방공무원의 휴직기간(제24조의2)

소방공무원이 「공무원 재해보상법」 제5조 제2호 각 목에 해당하는 직무를 수행하다가 「국가공무원법」 제72조 제1호 각 목의 어느 하나에 해당하는 공무상 질병 또는 부상을 입어 휴직하는 경우 그 휴직기간은 같은 호 단서에도 불구하고 5년 이내로 하되, 의학적 소견 등을 고려하여 대통령령으로 정하는 바에 따라 3년의 범위에서 연장할 수 있다. [시행일: 2024.8.14.]

참고 「국가공무원법」 제72조 제1호

제72조【휴직 기간】 휴직 기간은 다음과 같다.

1. 제71조 제1항 제1호에 따른 휴직기간은 1년 이내로 하되, 부득이한 경우 1년의 범위에서 연장할 수 있다. 다만, 다음 각 목의 어느 하나에 해당하는 공무상 질병 또는 부상으로 인한 휴직기간은 3년 이내로 하되, 의학적 소견 등을 고려하여 대통령령등으로 정하는 바에 따라 2년의 범위에서 연장할 수 있다.
   가. 「공무원 재해보상법」 제22조 제1항에 따른 요양급여 지급 대상 부상 또는 질병
   나. 「산업재해보상보험법」 제40조에 따른 요양급여 결정 대상 질병 또는 부상
2. 제71조 제1항 제3호와 제5호에 따른 휴직 기간은 그 복무 기간이 끝날 때까지로 한다.
3. 제71조 제1항 제4호에 따른 휴직 기간은 3개월 이내로 한다.
4. 제71조 제2항 제1호에 따른 휴직 기간은 그 채용 기간으로 한다. 다만, 민간기업이나 그 밖의 기관에 채용되면 3년 이내로 한다.
5. 제71조 제2항 제2호와 제6호에 따른 휴직 기간은 3년 이내로 하되, 부득이한 경우에는 2년의 범위에서 연장할 수 있다.
6. 제71조 제2항 제3호에 따른 휴직 기간은 2년 이내로 한다.
7. 제71조 제2항 제4호에 따른 휴직 기간은 자녀 1명에 대하여 3년 이내로 한다.
8. 제71조 제2항 제5호에 따른 휴직 기간은 1년 이내로 하되, 재직 기간 중 총 3년을 넘을 수 없다.
9. 제71조 제1항 제6호에 따른 휴직 기간은 그 전임 기간으로 한다.
10. 제71조 제2항 제7호에 따른 휴직 기간은 1년 이내로 한다.

(10) 징계위원회(제28조)

① **소방준감 이상**의 소방공무원에 대한 징계의결은 「국가공무원법」에 따라 **국무총리 소속**으로 설치된 징계위원회에서 한다.

② **소방정 이하**의 소방공무원에 대한 징계의결을 하기 위하여 소방청 및 대통령령으로 정하는 소방기관에 소방공무원 징계위원회를 둔다.

③ **시·도지사가 임용권을 행사하는 소방공무원**에 대한 징계의결을 하기 위하여 시·도 및 대통령령으로 정하는 소방기관에 징계위원회를 둔다.

④ 소방공무원 징계위원회의 구성·관할·운영, 징계의결의 요구절차, 징계대상자의 진술권, 그 밖에 필요한 사항은 대통령령으로 정한다.

징계위원회의 관할

소방청에 설치된 소방공무원 징계위원회에서는 다음의 소방공무원에 대한 징계를 관할합니다.

1. 소방청 소속 소방정 이하의 소방공무원
2. 소방청 소속기관의 소방정 또는 소방령인 소방공무원(다만, 국립소방연구원의 경우에는 소방정인 소방공무원을 말한다)
3. 소방정인 지방소방학교장

(11) 징계절차(제29조)

① 소방공무원의 징계는 관할 징계위원회의 의결을 거쳐 그 징계위원회가 설치된 기관의 장이 하되, 「국가공무원법」에 따라 국무총리 소속으로 설치된 징계위원회에서 의결한 징계는 소방청장이 한다. 다만, **파면과 해임은 관할 징계위원회의 의결을 거쳐 그 소방공무원의 임용권자(임용권을 위임받은 사람 제외)가 한다.**

② 시·도지사가 임용권을 행사하는 소방공무원의 징계는 관할 징계위원회의 의결을 거쳐 임용권자가 한다. 다만, 시·도 소속 소방기관에 설치된 소방공무원 징계위원회에서 의결한 정직·감봉 및 견책은 그 징계위원회가 설치된 기관의 장이 한다.

③ 소방공무원의 징계의결을 요구한 기관의 장은 관할 징계위원회의 의결이 경(輕)하다고 인정할 때에는 그 처분을 하기 전에 직근(直近) 상급기관에 설치된 징계위원회에 심사 또는 재심사를 청구할 수 있다. 이 경우 소속 공무원을 대리인으로 지정할 수 있다.

㉠ **「국가공무원법」에 따라 국무총리 소속으로 설치된 징계위원회의 의결:** 국무총리 소속으로 설치된 징계위원회

㉡ **소방청 및 그 소속기관에 설치된 소방공무원 징계위원회의 의결:** 소방청에 설치된 소방공무원 징계위원회

㉢ **시·도에 설치된 소방공무원 징계위원회의 의결:** 소방청에 설치된 소방공무원 징계위원회

㉣ **시·도 소속 소방기관에 설치된 소방공무원 징계위원회의 의결:** 시·도에 설치된 소방공무원 징계위원회

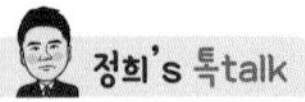

의용소방대

의용소방대는 소방관이 아닌 일반인으로 하여금 소방업무를 보조하도록 하는 봉사단체입니다. 대원은 그 지역주민 중 희망하는 자로 구성하고, 비상근을 원칙으로 합니다.

3 의용소방대 설치 및 운영에 관한 법률 A

1. 총칙

(1) 목적

이 법은 화재진압, 구조·구급 등의 소방업무를 체계적으로 보조하기 위하여 의용소방대 설치 및 운영 등에 필요한 사항을 규정함을 목적으로 한다.

(2) 의용소방대의 설치 등

① 시·도지사 또는 소방서장은 재난현장에서 화재진압, 구조·구급 등의 활동과 화재예방활동에 관한 업무(소방업무)를 보조하기 위하여 의용소방대를 설치할 수 있다.

② 의용소방대는 시·도, 시·읍 또는 면에 둔다.

③ 시·도지사 또는 소방서장은 필요한 경우 관할구역을 따로 정하여 그 지역에 의용소방대를 설치할 수 있다.

④ 시·도지사 또는 소방서장은 필요한 경우 의용소방대를 화재진압 등을 전담하는 의용소방대(전담의용소방대)로 운영할 수 있다. 이 경우 관할구역의 특성과 관할면적 또는 출동거리 등을 고려하여야 한다.

⑤ 그 밖에 의용소방대의 설치 등에 필요한 사항은 행정안전부령으로 정한다.

(3) 의용소방대의 날 제정과 운영

① 의용소방대의 숭고한 봉사 및 희생정신을 알리고 그 업적을 기리기 위하여 매년 3월 19일을 의용소방대의 날로 정하여 기념행사를 한다.

② 의용소방대의 날 기념행사에 관하여 필요한 사항은 소방청장 또는 시·도지사가 따로 정하여 시행할 수 있다.

관계법규 의용소방대 설치 및 운영에 관한 법률

시행규칙

[별표 1] 전담의용소방대의 시설 및 장비기준

구분	종류	보유기준
기동장비	소방펌프차(소방펌프설비와 물탱크 및 소화약제가 탑재된 자동차) 등	1대 이상
진압장비	수동식 소화기(3.3kg 이상)	2대 이상
	소방호스(40mm/65mm)	(10/5)본 이상
	관창, 결합금속구 등	3개 이상
구조장비	사다리	1개 이상
보호장비	공기호흡기, 방화복, 헬멧, 안전화, 장갑 등	3착 이상

제2조 【의용소방대의 설치 등】 ① 특별시장·광역시장·특별자치시장·도지사·특별자치도지사(이하 "시·도지사"라 한다) 또는 소방서장은 「의용소방대 설치 및 운영에 관한 법률」(이하 "법"이라 한다) 제2조 제1항에 따라 의용소방대를 설치하는 경우 남성만으로 구성하는 의용소방대, 여성만으로 구성하는 의용소방대 또는 남성과 여성으로 구성하는 의용소방대로 구분하여 설치할 수 있다.
② 시·도지사 또는 소방서장은 지역특수성에 따라 소방업무 관련 전문기술·자격자 등으로 구성하는 전문의용소방대(이하 "전문의용소방대"라 한다)를 설치할 수 있다.
③ 시·도지사 또는 소방서장은 법 제2조 제4항에 따른 전담의용소방대(이하 "전담의용소방대"라 한다)를 운영하려는 경우에는 별표 1에 따른 시설과 장비를 갖추어야 한다.
④ 제1항부터 제3항까지에서 규정한 사항 외에 의용소방대의 설치 등에 필요한 세부적인 사항은 특별시·광역시·특별자치시·도 또는 특별자치도(이하 "시·도"라 한다)의 조례로 정한다.

2. 의용소방대원의 임명·해임 및 조직 등

(1) 의용소방대원의 임명

시·도지사 또는 소방서장은 그 지역에 거주 또는 상주하는 주민 가운데 희망하는 사람으로서 다음에 해당하는 사람을 의용소방대원으로 임명한다.

① 관할구역 내에서 안정된 사업장에 근무하는 사람
② 신체가 건강하고 협동정신이 강한 사람
③ 희생정신과 봉사정신이 투철하다고 인정되는 사람
④ 「소방시설공사업법」 제28조에 따른 소방기술 관련 자격·학력 또는 경력이 있는 사람
⑤ 의사·간호사 또는 응급구조사 자격을 가진 사람
⑥ 기타 의용소방대의 활동에 필요한 기술과 재능을 보유한 사람

(2) 의용소방대원의 해임

① 소재를 알 수 없는 경우
② 관할구역 외로 이주한 경우. 다만, 신속한 재난현장 도착 등 대원으로서 활동하는 데 지장이 없다고 인정되는 경우에는 그러하지 아니하다.
③ 심신장애로 직무를 수행할 수 없다고 인정되는 경우
④ 직무를 태만히 하거나 직무상의 의무를 이행하지 아니한 경우
⑤ 행위금지 의무를 위반한 경우
⑥ 그 밖에 행정안전부령으로 정하는 사유에 해당하는 경우

(3) 정년

의용소방대원의 정년은 65세로 한다.

(4) 조직

① 의용소방대에는 **대장·부대장·부장·반장 또는 대원**을 둔다.
② **대장 및 부대장**은 의용소방대원 중 관할 소방서장의 추천에 따라 **시·도지사**가 임명한다.

(5) 임무

① 화재의 경계와 진압업무의 보조
② 구조·구급 업무의 보조
③ 화재 등 재난 발생 시 대피 및 구호업무의 보조
④ 화재예방업무의 보조
⑤ 그 밖에 행정안전부령으로 정하는 사항

(6) 복장착용

① 의용소방대원이 임무(전담의용소방대 활동 포함)를 수행하는 경우에는 복장을 착용하고 신분증을 소지하여야 한다.
② 소방본부장 또는 소방서장은 의용소방대원 또는 의용소방대원이었던 자가 경력증명발급을 신청하는 경우에는 경력증명서를 발급하고 관리하여야 한다.
③ 의용소방대원의 복장·신분증과 경력증명서 등에 필요한 사항은 행정안전부령으로 정한다.

핵심기출

의용소방대에 대한 설명으로 옳지 않은 것은?

17. 소방간부

① 1958년 「소방법」 제정 시 의용소방대 설치 규정이 마련되었다.
② 지역에 거주 또는 상주하는 주민 가운데 희망하는 사람으로서 간호사 자격자는 의용소방대원으로 임명될 수 있다.
③ 서울특별시장은 서울특별시에 의용소방대를 둔다.
④ 의용소방대원의 정년은 65세로 한다.
⑤ 의용소방대의 대장 및 부대장은 관할 소방서장이 임명한다.

정답 ⑤

정희's 톡talk

시행규칙 제10조(대장 등의 임기)
1. 대장의 임기: 3년, 한 차례 연임
2. 부대장의 임기: 3년

시행규칙 제11조(정원등)
1. 시·도: 60명 이내
2. 시·읍: 60명 이내
3. 면: 50명 이내
4. 전문의용소방대: 50명 이내

핵심기출

「의용소방대 설치 및 운영에 관한 법률」 의용소방대의 임무로 옳지 않은 것은?

19. 소방간부

① 화재예방업무의 보조
② 구조·구급 업무의 보조
③ 소방시설 점검업무의 보조
④ 화재의 경계와 진압업무의 보조
⑤ 화재 등 재난 발생 시 대피 및 구호업무의 보조

정답 ③

3. 의용소방대원의 복무와 교육훈련

(1) 의용소방대원의 근무 등

① 의용소방대원은 비상근(非常勤)으로 한다.

② 소방본부장 또는 소방서장은 소방업무를 보조하게 하기 위하여 필요한 때에는 의용소방대원을 소집할 수 있다.

(2) 재난현장 출동 등

① 의용소방대원은 소집명령에 따라 화재, 구조 · 구급 등 재난현장에 출동하여 소방본부장 또는 소방서장의 지휘와 감독을 받아 소방업무를 보조한다.

② 전담의용소방대원은 ①에도 불구하고 소방본부장 또는 소방서장의 소집명령이 없어도 긴급하거나 통신두절 등 특별한 경우에는 자체적으로 화재진압을 수행할 수 있다. 이 경우 전담의용소방대장은 화재진압에 관하여 행정안전부령으로 정하는 바에 따라 소방본부장 또는 소방서장에게 보고하여야 한다.

③ 시 · 도지사 또는 소방서장은 의용소방대에 대하여 「공유재산 및 물품 관리법」에도 불구하고 소방장비 등 필요한 물품을 무상으로 대여하거나 사용하게 할 수 있다.

(3) 행위의 금지

① 기부금을 모금하는 행위

② 영리목적으로 의용소방대의 명의를 사용하는 행위

③ 정치활동에 관여하는 행위

④ 소송 · 분쟁 · 쟁의에 참여하는 행위

⑤ 그 밖에 의용소방대의 명예가 훼손되는 행위

(4) 복무에 대한 지도 · 감독

소방본부장 또는 소방서장은 의용소방대원이 그 품위를 유지할 수 있도록 복무에 대한 지도 · 감독을 실시하여야 한다.

(5) 교육 및 훈련

소방청장, 소방본부장 또는 소방서장은 의용소방대원에 대하여 교육(임무 수행과 관련한 보건안전교육 포함) · 훈련을 실시하여야 한다.

4. 의용소방대원의 경비 및 재해보상 등

(1) 경비의 부담

① 의용소방대의 운영과 활동 등에 필요한 경비는 해당 시 · 도지사가 부담한다.

② 국가는 ①에 따른 경비의 일부를 예산의 범위에서 지원할 수 있다.

(2) 소집수당 등

① 시 · 도지사는 의용소방대원이 임무를 수행하는 때에는 예산의 범위에서 수당을 지급할 수 있다.

② ①에 따른 수당의 지급방법 등에 필요한 사항은 행정안전부령으로 정하는 기준에 따라 시 · 도의 조례로 정한다.

(3) 활동비 지원

시장 · 군수 · 구청장은 관할구역에서 의용소방대원이 임무를 수행하는 경우 그 임무 수행에 필요한 비용의 전부 또는 일부를 지원할 수 있다.

(4) 성과중심의 포상 등

소방본부장 또는 **소방서장**은 의용소방대 및 의용소방대원별로 활동실적을 평가 · 관리하고, 이를 토대로 성과중심의 포상 등을 실시할 수 있다.

정희's 톡talk

포상기준

의용소방대 및 의용소방대원별 활동실적 평가 · 관리방법 및 포상 등에 관하여 필요한 사항은 행정안전부령으로 정하는 기준에 따라 시 · 도의 조례로 정합니다.

(5) 재해보상 등

① 시 · 도지사는 의용소방대원이 임무의 수행 또는 교육 · 훈련으로 인하여 질병에 걸리거나 부상을 입거나 사망한 때에는 **행정안전부령으로 정하는 범위**에서 **시 · 도의 조례**로 정하는 바에 따라 보상금을 지급하여야 한다.

② 시 · 도지사는 ①에 따른 보상금 지급을 위하여 보험에 가입할 수 있다.

5. 전국의용소방대연합회 설립 등

(1) 전국의용소방대연합회 설립

① 재난관리를 위한 자율적 봉사활동의 효율적 운영 및 상호협조 증진을 위하여 전국의용소방대연합회(전국연합회)를 설립할 수 있다.

② 전국연합회의 구성 및 조직 등에 필요한 사항은 행정안전부령으로 정한다.

(2) 전국연합회의 업무

① 의용소방대의 효율적 운영을 위한 연구에 관한 사항

② 대규모 재난현장의 구조 · 지원활동을 위한 네트워크 구축에 관한 사항

③ 의용소방대원의 복지증진에 관한 사항

④ 그 밖에 의용소방대의 활성화에 필요한 사항

(3) 회의

① 전국연합회의 회의는 정기총회 및 임시총회로 구분한다.

② 정기총회는 1년에 한 번 개최하고, 다음의 사항을 의결한다.

㉠ 전국연합회의 회칙 및 운영과 관련된 사항

㉡ 전국연합회 기능 수행을 위한 사업계획에 관한 사항

㉢ 회계감사 결과에 관한 사항

㉣ 그 밖에 회장이 총회에 안건으로 상정하는 사항

③ 임시총회는 전국연합회의 회장 또는 재적회원 3분의 1 이상이 요구하는 경우 소집한다.

④ 그 밖에 회의운영에 필요한 사항은 행정안전부령으로 정한다.

정희's 톡talk

전국연합회의 지원

소방청장은 국민의 소방방재 봉사활동의 참여증진을 위하여 전국연합회의 설립 및 운영을 지원할 수 있고, 운영에 대한 지도 및 관리 · 감독을 할 수 있습니다.

4 지방소방기관 설치에 관한 규정 D

정희's 톡talk

「지방소방기관의 설치에 관한 협의」

제1조의2【지방소방기관의 설치에 관한 협의】 특별시 · 광역시 · 특별자치시 · 도 또는 특별자치도(이하 "시 · 도"라 한다)는 이 영에 따라 지방소방기관을 설치하려면 소방청장이 정하는 바에 따라 소방청장과 협의해야 한다. 다만, 「지방자치단체의 행정기구와 정원기준 등에 관한 규정」 제4조에 따라 행정안전부장관이 산정하는 기준인건비에 반영된 인력을 확보하여 지방소방기관을 설치하는 경우에는 그렇지 않다.

1. 목적

이 영은 「소방기본법」 제1조에 따른 업무를 수행하기 위하여 「소방기본법」 제3조 제1항 및 「지방자치법」 제113조에 따라 특별시 · 광역시 · 특별자치시 · 도 또는 특별자치도가 설치하는 소방기관의 조직 및 운영 등에 관한 사항을 규정함으로써 소방행정을 통일적이고 체계적으로 수행함을 목적으로 한다.

2. 지방소방학교

(1) 설치 등

① 특별시 · 광역시 또는 도는 그 관할구역 소방공무원의 교육 · 훈련을 위하여 해당 특별시 · 광역시 또는 도의 조례로 정하는 바에 따라 지방소방학교를 설치할 수 있다.

② 특별시 · 광역시 또는 도는 해당 특별시 · 광역시 또는 도의 조례로 정하는 바에 따라 지방소방학교를 폐지하거나 통합한다.

(2) 교장

① 지방소방학교에 교장 1명을 두며, 교장의 직급은 별표 1과 같다.

② 교장은 특별시장 · 광역시장 또는 도지사의 명을 받아 소관 사무를 총괄하고, 소속 공무원을 지휘 · 감독한다.

(3) 하부조직

① 지방소방학교에 교육운영 등을 위하여 필요한 부 또는 과 · 팀을 두며, 소방전문기술연구를 담당하는 연구실을 설치할 수 있다.

② 부장 · 과장 · 팀장 및 연구실장의 직급은 별표 1과 같다.

③ ①에 따른 각 부 · 과 · 팀 · 연구실과 그 하부조직 및 분장사무 등에 관하여 필요한 사항은 해당 특별시 · 광역시 또는 도의 규칙으로 정한다.

3. 소방서 등

(1) 설치 등

① 시 · 도는 그 관할구역의 소방업무를 담당하게 하기 위하여 해당 시 · 도의 조례로 정하는 바에 따라 소방서를 설치한다.

② 시 · 도는 해당 시 · 도의 조례로 정하는 바에 따라 소방서를 폐지하거나 통합한다.

③ ①에 따라 소방서를 설치하는 기준은 별표 2와 같다.

(2) 서장

① 소방서에는 서장 1명을 두며, 서장의 직급은 별표 1과 같다.

② 서장은 특별시장 · 광역시장 · 특별자치시장 · 도지사 또는 특별자치도지사(시 · 도지사)의 명을 받아 소관 사무를 총괄하고, 소속 공무원을 지휘 · 감독한다.

(3) 하부조직

① 소방서의 업무를 분장하게 하기 위하여 과 · 단 및 담당관을 둔다.

② 과장 · 단장 및 담당관의 직급은 별표 1과 같다.

③ 소방서의 과 · 단 · 담당관과 그 하부조직 및 분장사무에 관하여 필요한 사항은 해당 시 · 도의 규칙으로 정한다.

(4) 119출장소 · 119안전센터 등

① 소방서장의 소관 사무를 분장하게 하기 위하여 해당 시 · 도의 규칙으로 정하는 바에 따라 소방서장 소속으로 119출장소 · 119안전센터 · 119구조대 · 119구급대 · 119구조구급센터 · 소방정대(消防艇隊) 및 119지역대를 둘 수 있다.

② 119출장소장 · 119안전센터장 · 119구조대장 · 119구급대장 · 119구조구급센터장 · 소방정대장 및 119지역대장의 직급은 별표 1과 같다.

③ ①에 따라 119출장소 · 119안전센터 · 소방정대 및 119지역대를 설치하는 기준은 별표 2와 같다.

(5) 소방서 등의 운영 등

소방서 등의 운영 등에 필요한 사항은 해당 시 · 도의 규칙으로 정한다.

4. 119특수대응단 등

(1) 설치 등

① 시 · 도는 화재, 재난 · 재해, 테러, 그 밖의 위급한 상황에서 주민의 생명과 재산을 보호하기 위하여 해당 **시 · 도의 조례로 정하는 바**에 따라 **119특수대응단**을 설치할 수 있다.

② 시 · 도는 해당 시 · 도의 조례로 정하는 바에 따라 119특수대응단을 폐지하거나 통합한다.

(2) 단장

① 119특수대응단에 단장 1명을 두며, 단장의 직급은 별표 1과 같다.

② 단장은 시 · 도지사의 명을 받아 소관 사무를 총괄하고, 소속 공무원을 지휘 · 감독한다.

(3) 하부조직

① 119특수대응단의 업무를 분장하게 하기 위하여 과 · 팀을 두며, 시 · 도의 규칙으로 정하는 바에 따라 직할구조대 · 테러대응구조대 · 119항공대 및 특수구조대를 둘 수 있다.

② 과장 · 팀장 · 직할구조대장 · 테러대응구조대장 · 119항공대장 및 특수구조대장의 직급은 별표 1과 같다.

③ 119특수대응단의 과 · 팀 · 직할구조대 · 테러대응구조대 · 119항공대 및 특수구조대와 그 하부조직 및 분장 사무에 관하여 필요한 사항은 해당 시 · 도의 규칙으로 정한다.

5. 소방체험관

(1) 설치 등

① 시 · 도는 화재 등 재난현장에서 주민의 위기 대처능력과 안전의식을 높이기 위하여 **시 · 도의 조례로 정하는 바**에 따라 **소방체험관을 설치할 수 있다.**

② 시 · 도는 해당 시 · 도의 조례로 정하는 바에 따라 소방체험관을 폐지하거나 통합한다.

(2) 관장

① 소방체험관에 관장 1명을 두며, 관장의 직급은 별표 1과 같다.

② 관장은 시 · 도지사의 명을 받아 소관 사무를 총괄하고, 소속 공무원을 지휘 · 감독한다.

(3) 하부조직

① 소방체험관의 업무를 분장하게 하기 위하여 과 및 팀을 둔다.

② 과장 및 팀장의 직급은 별표 1과 같다.

③ 소방체험관의 과 · 팀과 그 하부조직 및 분장 사무에 관하여 필요한 사항은 해당 시 · 도의 규칙으로 정한다.

요약NOTE 지방소방학교장 · 소방서장 · 119안전센터장 등의 직급
(「지방소방기관 설치에 관한 규정」 [별표 1])

구분		직급
지방소방학교장	특별시, 경기도	소방준감
	광역시, 그 밖의 도	소방정
지방소방학교의 부장 · 과장 · 팀장 · 연구실장		소방정 또는 소방령
소방서장		소방정
소방서의 과장 · 단장 · 담당관		소방령
119출장소장		소방령
119안전센터장 · 119구조대장 · 119구급대장 · 119구조구급센터장 · 소방정대장		소방경 또는 소방위
119지역대장		소방위
119특수대응단장		소방정
119특수대응단의 과장 · 팀장		소방령
직할구조대장 · 테러대응구조대장 · 119항공대장 · 특수구조대장		소방령
소방체험관장		소방정
소방체험관의 과장 · 팀장		소방령

비고

1. 위 표에도 불구하고 인구 100만명 이상의 시(市)에 설치된 소방서장의 직급은 소방준감으로 할 수 있다. 이 경우 해당 시에 2개 이상의 소방서가 설치된 경우에는 그 중 1개의 소방서로 한정하여 그 장의 직급을 소방준감으로 할 수 있다.
2. 위 표에도 불구하고 119안전센터장의 직급은 소방령으로 할 수 있다. 이 경우 그 대상이 되는 119안전센터의 선정 기준은 소방업무를 수행하는 데에 필요한 인력과 장비 또는 화재, 구조 · 구급 출동 횟수 등을 고려하여 소방청장이 정한다.

 **관계법규** 소방서 · 119출장소 · 119안전센터 등의 설치기준 [별표 2]

소방서 · 119출장소 · 119안전센터 등의 설치기준

1. 소방서의 설치기준
   가. 시(「제주특별자치도 설치 및 국제자유도시 조성을 위한 특별법」 제15조 제2항에 따른 행정시를 포함한다. 이하 같다) · 군 · 구(지방자치단체인 구를 말한다. 이하 같다) 단위로 설치하되, 소방업무의 효율적인 수행을 위하여 특히 필요한 경우에는 인근 시 · 군 · 구를 포함한 지역을 단위로 설치할 수 있다.
   나. 가목에 따라 설치된 소방서의 관할구역에 설치된 119안전센터의 수가 5개를 초과하는 경우에는 소방서를 추가로 설치할 수 있다.
   다. 가목 및 나목에도 불구하고 석유화학단지 · 공업단지 · 주택단지 또는 문화관광단지의 개발 등으로 대형 화재의 위험이 있거나 소방 수요가 급증하여 특별한 소방대책이 필요한 경우에는 해당 지역마다 소방서를 설치할 수 있다.
2. 119출장소의 설치기준
   가. 소방서가 설치되지 않은 시 · 군 · 구 지역에 119출장소를 설치할 수 있다.
   나. 제1호 나목 또는 다목에 따라 소방서를 설치할 수 있는 지역이거나 가목에 따라 이미 119출장소가 설치된 지역임에도 불구하고 석유화학단지 · 공업단지 · 주택단지 또는 문화관광단지의 개발 등으로 대형 화재의 위험이 있거나 소방 수요가 급증하여 특별한 소방대책이 필요한 지역에는 119출장소를 추가로 설치할 수 있다.
3. 119안전센터의 설치기준
   가. 소방업무의 효율적인 수행을 위하여 다음 기준에 따라 119안전센터를 설치할 수 있다.
      1) 특별시: 인구 5만명 이상 또는 면적 $2km^2$ 이상
      2) 광역시, 인구 50만명 이상의 시: 인구 3만명 이상 또는 면적 $5km^2$ 이상
      3) 인구 10만명 이상 50만명 미만의 시 · 군: 인구 2만명 이상 또는 면적 $10km^2$ 이상
      4) 인구 5만명 이상 10만명 미만의 시 · 군: 인구 1만 5천명 이상 또는 면적 $15km^2$ 이상
      5) 인구 5만명 미만의 지역: 인구 1만명 이상 또는 면적 $20km^2$ 이상
   나. 가목에도 불구하고 석유화학단지 · 공업단지 · 주택단지 또는 문화관광단지의 개발 등으로 대형 화재의 위험이 있거나 소방 수요가 급증하여 특별한 소방대책이 필요한 경우에는 해당 지역마다 119안전센터를 설치할 수 있다.
4. 소방정대의 설치기준
   가. 「항만법」 제2조 제1호에 따른 항만을 관할하는 소방서에 소방정대를 설치할 수 있다.
   나. 가목에도 불구하고 항만의 이동 인구 및 물류가 급격히 증가하여 대형 화재의 위험이 있거나 특별한 소방대책이 필요한 경우에는 해당 지역에 소방정대를 설치할 수 있다.
5. 119지역대의 설치기준
   가. 119안전센터가 설치되지 아니한 읍 · 면 지역으로 관할면적이 $30km^2$ 이상이거나 인구 3천명 이상 되는 지역에 설치할 수 있다.
   나. 농공단지 · 주택단지 · 문화관광단지 등 개발 지역으로써 인접 소방서 또는 119안전센터와 10km 이상 떨어진 지역에 설치할 수 있다.
   다. 도서 · 산악지역 등 119안전센터에 소속된 소방공무원이 신속하게 출동하기 곤란한 지역에 설치할 수 있다.

5 소방력 기준에 관한 규칙 D

(1) 목적

이 규칙은 「소방기본법」 제8조 제1항에 따라 소방기관이 소방업무를 수행하는 데에 필요한 인력과 장비 등에 관한 기준을 정함을 목적으로 한다.

(2) 정의

① **소방기관**: 소방기관이란 소방장비, 인력 등을 동원하여 소방업무를 수행하는 소방서 · 119안전센터 · 119구조대 · 119구급대 · 119구조구급센터 · 119항공대 · 소방정대(消防艇隊) · 119지역대 · 119종합상황실 · 소방체험관을 말한다.

② **소방장비**: 소방장비란 「소방장비관리법」 제2조 제1호에 따른 소방장비를 말한다.

③ **「소방공무원임용령」 · 「소방장비관리법」의 소방기관**

㉠ **「소방공무원임용령」**: 소방청, 시 · 도와 중앙소방학교 · 중앙119구조본부 · 국립소방연구원 · 지방소방학교 · 서울종합방재센터 및 소방서 · 119특수대응단 · 소방체험관

㉡ **「소방장비관리법」**: 중앙소방학교 · 중앙119구조본부 · 소방본부 · 소방서 · 지방소방학교 · 119안전센터 · 119구조대 · 119구급대 · 119구조구급센터 · 항공구조구급대 · 소방정대 · 119지역대 및 소방체험관 등 소방업무를 수행하는 기관

(3) 소방자동차의 등의 배치

① 소방기관에 두는 소방자동차 등의 배치기준은 [별표 1]과 같다.

② 소방본부장 또는 소방서장은 ①에 따라 소방기관에 소방자동차 등을 배치하되, **관할구역의 재난위험 요인, 인구, 면적, 소방대상물 등의 특성**을 고려하여 소방기관별로 소방자동차 등을 달리 배치할 수 있다.

③ 소방본부장 또는 소방서장은 ②에 따라 소방자동차 등을 배치하려는 경우 소방기관별로 소방자동차 등에 대한 배치계획을 수립하여야 한다. 이를 변경하려는 경우에도 또한 같다.

핵심 적중

01 「소방력 기준에 관한 규칙」의 소방기관에 해당하는 것은?

① 소방서
② 소방본부
③ 소방청
④ 서울종합방재센터

정답 ①

02 「소방공무원임용령」의 소방기관에 해당하지 않는 것은?

① 소방청
② 소방본부
③ 소방서
④ 중앙소방학교

정답 ②

관계법규 정의

소방공무원임용령	소방장비관리법
제2조 【정의】 이 영에서 사용되는 용어의 정의는 다음과 같다. 1. "임용"이라 함은 신규채용 · 승진 · 전보 · 파견 · 강임 · 휴직 · 직위해제 · 정직 · 강등 · 복직 · 면직 · 해임 및 파면을 말한다. 2. "복직"이라 함은 휴직 · 직위해제 또는 정직(강등에 따른 정직을 포함한다) 중에 있는 소방공무원을 직위에 복귀시키는 것을 말한다. 3. "**소방기관**"이라 함은 소방청, 특별시 · 광역시 · 특별자치시 · 도 · 특별자치도(이하 "시 · 도"라 한다)와 중앙소방학교 · 중앙119구조본부 · 국립소방연구원 · 지방소방학교 · 서울종합방재센터 · 소방서 · 119**특수대응단** 및 **소방체험관**을 말한다.	**제2조 【정의】** 이 법에서 사용하는 용어의 뜻은 다음과 같다. 1. "소방장비"란 소방업무를 효과적으로 수행하기 위하여 필요한 기동장비 · 화재진압장비 · 구조장비 · 구급장비 · 보호장비 · 정보통신장비 · 측정장비 및 보조장비를 말한다. 2. "소방업무"란 「소방기본법」 제3조 제1항에 따른 업무를 말한다. 3. "**소방기관**"이란 중앙소방학교 · 중앙119구조본부 · 소방본부 · 소방서 · 지방소방학교 · 119안전센터 · 119구조대 · 119구급대 · 119구조구급센터 · 항공구조구급대 · 소방정대 · 119지역대 및 소방체험관 등 소방업무를 수행하는 기관을 말한다.

(4) 보조장비의 배치

① 소방본부 또는 소방기관에는 소방업무를 보다 효율적으로 수행하기 위하여 필요한 경우 배연차(排煙車), **조명차**, 화재조사차(火災調査車), 중장비, 견인차, 진단차, 행정업무용 차량 등 보조장비를 배치할 수 있다.

② ①에 따른 보조장비의 종류 및 수량은 시·도지사가 관할구역의 소방 수요, 지역 특성, 필요한 예산 및 인력 등을 고려하여 결정하되, **장기·단기계획**을 수립하여 보강한다.

(5) 소방서 근무요원의 배치기준

① **지휘감독요원:** 서장, 과장(단장)·담당관, 담당(팀장)

② **행정요원의 배치**

㉠ **행정지원요원:** 인사·경리·예산·법제·교육·차량관리 등의 업무를 수행하는 사람

㉡ **대응요원:** 대응자원의 관리, 현장대응매뉴얼 개발, 진압작전의 개발·훈련, 구조·구급 및 특수재난업무의 지원 등의 업무를 수행하는 사람

㉢ **예방요원:** 건축허가 동의, 위험물 안전관리, 소방 홍보 등의 업무를 수행하는 사람

③ **현장활동요원의 배치**

㉠ **현장예방요원:** 소방특별조사요원, 소방안전교육요원

㉡ **현장대응요원:** 화재 등 각종 재난 발생 시 현장에 출동하는 현장지휘관, 현장안전점검관, 화재조사·차량운전·연락관 등의 업무를 수행하는 사람

㉢ **상황요원:** 화재 등 각종 재난 발생의 신고접수와 통보·전달 및 출동의 지령 등의 업무를 수행하는 사람

(6) 소방력 보강계획 등의 수립

① **시·도지사**는 관할구역의 소방장비 및 소방인력의 수요·보유 및 부족 현황을 **5년마다** 조사하여 소방력(消防力) 보강계획을 수립 및 추진하여야 한다.

② 시·도지사는 ①에 따른 소방력 보강계획을 바탕으로 매년 6월 30일까지 다음 연도 사업계획을 수립하여 소방청장에게 제출하여야 한다.

③ **소방청장**은 ②에 따른 사업계획에 국가의 특수한 소방시책을 반영할 필요가 있는 경우에는 **시·도지사에게 그 시책을 반영하도록 요구할 수 있다.**

6 소방장비관리법 D

1. 총칙

(1) 목적

「소방장비관리법」은 소방업무의 효율적 수행을 위한 **소방장비관리에 관한 기본적인 사항**을 정함으로써 소방서비스 질의 개선 및 국민안전의 강화에 기여하는 것을 목적으로 한다.

(2) 정의

① **소방장비**: 소방업무를 효과적으로 수행하기 위하여 필요한 **기동장비 · 화재진압장비** · 구조장비 · 구급장비 · 보호장비 · 정보통신장비 · 측정장비 및 보조장비를 말한다.

② **소방업무**: 「소방기본법」 제3조 제1항에 따른 업무를 말한다.

> **「소방기본법」 제3조 【소방기관의 설치 등】** ① 시 · 도의 화재 예방 · 경계 · 진압 및 조사, 소방안전교육 · 홍보와 화재, 재난 · 재해, 그 밖의 위급한 상황에서의 구조 · 구급 등의 업무(이하 "소방업무"라 한다)를 수행하는 소방기관의 설치에 필요한 사항은 대통령령으로 정한다.

③ **소방기관**: 중앙소방학교 · 중앙119구조본부 · 소방본부 · 소방서 · 지방소방학교 · 119안전센터 · 119구조대 · 119구급대 · 119구조구급센터 · 항공구조구급대 · 소방정대 · 119지역대 및 소방체험관 등 소방업무를 수행하는 기관을 말한다.

④ **관리**: 소방장비의 안전성을 확보하고 효율적으로 활용하기 위하여 소방장비의 구매를 위한 기획에서부터 불용(不用)의 결정과 폐기 · 양도까지 전 주기에 걸쳐 언제든지 본래의 성능을 발휘하도록 하는 점검 · 정비 및 그 밖의 모든 행위를 말한다.

⑤ **운용**: 소방장비를 그 기능 및 목적에 맞도록 안전하게 사용하는 것을 말한다.

⑥ **내용연수(耐用年數)**: 소방장비의 운용에 지장이 없는 상태에서 소방업무를 원활하게 수행할 수 있을 것으로 예측한 소방장비의 경제적 사용연수를 말한다.

⑦ **소방장비운용자**: 소방장비를 직접 운용하는 소방공무원, 의무소방원 및 의용소방대원을 말한다.

(3) 다른 법률과의 관계

「소방장비관리법」은 소방장비의 관리에 관하여 다른 법률에 우선하여 적용한다.

2. 소방장비관리 계본계획의 수립 등

(1) 소방장비관리 기본계획의 수립

① **소방청장**은 소방장비관리업무를 효과적으로 수행하기 위하여 「소방기본법」 제6조에 따른 소방업무에 관한 종합계획에 따라 **소방장비관리 기본계획(기본계획)을 5년마다 수립하여 시행**하여야 한다.

② **기본계획의 포함사항**

㉠ 소방장비관리의 중장기 정책목표 및 방향

㉡ 소방장비관리를 위한 제도의 수립 및 정비

㉢ 소방장비의 관리 및 운용과 관련된 추진계획

㉣ 소방장비의 기술혁신 및 실용화 추진

㉤ 소방장비의 적정한 관리를 위한 재원확보

㉥ 그 밖에 소방장비관리를 위하여 필요한 사항

③ **소방청장**은 기본계획을 효율적으로 추진하기 위하여 **매년 소방장비관리 시행계획(시행계획)**을 수립하여 시행하여야 한다.

④ 소방청장은 기본계획 및 시행계획을 수립할 때 다음의 계획과 상호 연계될 수 있도록 하여야 한다.

㉠ 「화재의 예방 및 안전관리에 관한 법률」 제4조에 따른 화재안전정책기본계획

㉡ 「소방산업의 진흥에 관한 법률」 제4조에 따른 소방산업진흥 기본계획

㉢ 「119구조 · 구급에 관한 법률」 제6조에 따른 구조 · 구급 기본계획

⑤ 소방청장은 기본계획 및 시행계획을 수립할 때 관계 중앙행정기관의 장 및 시 · 도지사와의 협의를 거쳐 확정하고 국회 소관 상임위원회에 제출하여야 한다. 수립된 기본계획 및 시행계획 중 대통령령으로 정하는 중요한 사항을 변경할 때에도 또한 같다.

⑥ 기본계획 및 시행계획의 수립 등에 필요한 사항은 대통령령으로 정한다.

(2) 시 · 도 소방장비관리계획의 수립

① 시 · 도의 소방환경 특성을 고려한 소방장비관리를 위하여 기본계획에 따라 시 · 도 소방장비관리계획(시 · 도 관리계획)을 5년마다 수립하여 시행하여야 한다.

② **시 · 도 관리계획의 포함사항**

㉠ 시 · 도별 소방장비관리 목표

㉡ 시 · 도별 소방장비현황 및 소방환경분석

㉢ 시 · 도별 소방장비의 관리 및 운용과 관련된 사항

㉣ 시 · 도 간 소방장비의 공동사용 및 협력

㉤ 소방장비의 조달 및 관리에 필요한 재원 확보

㉥ 그 밖에 시 · 도별 소방장비관리를 위하여 필요한 사항

③ **시 · 도지사**는 시 · 도 관리계획을 효율적으로 추진하기 위하여 **매년 시 · 도 소방장비관리 시행계획(시 · 도 시행계획)을 수립하여 시행**하여야 한다.

3. 소방장비의 분류와 표준화

(1) 분류

① **소방청장**은 소방장비를 효율적이고 적정하게 관리하기 위하여 소방장비를 용도 및 기능 등에 따라 분류하여야 한다.

② 소방장비의 분류에 관하여 필요한 사항은 **대통령령**으로 정한다.

③ **대통령령으로 정하는 사항(영 [별표 1])**

㉠ **기동장비:** 자체에 동력원이 부착되어 **자력으로 이동**하거나 **견인되어 이동**할 수 있는 장비

구분	품목
소방자동차	소방펌프차, 소방물탱크차, 소방화학차, 소방고가차, 무인방수차, 구조차 등
행정지원차	행정 및 교육지원차 등
소방선박	소방정, 구조정, 지휘정 등
소방항공기	고정익항공기, 회전익항공기 등

㉡ **화재진압장비:** 화재진압활동에 사용되는 장비

구분	품목
소화용수장비	소방호스류, 결합금속구, 소방관창류 등
간이소화장비	소화기, 휴대용 소화장비 등
소화보조장비	소방용 사다리, 소화보조기구, 소방용 펌프 등
배연장비	이동식 송·배풍기 등
소화약제	분말소화약제, 액체형 소화약제, 기체형 소화약제 등
원격장비	소방용 원격장비 등

㉢ **구조장비:** 구조활동에 사용되는 장비

구분	품목
일반구조장비	개방장비, 조명기구, 총포류 등
산악구조장비	등하강 및 확보장비, 산악용 안전벨트, 고리 등
수난구조장비	급류구조장비 세트, 잠수장비 등
화생방·대테러 구조장비	경계구역 설정라인, 제독·소독장비, 누출물 수거장비 등
절단구조장비	절단기, 톱, 드릴 등
중량물 작업장비	중량물 유압장비, 휴대용 윈치(winch, 밧줄이나 쇠사슬로 무거운 물건을 들어 올리거나 내리는 장비를 말함), 다목적 구조 삼각대 등
탐색구조장비	적외선 야간투시경, 매몰자 탐지기, 영상송수신장비 세트 등
파괴장비	도끼, 방화문 파괴기, 해머 드릴 등

ⓔ **구급장비:** 구급활동에 사용되는 장비

구분	품목
환자평가장비	신체검진기구 등
응급처치장비	기도확보유지기구, 호흡유지기구, 심장박동회복기구 등
환자이송장비	환자운반기구 등
구급의약품	의약품, 소독제 등
감염방지장비	감염방지기구, 장비소독기구 등
활동보조장비	기록장비, 대원보호장비, 일반보조장비 등
재난대응장비	환자분류표 등
교육실습장비	구급대원 교육실습장비 등

ⓜ **정보통신장비:** 소방업무 수행을 위한 의사전달 및 정보교환·분석에 필요한 장비

구분	품목
기반보호장비	항온항습장비, 전원공급장비 등
정보처리장비	네트워크장비, 전산장비, 주변 입출력장치 등
위성통신장비	위성장비류 등
무선통신장비	무선국, 이동통신단말기 등
유선통신장비	통신제어장비, 전화장비, 영상음향장비, 주변장치 등

ⓗ **측정장비:** 소방업무 수행에 수반되는 각종 조사 및 측정에 사용되는 장비

구분	품목
소방시설 점검장비	공통시설 점검장비, 소화기구 점검장비, 소화설비 점검장비 등
화재조사 및 감식장비	발굴용 장비, 기록용 장비, 감식감정장비 등
공통측정장비	전기측정장비, 화학물질 탐지·측정장비, 공기성분 분석기 등
화생방 등 측정장비	방사능 측정장비, 화학생물학 측정장비 등

ⓢ **보호장비: 소방현장에서 소방대원의 신체를 보호하는 장비**

구분	품목
호흡장비	공기호흡기, 공기공급기, 마스크류 등
보호장구	방화복, 안전모, 보호장갑, 안전화, 방화두건 등
안전장구	인명구조 경보기, 대원 위치추적장치, 대원 탈출장비 등

◎ **보조장비**: 소방업무 수행을 위하여 간접 또는 부수적으로 필요한 장비

구분	품목
기록보존장비	촬영 및 녹음장비, 운행기록장비, 디지털이미지 프린터 등
영상장비	영상장비 등
정비기구	일반정비기구, 세탁건조장비 등
현장지휘소 운영장비	지휘 텐트, 발전기, 출입통제선 등
그 밖의 보조장비	차량이동기, 안전매트 등

(2) 소방장비의 표준화

① 소방장비의 표준이 되는 규격은 「산업표준화법」에 따른 한국산업표준이 제정되어 있거나 소방청장이 지정하는 국내외 관련 기관 또는 단체에서 정한 표준이 있는 경우에는 그 표준에 따른다. 다만, 소방기관에서만 사용하거나 소방업무의 효율적인 수행을 위하여 특수한 성능이 요구되는 소방장비가 기본적으로 갖추어야 하는 규격(이하 "기본규격"이라 한다)은 소방청장이 정한다.

② ①의 단서에 따라 기본규격을 정하여야 하는 소방장비의 종류는 소방청장이 정하여 고시한다.

③ 소방청장은 기본규격을 제정 · 개정하거나 폐지한 경우에는 지체 없이 그 규격서를 조달청장에게 제출하여야 하고, 시 · 도지사에게 알려야 한다.

④ 소방청장은 소방장비의 규격에 관한 전문성과 효율성을 고려하여 기본규격의 제정 등에 관한 사항을 대행하는 기관을 지정할 수 있다. 이 경우 소방청장은 기본규격의 제정 등에 필요한 비용을 지원할 수 있다.

⑤ 그 밖에 소방장비의 표준화에 필요한 사항은 대통령령으로 정한다.

(3) 소방장비의 도장 및 표지

① 소방장비의 도장(塗裝) 및 표지(標識)에 관하여는 **소방청장**이 정한다. 다만, 소방청장이 정하지 아니한 소방장비의 도장 및 표지에 관하여는 시 · 도지사가 정한다.

② 소방기관 및 그 소속 공무원이 아닌 자는 ①에 따른 소방장비의 도장 및 표지 또는 이와 유사한 도장 및 표지를 하여서는 아니 된다.

4. 소방장비의 인증 등

(1) **소방청장**은 품질이 우수한 소방장비를 확충하고 소방장비의 품질을 혁신하기 위하여 대통령령으로 정하는 소방장비(인증대상 소방장비)에 대하여 인증을 할 수 있다.

(2) 인증을 받으려는 소방장비의 제조자 또는 판매자는 지정받은 인증기관에 인증을 신청하여야 한다.

7 다중이용업소의 안전관리에 관한 특별법 D

1. 목적

「다중이용업소의 안전관리에 관한 특별법」은 화재 등 재난이나 그 밖의 위급한 상황으로부터 국민의 생명 · 신체 및 재산을 보호하기 위하여 **다중이용업소의 안전시설등의 설치 · 유지 및 안전관리와 화재위험평가, 다중이용업주의 화재배상책임보험에 필요한 사항**을 정함으로써 공공의 안전과 복리 증진에 이바지함을 목적으로 한다.

2. 정의

(1) 다중이용업

불특정 다수인이 이용하는 영업 중 화재 등 재난 발생 시 생명 · 신체 · 재산상의 피해가 발생할 우려가 높은 것으로서 대통령령으로 정하는 영업을 말한다.

(2) 안전시설등

소방시설, 비상구, 영업장 내부 피난통로, 그 밖의 안전시설로서 대통령령으로 정하는 것을 말한다.

(3) 실내장식물

건축물 내부의 천장 또는 벽에 설치하는 것으로서 대통령령으로 정하는 것을 말한다.

(4) 화재위험평가

다중이용업의 영업소(다중이용업소)가 밀집한 지역 또는 건축물에 대하여 화재 발생 가능성과 화재로 인한 불특정 다수인의 생명 · 신체 · 재산상의 피해 및 주변에 미치는 영향을 예측 · 분석하고 이에 대한 대책을 마련하는 것을 말한다.

(5) 밀폐구조의 영업장

지상층에 있는 다중이용업소의 영업장 중 채광 · 환기 · 통풍 및 피난 등이 용이하지 못한 구조로 되어 있으면서 대통령령으로 정하는 기준에 해당하는 영업장을 말한다.

(6) 영업장의 내부구획

다중이용업소의 영업장 내부를 이용객들이 사용할 수 있도록 벽 또는 칸막이 등을 사용하여 구획된 실(室)을 만드는 것을 말한다.

CHAPTER 3 소방관계법규

1 소방기본법 C

1. 목적

제1조【목적】 이 법은 화재를 예방·경계하거나 진압하고 화재, 재난·재해, 그 밖의 위급한 상황에서의 구조·구급활동 등을 통하여 국민의 생명·신체 및 재산을 보호함으로써 공공의 안녕 및 질서유지와 복리증진에 이바지함을 목적으로 한다.

(1) 화재의 예방·경계·진압

(2) 화재, 재난·재해 그 밖의 위급한 상황에서의 구조·구급활동

(3) 국민의 생명·신체 및 재산보호

(4) 공공의 안녕, 질서유지, 복리증진

요약NOTE 6개분법상 '목적'

구분	목적
소방기본법	이 법은 화재를 예방·경계하거나 진압하고 화재, 재난·재해, 그 밖의 위급한 상황에서의 구조·구급 활동 등을 통하여 국민의 생명·신체 및 재산을 보호함으로써 공공의 안녕 및 질서 유지와 복리 증진에 이바지함을 목적으로 한다.
화재예방법	이 법은 화재의 예방과 안전관리에 필요한 사항을 규정함으로써 화재로부터 국민의 생명·신체 및 재산을 보호하고 공공의 안전과 복리 증진에 이바지함을 목적으로 한다.
소방시설법	이 법은 특정소방대상물 등에 설치하여야 하는 소방시설 등의 설치·관리와 소방용품 성능관리에 필요한 사항을 규정함으로써 국민의 생명·신체 및 재산을 보호하고 공공의 안전과 복리 증진에 이바지함을 목적으로 한다.
화재조사법	이 법은 화재예방 및 소방정책에 활용하기 위하여 화재원인, 화재성장 및 확산, 피해현황 등에 관한 과학적·전문적인 조사에 필요한 사항을 규정함을 목적으로 한다.
소방시설공사업법	이 법은 소방시설공사 및 소방기술의 관리에 필요한 사항을 규정함으로써 **소방시설업**을 건전하게 발전시키고 소방기술을 진흥시켜 화재로부터 공공의 안전을 확보하고 국민경제에 이바지함을 목적으로 한다.
위험물안전관리법	이 법은 위험물의 저장·취급 및 운반과 이에 따른 안전관리에 관한 사항을 규정함으로써 위험물로 인한 위해를 방지하여 공공의 안전을 확보함을 목적으로 한다.

2. 소방기관의 설치

제3조 【소방기관의 설치 등】 ① 시 · 도의 화재 예방 · 경계 · 진압 및 조사, 소방안전교육 · 홍보와 화재, 재난 · 재해, 그 밖의 위급한 상황에서의 구조 · 구급 등의 업무(이하 "소방업무"라 한다)를 수행하는 소방기관의 설치에 필요한 사항은 대통령령으로 정한다.
② 소방업무를 수행하는 소방본부장 또는 소방서장은 그 소재지를 관할하는 특별시장 · 광역시장 · 특별자치시장 · 도지사 또는 특별자치도지사(이하 "시 · 도지사"라 한다)의 지휘와 감독을 받는다.
③ 제2항에도 불구하고 소방청장은 화재 예방 및 대형 재난 등 필요한 경우 시 · 도 소방본부장 및 소방서장을 지휘 · 감독할 수 있다.
④ 시 · 도에서 소방업무를 수행하기 위하여 시 · 도지사 직속으로 소방본부를 둔다.

(1) 소방업무

소방업무란 화재 예방 · 경계 · 진압 및 조사, 소방안전교육 · 홍보와 화재, 재난 · 재해, 그 밖의 위급한 상황에서의 구조 · 구급 등의 업무를 말한다.

(2) 소방기관의 설치

시 · 도의 소방업무를 수행하는 소방기관의 설치에 필요한 사항은 대통령령으로 정한다.

(3) 지휘 · 감독

① 소방업무를 수행하는 소방본부장 · 소방서장은 **시 · 도지사의 지휘 · 감독**을 받는다.
② ①에도 불구하고 소방청장은 화재 예방 및 대형 재난 등 필요한 경우 시 · 도 소방본부장 및 소방서장을 지휘 · 감독할 수 있다.

(4) 소방본부의 설치

시 · 도에서 소방업무를 수행하기 위하여 **시 · 도지사 직속으로 소방본부**를 둔다.

관계법규 **지방소방기관의 설치에 관한 규정**

지방소방기관 설치에 관한 규정

제1조 【목적】 이 영은 「소방기본법」 제1조에 따른 업무를 수행하기 위하여 「소방기본법」 제3조 제1항 및 「지방자치법」 제113조에 따라 특별시 · 광역시 · 특별자치시 · 도 또는 특별자치도가 설치하는 소방기관의 조직 및 운영 등에 관한 사항을 규정함으로써 소방행정을 통일적이고 체계적으로 수행함을 목적으로 한다.

제2조 【설치 등】 특별시 · 광역시 또는 도는 그 관할구역 소방공무원의 교육 · 훈련을 위하여 해당 특별시 · 광역시 또는 도의 조례로 지방소방학교(이하 "학교"라 한다)를 설치할 수 있다. 학교를 폐지하거나 통합하는 경우에도 또한 같다.

[별표 2] 소방서 · 119안전센터 등의 설치기준
1. 소방서의 설치기준
   가. 시(「제주특별자치도 설치 및 국제자유도시 조성을 위한 특별법」 제15조 제2항에 따른 행정시를 포함한다. 이하 같다) · 군 · 구(지방자치단체인 구를 말한다. 이하 같다) 단위로 설치하되, 소방업무의 효율적인 수행을 위하여 특히 필요한 경우에는 인근 시 · 군 · 구를 포함한 지역을 단위로 설치할 수 있다.
   나. 가목에 따라 설치된 소방서의 관할구역에 설치된 119안전센터의 수가 5개를 초과하는 경우에는 소방서를 추가로 설치할 수 있다.

- 중략 -

3. 소방업무에 관한 종합계획

(1) **소방청장**은 소방업무에 관한 종합계획을 **5년마다** 수립 · 시행하여야 하고, 이에 필요한 재원을 확보하도록 노력하여야 한다.

(2) **종합계획에 포함되는 사항**

① 소방서비스의 질 향상을 위한 정책의 기본방향

② 소방업무에 필요한 체계의 구축

③ 소방업무에 필요한 장비의 구비

④ 소방업무에 필요한 기반조성

⑤ 소방업무의 교육 및 홍보(소방자동차의 우선 통행 등 홍보 포함)

⑥ 소방전문인력 양성

⑦ 소방기술의 연구 · 개발 및 보급

⑧ **소방업무의 효율적 수행을 위해 필요한 사항으로 대통령령에 정하는 사항**

㉠ 재난 · 재해 환경 변화에 따른 소방업무에 필요한 대응체계 마련

㉡ 장애인, 노인, 임산부, 영유아 및 어린이 등 이동이 어려운 사람을 대상으로 한 소방활동에 필요한 조치

(3) 시 · 도지사는 종합계획의 시행에 필요한 **세부계획**을 매년 수립하여 소방청장에게 제출하여야 하며, 세부계획에 따른 소방업무를 성실히 수행하여야 한다.

(4) 종합계획 및 세부계획의 수립 · 시행에 필요한 사항은 대통령령으로 정한다.

관계법규 종합계획 및 세부계획의 수립 · 시행

시행령	NOTE
제1조의2【소방업무에 관한 종합계획 및 세부계획의 수립 · 시행】 ① 소방청장은 「소방기본법」(이하 "법"이라 한다) 제6조 제1항에 따른 소방업무에 관한 종합계획을 관계 중앙행정기관의 장과의 협의를 거쳐 계획 시행 전년도【 ① 】까지 수립하여야 한다. ② 법 제6조 제2항 제7호에서 "대통령령으로 정하는 사항"이란 다음 각 호의 사항을 말한다. 1. 재난 · 재해 환경 변화에 따른 소방업무에 필요한 대응 체계 마련 2. 장애인, 노인, 임산부, 영유아 및 어린이 등 이동이 어려운 사람을 대상으로 한 소방활동에 필요한 조치 ③ 특별시장 · 광역시장 · 특별자치시장 · 도지사 또는 특별자치도지사는 법 제6조 제4항에 따른 종합계획의 시행에 필요한 세부계획을 계획 시행 전년도【 ② 】까지 수립하여 소방청장에게 제출하여야 한다.	
① 10월 31일 ② 12월 31일	

4. 소방력의 기준

제8조【소방력의 기준 등】 ① 소방기관이 소방업무를 수행하는 데에 필요한 인력과 장비 등[이하 "소방력"(消防力)이라 한다]에 관한 기준은 행정안전부령으로 정한다.
② 시·도지사는 제1항에 따른 소방력의 기준에 따라 관할구역의 소방력을 확충하기 위하여 필요한 계획을 수립하여 시행하여야 한다.
③ 소방자동차 등 소방장비의 분류·표준화와 그 관리 등에 필요한 사항은 따로 법률에서 정한다.

(1) 소방력의 기준

① **소방력**: 소방기관이 소방업무를 수행하는 데에 필요한 **인력과 장비 등**을 말한다.

② **소방력에 관한 기준**: **행정안전부령**으로 정한다.

(2) 계획의 수립·시행

시·도지사는 **소방력의 기준에 따라 관할구역 소방력 확충을 위한 계획**을 수립·시행하여야 한다.

(3) 소방자동차 등 소방장비의 분류·표준화 및 관리에 필요한 사항은 따로 「소방장비관리법」에서 정한다.

핵심기출

「소방기본법」상 소방력의 기준 등에 관한 설명으로 옳은 것은? 19. 경채(4월)

① 소방업무를 수행하는 데에 필요한 소방력에 관한 기준은 대통령령으로 정한다.
② 소방청장은 소방력의 기준에 따라 관할구역의 소방력을 확충하기 위하여 필요한 계획을 수립하여 시행하여야 한다.
③ 소방자동차 등 소방장비의 분류·표준화와 그 관리 등에 필요한 사항은 따로 법률에서 정한다.
④ 국가는 소방장비의 구입 등 시·도의 소방업무에 필요한 경비의 일부를 보조하고, 보조 대상사업의 범위와 기준보조율은 행정안전부령으로 정한다.

정답 ③

관계법규 소방력의 기준

소방력 기준에 관한 규칙	소방장비관리법
제1조【목적】 이 규칙은 「소방기본법」 제8조 제1항에 따라 소방기관이 소방업무를 수행하는 데에 필요한 인력과 장비 등에 관한 기준을 정함을 목적으로 한다. **제2조【정의】** 이 규칙에서 사용하는 용어의 뜻은 다음과 같다. 1. "소방기관"이란 소방장비, 인력 등을 동원하여 소방업무를 수행하는 소방서·119안전센터·119구조대·119구급대·119구조구급센터·119항공대·소방정대(消防艇隊)·119지역대·119종합상황실·소방체험관을 말한다. 2. "소방장비"란 「소방장비관리법」 제2조 제1호에 따른 소방장비를 말한다.	**제2조【정의】** 이 법에서 사용하는 용어의 뜻은 다음과 같다. 1. "소방장비"란 소방업무를 효과적으로 수행하기 위하여 필요한 기동장비·화재진압장비·구조장비·구급장비·보호장비·정보통신장비·측정장비 및 보조장비를 말한다.

5. 국고보조

제9조【소방장비 등에 대한 국고보조】 ① 국가는 소방장비의 구입 등 시·도의 소방업무에 필요한 경비의 일부를 보조한다.
② 제1항에 따른 보조 대상사업의 범위와 기준보조율은 대통령령으로 정한다.

(1) 소방장비 등에 대한 국고보조의 의의(제9조)

① 국가는 소방장비의 구입 등 시·도의 **소방업무에 필요한 경비의 일부를 보조**한다.

② **보조 대상사업의 범위와 기준보조율:** 대통령령으로 정한다.

(2) 국고보조 대상사업의 범위(영 제2조)

① **소방활동장비와 설비의 구입 및 설치**
㉠ 소방자동차
㉡ 소방헬리콥터 및 소방정
㉢ 소방전용통신설비 및 전산설비
㉣ 방화복 등 소방활동에 필요한 소방장비

② 소방관서용 청사의 건축

(3) 소방활동장비 및 설비의 규격 및 종류와 기준가격(규칙 제5조)

① **국내조달품:** 정부고시가격

② **수입물품:** 조달청에서 조사한 해외시장의 시가

③ **정부고시가격 또는 조달청에서 조사한 해외시장의 시가가 없는 물품:** 2 이상의 공신력 있는 물가조사기관에서 조사한 가격의 평균가격

핵심 기출

「소방기본법 시행령」 국고보조 대상사업의 범위에 해당하지 않는 것은? 19. 소방간부

① 소방자동차 구입
② 소방헬리콥터 및 소방정 구입
③ 소방전용통신설비 및 전산설비 설치
④ 방화복 등 소방활동에 필요한 소방장비 구입
⑤ 소방관서용 청사의 대수선

정답 ⑤

관계법규 국고보조

시행령	시행규칙
제2조【국고보조 대상사업의 범위와 기준보조율】 ① 법 제9조 제2항에 따른 국고보조 대상사업의 범위는 다음 각 호와 같다. 1. 다음 각 목의 소방활동장비와 설비의 구입 및 설치 가. 소방자동차 나. 소방헬리콥터 및 소방정 다. 【 ① 】 및 전산설비 라. 그 밖에 방화복 등 소방활동에 필요한 소방장비 2. 소방관서용 청사의 건축(「건축법」 제2조 제1항 제8호에 따른 건축을 말한다) ② 제1항 제1호에 따른 소방활동장비 및 설비의 종류와 규격은 【 ② 】으로 정한다. ③ 제1항에 따른 국고보조 대상사업의 기준보조율은 「보조금 관리에 관한 법률 시행령」에서 정하는 바에 따른다.	**제5조【소방활동장비 및 설비의 규격 및 종류와 기준가격】** ① 영 제2조 제2항의 규정에 의한 국고보조의 대상이 되는 소방활동장비 및 설비의 종류 및 규격은 별표 1의2와 같다. ② 영 제2조 제2항의 규정에 의한 국고보조산정을 위한 기준가격은 다음 각 호와 같다. 1. 국내조달품: 【 ① 】 2. 수입물품: 조달청에서 조사한 해외시장의 시가 3. 정부고시가격 또는 조달청에서 조사한 해외시장의 시가가 없는 물품: 2 이상의 공신력 있는 물가조사기관에서 조사한 가격의 【 ② 】
① 소방전용통신설비 ② 행정안전부령	① 정부고시가격 ② 평균가격

6. 소방용수시설

제10조 【소방용수시설의 설치 및 관리 등】 ① 시 · 도지사는 소방활동에 필요한 소화전 · 급수탑 · 저수조(이하 "소방용수시설"이라 한다)를 설치하고 유지 · 관리하여야 한다. 다만, 「수도법」 제45조에 따라 소화전을 설치하는 일반수도사업자는 관할 소방서장과 사전협의를 거친 후 소화전을 설치하여야 하며, 설치 사실을 관할 소방서장에게 통지하고, 그 소화전을 유지 · 관리하여야 한다.
② 시 · 도지사는 제21조 제1항에 따른 소방자동차의 진입이 곤란한 지역 등 화재발생 시에 초기 대응이 필요한 지역으로서 대통령령으로 정하는 지역에 소방호스 또는 호스 릴 등을 소방용수시설에 연결하여 화재를 진압하는 시설이나 장치(이하 "비상소화장치"라 한다)를 설치하고 유지 · 관리할 수 있다.
③ 제1항에 따른 소방용수시설과 제2항에 따른 비상소화장치의 설치기준은 행정안전부령으로 정한다.

(1) 소방용수시설(제10조 제1항)

① **설치권자:** 시 · 도지사

② **소방용수시설:** 소방활동에 필요한 **소화전 · 저수조 · 급수탑**

③ **「수도법」에 따라 일반수도업자가 설치하는 소화전의 설치 및 유지 · 관리:** 소화전을 설치하는 일반수도업자는 관할 소방서장과 사전협의를 거친 후 소화전을 설치하여야 하며, 설치 후 소방서장에게 통지하고 그 소화전을 유지 · 관리하여야 한다.

(2) 비상소화장치(제10조 제2항)

① **설치권자:** 시 · 도지사

② **비상소화장치:** 소방자동차의 진입이 곤란한 지역 등 화재발생 시 초기대응이 필요한 지역으로서 대통령령으로 정하는 지역에 소방호스 또는 호스릴 등을 소방용수시설에 연결하여 화재를 진압하는 시설이나 장치를 말한다.

③ **대통령령으로 정하는 지역(영 제2조의2)**

㉠ 화재경계지구로 지정된 지역

㉡ 시 · 도지사가 비상소화장치의 설치가 필요하다고 인정하는 지역

(3) 설치기준

① 소방용수시설과 비상소화장치의 설치기준은 **행정안전부령**으로 정한다.

② **비상소화장치의 설치기준(규칙 제6조)**

㉠ 비상소화장치는 비상소화장치함, 소화전, 소방호스, 관창을 포함하여 구성할 것

㉡ 소방호스 및 관창은 소방시설법에 따라 소방청장이 정하여 고시하는 형식승인 및 제품검사의 기술기준에 적합한 것으로 설치할 것

㉢ 비상소화장치함은 소방시설법에 따라 소방청장이 정하여 고시하는 성능인증 및 제품검사의 기술기준에 적합한 것으로 설치할 것

(4) 소방용수표지의 설치(규칙 제6조 제1항, [별표 2])

① 지하 – 소화전 · 저수조

㉠ 맨홀뚜껑은 지름 648mm 이상

㉡ 맨홀뚜껑에는 소화전 · 주차금지 또는 저수조 · 주차금지

㉢ 맨홀뚜껑 부근에는 노란색 반사도료를 칠할 것(폭 15cm)

② 지상 – 소화전 · 저수조 · 급수탑

㉠ 안쪽 문자는 흰색, 바깥쪽 문자는 노란색으로, 안쪽 바탕은 붉은색, 바깥쪽 바탕은 파란색으로 하고, 반사재료를 사용하여야 한다.

㉡ 표지를 세우는 것이 매우 어렵거나 부적당한 경우에는 그 규격 등을 다르게 할 수 있다.

(5) 소방용수시설의 설치기준(규칙 제6조 제2항, [별표 3])

① 공통기준

㉠ **주거 · 상업지역 및 공업지역:** 소방대상물과 수평거리 100m 이하

㉡ **그 외의 지역:** 소방대상물과 수평거리 140m 이하

② 개별기준

소화전	급수탑	저수조
연결금속구 구경 65mm	· 급수배관 구경 100mm 이상 · 개폐밸브 1.5 ~ 1.7m	· 낙차가 4.5m 이하 · 수심 0.5m 이상 · 흡수관 투입구의 길이 · 지름 60cm 이상

(6) 소방용수시설 및 지리조사(규칙 제7조)

① 소방본부장 또는 소방서장은 원활한 소방활동을 위하여 다음의 조사를 월 1회 이상 실시하여야 한다.

㉠ 소방용수시설에 대한 조사

㉡ 소방대상물에 인접한 도로의 폭 · 교통상황, 도로주변의 토지의 고저 · 건축물의 개황 그 밖의 소방활동에 필요한 지리에 대한 조사

② 조사결과는 전자적 처리가 불가능한 특별한 사유가 없으면 전자적 처리가 가능한 방법으로 작성 · 관리하여야 한다.

③ 조사결과는 2년간 보관하여야 한다.

핵심기출

「소방기본법 시행규칙」상 저수조의 설치기준으로 옳지 않은 것은? 18. 공채(10월)

① 지면으로부터의 낙차가 10m 이하일 것
② 흡수부분의 수심이 0.5m 이상일 것
③ 흡수관의 투입구가 사각형의 경우 한 변의 길이가 60cm 이상, 원형의 경우에는 지름이 60cm 이상일 것
④ 저수조에 물을 공급하는 방법은 상수도에 연결하여 자동으로 급수되는 구조일 것

정답 ①

관계법규 비상소화장치의 설치대상지역

시행령	
제2조의2【비상소화장치의 설치대상 지역】 법 제10조 제2항에서 "대통령령으로 정하는 지역"이란 다음 각 호의 어느 하나에 해당하는 지역을 말한다.	1. 법 제13조 제1항에 따라 지정된 화재경계지구(화재예방강화지구) 2. 시 · 도지사가 법 제10조 제2항에 따른 비상소화장치의 설치가 필요하다고 인정하는 지역

관계법규 소방용수시설의 설치

시행규칙

제6조【소방용수시설 및 비상소화장치의 설치기준】 ① 특별시장·광역시장·특별자치시장·도지사 또는 특별자치도지사(이하 "시·도지사"라 한다)는 법 제10조 제1항의 규정에 의하여 설치된 소방용수시설에 대하여 별표 2의 소방용수표지를 보기 쉬운 곳에 설치하여야 한다.

② 법 제10조 제1항에 따른 소방용수시설의 설치기준은 별표 3과 같다.

③ 법 제10조 제2항에 따른 비상소화장치의 설치기준은 다음 각 호와 같다.

1. 비상소화장치는 비상소화장치함, 소화전, 소방호스(소화전의 방수구에 연결하여 소화용수를 방수하기 위한 도관으로서 호스와 연결금속구로 구성되어 있는 소방용릴호스 또는 소방용고무내장호스를 말한다), 관창(소방호스용 연결금속구 또는 중간연결금속구 등의 끝에 연결하여 소화용수를 방수하기 위한 나사식 또는 차입식 토출기구를 말한다)을 포함하여 구성할 것
2. 소방호스 및 관창은 「화재예방, 소방시설 설치·유지 및 안전관리에 관한 법률」 제36조 제5항에 따라 소방청장이 정하여 고시하는【 ① 】및 제품검사의 기술기준에 적합한 것으로 설치할 것
3. 비상소화장치함은 「화재예방, 소방시설 설치·유지 및 안전관리에 관한 법률」 제39조 제4항에 따라 소방청장이 정하여 고시하는【 ② 】및 제품검사의 기술기준에 적합한 것으로 설치할 것

④ 제3항에서 규정한 사항 외에 비상소화장치의 설치기준에 관한 세부 사항은 소방청장이 정한다.

제7조【소방용수시설 및 지리조사】 ① 소방본부장 또는 소방서장은 원활한 소방활동을 위하여 다음 각 호의 조사를【 ③ 】실시하여야 한다.

1. 법 제10조의 규정에 의하여 설치된【 ④ 】에 대한 조사
2. 소방대상물에 인접한 도로의 폭·【 ⑤ 】, 도로주변의 토지의 고저·건축물의 개황 그 밖의 소방활동에 필요한 지리에 대한 조사

② 제1항의 조사결과는 전자적 처리가 불가능한 특별한 사유가 없으면 전자적 처리가 가능한 방법으로 작성·관리하여야 한다.

③ 제1항 제1호의 조사는 별지 제2호 서식에 의하고, 제1항 제2호의 조사는 별지 제3호 서식에 의하되, 그 조사결과를【 ⑥ 】보관하여야 한다.

[별표 2] 소방용수표지

1. 지하에 설치하는 소화전 또는 저수조의 경우 소방용수표지는 다음 각 목의 기준에 의한다.
   가. 맨홀뚜껑은【 ⑦ 】이상의 것으로 할 것. 다만, 승하강식 소화전의 경우에는 이를 적용하지 아니한다.
   나. 맨홀뚜껑에는 "소화전·주차금지" 또는 "저수조·주차금지"의 표시를 할 것
   다. 맨홀뚜껑 부근에는 노란색 반사도료로 폭 15센티미터의 선을 그 둘레를 따라 칠할 것
2. 지상에 설치하는 소화전, 저수조 및 급수탑의 경우 소방용수표지는 다음 각 목의 기준에 따라 설치한다.
   가. 규격

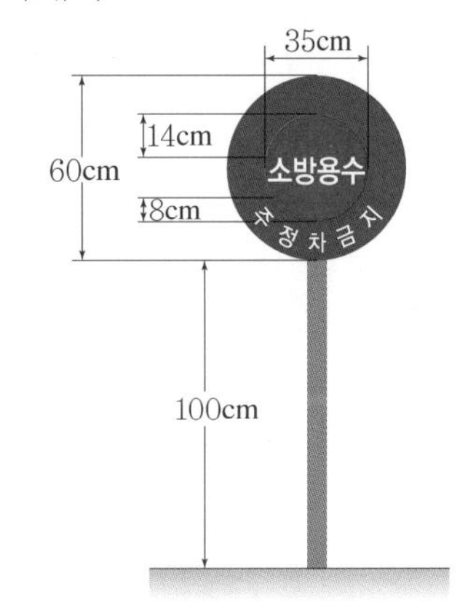

   나. 안쪽 문자는【 ⑧ 】, 바깥쪽 문자는 노란색으로, 안쪽 바탕은【 ⑨ 】, 바깥쪽 바탕은【 ⑩ 】으로 하고, 반사재료를 사용해야 한다.
   다. 가목의 규격에 따른 소방용수표지를 세우는 것이 매우 어렵거나 부적당한 경우에는 그 규격 등을 다르게 할 수 있다.

① 형식승인 ② 성능인증 ③ 월 1회 이상 ④ 소방용수시설 ⑤ 교통상황 ⑥ 2년간 ⑦ 지름 648밀리미터 ⑧ 흰색 ⑨ 붉은색 ⑩ 파란색

7. 소방활동 · 소방지원활동 · 생활안전활동

(1) 소방활동

① 소방청장, 소방본부장 또는 소방서장은 화재, 재난 · 재해 그 밖의 위급한 상황이 발생하였을 때에는 소방대를 현장에 신속하게 출동시켜 화재진압과 인명구조 · 구급 등 소방에 필요한 활동을 하게 하여야 한다.

② 출동한 소방대의 화재진압 및 인명구조 · 구급 등 소방활동을 방해하여서는 아니 된다.

(2) 소방지원활동

소방청장, 소방본부장 또는 소방서장은 공공의 안녕질서 유지 또는 복리증진을 위하여 필요한 경우 소방활동 외에 소방지원활동을 하게 할 수 있다.

① 산불에 대한 예방 · 진압 등 지원활동

② 자연재해에 따른 급수 · 배수 및 제설 등 지원활동

③ 집회 · 공연 등 각종 행사 시 사고에 대비한 근접대기 등 지원활동

④ 화재, 재난 · 재해로 인한 피해복구 지원활동

⑤ **그 밖에 행정안전부령으로 정하는 활동**

㉠ 군 · 경찰 등 유관기관에서 실시하는 훈련지원활동

㉡ 소방시설 오작동 신고에 따른 조치활동

㉢ 방송제작 또는 촬영 관련 지원활동

(3) 생활안전활동

소방청장, 소방본부장 또는 소방서장은 신고가 접수된 생활안전 및 위험제거활동에 대응하기 위하여 소방대를 출동시켜 생활안전활동을 하게 하여야 한다.

① 붕괴, 낙하 등이 우려되는 고드름, 나무, 위험 구조물 등의 제거활동

② 위해동물, 벌 등의 포획 및 퇴치활동

③ 끼임, 고립 등에 따른 위험제거 및 구출활동

④ 단전사고 시 비상전원 또는 조명의 공급

⑤ 그 밖에 방치하면 급박해질 우려가 있는 위험을 예방하기 위한 활동

8. 소방교육 · 훈련

(1) 교육 · 훈련의 종류

① **화재진압훈련:** 화재진압 담당 소방공무원, 의무소방원, 의용소방대원

② **인명구조훈련:** 구조업무 담당 소방공무원, 의무소방원, 의용소방대원

③ **응급처치훈련:** 구급업무 담당 소방공무원, 의무소방원, 의용소방대원

④ **인명대피훈련: 소방공무원, 의무소방원, 의용소방대원**

⑤ **현장지휘훈련: 소방정, 소방령, 소방경, 소방위**

(2) 교육 · 훈련의 횟수 · 기간

교육 · 훈련은 2년마다 1회 이상 실시하며, 교육훈련기간은 2주 이상이다.

9. 소방신호

제18조 【소방신호】 화재예방, 소방활동 또는 소방훈련을 위하여 사용되는 소방신호의 종류와 방법은 행정안전부령으로 정한다.

(1) 소방신호의 종류(규칙 제10조)

① **경계신호:** 화재예방상 필요하다고 인정되는 경우 및 화재위험경보 시 발령한다.
② **발화신호:** 화재가 발생한 때 발령한다.
③ **해제신호:** 소화활동이 필요없다고 인정되는 때 발령한다.
④ **훈련신호:** 훈련상 필요하다고 인정되는 때 발령한다.

(2) 소방신호의 방법

신호방법 / 종별	타종신호	사이렌신호	그 밖의 신호
경계신호	1타와 연2타를 반복	5초 간격 30초씩 3회	· 통풍대 · 게시판 · 기(旗, Flag)
발화신호	난타	5초 간격 5초씩 3회	
해제신호	상당한 간격, 1타씩 반복	1분간 1회	
훈련신호	연3타 반복	10초 간격 1분씩 3회	

핵심기출

화재예방, 소방활동 또는 소방훈련을 위하여 사용되는 소방신호에 해당하는 것은?

18. 하반기 공채

① 대응신호
② 경계신호
③ 복구신호
④ 대비신호

정답 ②

관계법규 소방신호의 종류·방법

시행규칙

제10조 【소방신호의 종류 및 방법】 ① 법 제18조의 규정에 의한 소방신호의 종류는 다음 각 호와 같다.
1. 경계신호: 화재예방상 필요하다고 인정되거나 법 제14조의 규정에 의한 화재위험경보 시 발령
2. 발화신호: 화재가 발생한 때 발령
3. 해제신호: 소화활동이 필요없다고 인정되는 때 발령
4. 훈련신호: 훈련상 필요하다고 인정되는 때 발령

② 제1항의 규정에 의한 소방신호의 종류별 소방신호의 방법은 별표 4와 같다.

[별표 4] 소방신호의 종류·방법

신호방법 / 종별	타종신호	사이렌신호
경계신호	1타와 연2타를 반복	5초 간격을 두고 30초씩 3회
【 ① 】	난타	5초 간격을 두고 5초씩 3회
해제신호	상당한 간격을 두고 1타씩 반복	1분간 1회
훈련신호	연3타 반복	10초 간격을 두고 1분씩 3회

비고
1. 소방신호의 방법은 그 전부 또는 일부를 함께 사용할 수 있다.
2. 게시판을 철거하거나 통풍대 또는 기를 내리는 것으로 소방활동이 해제되었음을 알린다.
3. 소방대의 비상소집을 하는 경우에는 【 ② 】를 사용할 수 있다.

① 발화신호 ② 훈련신호

10. 소방자동차 전용구역 등

제21조의2 【소방자동차 전용구역 등】 ①「건축법」 제2조 제2항 제2호에 따른 공동주택 중 대통령령으로 정하는 공동주택의 건축주는 제16조 제1항에 따른 소방활동의 원활한 수행을 위하여 공동주택에 소방자동차 전용구역(이하 "전용구역"이라 한다)을 설치하여야 한다.
② 누구든지 전용구역에 차를 주차하거나 전용구역에의 진입을 가로막는 등의 방해행위를 하여서는 아니 된다.
③ 전용구역의 설치 기준·방법, 제2항에 따른 방해행위의 기준, 그 밖의 필요한 사항은 대통령령으로 정한다.

(1) 소방자동차 전용구역의 설치

① **설치자:** 공동주택 중 대통령령으로 정하는 **공동주택의 건축주**

② **설치목적:** 소방활동의 원활한 수행

(2) 방해행위의 금지

누구든지 전용구역에 차를 주차하거나 전용구역에의 진입을 가로막는 등의 방해행위를 하여서는 아니 된다.

(3) 소방자동차의 전용구역 설치대상(영 제7조의12)

①「건축법 시행령」의 아파트 중 세대수가 100세대 이상인 아파트

②「건축법 시행령」의 기숙사 중 3층 이상의 기숙사

정희's 톡talk

소방자동차의 전용구역 설치 제외
다만, 하나의 대지에 동으로 구성되고 정차 또는 주차가 금지된 편도 2차선 이상의 도로에 직접 접하여 소방자동차가 도로에서 직접 소방활동이 가능한 공동주택은 제외합니다.

(4) 소방자동차 전용구역의 설치기준 및 설치방법(영 제7조의13)

① **전용구역의 설치기준:** 공동주택의 건축주는 소방자동차가 접근하기 쉽고 소방활동이 원활하게 수행될 수 있도록 각 동별 전면 또는 후면에 소방자동차 전용구역을 1개소 이상 설치하여야 한다. 다만, 하나의 전용구역에서 여러 동에 접근하여 소방활동이 가능한 경우로서 소방청장이 정하는 경우에는 각 동별로 설치하지 아니할 수 있다.

② **전용구역의 설치방법**

㉠ 전용구역 노면표지의 외곽선은 빗금무늬로 표시하되, 빗금은 두께를 30cm로 하여 50cm 간격으로 표시한다.

㉡ 전용구역 노면표지 도료의 색채는 **황색**을 기본으로 하되, 문자(P, 소방차 전용)는 **백색**으로 표시한다.

(5) 전용구역 방해행위의 기준(영 제7조의14)

① 전용구역에 물건 등을 쌓거나 주차하는 행위

② 전용구역의 앞면, 뒷면 또는 양 측면에 물건 등을 쌓거나 주차하는 행위(「주차장법」에 따른 부설주차장의 주차구획 내에 주차하는 경우는 제외)

③ 전용구역 진입로에 물건 등을 쌓거나 주차하여 전용구역으로의 진입을 가로막는 행위

④ 전용구역 노면표지를 지우거나 훼손하는 행위

⑤ 소방자동차가 전용구역에 주차하는 것을 방해하거나 전용구역으로 진입하는 것을 방해하는 행위

핵심기출

「소방기본법 시행령」상 소방자동차 전용구역 방해행위의 기준에 해당하지 않는 것은?

20. 소방간부

① 전용구역에 물건 등을 쌓는 행위
② 전용구역 노면표지를 훼손하는 행위
③ 전용구역으로의 진입을 가로막는 행위
④ 전용구역의 앞면, 뒷면에 주차하는 행위
⑤「주차장법」 제19조에 따른 부설주차장의 주차구획 내에 주차하는 행위

정답 ⑤

2 화재의 예방 및 안전관리에 관한 법률 C

1. 총칙

(1) 목적

① 화재의 예방과 안전관리에 필요한 사항을 규정함

② 화재로부터 국민의 생명 · 신체 및 재산을 보호함

③ 공공의 안전과 복리 증진에 이바지함

(2) 정의

① **예방**: 화재의 위험으로부터 사람의 생명 · 신체 및 재산을 보호하기 위하여 화재발생을 사전에 제거하거나 방지하기 위한 모든 활동을 말한다.

② **안전관리**: 화재로 인한 피해를 최소화하기 위한 예방, 대비, 대응 등의 활동을 말한다.

③ **화재안전조사**: 소방청장, 소방본부장 또는 소방서장(이하 "소방관서장"이라 한다)이 소방대상물, 관계지역 또는 관계인에 대하여 소방시설등(「소방시설 설치 및 관리에 관한 법률」 제2조 제1항 제2호에 따른 소방시설등을 말한다. 이하 같다)이 소방 관계 법령에 적합하게 설치 · 관리되고 있는지, 소방대상물에 화재의 발생 위험이 있는지 등을 확인하기 위하여 실시하는 현장조사 · 문서열람 · 보고요구 등을 하는 활동을 말한다.

④ **화재예방강화지구**: 특별시장 · 광역시장 · 특별자치시장 · 도지사 또는 특별자치도지사(이하 "시 · 도지사"라 한다)가 화재발생 우려가 크거나 화재가 발생할 경우 피해가 클 것으로 예상되는 지역에 대하여 화재의 예방 및 안전관리를 강화하기 위해 지정 · 관리하는 지역을 말한다.

⑤ **화재예방안전진단**: 화재가 발생할 경우 사회 · 경제적으로 피해 규모가 클 것으로 예상되는 소방대상물에 대하여 화재위험요인을 조사하고 그 위험성을 평가하여 개선대책을 수립하는 것을 말한다.

2. 화재안전조사

(1) 화재안전조사

① 소방관서장은 다음의 어느 하나에 해당하는 경우 화재안전조사를 실시할 수 있다. 다만, 개인의 주거(실제 주거용도로 사용되는 경우에 한정한다)에 대한 화재안전조사는 관계인의 승낙이 있거나 화재발생의 우려가 뚜렷하여 긴급한 필요가 있는 때에 한정한다.

㉠ 「소방시설 설치 및 관리에 관한 법률」 제22조에 따른 자체점검이 불성실하거나 불완전하다고 인정되는 경우

㉡ 화재예방강화지구 등 법령에서 화재안전조사를 하도록 규정되어 있는 경우

㉢ 화재예방안전진단이 불성실하거나 불완전하다고 인정되는 경우

㉣ 국가적 행사 등 주요 행사가 개최되는 장소 및 그 주변의 관계 지역에 대하여 소방안전관리 실태를 조사할 필요가 있는 경우

ⓜ 화재가 자주 발생하였거나 발생할 우려가 뚜렷한 곳에 대한 조사가 필요한 경우

ⓗ 재난예측정보, 기상예보 등을 분석한 결과 소방대상물에 화재의 발생 위험이 크다고 판단되는 경우

ⓢ ㉠부터 ⓗ까지에서 규정한 경우 외에 화재, 그 밖의 긴급한 상황이 발생할 경우 인명 또는 재산 피해의 우려가 현저하다고 판단되는 경우

② 화재안전조사의 항목은 대통령령으로 정한다. 이 경우 화재안전조사의 항목에는 화재의 예방조치 상황, 소방시설등의 관리 상황 및 소방대상물의 화재 등의 발생 위험과 관련된 사항이 포함되어야 한다.

③ 소방관서장은 화재안전조사를 실시하는 경우 다른 목적을 위하여 조사권을 남용하여서는 아니 된다.

(2) 화재안전조사의 방법 · 절차 등

① 소방관서장은 화재안전조사를 조사의 목적에 따라 제7조 제2항에 따른 화재안전조사의 항목 전체에 대하여 종합적으로 실시하거나 특정 항목에 한정하여 실시할 수 있다.

② 소방관서장은 화재안전조사를 실시하려는 경우 사전에 관계인에게 조사대상, 조사기간 및 조사사유 등을 우편, 전화, 전자메일 또는 문자전송 등을 통하여 통지하고 이를 대통령령으로 정하는 바에 따라 인터넷 홈페이지나 제16조 제3항의 전산시스템 등을 통하여 공개하여야 한다. 다만, 다음의 어느 하나에 해당하는 경우에는 그러하지 아니하다.

㉠ 화재가 발생할 우려가 뚜렷하여 긴급하게 조사할 필요가 있는 경우

㉡ ㉠ 외에 화재안전조사의 실시를 사전에 통지하거나 공개하면 조사목적을 달성할 수 없다고 인정되는 경우

③ 화재안전조사는 관계인의 승낙 없이 소방대상물의 공개시간 또는 근무시간 이외에는 할 수 없다. 다만, ②의 ㉠에 해당하는 경우에는 그러하지 아니하다.

④ ②에 따른 통지를 받은 관계인은 천재지변이나 그 밖에 대통령령으로 정하는 사유로 화재안전조사를 받기 곤란한 경우에는 화재안전조사를 통지한 소방관서장에게 대통령령으로 정하는 바에 따라 화재안전조사를 연기하여 줄 것을 신청할 수 있다. 이 경우 소방관서장은 연기신청 승인 여부를 결정하고 그 결과를 조사 시작 전까지 관계인에게 알려 주어야 한다.

⑤ ①부터 ④까지에서 규정한 사항 외에 화재안전조사의 방법 및 절차 등에 필요한 사항은 대통령령으로 정한다.

(3) 손실보상

소방청장 또는 시 · 도지사는 제14조 제1항에 따른 명령으로 인하여 손실을 입은 자가 있는 경우에는 대통령령으로 정하는 바에 따라 보상하여야 한다.

3 소방시설 설치 및 관리에 관한 법률 C

1. 총칙

(1) 목적

① 특정소방대상물 등에 설치하여야 하는 소방시설등의 설치·관리와 소방용품 성능관리에 필요한 사항을 규정함

② 국민의 생명·신체 및 재산을 보호하고 공공의 안전과 복리 증진에 이바지함

(2) 정의

① **소방시설**: 소화설비, 경보설비, 피난구조설비, 소화용수설비, 그 밖에 소화활동설비로서 대통령령으로 정하는 것을 말한다.

② **소방시설등**: 소방시설과 비상구(非常口), 그 밖에 소방 관련 시설로서 대통령령으로 정하는 것을 말한다.

③ **특정소방대상물**: 건축물 등의 규모·용도 및 수용인원 등을 고려하여 소방시설을 설치하여야 하는 소방대상물로서 대통령령으로 정하는 것을 말한다.

④ **화재안전성능**: 화재를 예방하고 화재발생 시 피해를 최소화하기 위하여 소방대상물의 재료, 공간 및 설비 등에 요구되는 안전성능을 말한다.

⑤ **성능위주설계**: 건축물 등의 재료, 공간, 이용자, 화재 특성 등을 종합적으로 고려하여 공학적 방법으로 화재 위험성을 평가하고 그 결과에 따라 화재안전성능이 확보될 수 있도록 특정소방대상물을 설계하는 것을 말한다.

⑥ **화재안전기준**: 소방시설 설치 및 관리를 위한 다음의 기준을 말한다.

㉠ **성능기준**: 화재안전 확보를 위하여 재료, 공간 및 설비 등에 요구되는 안전성능으로서 소방청장이 고시로 정하는 기준

㉡ **기술기준**: ㉠에 따른 성능기준을 충족하는 상세한 규격, 특정한 수치 및 시험방법 등에 관한 기준으로서 행정안전부령으로 정하는 절차에 따라 소방청장의 승인을 받은 기준

⑦ **소방용품**: 소방시설등을 구성하거나 소방용으로 사용되는 제품 또는 기기로서 대통령령으로 정하는 것을 말한다.

2. 소방시설등의 설치·관리 및 방염

(1) 소방시설의 내진설계기준

① 「지진·화산재해대책법」 제14조 제1항 각 호의 시설 중 대통령령으로 정하는 특정소방대상물에 대통령령으로 정하는 소방시설을 설치하려는 자는 지진이 발생할 경우 소방시설이 정상적으로 작동될 수 있도록 소방청장이 정하는 내진설계기준에 맞게 소방시설을 설치하여야 한다.

② **소방시설의 내진설계(영제8조)**

㉠ 법 제7조에서 "대통령령으로 정하는 특정소방대상물"이란 「건축법」 제2조 제1항 제2호에 따른 건축물로서 「지진·화산재해대책법 시행령」 제10조 제1항 각 호에 해당하는 시설을 말한다.

핵심기출

01 「소방시설 설치 및 관리에 관한 법률 시행령」상 방염성능기준 이상의 실내장식물 등을 설치하여야 하는 특정소방대상물을 모두 고른 것은? 20. 경채(6월)

> ㄱ. 근린생활시설 중 의원
> ㄴ. 방송통신시설 중 방송국 및 촬영소
> ㄷ. 근린생활시설 중 체력단련장

① ㄱ　② ㄱ, ㄴ
③ ㄴ, ㄷ　④ ㄱ, ㄴ, ㄷ

정답 ④

02 「소방시설 설치 및 관리에 관한 법률」 및 같은법 시행령상 규정하고 있는 소방대상물의 방염에 대한 설명으로 옳지 않은 것은? 18. 경채(10월)

① 「건축법 시행령」에 따라 산정한 층수가 11층 이상인 특정소방대상물(아파트는 제외)은 방염성능기준 이상의 실내장식물 등을 설치하여야 한다.
② 창문에 설치하는 커튼류(블라인드 포함)는 제조 또는 가공 공정에서 방염처리를 한 물품에 해당한다.
③ 방염성능검사 합격표시를 위조하거나 변조하여 사용한 자는 300만원 이하의 과태료에 처한다.
④ 대통령령에서 규정하는 방염성능기준 범위는 탄화한 면적의 경우 $50cm^2$ 이내, 탄화한 길이는 20cm 이내이다.

정답 ③

03 「소방시설법」상 방염성능기준에 대하여 옳은 것은? 18. 중앙통합

> 1. 불꽃을 올리며 연소하는 상태가 그칠 때까지 시간은 (㉠)초 이내
> 2. 불꽃을 올리지 아니하고 연소하는 상태가 그칠 때까지 시간은 (㉡)초 이내
> 3. 탄화한 면적은 (㉢)cm^2 이내, 탄화한 길이는 (㉣)cm 이내
> 4. 불꽃에 의하여 완전히 녹을 때까지 불꽃의 접촉 횟수는 (㉤)회 이상일 것
> 5. 발연량을 측정하는 경우 최대연기밀도는 (㉥) 이하

	㉠	㉡	㉢	㉣	㉤	㉥
①	20	50	30	20	5	200
②	30	20	50	30	3	300
③	20	30	50	20	3	400
④	30	30	50	20	5	500

정답 ③

㉡ 법 제7조에서 "대통령령으로 정하는 소방시설"이란 소방시설 중 **옥내소화전설비, 스프링클러설비 및 물분무등소화설비**를 말한다.

(2) 성능위주설계

① 연면적·높이·층수 등이 일정 규모 이상인 대통령령으로 정하는 특정소방대상물(신축하는 것만 해당한다)에 소방시설을 설치하려는 자는 성능위주설계를 하여야 한다.

② 성능위주설계를 해야 하는 특정소방대상물의 범위(영 제9조)

㉠ 연면적 20만제곱미터 이상인 특정소방대상물. 다만, 별표 2 제1호 가목에 따른 아파트등(이하 "아파트등"이라 한다)은 제외한다.

㉡ 50층 이상(지하층은 제외한다)이거나 지상으로부터 높이가 200미터 이상인 아파트등

㉢ 30층 이상(지하층을 포함한다)이거나 지상으로부터 높이가 120미터 이상인 특정소방대상물(아파트등은 제외한다)

㉣ 연면적 3만제곱미터 이상인 특정소방대상물

ⓐ 별표 2 제6호 나목의 철도 및 도시철도 시설

ⓑ 별표 2 제6호 다목의 공항시설

㉤ 창고시설 중 연면적 10만제곱미터 이상인 것 또는 지하층의 층수가 2개 층 이상이고 지하층의 바닥면적의 합계가 3만제곱미터 이상인 것

㉥ 하나의 건축물에 「영화 및 비디오물의 진흥에 관한 법률」 제2조 제10호에 따른 영화상영관이 10개 이상인 특정소방대상물

㉦ 「초고층 및 지하연계 복합건축물 재난관리에 관한 특별법」 제2조 제2호에 따른 지하연계 복합건축물에 해당하는 특정소방대상물

㉧ 별표 2 제27호의 터널 중 수저(水底)터널 또는 길이가 5천미터 이상인 것

(3) 방염대상특정소방대상물

① 근린생활시설(의원, 조산원, 산후조리원, 체력단련장, 공연장 및 종교집회장)

② 건축물의 옥내에 있는 다음 각 목의 시설

㉠ 문화 및 집회시설

㉡ 종교시설

㉢ 운동시설(수영장은 제외한다)

③ 의료시설

④ 교육연구시설 중 합숙소

⑤ 노유자 시설

⑥ 숙박이 가능한 수련시설

⑦ 숙박시설

⑧ 방송통신시설 중 방송국 및 촬영소

⑨ 「다중이용업소의 안전관리에 관한 특별법」 제2조 제1항 제1호에 따른 다중이용업의 영업소(이하 "다중이용업소"라 한다)

⑩ ①부터 ⑨까지의 시설에 해당하지 않는 것으로서 층수가 11층 이상인 것(아파트등은 제외한다)

4 소방시설공사업법 D

1. 총칙

(1) 목적

① 소방시설공사 및 소방기술의 관리에 필요한 사항의 규정

② 소방시설업의 건전한 발전과 소방기술의 진흥

③ 화재로부터 공공의 안전확보 및 국민경제에 이바지

(2) 정의

① 소방시설업

㉠ **소방시설설계업:** 소방시설공사를 설계하는 영업

㉡ **소방시설공사업:** 설계도서에 따라 시공하는 영업

㉢ **소방공사감리업:** 소방시설공사에 관한 발주자의 권한을 대행하여 감리하는 영업

㉣ **방염처리업:** 방염대상물품에 대하여 방염하는 영업

② **소방시설업자:** 소방시설업을 경영하기 위하여 소방시설업을 등록한 사람

③ 감리원: 소방공사감리업자에 소속된 소방기술자로서 해당 소방시설공사를 감리하는 사람

④ **소방기술자:** 소방시설업과 소방시설관리업의 기술인력으로 등록된 사람

㉠ 소방기술 경력 등을 인정받은 사람

㉡ 소방시설관리사, 소방기술사, 소방설비기사, 소방설비산업기사, 위험물기능장, 위험물산업기사, 위험물기능사

⑤ 발주자

㉠ 소방시설의 소방시설공사 등을 소방시설업자에게 도급하는 사람(다만, 수급인으로서 도급받은 공사를 하도급하는 사람은 제외)

㉡ **소방시설공사등:** 설계, 시공, 감리 및 방염

2. 소방기술자

(1) 소방기술자의 의무

① 「소방시설공사업법」 및 명령에 따라 수행한다.

② 「소방시설 설치 및 관리에 관한 법률」 및 명령에 따라 수행한다.

③ 소방기술자는 자격증(자격수첩)과 경력수첩을 빌려 주어서는 아니 된다.

④ 소방기술자는 동시에 둘 이상의 업체에 취업하여서는 아니 된다.

(2) 소방기술경력의 인정

소방기술자 인정권자는 **소방청장**이다.

(3) 소방기술자의 실무교육

① **교육대상자:** 소방시설업 또는 소방시설관리업의 기술인력으로 등록된 소방기술자

② **교육기간 · 횟수:** 2년마다 1회 이상

③ **교육의 통지:** 실무교육기관은 교육 10일 전까지 교육대상자에게 통지하여야 한다.

5 위험물안전관리법 C

1. 총칙

(1) 목적

① 위험물의 저장 · 취급 및 운반과 안전관리사항 규정
② 위험물로 인한 위해 방지
③ 공공의 안전확보

(2) 위험물 유별 정의

구분		정의
제1류 위험물	산화성 고체	고체로서 산화력의 잠재적인 위험성 또는 충격에 대한 민감성을 판단하기 위하여 소방청장이 정하여 고시(고시)하는 시험에서 고시로 정하는 성질과 상태를 나타내는 것
제2류 위험물	가연성 고체	고체로서 화염에 의한 발화의 위험성 또는 인화의 위험성을 판단하기 위하여 고시로 정하는 시험에서 고시로 정하는 성질과 상태를 나타내는 것
제3류 위험물	자연발화성 및 금수성 물질	고체 또는 액체로서 공기 중에서 발화의 위험성이 있거나 물과 접촉하여 발화하거나 가연성 가스를 발생하는 위험성이 있는 것
제4류 위험물	인화성 액체	액체(제3석유류, 제4석유류 및 동식물유류에 있어서는 1기압과 섭씨 20도에서 액상인 것에 한함)로서 인화의 위험성이 있는 것
제5류 위험물	자기반응성 물질	고체 또는 액체로서 폭발의 위험성 또는 가열분해의 격렬함을 판단하기 위하여 고시로 정하는 시험에서 고시로 정하는 성질과 상태를 나타내는 것
제6류 위험물	산화성 액체	액체로서 산화력의 잠재적인 위험성을 판단하기 위하여 고시로 정하는 시험에서 고시로 정하는 성질과 상태를 나타내는 것

(3) 탱크 용적의 산정기준

① 위험물을 저장 또는 취급하는 탱크의 용량은 해당 탱크의 내용적에서 공간용적을 뺀 용적으로 한다.
② 이동저장탱크의 용량은 최대적재량 이하로 하여야 한다.
③ 탱크의 내용적 및 공간용적의 계산방법은 소방청장이 정하여 고시한다.

(4) 적용 제외

「위험물안전관리법」은 **항공기, 선박, 철도 및 궤도**에 의한 위험물의 저장 · 취급 및 운반에 있어서는 적용하지 아니한다.

2. 위험물의 저장 · 취급

(1) 지정수량 미만인 위험물의 저장 · 취급

지정수량 미만인 위험물의 저장 · 취급에 관한 기술상 기준은 **시 · 도 조례**로 정한다.

(2) 지정수량 이상의 위험물의 저장 및 취급의 제한

① 지정수량 이상의 지정물은 저장소가 아닌 장소에서 저장하여서는 아니 된다.

② 지정수량 이상의 지정물은 제조소등이 아닌 장소에서 취급하여서는 아니 된다.

3. 위험물시설의 설치 · 변경 등

(1) 제조소등의 설치허가 또는 변경허가

위험물시설의 설치허가 또는 변경허가대상자는 대통령령이 정하는 바에 따라 그 설치장소를 관할하는 **시 · 도지사의 허가**를 받아야 한다.

① **설치허가:** 제조소등을 설치하고자 하는 경우

② **변경허가:** 제조소등의 위치 · 구조 또는 설비 가운데 행정안전부령이 정하는 사항을 변경하고자 하는 경우

(2) 품명 등의 변경신고

① **변경신고대상:** 제조소등의 위치 · 구조 또는 설비의 변경 없이 당해 제조소등에서 저장하거나 취급하는 위험물의 **품명 · 수량 또는 지정수량의 배수**를 변경하고자 하는 경우

② **변경신고기한:** 변경하고자 하는 날의 1일 전까지

(3) 위험물시설의 설치허가 · 변경허가 · 변경신고 예외사항

① **주택의 난방시설**(공동주택의 중앙난방시설은 제외)을 위한 저장소 또는 취급소

② **농예용 · 축산용 또는 수산용**으로 필요한 난방시설 또는 건조시설을 위한 지정수량 **20배 이하의 저장소**

4. 탱크안전성능검사

(1) 실시권자

실시권자는 시 · 도지사이다.

(2) 실시시기

위험물탱크의 설치 또는 그 위치 · 구조 · 설비 변경공사의 완공검사를 받기 전에 검사를 받아야 한다.

(3) 탱크안전성능검사를 받아야 하는 위험물탱크

① **기초 · 지반검사:** 옥외탱크저장소의 액체위험물탱크 중 그 용량이 100만L 이상인 탱크

② **충수 · 수압검사:** 액체위험물을 저장 또는 취급하는 탱크

③ **용접부검사:** 옥외탱크저장소의 액체위험물탱크 중 그 용량이 100만L 이상인 탱크

④ **암반탱크검사:** 액체위험물을 저장 또는 취급하는 암반 내의 공간을 이용한 탱크

5. 위험물안전관리자

(1) 위험물안전관리자의 선임

① 제조소등의 관계인은 위험물의 안전관리에 관한 직무를 수행하게 하기 위하여 제도소등마다 위험물취급자격자를 위험물안전관리자로 선임하여야 한다.

② **제외대상:** 허가를 받지 아니하는 제조소등과 이동탱크저장소

③ **위험물취급자격자:** 대통령령이 정하는 위험물의 취급에 관한 자격이 있는 자

위험물취급자격자의 구분	취급할 수 있는 위험물
위험물기능장 · 위험물산업기사 · 위험물기능사	모든 위험물
안전관리자교육이수자 (소방청장이 실시하는 안전관리자교육 이수자)	제4류 위험물 (인화성 액체)
소방공무원 경력자 (소방공무원 근무 경력 3년 이상)	제4류 위험물 (인화성 액체)

(2) 안전관리자 선임기한

안전관리자를 해임하거나 안전관리자가 퇴직한 때에는 해임하거나 퇴직한 날부터 30일 이내에 다시 선임하여야 한다.

(3) 안전관리자의 선임신고

① **신고기간:** 선임한 날부터 14일 이내

② **신고대상:** 소방본부장 또는 소방서장

(4) 안전관리자 해임 · 퇴직 통지 및 확인

① **사유**

㉠ 제조소등의 관계인이 안전관리자를 해임한 경우

㉡ 안전관리자가 퇴직한 경우

② **통지 및 확인:** 관계인 또는 안전관리자는 소방본부장 또는 소방서장에게 알리고 확인받을 수 있다.

(5) 안전관리자의 대리자 지정

① **지정사유**

㉠ 안전관리자가 여행 · 질병 그 밖의 사유로 인하여 일시적으로 직무를 수행할 수 없는 경우

㉡ 안전관리자의 해임 또는 퇴직과 동시에 다른 안전관리자를 선임하지 못하는 경우

② **대리자의 자격**

㉠ 안전교육을 받은 자

㉡ 제조소등의 위험물 안전관리업무에 있어서 안전관리자를 지휘 · 감독하는 직위에 있는 자

③ **대리자의 직무대행 기간:** 30일 이내(30일을 초과할 수 없음)

핵심 기출

01 「위험물안전관리법」상 위험물안전관리자에 대한 내용으로 옳지 않은 것은?
21. 소방간부

① 안전관리자를 선임한 제조소등의 관계인은 그 안전관리자를 해임하거나 안전관리자가 퇴직한 때에는 해임하거나 퇴직한 날부터 30일 이내에 다시 안전관리자를 선임하여야 한다.
② 제조소등의 관계인은 관련 법령에 따라 안전관리자를 선임한 경우에는 선임한 날부터 14일 이내에 행정안전부령으로 정하는 바에 따라 소방본부장 또는 소방서장에게 신고하여야 한다.
③ 제조소등의 관계인이 안전관리자를 해임하거나 안전관리자가 퇴직한 경우 그 관계인 또는 안전관리자는 소방본부장이나 소방서장에게 그 사실을 알려 해임되거나 퇴직한 사실을 확인받을 수 있다.
④ 안전관리자를 선임한 제조소등의 관계인은 안전관리자의 해임 또는 퇴직과 동시에 다른 안전관리자를 선임하지 못하는 경우에는 「국가기술자격법」에 따른 위험물의 취급에 관한 자격취득자 또는 위험물안전에 관한 기본지식과 경험이 있는 자로서 소방본부장이나 소방서장이 정하는 자를 대리자(代理者)로 지정하여 그 직무를 대행하게 하여야 한다.
⑤ 제조소등의 종류 및 규모에 따라 선임하여야 하는 안전관리자의 자격은 대통령령으로 정한다.

정답 ④

02 「위험물안전관리법」상 위험물안전관리자 선임에 대한 내용이다. (ㄱ), (ㄴ)에 들어갈 내용으로 옳은 것은? 19. 소방간부

> 안전관리자를 선임한 제조소등의 관계인은 그 안전관리자를 해임하거나 안전관리자가 퇴직한 때에는 해임하거나 퇴직한 날부터 (ㄱ)일 이내에 다시 안전관리자를 선임하여야 한다. 안전관리자를 선임한 경우에 선임한 날부터 (ㄴ)일 이내에 행정안전부령으로 정하는 바에 따라 소방본부장 또는 소방서장에게 신고하여야 한다.

	ㄱ	ㄴ
①	7	14
②	14	7
③	30	7
④	30	14
⑤	30	30

정답 ④

6. 1인의 안전관리자를 중복하여 선임할 수 있는 경우 등

다수의 제조소등을 동일인이 설치한 경우 관계인은 대통령령이 정하는 바에 따라 1인의 안전관리자를 중복하여 선임할 수 있다.

(1) 대리자 지정

① 1인의 안전관리자를 중복하여 선임한 경우 대통령령이 정하는 제조소등의 관계인은 대리자의 자격이 있는 자를 각 제조소등별로 지정하여 안전관리자를 보조하게 하여야 한다.

㉠ 제조소

㉡ 이송취급소

㉢ 일반취급소

② 대리자의 자격

㉠ 안전교육을 받은 자

㉡ 제조소등의 위험물 안전관리업무에 있어서 안전관리자를 지휘·감독하는 직위에 있는 자

(2) 안전관리자를 중복하여 선임할 수 있는 경우

① 보일러·버너 또는 이와 비슷한 것으로서 위험물을 소비하는 장치로 이루어진 7개 이하의 일반취급소와 그 일반취급소에 공급하기 위한 위험물을 저장하는 저장소를 동일인이 설치한 경우(일반취급소 및 저장소가 모두 동일구내에 있는 경우에 한함)

② 위험물을 차량에 고정된 탱크 또는 운반용기에 옮겨 담기 위한 5개 이하의 일반취급소와 그 일반취급소에 공급하기 위한 위험물을 저장하는 저장소를 동일인이 설치한 경우[일반취급소 및 저장소가 모두 동일구내에 있는 경우에 한하며, 일반취급소 간의 거리(보행거리)가 300m 이내인 경우에 한함]

③ 동일구내에 있거나 상호 100m 이내의 거리에 있는 저장소로서 저장소의 규모, 저장하는 위험물의 종류 등을 고려하여 행정안전부령이 정하는 다음의 저장소를 동일인이 설치한 경우

㉠ 10개 이하의 옥내저장소

㉡ 30개 이하의 옥외탱크저장소

㉢ 옥내탱크저장소

㉣ 지하탱크저장소

㉤ 간이탱크저장소

㉥ 10개 이하의 옥외저장소

㉦ 10개 이하의 암반탱크저장소

④ 다음 기준에 모두 적합한 5개 이하의 제조소등을 동일인이 설치한 경우

㉠ 각 제조소등이 동일구내에 위치하거나 상호 100m 이내의 거리에 있을 것

㉡ 각 제조소등에서 저장 또는 취급하는 위험물의 최대수량이 지정수량의 3,000배 미만일 것(단, 저장소의 경우는 제외)

7. 예방규정

대통령령이 정하는 제조소등의 관계인은 행정안전부령으로 정하는 바에 따라 예방규정을 작성하여 시 · 도지사에게 제출하여야 한다.

(1) 관계인이 예방규정을 정하여야 하는 제조소등

① 지정수량의 10배 이상의 위험물을 취급하는 제조소
② 지정수량의 100배 이상의 위험물을 저장하는 옥외저장소
③ 지정수량의 150배 이상의 위험물을 저장하는 옥내저장소
④ 지정수량의 200배 이상의 위험물을 저장하는 옥외탱크저장소
⑤ 암반탱크저장소
⑥ 이송취급소
⑦ 지정수량의 10배 위험물을 취급하는 일반취급소

(2) 예방규정 제출기한: 당해 제조소등의 사용을 시작하기 전

(3) 반려 및 변경명령

시 · 도지사는 제출한 예방규정이 규정에 따른 기준에 적합하지 아니하거나 화재예방이나 재해발생 시의 비상조치를 위하여 필요하다고 인정하는 때에는 이를 반려하거나 그 변경을 명할 수 있다.

8. 자체소방대

(1) 대통령령이 정하는 제조소등(영 제18조 제1항)

① **제4류 위험물을 취급하는 제조소 또는 일반취급소**(보일러로 위험물을 소비하는 일반취급소 등 행정안전부령으로 정하는 일반취급소는 제외)
② **제4류 위험물을 저장하는 옥외탱크저장소**

(2) 대통령령이 정하는 수량(영 제18조 제2항)

① **제4류 위험물을 취급하는 제조소 또는 일반취급소: 최대수량의 합이 지정수량의 3,000배 이상**
② **제4류 위험물을 저장하는 옥외탱크저장소: 지정수량의 500,000배 이상**

(3) 자체소방대 설치 제외대상인 일반취급소(규칙 제73조)

① 보일러, 버너, 그 밖에 이와 유사한 장치로 위험물을 소비하는 일반취급소
② 이동저장탱크, 그 밖에 이와 유사한 것에 위험물을 주입하는 일반취급소
③ 용기에 위험물을 옮겨 담는 일반취급소
④ 유압장치, 윤활유순환장치, 그 밖에 이와 유사한 장치로 위험물을 취급하는 일반취급소
⑤ 「광산안전법」의 적용을 받는 일반취급소

(4) 자체소방대를 설치하는 사업소(영 제18조 제3항)

자체소방대를 설치하는 사업소는 자체소방대에 화학소방차 및 자체소방대원을 두어야 한다.

핵심기출

01 민간 소방조직의 설치에 관한 설명으로 옳지 않은 것은? (18. 하반기 공채)

① 주유취급소에는 위험물안전관리자를 선임해야 한다.
② 소방안전관리대상물에는 소방안전관리자를 선임해야 한다.
③ 소방업무를 체계적으로 보조하기 위해 의용소방대를 설치한다.
④ 제4류 위험물을 저장 · 취급하는 제조소에는 반드시 자체소방대를 설치해야 한다.

정답 ④

02 위험물안전관리법령상 자체소방대를 설치하여야 하는 사업소로 옳은 것은? (24. 소방간부)

① 용기에 위험물을 옮겨 담는 일반취급소
② 이동저장탱크 그 밖에 이와 유사한 것에 위험물을 주입하는 일반취급소
③ 보일러, 버너 그 밖에 이와 유사한 장치로 위험물을 소비하는 일반취급소
④ 제4류 위험물을 취급하는 제조소 또는 일반취급소에서 취급하는 제4류 위험물의 최대수량의 합이 지정수량의 3천배 이상인 경우
⑤ 제4류 위험물을 저장하는 옥외탱크저장소에 저장하는 제4류 위험물의 최대수량이 지정수량의 30만배 이상인 경우

정답 ④

① 자체소방대 편성의 특례(상호응원협정을 체결한 경우)(규칙 제74조)

㉠ 당해 모든 사업소를 하나의 사업소로 보고 제조소 또는 취급소에서 취급하는 제4류 위험물을 합산한 양을 하나의 사업소에서 취급하는 제4류 위험물의 최대수량으로 간주하여 화학소방자동차의 대수 및 자체소방대원을 정할 수 있다.

㉡ 각 사업소의 자체소방대에는 산정된 화학소방차 대수의 2분의 1 이상의 대수와 화학소방자동차마다 5인 이상의 자체소방대원을 두어야 한다.

② 자체소방대에 두는 화학소방자동차 및 인원

사업소의 구분(지정수량)		화학소방 자동차	자체 소방대원의 수
제조소 또는 일반취급소에서 취급하는 제4류 위험물의 최대수량의 합	12만배 미만	1대	5인
	12만배 이상 ~ 24만배 미만	2대	10인
	24만배 이상 ~ 48만배 미만	3대	15인
	48만배 이상	4대	20인
옥외탱크저장소에 저장하는 제4류 위험물의 최대수량이 지정수량의 50만배 이상인 사업소		2대	10인

비고: 화학소방자동차에는 소화능력 및 설비를 갖추어야 하고, 소화활동에 필요한 소화약제 및 기구를 비치하여야 한다.

(5) 화학소방차의 기준 등(규칙 제75조)

① 화학소방자동차에 갖추어야 하는 소화능력 및 설비의 기준(규칙 [별표 23])

㉠ 포수용액 방사차

ⓐ 포수용액의 방사능력이 매분 2,000L 이상일 것

ⓑ 소화약액탱크 및 소화약액혼합장치를 비치할 것

ⓒ 10만L 이상의 포수용액을 방사할 수 있는 양의 소화약제를 비치할 것

㉡ 분말 방사차

ⓐ 분말의 방사능력이 매초 35kg 이상일 것

ⓑ 분말탱크 및 가압용가스설비를 비치할 것

ⓒ 1,400kg 이상의 분말을 비치할 것

㉢ 할로겐화합물 방사차

ⓐ 할로겐화합물의 방사능력이 매초 40kg 이상일 것

ⓑ 할로겐화합물탱크 및 가압용가스설비를 비치할 것

ⓒ 1,000kg 이상의 할로겐화합물을 비치할 것

㉣ 이산화탄소 방사차

ⓐ 이산화탄소의 방사능력이 매초 40kg 이상일 것

ⓑ 이산화탄소저장용기를 비치할 것

ⓒ 3,000kg 이상의 이산화탄소를 비치할 것

㉤ **제독차**: 가성소오다 및 규조토를 각각 50kg 이상 비치할 것

② 포수용액을 방사하는 화학소방자동차의 대수는 산정된 화학소방자동차의 대수의 3분의 2 이상으로 하여야 한다.

핵심기출

「위험물안전관리법 시행령」상 제조소에서 취급하는 제4류 위험물의 최대수량의 합이 지정수량의 50만 배인 사업소의 경우, 자체소방대에 두는 화학소방자동차와 자체소방대원의 수로 옳은 것은? 23. 소방간부

	화학소방자동차	자체소방대원
①	1대	5인
②	2대	10인
③	3대	15인
④	4대	20인
⑤	5대	10인

정답 ④

시행령	시행규칙

시행령

제18조【자체소방대를 설치하여야 하는 사업소】 ① 법 제19조에서 "대통령령이 정하는 제조소등"이란 다음 각 호의 어느 하나에 해당하는 제조소등을 말한다.

1. 제4류 위험물을 취급하는 제조소 또는 일반취급소. 다만, 보일러로 위험물을 소비하는 일반취급소 등 행정안전부령으로 정하는 일반취급소는 제외한다.
2. 제4류 위험물을 저장하는 옥외탱크저장소

② 법 제19조에서 "대통령령이 정하는 수량 이상"이란 다음 각 호의 구분에 따른 수량을 말한다.

1. 제1항 제1호에 해당하는 경우: 제조소 또는 일반취급소에서 취급하는 제4류 위험물의 최대수량의 합이 지정수량의 3천배 이상
2. 제1항 제2호에 해당하는 경우: 옥외탱크저장소에 저장하는 제4류 위험물의 최대수량이 지정수량의 50만배 이상

③ 법 제19조의 규정에 의하여 자체소방대를 설치하는 사업소의 관계인은 별표 8의 규정에 의하여 자체소방대에 화학소방자동차 및 자체소방대원을 두어야 한다. 다만, 화재 그 밖의 재난발생시 다른 사업소 등과 상호응원에 관한 협정을 체결하고 있는 사업소에 있어서는 행정안전부령이 정하는 바에 따라 별표 8의 범위 안에서 화학 소방자동차 및 인원의 수를 달리할 수 있다.

[별표 8] 자체소방대에 두는 화학소방자동차 및 인원(제18조 제3항 관련)

사업소의 구분(지정수량)	화학소방자동차	자체소방 대원의 수
12만배 미만	1대	5인
12만배 이상 ~ 24만배 미만	2대	10인
24만배 이상 ~ 48만배 미만	3대	15인
48만배 이상	4대	20인
50만배 이상	2대	10인

비고: 화학소방자동차에는 행정안전부령으로 정하는 소화능력 및 설비를 갖추어야 하고, 소화활동에 필요한 소화약제 및 기구(방열복 등 개인장구를 포함한다)를 비치하여야 한다.

시행규칙

제73조【자체소방대의 설치 제외대상인 일반취급소】 영 제18조 제1항 제1호 단서에서 "행정안전부령으로 정하는 일반취급소"란 다음 각 호의 어느 하나에 해당하는 일반취급소를 말한다.

1. 보일러, 버너 그 밖에 이와 유사한 장치로 위험물을 소비하는 일반취급소
2. 이동저장탱크 그 밖에 이와 유사한 것에 위험물을 주입하는 일반취급소
3. 용기에 위험물을 옮겨 담는 일반취급소
4. 유압장치, 윤활유순환장치 그 밖에 이와 유사한 장치로 위험물을 취급하는 일반취급소
5. 「광산안전법」의 적용을 받는 일반취급소

제74조【자체소방대 편성의 특례】 영 제18조 제3항 단서의 규정에 의하여 2 이상의 사업소가 상호응원에 관한 협정을 체결하고 있는 경우에는 당해 모든 사업소를 하나의 사업소로 보고 제조소 또는 취급소에서 취급하는 제4류 위험물을 합산한 양을 하나의 사업소에서 취급하는 제4류 위험물의 최대수량으로 간주하여 동항 본문의 규정에 의한 화학소방자동차의 대수 및 자체소방대원을 정할 수 있다. 이 경우 상호응원에 관한 협정을 체결하고 있는 각 사업소의 자체소방대에는 영 제18조 제3항 본문의 규정에 의한 화학소방차 대수의 2분의 1 이상의 대수와 화학소방자동차마다 5인 이상의 자체소방대원을 두어야 한다.

제75조【화학소방차의 기준 등】 ① 영 별표 8 비고의 규정에 의하여 화학소방자동차(내폭화학차 및 제독차를 포함한다)에 갖추어야 하는 소화능력 및 설비의 기준은 별표 23과 같다.

② 포수용액을 방사하는 화학소방자동차의 대수는 영 제18조 제3항의 규정에 의한 화학소방자동차의 대수의 3분의 2 이상으로 하여야 한다.

[별표 23] 화학소방자동차에 갖추어야 하는 소화능력 및 설비의 기준 (제75조 제1항 관련)

구분	소화능력 및 설비의 기준
포수용액 방사차	포수용액의 방사능력이 매분 2,000L 이상
	소화약액탱크 및 소화약액혼합장치
	10만L 이상 포수용액을 방사할 수 있는 양의 소화약제
분말 방사차	분말의 방사능력이 매초 35kg 이상
	분말탱크 및 가압용가스설비
	1,400kg 이상 분말
할로겐화합물 방사차	할로겐화합물의 방사능력이 매초 40kg 이상
	할로겐화합물탱크 및 가압용가스설비
	1,000kg 이상 할로겐화합물
이산화탄소 방사차	이산화탄소의 방사능력이 매초 40kg 이상
	이산화탄소저장용기
	3,000kg 이상 이산화탄소
제독차	가성소오다 및 규조토를 각각 50kg 이상

8. 위험물의 운송

제21조【위험물의 운송】 ① 이동탱크저장소에 의하여 위험물을 운송하는 자(운송책임자 및 이동탱크저장소운전자를 말하며, 이하 "위험물운송자"라 한다)는 제20조 제2항 각 호의 어느 하나에 해당하는 요건을 갖추어야 한다.
② 대통령령이 정하는 위험물의 운송에 있어서는 운송책임자(위험물 운송의 감독 또는 지원을 하는 자를 말한다. 이하 같다)의 감독 또는 지원을 받아 이를 운송하여야 한다. 운송책임자의 범위, 감독 또는 지원의 방법 등에 관한 구체적인 기준은 행정안전부령으로 정한다.
③ 위험물운송자는 이동탱크저장소에 의하여 위험물을 운송하는 때에는 행정안전부령으로 정하는 기준을 준수하는 등 당해 위험물의 안전확보를 위하여 세심한 주의를 기울여야 한다.

(1) 위험물운송자

① **위험물운송자: 운송책임자 및 이동탱크저장소 운전자**

② **위험물운송자의 자격요건**

㉠ 「국가기술자격법」에 따른 위험물 분야의 자격을 취득할 것

㉡ 제28조 제1항에 따른 교육을 수료할 것

(2) 위험물의 운송책임자

① **운송책임자:** 위험물 운송의 감독 또는 지원을 하는 자

② 대통령령이 정하는 위험물의 운송에 있어서는 운송책임자의 감독과 지원을 받아 운송하여야 한다.

③ **운송책임자의 감독·지원을 받아 운송하여야 하는 위험물(영 제19조)**

㉠ **알킬알루미늄**

㉡ **알킬리튬**

㉢ **알킬알루미늄** 또는 **알킬리튬**의 물질을 함유하는 위험물

④ **위험물의 운송책임자의 자격(규칙 제52조)**

㉠ 위험물의 취급에 관한 **국가기술자격**을 취득하고 관련 업무에 1년 **이상** 종사한 경력이 있는 자

㉡ 위험물의 운송에 관한 **안전교육**을 수료하고 관련 업무에 2년 **이상** 종사한 경력이 있는 자

핵심 기출

「위험물안전관리법」상 운송책임자의 감독·지원을 받아 운송하여야 하는 위험물로 옳은 것은? 15. 중앙통합

① 알킬알루미늄
② 알칼리토금속
③ 알칼리금속
④ 알루미늄금속화합물

정답 ①

9. 안전교육

(1) 안전교육

① **위험물 안전교육대상자**

㉠ 안전관리자로 선임된 자 ㉡ 탱크시험자의 기술인력으로 종사하는 자
㉢ 위험물운반자로 종사하는 자 ㉣ 위험물운송자로 종사하는 자

② **안전교육실시자:** 소방청장

(2) 관계인의 의무

제조소등의 관계인은 규정에 따른 교육대상자에 대하여 필요한 안전교육을 받게 하여야 한다.

(3) 안전교육 등

① 소방청장은 안전교육을 강습교육과 실무교육으로 구분하여 실시한다.

② 기술원 또는 한국소방안전원은 매년 교육실시계획을 수립하여 소방청장의 승인을 받아야 한다.

③ 소방본부장은 매년 10월 말까지 관할구역 안의 실무교육대상자 현황을 협회에 통보하고 관할구역 안에서 협회가 실시하는 안전교육에 관하여 지도·감독하여야 한다.

(4) 교육과정·교육대상자·교육시간·교육시기 및 교육기관

교육과정	교육대상자	교육시간	교육시기	교육기관
강습교육	안전관리자가 되려는 사람	24시간	최초 선임되기 전	안전원
	위험물운반자가 되려는 사람	8시간	최초 종사하기 전	안전원
	위험물운송자가 되려는 사람	16시간	최초 종사하기 전	안전원
실무교육	안전관리자	8시간 이내	① 제조소등의 안전관리자로 선임된 날부터 6개월 이내 ② ①에 따른 교육을 받은 후 2년마다 1회	안전원
	위험물운반자	4시간	① 위험물운반자로 종사한 날부터 6개월 이내 ② ①에 따른 교육을 받은 후 3년마다 1회	안전원
	위험물운송자	8시간 이내	① 이동탱크저장소의 위험물운송자로 종사한 날부터 6개월 이내 ② ①에 따른 교육을 받은 후 3년마다 1회	안전원
	탱크시험자의 기술인력	8시간 이내	① 탱크시험자의 기술인력으로 등록한 날부터 6개월 이내 ② ①에 따른 교육을 받은 후 2년마다 1회	기술원

MEMO

해커스소방 **김정희 소방학개론** 기본서

PART 8

구조구급론

CHAPTER 1 구조 · 구급의 개념

1 개론 C

1. 정의

(1) 구조(「119구조 · 구급에 관한 법률」 제2조)

화재, 재난 · 재해 및 테러, 그 밖의 위급한 상황(위급상황)에서 외부의 도움을 필요로 하는 사람(요구조자)의 생명, 신체 및 재산을 보호하기 위하여 수행하는 모든 활동을 말한다.

(2) 인명구조(「인명구조사 교육 및 시험에 관한 규정」 제2조)

급박한 신체적 위험상황 또는 위급한 상황에서 스스로의 힘으로 벗어날 수 없는 사람을 지식 · 기술 · 체력 및 각종 장비를 활용하여 생명과 신체를 보호하고 안전한 장소로 구출하는 일체의 활동을 말한다.

(3) 인명구조사(「응급의료에 관한 법률」 제41조)

인명구조에 필요한 지식 · 기술 · 체력 및 장비활용능력을 보유한 사람으로 소방청장이 실시하는 인증시험에 합격한 사람을 말하며, [별표 1]과 같이 업무역량에 따라 등급을 구분한다.

참고 인명구조사의 등급구분(「인명구조사 교육 및 시험에 관한 규정」 [별표 1])

등급구분	등급별 업무역량 등
인명구조사 2급	· 업무역량: 독자적으로 구조활동을 수행할 수 있으며, 표준구조활동과정(Process)에서 요구하는 지침에 따라 업무를 수행할 수 있음 · 영문표현: ERT(Emergency Rescue Technician) · 자격취득: 인명구조사 2급 인증시험에 합격한 사람
인명구조사 1급	· 업무역량: 독자적인 구조활동 수행뿐 아니라 활동에 관한 업무지시 · 업무분석이 가능하며, 인명구조 관련 교육 · 자문활동도 수행할 수 있음 · 영문표현: HERT(High Emergency Rescue Technician) · 자격취득: 인명구조사 2급을 취득한 사람이 그 취득일로부터 소방공무원으로 근무경력 3년이 경과하거나 인명구조사 1급 교육과정을 이수한 후 인명구조사 1급 인증시험에 합격한 사람
전문 인명구조사	· 업무역량: 환경변화 등에 따른 각종 구조활동의 표준과정(Process) 수정 및 새로운 구조활동지침을 수립 · 수행할 수 있음 · 영문표현: PERT(Professional Emergency Rescue Technician) · 자격취득: 인명구조사 1급을 취득한 사람이 그 취득일로부터 소방공무원으로 근무경력 3년이 경과하거나 전문인명구조사 교육과정을 이수한 후 전문인명구조사 인증시험에 합격한 사람

(4) 구급

응급환자에 대하여 행하는 **상담**, **응급처치** 및 **이송** 등의 활동을 말한다.

(5) 응급구조사

응급환자가 발생한 현장에서 응급환자에 대하여 상담·구조 및 이송업무를 수행하며, 「의료법」 제27조의 무면허 의료행위금지규정에도 불구하고 보건복지부령으로 정하는 범위에서 현장에 있거나 이송 중이거나 의료기관 안에 있을 때에는 응급처치의 업무에 종사할 수 있다.

(6) 응급의료종사자

관계 법령에서 정하는 바에 따라 취득한 면허 또는 자격의 범위에서 응급환자에 대한 응급의료를 제공하는 **의료인**과 **응급구조사**를 말한다.

(7) 응급의료

응급환자가 발생한 때부터 생명의 위험에서 회복되거나 심신상의 중대한 위해가 제거되기까지의 과정에서 응급환자를 위하여 하는 **상담·구조·이송·응급처치** 및 **진료 등의 조치**를 말한다.

참고 **교육운영기준 (「인명구조사 교육 및 시험에 관한 규정」 [별표 2])**

구분	기준
교육시간	· 인명구조사 2급: 175시간 이상 · 인명구조사 1급: 175시간 이상 · 전문인명구조사: 280시간 이상
교과목 편성기준	· 인명구조사 2급 - 구조활동의 일반원칙, 구조장비 사용, 사고유형별 안전관리 등을 포함한 구조 일반에 관한 사항 - 산악·암벽 등에서의 로프 등을 활용한 하강·등반·도하 및 들것 구조 등 다양한 구조기법에 관한 사항 - 수상(내수면·해수면 포함)에서의 구조 및 수중(내수면·해수면 포함)에서의 구조에 관한 사항 - 심폐소생술, 외상환자 평가 및 응급처치에 관한 사항 · 인명구조사 1급 - 도시인명탐색(USAR) 및 항공기를 이용한 구조에 관한 사항 - 방사능 누출, 생화학테러, 위험물, 건물붕괴 등 특수구조에 관한 사항 - 기타 인명구조사 2급 각 교과목의 심화과정 · 전문인명구조사 - 각종 사고사례 연구에 관한 사항 - 최신 구조기법 개발에 관한 사항 - 강의기법 및 교수능력 개발에 관한 사항 - 기타 인명구조사 1급 각 교과목의 심화과정

2. 인명구조사

(1) 인명구조사 1급(HERT; High Emergency Rescue Technician)

① **업무역량:** 독자적인 구조활동 수행뿐만 아니라 활동에 관한 업무지시와 업무 분석이 가능하며, **인명구조 관련 교육 및 자문활동도 수행**할 수 있다.

② **자격취득:** 인명구조사 2급을 취득한 사람이 그 취득일로부터 소방공무원으로 근무경력 3년이 경과하거나 인명구조사 1급 교육과정을 이수한 후 인명구조사 1급 인증시험에 합격한 사람

(2) 인명구조사 2급(ERT; Emergency Rescue Technician)

① **업무역량:** 독자적으로 구조활동을 수행할 수 있으며, 표준구조활동과정(Process)에서 요구하는 지침에 따라 업무를 수행할 수 있다.

② **자격취득:** 인명구조사 2급 인증시험에 합격한 사람

(3) 전문인명구조사(PERT; Professional Emergency Rescue Technician)

① **업무역량:** 환경변화 등에 따른 각종 구조활동의 표준과정(Process) 수정 및 새로운 구조활동 지침을 수립 · 수행할 수 있다.

② **자격취득:** 인명구조사 1급을 취득한 사람이 그 취득일로부터 소방공무원으로 **근무경력 3년이 경과**하거나 전문인명구조사 교육과정을 이수한 후 전문인명구조사 인증시험에 합격한 사람

3. 응급구조사

(1) 1급 응급구조사 시험응시자격(「응급의료에 관한 법률」 제36조)

응시자격에 해당하는 사람으로서 보건복지부장관이 실시하는 시험에 합격한 후 보건복지부장관의 자격인정을 받아야 한다.

① 대학 또는 전문대학에서 응급구조학을 전공하고 졸업한 사람

② 보건복지부장관이 정하여 고시하는 기준에 해당하는 외국의 응급구조사 자격인정을 받은 사람

③ 2급 응급구조사로서 응급구조사의 업무에 3년 이상 종사한 사람

(2) 2급 응급구조사 시험응시자격(「응급의료에 관한 법률」 제36조)

① 보건복지부장관이 지정하는 응급구조사 양성기관에서 대통령령으로 정하는 양성과정을 마친 사람

② 보건복지부장관이 정하여 고시하는 기준에 해당하는 외국의 응급구조사 자격인정을 받은 사람

4. 구조대 및 구급대

119구조대는 탐색 및 구조활동에 필요한 장비를 갖추고 소방공무원으로 편성된 단위조직을 말하고, 119구급대는 구급활동에 필요한 장비를 갖추고 소방공무원으로 편성된 단위조직을 말한다.

(1) 구조대(「119구조 · 구급에 관한 법률 시행령」 제5조)

소방청장 · 소방본부장 또는 소방서장(소방청장등)은 위급상황에서 요구조자의 생명 등을 신속하고 안전하게 구조하는 업무를 수행하기 위하여 대통령령으로 정하는 바에 따라 119구조대(구조대)를 편성하여 운영하여야 한다.

① **일반구조대**: 시 · 도의 규칙으로 정하는 바에 따라 소방서마다 1개 대(隊) 이상 설치하되, 소방서가 없는 시 · 군 · 구의 경우에는 해당 시 · 군 · 구 지역의 중심지에 있는 119안전센터에 설치할 수 있다.

② **특수구조대**: 소방대상물, 지역 특성, 재난 발생 유형 및 빈도 등을 고려하여 시 · 도의 규칙으로 정하는 바에 따라 설치한다. 특수구조대는 **화학구조대, 수난구조대, 산악구조대, 고속국도구조대** 및 **지하철구조대**이다.

③ **직할구조대**: 대형 · 특수 재난사고의 구조, 현장 지휘 및 테러현장 등의 지원 등을 위하여 소방청 또는 시 · 도 소방본부에 설치하되, 시 · 도 소방본부에 설치하는 경우에는 시 · 도의 규칙으로 정하는 바에 따른다.

④ **테러대응구조대**: 테러 및 특수재난에 전문적으로 대응하기 위하여 소방청과 시 · 도 소방본부에 각각 설치하며, 시 · 도 소방본부에 설치하는 경우에는 시 · 도의 규칙으로 정하는 바에 따른다.

(2) 구급대(「119구조 · 구급에 관한 법률 시행령」 제10조)

소방청장등은 위급상황에서 발생한 응급환자를 응급처치하거나 의료기관에 긴급히 이송하는 등의 구급업무를 수행하기 위하여 대통령령으로 정하는 바에 따라 119구급대(구급대)를 편성하여 운영하여야 한다.

① **일반구급대**: 시 · 도의 규칙으로 정하는 바에 따라 소방서마다 1개 대 이상 설치하되, 소방서가 설치되지 아니한 시 · 군 · 구의 경우에는 해당 시 · 군 · 구 지역의 중심지에 소재한 119안전센터에 설치할 수 있다.

② **고속국도구급대**: **교통사고 발생빈도 등을 고려하여 소방청, 시 · 도 소방본부** 또는 **고속국도를 관할하는 소방서**에 설치하되, 시 · 도 소방본부 또는 소방서에 설치하는 경우에는 시 · 도의 규칙으로 정하는 바에 따른다.

핵심기출

「119구조 · 구급에 관한 법령」상 특수구조대의 종류에 해당하지 않는 것은?

20. 인명구조사 2급

① 화학구조대
② 119항공대
③ 고속국도구조대
④ 산악구조대

정답 ②

2 구조 · 구급활동 D

소방청장등은 위급상황이 발생한 때에는 구조 · 구급대를 현장에 신속하게 출동시켜 인명구조 및 응급처치, 그 밖에 필요한 활동을 하게 하여야 한다. 또한, 소방청장등은 구조 · 구급활동을 위하여 필요하다고 인정하는 때에는 다른 사람의 토지 · 건물 또는 그 밖의 물건을 일시사용, 사용의 제한 또는 처분을 하거나 토지 · 건물에 출입할 수 있다.

1. 구조대원의 임무

(1) 구조대장(현장지휘관)의 임무

① **신속한 상황판단:** 현장지휘관은 종합적으로 정보를 받아들여 대원과 요구조자의 안전을 확보할 수 있도록 정확하고 빠른 판단을 내려야 한다.

② **구조대원의 안전확보:** 구조작전 수행의 적합 유무를 판단하고 안전구출과 재산상의 손실을 최소화하는 구조방법을 결정하고, 사고현장에서 구조대원과 요구조자에게 위험을 미칠 수 있는 2차적 위협요소를 파악하여 사전에 제거한다.

③ **구조작업의 지휘:** 특별한 경우가 아니면 직접 구조작업에 뛰어들지 말고 구조대 전체를 감독하여야 한다.

④ **유관기관과의 협조 유지:** 사고현장의 관계자 및 관계기관과 연락을 긴밀히 하여 사고 실태를 정확히 파악하고 대원을 지휘함으로써 효율적인 구조활동이 되도록 한다.

(2) 대원의 임무

평소에 체력 · 기술을 단련하고 장비가 성능을 발휘할 수 있도록 점검 · 정비를 하여야 한다. 현장활동을 할 때에는 자의적인 행동을 하지 않고 지휘명령을 지켜 부여된 임무를 수행한다.

2. 구조활동의 수칙

(1) 경계구역을 설정할 때에는 인원뿐만 아니라 각종 장비 활용에 장애가 되지 않도록 기자재 운반 · 차량정지 위치 등에 주의하여 유효한 활동공간을 확보하여야 한다.

(2) 사고현장에 위험요인이 혼재하는 경우에는 위험이 큰 요인부터 순차적으로 제거하면서 구조활동을 전개한다.

(3) 구조활동 시에는 현장 주변에 있는 관계자 또는 군중의 접근을 차단하거나 주위의 시선으로부터 보호할 수 있는 조치를 강구하여 요구조자의 프라이버시를 보호한다.

핵심 기출

구조대장의 현장지휘관으로서의 우선적인 임무로 옳지 않은 것은? 20. 인명구조사 2급

① 구조장비의 조작
② 대원의 안전확보
③ 유관기관과의 협조 유지
④ 신속한 상황판단

정답 ①

3. 구조활동 단계별 행동

(1) 사전대비단계

① 과거의 사례 등을 검토하고 지역특성에 맞는 대응책을 강구한다.

② 효과적인 훈련을 실시하고 어떤 상황에서도 방심하지 않도록 한다.

③ 관할 출동구역 내의 지리분석을 통한 도로상황, 지형, 구획의 구성 등을 사전에 조사 · 파악하여 재난 · 사고 발생이 예상되는 경우 미리 필요한 대책을 수립한다.

④ 구조에 사용할 장비는 항상 확실하게 점검 · 정비한다.

⑤ 체력 · 기술을 연마하고 사기진작에 노력한다.

(2) 출동 시 조치사항

① 사고발생 장소, 사고의 종류 및 개요, 요구조자의 수와 상태 및 도로상황 · 건물상황을 확인한다.

② 사고정보를 통하여 구출방법을 검토하고 **사용할 장비를 선정**하고 필요한 장비가 있으면 추가로 적재한다.

③ **출동경로와 현장진입로**를 결정한다.

④ 추가정보에 의해 파악된 사고개요 및 규모 등이 초기에 판단하였던 구출방법 및 임무분담 등 결정에 부합되는지를 재확인한다.

⑤ **선착대의 행동내용 등을 파악**하여 자기대의 임무와 활동요령을 검토한다.

⑥ 도로나 교통사정 등으로 현장에 신속히 도착하기 곤란할 것으로 예상되면 유 · 무선통신망을 활용하여 상부에 보고하고 우회도로를 선택할 수 있도록 상황을 전파한다.

⑦ 선착대로부터 취득하는 정보는 가장 신뢰할 수 있는 최신 정보이므로 사고 개요, 규모 등을 확실히 청취하고 자기임무 등을 확인한 후 대원에게 필요한 임무를 부여한다.

(3) 현장 도착 시 조치사항

① 차량부서 선정

② 현장홍보활동을 실시할 경우에 일반인과 관계자에게 위험이 있다고 예측된 때에는 안전한 장소로 대피시킨다.

③ 장비관리

(4) 현장활동 조치사항

① 사고현장과 주변부의 상황 확인

② 사고장소의 확인

③ 요구조자의 유무 및 장애요인 판단

④ **활동 중 장해와 2차재해 위험 확인:** 현장에 잠재된 2차 재해요인을 파악하여 감전, 유독가스, 낙하물, 붕괴 등 위험성을 경감한다.

핵심기출

01 구조활동 단계별 행동요령 중 '사전대비단계'에 해당하지 않는 것은?

20. 인명구조사 2급

① 사용할 장비를 선정하고 필요한 장비가 있으면 추가로 적재한다.
② 과거의 사례 등을 검토하고 지역특성에 맞는 대응책을 강구한다.
③ 효과적인 훈련을 실시하고 어떤 상황에서도 방심하지 않도록 한다.
④ 체력, 기술을 연마하고 사기진작에 노력한다.

정답 ①

02 구조활동 단계별 행동요령 중 '출동 시의 조치사항'만으로 올바르게 고른 것은?

20. 인명구조사 2급 변형

> 가. 사고정보를 통하여 구출방법을 검토한다.
> 나. 선착대의 행동내용을 파악하여 자기대의 임무와 활동요령을 검토한다.
> 다. 출동경로와 현장 진입로를 결정한다.
> 라. 현장 홍보활동을 실시할 경우에 일반인과 관계자들에게 위험이 있다고 예측된 때에는 안전한 장소로 대피시킨다.
> 마. 현장에 잠재된 2차 재해요인을 파악한다.

① 가, 다　　② 가, 나, 다
③ 나, 라　　④ 다, 라, 마

정답 ②

핵심 기출

01 현장보고 시 주의사항으로 옳지 않은 것은? 20. 인명구조사 2급

① 보이는 그대로의 상황과 확인된 내용을 보고한다.
② 사회적 파장이 예측되는 내용은 상급 지휘관에게 보고하고 지시를 따른다.
③ 세부적으로 자세하게 보고하고, 가급적 전문용어는 사용하지 않는다.
④ 혼선을 방지하기 위하여 통신담당자를 지정하고 보고내용의 우선순위를 정하여 보고한다.

정답 ③

02 소방 안전관리 특성의 종류로 옳지 않은 것은? 20. 인명구조사 2급

① 안전관리의 일체성 · 적극성
② 안전관리의 양면성 · 획일성
③ 안전관리의 계속성 · 반복성
④ 안전관리의 특이성 · 양면성

정답 ②

(5) 활동결과보고

① **도착보고:** 구조대가 현장에 도착한 즉시 육안으로 관찰하고 관계자로부터 청취된 사항을 보고한다.

② **현장보고:** 사고의 실태가 대략 판명된 시점 또는 현장상황과 활동내용이 변화된 경우에 보고한다.

③ **보고 시의 주의사항**

㉠ 보고는 간결 · 명료하게 하고 전문적인 용어에는 설명을 붙인다.
㉡ 무선에 의한 보고 시 혼선을 방지하기 위하여 통신담당자를 지정하고 보고내용의 우선순위를 정하여 보고한다.
㉢ 개인의 프라이버시에 관한 내용이나 사회적인 파장이 예측되는 내용이 있을 때는 상급 지휘관에게 보고하고 지시를 따른다.

4. 소방 안전관리의 특성

(1) 안전관리의 일체성 · 적극성

① 화재현장에서 소방활동은 안전관리와 면밀하게 연결되어 있다.
② 화재가 발생한 건물로부터 호스를 분리하여 연장하는 것은 낙하물 방지와 화재에 의한 복사열로부터 호스의 손상방지를 도모하기 위한 것과 동시에 효과적인 소방활동을 전개하여 대원 자신을 지키는 결과를 얻을 수 있다.

(2) 안전관리의 특이성 · 양면성

① 소방활동은 임무수행과 안전확보의 양립이 요구된다.
② 위험성을 수반하는 임무수행시에 안전관리 개념이 성립된다. 화재현장의 위험을 확인한 후에 임무수행과 안전확보를 양립시키는 특이성 · 양면성이 있다.

(3) 안전관리의 계속성 · 반복성

① 안전관리는 반복하여 실행해야 한다.
② 소방활동의 안전관리는 출동에서부터 귀소하기까지 한 순간도 끊임없이 계속된다.
③ 평소의 교육 · 훈련, 기기점검 등도 안전관리상 중요한 요소이다.

CHAPTER 2 구조 · 구급 장비

1 구조장비 D

소방장비란 소방업무를 효과적으로 수행하기 위하여 필요한 기동장비 · 화재진압장비 · 구조장비 · 구급장비 · 보호장비 · 정보통신장비 · 측정장비 및 보조장비를 말한다(「소방장비관리법」 제2조).

(1) 장비 조작 시 주의사항

① 헬멧 · 안전화 · 보안경 등 적절한 보호장비를 착용한다.

② 체인톱 · 헤머드릴 등 고속 회전부분이 있는 장비의 경우 **실밥이 말려들어갈 수 있으므로 면장갑은 착용하지 않는다.**

③ 고압전류를 사용하는 전동 장비나 고온이 발생하는 용접기 등의 경우에는 반드시 규정된 보호장갑을 착용하여야 한다.

④ 톱날을 비롯하여 각종 절단 날은 항상 잘 연마되어야 한다.

⑤ 공기 중에 인화성 가스가 있거나 인화성 액체가 근처에 있을 때에는 동력장비의 사용을 피한다.

⑥ 장비를 이동시킬 때에는 작동을 중지시킨다. **엔진장비의 경우에는 시동을 끄고 전동장비는 플러그를 뽑는다.**

⑦ 전동장비는 반드시 접지가 되는 3극 플러그를 이용한다. 접지단자를 제거하면 감전사고의 위험이 있다.

⑧ 엔진동력 장비를 사용하기 전에는 **기기를 흔들어 잘 혼합되도록 한 후 시동을 건다.**

(2) 장비의 점검과 관리

① 점검 · 정비는 장비의 제원을 정확히 파악한 후에 규정과 절차를 준수하여 실시한다. 장비조작이 미숙한 대원이 독단적으로 작업하지 않도록 주의하여야 한다.

② 점검 · 정비방법이 명확하지 않거나 중요한 고장발생 및 조작상의 의문이 있는 경우는 제작회사나 납품자에게 문의한다. 또는 수리를 요청하고 무리한 분해, 정비를 삼가야 한다.

③ 모든 장비는 평소 점검 · 정비를 충분히 하여야 작업현장에서 제대로 사용할 수 있다.

④ 규정과 절차를 준수한 장비를 사용하는 것을 원칙으로 한다.

핵심 기출

구조장비 조작 시 주의사항으로 옳은 것은?

20. 인명구조사 2급

① 헬멧 · 안전화 · 보안경 등 적절한 보호장비를 착용한다.
② 고속 회전부분이 있는 장비의 경우 실밥이 말려들어갈 수 있으므로 면장갑을 착용하고 작업한다.
③ 엔진동력 장비는 사용 전에 흔들지 않고 그대로 사용해야 한다.
④ 엔진장비에 연료를 보충할 때는 시동을 켠 채로 보충하여도 무관하다.

정답 ①

2 로프(ROPE) C

1. 로프의 종류

현재 구조업무에 사용되고 있는 로프는 산악용·산업용·어업용·농업용 등으로 구분되며, 그 종류로는 크게 천연섬유로프, 합성섬유로프, 와이어로프 등이 있다. 구조업무에 가장 적합한 요구성능을 최대한 고려하여 합성섬유 로프를 가장 많이 사용하고 있다.

(1) 천연섬유로프

① 천연섬유의 특성상 나일론과 달리 여러 가닥의 섬유를 꼬아서 만든 형식이다.

② **잘 늘어나지 않고 마찰에 강하며 태양 및 오염물에 노출 시 나일론보다 강하다.**

③ 물에 젖을 경우 강도가 절반 정도 떨어지는 경향이 있다.

(2) 합성섬유로프

① 합성섬유의 대표격인 나일론은 초기에 천연섬유로프와 같이 꼰 방식으로 제작하였으나 뻣뻣하고, 마찰에 약하며 지나치게 늘어나는 단점이 있었다.

② 기술력의 발달로 이러한 문제점을 보완해 주는 짠 방법을 채택하면서 **나일론의 우수성인 충격을 줄여주는 신축성과 내구성을 갖추게 되었다.**

참고 천연섬유와 합성섬유로프의 구분

천연섬유	종자섬유	무명(면)
	인피섬유	대마(삼베), 저마(모시), 황마, 아마, 라미
	잎섬유	마닐라, 파초, 아바카, 사이실
	과일섬유	야자섬유
합성섬유	폴리아미드계	나일론, 아밀란, 펄론
	폴리에스테르계	데이크론, 데틸린, 테트론
	폴리비닐알콜계	비닐론, 미쿨론

(3) 방수로프

① 젖은 로프는 사용이 불편할 뿐만 아니라 로프 자체의 강도가 약 10 ~ 15% 정도 저하된다.

② 로프의 방수처리는 외피와 속심에 실리콘·테플론·파라핀 코팅을 한다.

(4) 용도에 따른 구분

스태틱로프(정적로프)와 다이나믹로프(동적로프) 또는 인명구조용과 등반용으로 구분한다.

핵심기출

01 구조로프(Rope)에 대한 특성으로 옳지 않은 것은? 20. 인명구조사 2급

① 현재 사용되는 산악용·인명구조용 로프는 폴리아미드 계열의 나일론 로프가 가장 많이 사용되고 있다.

② 나일론 로프는 잘 늘어나지 않고 마찰에 강하며 태양 및 오염물에 노출 시 마닐라 로프보다 강하다.

③ 스태틱로프(정적로프)의 신장률은 통상적으로 3% 이하이다.

④ 방수로프는 대부분 물에 뜨는 경향이 있어 수상구조용으로 많이 활용된다.

정답 ②

02 구조로프(Rope)에 대한 설명으로 옳은 것은? 20. 인명구조사 2급

① 나일론 로프는 잘 늘어나지 않고 마찰에 강하며 태양 및 오염물에 노출 시 마닐라 로프보다 강하다.

② 매듭의 강도는 말뚝매듭이 가장 크다.

③ 로프는 사용하지 않으면 강도가 저하되지 않는다.

④ 스태틱로프(정적로프)는 다이나믹(동적로프)보다 신장률이 낮다.

정답 ④

정희's 톡talk

용도에 따른 구분

종류	신장률	유연성	용도
정적로프	3% 이하	딱딱함	산업용
동적로프	5% 이하	유연함	등반용

2. 로프의 성능

(1) 매듭시험

① 매듭시험은 로프를 다루기가 얼마나 편리한지를 숫자로 나타내기 위한 실험 방법으로 로프에 엄지매듭을 하고 10kg의 물체를 1분 동안 매달아 놓은 뒤 그 구멍의 크기를 재는 실험방법이 사용된다.

② 통상 매듭 고리의 크기는 D형 카라비너의 종 방향 길이만큼의 크기가 작업하기에 적절하다.

③ 매듭의 고리가 크면 우연히 개폐구가 열리는 확률을 높여 주는 결과가 된다.

참고 매듭과 꺾임에 의한 로프의 장력변화

매듭의 종류	매듭의 강도(%)
매듭하지 않은 상태	100
8자 매듭	75 ~ 80
한겹고정 매듭	70 ~ 75
이중 피셔맨매듭	65 ~ 70
피셔맨매듭	60 ~ 65
테이프매듭	60 ~ 70
말뚝매듭	60 ~ 65
엄지매듭	60 ~ 65

(2) 신장률

로프의 늘어나는 상태를 검사하는 것으로써 로프에 80kg의 추를 10분간 매달아 로프가 늘어나는 정도를 재는 검사이다. 우리가 주로 사용하는 9.8 ~ 12mm 로프는 8% 이상 늘어나지 않아야 기준에 합격한다.

3. 로프 관리

(1) 로프의 관리

① 로프는 산성물질(자동차 배터리액 등)과 접촉하지 않게 하고, 산성물질과 접촉이 의심되는 경우에는 즉시 폐기하도록 한다.

② 2개의 로프를 직접 연결하면 마찰부위에서 발생하는 열로 인해 로프가 단선될 수 있으므로 **카라비너**를 함께 사용한다.

③ 로프는 매듭을 하는 끝 부분이 가장 크게 손상되며 매듭은 로프강도를 현저하게 감소시킨다.

④ 물에 젖은 로프는 예민해지고 늘어나며, 매듭의 강도를 감소시킨다.

⑤ 로프를 구입한 부서에서는 폐기할 때까지 지속적으로 관리하고 기록하여야 하며, 로프의 사용일자 및 검사 · 정비사항 등을 기록부에 기입하여야 한다.

핵심 기출

01 로프(Rope)에 대한 설명으로 옳지 않은 것은? 20. 인명구조사 2급

① 매듭의 강도는 말뚝매듭이 가장 크다.
② 현재 인명구조용 로프는 합성섬유인 폴리아미드 계열의 나일론 로프가 가장 많이 사용되고 있다.
③ 세계적으로 산악용 로프의 성능검사는 UIAA(국제산악연맹)에서 실시하는데, 대개 이곳에서의 검증을 가장 신뢰한다.
④ 로프는 사용횟수와 무관하게 강도가 저하된다.

정답 ①

02 로프 매듭의 장력을 측정했을 때 강도가 가장 높은 매듭으로 옳은 것은? 20. 인명구조사 2급

① 8자 매듭
② 피셔맨매듭
③ 말뚝매듭
④ 엄지매듭

정답 ①

핵심 기출

구조로프의 관리와 보관에 관한 설명으로 옳은 것은? 20. 인명구조사 2급

① 산성물질과의 접촉이 의심되는 경우 즉시 폐기한다.
② 오염이 심한 구조로프의 경우 따뜻한 물과 표백제를 사용한다.
③ 동력장비 예비연료와 동일 장소에 보관해도 무방하다.
④ 구조로프는 고리 등에 걸어서 보관하는 것이 가장 좋은 방법에 해당한다.

정답 ①

(2) 로프의 세척

① **천염섬유는 물로 세척하지 않는다.** 물로 세척하면 처음에는 천연섬유를 강하게 하지만 지속적으로 적셨다 건조하면 섬유를 약하게 하면서 손상된다.

② 흙 · 모래알이나 이물질을 떨어낼 만큼 부드럽게 솔질을 해서 닦아낸다.

③ 합성섬유의 경우 찬물과 연한 비누를 사용해서 세척하고 표백제나 강한 세척제는 사용하지 않는다.

(3) 로프의 보관

① **로프는 로프가방에 보관한다.**

② 청결하고 건조한 작은 보관용 가방이나 환기가 잘되는 칸막이 방에 저장한다.

③ 배터리액, 탄화수소 연료 또는 자욱한 연기나 이러한 물질의 증기와 같은 화학적 오염에 노출되어서는 안 되며 **동력장비 또는 이러한 장비의 예비연료와는 따로 보관하여야 한다.**

④ 로프가방은 손쉽게 운반할 수 있으며, 먼지나 때가 묻지 않아 로프의 좋은 상태를 유지할 수 있다.

(4) 로프사리기(로프정리)

로프를 사릴 때는 언제나 꼬이거나 엉킬 수 있으므로 주의하여야 한다.

① **원형사리기:** 휴대와 장기간 보관할 때 편리하지만, **풀 때 로프가 꼬이거나 엉키는 단점이 있어 구조작업 시에는 사용하지 않는 것이 바람직하다.**

② **나비형 사리기(한발감기):** 50 ~ 60m 정도의 비교적 긴 로프를 사릴 때 사용하는 방법으로 나비사리기라고도 한다. 이 방법은 **로프가 지그재그 형태로 차례로 쌓이므로 풀 때에도 엉키지 않는 장점이 있다.**

③ **나비형 사리기(어깨감기):** 로프의 길이가 60m 이상이 되면 사리면서 한 손으로 잡고 있을 수 없게 된다. 이때는 로프를 어깨로 올려서 사린다.

④ **8자형 사리기(나비형 사리기):** 나비형 사리기와 함께 로프가 꼬이지 않게 사리는 방법으로 풀 때 꼬이지 않는 장점이 있다. **굵고 뻣뻣한 로프나 와이어로프 등을 정리할 때 편리하다.**

⑤ **넣어두기:** 사용빈도가 높고 구조목적으로 현장에서 바로 꺼내 사용할 수 있다.

핵심기출

구조로프 보관 및 사리기에 관한 설명으로 옳지 않은 것은? 20. 인명구조사 2급

① 구조로프는 로프 보관용 가방에 넣어 보관하는 것이 좋다.
② 원형사리기는 로프가 꼬이지 않아 구조작업 시 사용이 편리하다.
③ 나비형 사리기는 지그재그 형태로 차례로 쌓이므로 풀 때에도 엉키지 않는 장점이 있다.
④ 8자형 사리기는 굵고 뻣뻣한 로프를 정리할 때 편리하다.

정답 ②

3 공기호흡기(SCBA) D

공기호흡기(SCBA; Self Contained Breathing Apparatus)란 소화 또는 구조활동 시에 화재로 인하여 발생하는 각종 유독가스가 있는 장소에서 일정시간 사용할 수 있도록 제조된 압축공기식 개인호흡장비를 말한다. **음압형 공기호흡기**는 흡기에 따라 열리고 흡기가 정지했을 때 및 배기할 때에 닫히는 디맨드밸브를 갖춘 것을 말하고, **양압형 공기호흡기**는 면체 내의 압력이 외기압보다 항상 일정압만큼 높은 것으로서 면체 내에 일정 정압 이하가 되면 작동되는 압력디맨드밸브를 갖춘 것을 말한다.

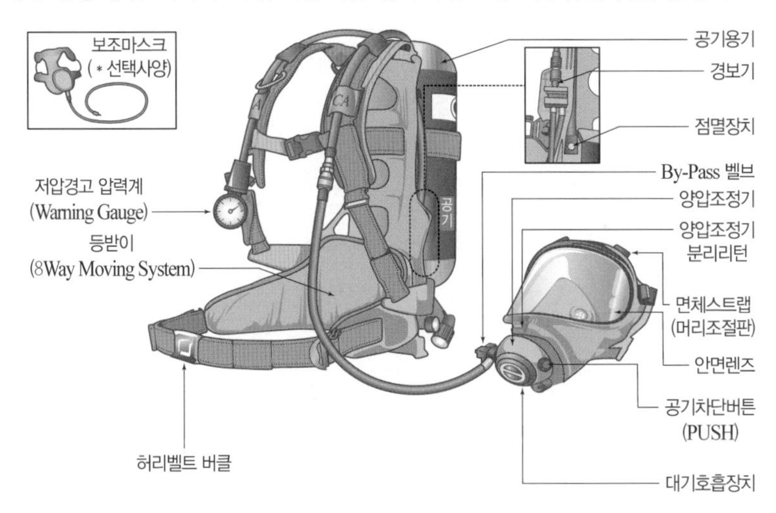

▲ 공기호흡기 구성부품

1. 공기호흡기의 규격(「공기호흡기의 형식승인 및 제품검사의 기술기준」 제2조)

(1) 공기호흡기의 최고충전압력은 30MPa 이상으로서 공기용기에 충전되는 공기의 양은 40L/min로 호흡하는 경우 사용시간이 30분 이상이어야 한다. 이 경우 사용시간은 15분 단위로 증가시켜 구분한다.

(2) 공기호흡기의 총 질량은 사용시간을 기준으로 30분용은 7kg, 45분용은 9kg, 60분용은 11kg, 75분용 이상은 18kg 이하이어야 한다.

2. 공기호흡기의 사용가능시간

(1) 호흡과 산소요구량

① **호흡량**: 사람의 호흡운동은 보통 분당 14 ~ 20회로, 1회에 들이마시는 공기량은 성인 남성의 경우 약 500cc 정도이며 심호흡을 할 때에는 약 2,000cc, 표준 폐활량은 3,500cc이다.

② 공기소모량

㉠ **평균 작업**: 30 ~ 40L/분

㉡ **격한 작업**: 50 ~ 60L/분

㉢ **최고의 격한 작업**: 80L/분

(2) 용기 내 압력과 호흡량의 한계

일반적으로 용기 내의 압력이 약 $10kg/cm^2$ 이하가 되면 소방활동 시의 호흡량에 대응할 수 없게 된다. 이 때문에 사용가능시간 및 탈출개시압력을 결정할 때에는 이 압력을 여유압력으로 제외하고 계산하여야 한다.

① 사용가능시간(분)

$$\frac{[\text{용기압력}(kg/cm^2) - \text{여유압력}(kg/cm^2)] \times \text{용기부피}(L)}{\text{매 분당 호흡량}(L)}$$

② 탈출개시압력

$$\frac{\text{탈출소요시간}(min) \times \text{분당 호흡량}(L)}{\text{용기용량}(L)} + \text{여유압력}(kg/cm^2)$$

3. 공기호흡기 사용 중 주의사항

(1) 면체를 유독가스에 오염된 위험한 지역 안에서 벗을 경우 주변의 오염된 가스로부터 질식되어 목숨을 잃을 수 있으므로 반드시 안전한 장소로 이동한 후에 벗어야 한다.

(2) 면체를 착용하기 전에는 양압조정기가 균열되거나 파손된 상태를 확인한 후 사용하여야 한다.

(3) 용기를 세척할 경우에는 반드시 지정된 세정제를 사용하여 세척하여야 한다.

(4) 면체는 사용 전 김서림 방지액을 안면렌즈 내부에 도포한 상태에서 사용한다.

(5) 공기 압력이 떨어지는 과정에서 **압력계의 지침이 약 55bar를 가리킬 때 경보음이 작동하는지 확인한다.**

(6) 면체에 부착된 대기호흡장치를 산소농도 18% 이하의 산소결핍장소나 유독가스로 오염된 지역에서는 사용할 경우에 심각한 부상을 입을 수 있으므로 주의하여야 한다.

핵심기출

공기호흡기와 관련된 설명으로 옳지 않은 것은? 20. 인명구조사 2급

① 면체는 사용 전 김서림 방지액을 안면렌즈 내부에 도포한 상태에서 사용한다.
② 용기를 세척할 경우에는 반드시 지정된 세정제를 사용하여 세척해야 한다.
③ 면체를 착용하기 전에는 양압조정기가 균열되거나 파손된 상태를 확인한다.
④ 용기의 압력이 약 55bar일 때 경보음을 발생시켜 압력이 다 소모될 때까지 울린다.

정답 ④

CHAPTER 3 로프기술

1 로프매듭 C

로프는 구조활동 및 훈련에 있어 대원의 진입 및 탈출, 요구조자의 구출, 각종 장비의 운반 및 고정, 장애물의 견인 제거 등 다양한 용도로 활용할 수 있기 때문에 구조장비 중에서도 가장 활용도가 높다.

1. 매듭의 기본원칙

(1) 매듭의 가장 중요한 조건은 '묶기 쉽고, 자연적으로 풀리지 않고 간편하게 해체할 수 있는 매듭'이다.

(2) 매듭법을 많이 아는 것보다 자주 사용하는 **매듭을 정확히 숙지**하는 것이 중요하다.

(3) 매듭의 끝부분은 빠지지 않도록 **최소한 로프 직경의 10배 정도**는 남아 있어야 한다.

(4) 매듭의 크기가 **작은 방법**을 선택한다.

(5) 타인에게도 능숙하고 안전하게 매듭을 할 수 있어야 한다.

(6) 로프는 매듭 부분에서 강도가 저하된다.

(7) 매듭은 정확한 형태로 단단하게 조여야 풀어지지 않고 하중을 지탱할 수 있다.

(8) 매듭의 끝 부분이 빠지지 않도록 주매듭을 묶은 후 옭매듭 등으로 다시 마감해 준다.

2. 매듭의 종류

(1) 마디짓기

로프의 끝이나 중간에 마디 · 매듭 · 고리 만들기

(2) 이어매기

한 로프를 다른 로프와 서로 연결하기

(3) 움켜매기

로프를 지지물 또는 특정 물건에 묶기

■ **기본매듭의 종류**

마디짓기(결절)	이어매기(연결)	움켜매기(결착)
· 옭매듭 · 8자매듭 · 줄사다리매듭 · 고정매듭 · 두겹고정매듭 · 나비매듭	· 바른매듭 · 한겹매듭 · 두겹매듭 · 8자연결매듭 · 피셔맨매듭	· 말뚝매기 · 절반매기 · 잡아매기 · 감아매기 · 클램하이스트 매듭

2 기본매듭 C

1. 마디짓기(결절)

(1) 옭매듭(엄지매듭, Overhand knot)

로프에 마디를 만들어 구멍으로부터 로프가 빠지는 것을 방지하거나 절단한 로프의 끝에서 꼬임이 풀어지는 것을 방지할 때 사용하는 가장 단순한 형태의 매듭이다.

▲ 옭매듭

(2) 8자매듭

매듭이 8자 모양을 닮아서 '8자매듭'이라고 한다. 옭매듭보다 매듭 부분이 크기 때문에 다루기 편하고 풀기도 쉽다.

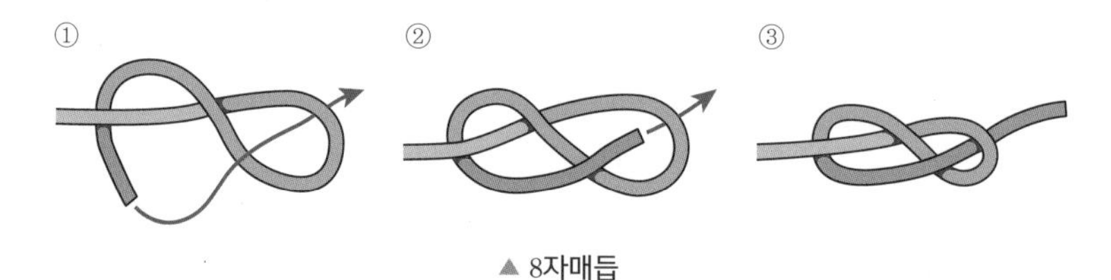

▲ 8자매듭

(3) 줄사다리매듭

로프에 일정한 간격을 두고 수개의 옭매듭을 만들어 로프를 타고 오르거나 내릴 때에 지지점으로 이용할 수 있도록 하는 매듭이다.

(4) 고정매듭(Bowline)

로프의 굵기에 관계없이 묶고 풀기가 쉬우며 조여지지 않으므로 로프를 물체에 묶어 지지점을 만들거나 유도 로프를 결착하는 경우에 활용한다.

(5) 두겹고정매듭(Bowline on a bight)

로프의 끝에 두 개의 고리를 만들어 활용하는 매듭으로, 수직맨홀 등 좁은 공간으로 진입하거나 요구조자를 구출하는 경우 유용하게 활용할 수 있다.

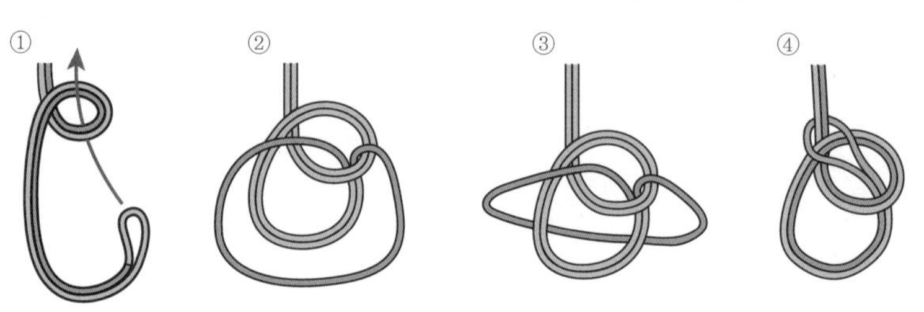

▲ 두겹고정매듭

(6) 나비매듭

로프 중간에 고리를 만들 필요가 있을 경우에 사용하며, 다른 매듭에 비하여 충격을 받은 경우에도 풀기가 쉬운 것이 장점이다.

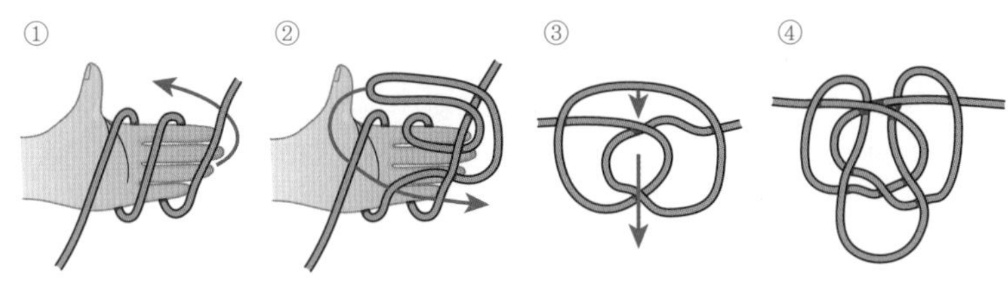

▲ 나비매듭

2. 이어매기(연결)

(1) 바른매듭(맞매듭, Square knot)

① 묶고 풀기가 쉽고 같은 굵기의 로프를 연결하기에 적합한 매듭이다.

② 로프 연결의 기본이 되는 매듭이다.

③ 힘을 많이 받지 않는 곳에 사용하지만 굵기 또는 재질이 서로 다른 로프를 연결할 때에는 미끄러져 빠질 염려가 우려가 있다.

④ 매듭 부분을 완전히 조이고 끝부분은 옭매듭으로 한다.

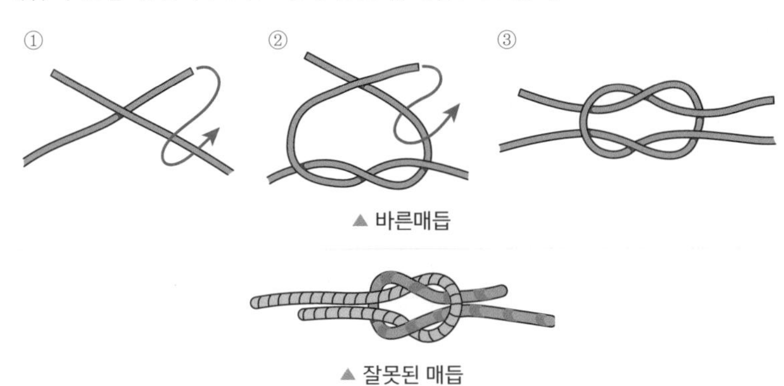

▲ 바른매듭

▲ 잘못된 매듭

(2) 한겹매듭(Backet bend)

한겹매듭은 굵기가 다른 로프를 결합할 때에 사용한다.

▲ 한겹매듭

(3) 두겹매듭(Double backet bend)

두겹매듭은 한겹매듭에서 가는 로프를 한 번 더 돌려감은 것으로 한겹매듭보다 더 튼튼하게 연결할 때에 사용한다.

▲ 두겹매듭

핵심기출

01 다음 설명에 해당되는 매듭으로 옳은 것은? 20. 인명구조사 2급

> 굵기가 다른 로프를 결합할 때에 사용한다. 주로프는 접어둔 채 가는로프를 묶는 것이 좋으며 로프 끝을 너무 짧게 묶으면 쉽게 빠지므로 주의한다.

① 한겹매듭
② 바른매듭
③ 두겹고정매듭
④ 피셔맨매듭

정답 ①

02 두겹고정매듭에 대한 설명으로 옳지 않은 것은? 20. 인명구조사 2급

① 로프의 끝에 두 개의 고리를 만들어 활용하는 매듭이다.
② 수직맨홀 등 좁은 공간으로 진입하거나 요구조자를 구출하는 경우 유용하게 활용한다,
③ 특히 완만한 경사면에서 확보물 없이 3명 이상이 한줄 로프를 잡고 등반하는 경우 중간에 위치한 사람들이 이 매듭을 만들어 어깨와 허리에 걸면 로프가 벗겨지지 않고 활동이 용이하다.
④ 일정 간격을 두고 수개의 옭매듭을 만들어 로프를 타고 오르거나 내릴 때 지지점으로 이용할 수 있도록 하는 매듭이다.

정답 ④

(4) 8자연결매듭(Figure 8 follow through)

많은 힘을 받을 수 있고 힘이 가해진 경우에도 풀기가 쉽다. 로프를 연결하거나 안전을 확보하기 위한 매듭으로 자주 사용된다.

(5) 피셔맨매듭(Fisherman's knot)

① 두 로프가 서로 다른 로프를 묶고 당겨 매듭 부분이 맞물리도록 하는 방법이다.

② 신속하고 간편하게 묶을 수 있으며 매듭의 크기도 작다. 두 줄을 이을 때 연결매듭으로 많이 활용되는 매듭이지만 힘을 받은 후에는 풀기가 매우 어려워 장시간 고정시켜 두는 경우에 주로 사용한다.

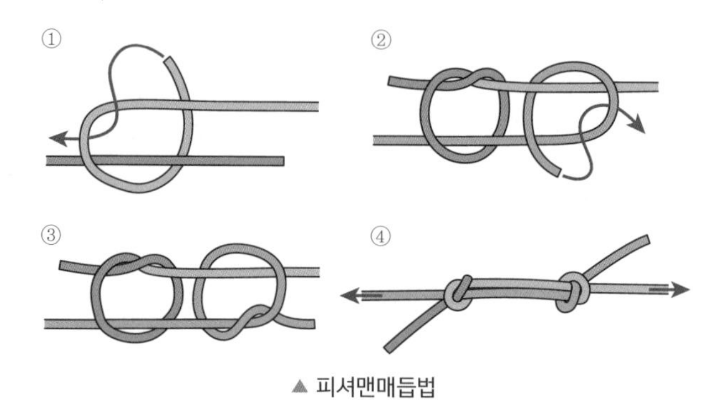

▲ 피셔맨매듭법

3. 움켜매기(결착)

(1) 말뚝매기(까베스땅 매듭, Clove hitch)

로프의 한쪽 끝을 지지점에 묶는 매듭으로 구조활동을 위하여 로프로 지지점을 설정하는 경우에 많이 사용한다.

(2) 절반매기(Half hitch)

로프를 물체에 묶을 때 간편하게 사용하는 매듭이다. 묶고 풀기는 쉬우나 결속력이 매우 약하기 때문에 절반매기 단독으로는 사용하지 않는다.

(3) 잡아매기

안전벨트가 없을 때 요구조자의 신체에 로프를 직접 결착하는 고정매듭의 일종이다.

(4) 감아매기(Prussik knot, 비상매듭)

굵은 로프에 가는 로프를 감아매어 당기는 방법으로, 고리부분을 당기면 매듭이 고정되고 매듭부분을 잡고 움직이면 주로프의 상하로 이동시킬 수 있으므로 로프등반이나 고정 등에 많이 활용한다.

CHAPTER 4 응급처치

1 개요 D

1. 응급처치 등(「응급의료에 관한 법률」 제2조)

(1) 응급처치

응급의료행위의 하나로서 응급환자의 기도를 확보하고 심장박동의 회복, 그 밖에 생명의 위험이나 증상의 현저한 악화를 방지하기 위하여 긴급히 필요로 하는 처치를 말한다.

(2) 응급의료

응급환자가 발생한 때부터 생명의 위험에서 회복되거나 심신상의 중대한 위해가 제거되기까지의 과정에서 응급환자를 위하여 하는 상담·구조·이송·응급처치 및 진료 등의 조치를 말한다.

(3) 응급환자

질병, 분만, 각종 사고 및 재해로 인한 부상이나 그 밖의 위급한 상태로 인하여 즉시 필요한 응급처치를 받지 아니하면 생명을 보존할 수 없거나 심신에 중대한 위해가 발생할 가능성이 있는 환자 또는 이에 준하는 사람으로서 보건복지부령으로 정하는 사람을 말한다.

(4) 응급의료종사자

관계 법령에서 정하는 바에 따라 취득한 면허 또는 자격의 범위에서 응급환자에 대한 응급의료를 제공하는 의료인과 응급구조사를 말한다.

(5) 응급의료기관

「의료법」에 따른 의료기관 중에서 이 법에 따라 지정된 중앙응급의료센터, 권역응급의료센터, 전문응급의료센터, 지역응급의료센터 및 지역응급의료기관을 말한다.

(6) 응급의료기관등

응급의료기관, 구급차 등의 운용자 및 응급의료지원센터를 말한다.

(7) 구급차등

응급환자의 이송 등 응급의료의 목적에 이용되는 자동차, 선박 및 항공기 등의 이송수단을 말한다.

(8) 의료인

보건복지부장관의 면허를 받은 의사·치과의사·한의사·조산사 및 간호사를 말한다(「의료법」 제2조).

(9) 증상

환자가 "팔이 아프다" 혹은 "어지럽다"라고 말하는 등 환자가 호소하는 사실로서 환자의 주관적인 느낌이다.

(10) 징후

의료인 · 응급구조사가 환자의 혈압, 맥박, 호흡수, 체온 등을 관찰하거나 의학적인 검사를 통하여 얻은 의료정보를 일컫는다. 이러한 증상과 징후로 환자를 평가하며 평가단계는 **현장조사**, **1차 · 2차 평가**로 나눌 수 있다.

2. 응급구조사의 업무범위(「응급의료에 관한 법률 시행규칙」 [별표 14])

(1) 1급 응급구조사의 업무범위

① 심폐소생술을 시행하기 위한 기도 유지[기도기(airway)의 삽입, 기도삽관(intubation), 후두마스크 삽관 등 포함]

② **정맥로의 확보**

③ **인공호흡기를 이용한 호흡의 유지**

④ **약물투여**: 저혈당성 혼수 시 포도당의 주입, 흉통 시 니트로글리세린의 혀 아래(설하) 투여, 쇼크 시 일정량의 수액투여, 천식발작 시 기관지확장제 흡입

⑤ 2급 응급구조사의 업무

(2) 2급 응급구조사의 업무범위

① 구강 내 이물질의 제거

② 기도기(airway)를 이용한 기도 유지

③ 기본 심폐소생술

④ 산소 투여

⑤ 부목 · 척추고정기 · 공기 등을 이용한 사지 및 척추 등의 고정

⑥ 외부출혈의 지혈 및 창상의 응급처치

⑦ 심박 · 체온 및 혈압 등의 측정

⑧ 쇼크방지용 하의 등을 이용한 혈압의 유지

⑨ 자동심장충격기를 이용한 규칙적 심박동의 유도

⑩ 흉통 시 니트로글리세린의 혀 아래(설하) 투여 및 천식발작 시 기관지확장제 흡입(**환자가 해당 약물을 휴대하고 있는 경우에 한함**)

핵심 적중

01 2급 응급구조사가 할 수 있는 업무범위로 옳지 않은 것은? 10. 경기

① 정맥로 확보
② 인공호흡
③ 심폐소생술
④ 간단한 응급처치

정답 ①

02 2급 응급구조사가 할 수 있는 업무범위로 옳지 않은 것은?

① 구강 내 이물질의 제거
② 기도기를 이용한 기도유지
③ 인공호흡기를 이용한 호흡 유지
④ 산소투여

정답 ③

3. 국민의 권리와 의무 〈소방간부 출제범위〉

(1) 응급의료를 받을 권리

모든 국민은 성별, 나이, 민족, 종교, 사회적 신분 또는 경제적 사정 등을 이유로 차별받지 아니하고 응급의료를 받을 권리를 가진다. 국내에 체류하고 있는 외국인도 또한 같다.

(2) 응급의료에 관한 알 권리

① 모든 국민은 응급상황에서의 응급처치 요령, 응급의료기관등의 안내 등 기본적인 대응방법을 알 권리가 있으며, 국가와 지방자치단체는 그에 대한 교육 · 홍보 등 필요한 조치를 마련하여야 한다.

② 모든 국민은 국가나 지방자치단체의 응급의료에 대한 시책에 대하여 알 권리를 가진다.

(3) 선의의 응급의료에 대한 면책

생명이 위급한 응급환자에게 다음에 해당하는 응급의료 또는 응급처치를 제공하여 발생한 재산상 손해와 사상에 대하여 고의 또는 중대한 과실이 없는 경우 그 행위자는 민사책임과 상해에 대한 형사책임을 지지 아니하며 사망에 대한 형사책임은 감면한다.

① **다음에 해당하지 아니하는 자가 한 응급처치**

㉠ 응급의료종사자

㉡ 「선원법」에 따른 선박의 응급처치 담당자, 「119구조 · 구급에 관한 법률」에 따른 구급대 등 다른 법령에 따라 응급처치 제공의무를 가진 자

② 응급의료종사자가 업무수행 중이 아닌 때 본인이 받은 면허 또는 자격의 범위에서 한 응급의료

③ ①의 ㉡에 따른 응급처치 제공의무를 가진 자가 업무수행 중이 아닌 때에 한 응급처치

(4) 응급의료종사자의 권리와 의무(「응급의료에 관한 법률」 제2장 및 제3장)

① **응급의료의 거부금지 등**

㉠ 응급의료기관 등에서 근무하는 응급의료종사자는 응급환자를 항상 진료할 수 있도록 응급의료업무에 성실히 종사하여야 한다.

㉡ 응급의료종사자는 업무 중에 응급의료를 요청받거나 응급환자를 발견하면 즉시 응급의료를 하여야 하며 정당한 사유 없이 이를 거부하거나 기피하지 못한다.

② **응급의료의 설명 · 동의**

㉠ 응급의료종사자는 다음에 해당하는 경우를 제외하고는 응급환자에게 응급의료에 관하여 설명하고 그 동의를 받아야 한다.

ⓐ 응급환자가 의사결정능력이 없는 경우

ⓑ 설명 및 동의 절차로 인하여 응급의료가 지체되면 환자의 생명이 위험해지거나 심신상의 중대한 장애를 가져오는 경우

㉡ 응급의료종사자는 응급환자가 의사결정능력이 없는 경우 법정대리인이 동행하였을 때에는 그 법정대리인에게 응급의료에 관하여 설명하고 그 동의를 받아야 하며, 법정대리인이 동행하지 아니한 경우에는 동행한 사람에게 설명한 후 응급처치를 하고 의사의 의학적 판단에 따라 응급진료를 할 수 있다.

③ **법정대리인이 동의하지 아니하는 경우**: 응급의료종사자가 의사결정능력이 없는 응급환자의 법정대리인으로부터 동의를 얻지 못하였으나 응급환자에게 반드시 응급의료가 필요하다고 판단되는 때에는 **의료인 1명 이상의 동의**를 얻어 응급의료를 할 수 있다.

4. 응급증상 및 이에 준하는 증상(「응급의료에 관한 법률 시행규칙」 [별표 1])

(1) 응급증상

① **신경학적 응급증상:** 급성의식장애, 급성신경학적 이상, 구토 · 의식장애 등의 증상이 있는 두부 손상

② **심혈관계 응급증상:** 심폐소생술이 필요한 증상, 급성호흡곤란, 심장질환으로 인한 급성 흉통, 심계항진, 박동 이상 및 쇼크

③ **중독 및 대사장애:** 심한 탈수, 약물 · 알콜 또는 기타 물질의 과다복용이나 중독, 급성대사장애(간부전 · 신부전 · 당뇨병 등)

④ **외과적 응급증상:** 개복술을 요하는 급성복증(급성복막염 · 장폐색증 · 급성췌장염 등 중한 경우에 한함), 광범위한 화상(외부신체 표면적의 18% 이상), 관통상, 개방성 · 다발성 골절 또는 대퇴부 척추의 골절, 사지를 절단할 우려가 있는 혈관 손상, 전신마취하에 응급수술을 요하는 중상, 다발성 외상

⑤ **출혈:** 계속되는 각혈, 지혈이 안 되는 출혈, 급성 위장관 출혈

⑥ **안과적 응급증상:** 화학물질에 의한 눈의 손상, 급성 시력 손실

⑦ **알러지:** 얼굴 부종을 동반한 알러지 반응

⑧ **소아과적 응급증상:** 소아경련성 장애

⑨ **정신과적 응급증상:** 자신 또는 다른 사람을 해할 우려가 있는 정신장애

(2) 응급증상에 준하는 증상

① **신경학적 응급증상:** 의식장애, 현훈

② **심혈관계 응급증상:** 호흡곤란, 과호흡

③ **외과적 응급증상:** 화상, 급성복증을 포함한 배의 전반적인 이상증상, 골절 · 외상 또는 탈골, 그 밖에 응급수술을 요하는 증상, 배뇨장애

④ **출혈:** 혈관손상

⑤ **소아과적 응급증상:** 소아 경련, 38℃ 이상인 소아 고열(공휴일 · 야간 등 의료서비스가 제공되기 어려운 때에 8세 이하의 소아에게 나타나는 증상을 말함)

⑥ **산부인과적 응급증상:** 분만 또는 성폭력으로 인하여 산부인과적 검사 또는 처치가 필요한 증상

⑦ **이물에 의한 응급증상:** 귀 · 눈 · 코 · 항문 등에 이물이 들어가 제거술이 필요한 환자

2 환자평가 등 D

1. 응급처치의 일반적 순서

(1) 환자평가 및 도움요청

① 의식상태를 확인한다.

② 환자의 신체를 편안한 상태로 유지한다.

③ 도움을 요청한다.

(2) 기도폐쇄(기도유지)

① 두부후굴 - 하악거상법을 시행한다.

② 경추손상이 의심되면 하악견인법을 시행한다.

(3) 경부고정

① 외상환자의 경우 기도확보와 동시에 경부고정을 시행한다.

② 모든 외상환자에게는 경부고정장비를 이용한다.

(4) 호흡기능유지

① 인공호흡을 시행할 때는 구강 대 구강법을 이용한다.

② 인공호흡 1회에 800 ~ 1,200ml의 공기를 1.5 ~ 2초에 걸쳐 불어 넣는다.

(5) 순환기능유지

① 심박동음이 청진되지 않거나 경동맥이 촉진되지 않는 경우에는 흉부압박을 시행한다.

② 흉부압박을 시행하기 전에 우선 올바른 압박점을 선정한다.

2. 이물질에 의한 기도폐쇄

기도가 완전히 폐쇄된 경우에는 3 ~ 4분 내에 의식을 잃게 되고, 4 ~ 6분이 경과하면 뇌세포의 비가역적인 현상이 발생하여 생명이 위험에 빠질 수 있으므로 빠른 시간 내에 응급처치를 시행한다.

(1) 증상

① 손으로 목부분을 쥐면서 기침을 하려고 한다.

② 얼굴이 파랗게 변한다(청색증).

(2) 응급처치(환자가 의식이 있는 경우)

① 환자의 뒤에 서서 양팔로 허리를 감싼다.

② 구조자의 한쪽 손을 쥐고 환자의 명치부분에 댄다.

③ 다른 손으로 주먹을 감싼 후에 상복부를 후상방으로 강하게 밀쳐 올리는 것을 반복한다.

정희's 톡talk

의식이 없는 경우

1. 환자의 얼굴을 마주볼 수 있도록 자세를 바로 눕힙니다.
2. 무릎을 꿇고 앉아 명치 위에 손바닥을 대고 손깍지를 끼웁니다.
3. 환자의 상복부를 강하게 밀쳐 올립니다.

이물질 제거 요령

1. 손가락으로 이물질을 제거할 때는 환자의 입 속을 훑어 내듯이 합니다.
2. 입 속에 있는 이물질은 눈으로 확인되는 경우에만 제거하도록 합니다.
3. 눈에 보이지 않는 이물질을 손가락으로 잘못 건드릴 경우 오히려 더욱 깊숙이 밀어 넣을 위험이 있기 때문입니다.

3. 환자평가(1차 평가)

환자평가는 기도확보, 호흡평가, 순환, 기능장애평가, 의식상태평가, 노출의 순서로 평가한다. 영문 두문자를 따서 이를 응급처치 또는 환자평가 'ABCDE'라고 한다.

(1) 기도확보(Airway)

환자가 말을 하거나 반응을 보이면 기도가 열려 있는 것이다.

(2) 호흡평가(Breathing)

① 환자가 반응이 없으면 기도를 개방한다.

② 호흡이 없다면 인공호흡을 하고, 숨은 쉬지만 반응이 없다면 환자를 왼쪽으로 누운 자세가 되도록 한다.

(3) 순환(Circulation)

① 출혈이 있는 환자는 적절한 순환을 유지할 수 없게 하므로 1차 평가를 통해 응급처치를 하여야 한다.

② 출혈환자는 출혈부위를 확인하고 직접 압박을 하거나 압박붕대를 감아 지혈한다.

(4) 기능장애평가(Disability)

① 척추손상 여부의 확인 시 환자의 손가락과 발가락을 만질 때 반응을 확인하는 방법이 사용된다.

② 척추부상이 의심되면 환자의 머리나 목, 척추를 고정시켜 움직이지 못하도록 한다.

(5) 의식상태평가(AVPU)

① **의식명료(Alert)**: 질문에 적절한 반응이나 대답을 할 수 있는 상태를 말한다.

② **언어지시반응(Verbal Response)**: 질문에 적절한 반응이나 대답은 할 수 없으나 통증 호소나 신음소리 등의 반응을 보이는 상태를 말한다.

③ **통증자극반응(Pain Response)**: 언어지시에는 반응하지 않고 통증자극에는 몸을 움직이거나 소리를 내는 등의 반응을 보이는 상태를 말한다.

④ **무반응(Unresponse)**: 어떠한 자극에도 반응하지 않는 상태를 말한다.

(6) 노출(Exposure)

① 심폐소생술을 할 때는 상의를 벗겨 가슴을 노출시켜야 한다.

② 흉부 압박 지점을 찾는 기준점이 가슴이기 때문이다.

4. 환자평가(2차 평가)

(1) 환자의 상태가 안정되어 있을 때는 현장에서 2차 평가한다.

(2) 위급한 환자는 병원으로 이송하면서 구급차 내에서 시행한다.

(3) 과거병력이나 현재 복용하는 약물을 파악한다.

정희's 톡talk

과거병력(SAMPLE)

환자, 보호자 또는 환자가 소지하고 있는 약품, 진료카드 등을 이용하여 환자의 병력을 파악하는 것입니다.

1. 증상과 징후: S(Symptoms)
2. 알레르기: A(Allergies)
3. 투약 중인 약물: M(Medication)
4. 과거의 질병: P(Previous illness)
5. 마지막 음식물 섭취시간과 섭취량: L(Last meal or drink)
6. 질병, 외상, 유발상황: E(Events preceding the illness or injury)

OPQRST 방법 - 환자의 주 호소를 기술하는 병력조사 방법

1. 발병상황(On set): 증상이 발생된 당시 무엇을 하고 있었는가?
2. 주 호소 유발요인 (Provoke): 문제를 악화 또는 완화시키는 요인은?
3. 통증의 특성(Quality): 통증을 설명할 수 있겠는가?
4. 통증의 전이(Radiation): 아픔이 다른 곳으로 옮겨가거나 다른 증상은 없는지?
5. 통증의 강도(Severity): 증상의 심한 정도(1~10)
6. 통증의 발현시간(Time): 증상이 발생된 후 얼마나 시간이 경과되었는가?

5. 현장응급의료소의 설치 · 운영

(1) 현장지휘소등(「긴급구조대응활동 및 현장지휘에 관한 규칙」 제2조)

① **현장지휘소**: 중앙긴급구조통제단장, 시 · 도긴급구조통제단장 또는 시 · 군 · 구 긴급구조통제단장이 재난현장에서 기관별지휘소를 총괄하여 지휘 · 조정 또는 통제하는 등의 재난현장지휘를 효과적으로 수행하기 위하여 설치 · 운영하는 장소 또는 지휘차량 · 선박 · 항공기 등을 말한다.

② **현장지휘관**

㉠ 중앙통제단장

㉡ 시 · 도긴급구조통제단장 또는 시 · 군 · 구긴급구조통제단장(지역통제단장)

㉢ 통제단장(중앙통제단장 및 지역통제단장)의 사전명령에 따라 현장지휘를 하는 소방관서 선착대의 장 또는 긴급구조지휘대의 장

③ **기관별지휘소**: 재난현장에 출동하는 긴급구조관련기관별로 소속 직원을 지휘 · 조정 · 통제하는 장소 또는 지휘차량 · 선박 · 항공기 등을 말한다.

(2) 현장응급의료소의 설치 · 운영(제20조)

통제단장은 재난현장에 출동한 응급의료관련자원을 총괄 · 지휘 · 조정 · 통제하고, 사상자를 분류 · 처치 또는 이송하기 위하여 사상자의 수에 따라 재난현장에 적정한 현장응급의료소(의료소)를 설치 · 운영하여야 한다.

① 의료소에는 소장 1명과 **분류반** · **응급처치반** 및 **이송반**을 둔다.

② 의료소의 소장은 의료소가 설치된 지역을 관할하는 **보건소장**이 된다.

③ 의료소에는 응급의학 전문의를 포함한 의사 3명, 간호사 또는 1급응급구조사 4명 및 지원요원 1명 이상으로 편성한다.

(3) 분류반의 임무(「긴급구조대응활동 및 현장지휘에 관한 규칙」)

① 분류반은 재난현장에서 발생한 사상자를 검진하여 사상자의 상태에 따라 사망 · 긴급 · 응급 및 비응급의 4단계로 분류한다.

② 분류반에는 사상자에 대한 검진 및 분류를 위하여 의사, 간호사 또는 1급응급구조사를 배치하여야 한다.

③ 분류된 사상자에게는 중증도 분류표 총 2부를 가슴부위 등 잘 보이는 곳에 부착한다.

④ 중증도 분류표를 부착한 사상자 중 긴급 · 응급환자는 응급처치반으로, 사망자와 비응급환자는 이송반으로 인계한다. 다만, 현장에서의 응급처치보다 이송이 시급하다고 판단되는 긴급 · 응급환자의 경우에는 이송반으로 인계할 수 있다.

정희's 톡talk

응급처치반의 임무

응급처치반은 분류반이 인계한 긴급 · 응급환자에 대한 응급처치를 담당합니다. 이 경우 긴급 · 응급환자를 이동시키지 않고 응급처치반 요원이 이동하면서 응급처치를 할 수 있습니다.

이송반의 임무

1. 이송반은 사상자를 이송할 수 있도록 구급차 및 영구차를 확보 또는 통제하고, 각 의료기관과 긴밀한 연락체계를 유지하면서 분류반 및 응급처치반이 인계한 사상자를 이송조치합니다.
2. 사상자의 이송 우선순위는 긴급환자, 응급환자, 비응급환자 및 사망자 순으로 합니다.

6. 구급환자의 중증도 분류

분류반은 재난현장에서 발생한 사상자를 검진하여 사상자의 상태에 따라 사망 · 긴급 · 응급 및 비응급의 4단계로 분류한다.

분류	치료 순서	색깔	심볼	특성 및 증상
Critical (긴급환자)	1	적색 (Red)	토끼 그림	수분 · 수시간 이내의 응급처치를 요하는 중증환자 · 기도폐쇄, 심한 호흡곤란, 호흡정지 · 심장마비의 순간이 인지된 심정지 · 개방성 흉부열상, 긴장성 기흉, 연가양 흉부 · 대량출혈, 수축기 혈압이 80mmHg 이하의 쇼크 · 혼수상태의 중증 두부손상 · 개방성 복부열상, 골반골절을 동반한 복부손상 · 기도화상을 동반한 중증의 화상 · 경추손상이 의심되는 경우 · 원위부 맥박이 촉지되지 않는 경우 · 기타 심장병, 저체온증, 지속적인 천식, 경련 등
Urgent (응급환자)	2	황색 (Yellow)	거북이 그림	수시간 이내의 응급처치를 요하는 중증환자 · 중증의 화상 · 경추를 제외한 부위의 척추골절 · 중증의 출혈 · 다발성 골절
Minor (비응급환자)	3	녹색 (Green)	구급차 그림에 ×표시	수시간 · 수일 후 치료해도 생명에 관계가 없는 환자 · 소량의 출혈 · 경증의 열상 혹은 단순 골절 · 경증의 화상 혹은 타박상
Dead (지연환자)	4	흑색 (Black)	십자가 표시	사망하였거나 생존의 가능성이 없는 환자 · 20분 이상 호흡이나 맥박이 없는 환자 · 두부나 몸체가 절단된 경우 · 심폐소생술도 효과가 없다고 판단되는 경우

(1) 중증도 분류 시행횟수

① 응급환자의 상태는 시시각각 변화하며 재해현장에서의 중증도 분류는 일부 부정확할 수 있으므로, 재해 시 중증도 분류는 보통 2 ~ 4회 정도 시행한다.

② 경험이 많은 의료진이 중증도 분류를 시행하여도 정확성은 80%라고 보고되고 있으므로 중증도 분류를 반복하는 것이 바람직하다.

③ 보통 재해현장에서 1차 중증도 분류를 시행한다.

④ 2차 중증도 분류는 환자수집소에서 시행한다.

⑤ 3차 중증도 분류는 이송된 병원에서 시행한다.

⑥ 많은 환자가 병원으로 이송된 경우 다시 병원 내에서 4차 중증도 분류를 시행한다.

핵심 기출

「긴급구조대응활동 및 현장지휘에 관한 규칙」상 중증도 분류별 표시방법으로 옳은 것은?

23. 소방간부

① 사망: 적색, 십자가 표시
② 긴급: 녹색, 토끼 그림
③ 응급: 적색, 거북이 그림
④ 비응급: 녹색, 구급차 그림에 × 표시
⑤ 대기: 황색, 구급차 그림에 × 표시

정답 ④

관계법규 **긴급구조대응활동 및 현장지휘에 관한 규칙 [별표 7] - 중증도 분류표(제22조 제3항 관련)**

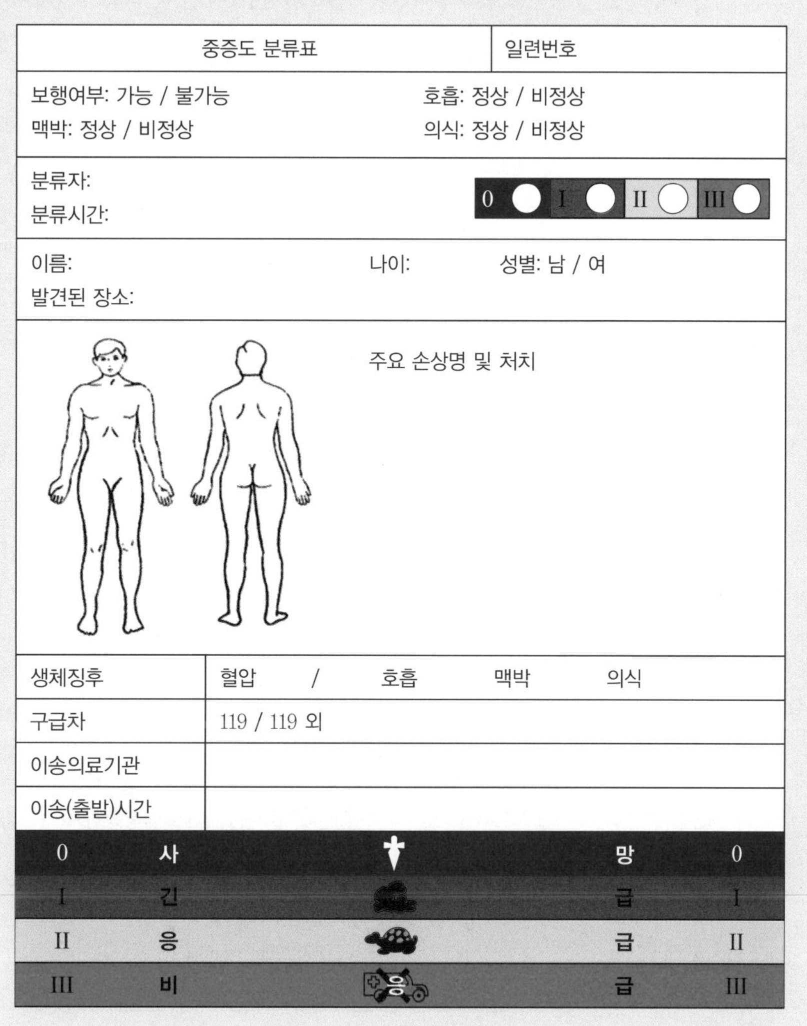

중증도 분류표	일련번호
보행여부: 가능 / 불가능 맥박: 정상 / 비정상	호흡: 정상 / 비정상 의식: 정상 / 비정상
분류자: 분류시간:	0 ◯ I ◯ II ◯ III ◯
이름: 발견된 장소:	나이: 성별: 남 / 여
	주요 손상명 및 처치

생체징후	혈압 / 호흡 맥박 의식
구급차	119 / 119 외
이송의료기관	
이송(출발)시간	

0	사	망	0
I	긴	급	I
II	응	급	II
III	비	응 급	III

비고
1. 일련번호는 연번으로 작성합니다.
2. 사상자를 이송하는 이송반장 또는 이송반원은 위 중증도 분류표 중 1부는 이송반에 보관하고, 나머지 1부는 이송의료기관이 보관할 수 있도록 인계해야 합니다.

※ 제작방법: 중증도 분류표는 2장으로 만들되 각 장이 동시에 기록될 수 있도록 하며, 환자의 분류 부분은 떼어 낼 수 있도록 제작합니다.

(2) 중증도에 따른 조치

① 중증도 분류에 의한 긴급환자, 응급환자, 비응급환자, 지연환자의 순서로 이송한다.

② 긴급환자와 응급환자는 응급차량이나 항공기로 신속히 이송한다.

③ 이송되는 환자와 현장에 남아 있는 환자까지도 응급처치를 시행한다.

④ **응급차량 이송**

㉠ 치료가 가능한 인근의 3차 병원으로 이송한다.

㉡ 항공이송은 비교적 원거리인 외상센터나 특수 의료기관으로 이송한다.

⑤ 비응급환자는 버스, 승합차 등을 이용해서 병원 또는 임시 마련된 현장의료소로 이송한다.

⑥ 사망자는 냉동차 등을 이용해 임시영안소로 이송한다.

⑦ 환자의 중증도별로 치료가능한 병원에 직접 이송한다.

⑧ 일부 병원으로의 집중을 지양한다.

⑨ 환자의 성명이나 분류번호를 적어서 병원 이송 시 기록한다.

⑩ 경찰의 교통통제 등으로 응급차량의 운행시간을 단축한다.

정희's 톡talk

심폐소생술

효과적인 가슴압박은 심폐소생술 동안 심장과 뇌로 충분한 혈류를 전달하기 위한 필수적 요소입니다. 가슴압박으로 혈액을 효과적으로 유지하려면, 가슴뼈(흉골)의 아래쪽 1/2 부위를 강하게 규칙적으로 그리고 빠르게 압박해야 합니다. 성인의 심정지 경우 가슴압박의 속도는 적어도 분당 100회 이상을 유지하면서 분당 120회를 넘지 않아야 하고, 압박 깊이는 약 5cm를 유지해야 합니다. 가슴을 압박할 때 손의 위치는 '가슴의 중앙'이 되어야 합니다. 또한 가슴압박 이후 가슴의 이완이 충분히 이루어지도록 합니다. 가슴압박이 최대한으로 이루어지기 위해 가슴압박이 중단되는 시간과 빈도를 최소한으로 줄여야 합니다. 가슴압박과 인공호흡의 비율은 30 : 2를 권장합니다.

7. 심폐소생술

(1) 응급의료장비

기도유도장비, 호흡보조장비, 순환보조장비 및 척추고정장비 등으로 분류한다.

기도유도장비	호흡보조장비	순환보조장비	척추고정장비
· 흡인기구 · 흡인장비 · 구인두기도기 · 비인두기도기	· 입인두기도기 · 코인두기도기 · 인공호흡기 · 수요밸브 소생기 · 포켓마스크 · 백밸브마스크	· 심장충격기(AED) · 쇼크방지용 하의 (MAST)	· 전신척추고정장비 · 경추고정장비 · 척추고정판 · 구출용 들것

(2) 심폐소생술에 대한 CAB's 단계별 내용

심폐소생술은 심정지가 의심되는 환자에서 인공으로 혈액순환과 호흡을 유지함으로써 조직으로의 산소공급을 유지시켜 생물학적 사망으로의 전환을 지연시키는 것이다. 즉, 뇌의 무산소증은 심폐정지 후 4분 내지 6분 이상을 방치하면 발생하므로 이 시간 이내에 소생술을 실시하여야 한다.

① **반응확인(의식확인)**: 어깨를 두드리면서 "괜찮으세요?"라고 크게 소리쳐서 반응을 확인한다.

② **호흡 · 맥박확인**: 일반인은 호흡의 유무 및 지정상 여부를 판별하고, 의료제공자는 호흡과 맥박을 동시에 확인한다.

③ **순환(가슴압박)**: 일반인은 호흡 없이 가슴압박만 하는 가슴압박 소생술을 하고, 인공호흡을 할 수 있는 사람은 가슴압박과 인공호흡을 같이 시행한다. 의료제공자는 심폐소생술을 시행한다.

④ **기도(기도개방)**: 의료제공자는 인공호흡하기 전 기도개방을 실시한다.

⑤ **호흡(인공호흡)**: 의료제공자는 기도개방 후 인공호흡을 실시한다.

CHAPTER 5 119구조 · 구급에 관한 법률

1 총칙 B

119구조 · 구급에 관한 법률
[시행 2024.7.3.][법률 제19871호, 2024. 1.2., 일부개정]

제1조 【목적】 화재, 재난 · 재해 및 테러, 그 밖의 위급한 상황에서 119구조 · 구급의 효율적 운영에 관하여 필요한 사항을 규정함으로써 국가의 구조 · 구급 업무 역량을 강화하고 국민의 생명 · 신체 및 재산을 보호하며 삶의 질 향상에 이바지함을 목적으로 한다.

「119구조 · 구급에 관한 법률」은 다음을 그 목적으로 한다.

(1) 화재, 재난 · 재해 및 테러, 그 밖의 위급한 상황

(2) 119구조 · 구급의 효율적 운영에 관하여 필요한 사항 규정

(3) 국가의 구조 · 구급 업무 역량 강화

(4) 국민의 생명 · 신체 및 재산을 보호하며 삶의 질 향상

> **참고** 「119구조 · 구급에 관한 법률」 [제정 2011.3.8.] 제정이유
>
> 화재, 재난 · 재해 및 테러 그 밖의 위급한 상황에 처한 사람을 신속하게 구조하고, 재난현장에서 발생한 응급환자에 대한 전문적이고 신속한 응급처치를 통하여 장애 정도를 경감시키기 위하여 구조 · 구급업무를 효과적으로 수행하기 위한 체계의 구축 및 구조 · 구급장비의 구비, 그 밖에 구조 · 구급활동에 필요한 기반을 마련하며, 각종 재난현장에 최초로 대응하는 119구조 · 구급대원에 대한 체계적이고 전문적인 교육 · 훈련시스템 등을 운영함으로써 국가의 구조 · 구급 업무 역량을 강화하고 국민의 생명 · 신체 및 재산을 보호하려는 것이다.

관계법규 목적

시행령	시행규칙
제1조 【목적】 이 영은 「소방기본법」에서 위임된 사항과 그 시행에 관하여 필요한 사항을 규정함을 목적으로 한다.	**제1조 【목적】** 이 규칙은 「소방기본법」 및 같은 법 시행령에서 위임된 사항과 그 시행에 관하여 필요한 사항을 규정함을 목적으로 한다.

1-2 정의 B

제2조【정의】 이 법에서 사용하는 용어의 뜻은 다음과 같다.

1. "구조"란 화재, 재난·재해 및 테러, 그 밖의 위급한 상황(이하 "위급상황"이라 한다)에서 외부의 도움을 필요로 하는 사람(이하 "요구조자"라 한다)의 생명, 신체 및 재산을 보호하기 위하여 수행하는 모든 활동을 말한다.
2. "119구조대"란 탐색 및 구조활동에 필요한 장비를 갖추고 소방공무원으로 편성된 단위조직을 말한다.
3. "구급"이란 응급환자에 대하여 행하는 상담, 응급처치 및 이송 등의 활동을 말한다.
4. "119구급대"란 구급활동에 필요한 장비를 갖추고 소방공무원으로 편성된 단위조직을 말한다.
5. "응급환자"란 「응급의료에 관한 법률」 제2조 제1호의 응급환자를 말한다.
6. "응급처치"란 「응급의료에 관한 법률」 제2조 제3호의 응급처치를 말한다.
7. "구급차등"이란 「응급의료에 관한 법률」 제2조 제6호의 구급차등을 말한다.
8. "지도의사"란 「응급의료에 관한 법률」 제52조의 지도의사를 말한다.
9. "119항공대"란 항공기, 구조·구급장비 및 119항공대원으로 구성된 단위조직을 말한다.
10. "119항공대원"이란 구조·구급을 위한 119항공대에 근무하는 조종사, 정비사, 항공교통관제사, 운항관리사, 119구조·구급대원을 말한다.
11. "119구조견"이란 위급상황에서 「소방기본법」 제4조에 따른 소방활동의 보조를 목적으로 소방기관에서 운용하는 개를 말한다.
12. "119구조견대"란 위급상황에서 119구조견을 활용하여 「소방기본법」 제4조에 따른 소방활동을 수행하는 소방공무원으로 편성된 단위조직을 말한다.

(1) 구조

화재, 재난·재해 및 테러, 그 밖의 위급한 상황(위급상황)에서 외부 도움을 필요로 하는 사람(요구조자)의 **생명, 신체 및 재산을 보호하기 위하여 수행하는 모든 활동**을 말한다.

(2) 119구조대

탐색 및 구조활동에 필요한 장비를 갖추고 소방공무원으로 편성된 단위조직을 말한다.

(3) 구급

응급환자에 대하여 행하는 **상담, 응급처치 및 이송** 등의 활동을 말한다.

(4) 119구급대

구급활동에 필요한 장비를 갖추고 소방공무원으로 편성된 단위조직을 말한다.

(5) 응급환자(「응급의료에 관한 법률」 제2조 제1호)

질병, 분만, 각종 사고 및 재해로 인한 부상이나 그 밖의 위급한 상태로 인하여 즉시 필요한 응급처치를 받지 아니하면 생명을 보존할 수 없거나 심신에 중대한 위해(危害)가 발생할 가능성이 있는 환자 또는 이에 준하는 사람으로서 보건복지부령으로 정하는 사람을 말한다.

(6) 응급처치(「응급의료에 관한 법률」 제2조 제3호)

응급의료행위의 하나로서 응급환자의 기도를 확보하고 심장박동의 회복, 그 밖에 생명의 위험이나 증상의 현저한 악화를 방지하기 위하여 긴급히 필요로 하는 처치를 말한다.

(7) 구급차등(「응급의료에 관한 법률」 제2조 제6호)

응급환자의 이송 등 응급의료의 목적에 이용되는 자동차, 선박 및 항공기 등의 이송수단을 말한다.

(8) 지도의사(「응급의료에 관한 법률」 제52조)

구급차등의 운용자는 응급환자를 이송하기 위하여 구급차등을 사용하는 경우 상담 · 구조 · 이송 및 응급처치를 지도받기 위하여 지도의사를 두거나 응급의료지원센터 또는 응급의료기관의 의사를 지도의사로 위촉하여야 한다.

(9) 119항공대

항공기, 구조 · 구급장비 및 119항공대원으로 구성된 단위조직을 말한다.

(10) 119항공대원

구조 · 구급을 위한 119항공대에 근무하는 조종사, 정비사, 항공교통관제사, 운항관리사, 119구조 · 구급대원을 말한다.

(11) 119구조견

위급상황에서 「소방기본법」 제4조에 따른 소방활동의 보조를 목적으로 소방기관에서 운용하는 개를 말한다.

(12) 119구조견대

위급상황에서 119구조견을 활용하여 「소방기본법」 제4조에 따른 소방활동을 수행하는 소방공무원으로 편성된 단위조직을 말한다.

1-3 국가 등의 책무 C

제3조【국가 등의 책무】 ① 국가와 지방자치단체는 119구조 · 구급(이하 "구조 · 구급"이라 한다)과 관련된 새로운 기술의 연구 · 개발 및 구조 · 구급서비스의 질을 향상시키기 위한 시책을 강구하고 추진하여야 한다.
② 국가와 지방자치단체는 구조 · 구급업무를 효과적으로 수행하기 위한 체계의 구축 및 구조 · 구급장비의 구비, 그 밖에 구조 · 구급활동에 필요한 기반을 마련하여야 한다.
③ 국가와 지방자치단체는 국민이 위급상황에서 자신의 생명과 신체를 보호할 수 있는 대응능력을 향상시키기 위한 교육과 홍보에 적극 노력하여야 한다.

제4조【국민의 권리와 의무】 ① 누구든지 위급상황에 처한 경우에는 국가와 지방자치단체로부터 신속한 구조와 구급을 통하여 생활의 안전을 영위할 권리를 가진다.
② 누구든지 119구조대원 · 119구급대원 · 119항공대원(이하 "구조 · 구급대원"이라 한다)이 위급상황에서 구조 · 구급활동을 위하여 필요한 협조를 요청하는 경우에는 특별한 사유가 없으면 이에 협조하여야 한다.
③ 누구든지 위급상황에 처한 요구조자를 발견한 때에는 이를 지체 없이 소방기관 또는 관계 행정기관에 알려야 하며, 119구조대 · 119구급대 · 119항공대(이하 "구조 · 구급대"라 한다)가 도착할 때까지 요구조자를 구출하거나 부상 등이 악화되지 아니하도록 노력하여야 한다.

관계법규 응급의료에 관한 법률

응급의료에 관한 법률	
제1조【목적】 이 법은 국민들이 응급상황에서 신속하고 적절한 응급의료를 받을 수 있도록 응급의료에 관한 국민의 권리와 의무, 국가 · 지방자치단체의 책임, 응급의료제공자의 책임과 권리를 정하고 응급의료자원의 효율적 관리에 필요한 사항을 규정함으로써 응급환자의 생명과 건강을 보호하고 국민의료를 적정하게 함을 목적으로 한다.	**제2조【정의】** 이 법에서 사용하는 용어의 뜻은 다음과 같다. 1. "응급환자"란 질병, 분만, 각종 사고 및 재해로 인한 부상이나 그 밖의 위급한 상태로 인하여 즉시 필요한 응급처치를 받지 아니하면 생명을 보존할 수 없거나 심신에 중대한 위해(危害)가 발생할 가능성이 있는 환자 또는 이에 준하는 사람으로서 보건복지부령으로 정하는 사람을 말한다. 2. "응급의료"란 응급환자가 발생한 때부터 생명의 위험에서 회복되거나 심신상의 중대한 위해가 제거되기까지의 과정에서 응급환자를 위하여 하는 상담 · 구조(救助) · 이송 · 응급처치 및 진료 등의 조치를 말한다. 3. "응급처치"란 응급의료행위의 하나로서 응급환자의 기도를 확보하고 심장박동의 회복, 그 밖에 생명의 위험이나 증상의 현저한 악화를 방지하기 위하여 긴급히 필요로 하는 처치를 말한다. 4. "응급의료종사자"란 관계 법령에서 정하는 바에 따라 취득한 면허 또는 자격의 범위에서 응급환자에 대한 응급의료를 제공하는 의료인과 응급구조사를 말한다. 5. "응급의료기관"이란 「의료법」 제3조에 따른 의료기관 중에서 이 법에 따라 지정된 중앙응급의료센터, 권역응급의료센터, 전문응급의료센터, 지역응급의료센터 및 지역응급의료기관을 말한다. 6. "구급차등"이란 응급환자의 이송 등 응급의료의 목적에 이용되는 자동차, 선박 및 항공기 등의 이송수단을 말한다.

2 구조 · 구급 기본계획 등 D

제6조【구조·구급 기본계획 등의 수립·시행】 ① 소방청장은 제3조의 업무를 수행하기 위하여 관계 중앙행정기관의 장과 협의하여 대통령령으로 정하는 바에 따라 구조·구급 기본계획(이하 "기본계획"이라 한다)을 수립·시행하여야 한다.
② 기본계획에는 다음 각 호의 사항이 포함되어야 한다.
1. 구조·구급서비스의 질 향상을 위한 정책의 기본방향에 관한 사항
2. 구조·구급에 필요한 체계의 구축, 기술의 연구개발 및 보급에 관한 사항
3. 구조·구급에 필요한 장비의 구비에 관한 사항
4. 구조·구급 전문인력 양성에 관한 사항
5. 구조·구급활동에 필요한 기반조성에 관한 사항
6. 구조·구급의 교육과 홍보에 관한 사항
7. 그 밖에 구조·구급업무의 효율적 수행을 위하여 필요한 사항

③ 소방청장은 기본계획에 따라 매년 연도별 구조·구급 집행계획(이하 "집행계획"이라 한다)을 수립·시행하여야 한다.
④ 소방청장은 제1항 및 제3항에 따라 수립된 기본계획 및 집행계획을 관계 중앙행정기관의 장, 특별시장·광역시장·특별자치시장·도지사·특별자치도지사(이하 "시·도지사"라 한다)에게 통보하고 국회 소관 상임위원회에 제출하여야 한다.
⑤ 소방청장은 기본계획 및 집행계획을 수립하기 위하여 필요한 경우에는 관계 중앙행정기관의 장 또는 시·도지사에게 관련 자료의 제출을 요청할 수 있다. 이 경우 자료제출을 요청받은 관계 중앙행정기관의 장 또는 시·도지사는 특별한 사유가 없으면 이에 따라야 한다.

(1) 구조 · 구급 기본계획의 수립 · 시행

소방청장은 관계 중앙행정기관의 장과 협의하여 대통령령으로 정하는 바에 따라 구조·구급 기본계획(기본계획)을 수립·시행하여야 한다.

(2) 기본계획 포함사항

① 구조·구급서비스의 질 향상을 위한 정책의 기본방향에 관한 사항
② 구조·구급에 필요한 체계의 구축, 기술의 연구개발 및 보급에 관한 사항
③ 구조·구급에 필요한 장비의 구비에 관한 사항
④ 구조·구급 전문인력 양성에 관한 사항
⑤ 구조·구급활동에 필요한 기반조성에 관한 사항
⑥ 구조·구급의 교육과 홍보에 관한 사항
⑦ 그 밖에 구조·구급업무의 효율적 수행을 위하여 필요한 사항

(3) 집행계획

소방청장은 기본계획에 따라 **매년 연도별 구조·구급 집행계획(집행계획)**을 수립·시행하여야 한다.

(4) 자료제출의 요청

소방청장은 기본계획 및 집행계획을 수립하기 위하여 필요한 경우에는 **관계 중앙행정기관의 장 또는 시·도지사**에게 관련 자료의 제출을 요청할 수 있다.

2-2 시 · 도 구조 · 구급집행계획 등 C

제7조 【시 · 도 구조 · 구급집행계획의 수립 · 시행】 ① 소방본부장은 기본계획 및 집행계획에 따라 관할 지역에서 신속하고 원활한 구조 · 구급활동을 위하여 매년 특별시 · 광역시 · 특별자치시 · 도 · 특별자치도(이하 "시 · 도"라 한다) 구조 · 구급 집행계획(이하 "시 · 도 집행계획"라 한다)을 수립하여 소방청장에게 제출하여야 한다.
② 소방본부장은 시 · 도 집행계획을 수립하기 위하여 필요한 경우에는 해당 특별자치도지사 · 시장 · 군수 · 구청장(자치구의 구청장을 말한다)에게 관련 자료의 제출을 요청할 수 있다. 이 경우 자료제출을 요청받은 해당 특별자치도지사 · 시장 · 군수 · 구청장은 특별한 사유가 없으면 이에 따라야 한다.
③ 시 · 도 집행계획의 수립시기 · 내용, 그 밖에 필요한 사항은 대통령령으로 정한다.

(1) 시 · 도 구조 · 구급집행계획의 수립 · 시행

① **시 · 도 집행계획의 수립권자:** 소방본부장

② **소방본부장**은 매년 집행계획을 수립하여 **소방청장**에게 제출하여야 한다.

(2) 시 · 도 집행계획을 수립을 위한 자료의 제출 요청

① **소방본부장**은 해당 특별자치도지사 · 시장 · 군수 · 구청장(자치구의 구청장을 말함)에게 관련 자료의 제출을 요청할 수 있다.

② 자료제출을 요청받은 해당 특별자치도지사 · 시장 · 군수 · 구청장은 특별한 사유가 없으면 이에 따라야 한다.

관계법규 구조 · 구급 계획

시행령	
제2조 【구조 · 구급 기본계획의 수립 · 시행】 ①「119구조 · 구급에 관한 법률」 제6조 제1항에 따른 구조 · 구급 기본계획은 법 제27조 제1항에 따른 중앙 구조 · 구급정책협의회(이하 "중앙정책협의회"라 한다)의 협의를 거쳐 【 ① 】 수립하여야 한다. ② 기본계획은 계획 시행 전년도 8월 31일까지 수립하여야 한다. ③ 소방청장은 구조 · 구급 시책상 필요한 경우 중앙 정책협의회의 협의를 거쳐 기본계획을 변경할 수 있다. ④ 소방청장은 제3항에 따라 변경된 기본계획을 지체 없이 관계 중앙행정기관의 장, 특별시장 · 광역시장 · 특별자치시장 · 도지사 · 특별자치도지사(이하 "시 · 도지사"라 한다)에게 통보하고 국회 소관 상임위원회에 제출하여야 한다. **제3조 【구조 · 구급 집행계획의 수립 · 시행】** ① 법 제6조 제3항에 따른 구조 · 구급 집행계획(이하 "집행계획"이라 한다)은 중앙 정책협의회의 협의를 거쳐 계획 시행 전년도 10월 31일까지 수립하여야 한다. ② 집행계획에는 다음 각 호의 사항이 포함되어야 한다. 1. 기본계획 집행을 위하여 필요한 사항	2. 구조 · 구급대원의 안전사고 방지, 감염 방지 및 건강관리를 위하여 필요한 사항 3. 그 밖에 구조 · 구급활동과 관련하여 중앙 정책협의회에서 필요하다고 결정한 사항 **제4조 【시 · 도 구조 · 구급 집행계획의 수립 · 시행】** ① 법 제7조 제1항에 따른 특별시 · 광역시 · 특별자치시 · 도 · 특별자치도(이하 "시 · 도"라 한다) 구조 · 구급 집행계획(이하 "시 · 도 집행계획"이라 한다)은 법 제27조 제2항에 따른 시 · 도 구조 · 구급정책협의회(이하 "시 · 도 정책협의회"라 한다)의 협의를 거쳐 계획 시행 전년도 12월 31일까지 수립하여 야 한다. ② 시 · 도 집행계획에는 다음 각 호의 사항이 포함되어야 한다. 1. 기본계획 및 집행계획에 대한 시 · 도의 세부 집행계획 2. 구조 · 구급대원의 안전사고 방지, 감염 방지 및 건강관리를 위하여 필요한 세부 집행계획 3. 법 제26조 제1항의 평가 결과에 따른 조치계획 4. 그 밖에 구조 · 구급활동과 관련하여 시 · 도 정책협의회에서 필요하다고 결정한 사항

① 5년마다

3 119구조대의 편성과 운영 A

제6조【119구조대의 편성과 운영】 ① 소방청장·소방본부장 또는 소방서장(이하 "소방청장등"이라 한다)은 위급상황에서 요구조자의 생명 등을 신속하고 안전하게 구조하는 업무를 수행하기 위하여 대통령령으로 정하는 바에 따라 119구조대(이하 "구조대"라 한다)를 편성하여 운영하여야 한다.
② 구조대의 종류, 구조대원의 자격기준, 그 밖에 필요한 사항은 대통령령으로 정한다.
③ 구조대는 행정안전부령으로 정하는 장비를 구비하여야 한다.

(1) 119구조대 편성·운영

소방청장·소방본부장 또는 소방서장은 위급상황에서 요구조자의 생명 등을 신속하고 안전하게 구조하는 업무를 수행하기 위하여 **119구조대를 편성하여 운영**하여야 한다.

(2) 구조대의 종류(영 제5조)

① **일반구조대:** 시·도의 규칙으로 정하는 바에 따라 **소방서마다** 1개 대 이상 설치하되, 소방서가 없는 시·군·구의 경우에는 해당 시·군·구 지역의 중심지에 있는 119안전센터에 설치할 수 있다.

② **특수구조대:** 소방대상물, 지역 특성, 재난 발생 유형 및 빈도 등을 고려하여 시·도의 규칙으로 정하는 바에 따라 구분에 따른 지역을 관할하는 소방서에 설치한다. 다만, 고속국도구조대는 직할구조대에 설치할 수 있다.
㉠ 화학구조대: 화학공장이 밀집한 지역
㉡ 수난구조대: 「내수면어업법」에 따른 내수면지역
㉢ 산악구조대: 「자연공원법」에 따른 자연공원 등 산악지역
㉣ 고속국도구조대: 「도로법」에 따른 고속국도
㉤ 지하철구조대: 「도시철도법」에 따른 도시철도의 역사(驛舍) 및 역 시설

③ **직할구조대:** **대형·특수 재난사고의 구조, 현장 지휘 및 테러현장 등의 지원 등**을 위하여 **소방청 또는 시·도 소방본부**에 설치하되, 시·도 소방본부에 설치하는 경우에는 시·도의 규칙으로 정하는 바에 따른다.

④ **테러대응구조대:** **테러 및 특수재난**에 전문적으로 대응하기 위하여 **소방청과 시·도 소방본부**에 각각 설치하며, 시·도 소방본부에 설치하는 경우에는 시·도의 규칙으로 정하는 바에 따른다.

(3) 구조대원의 자격기준(영 제6조)

① **소방청장**이 실시하는 **인명구조사** 교육을 받았거나 **인명구조사** 시험에 합격한 사람

② 국가·지방자치단체 및 공공기관의 구조 관련 분야에서 **근무한 경력이 2년 이상**인 사람

③ **응급구조사 자격을 가진 사람으로서 소방청장**이 실시하는 구조업무에 관한 교육을 받은 사람

핵심기출

「119 구조·구급에 관한 법률 시행령」상 특수구조대에 해당하는 것을 〈보기〉에서 있는 대로 고른 것은? 21. 소방간부

〈보기〉
ㄱ. 화학구조대
ㄴ. 수난구조대
ㄷ. 산악구조대
ㄹ. 고속도로구조대
ㅁ. 지하철구조대
ㅂ. 테러대응구조대

① ㄱ
② ㄱ, ㄴ
③ ㄱ, ㄴ, ㄷ, ㄹ
④ ㄱ, ㄴ, ㄷ, ㄹ, ㅁ
⑤ ㄱ, ㄴ, ㄷ, ㄹ, ㅁ, ㅂ

정답 없음(모두 정답처리 됨)

정희's 톡talk

구조대원의 자격
1. 인명구조사 교육을 받은 사람
2. 인명구조사 시험에 합격한 사람
3. 구조 관련 분야 경력 2년
4. 응급구조사(소방청장의 구조교육을 받은 자)

관계법규 119구조대

시행령	시행규칙
제5조【119구조대의 편성과 운영】 ① 법 제8조 제1항에 따른 119구조대(이하 "구조대"라 한다)는 다음 각 호의 구분에 따라 편성·운영한다. 1. **일반구조대**: 시·도의 규칙으로 정하는 바에 따라 소방서마다 1개 대(隊) 이상 설치하되, 소방서가 없는 시·군·구(자치구를 말한다)의 경우에는 해당 시·군·구 지역의 중심지에 있는 119안전센터에 설치할 수 있다. 2. **특수구조대**: 소방대상물, 지역 특성, 재난 발생 유형 및 빈도 등을 고려하여 시·도의 규칙으로 정하는 바에 따라 다음 각 목의 구분에 따른 지역을 관할하는 소방서에 다음 각 목의 구분에 따라 설치한다. 다만, 라목에 따른 고속국도구조대는 제3호에 따라 설치되는 직할구조대에 설치할 수 있다. 가. **화학구조대**: 화학공장이 밀집한 지역 나. **수난구조대**: 「내수면어업법」 제2조 제1호에 따른 내수면 지역 다. **산악구조대**: 「자연공원법」 제2조 제1호에 따른 자연공원 등 산악지역 라. **고속국도구조대**: 「도로법」 제10조 제1호에 따른 고속국도 마. **지하철구조대**: 「도시철도법」 제2조 제3호 가목에 따른 도시철도의 역사(驛舍) 및 역 시설 3. **직할구조대**: 대형·특수 재난사고의 구조, 현장 지휘 및 테러현장 등의 지원 등을 위하여 소방청 또는 시·도 소방본부에 설치하되, 시·도 소방본부에 설치하는 경우에는 시·도의 규칙으로 정하는 바에 따른다. 4. **테러대응구조대**: 테러 및 특수재난에 전문적으로 대응하기 위하여 소방청과 시·도 소방본부에 각각 설치하며, 시·도 소방본부에 설치하는 경우에는 시·도의 규칙으로 정하는 바에 따른다. ② 구조대의 출동구역은 행정안전부령으로 정한다. ③ 소방청장·소방본부장 또는 소방서장(이하 "소방청장등"이라 한다)은 여름철 물놀이 장소에서의 안전을 확보하기 위하여 필요한 경우 민간 자원봉사자로 구성된 구조대(이하 "119시민수상구조대"라 한다)를 지원할 수 있다. ④ 119시민수상구조대의 운영, 그 밖에 필요한 사항은 시·도의 조례로 정한다. **제6조【구조대원의 자격기준】** ① 구조대원은 소방공무원으로서 다음 각 호의 어느 하나에 해당하는 자격을 갖추어야 한다. 1. 소방청장이 실시하는 인명구조사 교육을 받았거나 인명구조사 시험에 합격한 사람 2. 국가·지방자치단체 및 「공공기관의 운영에 관한 법률」 제4조에 따른 공공기관의 구조 관련 분야에서 근무한 경력이 2년 이상인 사람 3. 「응급의료에 관한 법률」 제36조에 따른 응급구조사 자격을 가진 사람으로서 소방청장이 실시하는 구조업무에 관한 교육을 받은 사람	**제3조【119구조대에서 갖추어야 할 장비의 기준】** ① 「119구조·구급에 관한 법률 시행령」(이하 "영"이라 한다) 제5조에 따른 119구조대(구조대) 중 특별시·광역시·특별자치시·도·특별자치도(시·도) 소방본부 및 소방서(119안전센터를 포함한다)에 설치하는 구조대에서 법 제8조 제3항에 따라 갖추어야 하는 장비의 기본적인 사항은 「소방력 기준에 관한 규칙」 및 소방장비관리법 시행규칙」에 따른다. ② 소방청에 설치하는 구조대에서 법 제8조 제3항에 따라 갖추어야 하는 장비의 기본적인 사항은 제1항을 준용한다. ③ 제1항과 제2항에서 규정한 사항 외에 구조대가 갖추어야 하는 장비에 관하여 필요한 사항은 소방청장이 정한다.

3-2 국제구조대의 편성과 운영 B

제9조【국제구조대의 편성과 운영】 ① 소방청장은 국외에서 대형재난 등이 발생한 경우 재외국민의 보호 또는 재난발생국의 국민에 대한 인도주의적 구조 활동을 위하여 국제구조대를 편성하여 운영할 수 있다.
② 소방청장은 외교부장관과 협의를 거쳐 제1항에 따른 국제구조대를 재난발생국에 파견할 수 있다.
③ 소방청장은 제1항에 따른 국제구조대를 국외에 파견할 것에 대비하여 구조대원에 대한 교육훈련 등을 실시할 수 있다.
④ 소방청장은 제1항에 따른 국제구조대의 국외재난대응능력을 향상시키기 위하여 국제연합 등 관련 국제기구와의 협력체계 구축, 해외재난정보의 수집 및 기술연구 등을 위한 시책을 추진할 수 있다.
⑤ 소방청장은 제2항에 따라 국제구조대를 재난발생국에 파견하기 위하여 필요한 경우 관계 중앙행정기관의 장 또는 시·도지사에게 직원의 파견 및 장비의 지원을 요청할 수 있다. 이 경우 관계 중앙행정기관의 장 또는 시·도지사는 특별한 사유가 없으면 요청에 따라야 한다.
⑥ 제1항부터 제5항까지의 규정에 따른 국제구조대의 편성, 파견, 교육훈련 및 국제구조대원의 귀국 후 건강관리와 그 밖에 필요한 사항은 대통령령으로 정한다.
⑦ 제1항에 따른 국제구조대는 행정안전부령으로 정하는 장비를 구비하여야 한다.

(1) 국제구조대의 편성과 운영

소방청장은 국외에서 대형재난 등이 발생한 경우 재외국민의 보호 또는 재난발생국의 국민에 대한 인도주의적 구조활동을 위하여 **국제구조대**를 편성하여 운영할 수 있다.

(2) 국제구조대의 구성(영 제7조)

소방청장은 국제구조대를 편성·운영하는 경우 **인명 탐색 및 구조, 응급의료, 안전평가, 시설관리, 공보연락** 등의 임무를 수행할 수 있도록 구성하여야 한다.

(3) 국제구조대의 교육훈련(영 제8조)

① **전문 교육훈련:** 붕괴건물 탐색 및 인명구조, 방사능 및 유해화학물질 사고 대응, 유엔재난평가조정요원 교육 등
② **일반 교육훈련:** 응급처치, 기초통신, 구조 관련 영어, 국제구조대 윤리 등

(4) 국제구조대에서 갖추어야 할 장비의 기준(규칙 제6조)

① 구조 및 인양 등에 필요한 일반구조용 장비
② 사무통신 및 지휘 등에 필요한 지휘본부용 장비
③ 매몰자 탐지 등에 필요한 탐색용 장비
④ 화학전 또는 생물학전에 대비한 화생방 대응용 장비
⑤ 구급활동에 필요한 구급용 장비
⑥ 구조활동 중 구조대원의 안전 및 숙식 확보를 위하여 필요한 개인용 장비

관계법규 국제구조대

시행령	시행규칙
제7조【국제구조대의 편성과 운영】 ① 소방청장은 법 제9조 제1항에 따라 국제구조대를 편성·운영하는 경우 **인명 탐색 및 구조, 응급의료, 안전평가, 시설관리, 공보연락** 등의 임무를 수행할 수 있도록 구성하여야 한다. ② 소방청장은 구조대의 효율적 운영을 위하여 필요한 경우 국제구조대를 제5조 제1항 제3호에 따라 소방청에 설치하는 직할구조대에 설치할 수 있다. ③ 국제구조대의 파견 규모 및 기간은 재난유형과 파견지역의 피해 등을 종합적으로 고려하여 외교부장관과 협의하여 소방청장이 정한다. ④ 제1항부터 제3항까지에서 규정한 사항 외에 국제구조대의 편성·운영에 필요한 사항은 소방청장이 정한다. **제8조【국제구조대의 교육훈련】** ① 소방청장은 법 제9조 제3항에 따른 교육훈련에 다음 각 호의 내용을 포함시켜야 한다. 1. **전문 교육훈련**: 붕괴건물 탐색 및 인명구조, 방사능 및 유해화학물질 사고 대응, 유엔재난평가조정요원 교육 등 2. **일반 교육훈련**: 응급처치, 기초통신, 구조 관련 영어, 국제구조대 윤리 등 ② 소방청장은 국제구조대원의 재난대응능력을 높이기 위하여 필요한 경우에는 국외 교육훈련을 실시할 수 있다	**제6조【국제구조대에서 갖추어야 할 장비의 기준】** ① 법 제9조 제7항에 따라 국제구조대는 다음 각 호의 장비를 갖추어야 한다. 1. 구조 및 인양 등에 필요한 일반구조용 장비 2. 사무통신 및 지휘 등에 필요한 지휘본부용 장비 3. 매몰자 탐지 등에 필요한 탐색용 장비 4. 화학전 또는 생물학전에 대비한 화생방 대응용 장비 5. 구급활동에 필요한 구급용 장비 6. 구조활동 중 구조대원의 안전 및 숙식 확보를 위하여 필요한 개인용 장비 ② 제1항에 따른 장비의 구체적인 내용에 관하여 필요한 사항은 소방청장이 정한다.

3-3 119구급대의 편성과 운영 B

제10조【119구급대의 편성과 운영】 ① 소방청장등은 위급상황에서 발생한 응급환자를 응급처치하거나 의료기관에 긴급히 이송하는 등의 구급업무를 수행하기 위하여 대통령령으로 정하는 바에 따라 119구급대(이하 "구급대"라 한다)를 편성하여 운영하여야 한다.

② 구급대의 종류, 구급대원의 자격기준, 이송대상자, 그 밖에 필요한 사항은 대통령령으로 정한다.

③ 구급대는 행정안전부령으로 정하는 장비를 구비하여야 한다.

④ 소방청장은 응급환자가 신속하고 적절한 응급처치를 받을 수 있도록 「의료법」 제27조에도 불구하고 대통령령으로 정하는 바에 따라 보건복지부장관과 협의하여 구급대원의 자격별 응급처치의 범위를 정할 수 있다. 다만, 대통령령으로 정하는 범위는 「응급의료에 관한 법률」 제41조에서 정한 내용을 초과하지 아니한다.

⑤ 소방청장은 구급대원의 자격별 응급처치를 위한 교육·평가 및 응급처치의 품질관리 등에 관한 계획을 수립·시행하여야 한다.

(1) 119구급대의 편성과 운영권자

소방청장 · 소방본부장 · 소방서장(소방청장등)

(2) 구급대원의 자격기준(영 제11조)

① 의료인

② 1급 응급구조사 자격을 취득한 사람

③ 2급 응급구조사 자격을 취득한 사람

④ 소방청장이 실시하는 구급업무에 관한 교육을 받은 사람

관계법규 119구급대의 편성과 운영

시행령	시행규칙
제10조【119구급대의 편성과 운영】 ① 법 제10조 제1항에 따른 119구급대(이하 "구급대"라 한다)는 다음 각 호의 구분에 따라 편성 · 운영한다. 1. 일반구급대: 시 · 도의 규칙으로 정하는 바에 따라 소방서마다 1개 대 이상 설치하되, 소방서가 설치되지 아니한 시 · 군 · 구의 경우에는 해당 시 · 군 · 구 지역의 중심지에 소재한 119안전센터에 설치할 수 있다. 2. 【 ① 】: 교통사고 발생 빈도 등을 고려하여 소방청, 시 · 도 소방본부 또는 고속국도를 관할하는 소방서에 설치하되, 시 · 도 소방본부 또는 소방서에 설치하는 경우에는 시 · 도의 규칙으로 정하는 바에 따른다. ② 구급대의 출동구역은 행정안전부령으로 정한다. **제11조【구급대원의 자격기준】** 구급대원은 소방공무원으로서 다음 각 호의 어느 하나에 해당하는 자격을 갖추어야 한다. 다만, 제4호에 해당하는 구급대원은 구급차 운전과 구급에 관한 보조업무만 할 수 있다. 1. 「의료법」 제2조 제1항에 따른 의료인 2. 「응급의료에 관한 법률」 제36조 제2항에 따라 1급 응급구조사 자격을 취득한 사람 3. 「응급의료에 관한 법률」 제36조 제3항에 따라 2급 응급구조사 자격을 취득한 사람 4. 【 ② 】이 실시하는 구급업무에 관한 교육을 받은 사람 **제12조【응급환자의 이송 등】** ① 구급대원은 응급환자를 의료기관으로 이송하기 전이나 이송하는 과정에서 응급처치가 필요한 경우에는 가능한 범위에서 응급처치를 실시하여야 한다. ② 소방청장은 구급대원의 자격별 응급처치 범위 등 현장응급처치 표준지침을 정하여 운영할 수 있다. ③ 구급대원은 환자의 질병내용 및 중증도, 지역별 특성 등을 고려하여 소방청장 또는 소방본부장이 작성한 이송병원 선정지침에 따라 응급환자를 의료기관으로 이송하여야 한다. 다만, 환자의 상태를 보아 이송할 경우에 생명이 위험하거나 환자의 증상을 악화시킬 것으로 판단되는 경우로서 의사의 의료지도가 가능한 경우에는 의사의 의료지도에 따른다. ④ 제3항에 따른 이송병원 선정지침이 작성되지 아니한 경우에는 환자의 질병내용 및 중증도 등을 고려하여 환자의 치료에 적합하고 최단시간에 이송이 가능한 의료기관으로 이송하여야 한다. ① 고속국도구급대 ② 소방청장	**제8조【구급대의 출동구역】** ① 영 제10조 제2항에 따른 구급대의 출동구역은 다음 각 호와 같다. 1. 일반구급대 및 소방서에 설치하는 고속국도구급대: 구급대가 설치되어 있는 지역 관할 시 · 도 2. 소방청 또는 시 · 도 소방본부에 설치하는 고속국도구급대: 고속국도로 진입하는 도로 및 인근 구급대의 배치 상황 등을 고려하여 소방청장 또는 소방본부장이 관련 시 · 도의 소방본부장 및 한국도로공사와 협의하여 정한 구역 ② 구급대는 제1항에도 불구하고 다음 각 호의 어느 하나에 해당하는 경우에는 소방청장등의 요청이나 지시에 따라 출동구역 밖으로 출동할 수 있다. 1. 지리적 · 지형적 여건상 신속한 출동이 가능한 경우 2. 대형재난이 발생한 경우 3. 그 밖에 소방청장이나 소방본부장이 필요하다고 인정하는 경우

시행령	시행규칙
⑤ 구급대원은 이송하려는 응급환자가 감염병 및 정신질환을 앓고 있다고 판단되는 경우에는 시·군·구 보건소의 관계 공무원 등에게 필요한 협조를 요청할 수 있다. ⑥ 구급대원은 이송하려는 응급환자가 자기 또는 타인의 생명·신체와 재산에 위해(危害)를 입힐 우려가 있다고 인정되는 경우에는 환자의 보호자 또는 관계 기관의 공무원 등에게 동승(同乘)을 요청할 수 있다. ⑦ 소방청장은 제2항에 따른 현장응급처치 표준지침 및 제3항에 따른 이송병원 선정지침을 작성하는 경우에는 보건복지부장관과 협의하여야 한다.	

3-4 119구급상황관리센터의 설치·운영 등 D

제10조의2【119구급상황관리센터의 설치·운영 등】 ① 소방청장은 119구급대원 등에게 응급환자 이송에 관한 정보를 효율적으로 제공하기 위하여 소방청과 시·도 소방본부에 119구급상황관리센터(이하 "구급상황센터"라 한다)를 설치·운영하여야 한다.

② 구급상황센터에서는 다음 각 호의 업무를 수행한다.

1. 응급환자에 대한 안내·상담 및 지도
2. 응급환자를 이송 중인 사람에 대한 응급처치의 지도 및 이송병원 안내
3. 제1호 및 제2호와 관련된 정보의 활용 및 제공
4. 119구급이송 관련 정보망의 설치 및 관리·운영
5. 제23조의2 제1항 및 제23조의3 제1항에 따른 감염병환자등의 이송 등 중요사항 보고 및 전파
6. 재외국민, 영해·공해상 선원 및 항공기 승무원·승객 등에 대한 의료상담 등 응급의료서비스 제공

③ 구급상황센터의 설치·운영, 그 밖에 필요한 사항은 대통령령으로 정한다.

④ 보건복지부장관은 제2항에 따른 업무를 평가할 수 있으며, 소방청장은 그 평가와 관련한 자료의 수집을 위하여 보건복지부장관이 요청하는 경우 제22조 제1항의 기록 등 필요한 자료를 제공하여야 한다.

⑤ 소방청장은 응급환자의 이송정보가 「응급의료에 관한 법률」 제25조 제1항 제6호의 응급의료 전산망과 연계될 수 있도록 하여야 한다.

제10조의3(119구급차의 운용) ① 소방청장등은 응급환자를 의료기관에 긴급히 이송하기 위하여 구급차(이하 "119구급차"라 한다)를 운용하여야 한다.
② 119구급차의 배치기준, 장비(의료장비 및 구급의약품은 제외한다) 등 119구급차의 운용에 관하여 응급의료 관계 법령에 규정되어 있지 아니하거나 응급의료 관계 법령에 규정된 내용을 초과하여 규정할 필요가 있는 사항은 행정안전부령으로 정한다.

제10조의4【국제구급대의 편성과 운영】 ① 소방청장은 국외에서 대형재난 등이 발생한 경우 재외국민에 대한 구급 활동, 재외국민 응급환자의 국내 의료기관 이송 또는 재난발생국 국민에 대한 인도주의적 구급 활동을 위하여 국제구급대를 편성하여 운영할 수 있다. 이 경우 이송과 관련된 사항은 「재외국민보호를 위한 영사조력법」 제19조에 따른다.
② 국제구급대의 편성, 파견, 교육훈련 및 국제구급대원의 귀국 후 건강관리 등에 관하여는 제9조 제2항부터 제7항까지를 준용한다. 이 경우 "국제구조대"는 "국제구급대"로, "구조대원"은 "구급대원"으로 본다.

제11조【구조·구급대의 통합 편성과 운영】 ① 소방청장등은 제8조 제1항, 제10조 제1항 및 제12조 제1항에도 불구하고 구조·구급대를 통합하여 편성·운영할 수 있다.
② 소방청장은 제9조 제1항 및 제10조의4 제1항에도 불구하고 국제구조대·국제구급대를 통합하여 편성·운영할 수 있다.

(1) 119구급상황관리센터의 설치·운영

소방청장은 **소방청**과 **시·도 소방본부**에 **119구급상황관리센터**(구급상황센터)를 설치·운영하여야 한다.

(2) 구급상황센터의 업무

① 응급환자에 대한 안내·상담 및 지도
② 응급환자를 이송 중인 사람에 대한 응급처치의 지도 및 이송병원 안내
③ ① 및 ②와 관련된 정보의 활용 및 제공
④ 119구급이송 관련 정보망의 설치 및 관리·운영
⑤ 감염병환자등의 이송 등 중요사항 보고 및 전파
⑥ 재외국민, 영해·공해상 선원 및 항공기 승무원·승객 등에 대한 의료상담 등 응급의료서비스 제공

관계법규 119구급상황관리센터의 설치 및 운영

시행령	
제13조의2【119구급상황관리센터의 설치 및 운영】 ① 법 제10조의2 제1항에 따른 119구급상황관리센터(구급상황센터)에는 다음 각 호의 어느 하나에 해당하는 자격을 갖춘 사람을 배치하여 24시간 근무체제를 유지하여야 한다. 1. 「의료법」 제2조 제1항에 따른 의료인 2. 「응급의료에 관한 법률」 제36조 제2항에 따라 1급 응급구조사 자격을 취득한 사람 3. 「응급의료에 관한 법률」 제36조 제3항에 따라 2급 응급구조사 자격을 취득한 사람 4. 「응급의료에 관한 법률」에 따른 응급의료정보센터(이하 "응급의료정보센터"라 한다)에서 2년 이상 응급의료에 관한 상담 경력이 있는 사람 ② 소방청장은 법 제10조의2 제2항 제4호에 따른 119구급이송 관련 정보망을 설치하는 경우 다음 각 호의 정보가 효율적으로 연계되어 구급대 및 구급상황센터에 근무하는 사람에게 제공될 수 있도록 하여야 한다. 1. 「응급의료에 관한 법률」 제27조 제2항 제3호에 따라 응급의료정보센터가 제공하는 「응급의료에 관한 법률 시행령」 제24조 제1항 각 호의 정보 2. 구급대의 출동 상황, 응급환자의 처리 및 이송 상황 ③ 구급상황센터는 법 제10조의2 제2항 제5호에 따라 법 제23조의2 제1항에 따른 감염병환자등(이하 "감염병환자등"이라 한다)의 현재 상태 및 이송 관련 사항 등 중요사항을 구급대원 및 이송의료기관, 관할 보건소 등 관계 기관에 전파·보고해야 한다. ④ 구급상황센터에 근무하는 사람은 이송병원 정보를 제공하려면 제2항 제1호에 따른 정보를 활용하여 이송병원을 안내하여야 한다. ⑤ 소방본부장은 구급상황센터의 운영현황을 파악하고 응급환자 이송정보제공 체계를 효율화하기 위하여 매 반기별로 소방청장에게 구급상황센터의 운영상황을 종합하여 보고하여야 한다. ⑥ 구급상황센터의 설치·운영에 관한 세부사항은 구급상황센터를 소방청에 설치하는 경우에는 소방청장이, 시·도 소방본부에 설치하는 경우에는 시·도의 규칙으로 정한다. 다만, 시·도 소방본부에 설치하는 구급상황센터의 설치·운영에 관한 세부사항 중 필수적으로 배치되는 인력의 임용, 보수 등 인사에 관한 사항은 소방청장이 정하는 바에 따른다.	**제13조의3【재외국민 등에 대한 의료상담 및 응급의료서비스】** ① 구급상황센터는 법 제10조의2 제2항 제6호에 따라 재외국민, 영해·공해상 선원 및 항공기 승무원·승객 등(이하 "재외국민등"이라 한다)에게 다음 각 호의 응급의료서비스를 제공한다. 1. 응급질환 관련 상담 및 응급의료 관련 정보 제공 2. 「재외국민보호를 위한 영사조력법」 제2조 제4호에 따른 해외위난상황 발생 시 재외국민에 대한 응급의료 상담 등 필요한 조치 제공 및 업무 지원 3. 영해·공해상 선원 및 항공기 승무원·승객에 대한 위급상황 발생 시 인명구조, 응급처치 및 이송 등 응급의료서비스 지원 4. 재외공관에 대한 의료상담 및 응급의료서비스 인력의 지원 5. 그 밖에 구급상황센터에서 재외국민등에게 제공할 필요가 있다고 소방청장이 판단하여 정하는 응급의료서비스 ② 소방청장은 구급상황센터가 제1항에 따른 응급의료서비스를 제공하는 데 필요한 경우에는 관계 기관에 협력을 요청할 수 있다.

3-5 119항공대의 편성과 운영 B

제12조【119항공대의 편성과 운영】 ① 소방청장 또는 소방본부장은 초고층 건축물 등에서 요구조자의 생명을 안전하게 구조하거나 도서·벽지에서 발생한 응급환자를 의료기관에 긴급히 이송하기 위하여 119항공대(이하 "항공대"라 한다)를 편성하여 운영한다.
② 항공대의 편성과 운영, 업무 및 항공대원의 자격기준, 그 밖에 필요한 사항은 대통령령으로 정한다.
③ 항공대는 행정안전부령으로 정하는 장비를 구비하여야 한다.

제12조의2【119항공운항관제실 설치·운영 등】 ① 소방청장은 소방항공기의 안전하고 신속한 출동과 체계적인 현장활동의 관리·조정·통제를 위하여 소방청에 119항공운항관제실을 설치·운영하여야 한다.
② 제1항에 따른 119항공운항관제실의 업무는 다음 각 호와 같다.
1. 재난현장 출동 소방헬기의 운항·통제·조정에 관한 사항
2. 관계 중앙행정기관 소속의 응급의료헬기 출동 요청에 관한 사항
3. 관계 중앙행정기관 소속의 헬기 출동 요청 및 공역통제·현장지휘에 관한 사항
4. 소방항공기 통합 정보 및 안전관리 시스템의 설치·관리·운영에 관한 사항
5. 소방항공기의 효율적 운항관리를 위한 교육·훈련 계획 등의 수립에 관한 사항
③ 119항공운항관제실 설치·운영 등에 필요한 사항은 대통령령으로 정한다.

제12조의3【119항공정비실의 설치·운영 등】 ① 소방청장은 제12조 제1항에 따라 편성된 항공대의 소방헬기를 전문적으로 통합정비 및 관리하기 위하여 소방청에 119항공정비실(이하 "정비실"이라 한다)을 설치·운영할 수 있다.
② 정비실에서는 다음 각 호의 업무를 수행한다.
1. 소방헬기 정비운영 계획 수립 및 시행 등에 관한 사항
2. 중대한 결함 해소 및 중정비 업무 수행 등에 관한 사항
3. 정비에 필요한 전문장비 등의 운영·관리에 관한 사항
4. 정비에 필요한 부품 수급 등의 운영·관리에 관한 사항
5. 정비사의 교육훈련 및 자격유지에 관한 사항
6. 소방헬기 정비교범 및 정비 관련 문서·기록의 관리·유지에 관한 사항
7. 그 밖에 소방헬기 정비를 위하여 필요한 사항
③ 정비실의 설치·운영, 그 밖에 필요한 사항은 대통령령으로 정한다.
④ 정비실의 인력·시설 및 장비기준 등에 필요한 사항은 행정안전부령으로 정한다.

제12조의4【119구조견대의 편성과 운영】 ① 소방청장과 소방본부장은 위급상황에서 「소방기본법」 제4조에 따른 소방활동의 보조 및 효율적 업무 수행을 위하여 119구조견대를 편성하여 운영한다.
② 소방청장은 119구조견(이하 "구조견"이라 한다)의 양성·보급 및 구조견 운용자의 교육·훈련을 위하여 구조견 양성·보급기관을 설치·운영하여야 한다.
③ 제1항에 따른 119구조견대의 편성·운영 및 제2항에 따른 구조견 양성·보급 기관의 설치·운영, 그 밖에 필요한 사항은 대통령령으로 정한다.
④ 119구조견대는 행정안전부령으로 정하는 장비를 구비하여야 한다.

시크릿노트

119항공대의 편성과 운영
- 소방청장, 소방본부장
  1. 초고층 건축물 등에서 요구조자
  2. 도서·벽지에서 발생한 응급환자

119항공운항관제실의 편성과 운영
- 소방청장
  1. 소방청
  2. 119항공운항관제실

(1) 119항공대의 편성과 운영

소방청장 또는 **소방본부장**은 **초고층 건축물 등에서 요구조자**의 생명을 안전하게 구조하거나 **도서·벽지에서 발생한 응급환자**를 의료기관에 긴급히 이송하기 위하여 119항공대(항공대)를 편성하여 운영한다.

(2) 119항공대의 업무(영 제16조)

① 인명구조 및 응급환자의 이송(의사가 동승한 응급환자의 병원 간 이송 포함)
② 화재 진압
③ 장기이식환자 및 장기의 이송
④ 항공 수색 및 구조활동
⑤ 공중 소방 지휘통제 및 소방에 필요한 인력 · 장비 등의 운반
⑥ 방역 또는 방재 업무의 지원
⑦ 그 밖에 재난관리를 위하여 필요한 업무

(3) 119항공운항관제실 설치 · 운영 등

소방청장은 소방항공기의 안전하고 신속한 출동과 체계적인 현장활동의 관리 · 조정 · 통제를 위하여 **소방청**에 119**항공운항관제실**을 설치 · 운영하여야 한다.

(4) 119항공운항관제실의 업무

① 재난현장 출동 소방헬기의 운항 · 통제 · 조정에 관한 사항
② 관계 중앙행정기관 소속의 응급의료헬기 출동요청에 관한 사항
③ 관계 중앙행정기관 소속의 헬기 출동요청 및 공역통제 · 현장지휘에 관한 사항
④ 소방항공기 통합 정보 및 안전관리 시스템의 설치 · 관리 · 운영에 관한 사항
⑤ 소방항공기의 효율적 운항관리를 위한 교육 · 훈련계획 등의 수립에 관한 사항

관계법규 항공구조구급대

시행령	시행규칙
제15조【항공구조구급대의 편성과 운영】 ① 소방청장은 법 제12조 제1항에 따른 항공구조구급대를 제5조 제1항 제3호에 따라 소방청에 설치하는 직할구조대에 설치할 수 있다. ② 소방본부장은 시 · 도 규칙으로 정하는 바에 따라 항공구조구급대를 편성하여 운영하되, 효율적인 인력 운영을 위하여 필요한 경우에는 시 · 도 소방본부에 설치하는 직할구조대에 설치할 수 있다. **제16조【항공구조구급대의 업무】** 항공구조구급대는 다음 각 호의 업무를 수행한다. 1. 인명구조 및 응급환자의 이송(의사가 동승한 응급환자의 병원 간 이송을 포함한다) 2. 화재 진압 3. 장기이식환자 및 장기의 이송 4. 항공 수색 및 구조 활동 5. 공중 소방 지휘통제 및 소방에 필요한 인력 · 장비 등의 운반 6. 방역 또는 방재 업무의 지원 7. 그 밖에 재난관리를 위하여 필요한 업무 **제17조【119항공대원의 자격기준】** 119항공대원은 제6조에 따른 구조대원의 자격기준 또는 제11조에 따른 구급대원의 자격기준을 갖추고, 소방청장이 실시하는 항공 구조 · 구급과 관련된 교육을 마친 사람으로 한다. **제18조【항공기의 운항 등】** ① 119항공대의 항공기(이하 "항공기"라 한다)는 조종사 2명이 탑승하되, 해상비행 · 계기비행(計器飛行) 및 긴급 구조 · 구급 활동을 위하여 필요한 경우에는 정비사 1명을 추가로 탑승시킬 수 있다. ② 조종사의 비행시간은 1일 8시간을 초과할 수 없다. 다만, 구조 · 구급 및 화재 진압 등을 위하여 필요한 경우로서 소방청장 또는 소방본부장이 비행시간의 연장을 승인한 경우에는 그러하지 아니하다. ③ 조종사는 항공기의 안전을 확보하기 위하여 탑승자의 위험물 소지 여부를 점검해야 하며, 탑승자는 119항공대원의 지시에 따라야 한다. ④ 항공기의 검사 등 유지 · 관리에 필요한 사항은 소방청장이 정한다. ⑤ 소방청장 및 소방본부장은 항공기의 안전운항을 위하여 운항통제관을 둔다. **제19조의4【119구조견대의 편성 · 운영】** ① 소방청장은 법 제12조의4 제1항에 따른 119구조견대(이하 "구조견대"라 한다)를 중앙119구조본부에 편성 · 운영한다. ② 소방본부장은 시 · 도의 규칙으로 정하는 바에 따라 시 · 도 소방본부에 구조견대를 편성하여 운영한다. ③ 구조견대의 출동구역은 행정안전부령으로 정한다. ④ 제1항부터 제3항까지에서 규정한 사항 외에 구조견대의 편성 · 운영에 필요한 사항은 중앙119구조본부에 두는 경우에는 소방청장이 정하고, 시 · 도 소방본부에 두는 경우에는 해당 시 · 도의 규칙으로 정한다.	**제9조【항공구조구급대에서 갖추어야 할 장비의 기준】** ① 법 제12조 제3항에 따라 시 · 도 소방본부에 설치하는 항공구조구급대에서 갖추어야 할 장비의 기본적인 사항은 「소방력 기준에 관한 규칙」 및 「소방장비관리법 시행규칙」에 따른다. ② 법 제12조 제3항에 따라 소방청에 설치하는 항공구조구급대에서 갖추어야 할 장비의 기본적인 사항은 제1항을 준용하되, 항공구조구급대에 두는 항공기(항공기)는 3대 이상 갖추어야 한다. ③ 제1항 및 제2항에서 규정한 사항 외에 항공구조구급대가 갖추어야 하는 장비에 관하여 필요한 사항은 소방청장이 정한다.

4 구조 · 구급활동 A

제13조 【구조 · 구급활동】 ① 소방청장등은 위급상황이 발생한 때에는 구조 · 구급대를 현장에 신속하게 출동시켜 인명구조, 응급처치 및 구급차등의 이송, 그 밖에 필요한 활동을 하게 하여야 한다.
② 누구든지 제1항에 따른 구조 · 구급활동을 방해하여서는 아니 된다.
③ 소방청장등은 대통령령으로 정하는 위급하지 아니한 경우에는 구조 · 구급대를 출동시키지 아니할 수 있다.

제14조 【유관기관과의 협력】 ① 소방청장등은 구조 · 구급활동을 함에 있어서 필요한 경우에는 시 · 도지사 또는 시장 · 군수 · 구청장에게 협력을 요청할 수 있다.
② 시 · 도지사 또는 시장 · 군수 · 구청장은 특별한 사유가 없으면 제1항의 요청에 따라야 한다.

제15조 【구조 · 구급활동을 위한 긴급조치】 ① 소방청장등은 구조 · 구급활동을 위하여 필요하다고 인정하는 때에는 다른 사람의 토지 · 건물 또는 그 밖의 물건을 일시사용, 사용의 제한 또는 처분을 하거나 토지 · 건물에 출입할 수 있다.
② 소방청장등은 제1항에 따른 조치로 인하여 손실을 입은 자가 있는 경우에는 대통령령으로 정하는 바에 따라 그 손실을 보상하여야 한다.

(1) 구조 · 구급활동

소방청장등은 위급상황이 발생한 때에는 구조 · 구급대를 현장에 신속하게 출동시켜 인명구조, 응급처치 및 구급차등의 이송, 그 밖에 필요한 활동을 하게 하여야 한다.

(2) 구조출동요청 거절대상(영 제20조)

① 단순 문 개방의 요청을 받은 경우
② 시설물에 대한 단순 안전조치 및 장애물 단순 제거의 요청을 받은 경우
③ **동물의 단순 처리 · 포획 · 구조요청**을 받은 경우
④ 그 밖에 주민생활 불편해소 차원의 단순 민원 등 구조활동의 필요성이 없다고 인정되는 경우

(3) 구급출동요청 거절대상(영 제20조)

① 단순 치통환자
② 단순 감기환자. 다만, **섭씨 38도 이상**의 고열 또는 호흡곤란이 있는 경우는 제외한다.
③ 혈압 등 생체징후가 안정된 타박상 환자
④ 술에 취한 사람. 다만, 강한 자극에도 의식이 회복되지 아니하거나 외상이 있는 경우는 제외한다.
⑤ **만성질환자**로서 검진 또는 입원 목적의 이송요청자
⑥ 단순 열상(裂傷) 또는 찰과상(擦過傷)으로 지속적인 출혈이 없는 외상환자
⑦ 병원 간 이송 또는 자택으로의 이송요청자. 다만, **의사가 동승한 응급환자의 병원 간 이송은 제외**한다.

핵심 기출

「119구조 · 구급에 관한 법률 시행령」상 구조 또는 구급 요청을 거절할 수 있는 경우에 해당하지 않는 것은? 19. 소방간부

① 동물의 단순 처리 · 포획 · 구조 요청을 받은 경우
② 섭씨 38도 이상의 고열 감기환자
③ 혈압 등 생체징후가 안정된 타박상 환자
④ 술에 취했으나 외상이 없고 강한 자극에 의식을 회복한 사람
⑤ 요구조자 또는 응급환자가 구조 · 구급대원에게 폭력을 행사하는 등 구조 · 구급활동을 방해하는 경우

정답 ②

(4) 구조거절확인서 및 구급거절 · 거부확인서

① 구조요청을 거절한 구조대원은 구조거절확인서를 작성하여 소속 소방관서장에게 보고하고, 소속 소방관서에 **3년간 보관**하여야 한다.

② 구급요청을 거절한 구급대원은 구급거절 · 거부확인서를 작성하여 소속 소방관서장에게 보고하고, 소속 소방관서에 **3년간 보관**하여야 한다.

관계법규 구조 · 구급요청의 거절

시행령	시행규칙
제20조【구조 · 구급요청의 거절】 ① 구조대원은 법 제13조 제3항에 따라 다음 각 호의 어느 하나에 해당하는 경우에는 구조출동 요청을 거절할 수 있다. 다만, 다른 수단으로 조치하는 것이 불가능한 경우에는 그러하지 아니하다. 1. 단순 문 개방의 요청을 받은 경우 2. 시설물에 대한 단순 안전조치 및 장애물 단순 제거의 요청을 받은 경우 3. 동물의 단순 처리 · 포획 · 구조 요청을 받은 경우 4. 그 밖에 주민생활 불편해소 차원의 단순 민원 등 구조활동의 필요성이 없다고 인정되는 경우 ② 구급대원은 법 제13조 제3항에 따라 구급대상자가 다음 각 호의 어느 하나에 해당하는 비응급환자인 경우에는 구급출동 요청을 거절할 수 있다. 이 경우 구급대원은 구급대상자의 병력 · 증상 및 주변 상황을 종합적으로 평가하여 구급대상자의 응급 여부를 판단하여야 한다. 1. 단순 치통환자 2. 단순 감기환자. 다만,【 ① 】의 고열 또는 호흡곤란이 있는 경우는 제외한다. 3. 혈압 등 생체징후가 안정된 타박상 환자 4. 술에 취한 사람. 다만, 강한 자극에도 의식이 회복되지 아니하거나 외상이 있는 경우는 제외한다. 5. 만성질환자로서 검진 또는 입원 목적의 이송 요청자 6. 단순 열상(裂傷) 또는 찰과상(擦過傷)으로 지속적인 출혈이 없는 외상환자 7. 병원 간 이송 또는 자택으로의 이송 요청자. 다만, 의사가 동승한 응급환자의 병원 간 이송은 제외한다. ③ 구조 · 구급대원은 법 제2조 제1호에 따른 요구조자(요구조자) 또는 응급환자가 구조 · 구급대원에게 폭력을 행사하는 등 구조 · 구급활동을 방해하는 경우에는 구조 · 구급활동을 거절할 수 있다. ④ 구조 · 구급대원은 제1항부터 제3항까지의 규정에 따라 구조 또는 구급 요청을 거절한 경우 구조 또는 구급을 요청한 사람이나 목격자에게 그 내용을 알리고, 행정안전부령으로 정하는 바에 따라 그 내용을 기록 · 관리하여야 한다.	**제11조【구조 · 구급요청의 거절】** ① 영 제20조 제1항에 따라 구조요청을 거절한 구조대원은 별지 제1호 서식의 구조 거절 확인서를 작성하여 소속 소방관서장에게 보고하고, 소속 소방관서에 3년간 보관하여야 한다. ② 영 제20조 제2항에 따라 구급요청을 거절한 구급대원은 별지 제2호 서식의 구급 거절 · 거부 확인서(구급 거절 · 거부 확인서)를 작성하여 소속 소방관서장에게 보고하고, 소속 소방관서에 3년간 보관하여야 한다.
① 섭씨 38도 이상	

4-2 구조된 사람과 물건의 인도 · 인계 D

제16조 【구조된 사람과 물건의 인도 · 인계】 ① 소방청장등은 제13조 제1항에 따른 구조활동으로 구조된 사람(이하 "구조된 사람"이라 한다) 또는 신원이 확인된 사망자를 그 보호자 또는 유족에게 지체 없이 인도하여야 한다.

② 소방청장등은 제13조 제1항에 따른 구조 · 구급활동과 관련하여 회수된 물건(이하 "구조된 물건"이라 한다)의 소유자가 있는 경우에는 소유자에게 그 물건을 인계하여야 한다.

③ 소방청장등은 다음 각 호의 어느 하나에 해당하는 때에는 구조된 사람, 사망자 또는 구조된 물건을 특별자치도지사 · 시장 · 군수 · 구청장(「재난 및 안전관리 기본법」 제14조 또는 제16조에 따른 재난안전대책본부가 구성된 경우 해당 재난안전대책본부장을 말한다. 이하 같다)에게 인도하거나 인계하여야 한다.

1. 구조된 사람이나 사망자의 신원이 확인되지 아니한 때
2. 구조된 사람이나 사망자를 인도받을 보호자 또는 유족이 없는 때
3. 구조된 물건의 소유자를 알 수 없는 때

제17조 【구조된 사람의 보호】 제16조 제3항에 따라 구조된 사람을 인도받은 특별자치도지사 · 시장 · 군수 · 구청장은 구조된 사람에게 숙소 · 급식 · 의류의 제공과 치료 등 필요한 보호조치를 취하여야 하며, 사망자에 대하여는 영안실에 안치하는 등 적절한 조치를 취하여야 한다.

제18조 【구조된 물건의 처리】 ① 제16조 제3항에 따라 구조된 물건을 인계받은 특별자치도지사 · 시장 · 군수 · 구청장은 이를 안전하게 보관하여야 한다.

② 제1항에 따라 인계받은 물건의 처리절차와 그 밖에 필요한 사항은 대통령령으로 정한다.

제19조 【가족 및 유관기관의 연락】 ① 구조 · 구급대원은 제13조 제1항에 따른 구조 · 구급활동을 함에 있어 현장에 보호자가 없는 요구조자 또는 응급환자를 구조하거나 응급처치를 한 후에는 그 가족이나 관계자에게 구조경위, 요구조자 또는 응급환자의 상태 등을 즉시 알려야 한다.

② 구조 · 구급대원은 요구조자와 응급환자의 가족이나 관계자의 연락처를 알 수 없는 때에는 위급상황이 발생한 해당 지역의 특별자치도지사 · 시장 · 군수 · 구청장에게 그 사실을 통보하여야 한다.

③ 구조 · 구급대원은 요구조자와 응급환자의 신원을 확인할 수 없는 경우에는 경찰관서에 신원의 확인을 의뢰할 수 있다.

제20조 【구조 · 구급활동을 위한 지원요청】 ① 소방청장등은 구조 · 구급활동을 함에 있어서 인력과 장비가 부족한 경우에는 대통령령으로 정하는 바에 따라 관할구역 안의 의료기관, 「응급의료에 관한 법률」 제44조에 따른 구급차등의 운용자 및 구조 · 구급과 관련된 기관 또는 단체(이하 이 조에서 "의료기관등"이라 한다)에 대하여 구조 · 구급에 필요한 인력 및 장비의 지원을 요청할 수 있다. 이 경우 요청을 받은 의료기관등은 정당한 사유가 없으면 이에 따라야 한다.

② 제1항의 지원요청에 따라 구조 · 구급활동에 참여하는 사람은 소방청장등의 조치에 따라야 한다.

③ 제1항에 따라 지원활동에 참여한 구급차등의 운용자는 소방청장등이 지정하는 의료기관으로 응급환자를 이송하여야 한다.

④ 소방청장등은 행정안전부령으로 정하는 바에 따라 제1항에 따른 지원요청대상 의료기관등의 현황을 관리하여야 한다.

⑤ 소방청장등은 제1항에 따라 구조·구급활동에 참여한 의료기관등에 대하여는 그 비용을 보상할 수 있다.

제21조【구조·구급대원과 경찰공무원의 협력】 ① 구조·구급대원은 범죄사건과 관련된 위급상황 등에서 구조·구급활동을 하는 경우에는 경찰공무원과 상호 협력하여야 한다.

② 구조·구급대원은 요구조자나 응급환자가 범죄사건과 관련이 있다고 의심할만한 정황이 있는 경우에는 즉시 경찰관서에 그 사실을 통보하고 현장의 증거보존에 유의하면서 구조·구급활동을 하여야 한다. 다만, 생명이 위독한 경우에는 먼저 구조하거나 의료기관으로 이송하고 경찰관서에 그 사실을 통보할 수 있다.

제22조【구조·구급활동의 기록관리】 ① 소방청장등은 구조·구급활동상황 등을 기록하고 이를 보관하여야 한다.

② 구조·구급활동상황일지의 작성·보관 및 관리, 그 밖에 필요한 사항은 행정안전부령으로 정한다.

제22조의2【이송환자에 대한 정보 수집】 소방청장등은 구급대가 응급환자를 의료기관으로 이송한 경우 이송환자의 수 및 증상을 파악하고 응급처치의 적절성을 자체적으로 평가하기 위하여 필요한 범위에서 해당 의료기관에 주된 증상, 사망여부 및 상해의 경중 등 응급환자의 진단 및 상태에 관한 정보를 요청할 수 있다. 이 경우 요청을 받은 의료기관은 정당한 사유가 없으면 이에 따라야 한다.

제23조【구조·구급대원에 대한 안전사고방지대책등 수립·시행】 ① 소방청장은 구조·구급대원의 안전사고방지대책, 감염방지대책, 건강관리대책 등(이하 "안전사고방지대책등"이라 한다)을 수립·시행하여야 한다.

② 안전사고방지대책등의 수립에 관하여 필요한 사항은 대통령령으로 정한다.

(1) 구조된 사람과 물건의 인도·인계

① 소방청장등은 구조된 사람 또는 신원이 확인된 사망자를 그 보호자 또는 유족에게 지체 없이 인도하여야 한다.

② 소방청장등은 구조된 물건의 소유자가 있는 경우에는 소유자에게 그 물건을 인계하여야 한다.

(2) 구조·구급대원과 경찰공무원의 협력

구조·구급대원은 범죄사건과 관련된 위급상황 등에서 구조·구급활동을 하는 경우에는 경찰공무원과 상호 협력하여야 한다.

(3) 구조·구급활동의 기록관리

소방청장등은 구조·구급활동상황 등을 기록하고 이를 보관하여야 한다.

4-3 감염병환자등의 통보 등 D

제23조의2【감염병환자등의 이송 등】 ① 소방청장등은 「감염병의 예방 및 관리에 관한 법률」 제2조 제13호부터 제15호까지 및 제15호의2의 감염병환자, 감염병의사환자, 병원체보유자 또는 감염병의심자(이하 "감염병환자등"이라 한다)의 이송 등의 업무를 수행할 수 있다.

② 제1항에 따른 감염병환자등의 이송 범위, 방법, 그 밖에 필요한 사항은 대통령령으로 정한다.

제23조의3【감염병환자등의 통보 등】 ① 질병관리청장 및 의료기관의 장은 구급대가 이송한 응급환자가 감염병환자등인 경우에는 그 사실을 소방청장등에게 즉시 통보하여야 한다. 이 경우 정보시스템을 활용하여 통보할 수 있다.

② 소방청장등은 감염병환자등과 접촉한 구조·구급대원이 적절한 치료를 받을 수 있도록 조치하여야 한다.

③ 제1항에 따른 감염병환자등에 대한 구체적인 통보대상, 통보 방법 및 절차, 제2항에 따른 조치 방법 등에 필요한 사항은 대통령령으로 정한다.

제24조【구조·구급활동으로 인한 형의 감면】 다음 각 호의 어느 하나에 해당하는 자가 구조·구급활동으로 인하여 요구조자를 사상에 이르게 한 경우 그 구조·구급활동 등이 불가피하고 구조·구급대원 등에게 중대한 과실이 없는 때에는 그 정상을 참작하여 「형법」 제266조부터 제268조까지의 형을 감경하거나 면제할 수 있다.

1. 제4조 제3항에 따라 위급상황에 처한 요구조자를 구출하거나 필요한 조치를 한 자
2. 제13조 제1항에 따라 구조·구급활동을 한 자

(1) 감염병환자등의 이송등

① 소방청장등은 감염병환자등의 이송등의 업무를 수행할 수 있다.

② 감염병환자등

㉠ 「감염병의 예방 및 관리에 관한 법률」 제2조 제13호부터 제15호까지 및 제15호의2의 감염병환자

㉡ 감염병의사환자, 병원체보유자 또는 감염병의심자

(2) 감염병환자등의 통보

① 질병관리청장 및 의료기관의 장은 구급대가 이송한 응급환자가 감염병환자등인 경우에는 소방청장등에게 즉시 통보하여야 한다.

② 이 경우 정보시스템을 활용하여 통보할 수 있다.

(3) 소방청장등의 조치

소방청장등은 감염병환자등과 접촉한 구조·구급대원이 적절한 치료를 받을 수 있도록 조치하여야 한다.

(4) 구조·구급활동으로 인한 형의 감면대상

다음에 해당하는 자가 구조·구급활동으로 인하여 요구조자를 사상에 이르게 한 경우 그 구조·구급활동 등이 불가피하고 구조·구급대원 등에게 중대한 과실이 없는 때에는 그 정상을 참작하여 「형법」 제266조부터 제268조까지의 형을 감경하거나 면제할 수 있다.

① 위급상황에 처한 요구조자를 구출하거나 필요한 조치를 한 자
② 구조 · 구급활동을 한 자

관계법규 감염병환자등의 통보 방법 및 내용

시행령	감염병의 예방 및 관리에 관한 법률
제25조의2【감염병환자등의 통보 방법 및 내용】 ① 의료기관의 장은 구급대가 이송한 응급환자가 법 제23조의2 제1항에 따른 감염병환자등(이하 "감염병환자등"이라 한다)으로 진단된 경우에는 구두, 전화(문자메시지 등을 포함한다), 팩스, 서면(전자문서를 포함한다) 등의 방법 중 가장 신속하고 적합한 방법으로 소방청장등에게 통보하여야 한다. ② 의료기관의 장이 제1항에 따라 소방청장등에게 통보하는 경우 그 통보 내용에는 다음 각 호의 사항이 포함되어야 한다. 다만, 동일한 감염병으로 진단된 감염병환자등의 발생사실을 추가로 통보하는 경우에는 제2호 및 제3호의 사항을 포함하지 아니할 수 있다. 1. 구급대가 이송한 감염병환자등의 감염병명과 발병일 2. 해당 감염병의 주요 증상 3. 이송한 구급대원에 대한 감염관리 방법 등 안내 사항 ③ 제2항에 따라 정보를 통보받은 자는 법 및 이 영에 따른 감염병과 관련된 구조 · 구급 업무 외의 목적으로 정보를 사용할 수 없고, 업무 종료 시 지체 없이 파기해야 한다. ④ 소방청장은 구조 · 구급활동을 위하여 필요하다고 인정하는 경우에는 구급대가 이송한 감염병환자등 외에 제1항 각 호의 어느 하나에 해당하는 감염병과 관련된 감염병환자등에 대한 정보를 「감염병의 예방 및 관리에 관한 법률」 제76조의2 제3항에 따라 제공하여 줄 것을 질병관리청장에게 요청할 수 있다. **제26조【감염관리대책】** ① 소방청장등은 구조 · 구급대원의 감염 방지를 위하여 구조 · 구급대원이 소독을 할 수 있도록 소방서별로 119감염관리실을 1개소 이상 설치하여야 한다. ② 구조 · 구급대원은 근무 중 위험물 · 유독물 및 방사성물질(이하 "유해물질등"이라 한다)에 노출되거나 감염성 질병에 걸린 요구조자 또는 응급환자와 접촉한 경우에는 그 사실을 안 때부터 48시간 이내에 소방청장등에게 보고하여야 한다. ③ 법 제23조의2 제1항에 따른 통보를 받거나 이 조 제2항에 따른 보고를 받은 소방청장등은 유해물질등에 노출되거나 감염성 질병에 걸린 요구조자 또는 응급환자와 접촉한 구조 · 구급대원이 적절한 진료를 받을 수 있도록 조치하고, 접촉일부터 15일 동안 구조 · 구급대원의 감염성 질병 발병 여부를 추적 · 관리하여야 한다. 이 경우 잠복기가 긴 질환에 대해서는 잠복기를 고려하여 추적 · 관리 기간을 연장할 수 있다. ④ 제1항에 따른 119감염관리실의 규격 · 성능 및 119감염관리실에 설치하여야 하는 장비 등 세부 기준은 소방청장이 정한다.	**제2조【정의】** 이 법에서 사용하는 용어의 뜻은 다음과 같다. 1. "감염병"이란 제1급감염병, 제2급감염병, 제3급감염병, 제4급감염병, 기생충감염병, 세계보건기구 감시대상 감염병, 생물테러감염병, 성매개감염병, 인수(人獸)공통감염병 및 의료관련감염병을 말한다. 13. "감염병환자"란 감염병의 병원체가 인체에 침입하여 증상을 나타내는 사람으로서 제11조 제6항의 진단 기준에 따른 의사, 치과의사 또는 한의사의 진단이나 제16조의2에 따른 감염병병원체 확인기관의 실험실 검사를 통하여 확인된 사람을 말한다. 14. "감염병의사환자"란 감염병병원체가 인체에 침입한 것으로 의심이 되나 감염병환자로 확인되기 전 단계에 있는 사람을 말한다. 15. "병원체보유자"란 임상적인 증상은 없으나 감염병병원체를 보유하고 있는 사람을 말한다. 15의2. "감염병의심자"란 다음 각 목의 어느 하나에 해당하는 사람을 말한다. 가. 감염병환자, 감염병의사환자 및 병원체보유자(이하 "감염병환자등"이라 한다)와 접촉하거나 접촉이 의심되는 사람(이하 "접촉자"라 한다) 나. 「검역법」 제2조 제7호 및 제8호에 따른 검역관리지역 또는 중점검역관리지역에 체류하거나 그 지역을 경유한 사람으로서 감염이 우려되는 사람 다. 감염병병원체 등 위험요인에 노출되어 감염이 우려되는 사람

5 보칙 D

제25조 【구조·구급대원의 전문성 강화 등】 ① 소방청장은 국민에게 질 높은 구조와 구급서비스를 제공하기 위하여 전문 구조·구급대원의 양성과 기술향상을 위하여 필요한 교육훈련 프로그램을 운영하여야 한다.
② 구조·구급대원은 업무와 관련된 새로운 지식과 전문기술의 습득 등을 위하여 행정안전부령으로 정하는 바에 따라 소방청장이 실시하는 교육훈련을 받아야 한다.
③ 소방청장은 구조·구급대원의 전문성을 향상시키기 위하여 필요한 경우 제2항에 따른 교육훈련을 국내외 교육기관 등에 위탁하여 실시할 수 있다.
④ 제2항 및 제3항에 따른 교육훈련의 방법·시간 및 내용, 그 밖에 필요한 사항은 행정안전부령으로 정한다.

제25조의2 【구급지도의사】 ① 소방청장등은 구급대원에 대한 교육·훈련과 구급활동에 대한 지도·평가 등을 수행하기 위하여 지도의사(이하 "구급지도의사"라 한다)를 선임하거나 위촉하여야 한다.
② 구급지도의사의 배치기준, 업무, 선임방법 등 구급지도의사의 선임·위촉에 관하여 응급의료 관계 법령에 규정되어 있지 아니하거나 응급의료 관계 법령에 규정된 내용을 초과하여 규정할 필요가 있는 사항은 대통령령으로 정한다.

제26조 【구조·구급활동의 평가】 ① 소방청장은 매년 시·도 소방본부의 구조·구급활동에 대하여 종합평가를 실시하고 그 결과를 시·도 소방본부장에게 통보하여야 한다.
② 소방청장은 제1항에 따른 종합평가결과에 따라 시·도 소방본부에 대하여 행정적·재정적 지원을 할 수 있다.
③ 제1항에 따른 평가방법 및 항목, 그 밖에 필요한 사항은 대통령령으로 정한다.

제27조 【구조·구급정책협의회】 ① 제3조 제1항에 따른 구조·구급관련 새로운 기술의 연구·개발 등과 기본계획 및 집행계획에 관하여 필요한 사항을 관계 중앙행정기관 등과 협의하기 위하여 소방청에 중앙 구조·구급정책협의회를 둔다.
② 시·도 집행계획의 수립·시행에 필요한 사항을 해당 시·도의 구조·구급관련기관 등과 협의하기 위하여 시·도 소방본부에 시·도 구조·구급정책협의회를 둔다.
③ 제1항 및 제2항에 따른 구조·구급정책협의회의 구성·기능 및 운영, 그 밖에 필요한 사항은 대통령령으로 정한다.

제27조의2 【응급처치에 관한 교육】 ① 소방청장등은 국민의 응급처치 능력 향상을 위하여 심폐소생술 등 응급처치에 관한 교육 및 홍보를 실시할 수 있다.
② 응급처치의 교육 내용·방법, 홍보 및 그 밖에 필요한 사항은 대통령령으로 정한다.

소방청장은 국민에게 질 높은 구조와 구급서비스를 제공하기 위하여 전문 구조·구급대원의 양성과 기술향상을 위하여 필요한 교육훈련 프로그램을 운영하여야 한다.

시행규칙	NOTE
제24조【구조대원의 교육훈련】 ① 법 제25조에 따른 구조대원의 교육훈련은 일상교육훈련, 특별구조훈련 및 항공구조훈련으로 구분한다. ② 일상교육훈련은 구조대원의 일일근무 중 실시하되, 구조장비 조작과 안전관리에 관한 내용을 포함하여 구조대의 실정에 맞도록 소방청장등이 정한다. ③ 구조대원은 연 40시간 이상 다음 각 호의 내용을 포함하는 특별구조훈련을 받아야 한다. 1. 방사능 누출, 생화학테러 등 유해화학물질 사고에 대비한 화학구조훈련 2. 하천[호소(湖沼)를 포함한다], 해상(海上)에서의 익수·조난·실종 등에 대비한 수난구조훈련 3. 산악·암벽 등에서의 조난·실종·추락 등에 대비한 산악구조훈련 4. 그 밖의 재난에 대비한 특별한 교육훈련 ④ 구조대원은 연 40시간 이상 다음 각 호의 내용을 포함하는 항공구조훈련을 받아야 한다. 1. 구조·구난(救難)과 관련된 기초학문 및 이론 2. 항공구조기법 및 항공구조장비와 관련된 이론 및 실기 3. 항공구조활동 시 응급처치와 관련된 이론 및 실기 4. 항공구조활동과 관련된 안전교육 **제26조【구급대원의 교육훈련】** ① 법 제25조에 따른 구급대원의 교육훈련은 **일상교육훈련 및 특별교육훈련**으로 구분한다. ② 일상교육훈련은 구급대원의 일일근무 중 실시하되, 구급장비 조작과 안전관리에 관한 내용을 포함하여 구급대의 실정에 맞도록 소방청장등이 정한다. ③ 구급대원은 **연간 40시간 이상** 다음 각 호의 내용을 포함하는 특별교육훈련을 받아야 한다. 1. 임상실습 교육훈련 2. 전문 분야별 응급처치교육 3. 그 밖에 구급활동과 관련된 교육훈련 ④ 소방청장등은 구급대원의 교육을 위하여 소방청장이 정하는 응급처치용 실습기자재와 실습공간을 확보하여야 한다. ⑤ 소방청장은 구급대원에 대한 체계적인 교육훈련을 실시하기 위해 소방공무원으로서 다음 각 호의 어느 하나에 해당하는 자격을 갖춘 사람 중 소방청장이 정하는 교육과정을 수료한 사람을 구급지도관으로 선발할 수 있다. 1. 「의료법」 제2조 제1항에 따른 의료인 2. 「응급의료에 관한 법률」 제36조 제2항에 따라 1급 응급구조사 자격을 취득한 사람 ⑥ 제1항부터 제5항까지에서 규정한 사항 외에 구급대원의 교육훈련 및 구급지도관의 선발·운영 등에 필요한 세부적인 사항은 소방청장이 정한다.	

6 벌칙 D

제28조 【벌칙】 정당한 사유 없이 제13조 제2항을 위반하여 구조 · 구급활동을 방해한 자는 5년 이하의 징역 또는 5천만원 이하의 벌금에 처한다.

제29조 【벌칙】 정당한 사유 없이 제15조 제1항에 따른 토지 · 물건 등의 일시사용, 사용의 제한, 처분 또는 토지 · 건물에 출입을 거부 또는 방해한 자는 300만원 이하의 벌금에 처한다.

제29조의2 【벌칙】 제23조의3 제1항을 위반하여 통보를 하지 아니하거나 거짓으로 통보한 자는 200만원 이하의 벌금에 처한다.

제29조의3 【「형법」상 감경규정에 관한 특례】 음주 또는 약물로 인한 심신장애 상태에서 폭행 또는 협박을 행사하여 제13조 제2항의 죄를 범한 때에는 「형법」 제10조 제1항 및 제2항을 적용하지 아니할 수 있다.

제30조 【과태료】 ① 제4조 제3항을 위반하여 위급상황을 소방기관 또는 관계 행정기관에 거짓으로 알린 자에게는 500만원 이하의 과태료를 부과한다.
② 제1항에 따른 과태료는 대통령령으로 정하는 바에 따라 소방청장등 또는 관계 행정기관의 장이 부과 · 징수한다.

(1) 벌칙

① 정당한 사유 없이 구조 · 구급활동을 방해한 자는 5년 이하의 징역 또는 5천만원 이하의 벌금에 처한다.

② 정당한 사유 없이 제15조 제1항에 따른 토지 · 물건 등의 일시사용, 사용의 제한, 처분 또는 토지 · 건물에 출입을 거부 또는 방해한 자는 300만원 이하의 벌금에 처한다.

③ 제23조의2 제1항을 위반하여 통보를 하지 아니하거나 거짓으로 통보한 자는 200만원 이하의 벌금에 처한다.

(2) 과태료

① 위급상황을 소방기관 또는 관계 행정기관에 거짓으로 알린 자에게는 500만원 이하의 과태료를 부과한다.

② 과태료는 대통령령으로 정하는 바에 따라 소방청장등 또는 관계 행정기관의 장이 부과 · 징수한다.

MEMO

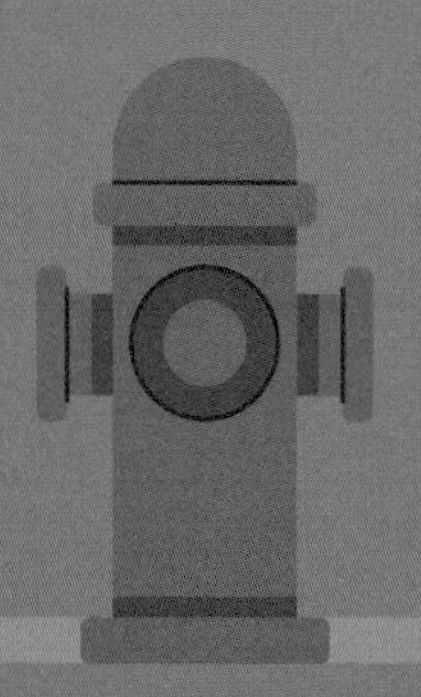

PART 9

재난관리론

CHAPTER 1 총칙

1 재난 및 안전관리론

1 재난관리 B

1. 개요

일반적으로 과거의 재난의 개념은 지진, 태풍, 홍수 등 자연현상과 그로 인한 피해를 의미하였다. 최근의 **재난의 개념**은 확대되어 사회 인프라와 기초 생활수단, 서비스의 손실 · 저해를 가져오는 사건과 정상적인 사회능력을 초과하는 대규모의 희생자 발생 등을 포함하기도 한다.

(1) 정의

① **풍수해:** 「자연재해대책법」 제2조의 태풍, 홍수, 호우, 강풍, 풍랑, 해일, 조수, 대설, 그 밖에 이에 준하는 자연현상으로 인하여 발생하는 재해를 말한다.

② **자연재해:** 「재난 및 안전관리 기본법」 제3조 제1호의 자연재난으로 인하여 발생하는 피해를 말한다.

③ **재해: 「재난 및 안전관리 기본법」 제3조의 재난으로 인하여 발생하는 피해를 말한다.**

④ **농업재해:** 「농어업재해대책법」상 가뭄, 홍수, 호우, 해일, 태풍, 강풍, 이상저온, 우박, 서리, 조수, 대설, 한파, 폭염, 대통령령으로 정하는 병해충, 일조량 부족, 유해야생동물, 그 밖에 제5조 제1항에 따른 농업재해대책 심의위원회가 인정하는 자연현상으로 인하여 발생하는 농업용 시설, 농경지, 농작물, 가축, 임업용 시설 및 산림작물의 피해를 말한다.

⑤ **어업재해:** 「농어업재해대책법」상 이상조류, 적조현상, 해파리의 대량발생, 태풍, 해일, 이상수온, 그 밖에 제5조 제2항에 따른 어업재해대책 심의위원회가 인정하는 자연현상으로 인하여 발생하는 수산양식물 및 어업용 시설의 피해를 말한다.

(2) 재난관리의 개념

① **재난관리**란 각종의 재난을 관리하는 것으로써 재난으로 인한 피해를 최소화하기 위하여 하는 **재해의 예방, 준비계획, 대응, 복구에 관한 정책**의 개발과 집행과정을 말한다.

② 「재난 및 안전관리 기본법」상 재난관리란 재난의 예방 · 대비 · 대응 및 복구를 위하여 하는 모든 활동을 말한다.

2. 재난의 유형

(1) 존스(Jones)의 재해 분류

존스는 재난의 발생원인과 재해현상에 따라 **자연재해 · 준자연재해 · 인위재해**로 분류하였다.

① **자연재해**

㉠ **지구물리학적 재해: 지질학적 재해 · 지형학적 재해 · 기상학적 재해**로 분류하였다.

ⓐ **지질학적 재해:** 지진, 화산, 쓰나미 등

ⓑ **지형학적 재해:** 산사태, **염수토양** 등

ⓒ **기상학적 재해:** 안개, 눈, 해일, 번개, 토네이도, 폭풍, 태풍, 가뭄, 이상기온 등

㉡ **생물학적 재해:** 세균, 질병, 유독식물, 유독동물 등

② **준자연재해: 스모그, 온난화, 사막화, 염수화, 눈사태, 산성화, 홍수, 토양침식** 등

③ **인위재해:** 공해, 폭동, 교통사고, 폭발사고 전쟁 등

요약NOTE 존스의 재해 분류

구분			재해의 종류
자연재해	지구 물리학적 재해	지질학적 재해	지진, 화산, 쓰나미 등
		지형학적 재해	산사태, 염수토양 등
		기상학적 재해	안개, 눈, 해일, 번개, 토네이도, 폭풍, 태풍, 가뭄, 이상기온 등
	생물학적 재해		세균, 질병, 유독식물, 유독동물 등
준자연재해			스모그, 온난화, 사막화, 염수화 현상, 눈사태, 산성화, 홍수, 토양침식 등
인위재해			공해, 폭동, 교통사고, 폭발사고 전쟁 등

(2) 아네스(Anesth)의 분류

재해를 자연재해 · 인위재해로 분류하였다.

① 자연재해를 다시 **기후성 재해 · 지진성 재해**로 분류하였다.

② 인위재해를 고의성 유무에 따라 **사고성 재해 · 계획적 재해**로 구분하였다.

요약NOTE 아네스의 재해 분류

대분류	세분류	재해의 종류
자연재해	기후성 재해	태풍
	지진성 재해	지진, 화산폭발, 해일
인위재해	사고성 재해	교통사고, 산업사고, 폭발사고, 생물학적 재해, 화학적 재해(유독물질), 방사능재해, 화재사고
	계획적 재해	테러, 폭동, 전쟁

핵심기출

01 존스(Jones)의 재해분류 중 기상학적 재해가 아닌 것은? 19. 상반기 공채

① 번개
② 폭풍
③ 쓰나미
④ 토네이도

정답 ③

02 재난(재해)에 관한 설명으로 옳지 않은 것은? 23. 공채

① 아네스(Br. J. Anesth)는 재난을 크게 자연재난과 인적(인위)재난으로 구분하였다.
② 존스(David K. Jones)는 재난을 크게 자연재난, 준자연재난, 인적(인위)재난으로 구분하였다.
③ 「재난 및 안전관리 기본법」 제3조 제1호에 따른 재난은 자연재난, 사회재난, 해외재난으로 구분된다.
④ 하인리히(H. W. Heinrich)의 도미노 이론은 재해발생과정을 유전적 요인 및 사회적 환경 → 개인적 결함 → 불안전 행동 및 불안전 상태 → 사고 → 재해(상해)라는 5개 요인의 연쇄작용으로 설명하였다.

정답 ③

(3) 재난의 응급의학적 분류

현장응급처치와 병원치료의 효과에 따라 분류하거나 재해로 인해 발생한 환자를 효율적으로 치료하기 위하여 **내과적 재난과 외상성 재난**으로 구분한다.

① **내과적 재난**(Medical disaster): 화학물질 누출, 방사능 누출, 유독물질 누출 등의 사고로 호흡기장애, 대사기능장애 등을 유발시키는 **화학적 재난(질환재난)**을 말한다.

② **외상성 재난**(Surgical disaster): 피해자들이 주로 외상을 당하는 재난으로서 **물리적 재해**로 인한 부상 형태가 외상으로 나타나는 재난을 말한다.

(4) 원인에 의한 분류

① **인위적 재난**: 인위재해는 인간과 환경 간 상호작용의 원인으로 재난적인 결과를 가져올 수 있는 상황이며, 전쟁 · 시민폭동 등에 의하여 발생한 재난도 포함된다.

② **기술적 재난**: 인간이 기술을 활용하는 과정 중 부주의나 기술상의 결함에 의하여 발생하는 것으로, 대형 산업사고, 심각한 환경오염, 원자력 사고, 대형 폭발 등이 있다.

(5) 중대재해[1]

중대재해란 중대산업재해와 중대시민재해를 말한다.

① **중대산업재해(「중대재해 처벌 등에 관한 법률」 제2조 제2호)**: 「산업안전보건법」 제2조 제1호에 따른 산업재해[2] 중 다음의 어느 하나에 해당하는 결과를 야기한 재해를 말한다.

㉠ 사망자가 1명 이상 발생

㉡ 동일한 사고로 6개월 이상 치료가 필요한 부상자가 2명 이상 발생

㉢ 동일한 유해요인으로 급성중독 등 대통령령으로 정하는 직업성 질병자가 1년 이내에 3명 이상 발생

② **중대시민재해(「중대재해 처벌 등에 관한 법률」 제2조 제3호)**: 특정 원료 또는 제조물, 공중이용시설 또는 공중교통수단의 설계, 제조, 설치, 관리상의 결함을 원인으로 하여 발생한 재해로서 다음의 어느 하나에 해당하는 결과를 야기한 재해를 말한다(중대산업재해에 해당하는 재해 제외).

㉠ 사망자가 1명 이상 발생

㉡ 동일한 사고로 2개월 이상 치료가 필요한 부상자가 10명 이상 발생

㉢ 동일한 원인으로 3개월 이상 치료가 필요한 질병자가 10명 이상 발생

참고 자연재난과 인적재난의 비교

구분	자연재난	인적재난
예방적 측면	인적재난에 비해 예방이 어려움	자연재난에 비해 예방이 쉬움
발생 규모	넓은 지역으로 발생	자연재난에 비해 국소지역으로 발생되는 경우가 많음
통제적 측면	통제(예방)가 불가능한 편	통제(예방)가 가능한 편

용어사전

❶ 중대재해: 산업재해 중 사망 등 재해 정도가 심하거나 다수의 재해자가 발생한 경우로서 고용노동부령으로 정하는 재해를 말한다.

❷ 산업재해: 노무를 제공하는 사람이 업무에 관계되는 건설물 · 설비 · 원재료 · 가스 · 증기 · 분진 등에 의하거나 작업 또는 그 밖의 업무로 인하여 사망 또는 부상하거나 질병에 걸리는 것을 말한다.

정희's 톡talk

「중대재해 처벌 등에 관한 법률」상 목적

제1조 【목적】 이 법은 사업 또는 사업장, 공중이용시설 및 공중교통수단을 운영하거나 인체에 해로운 원료나 제조물을 취급하면서 안전·보건 조치의무를 위반하여 인명피해를 발생하게 한 사업주, 경영책임자, 공무원 및 법인의 처벌 등을 규정함으로써 중대재해를 예방하고 시민과 종사자의 생명과 신체를 보호함을 목적으로 한다.

「산업안전보건법 시행규칙」상 중대재해

제3조 【중대재해의 범위】 법 제2조 제2호에서 "고용노동부령으로 정하는 재해"란 다음 각 호의 어느 하나에 해당하는 재해를 말한다.
1. 사망자가 1명 이상 발생한 재해
2. 3개월 이상의 요양이 필요한 부상자가 동시에 2명 이상 발생한 재해
3. 부상자 또는 직업성 질병자가 동시에 10명 이상 발생한 재해

3. 재난의 특징

(1) 재난의 예방 가능성

① 인력재난은 자연재해와는 달리 그 발생을 미연에 방지할 수 있다.

② 안전관리에 있어서 예방을 강조하는 것은 예방 가능의 원칙에 근거한 것이다.

(2) 피해범위

① 기술재난은 국소지역에서 인명피해가 집중적으로 일어나며, 대량의 사상자가 발생한다.

② 자연재해는 광범위하게 일어나고 피해와 사상자 발생지역이 넓다.

(3) 대응 및 통제 가능성

① 재난이 돌발적인 대규모 사태의 경우 실질적으로 예측이 불가능하기 때문에 이에 대한 대응 및 통제 가능성은 현실적으로 부족하다.

② 일반적인 사고, 즉 소규모의 사고의 경우 그 지역 등의 대응능력으로 충분히 수습할 수 있다는 측면에서 해당 지역의 대응자원만으로 대응이 가능하다.

(4) 시간적 특성

① 재난은 시간적 급박함을 요구하는 것이며, 재난관리는 재난을 효과적으로 관리하는 관리활동이다.

② 재해 발생 직후 24시간 또는 72시간의 초기 대응 단계와 재해의 복구와 개선에 중점을 두는 단계로 구분할 수 있다.

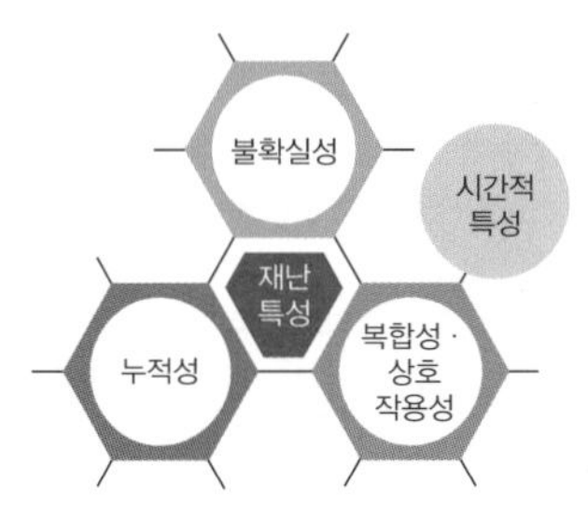

▲ 재난의 주요 특성

4. 재난관리의 행정환경

(1) 불확실성

재난관리조직이 합리성을 추구할 때 주된 문제는 불확실성이고, 조직의 업무환경의 불확실성이 지배한다. 불확실한 상황을 대비한 가외성이 확보되어야 한다.

(2) 상호작용성

재난 현장에서는 여러 기관들이 광범위하게 연계된 체제가 존재한다. 재난관리기관의 상호작용성을 토대로 재난관리를 하여야 한다.

(3) 복잡성

재난 발생 시에는 재난관리기관이 다수 존재하기 때문에 조직특성은 복잡하게 혼재되어 있다.

5. 재난관리의 접근방법

(1) 분산적 접근방법

① 재난 발생 유형에 따라 부처별로 국가재난관리책임을 분산시키는 체제이다.

② 재난의 종류에 따라 대응방식 및 대응계획, 매뉴얼에 차이가 있으며, 책임기관이 각각 다르게 배정된다.

③ 재난 시 유관기관 간의 중복적 대응이 있을 수 있다.

④ 재난의 발생 유형에 따라 소관부처별로 업무가 나누어진다.

핵심 적중

01 재난관리 방식 중 분산관리에 대한 일반적인 설명으로 옳지 않은 것은? 22. 공채

① 재난의 종류에 따라 대응방식의 차이와 대응계획 및 책임기관이 각각 다르게 배정된다.

② 재난 시 유관기관 간의 중복적 대응이 있을 수 있다.

③ 재난의 발생 유형에 따라 소관부처별로 업무가 나뉜다.

④ 재난 시 유사한 자원동원 체계와 자원유형이 필요하다.

정답 ④

02 분산적 접근방법의 단점이 아닌 것은?

① 재난 대처의 한계

② 업무 중복 및 연계 미흡

③ 업무와 책임의 과도와 집중성

④ 재원 마련과 배분이 복잡

정답 ③

정희's 톡talk

분산적 접근방법에서 통합적 접근방법으로의 전환의 당위성(Quaran telli, 1991;김경안, 1995)

1. 자연재해나 인위재난은 지역의 정상적인 기능을 파괴하는 충격적 사건입니다.
2. 대응 시 동원할 수 있는 자원을 공동 이용함으로써 효과적인 재난관리가 가능합니다.

핵심기출

재난관리 활동 중 재난 현장에서 재산 및 인명보호를 위해 소방이 주도적인 역할을 하는 단계는? 17. 하반기 공채

① 예방
② 대비
③ 복구
④ 대응

정답 ④

(2) 통합적 접근방법

체제의 규모의 거대화와 복잡화에 따른 조정의 필요성이 요구되어 통합적으로 조정하는 접근방법을 말한다. 미국의 경우 1979년 민방위준비청에서 10개의 연방기관을 통합하여 연방재난관리청(FEMA)을 창설하였다.

요약NOTE 분산적 접근방법과 통합적 접근방법

구분	분산적 접근방법	통합적 접근방법
관련부처 및 기관	다수부처	병렬적 다수부처(소수부처)
책임범위와 부담	관리책임 및 부담 분산	관리책임 및 부담이 과도함
정보전달체계	다양화	일원화
장점	· 업무수행의 전문성 · 업무의 과다 방지	· 동원과 신속한 대응성 확보 · 인적자원의 효과적 활용
단점	· 재난 대처의 한계 · 업무 중복 및 연계 미흡 · 재원 마련과 배분이 복잡	· 종합관리체계 구축의 어려움 · 업무와 책임의 과도와 집중성

6. 재난관리의 단계별 활동내용(김경안, 1997)

단계	재난관리의 단계별 활동내용
예방(완화)	위험성 분석 및 위험지도 작성, 「건축법」 정비 및 제정, 재난보험, 토지의 이용관리, 안전관련법 제정, 조세유도(행정·이론적 행위)
준비(대비)	재난대응계획의 수립, 비상경보체계의 구축, 통합대응체계의 구축, 비상통신망의 구축, 대응자원의 준비, 교육과 훈련 및 연습
대응	재난대응계획의 적용, 재난 진압, 구조 및 구급, 주민 홍보 및 교육, 응급의료체계의 운영, 사고대책본부의 가동, 환자 수용, 간호, 보호 및 후송
복구	잔해물의 제거, 전염 예방, 이재민의 지원, 임시주거지의 마련, 시설 복구

2 안전관리 B

1. 개요

안전사고는 인적 · 물적 · 환경적 위험요인 또는 결함에 의하여 발생한다.

(1) 물적 원인(불안전한 상태)

① 불안전한 기계 설비를 사용하는 경우에는 근로자가 주의를 집중하더라도, 아무리 우수한 기능을 가지더라도 언젠가는 사고 재해가 발생한다.

② 건물의 시설 · 설비의 미비 또는 결함이 있는 경우나 기능 불량 등을 말한다.

③ 충분한 안전화 조치가 된 기계 · 설비라면, 근로자의 불안전한 행동이 있어도 사고 · 재해를 최소화할 수 있다.

(2) 인적 원인(불안전한 행동)

① 사람의 행동 · 행위 또는 안전한 상태를 불안전한 상태로 변하게 하는 것을 말한다.

② 근로자의 불안전한 행동을 일으키는 조건으로는 개인적 요인 외에 사업장 전체의 요인 등 업무에 관한 여러 가지 요인이 있고, 이들을 잘 이해한 후 대책을 수립하는 것이 중요하다.

③ 대부분의 재해는 물적 원인과 인적 원인 두 가지가 존재하고, 단일의 원인만으로 재해가 발생하는 경우는 드물기 때문에 두 요소를 모두 고려해야 한다.

(3) 환경적 요인(안전관리상 결함)

기상조건, 기후, 현장 부근이 입지조건 등 환경이 불안전한 경우를 말한다.

2. 안전사고의 예방

(1) 예방가능의 원칙

① 인력재난은 자연재해와는 달리 그 발생을 미연에 방지할 수 있다.

② 안전관리에 있어서 예방을 강조하는 것은 예방 가능의 원칙에 근거한 것이다.

(2) 손실우연의 법칙

① **하인리히의 법칙**에 따르면, 동종의 사고가 되풀이될 경우 상해가 없는 사고는 300회, 경상은 29회가 발생한 뒤에 중상에 이르는 부상이 1회의 비율로 발생한다. 이를 '1 : 29 : 300의 법칙'이라 한다.

② 이 법칙은 사고와 손실 사이에는 언제나 우연적인 확률이 존재한다.

(3) 원인계기의 원칙

① 손실과 사고와의 관계는 우연적이지만 사고 발생과 원인은 필연적인 인과관계가 있다.

② 사고 발생의 직접적인 원인으로는 인적 · 물적 원인이 있고, 간접적 원인으로는 기술적 · 교육적 · 신체적 · 정신적 및 사회적 원인 등이 있다.

(4) 대책선정의 원칙

① 사고는 우연하게 반복적으로 발생하고, 원칙적으로 모두 예방이 가능하며, 필연적 원인에 의하여 발생하므로 체계적으로 관리한다면 예방할 수 있다.

② 안전사고의 예방은 3E를 모두 활용함으로써 효과를 얻을 수 있으며 합리적인 관리가 가능하다.

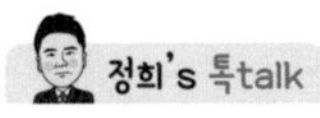

안전사고 예방 3E
1. 기술(Engineering)
2. 교육(Education)
3. 관리(Enforcement)

3. 재해의 원인분석 기법

(1) 클로즈분석(Close analysis)

두 가지 이상의 문제에 대한 관계분석 시에 주로 사용하는 분석기법이다.

(2) 특성요인도(Cause-reason diagram)

재해의 원인과 결과를 연계하여 상호 관계를 파악하기 위하여 어골(魚骨) 상으로 도표화하는 분석기법이다.

(3) 관리도(Control chart)

산업재해의 분석 및 평가를 위하여 재해발생건수 등의 추이에 한계선을 설정하여 목표관리를 수행하는 재해통계 분석기법이다.

(4) 파레토도(Pareto diagram)

사고의 유형, 기인물 등 분류항목을 큰 순서대로 도표화하여 문제나 목표의 이해가 편리하게 작성한 재해의 원인분석법이다.

참고 하인리히의 도미노 이론

1. **유전적 요인 및 사회 환경:** 성격은 유전적으로 물려받을 수 있고, 열악한 환경은 바람직하지 않은 성격을 조장하고 교육을 방해한다. 이처럼 유전적 요인과 사회 환경은 인적 결함의 원인이 된다.
2. **사람의 결함:** 선천적 또는 후천적 결함은 불안전한 행동을 야기하거나 기계적, 물리적 위험을 일으키는 직접적인 원인이 된다.
3. **불안전한 상태, 불안전한 행동:** 방호장치가 제대로 되어있지 않은 기계·설비와 같은 불안전 상태 또는 제대로 된 안전장치를 착용하지 않는 사람 등과 같은 불안전한 행동은 직접적인 사고의 원인이 되므로, 이 단계를 제거함으로써 사고를 방지할 수 있다.
4. **사고:** 불안전 상태, 불안전 행동으로 사고가 일어나며, 이것은 상해의 원인이 된다.
5. **상해:** 사고의 결과로 발생하는 상해를 뜻하며 이것은 좌상 및 열상을 포함한다.

참고 하인리히의 사고연쇄성반응(도미노) 이론

구분	사고연쇄반응	
1단계	사회적 환경 및 유전적 요소	통제의 부족
2단계	개인적인 결함	기본적 원인
3단계	불완전한 행동 및 불완전한 상태	직접 원인
4단계	사고	
5단계	재해	

참고 하인리히의 사고예방의 기본원리 5단계

1단계	안전관리조직과 규정	책임과 권한의 부여
2단계	사실의 발견으로 현상 파악	· 자료수집 · 작업분석과 위험확인 · 안전점검 · 검사 및 조사 실시
3단계	분석을 통한 원인 규명	· 인적 · 물적 · 환경조건의 분석 · 교육 훈련 및 배치 사항 파악 · 사고기록 및 관계자료 확인
4단계	시정 방법의 선정	· 기술적인 개선 · 작업배치의 조정 · 교육훈련의 개선
5단계	시정책의 적용	· 기술적 대책 · 교육적 대책 · 관리적 대책

4. 재해원인의 매커니즘

(1) 도미노이론(하인리히)

하인리히(H.W. Heinrich)는 산업사고를 조사한 결과 98%가 예방이 가능했으며, 나머지 2%만이 사실상 예방이 불가능한 말 그대로 신의 행위(Acts of God)였다는 것이다.

① 도미노이론의 전제

㉠ 마지막 도미노(부상)는 오직 사고의 결과로만 발생한다.

㉡ 사고는 오직 인적 또는 기계적 결함으로 발생한다.

㉢ 인적 또는 기계적 결함은 인적 과실에 의해서만 존재한다.

㉣ 인적 과실은 환경에 이미 있거나, 환경으로부터 나온 것이다.

㉤ 환경은 개인이 탄생한 조건을 말한다.

② 안전사고의 예방

㉠ **사고의 원인이 되는 불안전한 행동이나 기계적 또는 물리적 결함에 가장 큰 관심을 두고 이의 제거에 노력하여 사고를 예방해야 한다고 한다.**

㉡ 즉, 세 번째 도미노를 제거하면, 첫 번째와 두 번째 도미노가 쓰러지더라도 사고는 발생하지 않는다고 본다.

③ 사고는 인명피해나 재산 손실을 가져올 수 있는 가능성으로 위의 도미노에서 부상은 단지 사고의 결과로 발생하는 것이다.

핵심기출

01 하인리히(H.W. Heinrich)의 안전사고 연쇄성이론의 5단계 순서를 올바르게 배열한 것은? 16. 소방간부

① 사고 - 사회적 환경 및 유전적 요소 - 불안전한 행동 및 상태 - 상해 - 개인적 결함
② 개인적 결함 - 사회적 환경 및 유전적 요소 - 불안전한 행동 및 상태 - 상해 - 사고
③ 불안전한 행동 및 상태 - 사회적 환경 및 유전적 요소 - 개인적 결함 - 사고 - 상해
④ 사회적 환경 및 유전적 요소 - 개인적 결함 - 불안전한 행동 및 상태 - 사고 - 상해
⑤ 사회적 환경 및 유전적 요소 - 불안전한 행동 및 상태 - 개인적 결함 - 상해 - 사고

정답 ④

02 하인리히(H.W. Heinrich)의 도미노이론의 5단계 중 사고의 직접원인이 되는 3번째 단계에 해당하는 것은? 21 소방간부

① 유전적 요소
② 불안전한 행동
③ 사회적 환경요소
④ 인적, 물적 손실
⑤ 개인적 결함

정답 ②

요약NOTE 도미노이론

단계	하인리히의 도미노이론	버드의 도미노이론
1단계	사회적 · 유전적(간접원인)	관리상 결함(관리 부족)
2단계	개인적 결함(간접원인)	기본원인
3단계	불안전한 행동, 불안전한 상태 (직접원인)	직접원인 (불안전한 행동, 불안전한 상태)
4단계	사고(접촉)	사고(첩촉)
5단계	재해(손실)	재해(손실)
재해예방	직접원인의 제거	기본원인의 제거

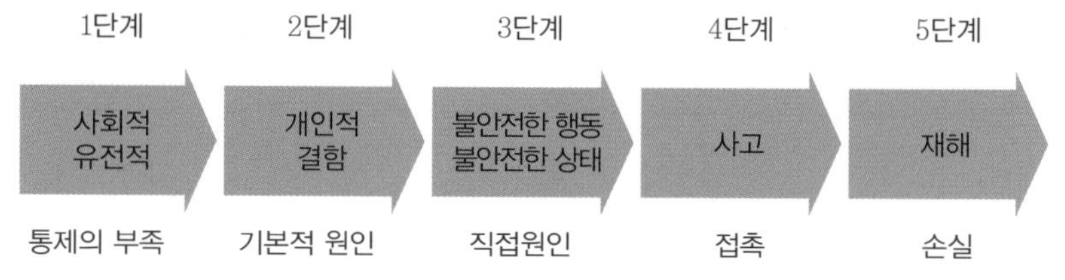

▲ 하인리히의 연쇄성 이론

(2) 버드의 연쇄성이론(도미노이론)

버드의 연쇄성이론은 안전관리결함과 기본원인인 4M관리 부족으로 연쇄적으로 손실과 재해가 발생된다는 연쇄성이론이다. 재해를 제거하기 위해서는 철저한 안전관리와 기본원인 관리가 중요하다.

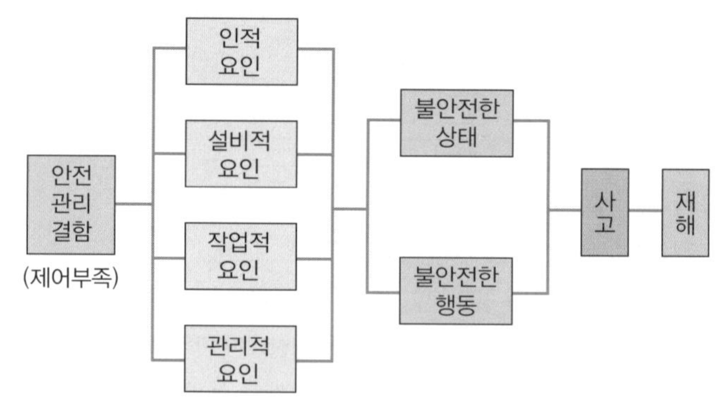

▲ 기본원인 4M

① 버드의 재해 구성비율

㉠ 1 : 10 : 30 : 600

ⓐ '1': 사망 또는 중상

ⓑ '10': 경상

ⓒ '30': 무상해 사고

ⓓ '600': 무상해, 무사고

㉡ **버드의 재해 구성비율**: 버드의 재해 구성비율은 641건의 사고는 1 : 10 : 30 : 600의 비율로 발생되며, 재해의 배후에는 630건의 인적 · 물적 손실이 없는 사고가 존재한다는 의미이다.

② 버드의 신 도미노이론

단계	내용
제어의 부족(관리)	재해연쇄 중 가장 중요한 요인으로, 여기서 제어는 경영자의 계획, 조직, 지휘, 감독을 의미한다. 제어의 부족의 예로, 충분한 교육을 제공하지 않는 것, 적절한 기술적 조치를 취하지 않는 것 등이 있다.
기본적 원인(근원)	개인적 요인 및 업무적 요인을 포함한다. 개인적 요인은 지식, 기능의 부족, 동기부여 부족, 육체적 또는 정신적 문제가 있다. 업무적 요인은 기계, 설비 결함, 부적절한 작업 기준 등이 있다.
직접적 원인(징후)	불안전 상태 또는 불안전 행동이라고 말해지며, 가장 중요한 대책사항으로 보고 있다. 또한 사업장에 대한 안전보건진단에서 대책사항의 대부분을 이루고 있다.
사고(접촉)	육체적 손상, 상해, 재산의 손해로 귀결되는 바람직하지 않은 사건을 말한다.
상해(손실)	사고로부터 발생하는 결과로 상해와 물적 피해를 말한다. 사람의 모든 육체적 손상을 의미하기도 한다.

③ 재해발생 기본원인인 "4M"

Man (사람)	· 심리적 요인: 억측판단, 착오, 생략행위, 무의식행동, 망각 등 · 생리적 요인: 수면부족, 질병, 고령 등 · 사회적 요인: 사업장 내 인간관계, 리더십, 팀워크, 소통 등의 문제
Machine (기계·설비)	· 점검, 정비의 결함 · 위험방호 불량 등 · 구조 불량 · 기계, 설비의 설계상 결함 등
Media (작업정보, 방법, 환경)	· 작업계획, 작업절차 부적절 · 정보 부적절 · 보호구 사용 부적절 · 작업 공간 불량 · 작업 자세, 작업 동작의 결함 등
Management (관리)	· 관리조직의 결함 · 건강관리의 불량 · 배치의 불충분 · 안전보건교육 부족 · 규정, 매뉴얼 불철저 · 자율안전보건활동 추진 불량 등

정희's 톡talk

재해의 기본원인 4M

1. Man(인간)
2. Machine(작업시설)
3. Media(작업환경)
4. Management(관리)

(3) 에너지방출이론(해돈)

① 하인리히의 이론이 인간의 행동을 사고의 주요 원인으로 보는 것에 대하여, 해돈은 사고의 물리적 · 공학적 측면을 강조한다.

② 사고는 통제할 수 없는 에너지가 가해져 어떤 구조에 견딜 수 없을 정도의 스트레스가 쌓이면 발생하며, 인간이나 재산에 피해를 가져오게 된다.

③ '에너지를 통제할 수 없는 상황'을 화재, 산업재해, 각종 사고 등을 포함하는 인명피해나 재산 손실을 가져오는 포괄적인 것으로 본다.

④ 사고는 에너지를 통제하거나 어떤 구조에 대하여 에너지가 주는 스트레스를 견디는 능력을 강화함으로써 예방할 수 있다.

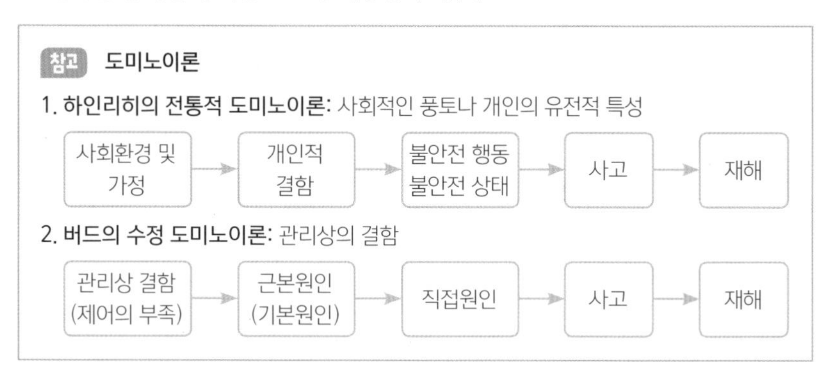

5. 사회학적 안전관리 이론

(1) 재난배양이론(Barry Turner)

① 재난은 갑자기 외부요인에 의하여 발생하는 것이 아니라 잠재되어 있는 재난발생요인에 의하여 발생하므로 재난은 해당 사회의 내적 산물이다.

② 재난이 발생하는 사회적 환경으로 안전과 관련된 조직문화의 맹점, 부적절한 의사소통, 오차수정의 실패, 불완전한 안전 규제 등을 들고 이러한 사회적 · 문화적 애매성 · 복잡성에서 야기되는 불확실성을 해결하여야 한다고 주장한다.

(2) 정상사건이론(C. Perrow)

① 현대사회와 같이 복잡하고 견고하게 짜여진 사회에서는 필연적으로 사고가 발생한다. 사회의 복잡성은 그 사회를 구성하는 각 요소 간의 복잡한 상호작용으로 인하여 그 상호작용을 이해하거나 예측하기 힘든 불확실성이 높아진다.

② 페로는 이와 같이 복잡성이 견고히 짜여진 조직이나 사회와의 작용에서 발생하는 사고를 정상사건(Normal Accident)이라고 명명하였다.

③ 현대사회의 특성인 복잡성과 조직과 사회의 견고성으로 인하여 사고의 발생은 필연적이며 이를 관리하는 것은 사실상 불가능하다고 본다.

(3) 고도신뢰이론(C. Robert)

① 로버트 등은 훌륭한 안전관리 실적을 보이는 조직을 선별하여 그 조직이 가지는 특성을 연구하였다.

② 이를 통해 적절한 전략을 선택하면 안전의 확보에 신뢰성을 높일 수 있다는 결론에 도달하였고 재난을 예방할 수 있다는 낙관적인 입장을 취한다. 이들의 안전확보 전략은 가외성 확보, 의사결정의 분권화, 관점의 유연화 및 조직학습 등이 있다.

참고 매슬로우(Maslow)와 앨더퍼(Alderfer)의 이론

1. 매슬로우(Maslow)의 욕구 5단계 이론

구분		특징
1단계	생리적 욕구	기본적인 인간의 욕구
2단계	안전욕구	각종 위험으로부터 자기보존에 관한 안전욕구
3단계	사회적 욕구	애정과 소속에 대한 욕구
4단계	존경의 욕구	유능한 존재로 인식되기를 원하는 욕구
5단계	자아실현 욕구	편견 없이 받아들이는 성향, 타인과의 거리를 유지하며 사생활을 즐기거나 창의적 성격으로 봉사, 특별히 좋아하는 사람과 긴밀한 관계를 유지하려는 인간의 욕구

2. 앨더퍼(Alderfer)의 ERG 이론

인간의 욕구를 존재(생존)욕구(Existence needs), 관계욕구(Relation needs), 성장욕구(Growth needs)로 구분한다.

구분	앨더퍼의 ERG	매슬로우의 욕구 5단계
Existence	존재(생존)욕구	생리적 욕구, 안전욕구
Relation	관계욕구	사회적 욕구, 존경의 욕구
Growth	성장욕구	자아실현의 욕구

재난 및 안전관리 기본법
[시행 2024.7.17.][법률 제20030호, 2024.1.16., 일부개정]
[시행 2025.3.20.][법률 제20376호, 2024.3.19., 일부개정]

재난 및 안전관리 기본법 시행령
[시행 2024.3.27.] [대통령령 제34354호 2024.3.26., 일부개정]

재난 및 안전관리 기본법 시행규칙
[시행 2024.3.27.] [행정안전부령 제471호 2024.3.26., 일부개정]

2 「재난 및 안전관리 기본법」 총칙

1 목적 B

제1조 【목적】 이 법은 각종 재난으로부터 국토를 보존하고 국민의 생명 · 신체 및 재산을 보호하기 위하여 국가와 지방자치단체의 재난 및 안전관리체제를 확립하고, 재난의 예방 · 대비 · 대응 · 복구와 안전문화활동, 그 밖에 재난 및 안전관리에 필요한 사항을 규정함을 목적으로 한다.

제2조 【기본이념】 이 법은 재난을 예방하고 재난이 발생한 경우 그 피해를 최소화하여 일상으로 회복할 수 있도록 지원하는 것이 국가와 지방자치단체의 기본적 의무임을 확인하고, 모든 국민과 국가 · 지방자치단체가 국민의 생명 및 신체의 안전과 재산보호에 관련된 행위를 할 때에는 안전을 우선적으로 고려함으로써 국민이 재난으로부터 안전한 사회에서 생활할 수 있도록 함을 기본이념으로 한다.

「재난 및 안전관리 기본법」상의 목적은 다음과 같다.

(1) 재난으로부터 국토 보존

(2) 국민의 생명 · 신체 및 재산 보호

(3) 국가와 지방자치단체의 재난 및 안전관리체제 확립

(4) 재난의 예방 · 대비 · 대응 · 복구와 안전문화활동, 그 밖에 재난 및 안전관리에 필요한 사항 규정

관계법규 목적

시행령	시행규칙
제1조 【목적】 이 영은 「재난 및 안전관리 기본법」에서 위임된 사항과 그 시행에 필요한 사항을 규정함을 목적으로 한다.	**제1조 【목적】** 이 규칙은 「재난 및 안전관리 기본법」 및 같은 법 시행령에서 위임된 사항과 그 시행에 필요한 사항을 규정함을 목적으로 한다.

관계법규 목적

긴급구조대응활동 및 현장지휘에 관한 규칙	NOTE
제1조 【목적】 이 규칙은 각종 재난이 발생하는 경우 현장지휘체계를 확립하고 긴급구조대응활동을 신속하고 효율적으로 수행하기 위하여 「재난 및 안전관리 기본법」 및 같은 법 시행령에서 위임된 사항 및 그 시행에 필요한 사항을 규정함을 목적으로 한다.	

2 자연재난 및 사회재난 A

제3조 【정의】 이 법에서 사용하는 용어의 뜻은 다음과 같다.

1. "재난"이란 국민의 생명 · 신체 · 재산과 국가에 피해를 주거나 줄 수 있는 것으로서 다음 각 목의 것을 말한다.
   가. 자연재난: 태풍, 홍수, 호우(豪雨), 강풍, 풍랑, 해일(海溢), 대설, 한파, 낙뢰, 가뭄, 폭염, 지진, 황사(黃砂), 조류(藻類) 대발생, 조수(潮水), 화산활동, 「우주개발 진흥법」에 따른 자연우주물체의 추락 · 충돌, 그 밖에 이에 준하는 자연현상으로 인하여 발생하는 재해
   나. 사회재난: 화재 · 붕괴 · 폭발 · 교통사고(항공사고 및 해상사고를 포함한다) · 화생방사고 · 환경오염사고 · 다중운집인파사고 등으로 인하여 발생하는 대통령령으로 정하는 규모 이상의 피해와 국가핵심기반의 마비, 「감염병의 예방 및 관리에 관한 법률」에 따른 감염병 또는 「가축전염병예방법」에 따른 가축전염병의 확산, 「미세먼지 저감 및 관리에 관한 특별법」에 따른 미세먼지, 「우주개발 진흥법」에 따른 인공우주물체의 추락 · 충돌 등으로 인한 피해

(1) 자연재난

① 태풍, 홍수, 호우(豪雨)	② 강풍, 풍랑, 해일(海溢)
③ 대설, 한파	④ 낙뢰
⑤ 가뭄, 폭염	⑥ 지진
⑦ 황사(黃砂)	⑧ 조류(藻類) 대발생, 조수(潮水)
⑨ 화산활동	⑩ 소행성 · 유성체 등 자연우주물체의 추락 · 충돌

(2) 사회재난

① 화재 · 붕괴 · 폭발 · 교통사고(항공사고 · 해상사고 포함) · 화생방사고 · 환경오염사고 · 다중운집인파사고 등으로 인하여 발생하는 대통령령으로 정하는 규모 이상의 피해

② 국가핵심기반의 마비

③ 「감염병의 예방 및 관리에 관한 법률」에 따른 **감염병**

④ 「가축전염병예방법」에 따른 **가축전염병**의 확산

⑤ 「미세먼지 저감 및 관리에 관한 특별법」에 따른 **미세먼지** 등으로 인한 피해

⑥ 「우주개발 진흥법」에 따른 인공우주물체의 추락 · 충돌 등으로 인한 피해

핵심기출

01 「재난 및 안전관리 기본법」상 재난의 분류가 다른 하나는? 20. 공채

① 「감염병의 예방 및 관리에 관한 법률」에 따른 감염병의 확산
② 황사로 인하여 발생하는 재해
③ 환경오염사고로 인하여 발생하는 대통령령으로 정하는 규모 이상의 피해
④ 「미세먼지 저감 및 관리에 관한 특별법」에 따른 미세먼지 등으로 인한 피해

정답 ②

02 「재난 및 안전관리 기본법」상 자연재난에 해당하지 않는 것은? 22. 소방간부

① 가뭄
② 폭염
③ 미세먼지
④ 황사(黃砂)
⑤ 조류(藻類) 대발생

정답 ③

관계법규 재난의 범위

시행령	
제2조 【재난의 범위】 「재난 및 안전관리 기본법」(이하 "법"이라 한다) 제3조 제1호 나목에서 "대통령령으로 정하는 규모 이상의 피해"란 다음 각 호의 어느 하나에 해당하는 것을 말한다.	1. 국가 또는 지방자치단체 차원의 대처가 필요한 인명 또는 재산의 피해 2. 그 밖에 제1호의 피해에 준하는 것으로서 행정안전부장관이 재난관리를 위하여 필요하다고 인정하는 피해

3 재난관리 A

제3조【정의】 이 법에서 사용하는 용어의 뜻은 다음과 같다.

2. "해외재난"이란 대한민국의 영역 밖에서 대한민국 국민의 생명 · 신체 및 재산에 피해를 주거나 줄 수 있는 재난으로서 정부차원에서 대처할 필요가 있는 재난을 말한다.
3. "재난관리"란 재난의 예방 · 대비 · 대응 및 복구를 위하여 하는 모든 활동을 말한다.
4. "안전관리"란 재난이나 그 밖의 각종 사고로부터 사람의 생명 · 신체 및 재산의 안전을 확보하기 위하여 하는 모든 활동을 말한다.

4의2. "안전기준"이란 각종 시설 및 물질 등의 제작, 유지관리 과정에서 안전을 확보할 수 있도록 적용하여야 할 기술적 기준을 체계화한 것을 말하며, 안전기준의 분야, 범위 등에 관하여는 대통령령으로 정한다.

5. "재난관리책임기관"이란 재난관리업무를 하는 다음 각 목의 기관을 말한다.
   가. 중앙행정기관 및 지방자치단체(「제주특별자치도 설치 및 국제자유도시 조성을 위한 특별법」 제10조 제2항에 따른 행정시를 포함한다)
   나. 지방행정기관 · 공공기관 · 공공단체(공공기관 및 공공단체의 지부 등 지방조직을 포함한다) 및 재난관리의 대상이 되는 중요시설의 관리기관 등으로서 대통령령으로 정하는 기관

(1) 해외재난

대한민국의 영역 밖에서 대한민국 국민의 생명 · 신체 및 재산에 피해를 주거나 줄 수 있는 재난으로서 정부차원에서 대처할 필요가 있는 재난

(2) 재난관리

재난의 예방 · 대비 · 대응 및 복구를 위하여 하는 모든 활동

(3) 안전관리

재난이나 그 밖의 각종 사고로부터 사람의 생명 · 신체 및 재산의 안전을 확보하기 위하여 하는 모든 활동

(4) 안전기준

① 각종 시설 및 물질 등의 제작 · 유지관리 과정에서 안전을 확보할 수 있도록 적용하여야 할 기술적 기준을 체계화한 것을 말한다.

② 안전기준의 분야 · 범위 등에 관하여는 대통령령으로 정한다.

(5) 재난관리책임기관

① 중앙행정기관 및 지방자치단체

② 지방행정기관 · 공공기관 · 공공단체 및 재난관리의 대상이 되는 중요시설의 관리기관 등으로서 대통령령으로 정하는 기관

핵심 기출

「재난 및 안전관리 기본법」상 용어의 정의로 옳지 않은 것은? 22. 소방간부

① "국가재난관리기준"이란 모든 유형의 재난에 공통적으로 활용할 수 있도록 재난관리의 전 과정을 통일적으로 단순화 · 체계화한 것으로서 행정안전부장관이 고시한 것을 말한다.

② "재난관리"란 재난이나 그 밖의 각종 사고로부터 사람의 생명 · 신체 및 재산의 안전을 확보하기 위하여 하는 모든 활동을 말한다.

③ "안전기준"이란 각종 시설 및 물질 등의 제작, 유지관리 과정에서 안전을 확보할 수 있도록 적용하여야 할 기술적 기준을 체계화한 것을 말한다.

④ "긴급구조"란 재난이 발생할 우려가 현저하거나 재난이 발생하였을 때에 국민의 생명 · 신체 및 재산을 보호하기 위하여 긴급구조기관과 긴급구조지원기관이 하는 인명구조, 응급처치, 그 밖에 필요한 모든 긴급한 조치를 말한다.

⑤ "안전취약계층"이란 어린이, 노인, 장애인, 저소득층 등 신체적 · 사회적 · 경제적 요인으로 인하여 재난에 취약한 사람을 말한다.

정답 ②

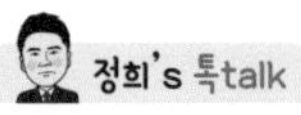

재난관리책임기관

1. 중앙행정기관 · 지방자치단체
2. 지방행정기관 · 공공기관 · 공공단체 · 재난관리의 대상이 되는 중요시설의 관리기관: 대통령령

관계법규 **안전기준의 분야 및 범위**

시행령

제2조의2【안전기준의 분야 및 범위】 법 제3조 제4호의2에 따른 안전기준의 분야 및 범위는 별표 1과 같다.

[별표 1] 안전기준의 분야 및 범위(제2조의2 관련)

안전기준의 분야	안전기준의 범위
1. 건축시설	다중이용업소, 문화재 시설, 유해물질 제작·공급시설 등 관련 구조나 설비의 유지·관리 및 소방 관련 안전기준
2. 생활 및 여가	생활이나 여가활동에서 사용하는 기구, 놀이시설 및 각종 외부활동과 관련된 안전기준
3. 환경 및 에너지	대기환경·토양환경·수질환경·인체에 위험을 유발하는 유해성 물질과 시설, 발전시설 운영과 관련된 안전기준
4. 교통 및 교통시설	육상교통·해상교통·항공교통 등과 관련된 시설 및 안전 부대시설, 시설의 이용자 및 운영자 등과 관련된 안전기준
5. 산업 및 공사장	각종 공사장 및 산업현장에서의 주변 시설물과 그 시설의 사용자 또는 관리자 등의 안전부주의 등과 관련된 안전기준(공장시설을 포함한다)
6. 정보통신	정보통신매체 및 관련 시설과 정보보호에 관련된 안전기준
7. 보건·식품	의료·감염, 보건복지, 축산·수산·식품 위생 관련 시설 및 물질 관련 안전기준
8. 기타	제1호부터 제7호까지에서 정한 사항 외에 제43조의9에 따른 안전기준심의회에서 안전관리를 위하여 필요하다고 정한 사항과 관련된 안전기준

비고: 위 표에서 규정한 안전기준의 분야, 범위 등에 관한 세부적인 사항은 행정안전부장관이 정한다.

제3조【중앙행정기관 및 지방자치단체 외의 재난관리책임기관】 법 제3조 제5호 나목에서 "대통령령으로 정하는 기관"이란 별표 1의2에 따른 기관을 말한다.

[별표 1의2] 재난관리책임기관(제3조 관련)

1. 재외공관
2. 농림축산검역본부
3. 지방우정청
4. 국립검역소
5. 유역환경청, 지방환경청 및 수도권대기환경청
6. 지방고용노동청
7. 지방항공청
8. 지방국토관리청
9. 홍수통제소
10. 지방해양수산청
11. 지방산림청
12. 시·도의 교육청 및 시·군·구의 교육지원청
13. 한국철도공사
14. 서울교통공사
15. 대한석탄공사
16. 한국농어촌공사
17. 한국농수산식품유통공사
18. 한국가스공사
19. 한국가스안전공사
20. 한국전기안전공사
21. 한국전력공사
22. 한국환경공단
23. 수도권매립지관리공사
24. 한국토지주택공사
25. 한국수자원공사
26. 한국도로공사
27. 인천교통공사
28. 인천국제공항공사
29. 한국공항공사
30. 삭제
31. 삭제
32. 국립공원공단
33. 한국산업안전보건공단
34. 한국산업단지공단
35. 부산교통공사
36. 국가철도공단
37. 국토안전관리원
38. 한국원자력연구원
39. 한국원자력안전기술원
40. 농업협동조합중앙회
41. 수산업협동조합중앙회
42. 산림조합중앙회
43. 대한적십자사
44. 댐등의 설치자
45. 발전용원자로 운영자
46. 재난방송 사업자
47. 국립수산과학원
48. 국립해양조사원
49. 한국석유공사
50. 대한송유관공사
51. 한국전력거래소
52. 서울올림픽기념국민체육진흥공단
53. 한국지역난방공사
54. 삭제
55. 한국관광공사
56. 국립자연휴양림관리소
57. 한국마사회
58. 지방자치단체 소속 시설관리공단
59. 지방자치단체 소속 도시개발공사
60. 한국남동발전주식회사
61. 한국중부발전주식회사
62. 한국서부발전주식회사
63. 한국남부발전주식회사
64. 한국동서발전주식회사
65. 한국수력원자력주식회사
66. 유료도로관리청으로부터 유료도로관리권을 설정받은 자
67. 삭제
68. 삭제
69. 삭제
70. 공항철도주식회사
71. 서울시메트로9호선주식회사
72. 여수광양항만공사
73. 한국해양교통안전공단
74. 사단법인 한국선급
75. 한국원자력환경공단
76. 독립기념관
77. 예술의전당
78. 대구도시철도공사
79. 광주광역도시철도공사

- 중략 -

3-2 재난관리주관기관 A

제3조【정의】 이 법에서 사용하는 용어의 뜻은 다음과 같다.

5의2. "재난관리주관기관"이란 재난이나 그 밖의 각종 사고에 대하여 그 유형별로 예방 · 대비 · 대응 및 복구 등의 업무를 주관하여 수행하도록 대통령령으로 정하는 관계 중앙행정기관을 말한다.

(1) 재난관리주관기관 - 행정안전부 등

기관	재난 및 사고 유형
행정안전부	① 정부중요시설 사고 ② 공동구 재난(국토교통부가 관장하는 공동구 제외) ③ 내륙에서 발생한 유도선 등의 수난 사고 ④ 풍수해(조수 제외) · 지진 · 화산 · 낙뢰 · 가뭄 · 한파 · 폭염으로 인한 재난 및 사고
해양수산부	① 조류 대발생(적조) ② 조수(潮水) ③ 해양 분야 환경오염 사고 ④ 해양 선박 사고
환경부	① 수질분야 대규모 환경오염 사고 ② 식용수 사고 ③ 유해화학물질 유출 사고 ④ 조류(藻類) 대발생(녹조) ⑤ 황사 ⑥ 환경부가 관장하는 댐의 사고 ⑦ 미세먼지
산업통상자원부	① 가스 수급 및 누출 사고 ② 원유수급 사고 ③ 원자력안전 사고(파업에 따른 가동중단으로 한정) ④ 전력 사고 ⑤ 전력생산용 댐의 사고
국토교통부	① 국토교통부가 관장하는 공동구 재난 ② 고속철도 사고 ③ 삭제 ④ 도로터널 사고 ⑤ 육상화물운송 사고 ⑥ 도시철도 사고 ⑦ 항공기 사고 ⑧ 항공운송 마비 및 항행안전시설 장애 ⑨ 다중밀집건축물 붕괴 대형사고
과학기술정보통신부	① 우주전파 재난 ② 정보통신 사고 ③ 위성항법장치(GPS) 전파혼신 ④ 자연우주물체의 추락 · 충돌

정희's 톡talk

사고유형별 재난관리주관기관

1. 해양수산부: 해양 분야 환경오염 사고
2. 해양경찰청: 해양에서 발생한 유도선 수난 사고
3. 행정안전부: 내륙에서 발생한 유도선 수난 사고

핵심기출

01 「재난 및 안전관리 기본법 시행령」상 재난 및 사고유형별 재난관리주관기관으로 옳게 짝지어진 것은? 21. 소방간부

① 도로터널 사고 - 행정안전부
② 가스 수급 및 누출 사고 - 산업통상자원부
③ 해양 분야 환경오염 사고 - 해양경찰청
④ 금융 전산 및 시설 사고 - 과학기술정보통신부
⑤ 경기장 및 공연장에서 발생한 사고 - 소방청

정답 ②

02 「재난 및 안전관리 기본법」상 재난 및 사고유형별 재난관리주관기관의 연결이 옳지 않은 것은? 19. 소방간부

① 사업장에서 발생한 대규모 인적 사고 - 고용노동부
② 자연우주물체의 추락 · 충돌 - 국토교통부
③ 내륙에서 발생한 유도선 등의 수난 사고 - 행정안전부
④ 가스 수급 및 누출 사고 - 산업통상자원부
⑤ 다중 밀집시설 대형화재 - 소방청

정답 ②

(2) 재난관리주관기관 - 농림축산식품부 등

농림축산식품부	① 가축 질병 ② 저수지 사고
보건복지부	보건의료 사고
교육부	학교 및 학교시설에서 발생한 사고
고용노동부	사업장에서 발생한 대규모 인적 사고
문화체육관광부	경기장 및 공연장에서 발생한 사고
외교부	해외에서 발생한 재난
법무부	법무시설에서 발생한 사고
국방부	국방시설에서 발생한 사고

(3) 재난관리주관기관 - 소방청 등

소방청	① 화재 · 위험물 사고 ② 다중 밀집시설 대형화재
해양경찰청	해양에서 발생한 유도선 등의 수난 사고
문화재청	문화재 시설 사고
보건복지부 질병관리청	감염병 재난
산림청	① 산불 ② 산사태

(4) 재난관리주관기관 - 원자력안전위원회 등

원자력안전위원회	① 원자력안전 사고(파업에 따른 가동중단은 제외) ② 인접국가 방사능 누출 사고
금융위원회	금융 전산 및 시설 사고

(5) 비고

① 재난관리주관기관이 지정되지 않았거나 분명하지 않은 경우에는 행정안전부 장관이 「정부조직법」에 따른 관장 사무와 피해 시설의 기능 또는 재난 및 사고 유형 등을 고려하여 재난관리주관기관을 정한다.

② 감염병 재난 발생 시 중앙사고수습본부는 법 제34조의5 제1항 제1호에 따른 위기관리 표준매뉴얼에 따라 설치 · 운영한다.

핵심기출

01 「재난 및 안전관리 기본법 시행령」상 재난 및 사고유형에 따른 재난관리주관기관으로 옳지 않은 것은? 20. 소방간부

① 가축 질병 - 보건복지부
② 항공기 사고 - 국토교통부
③ 정부주요시설 사고 - 행정안전부
④ 교정시설에서 발생한 사고 - 법무부
⑤ 학교시설에서 발생한 사고 - 교육부

정답 ①

02 「재난 및 안전관리 기본법 시행령」상 재난 및 사고 유형과 재난관리 주관기관의 연결이 옳지 않은 것은? 24. 공채 · 경채

① 저수지 사고 - 국토교통부
② 자연우주물체의 추락 · 충돌 - 과학기술정보통신부
③ 공동구 재난(국토교통부가 관장하는 공동구는 제외한다) - 행정안전부
④ 원자력안전 사고(파업에 따른 가동중단으로 한정한다) - 산업통상자원부

정답 ①

03 「재난 및 안전관리 기본법 시행령」상 재난 및 사고의 유형에 따른 재난관리주관기관의 연결로 옳지 않은 것은? 24. 소방간부

① 내륙에서 발생한 유도선 등의 수난 사고: 소방청
② 해외에서 발생한 재난: 외교부
③ 전력생산용 댐의 사고: 산업통상자원부
④ 유해화학물질 유출 사고: 환경부
⑤ 해양에서 발생한 유도선 등의 수난 사고: 해양경찰청

정답 ①

관계법규 재난관리주관기관

시행령
제3조의2 【재난관리주관기관】 법 제3조 제5호의2에서 "대통령령으로 정하는 관계 중앙행정기관"이란 **별표 1의3**에 따른 재난 및 사고유형별 재난관리주관기관을 말한다.

[별표 1의3] 재난관리주관기관

재난관리주관기관	재난 및 사고의 유형	재난관리주관기관	재난 및 사고의 유형
교육부	학교 및 학교시설에서 발생한 사고	환경부	1. 수질분야 대규모 환경오염 사고 2. 식용수 사고 3. 유해화학물질 유출 사고 4. 조류(藻類) 대발생(녹조에 한정한다) 5. 황사 6. 환경부가 관장하는 댐의 사고 7. 미세먼지
과학기술정보통신부	1. 우주전파 재난 2. 정보통신 사고 3. 위성항법장치(GPS) 전파혼신 4. 자연우주물체의 추락·충돌		
외교부	해외에서 발생한 재난	고용노동부	사업장에서 발생한 대규모 인적 사고
법무부	법무시설에서 발생한 사고	국토교통부	1. 국토교통부가 관장하는 공동구 재난 2. 고속철도 사고 3. 삭제 4. 도로터널 사고 5. 삭제 6. 육상화물운송 사고 7. 도시철도 사고 8. 항공기 사고 9. 항공운송 마비 및 항행안전시설 장애 10. 다중밀집건축물 붕괴 대형사고로서 다른 재난관리주관기관에 속하지 아니하는 재난 및 사고
국방부	국방시설에서 발생한 사고		
행정안전부	1. 정부중요시설 사고 2. 공동구 재난(국토교통부가 관장하는 공동구는 제외한다) 3. 내륙에서 발생한 유도선 등의 수난 사고 4. 풍수해(조수는 제외한다)·지진·화산·낙뢰·가뭄·한파·폭염으로 인한 재난 및 사고로서 다른 재난관리주관기관에 속하지 아니하는 재난 및 사고		
문화체육관광부	경기장 및 공연장에서 발생한 사고	해양수산부	1. 조류 대발생(적조에 한정한다) 2. 조수(潮水) 3. 해양 분야 환경오염 사고 4. 해양 선박 사고
농림축산식품부	1. 가축 질병 2. 저수지 사고	금융위원회	금융 전산 및 시설 사고
산업통상자원부	1. 가스 수급 및 누출 사고 2. 원유수급 사고 3. 원자력안전 사고(파업에 따른 가동중단으로 한정한다) 4. 전력 사고 5. 전력생산용 댐의 사고	원자력안전위원회	1. 원자력안전 사고(파업에 따른 가동중단은 제외한다) 2. 인접국가 방사능 누출 사고
보건복지부	보건의료 사고	소방청	1. 화재·위험물 사고 2. 다중 밀집시설 대형화재
보건복지부 질병관리청	감염병 재난	문화재청	문화재 시설 사고
해양경찰청	해양에서 발생한 유도선 등의 수난 사고	산림청	1. 산불 2. 산사태

비고
1. 재난관리주관기관이 지정되지 않았거나 분명하지 않은 경우에는 행정안전부장관이 「정부조직법」에 따른 관장 사무와 피해 시설의 기능 또는 재난 및 사고 유형 등을 고려하여 재난관리주관기관을 정한다.
2. 감염병 재난 발생 시 중앙사고수습본부는 법 제34조의5 제1항 제1호에 따른 위기관리 표준매뉴얼에 따라 설치·운영한다.

3-3 긴급구조기관 등 A

제3조【정의】 이 법에서 사용하는 용어의 뜻은 다음과 같다.

6. "긴급구조"란 재난이 발생할 우려가 현저하거나 재난이 발생하였을 때에 국민의 생명·신체 및 재산을 보호하기 위하여 긴급구조기관과 긴급구조지원기관이 하는 인명구조, 응급처치, 그 밖에 필요한 모든 긴급한 조치를 말한다.
7. "긴급구조기관"이란 소방청·소방본부 및 소방서를 말한다. 다만, 해양에서 발생한 재난의 경우에는 해양경찰청·지방해양경찰청 및 해양경찰서를 말한다.
8. "긴급구조지원기관"이란 긴급구조에 필요한 인력·시설 및 장비, 운영체계 등 긴급구조능력을 보유한 기관이나 단체로서 대통령령으로 정하는 기관과 단체를 말한다.

(1) 긴급구조

발생할 우려가 현저하거나 재난이 발생하였을 때에 국민의 생명·신체 및 재산을 보호하기 위하여 긴급구조기관과 긴급구조지원기관이 하는 **인명구조, 응급처치, 그 밖에 필요한 모든 긴급한 조치**를 말한다.

(2) 긴급구조기관

① 소방청
② 소방본부
③ 소방서
④ **해양에서 발생한 재난:** 해양경찰청·지방해양경찰청 및 해양경찰서

(3) 긴급구조지원기관

긴급구조에 필요한 인력·시설 및 장비, 운영체계 등 긴급구조능력을 보유한 기관이나 단체로서 다음의 **기관과 단체**를 말한다.

① 교육부, 과학기술정보통신부, 국방부, 산업통상자원부, 보건복지부, 환경부, 국토교통부, 해양수산부, 방송통신위원회, **경찰청, 산림청, 질병관리청 및 기상청**
② 국방부장관이 탐색구조부대로 지정하는 군부대와 그 밖에 긴급구조지원을 위하여 국방부장관이 지정하는 군부대
③ 대한적십자사
④ 종합병원
⑤ 응급의료기관, 응급의료정보센터 및 구급차등의 운용자
⑥ 전국재해구호협회
⑦ 긴급구조기관과 긴급구조활동에 관한 응원협정을 체결한 기관 및 단체
⑧ 긴급구조에 필요한 인력과 장비를 갖춘 기관 및 단체로서 행정안전부령으로 정하는 기관 및 단체

시행규칙 제2조【긴급구조지원기관】「재난 및 안전관리 기본법 시행령」(이하 "영"이라 한다) 제4조 제7호에서 "행정안전부령으로 정하는 기관 및 단체"란 별표 1에 규정된 기관 및 단체를 말한다.

정희's 톡talk

긴급구조기관

육상에서 발생한 재난은 소방청, 소방본부, 소방서에서 담당하고, 해양에서 발생한 재난은 해양경찰청에서 담당합니다.

1. 소방청·소방본부·소방서
2. 해양경찰청·지방해양경찰청·해양경찰서

정희's 톡talk

행정안전부령으로 정하는 기관 및 단체

1. 유역환경청 또는 지방환경청
2. 지방국토관리청
3. 지방항공청
4. 「지역보건법」에 따른 보건소
5. 「지방공기업법」에 따른 지하철공사 및 도시철도공사
6. 「전기통신사업법」 제5조에 따른 기간통신사업자로서 소방청장이 정하여 고시하는 기간통신사업자

3-4 국가재난관리기준 등 A

제3조【정의】 이 법에서 사용하는 용어의 뜻은 다음과 같다.

9. "국가재난관리기준"이란 모든 유형의 재난에 공통적으로 활용할 수 있도록 재난관리의 전 과정을 통일적으로 단순화·체계화한 것으로서 행정안전부장관이 고시한 것을 말한다.

9의2. "안전문화활동"이란 안전교육, 안전훈련, 홍보 등을 통하여 안전에 관한 가치와 인식을 높이고 안전을 생활화하도록 하는 등 재난이나 그 밖의 각종 사고로부터 안전한 사회를 만들어가기 위한 활동을 말한다.

9의3. "안전취약계층"이란 어린이, 노인, 장애인, 저소득층 등 신체적·사회적·경제적 요인으로 인하여 재난에 취약한 사람을 말한다.

10. "재난관리정보"란 재난관리를 위하여 필요한 재난상황정보, 동원가능 자원정보, 시설물정보, 지리정보를 말한다.

11. "재난안전통신망"이란 재난관리책임기관·긴급구조기관 및 긴급구조지원기관이 재난 및 안전관리업무에 이용하거나 재난현장에서의 통합지휘에 활용하기 위하여 구축·운영하는 통신망을 말한다.

12. "국가핵심기반"이란 에너지, 정보통신, 교통수송, 보건의료 등 국가경제, 국민의 안전·건강 및 정부의 핵심기능에 중대한 영향을 미칠 수 있는 시설, 정보기술시스템 및 자산 등을 말한다.

13. "재난안전데이터"란 정보처리능력을 갖춘 장치를 통하여 생성 또는 처리가 가능한 형태로 존재하는 재난 및 안전관리에 관한 정형 또는 비정형의 모든 자료를 말한다.

(1) 국가재난관리기준

모든 유형의 재난에 공통적으로 활용할 수 있도록 **재난관리의 전 과정**을 **통일적으로 단순화·체계화한 것**으로서 **행정안전부장관**이 고시한 것

(2) 안전문화활동

안전교육, 안전훈련, 홍보 등을 통하여 안전에 관한 가치와 인식을 높이고 안전을 생활화하도록 하는 등 재난이나 그 밖의 각종 사고로부터 안전한 사회를 만들어가기 위한 활동

(3) 안전취약계층

어린이, 노인, 장애인, 저소득층 등 신체적·사회적·경제적 요인으로 인하여 재난에 취약한 사람

(4) 재난관리정보

① **재난상황정보** ② **동원가능 자원정보**
③ 시설물정보 ④ 지리정보

(5) 재난안전통신망

재난관리책임기관·긴급구조기관 및 긴급구조지원기관이 재난 및 안전관리업무에 이용하거나 재난현장에서의 통합지휘에 활용하기 위하여 구축·운영하는 **통신망**

정희's 톡talk

재난관리정보
1. 재난상황정보
2. 동원가능 자원정보
3. 시설물정보
4. 지리정보

핵심기출

「재난 및 안전관리 기본법」상 재난관리를 위하여 필요한 재난관리정보에 해당하는 것만을 있는 대로 고른 것은? 19. 소방간부

ㄱ. 재난상황정보
ㄴ. 동원가능 자원정보
ㄷ. 시설물정보
ㄹ. 지리정보

① ㄱ ② ㄱ, ㄷ
③ ㄱ, ㄴ, ㄹ ④ ㄴ, ㄷ, ㄹ
⑤ ㄱ, ㄴ, ㄷ, ㄹ

정답 ⑤

(6) 국가핵심기반

에너지, 정보통신, 교통수송, 보건의료 등 국가경제, 국민의 안전 · 건강 및 정부의 핵심기능에 중대한 영향을 미칠 수 있는 **시설, 정보기술시스템 및 자산 등**

(7) 재난안전데이터

정보처리능력을 갖춘 장치를 통하여 생성 또는 처리가 가능한 형태로 존재하는 재난 및 안전관리에 관한 정형 또는 비정형의 모든 자료를 말한다.

4 재난 및 안전관리 업무의 총괄 · 조정 B

제4조 【국가 등의 책무】 ① 국가와 지방자치단체는 재난이나 그 밖의 각종 사고로부터 국민의 생명 · 신체 및 재산을 보호할 책무를 지고, 재난이나 그 밖의 각종 사고를 예방하고 피해를 줄이기 위하여 노력하여야 하며, 발생한 피해를 신속히 대응 · 복구하여 일상으로 회복할 수 있도록 지원하기 위한 계획을 수립 · 시행하여야 한다.
② 국가와 지방자치단체는 안전에 관한 정보를 적극적으로 공개하여야 하며, 누구든지 이를 편리하게 이용할 수 있도록 하여야 한다.
③ 국가와 지방자치단체는 재난이나 그 밖의 각종 사고를 수습하는 과정에서 피해자의 인권이 침해받지 아니하도록 노력하여야 한다.
④ 제3조 제5호 나목에 따른 재난관리책임기관의 장은 소관 업무와 관련된 안전관리에 관한 계획을 수립하고 시행하여야 하며, 그 소재지를 관할하는 시 · 도와 시 · 군 · 구(이하 "자치구"라 한다)의 재난 및 안전관리업무에 협조하여야 한다.

제5조 【국민의 책무】 국민은 국가와 지방자치단체가 재난 및 안전관리업무를 수행할 때 최대한 협조하여야 하고, 자기가 소유하거나 사용하는 건물 · 시설 등으로부터 재난이나 그 밖의 각종 사고가 발생하지 아니하도록 노력하여야 한다.

제6조 【재난 및 안전관리 업무의 총괄 · 조정】 행정안전부장관은 국가 및 지방자치단체가 행하는 재난 및 안전관리 업무를 총괄 · 조정한다.

제8조 【다른 법률과의 관계 등】 ① 재난 및 안전관리에 관하여 다른 법률을 제정하거나 개정하는 경우에는 이 법의 목적과 기본이념에 맞도록 하여야 한다.
② 재난 및 안전관리에 관하여 「자연재해대책법」 등 다른 법률에 특별한 규정이 있는 경우를 제외하고는 이 법에서 정하는 바에 따른다.

(1) 국가와 지방자치단체의 책무

① 재난이나 각종 사고로부터 국민의 생명 · 신체 및 재산을 보호하여야 한다.
② 재난이나 각종 사고를 예방하고 피해를 줄이기 위하여 노력하여야 한다.
③ 발생한 피해를 신속히 대응 · 복구하여 일상으로 회복할 수 있도록 지원하기 위한 계획을 수립 · 시행하여야 한다.
④ 안전에 관한 정보를 적극적으로 공개하여야 하며, 누구든지 이를 편리하게 이용할 수 있도록 하여야 한다.

정희's 톡talk

행정안전부장관은 국가와 지방자치단체의 재난 및 안전관리업무 총괄 · 조정권자임을 기억하세요!

(2) 재난관리책임기관의 장의 책무

① 소관 업무와 관련된 안전관리에 관한 계획을 수립하고 시행하여야 한다.

② 소재지를 관할하는 시 · 도와 시 · 군 · 구(자치구)의 재난 및 안전관리업무에 협조하여야 한다.

(3) 국민의 책무

① 국민은 국가와 지방자치단체가 재난 및 안전관리업무를 수행할 때 최대한 협조하여야 한다.

② 자기가 소유하거나 사용하는 건물 · 시설 등으로부터 재난이나 그 밖의 각종 사고가 발생하지 아니하도록 노력하여야 한다.

(4) 재난 및 안전관리 업무의 총괄 · 조정

① **총괄 · 조정권자:** 행정안전부장관

② **총괄 · 조정대상:** 국가 및 지방자치단체가 행하는 재난 및 안전관리 업무

CHAPTER 2 안전관리기구 및 기능

1 중앙안전관리위원회 등

1 중앙안전관리위원회의 심의사항 B

제9조【중앙안전관리위원회】 ① 재난 및 안전관리에 관한 다음 각 호의 사항을 심의하기 위하여 국무총리 소속으로 중앙안전관리위원회(이하 "중앙위원회"라 한다)를 둔다.

1. 재난 및 안전관리에 관한 중요 정책에 관한 사항
2. 제22조에 따른 국가안전관리기본계획에 관한 사항

2의2. 제10조의2에 따른 재난 및 안전관리 사업 관련 중기사업계획서, 투자우선순위 의견 및 예산요구서에 관한 사항

3. 중앙행정기관의 장이 수립·시행하는 계획, 점검·검사, 교육·훈련, 평가 등 재난 및 안전관리업무의 조정에 관한 사항

3의2. 안전기준관리에 관한 사항

4. 제36조에 따른 재난사태의 선포에 관한 사항
5. 제60조에 따른 특별재난지역의 선포에 관한 사항
6. 재난이나 그 밖의 각종 사고가 발생하거나 발생할 우려가 있는 경우 이를 수습하기 위한 관계 기관 간 협력에 관한 중요 사항

6의2. 재난안전의무보험의 관리·운용 등에 관한 사항

7. 중앙행정기관의 장이 시행하는 대통령령으로 정하는 재난 및 사고의 예방사업 추진에 관한 사항
8. 「재난안전산업 진흥법」 제5조에 따른 기본계획에 관한 사항
9. 그 밖에 위원장이 회의에 부치는 사항

(1) 중앙안전관리위원회

재난 및 안전관리에 관한 사항을 심의하기 위하여 국무총리 소속으로 중앙안전관리위원회를 둔다.

(2) 중앙위원회 심의사항

① 재난 및 안전관리에 관한 중요 정책에 관한 사항
② 국가안전관리기본계획에 관한 사항
③ 중기사업계획서, 투자우선순위 의견 및 예산요구서에 관한 사항
④ 중앙행정기관의 장이 수립·시행하는 계획, 점검·검사, 교육·훈련, 평가 등 재난 및 안전관리업무의 조정에 관한 사항
⑤ 안전기준관리에 관한 사항
⑥ 재난사태의 선포에 관한 사항
⑦ 특별재난지역의 선포에 관한 사항

시크릿노트

중앙(안전관리)위원회

중앙안전관리위원회 등
1. 중앙위원회(국무총리 소속)
2. 조정위원회
3. 지역위원회
4. 재난방송협의회
5. 안전관리민관협력위원회

중앙(재난안전)대책본부 등
1. 중앙대책본부(행정안전부 소속)
2. 지역대책본부

재난안전상황실

정희's 톡talk

중앙위원회와 조정위원회

중앙위원회는 재난 및 안전관리에 관한 중요 정책에 관한 사항을 심의합니다. 조정위원회는 중앙위원회에 상정될 안건을 사전에 검토하고, 사무를 수행하기 위하여 설치합니다.

⑧ 재난이나 그 밖의 각종 사고가 발생하거나 발생할 우려가 있는 경우 이를 수습하기 위한 관계 기관 간 협력에 관한 중요사항
⑨ 재난안전의무보험의 관리 · 운용 등에 관한 사항
⑩ **대통령령으로 정하는 재난 및 사고의 예방사업 추진**에 관한 사항
⑪ 「재난안전산업 진흥법」에 따른 기본계획에 관한 사항
⑫ 그 밖에 위원장이 회의에 부치는 사항

핵심기출

「재난 및 안전관리 기본법」상 우리나라 재난관리체계에 관한 설명으로 옳지 않은 것은?
20. 공채

① 재난 및 안전관리에 관한 중요 정책을 심의하기 위하여 국무총리 소속으로 중앙안전관리위원회를 둔다.
② 대통령령으로 정하는 대규모 재난의 대응·복구를 총괄하기 위하여 행정안전부에 중앙재난안전대책본부를 둔다.
③ 소방서는 인명구조, 응급처치 등 긴급 조치를 담당하는 긴급구조지원기관에 해당한다.
④ 시·군·구 재난안전대책본부장은 시장·군수·구청장이며, 시·군·구 긴급구조통제단장은 소방서장이다.

정답 ③

(3) 대통령령으로 정하는 재난 및 사고의 예방사업(영 제7조)

① 기상관측의 표준화를 위하여 시행하는 사업
② 농업생산기반 정비사업 중 수리시설(水利施設) 개수 · 보수사업, 농경지 배수(排水) 개선사업, 저수지 정비사업, 방조제 정비사업
③ 댐의 관리를 위한 사업
④ 도로공사 중 재난 및 안전관리를 위하여 시행하는 사업
⑤ 산림재해 예방사업
⑥ 사방사업(砂防事業)
⑦ 어항정비사업
⑧ 연안정비사업
⑨ 기존 공공시설물의 내진보강사업
⑩ 하천공사사업
⑪ 항만개발사업 중 재난 예방을 위한 사업
⑫ 그 밖에 중앙위원회의 위원장이 정하는 사업

관계법규 재난 및 사고 예방사업의 범위

시행령	NOTE
제7조【재난 및 사고 예방사업의 범위】 법 제9조 제1항 제7호에서 "**대통령령으로 정하는 재난 및 사고의 예방사업**"이란 다음 각 호의 사업을 말한다. 1. 「기상관측표준화법」 제2조 제2항 제1호에 따른 기상관측의 표준화를 위하여 시행하는 사업 2. 「농어촌정비법」 제2조 제5호에 따른 농업생산기반 정비사업 중 수리시설(水利施設) 개수 · 보수 사업, 농경지 배수(排水) 개선사업, 저수지 정비사업, 방조제 정비사업 3. 「댐건설 및 주변지역지원 등에 관한 법률」 제18조의2에 따른 댐의 관리를 위한 사업 4. 「도로법」 제31조에 따른 도로공사 중 재난 및 안전관리를 위하여 시행하는 사업 5. 「산림기본법」 제15조에 따른 산림재해 예방사업 6. 「사방사업법」 제3조에 따른 사방사업(砂防事業) 7. 「어촌 · 어항법」 제2조 제6호 나목에 따른 어항정비사업 8. 「연안관리법」 제2조 제4호에 따른 연안정비사업 9. 「지진 · 화산재해대책법」 제15조에 따른 기존 공공시설물의 내진보강사업 10. 「하천법」 제27조에 따른 하천공사사업 11. 「항만법」 제9조에 따른 항만개발사업 중 재난 예방을 위한 사업 12. 그 밖에 중앙위원회의 위원장이 정하는 사업	

2 중앙안전관리위원회의 구성 · 운영 등 A

제9조【중앙안전관리위원회】 ② 중앙위원회의 위원장은 국무총리가 되고, 위원은 대통령령으로 정하는 중앙행정기관 또는 관계 기관 · 단체의 장이 된다.
③ 중앙위원회의 위원장은 중앙위원회를 대표하며, 중앙위원회의 업무를 총괄한다.
④ 중앙위원회에 간사 1명을 두며, 간사는 행정안전부장관이 된다.
⑤ 중앙위원회의 위원장이 사고 또는 부득이한 사유로 직무를 수행할 수 없을 때에는 행정안전부장관, 대통령령으로 정하는 중앙행정기관의 장 순으로 위원장의 직무를 대행한다.
⑥ 제5항에 따라 행정안전부장관 등이 중앙위원회 위원장의 직무를 대행할 때에는 행정안전부의 재난안전관리사무를 담당하는 본부장이 중앙위원회 간사의 직무를 대행한다.
⑦ 중앙위원회는 제1항 각 호의 사무가 국가안전보장과 관련된 경우에는 국가안전보장회의와 협의하여야 한다.
⑧ 중앙위원회의 위원장은 그 소관 사무에 관하여 재난관리책임기관의 장이나 관계인에게 자료의 제출, 의견 진술, 그 밖에 필요한 사항에 대하여 협조를 요청할 수 있다. 이 경우 요청을 받은 사람은 특별한 사유가 없으면 요청에 따라야 한다.
⑨ 중앙위원회의 구성과 운영 등에 필요한 사항은 대통령령으로 정한다.

(1) 중앙위원회의 구성

① **중앙위원회 위원장:** 국무총리

② **중앙위원회 간사:** 행정안전부장관

③ **위원:** 대통령령으로 정하는 **중앙행정기관 또는 관계 기관 · 단체의 장**

④ **중앙위원회 위원장의 임무:** 중앙위원회를 대표하며, 중앙위원회의 업무를 총괄한다.

⑤ **중앙위원회 위원장의 직무대행자:** 행정안전부장관 등이 중앙위원회 위원장의 직무를 대행할 때에는 행정안전부의 재난안전관리사무를 담당하는 본부장이 중앙위원회 간사의 직무를 대행한다.

(2) 협의 및 협조요청 등

① **중앙위원회는** 심의사항과 관련된 사무가 **국가안전보장과** 관련된 경우에는 **국가안전보장회의와** 협의하여야 한다.

② 중앙위원회의 위원장은 그 소관 사무에 관하여 재난관리책임기관의 장이나 관계인에게 자료의 제출, 의견 진술, 그 밖에 필요한 사항에 대하여 협조를 요청할 수 있다. 이 경우 요청을 받은 사람은 특별한 사유가 없으면 요청에 따라야 한다.

③ 중앙위원회의 구성과 운영 등에 필요한 사항은 대통령령으로 정한다.

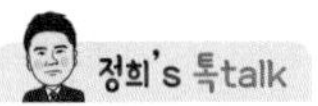

중앙위원회의 구성
1. **위원장:** 국무총리
2. **간사:** 행정안전부장관
3. **위원:** 중앙행정기관 또는 관계 기관 · 단체의 장

관계법규 중앙위원회 위원 등

시행령	NOTE
제6조【중앙안전관리위원회의 위원】 ① 법 제9조 제2항에서 "대통령령으로 정하는 중앙행정기관 또는 관계 기관·단체의 장"이란 다음 각 호의 사람을 말한다. 1. 기획재정부장관, 교육부장관, 과학기술정보통신부장관, 외교부장관, 통일부장관, 법무부장관, 국방부장관, 행정안전부장관, 문화체육관광부장관, 농림축산식품부장관, 산업통상자원부장관, 보건복지부장관, 환경부장관, 고용노동부장관, 여성가족부장관, 국토교통부장관, 해양수산부장관 및 중소벤처기업부장관 2. 국가정보원장, 방송통신위원회위원장, 국무조정실장, 식품의약품안전처장, 금융위원회위원장 및 원자력안전위원회위원장 3. 경찰청장, 소방청장, 문화재청장, 산림청장, 질병관리청장, 기상청장 및 해양경찰청장 4. 삭제 5. 그 밖에 법 제9조 제1항에 따른 중앙안전관리위원회(이하 "중앙위원회"라 한다)의 위원장이 지정하는 기관 및 단체의 장 ② 법 제9조 제5항에서 "대통령령으로 정하는 중앙행정기관의 장 순"이란 제1항 제1호에 따른 중앙행정기관의 장의 순서를 말한다. **제8조【중앙위원회의 운영】** ① 중앙위원회의 회의는 위원의 요청이 있거나 위원장이 필요하다고 인정하는 경우에 위원장이 소집한다. ② 중앙위원회의 회의는 재적위원 과반수의 출석으로 개의(開議)하고, 출석위원 과반수의 찬성으로 의결한다. ③ 위원장은 회의 안건과 관련하여 필요하다고 인정하는 경우에는 관계 공무원과 민간전문가 등을 회의에 참석하게 하거나 관계 기관의 장에게 자료 제출을 요청할 수 있다. 이 경우 요청을 받은 관계 공무원과 관계 기관의 장은 특별한 사유가 없으면 요청에 따라야 한다. ④ 제1항부터 제3항까지에서 규정한 사항 외에 중앙위원회의 운영에 필요한 사항은 중앙위원회 의결을 거쳐 위원장이 정한다. **제12조【중앙위원회 등의 수당 및 임기 등】** ① 중앙위원회, 조정위원회, 실무위원회 및 중앙재난방송협의회의 회의에 출석한 위원에게는 예산의 범위에서 수당과 여비, 그 밖의 실비를 지급할 수 있다. 다만, 공무원인 위원이 그 업무와 직접 관련하여 회의에 출석하는 경우에는 그러하지 아니하다. ② 중앙위원회, 조정위원회 및 중앙재난방송협의회의 위원 중 공무원인 위원의 임기는 해당 직위에 재임하는 기간으로 하고, 그 외의 위원의 임기는 2년으로 한다. 다만, 보궐위원의 임기는 전임자 임기의 남은 기간으로 한다.	

3 (안전정책)조정위원회 B

제10조【안전정책조정위원회】 ① 중앙위원회에 상정될 안건을 사전에 검토하고 다음 각 호의 사무를 수행하기 위하여 중앙위원회에 안전정책조정위원회(이하 "조정위원회"라 한다)를 둔다.

1. 제9조 제1항 제3호, 제3호의2, 제6호 및 제7호의 사항에 대한 사전 조정
2. 제23조에 따른 집행계획의 심의
3. 제26조에 따른 국가기반시설의 지정에 관한 사항의 심의
4. 제71조의2에 따른 재난 및 안전관리기술 종합계획의 심의
5. 그 밖에 중앙위원회가 위임한 사항

② 조정위원회의 위원장은 행정안전부장관이 되고, 위원은 대통령령으로 정하는 중앙행정기관의 차관 또는 차관급 공무원과 재난 및 안전관리에 관한 지식과 경험이 풍부한 사람 중에서 위원장이 임명하거나 위촉하는 사람이 된다.

③ 조정위원회에 간사위원 1명을 두며, 간사위원은 행정안전부의 재난안전관리사무를 담당하는 본부장이 된다.

(1) 안전정책조정위원회(조정위원회)

중앙위원회에 상정될 안건을 사전에 검토하고 사무를 수행하기 위하여 **중앙위원회에 조정위원회를 둔다.**

① 제9조 제1항 제3호, 제3호의2, 제6호, 제6호의2 및 제7호의 사항에 대한 사전 조정

② 제23조에 따른 **집행계획**의 심의

③ 제26조에 따른 **국가핵심기반의 지정**에 관한 사항의 심의

④ 제71조의2에 따른 **재난 및 안전관리기술 종합계획**의 심의

⑤ 그 밖에 중앙위원회가 위임한 사항

(2) 조정위원회 위원장 및 위원

① **조정위원회 위원장: 행정안전부장관**

② **위원:** 위원장이 임명하거나 위촉하는 자

㉠ 대통령령으로 정하는 중앙행정기관의 차관 또는 차관급 공무원

㉡ 재난 및 안전관리에 관한 지식과 경험이 풍부한 사람

③ **간사:** 행정안전부의 재난안전관리사무를 담당하는 본부장

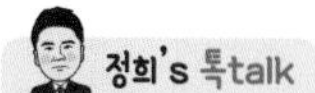

조정위원회(중앙위원회 소속)의 구성

1. 위원장: 행정안전부장관
2. 간사: 행정안전부 재난안전관리사무 담당 본부장
3. 위원: 중앙행정기관 차관·차관급 공무원

핵심기출

「재난 및 안전관리 기본법」상 중앙안전관리위원회와 안전정책조정위원회에 대한 설명으로 옳지 않은 것은? 19. 공채

① 중앙안전관리위원회는 국무총리 소속으로 국무총리가 위원장이다.
② 중앙안전관리위원회는 재난사태의 선포에 관한 사항을 심의하고, 안전정책조정위원회는 특별재난지역의 선포에 관한 사항을 심의한다.
③ 안전정책조정위원회는 중앙위원회에 상정될 안건을 사전에 검토한다.
④ 안전정책조정위원회 위원장은 행정안전부장관이 된다.

정답 ②

4 실무위원회의 구성 C

제10조【안전정책조정위원회】 ④ 조정위원회의 업무를 효율적으로 처리하기 위하여 조정위원회에 실무위원회를 둘 수 있다.
⑤ 조정위원회의 위원장은 제1항에 따라 조정위원회에서 심의·조정된 사항 중 대통령령으로 정하는 중요 사항에 대해서는 조정위원회의 심의·조정 결과를 중앙위원회의 위원장에게 보고하여야 한다.
⑥ 조정위원회의 위원장은 중앙위원회 또는 조정위원회에서 심의·조정된 사항에 대한 이행상황을 점검하고, 그 결과를 중앙위원회에 보고할 수 있다.
⑦ 조정위원회 및 제4항에 따른 실무위원회의 구성 및 운영 등에 필요한 사항은 대통령령으로 정한다.

정희's 톡talk

실무위원회(조정위원회 소속)의 구성
1. 위원장: 행정안전부 재난안전관리사무 담당본부장
2. 위원장 1명 포함 50명 내외 구성
3. 실무회의: 25명 내외 구성

(1) 실무위원회(제10조 제4항 및 영 제10조)

조정위원회의 업무를 효율적으로 처리하기 위하여 **조정위원회에 실무위원회를 둘 수 있다.**

① **실무위원회의 구성: 위원장 1명을 포함하여 50명 내외의 위원으로 구성**

② **실무위원회 심의사항**

㉠ 재난 및 안전관리를 위하여 관계 중앙행정기관의 장이 수립하는 대책에 관하여 협의·조정이 필요한 사항

㉡ 재난 발생 시 관계 중앙행정기관의 장이 수행하는 재난의 수습에 관하여 협의·조정이 필요한 사항

㉢ 실무위원장이 회의에 부치는 사항

③ **실무위원장:** 행정안전부의 **재난안전관리사무를 담당하는 본부장**

④ **실무위원회 실무회의**

㉠ **실무위원회 실무회의 소집:** 위원 5명 이상의 요청이 있거나 실무위원장이 필요하다고 인정하는 경우

㉡ 실무위원장과 실무위원장이 회의마다 지정하는 **25명 내외의 위원**으로 구성한다.

㉢ 구성원 과반수의 출석으로 개의(開議)하고, 출석위원 과반수의 찬성으로 의결한다.

정희's 톡talk

법 제10조 제5항의 "대통령령으로 정하는 중요 사항"
1. 법 제10조 제1항 제2호에 따른 집행계획의 심의
2. 법 제10조 제1항 제3호에 따른 국가핵심기반의 지정에 관한 사항의 심의
3. 그 밖에 중앙위원회로부터 위임받아 심의한 사항 중 조정위원회 위원장이 필요하다고 인정하는 사항

(2) 조정위원회 위원장의 보고사항

① 조정위원회에서 심의·조정된 사항 중 **대통령령으로 정하는 중요사항**에 대해서는 조정위원회의 심의·조정 결과를 중앙위원회의 위원장에게 보고하여야 한다.

② 중앙위원회 또는 조정위원회에서 심의·조정된 사항에 대한 이행상황을 점검하고, 그 결과를 중앙위원회에 보고할 수 있다.

(3) 위임규정

조정위원회 및 실무위원회의 구성 및 운영 등에 필요한 사항은 **대통령령**으로 정한다.

관계법규 안전정책조정위원회

시행령

제9조【안전정책조정위원회의 구성·운영 등】 ① 법 제10조 제1항에 따라 중앙위원회에 두는 안전정책조정위원회(이하 "조정위원회"라 한다)의 위원은 다음 각 호의 사람이 된다.

1. 기획재정부차관, 교육부차관, 과학기술정보통신부차관, 외교부차관, 통일부차관, 법무부차관, 국방부차관, 행정안전부의 재난안전관리사무를 담당하는 본부장, 문화체육관광부차관, 농림축산식품부차관, 산업통상자원부차관, 보건복지부차관, 환경부차관, 고용노동부차관, 여성가족부차관, 국토교통부차관, 해양수산부차관 및 중소벤처기업부차관. 이 경우 복수차관이 있는 기관은 재난 및 안전관리 업무를 관장하는 차관으로 한다.
2. 국가정보원의 재난 및 안전관리 업무를 관장하는 차장, 방송통신위원회 상임위원, 국무조정실의 재난 및 안전관리 업무를 관장하는 차장 및 금융위원회 부위원장
3. 그 밖에 재난 및 안전관리에 관한 지식과 경험이 풍부한 사람 중에서 조정위원회 위원장이 임명하거나 위촉하는 사람

② 조정위원회의 회의는 위원이 요청하거나 위원장이 필요하다고 인정하는 경우에 위원장이 소집한다.
③ 조정위원회의 회의는 재적위원 과반수의 출석으로 개의하고, 출석위원 과반수의 찬성으로 의결한다.
④ 위원장은 회의 안건과 관련하여 필요하다고 인정하는 경우에는 관계 공무원과 민간전문가 등을 회의에 참석하게 하거나 관계 기관의 장에게 자료 제출을 요청할 수 있다. 이 경우 요청을 받은 관계 공무원과 관계 기관의 장은 특별한 사유가 없으면 요청에 따라야 한다.
⑤ 제1항부터 제4항까지에서 규정한 사항 외에 조정위원회의 구성 및 운영 등에 필요한 사항은 위원장이 정한다.

제9조의2【조정위원회 심의 결과의 중앙위원회 보고】 법 제10조 제5항에서 "**대통령령으로 정하는 중요사항**"이란 다음 각 호의 어느 하나에 해당하는 사항을 말한다.

1. 법 제10조 제1항 제2호에 따른 **집행계획의 심의**
2. 법 제10조 제1항 제3호에 따른 **국가기반시설의 지정에 관한 사항의 심의**
3. 그 밖에 중앙위원회로부터 위임받아 심의한 사항 중 조정위원회 위원장이 필요하다고 인정하는 사항

제10조【실무위원회의 구성·운영 등】 ① 법 제10조 제4항에 따른 실무위원회(이하 "실무위원회"라 한다)는 위원장 1명을 포함하여 【 ① 】 내외의 위원으로 구성한다.
② 실무위원회는 다음 각 호의 사항을 심의한다.

1. 재난 및 안전관리를 위하여 관계 중앙행정기관의 장이 수립하는 대책에 관하여 협의·조정이 필요한 사항
2. 재난 발생 시 관계 중앙행정기관의 장이 수행하는 재난의 수습에 관하여 협의·조정이 필요한 사항
3. 그 밖에 실무위원회의 위원장(이하 "실무위원장"이라 한다)이 회의에 부치는 사항

③ 실무위원장은 행정안전부의 재난안전관리사무를 담당하는 【 ② 】이 된다.
④ 실무위원회의 위원은 다음 각 호의 어느 하나에 해당하는 사람 중에서 성별을 고려하여 행정안전부장관이 임명하거나 위촉하는 사람으로 한다.

1. 관계 중앙행정기관의 고위공무원단에 속하는 공무원 또는 3급 상당 이상에 해당하는 공무원 중에서 해당 중앙행정기관의 장이 추천하는 공무원
2. 재난 및 안전관리에 관한 지식과 경험이 풍부한 사람
3. 그 밖에 실무위원장이 필요하다고 인정하는 분야의 전문지식과 경력이 충분한 사람

⑤ 실무위원회의 회의(이하 "실무회의"라 한다)는 위원 5명 이상의 요청이 있거나 실무위원장이 필요하다고 인정하는 경우에 실무위원장이 소집한다.
⑥ 실무회의는 실무위원장과 실무위원장이 회의마다 지정하는 25명 내외의 위원으로 구성한다.
⑦ 실무회의는 제6항에 따른 구성원 과반수의 출석으로 개의(開議)하고, 출석위원 과반수의 찬성으로 의결한다.
⑧ 제1항부터 제7항까지에서 규정한 사항 외에 실무위원회의 구성 및 운영에 필요한 사항은 행정안전부장관이 정한다.

제12조【중앙위원회 등의 수당 및 임기 등】 ① 중앙위원회, 조정위원회, 실무위원회 및 중앙재난방송협의회의 회의에 출석한 위원에게는 예산의 범위에서 수당과 여비, 그 밖의 실비를 지급할 수 있다. 다만, 공무원인 위원이 그 업무와 직접 관련하여 회의에 출석하는 경우에는 그러하지 아니하다.
② 중앙위원회, 조정위원회 및 중앙재난방송협의회의 위원 중 공무원인 위원의 임기는 해당 직위에 재임하는 기간으로 하고, 그 외의 위원의 임기는 2년으로 한다. 다만, 보궐위원의 임기는 전임자 임기의 남은 기간으로 한다.

① 50명 ② 본부장

참고 재난 및 안전관리 기본법(제10조의2 ~ 제10조의4)

제10조의2【재난 및 안전관리 사업예산의 사전협의 등】 ① 관계 중앙행정기관의 장은 「국가재정법」 제28조에 따라 기획재정부장관에게 제출하는 중기사업계획서 중 재난 및 안전관리 사업(행정안전부장관이 기획재정부장관과 협의하여 정하는 사업을 말한다. 이하 이 조 및 제10조의3에서 같다)과 관련된 중기사업계획서와 해당 기관의 재난 및 안전관리 사업에 관한 투자우선순위 의견을 매년 1월 31일까지 행정안전부장관에게 제출하여야 한다.

② 관계 중앙행정기관의 장은 기획재정부장관에게 제출하는 「국가재정법」 제31조 제1항에 따른 예산요구서 중 재난 및 안전관리 사업 관련 예산요구서를 매년 5월 31일까지 행정안전부장관에게 제출하여야 한다.

③ 행정안전부장관은 제1항 및 제2항에 따른 중기사업계획서, 투자우선순위 의견 및 예산요구서를 검토하고, 중앙위원회의 심의를 거쳐 다음 각 호의 사항을 매년 6월 30일까지 기획재정부장관에게 통보하여야 한다.

1. 재난 및 안전관리 사업의 투자 방향
2. 관계 중앙행정기관별 재난 및 안전관리 사업의 투자우선순위, 투자적정성, 중점 추진방향 등에 관한 사항
3. 재난 및 안전관리 사업의 유사성 · 중복성 검토결과
4. 그 밖에 재난 및 안전관리 사업의 투자효율성을 높이기 위하여 필요한 사항

④ 기획재정부장관은 국가재정상황과 재정운용원칙에 부합하지 아니하는 등 부득이한 사유가 있는 경우를 제외하고 제3항에 따라 통보받은 결과를 토대로 재난 및 안전관리 사업에 관한 예산안을 편성하여야 한다.

제10조의3【재난 및 안전관리 사업에 대한 평가】 ① 행정안전부장관은 매년 재난 및 안전관리 사업의 효과성 및 효율성을 평가하고, 그 결과를 관계 중앙행정기관의 장에게 통보하여야 한다.

② 행정안전부장관은 제1항에 따른 평가를 위하여 중앙행정기관의 장 또는 지방자치단체의 장 등에게 해당 기관에서 추진한 재난 및 안전관리 사업의 집행실적 등에 관한 자료 제출을 요청할 수 있다. 이 경우 자료 제출을 요청받은 중앙행정기관의 장 또는 지방자치단체의 장 등은 특별한 사유가 없으면 이에 따라야 한다.

③ 관계 중앙행정기관의 장은 제1항에 따른 평가 결과를 다음 연도 재난 및 안전관리 사업에 반영하여야 한다.

④ 제1항에 따른 평가의 범위 · 방법 등에 관하여 필요한 사항은 대통령령으로 정한다.

제10조의4【지방자치단체의 재난 및 안전관리 사업예산의 사전검토 등】 ① 지방자치단체의 장은 「지방재정법」 제36조에 따라 예산을 편성하기 전에 다음 각 호에 해당하는 재난 및 안전관리 사업에 대하여 사업의 집행 실적 및 성과, 향후 사업 추진 필요성 등 행정안전부령으로 정하는 사항을 고려하여 투자우선순위를 검토하고, 제11조에 따른 시 · 도 안전관리위원회 또는 시 · 군 · 구 안전관리위원회의 심의를 거쳐야 한다.

1. 재난 및 안전관리 체계의 구축 및 운영
2. 재난 및 안전관리를 목적으로 하는 시설의 구축 및 기능 강화
3. 재난취약 지역 · 시설 등의 위험요소 제거 및 기능 회복
4. 재난안전 관련 교육 · 훈련 및 홍보
5. 그 밖에 재난 및 안전관리와 관련된 사업 중 행정안전부령으로 정하는 사업

② 행정안전부장관은 지방자치단체의 장에게 제1항에 따른 심의 결과의 제출을 요청할 수 있다. 이 경우 요청을 받은 지방자치단체의 장은 특별한 사유가 없으면 이에 따라야 한다.

③ 지방자치단체의 장은 해당 지방자치단체의 예산이 확정된 날부터 2개월 이내에 제1항에 따른 재난 및 안전관리 사업에 대한 예산 현황을 행정안전부장관에게 제출하여야 한다. 이 경우 시장(「제주특별자치도 설치 및 국제자유도시 조성을 위한 특별법」 제11조 제1항에 따른 행정시장은 제외한다. 이하 이 조에서 같다) · 군수 · 구청장(자치구의 구청장을 말한다. 이하 같다)은 특별시장 · 광역시장 · 도지사를 거쳐 제출하여야 한다.

④ 지방자치단체의 장은 해당 지방자치단체의 결산이 승인된 날부터 2개월 이내에 제1항에 따른 재난 및 안전관리 사업에 대한 결산 현황을 행정안전부장관에게 제출하여야 한다. 이 경우 시장 · 군수 · 구청장은 특별시장 · 광역시장 · 도지사를 거쳐 제출하여야 한다.

5 지역위원회 C

제11조 【지역위원회】 ① 지역별 재난 및 안전관리에 관한 다음 각 호의 사항을 심의 · 조정하기 위하여 특별시장 · 광역시장 · 특별자치시장 · 도지사 · 특별자치도지사(이하 "시 · 도지사"라 한다) 소속으로 시 · 도 안전관리위원회(이하 "시 · 도위원회"라 한다)를 두고, 시장 · 군수 · 구청장 소속으로 시 · 군 · 구 안전관리위원회(이하 "시 · 군 · 구위원회"라 한다)를 둔다.

1. 해당 지역에 대한 재난 및 안전관리정책에 관한 사항
2. 제24조 또는 제25조에 따른 안전관리계획에 관한 사항

2의2. 제36조에 따른 재난사태의 선포에 관한 사항(시 · 군 · 구위원회는 제외한다)

3. 해당 지역을 관할하는 재난관리책임기관(중앙행정기관과 상급 지방자치단체는 제외한다)이 수행하는 재난 및 안전관리업무의 추진에 관한 사항
4. 재난이나 그 밖의 각종 사고가 발생하거나 발생할 우려가 있는 경우 이를 수습하기 위한 관계 기관 간 협력에 관한 사항
5. 다른 법령이나 조례에 따라 해당 위원회의 권한에 속하는 사항
6. 그 밖에 해당 위원회의 위원장이 회의에 부치는 사항

② 시 · 도위원회의 위원장은 시 · 도지사가 되고, 시 · 군 · 구위원회의 위원장은 시장 · 군수 · 구청장이 된다.

③ 시 · 도위원회와 시 · 군 · 구위원회(이하 "지역위원회"라 한다)의 회의에 부칠 의안을 검토하고, 재난 및 안전관리에 관한 관계 기관 간의 협의 · 조정 등을 위하여 지역위원회에 안전정책실무조정위원회를 둘 수 있다.

④ 삭제

⑤ 지역위원회 및 제3항에 따른 안전정책실무조정위원회의 구성과 운영에 필요한 사항은 해당 지방자치단체의 조례로 정한다.

(1) 지역위원회

지역별 재난 및 안전관리에 관한 사항을 심의 · 조정하기 위하여 시 · 도지사 소속으로 시 · 도위원회를 두고, 시장 · 군수 · 구청장 소속으로 시 · 군 · 구위원회를 둔다.

① 해당 지역에 대한 재난 및 안전관리정책에 관한 사항

② 안전관리계획에 관한 사항

③ **재난사태의 선포에 관한 사항(시 · 군 · 구위원회는 제외한다)**

④ 해당 지역을 관할하는 재난관리책임기관이 수행하는 재난 및 안전관리업무의 추진에 관한 사항

⑤ 재난이나 그 밖의 각종 사고가 발생하거나 발생할 우려가 있는 경우 이를 수습하기 위한 관계 기관 간 협력에 관한 사항

⑥ 다른 법령이나 조례에 따라 해당 위원회의 권한에 속하는 사항

⑦ 해당 위원회의 위원장이 회의에 부치는 사항

(2) 지역위원회 위원장

① **시 · 도위원회의 위원장:** 시 · 도지사

② **시 · 군 · 구위원회의 위원장:** 시장 · 군수 · 구청장

정희's 톡talk

위원장
1. 중앙위원회 위원장: 국무총리
2. 시 · 도위원회 위원장: 시 · 도지사
3. 시 · 군 · 구위원회 위원장: 시장 · 군수 · 구청장

(3) 지역위원회에 안전정책실무조정위원회

지역위원회의 회의에 부칠 의안을 검토하고, 재난 및 안전관리에 관한 관계 기관 간의 협의 · 조정 등을 위하여 지역위원회에 안전정책실무조정위원회를 둘 수 있다.

6 재난방송협의회 D

제12조 【재난방송협의회】 ① 재난에 관한 예보 · 경보 · 통지나 응급조치 및 재난관리를 위한 재난방송이 원활히 수행될 수 있도록 중앙위원회에 중앙재난방송협의회를 두어야 한다.

② 지역 차원에서 재난에 대한 예보 · 경보 · 통지나 응급조치 및 재난방송이 원활히 수행될 수 있도록 시 · 도위원회에 시 · 도 재난방송협의회를 두어야 하고, 필요한 경우 시 · 군 · 구위원회에 시 · 군 · 구 재난방송협의회를 둘 수 있다.

③ 중앙재난방송협의회의 구성 및 운영에 필요한 사항은 대통령령으로 정하고, 시 · 도 재난방송협의회와 시 · 군 · 구 재난방송협의회의 구성 및 운영에 필요한 사항은 해당 지방자치단체의 조례로 정한다.

(1) 중앙재난방송협의회(제12조 제4항 및 영 제10조의3)

재난에 관한 예보 · 경보 · 통지나 응급조치 및 재난관리를 위한 재난방송이 원활히 수행될 수 있도록 **중앙위원회에 중앙재난방송협의회를 두어야 한다.**

① **위원장 1명과 부위원장 1명을 포함한 25명 이내의 위원**으로 구성한다.

② **중앙재난방송협의회 심의사항**

㉠ 재난에 관한 예보 · 경보 · 통지나 응급조치 및 재난관리를 위한 재난방송 내용의 효율적 전파 방안

㉡ 재난방송과 관련하여 중앙행정기관, 시 · 도 및 방송사업자 간의 역할분담 및 협력체제 구축에 관한 사항

㉢ 언론에 공개할 재난 관련 정보의 결정에 관한 사항

㉣ 재난방송 관련 법령과 제도의 개선 사항

㉤ 재난방송의 원활한 수행을 위하여 필요한 사항으로서 방송통신위원회위원장과 과학기술정보통신부장관이 요청하거나 중앙재난방송협의회 위원장이 필요하다고 인정하는 사항

③ **중앙재난방송협의회의 위원장**은 위원 중에서 **과학기술정보통신부장관이 지명하는 사람**이 되고, 부위원장은 중앙재난방송협의회의 위원 중에서 호선한다.

④ 중앙재난방송협의회는 구성원 과반수의 출석과 출석위원 과반수의 찬성으로 의결한다.

⑤ 중앙재난방송협의회의 효율적 운영을 위하여 중앙재난방송협의회에 간사 1명을 두되, 간사는 과학기술정보통신부의 재난방송 업무를 담당하는 공무원 중에서 과학기술정보통신부장관이 지명하는 사람이 된다.

핵심 기출

「재난 및 안전관리 기본법」에 근거한 안전관리기구 및 기능에 대한 설명으로 옳지 않은 것은? 17. 소방간부

① 재난 및 안전관리에 관한 중요정책에 관한 사항은 국무총리 소속으로 중앙안전관리 위원회에서 심의한다.
② 중앙안전관리위원회에 상정될 안건을 사전에 검토하기 위해 중앙안전관리위원회에 안전정책조정위원회를 둔다.
③ 행정안전부장관은 매년 재난 및 안전관리 사업의 효과성 및 효율성을 평가하고 그 결과를 관계 중앙행정기관의 장에게 통보하여야 한다.
④ 지역별 재난 및 안전관리에 관한 사항을 심의조정하기 위하여 시 · 도지사 소속으로 시 · 도 안전관리위원회를 둔다.
⑤ 중앙재난방송협의회의 구성 및 운영에 필요한 사항은 행정안전부령으로 정한다.

정답 ⑤

(2) 재난방송협의회

지역 차원에서 재난에 대한 예보·경보·통지나 응급조치 및 재난방송이 원활히 수행될 수 있도록 시·도위원회에 시·도 재난방송협의회를 두어야 하고, 필요한 경우 시·군·구위원회에 시·군·구 재난방송협의회를 둘 수 있다.

관계법규 **중앙재난방송협의회의 구성과 운영**

시행령

제10조의3【중앙재난방송협의회의 구성과 운영】 ① 법 제12조 제1항에 따라 중앙위원회에 두는 중앙재난방송협의회는 위원장 1명과 부위원장 1명을 포함한 【 ① 】 이내의 위원으로 구성한다.

② 중앙재난방송협의회는 다음 각 호의 사항을 심의한다.

1. 재난에 관한 예보·경보·통지나 응급조치 및 재난관리를 위한 재난방송 내용의 효율적 전파 방안
2. 재난방송과 관련하여 중앙행정기관, 특별시·광역시·특별자치시·도·특별자치도(이하 "시·도"라 한다) 및 「방송법」 제2조 제3호에 따른 방송사업자 간의 역할분담 및 협력체제 구축에 관한 사항
3. 「언론중재 및 피해구제 등에 관한 법률」 제2조 제1호에 따른 언론에 공개할 재난 관련 정보의 결정에 관한 사항
4. 재난방송 관련 법령과 제도의 개선 사항
5. 그 밖에 재난방송이 원활히 수행되도록 하기 위하여 필요한 사항으로서 방송통신위원회위원장과 과학기술정보통신부장관이 요청하거나 중앙재난방송협의회 위원장이 필요하다고 인정하는 사항

③ 중앙재난방송협의회의 위원장은 제4항에 따른 위원 중에서 【 ② 】이 지명하는 사람이 되고, 부위원장은 중앙재난방송협의회의 위원 중에서 호선한다.

④ 중앙재난방송협의회의 위원은 다음 각 호의 사람이 된다.

1. 과학기술정보통신부, 행정안전부, 국무조정실, 방송통신위원회 및 기상청의 고위공무원단에 속하는 일반직 공무원 또는 이에 상당하는 공무원 중에서 해당 기관의 장이 지명하는 사람 각 1명
2. 관계 중앙행정기관(제1호의 위원이 소속된 기관은 제외한다)의 고위공무원단에 속하는 일반직 공무원 또는 이에 상당하는 공무원 중에서 재난의 유형에 따라 해당 중앙행정기관의 장의 추천을 받아 과학기술정보통신부장관이 임명하는 사람. 이 경우 과학기술정보통신부장관은 임명 대상에 대하여 방송통신위원회위원장과 미리 협의하여야 한다.
3. 다음 각 목의 어느 하나에 해당하는 사람 중에서 방송통신위원회위원장과 협의하여 과학기술정보통신부장관이 위촉하는 사람
   가. 「방송법 시행령」 제1조의2 제1호에 따른 지상파텔레비전방송사업자에 소속된 사람으로서 재난방송을 총괄하는 직위에 있는 사람
   나. 「방송법 시행령」 제1조의2 제6호에 따른 텔레비전방송채널사용사업자 중 종합편성 또는 보도전문편성을 행하는 방송채널사용사업자에 소속된 사람으로서 재난방송을 총괄하는 직위에 있는 사람
   다. 「고등교육법」에 따른 대학·산업대학·전문대학 및 기술대학에서 재난 또는 방송과 관련된 학문을 교수하는 사람으로서 조교수 이상의 직위에 있는 사람
   라. 재난 또는 방송 관련 연구기관이나 단체 또는 산업 분야에 종사하는 사람으로서 해당 분야의 경력이 5년 이상인 사람

⑤ 삭제

⑥ 위원장은 중앙재난방송협의회를 대표하며, 중앙재난방송협의회의 사무를 총괄한다.

⑦ 중앙재난방송협의회의 위원장이 부득이한 사유로 직무를 수행할 수 없을 때에는 부위원장이 그 직무를 대행한다.

⑧ 중앙재난방송협의회의 회의는 위원장이 필요하다고 인정하거나 위원의 소집요구가 있는 경우에 위원장이 소집하고, 위원장은 그 의장이 된다.

⑨ 중앙재난방송협의회는 구성원 과반수의 출석과 출석위원 과반수의 찬성으로 의결한다.

⑩ 위원장은 회의 안건과 관련하여 필요하다고 인정하는 경우에는 관계 공무원과 민간전문가 등을 회의에 참석하게 하거나 관계 기관의 장에게 자료 제출을 요청할 수 있다. 이 경우 요청을 받은 관계 공무원과 관계 기관의 장은 특별한 사유가 없으면 요청에 따라야 한다.

⑪ 중앙재난방송협의회의 효율적 운영을 위하여 중앙재난방송협의회에 간사 1명을 두되, 간사는 과학기술정보통신부의 재난방송 업무를 담당하는 공무원 중에서 과학기술정보통신부장관이 지명하는 사람이 된다.

⑫ 과학기술정보통신부장관은 중앙재난방송협의회의 운영에 필요한 행정적·재정적 지원을 할 수 있다.

⑬ 제1항부터 제12항까지에서 규정한 사항 외에 중앙재난방송협의회의 운영에 필요한 사항은 중앙재난방송협의회의 의결을 거쳐 위원장이 정한다.

① 25명 ② 과학기술정보통신부장관

7 안전관리민관협력위원회 D

제12조의2 【안전관리민관협력위원회】 ① 조정위원회의 위원장은 재난 및 안전관리에 관한 민관 협력관계를 원활히 하기 위하여 중앙안전관리민관협력위원회(이하 "중앙민관협력위원회"라 한다)를 구성·운영할 수 있다.

② 지역위원회의 위원장은 재난 및 안전관리에 관한 지역 차원의 민관 협력관계를 원활히 하기 위하여 시·도 또는 시·군·구 안전관리민관협력위원회(이하 "지역민관협력위원회"라 한다)를 구성·운영할 수 있다.

③ 중앙민관협력위원회의 구성 및 운영에 필요한 사항은 대통령령으로 정하고, 지역민관협력위원회의 구성 및 운영에 필요한 사항은 해당 지방자치단체의 조례로 정한다.

제12조의3 【중앙민관협력위원회의 기능 등】 ① 중앙민관협력위원회의 기능은 다음 각 호와 같다.

1. 재난 및 안전관리 민관협력활동에 관한 협의
2. 재난 및 안전관리 민관협력활동사업의 효율적 운영방안의 협의
3. 평상시 재난 및 안전관리 위험요소 및 취약시설의 모니터링·제보
4. 재난 발생 시 제34조에 따른 재난관리자원의 동원, 인명구조·피해복구 활동 참여, 피해주민 지원서비스 제공 등에 관한 협의

② 중앙민관협력위원회의 회의는 다음 각 호의 어느 하나에 해당하는 경우에 공동위원장이 소집할 수 있다.

1. 제14조 제1항에 따른 대규모 재난의 발생으로 민관협력 대응이 필요한 경우
2. 재적위원 4분의 1 이상이 회의 소집을 요청하는 경우
3. 그 밖에 공동위원장이 회의 소집이 필요하다고 인정하는 경우

③ 재난 발생 시 신속한 재난대응 활동 참여 등 중앙민관협력위원회의 기능을 지원하기 위하여 중앙민관협력위원회에 대통령령으로 정하는 바에 따라 재난긴급대응단을 둘 수 있다.

제13조 【지역위원회 등에 대한 지원 및 지도】 행정안전부장관은 시·도위원회의 운영과 지방자치단체의 재난 및 안전관리업무에 대하여 필요한 지원과 지도를 할 수 있으며, 시·도지사는 관할 구역의 시·군·구위원회의 운영과 시·군·구의 재난 및 안전관리업무에 대하여 필요한 지원과 지도를 할 수 있다.

(1) 안전관리민관협력위원회 구성·운영

① 중앙민관협력위원회 구성·운영권자: 조정위원회 위원장

② 지역민관협력위원회 구성·운영권자: 지역위원회 위원장

(2) 중앙민관협력위원회의 기능

① 재난 및 안전관리 민관협력활동에 관한 협의

② 재난 및 안전관리 민관협력활동사업의 효율적 운영방안의 협의

③ 평상시 재난 및 안전관리 위험요소 및 취약시설의 모니터링·제보

④ 재난 발생 시 제34조에 따른 재난관리자원의 동원, 인명구조·피해복구 활동 참여, 피해주민 지원서비스 제공 등에 관한 협의

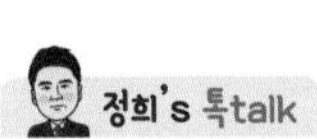

중앙민관협력위원회 주요기능
1. 민관협력활동에 관한 협의
2. 사업의 효율적 운영방안
3. 위험요소·취약시설의 모니터링·제보
4. 인적·물적 자원 동원
5. 인명구조·피해복구 활동 참여
6. 피해주민 지원서비스 제공 등

(3) 중앙민관협력위원회 회의 소집

중앙민관협력위원회의 회의는 다음 어느 하나에 해당하는 경우 공동위원장이 소집할 수 있다.

① 대규모 재난의 발생으로 민관협력 대응이 필요한 경우

② 재적위원 4분의 1 이상이 회의 소집을 요청하는 경우

③ 공동위원장이 회의 소집이 필요하다고 인정하는 경우

(4) 중앙민관협력위원회의 구성 · 운영(영 제12조의3)

① **공동위원장 2명을 포함하여 35명 이내의 위원으로** 구성한다.

② **중앙민관협력위원회의 공동위원장**은 행정안전부의 재난안전관리사무를 담당하는 본부장과 위촉된 민간위원 중에서 중앙민관협력위원회의 의결을 거쳐 **행정안전부장관이 지명하는 사람**이 된다.

③ **중앙민관협력위원회의 위원**

㉠ **당연직 위원**

ⓐ 행정안전부 안전예방정책실장

ⓑ 행정안전부 자연재난실장

ⓒ 행정안전부 재난협력실장

ⓓ 행정안전부 사회재난실장

㉡ **민간위원**: 성별을 고려하여 행정안전부장관이 위촉하는 사람

ⓐ 재난 및 안전관리 활동에 적극적으로 참여하고 전국 규모의 회원을 보유하고 있는 협회 등의 민간단체 대표

ⓑ 재난 및 안전관리 분야 유관기관, 단체 · 협회 또는 기업 등에 소속된 재난 및 안전관리 전문가

ⓒ 재난 및 안전관리 분야에 학식과 경험이 풍부한 사람

(5) 중앙민관협력위원회의 회의 등(영 제12조의4)

① 중앙민관협력위원회의 회의는 재적위원 과반수의 출석으로 개의하고, 출석위원 과반수의 찬성으로 의결한다.

② 중앙민관협력위원회의 회의 등에 참석하는 위원 등에게는 예산의 범위에서 수당 등을 지급할 수 있다. 다만, 공무원이 그 소관업무와 관련하여 참석하는 경우에는 그러하지 아니하다.

(6) 재난긴급대응단(법 제12조의3 제3항)

재난 발생 시 신속한 재난대응활동 참여 등 중앙민관협력위원회의 기능을 지원하기 위하여 중앙민관협력위원회에 대통령령으로 정하는 바에 따라 **재난긴급대응단**을 둘 수 있다.

① **재난긴급대응단의 임무(영 제12조의5)**

㉠ 재난 발생 시 인명구조 및 피해복구 활동 참여

㉡ 평상시 재난예방을 위한 활동 참여

㉢ 그 밖에 신속한 재난대응을 위하여 필요한 활동

② **재난긴급대응단의 지휘 · 통제(영 제12조의5)**: **재난긴급대응단**은 재난현장에서 임무의 수행에 관하여 통합지원본부의 장 또는 현장지휘를 하는 **긴급구조통제단장(각급통제단장)**의 지휘 · 통제를 따른다.

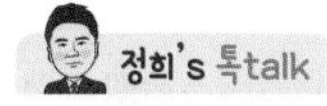

회의 소집(공동위원장)
1. 대규모 재난의 발생
2. 재적위원 4분의 1 이상
3. 공동위원장이 회의 소집

중앙민관협력위원회 조직
1. 공동위원장: 행안부장관 지명
  · 행안부의 재난안전관리사무를 담당하는 본부장
  · 위촉된 민간위원
2. 공동위원장 2명을 포함하여 35명 이내의 위원

재난긴급대응단 임무
중앙민관협력위원회의 기능을 지원합니다.

관계법규 중앙재난방송협의회의 구성과 운영

시행령	재난긴급대응단 운영 규정(참고)
제12조의3【중앙민관협력위원회의 구성·운영】 ① 법 제12조의2 제1항에 따른 중앙안전관리민관협력위원회(이하 "중앙민관협력위원회"라 한다)는 공동위원장 【 ① 】을 포함하여 35명 이내의 위원으로 구성한다. ② 중앙민관협력위원회의 공동위원장은 행정안전부의 재난안전관리사무를 담당하는 본부장과 제4항에 따라 위촉된 민간위원 중에서 중앙민관협력위원회의 의결을 거쳐 행정안전부장관이 지명하는 사람이 된다. ③ 중앙민관협력위원회의 공동위원장은 중앙민관협력위원회를 대표하고, 중앙민관협력위원회의 운영 및 사무에 관한 사항을 총괄한다. ④ 중앙민관협력위원회의 위원은 다음 각 호의 사람이 된다. 1. 당연직 위원 가. 행정안전부 안전예방정책실장 나. 행정안전부 자연재난실장 다. 행정안전부 재난협력실장 라. 행정안전부 사회재난실장 2. 민간위원: 다음 각 목의 어느 하나에 해당하는 사람 중에서 성별을 고려하여 행정안전부장관이 위촉하는 사람 가. 재난 및 안전관리 활동에 적극적으로 참여하고 전국 규모의 회원을 보유하고 있는 협회 등의 민간단체 대표 나. 재난 및 안전관리 분야 유관기관, 단체·협회 또는 기업 등에 소속된 재난 및 안전관리 전문가 다. 재난 및 안전관리 분야에 학식과 경험이 풍부한 사람 ⑤ 민간위원의 임기는 【 ② 】으로 하며, 위원의 사임 등으로 새로 위촉된 위원의 임기는 전임위원 임기의 남은 기간으로 한다. ⑥ 제1항부터 제5항까지에서 규정한 사항 외에 중앙민관협력위원회의 구성·운영에 필요한 세부 사항은 중앙민관협력위원회의 의결을 거쳐 행정안전부장관이 정한다. **제12조의4【중앙민관협력위원회의 회의 등】** ① 중앙민관협력위원회의 회의는 재적위원 과반수의 출석으로 개의하고, 출석위원 과반수의 찬성으로 의결한다. ② 중앙민관협력위원회의 회의 등에 참석하는 위원 등에게는 예산의 범위에서 수당 등을 지급할 수 있다. 다만, 공무원이 그 소관 업무와 관련하여 참석하는 경우에는 그러하지 아니하다. **제12조의5【재난긴급대응단의 구성 및 임무 등】** ① 법 제12조의3 제3항에 따른 재난긴급대응단(이하 "재난긴급대응단"이라 한다)은 중앙민관협력위원회에 참여하는 유관기관, 단체·협회 또는 기업에서 파견된 인력으로 구성한다. ② 재난긴급대응단은 다음 각 호의 임무를 수행한다. 1. 재난 발생 시 인명구조 및 피해복구 활동 참여 2. 평상시 재난예방을 위한 활동 참여 3. 그 밖에 신속한 재난대응을 위하여 필요한 활동 ③ 재난긴급대응단은 재난현장에서 제2항에 따른 임무의 수행에 관하여 법 제16조 제3항에 따른 통합지원본부의 장 또는 법 제52조 제5항에 따라 현장지휘를 하는 【 ③ 】(이하 "각급통제단장"이라 한다)의 지휘·통제를 따른다. ④ 제1항부터 제3항까지에서 규정한 사항 외에 재난긴급대응단의 구성·운영에 필요한 사항은 행정안전부장관이 정하여 고시한다. ① 2명 ② 2년 ③ 긴급구조통제단장	**제1조【목적】** 이 규정은 「재난 및 안전관리 기본법 시행령」 제12조의5 제4항에 따라 재난긴급대응단의 구성·운영에 필요한 사항을 규정함을 목적으로 한다. **제2조【임무】** 재난긴급대응단(이하 "대응단"이라 한다)은 다음 각 호의 임무를 수행한다. 1. 평상 시 재난 예방을 위한 활동 참여 2. 재난 발생 시 인명구조 및 피해복구 활동 참여 3. 재난 대응 능력 향상을 위한 교육·훈련 참여 4. 그 밖에 신속한 재난대응을 위하여 필요한 활동 **제3조【단장 등】** ① 대응단에는 단장 1명을 두며, 단장은 대응단을 대표하고 대응단 전체의 임무를 통할하며 소속 단원을 지휘·감독한다. ② 단장은 중앙안전관리민관협력위원회(이하 "중앙민관협력위원회"라 한다) 공동위원장(이하 "공동위원장"이라 한다)이 임명한다. ③ 대응단에는 부단장 1명을 두며, 부단장은 단장을 보좌하고 단장 유고 시 부단장이 단장의 권한을 대행한다. ④ 부단장은 단장의 추천을 받아 공동위원장이 임명한다. **제4조【구성】** ① 대응단 단원은 중앙민관협력위원회에 참여하는 유관기관, 단체·협회 또는 기업에서 파견된 인력으로 구성한다. ② 단장은 필요할 경우 공동위원장의 승인을 받아 중앙민관협력위원회에 참여하지 않은 유관기관, 단체·협회 또는 기업 등에서 인력을 파견 받아 단원으로 구성할 수 있다. **제5조【조직】** ① 대응단에는 해상구조팀, 육상구조팀, 산악구조팀을 둘 수 있다. 다만, 단장은 대규모 재난 등으로 인해 팀의 추가 구성이 필요할 경우에는 중앙민관협력위원회의 전체회의 심의를 거쳐 팀을 추가 구성할 수 있다. ② 각 팀에는 단원 중에서 단장이 임명하는 팀장을 둘 수 있고, 각 팀장은 팀원을 지휘·감독한다. **제6조【출동】** 대응단은 공동위원장의 승인을 거쳐 다음 각 호에서 정하는 경우에 출동할 수 있다. 1. 국내 재난 발생으로 재난긴급 구조·구호·복구 등 활동이 필요한 경우 2. 국내 대규모 재난·재해 등으로 막대한 인명 및 재산 피해가 발생한 경우 3. 그 밖에 신속한 재난대응을 위하여 필요한 경우 **제7조【현장 활동】** 제6조에 따라 출동한 대응단은 「재난 및 안전관리기본법」(이하 "법"이라 한다) 제52조 제5항에 따른 각급통제단장이나 법 제16조 제3항에 따른 통합지원본부의 장의 지휘·통제에 따라야 한다. - 중략 -

2 중앙재난안전대책본부 등

1 중앙재난안전대책본부 등 A

제14조 【중앙재난안전대책본부 등】 ① 대통령령으로 정하는 대규모 재난(이하 "대규모재난"이라 한다)의 대응·복구(이하 "수습"이라 한다) 등에 관한 사항을 총괄·조정하고 필요한 조치를 하기 위하여 행정안전부에 중앙재난안전대책본부(이하 "중앙대책본부"라 한다)를 둔다.

② 중앙대책본부에 본부장과 차장을 둔다.

③ 중앙대책본부의 본부장(이하 "중앙대책본부장"이라 한다)은 행정안전부장관이 되며, 중앙대책본부장은 중앙대책본부의 업무를 총괄하고 필요하다고 인정하면 중앙재난안전대책본부회의를 소집할 수 있다. 다만, 해외재난의 경우에는 외교부장관이, 「원자력시설 등의 방호 및 방사능 방재 대책법」 제2조 제1항 제8호에 따른 방사능재난의 경우에는 같은 법 제25조에 따른 중앙방사능방재대책본부의 장이 각각 중앙대책본부장의 권한을 행사한다.

④ 제3항에도 불구하고 재난의 효과적인 수습을 위하여 다음 각 호의 어느 하나에 해당하는 경우에는 국무총리가 중앙대책본부장의 권한을 행사할 수 있다. 이 경우 행정안전부장관, 외교부장관(해외재난의 경우에 한정한다) 또는 원자력안전위원회 위원장(방사능 재난의 경우에 한정한다)이 차장이 된다.

1. 국무총리가 범정부적 차원의 통합 대응이 필요하다고 인정하는 경우
2. 행정안전부장관이 국무총리에게 건의하거나 제15조의2 제3항에 따른 수습본부장의 요청을 받아 행정안전부장관이 국무총리에게 건의하는 경우

⑤ 제4항에도 불구하고 국무총리가 필요하다고 인정하여 지명하는 중앙행정기관의 장은 행정안전부장관, 외교부장관(해외재난의 경우에 한정한다) 또는 원자력안전위원회 위원장(방사능 재난의 경우에 한정한다)과 공동으로 차장이 된다.

⑥ 중앙대책본부장은 대규모재난이 발생하거나 발생할 우려가 있는 경우에는 대통령령으로 정하는 바에 따라 실무반을 편성하고, 중앙재난안전대책본부상황실을 설치하는 등 해당 대규모재난에 대하여 효율적으로 대응하기 위한 체계를 갖추어야 한다. 이 경우 제18조 제1항 제1호에 따른 중앙재난안전상황실과 인력, 장비, 시설 등을 통합·운영할 수 있다.

⑦ 제1항에 따른 중앙대책본부, 제3항에 따른 중앙재난안전대책본부회의의 구성과 운영에 필요한 사항은 대통령령으로 정한다.

(1) 중앙재난안전대책본부(중앙대책본부)

대통령령으로 정하는 대규모 재난의 대응·복구(수습) 등에 관한 사항을 총괄·조정하고 필요한 조치를 하기 위하여 행정안전부에 중앙재난안전대책본부를 둔다.

(2) 대규모 재난의 범위(영 제13조)

① 재난 중 인명 또는 재산의 피해 정도가 매우 크거나 재난의 영향이 사회적·경제적으로 광범위하여 주무부처의 장 또는 지역대책본부장의 건의를 받아 중앙대책본부장이 인정하는 재난

② 중앙대책본부장이 재난관리를 위하여 중앙대책본부의 설치가 필요하다고 판단하는 재난

핵심 기출

01 「재난 및 안전관리 기본법」상 중앙재난안전대책본부에 관한 내용으로 옳지 않은 것은? 22. 소방간부

① 재난의 효과적인 수습을 위하여 국무총리가 범정부적 차원의 통합 대응이 필요하다고 인정하는 경우에는 대통령이 중앙대책본부장의 권한을 행사한다.
② 해외재난의 경우에는 외교부장관이 중앙대책본부장의 권한을 행사한다.
③ 대통령령으로 정하는 대규모 재난의 대응·복구 등에 관한 사항을 총괄·조정하고 필요한 조치를 하기 위하여 행정안전부에 중앙재난안전대책본부를 둔다.
④ 「원자력시설 등의 방호 및 방사능 방재 대책법」에 따른 방사능재난의 경우에는 중앙방사능방재대책본부의 장이 중앙대책본부장의 권한을 행사한다.
⑤ 행정안전부장관이 국무총리에게 건의하거나 수습본부장의 요청을 받아 행정안전부장관이 국무총리에게 건의하는 경우에는 국무총리가 중앙대책본부장의 권한을 행사할 수 있다.

정답 ①

02 「재난 및 안전관리 기본법」상 대통령령으로 정하는 대규모 재난의 대응·복구 등에 관한 사항을 총괄·조정하고 필요한 조치를 하기 위하여 행정안전부에 두는 조직은? 23. 소방간부

① 안전관리자문단
② 중앙안전관리위원회
③ 안전정책조정위원회
④ 중앙긴급구조통제단
⑤ 중앙재난안전대책본부

정답 ⑤

(3) 중앙대책본부의 구성

① 중앙대책본부에 본부장과 차장을 둔다.

② **중앙대책본부장:** 행정안전부장관

③ **해외재난과 방사능재난의 경우**

㉠ **해외재난의 경우:** 외교부장관

㉡ **방사능재난의 경우:** 중앙방사능방재대책본부의 장

④ 재난의 효과적인 수습을 위하여 다음의 어느 하나에 해당하는 경우에는 국무총리가 중앙대책본부장의 권한을 행사할 수 있다[행정안전부장관, 외교부장관(해외재난) 또는 원자력안전위원회 위원장(방사능재난)이 차장이 된다].

㉠ 국무총리가 범정부적 차원의 통합 대응이 필요하다고 인정하는 경우

㉡ 행정안전부장관이 국무총리에게 건의하거나 수습본부장의 요청을 받아 행정안전부장관이 국무총리에게 건의하는 경우

⑤ ④에도 불구하고 국무총리가 필요하다고 인정하여 지명하는 중앙행정기관의 장은 행정안전부장관, 외교부장관(해외재난의 경우에 한정) 또는 원자력안전위원회 위원장(방사능 재난의 경우에 한정)과 공동으로 차장이 된다.

(4) 중앙대책본부의 구성 등(영 제15조)

① **구성 조직**

㉠ 중앙대책본부(법 제14조 제3항 단서에 따라 방사능재난의 경우 중앙대책본부가 되는 「원자력시설 등의 방호 및 방사능 방재 대책법」 제25조에 따른 중앙방사능방재대책본부는 제외한다)에는 차장 · 총괄조정관 · 대변인 · 통제관 · 부대변인 및 담당관을 둔다.

㉡ 연구개발 · 조사 및 홍보 등 전문적 지식의 활용이 필요한 경우에는 중앙대책본부장(국무총리가 중앙대책본부장인 경우에는 차장을 말한다)을 보좌하기 위하여 특별대응단장 또는 특별보좌관(이하 "특별대응단장등"이라 한다)을 둘 수 있다.

㉢ 특별대응단장등에는 업무수행에 필요한 최소한의 하부조직을 둘 수 있다.

② **행정안전부장관이 중앙대책본부장이 되는 경우**

㉠ **차장 · 총괄조정관 · 대변인 · 통제관 및 담당관:** 행정안전부 소속 공무원 중에서 행정안전부장관이 지명하는 사람

㉡ **특별대응단장등:** 해당 재난과 관련한 민간전문가 중에서 행정안전부장관이 위촉하는 사람

㉢ **부대변인:** 재난관리주관기관 소속 공무원 중에서 소속 기관의 장이 추천하여 행정안전부장관이 지명하는 사람

③ **해외재난의 경우**

㉠ 외교부장관이 소속 공무원 중에서 지명하는 사람이 차장 · 총괄조정관 · 대변인 · 통제관 · 부대변인 및 담당관이 된다.

㉡ 외교부장관이 해당 재난과 관련한 민간전문가 중에서 위촉하는 사람이 특별대응단장등이 된다.

④ 국무총리가 중앙대책본부장의 권한을 행사하는 경우

㉠ **특별대응단장등**: 차장이 해당 재난과 관련한 민간전문가 중에서 추천하여 국무총리가 위촉하는 사람

㉡ **총괄조정관 · 통제관 및 담당관**: 차장이 소속 중앙행정기관 공무원 중에서 지명하는 사람

㉢ **대변인**: 차장이 소속 중앙행정기관 공무원 중에서 추천하여 국무총리가 지명하는 사람

㉣ **부대변인**: 재난관리주관기관 소속 공무원 중에서 소속 기관의 장이 추천하여 국무총리가 지명하는 사람

⑤ 국무총리가 필요하다고 인정하여 지명하는 중앙행정기관의 장이 공동으로 차장이 되는 경우

㉠ **특별대응단장등**: 공동 차장이 각각 해당 재난과 관련한 민간전문가 중에서 추천하여 국무총리가 위촉하는 사람

㉡ **총괄조정관 · 통제관 및 담당관**: 공동 차장이 각각 소속 중앙행정기관 공무원 중에서 지명하는 사람

㉢ **대변인 및 부대변인**: 공동 차장이 각각 소속 중앙행정기관 공무원 중에서 추천하여 국무총리가 지명하는 사람

⑥ 실무반 편성

㉠ 행정안전부, 외교부(해외재난의 경우에 한정한다) 또는 원자력안전위원회(「원자력시설 등의 방호 및 방사능 방재 대책법」 제2조 제1항 제8호에 따른 방사능재난의 경우에 한정한다) 소속 공무원

㉡ 법 제14조 제5항에 따라 국무총리가 중앙행정기관의 장을 공동 차장으로 지명한 경우 해당 중앙행정기관 소속 공무원

㉢ 법 제15조 제1항에 따라 관계 재난관리책임기관에서 파견된 사람

관계법규 중앙대책본부의 구성 등

시행령

제15조【중앙대책본부의 구성 등】 ① 중앙대책본부(법 제14조 제3항 단서에 따라 방사능재난의 경우 중앙대책본부가 되는 「원자력시설 등의 방호 및 방사능 방재 대책법」 제25조에 따른 중앙방사능방재대책본부는 제외한다)에는 **차장·총괄조정관·대변인·통제관·부대변인 및 담당관을 두며, 연구개발·조사 및 홍보 등 전문적 지식의 활용이 필요한 경우에는 중앙대책본부장(국무총리가 중앙대책본부장인 경우에는 차장을 말한다)을 보좌하기 위하여【 ① 】또는 특별보좌관(이하 "특별대응단장등"이라 한다)을 둘 수 있다.**

② 제1항에 따른 특별대응단장등에는 업무수행에 필요한 최소한의 하부조직을 둘 수 있다.

③ 법 제14조 제3항 본문에 따라 **행정안전부장관이 중앙대책본부장이 되는 경우**에는 다음 각 호의 사람이 차장·특별대응단장등·총괄조정관·대변인·통제관·부대변인 및 담당관이 된다.

1. **차장·총괄조정관·대변인·통제관 및 담당관**: 행정안전부 소속 공무원 중에서 행정안전부장관이 지명하는 사람
2. **특별대응단장등: 해당 재난과 관련한【 ② 】중에서 행정안전부장관이 위촉하는 사람**
3. **부대변인**: 재난관리주관기관 소속 공무원 중에서 소속 기관의 장이 추천하여 행정안전부장관이 지명하는 사람

④ 제3항에도 불구하고 해외재난의 경우에는 외교부장관이 소속 공무원 중에서 지명하는 사람이 차장·총괄조정관·대변인·통제관·부대변인 및 담당관이 되고, 외교부장관이 해당 재난과 관련한 민간전문가 중에서 위촉하는 사람이 특별대응단장등이 된다.

⑤ 법 제14조 제4항에 따라 **국무총리가 중앙대책본부장의 권한을 행사하는 경우**에는 다음 각 호의 사람이 특별대응단장등·총괄조정관·대변인·통제관·부대변인 및 담당관이 된다.

1. 특별대응단장등: 차장이 해당 재난과 관련한 민간전문가 중에서 추천하여 국무총리가 위촉하는 사람
2. 총괄조정관·통제관 및 담당관: 차장이 소속 중앙행정기관 공무원 중에서 지명하는 사람
3. 대변인: 차장이 소속 중앙행정기관 공무원 중에서 추천하여 국무총리가 지명하는 사람
4. 부대변인: 재난관리주관기관 소속 공무원 중에서 소속 기관의 장이 추천하여 국무총리가 지명하는 사람

⑥ **제5항에도 불구하고 법 제14조 제5항에 따라 국무총리가 필요하다고 인정하여 지명하는 중앙행정기관의 장이 공동으로 차장이 되는 경우**에는 다음 각 호의 사람이 특별대응단장등·총괄조정관·대변인·통제관·부대변인 및 담당관이 된다.

1. 특별대응단장등: 공동 차장이 각각 해당 재난과 관련한 민간전문가 중에서 추천하여 국무총리가 위촉하는 사람
2. 총괄조정관·통제관 및 담당관: 공동 차장이 각각 소속 중앙행정기관 공무원 중에서 지명하는 사람
3. 대변인 및 부대변인: 공동 차장이 각각 소속 중앙행정기관 공무원 중에서 추천하여 국무총리가 지명하는 사람

⑦ 법 제14조 제6항 전단에 따른 실무반은 다음 각 호의 사람으로 편성한다.

1. 행정안전부, 외교부(해외재난의 경우에 한정한다) 또는 원자력안전위원회(「원자력시설 등의 방호 및 방사능 방재 대책법」 제2조 제1항 제8호에 따른 방사능재난의 경우에 한정한다) 소속 공무원
2. 법 제14조 제5항에 따라 국무총리가 중앙행정기관의 장을 공동 차장으로 지명한 경우 해당 중앙행정기관 소속 공무원
3. 법 제15조 제1항에 따라 관계 재난관리책임기관에서 파견된 사람

⑧ 제1항부터 제7항까지에서 규정한 사항 외에 중앙대책본부의 구성 및 운영 등에 필요한 사항은 행정안전부령으로 정한다.

제16조【중앙재난안전대책본부회의의 구성】 ① 법 제14조 제3항 본문에 따른 중앙재난안전대책본부회의(이하 "중앙대책본부회의"라 한다)는 다음 각 호의 사람 중에서 중앙대책본부장이 임명 또는 위촉하는 사람으로 구성한다.

1. 다음 각 목의 기관의 고위공무원단에 속하는 일반직공무원[국방부의 경우에는 이에 상당하는 장성급(將星級) 장교를, 경찰청 및 해양경찰청의 경우에는 치안감 이상의 경찰공무원을, **소방청의 경우에는【 ③ 】이상의 소방공무원**을 말한다] 중에서 소속 기관의 장의 추천을 받은 사람
   가. 기획재정부, 교육부, 과학기술정보통신부, 외교부, 통일부, 법무부, 국방부, 행정안전부, 문화체육관광부, 농림축산식품부, 산업통상자원부, 보건복지부, 환경부, 고용노동부, 여성가족부, 국토교통부, 해양수산부 및 중소벤처기업부
   나. 조달청, 경찰청, 소방청, 문화재청, 산림청, 질병관리청, 기상청 및 해양경찰청
   다. 그 밖에 중앙대책본부장이 필요하다고 인정하는 행정기관
2. 재난의 대응 및 복구 등에 관한 민간전문가

② 법 제14조 제4항에 따라 국무총리가 중앙대책본부장의 권한을 행사하는 경우의 중앙대책본부회의는 다음 각 호의 사람 중에서 국무총리가 임명 또는 위촉하는 사람으로 구성한다.

1. 제1항 제1호 각 목의 기관의 장
2. 재난의 대응 및 복구 등에 관한 민간전문가

제17조【중앙대책본부회의의 심의·협의 사항】 중앙대책본부회의는 재난복구계획에 관한 사항을 심의·확정하는 외에 다음 각 호의 사항을 협의한다.

1. 재난예방대책에 관한 사항
2. 재난응급대책에 관한 사항
3. 국고지원 및 예비비 사용에 관한 사항
4. 그 밖에 중앙대책본부장이 회의에 부치는 사항

① 특별대응단장 ② 민간전문가 ③ 소방감

2 수습지원단 파견 등 C

제14조의2 【수습지원단 파견 등】 ① 중앙대책본부장은 국내 또는 해외에서 발생한 대규모재난의 수습을 지원하기 위하여 관계 중앙행정기관 및 관계 기관·단체의 재난관리에 관한 전문가 등으로 수습지원단을 구성하여 현지에 파견할 수 있다.
② 중앙대책본부장은 구조·구급·수색 등의 활동을 신속하게 지원하기 위하여 행정안전부·소방청 또는 해양경찰청 소속의 전문 인력으로 구성된 특수기동구조대를 편성하여 재난현장에 파견할 수 있다.
③ 수습지원단의 구성과 운영 및 특수기동구조대의 편성과 파견 등에 필요한 사항은 대통령령으로 정한다.

(1) 중앙대책본부장

① **수습지원단의 구성 및 파견**: 국내 또는 해외에서 발생한 대규모재난의 수습을 지원하기 위하여 관계 중앙행정기관 및 관계 기관·단체의 재난관리에 관한 전문가 등으로 수습지원단을 구성하여 현지에 파견할 수 있다.

② **특수기동구조대의 편성 및 파견**: 구조·구급·수색 등의 활동을 신속하게 지원하기 위하여 행정안전부·소방청 또는 해양경찰청 소속의 전문 인력으로 구성된 특수기동구조대를 편성하여 재난현장에 파견할 수 있다.

③ 수습지원단의 구성과 운영 및 특수기동구조대의 편성과 파견 등에 필요한 사항은 대통령령으로 정한다.

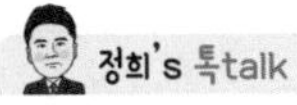

중앙대책본부장은 대규모재난을 수습하기 위하여 수습지원단과 특수기동구조대를 구성(편성)하여 파견할 수 있습니다.

(2) 수습지원단의 구성 및 임무(영 제18조)

① **수습지원단의 구성**: 재난 유형별로 관계 재난관리책임기관의 전문가 및 민간 전문가로 구성한다. 다만, 해외재난의 경우에는 따로 수습지원단을 구성하지 아니하고 국제구조대로 갈음할 수 있다.

② **수습지원단의 단장**: 수습지원단원 중에서 중앙대책본부장이 지명하는 사람이 되고, 단장은 수습지원단원을 지휘·통솔하며 운영을 총괄한다.

③ **수습지원단 임무**

㉠ 지역대책본부장 등 재난 발생지역의 책임자에 대하여 사태수습에 필요한 기술자문·권고 또는 조언

㉡ 중앙대책본부장에 대하여 재난수습을 위한 재난현장 상황, 재난발생의 원인, 행정적·재정적으로 조치할 사항 및 진행상황 등에 관한 보고

(3) 특수기동구조대의 편성 및 파견 등(영 제18조의2)

① **특수기동구조대의 편성**

㉠ **편성권자**: 중앙대책본부장

㉡ **대원 선발**: 소방청 중앙119구조본부 및 해양경찰청 중앙해양특수구조단 소속 공무원 중에서 선발

㉢ **대장 선발**: 특수기동구조대 대장을 특수기동구조대의 대원 중에서 지명

② 특수기동구조대의 파견

㉠ 각급통제단장 또는 「수상에서의 수색 · 구조 등에 관한 법률」에 따른 중앙구조본부의 장, 광역구조본부의 장, 지역구조본부의 장이 중앙대책본부장에게 요청하는 경우

㉡ 중앙대책본부장이 구조 · 구급 · 수색 등의 활동을 신속하게 지원하기 위하여 필요하다고 인정하는 경우

③ 특수기동구조대는 재난현장에서 구조 · 구급 · 수색 등의 활동에 관하여 각급통제단장의 지휘 · 통제를 따른다.

관계법규 수습지원단의 구성 및 임무 등

<table>
<tr><th colspan="2">시행령</th></tr>
<tr>
<td>제18조 【수습지원단의 구성 및 임무 등】 ① 법 제14조의2 제1항에 따른 수습지원단(이하 "수습지원단"이라 한다)은 재난 유형별로 관계 재난관리책임기관의 전문가 및 민간 전문가로 구성한다. 다만, 해외재난의 경우에는 따로 수습지원단을 구성하지 아니하고 「119구조 · 구급에 관한 법률」 제9조에 따른 국제구조대로 갈음할 수 있다.
② 수습지원단의 단장은 수습지원단원 중에서 중앙대책본부장이 지명하는 사람이 되고, 단장은 수습지원단원을 지휘 · 통솔하며 운영을 총괄한다.
③ 수습지원단은 다음 각 호의 업무를 수행한다.
1. 지역대책본부장 등 재난 발생지역의 책임자에 대하여 사태 수습에 필요한 기술자문 · 권고 또는 조언
2. 중앙대책본부장에 대하여 재난수습을 위한 재난현장 상황, 재난발생의 원인, 행정적 · 재정적으로 조치할 사항 및 진행 상황 등에 관한 보고
④ 중앙대책본부장은 신속한 재난상황의 파악, 현장 지도 · 관리 등을 위하여 수습지원단을 현지에 파견하기 전에 중앙대책본부 소속 직원을 재난현장에 파견할 수 있다.
⑤ 제1항부터 제4항까지에서 규정한 사항 외에 수습지원단의 구성 및 운영에 필요한 사항은 중앙대책본부장이 정한다.</td>
<td>제18조의2 【특수기동구조대의 편성 및 파견 등】 ① 【 ① 】은 법 제14조의2 제2항에 따른 특수기동구조대(이하 "특수기동구조대"라 한다)의 대원을 소방청 중앙119구조본부 및 해양경찰청 중앙해양특수구조단 소속 공무원 중에서 선발하고, 특수기동구조대 대장을 특수기동구조대의 대원 중에서 지명한다. 이 경우 중앙대책본부장은 재난 유형별로 필요한 전문 인력을 추가할 수 있다.
② 중앙대책본부장은 법 제14조의2 제2항에 따라 다음 각 호의 어느 하나에 해당하는 경우 특수기동구조대를 재난 현장에 파견할 수 있다.
1. 각급통제단장 또는 「수상에서의 수색 · 구조 등에 관한 법률」 제7조에 따른 중앙구조본부의 장, 광역구조본부의 장, 지역구조본부의 장이 중앙대책본부장에게 요청하는 경우
2. 중앙대책본부장이 구조 · 구급 · 수색 등의 활동을 신속하게 지원하기 위하여 필요하다고 인정하는 경우
③ 외교부장관 또는 원자력안전위원회 위원장은 법 제14조 제3항 단서에 따라 중앙대책본부장의 권한을 행사하는 경우 제2항에 따라 특수기동구조대를 파견하기 위해서는 행정안전부장관과 협의하여야 한다.
④ 특수기동구조대는 재난현장에서 구조 · 구급 · 수색 등의 활동에 관하여 각급통제단장의 지휘 · 통제를 따른다. 다만, 해양에서 발생하는 재난에 관하여는 「수상에서의 수색 · 구조 등에 관한 법률」 제7조에 따른 중앙구조본부의 장, 광역구조본부의 장, 지역구조본부의 장의 지휘 · 통제를 따른다.
⑤ 제1항부터 제4항까지에서 규정한 사항 외에 특수기동구조대의 편성 및 파견에 필요한 사항은 중앙대책본부장이 정한다.</td>
</tr>
</table>

① 중앙대책본부장

3 중앙대책본부장의 권한 등 B

제15조【중앙대책본부장의 권한 등】 ① 중앙대책본부장은 대규모재난을 효율적으로 수습하기 위하여 관계 재난관리책임기관의 장에게 행정 및 재정상의 조치, 소속 직원의 파견, 그 밖에 필요한 지원을 요청할 수 있다. 이 경우 요청을 받은 관계 재난관리책임기관의 장은 특별한 사유가 없으면 요청에 따라야 한다.
② 제1항에 따라 파견된 직원은 대규모재난의 수습에 필요한 소속 기관의 업무를 성실히 수행하여야 하며, 대규모재난의 수습이 끝날 때까지 중앙대책본부에서 상근하여야 한다.
③ 중앙대책본부장은 해당 대규모재난의 수습에 필요한 범위에서 제15조의2 제3항에 따른 수습본부장 및 제16조 제2항에 따른 지역대책본부장을 지휘할 수 있다.

(1) 중앙대책본부장의 권한

① 중앙대책본부장은 대규모재난을 효율적으로 수습하기 위하여 관계 재난관리책임기관의 장에게 행정 및 재정상의 조치, 소속 직원의 파견, 그 밖에 필요한 지원을 요청할 수 있다.

② ①에 따라 파견된 직원은 대규모재난의 수습에 필요한 소속 기관의 업무를 성실히 수행하여야 하며, 대규모재난의 수습이 끝날 때까지 중앙대책본부에서 상근하여야 한다.

(2) 중앙대책본부장의 지휘권

중앙대책본부장은 해당 대규모재난의 수습에 필요한 범위에서 제15조의2 제2항에 따른 수습본부장 및 제16조 제2항에 따른 지역대책본부장을 지휘할 수 있다.

관계법규 재난상황대응계획서

시행령	NOTE
제20조【관계 재난관리책임기관에 대한 재난상황대응계획서의 요청 등】 ① 중앙대책본부장은 법 제15조 제1항에 따른 재난의 효율적인 수습을 위한 행정상의 조치를 위하여 관계 재난관리책임기관의 장에게 다음 각 호의 내용이 포함된 재난상황대응계획서를 요청할 수 있다. 1. 재난 발생의 장소 · 일시 · 규모 및 원인 2. 재난대응조치에 관한 사항 3. 재난의 예상 진행상황 4. 재난의 진행 단계별 조치계획 5. 그 밖에 중앙대책본부장이 정하는 사항 ② 중앙대책본부장은 제1항에 따른 재난상황대응계획서를 받은 경우에는 그 계획서를 검토한 후 관계 재난관리책임기관의 장에게 필요한 조치나 의견을 제시할 수 있다.	

4 중앙 및 지역사고수습본부 C

제15조의2【중앙 및 지역사고수습본부】 ① 재난관리주관기관의 장은 재난이 발생하거나 발생할 우려가 있는 경우에는 대통령령으로 정하는 바에 따라 재난상황을 효율적으로 관리하고 재난을 수습하기 위한 중앙사고수습본부(이하 "수습본부"라 한다)를 신속하게 설치 · 운영하여야 한다.

② 행정안전부장관은 재난이나 그 밖의 각종 사고로 인한 피해의 심각성, 사회적 파급효과 등을 고려하여 필요하다고 인정하는 경우에는 재난관리주관기관의 장에게 수습본부의 설치 · 운영을 요청할 수 있다. 이 경우 요청을 받은 재난관리주관기관의 장은 특별한 사유가 없으면 요청에 따라야 한다.

③ 수습본부의 장(이하 "수습본부장"이라 한다)은 해당 재난관리주관기관의 장이 된다.

④ 수습본부장은 재난정보의 수집 · 전파, 상황관리, 재난발생 시 초동조치 및 지휘 등을 위한 수습본부상황실을 설치 · 운영하여야 한다. 이 경우 제18조 제3항에 따른 재난안전상황실과 인력, 장비, 시설 등을 통합 · 운영할 수 있다.

⑤ 수습본부장은 재난을 수습하기 위하여 필요하면 관계 재난관리책임기관의 장에게 행정상 및 재정상의 조치, 소속 직원의 파견, 그 밖에 필요한 지원을 요청할 수 있다. 이 경우 요청을 받은 관계 재난관리책임기관의 장은 특별한 사유가 없으면 요청에 따라야 한다.

⑥ 수습본부장은 지역사고수습본부를 운영할 수 있으며, 지역사고수습본부의 장(이하 "지역사고수습본부장"이라 한다)은 수습본부장이 지명한다.

⑦ 수습본부장은 해당 재난의 수습에 필요한 범위에서 시 · 도지사 및 시장 · 군수 · 구청장(제16조 제1항에 따른 시 · 도대책본부 및 시 · 군 · 구대책본부가 운영되는 경우에는 해당 본부장을 말한다)을 지휘할 수 있다.

⑧ 수습본부장은 재난을 수습하기 위하여 필요하면 대통령령으로 정하는 바에 따라 제14조의2 제1항에 따른 수습지원단을 구성 · 운영할 것을 중앙대책본부장에게 요청할 수 있다.

⑨ 수습본부의 구성 · 운영 등에 필요한 사항은 대통령령으로 정한다.

(1) 중앙사고수습본부(수습본부)

재난관리주관기관의 장은 재난이 발생하거나 발생할 우려가 있는 경우에는 대통령령으로 정하는 바에 따라 재난상황을 효율적으로 관리하고 재난을 수습하기 위한 중앙사고수습본부를 신속하게 설치 · 운영하여야 한다.

(2) 수습본부장: 재난관리주관기관의 장

(3) 수습본부장의 임무 및 지휘 등

① 수습본부장은 재난정보의 수집 · 전파, 상황관리, 재난발생 시 초동조치 및 지휘 등을 위한 수습본부상황실을 설치 · 운영하여야 한다.

② 이 경우 제18조 제3항에 따른 재난안전상황실과 인력, 장비, 시설 등을 통합 · 운영할 수 있다.

③ 수습본부장은 지역사고수습본부를 운영할 수 있으며, 지역사고수습본부의 장(이하 "지역사고수습본부장"이라 한다)은 수습본부장이 지명한다.

정희's 톡talk

중앙사고수습본부의 구성 · 운영(영 제21조)

1. 재난관리주관기관의 장은 중앙사고수습본부를 효율적으로 운영하기 위하여 중앙사고수습본부의 구성과 운영 등에 필요한 사항(수습본부운영규정)을 미리 정하여야 합니다. 이 경우 중앙대책본부장과 협의를 거쳐야 합니다.
2. 중앙대책본부장은 수습본부운영규정에 관한 표준안을 작성하여 재난관리주관기관의 장에게 수습본부운영규정에 반영할 것을 권고할 수 있습니다.

④ 수습본부장은 해당 재난의 수습에 필요한 범위에서 시 · 도지사 및 시장 · 군수 · 구청장(제16조 제1항에 따른 시 · 도대책본부 및 시 · 군 · 구대책본부가 운영되는 경우에는 해당 본부장을 말한다)을 지휘할 수 있다.

5 지역재난안전대책본부 D

제16조【지역재난안전대책본부】 ① 해당 관할 구역에서 재난의 수습 등에 관한 사항을 총괄 · 조정하고 필요한 조치를 하기 위하여 시 · 도지사는 시 · 도재난안전대책본부(이하 "시 · 도대책본부"라 한다)를 두고, 시장 · 군수 · 구청장은 시 · 군 · 구재난안전대책본부(이하 "시 · 군 · 구대책본부"라 한다)를 둔다.
② 시 · 도대책본부 또는 시 · 군 · 구대책본부(이하 "지역대책본부"라 한다)의 본부장(이하 "지역대책본부장"이라 한다)은 시 · 도지사 또는 시장 · 군수 · 구청장이 되며, 지역대책본부장은 지역대책본부의 업무를 총괄하고 필요하다고 인정하면 대통령령으로 정하는 바에 따라 지역재난안전대책본부회의를 소집할 수 있다.
③ 시 · 군 · 구대책본부의 장은 재난현장의 총괄 · 조정 및 지원을 위하여 재난현장 통합지원본부(이하 "통합지원본부"라 한다)를 설치 · 운영할 수 있다. 이 경우 통합지원본부의 장은 긴급구조에 대해서는 제52조에 따른 시 · 군 · 구긴급구조통제단장의 현장지휘에 협력하여야 한다.
④ 통합지원본부의 장은 관할 시 · 군 · 구의 부단체장이 되며, 실무반을 편성하여 운영할 수 있다.
⑤ 지역대책본부 및 통합지원본부의 구성과 운영에 필요한 사항은 해당 지방자치단체의 조례로 정한다.

(1) 지역재난안전대책본부

해당 관할 구역에서 재난의 수습 등에 관한 사항을 총괄 · 조정하고 필요한 조치를 하기 위하여 시 · 도지사는 시 · 도대책본부를 두고, 시장 · 군수 · 구청장은 시 · 군 · 구대책본부를 둔다.

① **시 · 도대책본부의 본부장**: 시 · 도지사
② **시 · 군 · 구대책본부 본부장**: 시장 · 군수 · 구청장

(2) 통합지원본부 등

① 시 · 군 · 구대책본부의 장은 재난현장의 총괄 · 조정 및 지원을 위하여 재난현장 통합지원본부(이하 "통합지원본부"라 한다)를 설치 · 운영할 수 있다.
② 이 경우 통합지원본부의 장은 긴급구조에 대해서는 제52조에 따른 시 · 군 · 구 긴급구조통제단장의 현장지휘에 협력하여야 한다.
③ **통합지원본부**의 장은 관할 시 · 군 · 구의 **부단체장**이 되며, 실무반을 편성하여 운영할 수 있다.
④ 지역대책본부 및 통합지원본부의 구성과 운영에 필요한 사항은 해당 지방자치단체의 조례로 정한다.

정희's 톡talk

본부장
1. 중앙대책본부의 장: 행정안전부장관
2. 시 · 도대책본부의 장: 시 · 도지사
3. 시 · 군 · 구대책본부의 장: 시장 · 군수 · 구청장

참고 **지역대책본부장의 권한 등**

제16조의2【지방자치단체의 장의 재난안전관리교육】 ① 지방자치단체의 장은 대통령령으로 정하는 바에 따라 행정안전부장관이 실시하는 재난 및 안전관리에 관한 교육을 받아야 한다.
② 행정안전부장관은 필요하다고 인정하면 대통령령으로 정하는 전문인력 및 시설기준을 갖춘 교육기관으로 하여금 제1항에 따른 교육을 대행하게 할 수 있다.

제17조【지역대책본부장의 권한 등】 ① 지역대책본부장은 재난의 수습을 효율적으로 하기 위하여 해당 시·도 또는 시·군·구를 관할 구역으로 하는 제3조 제5호 나목에 따른 재난관리책임기관의 장에게 행정 및 재정상의 조치나 그 밖에 필요한 업무협조를 요청할 수 있다. 이 경우 요청을 받은 재난관리책임기관의 장은 특별한 사유가 없으면 요청에 따라야 한다.
② 지역대책본부장은 재난의 수습을 위하여 필요하다고 인정하면 해당 시·도 또는 시·군·구의 전부 또는 일부를 관할 구역으로 하는 제3조 제5호 나목에 따른 재난관리책임기관의 장에게 소속 직원의 파견을 요청할 수 있다. 이 경우 요청을 받은 재난관리책임기관의 장은 특별한 사유가 없으면 즉시 요청에 따라야 한다.
③ 제2항에 따라 파견된 직원은 지역대책본부장의 지휘에 따라 재난의 수습에 필요한 소속 기관의 업무를 성실히 수행하여야 하며, 재난의 수습이 끝날 때까지 지역대책본부에서 상근하여야 한다.

제17조의2【재난현장 통합자원봉사지원단의 설치 등】 ① 지역대책본부장은 재난의 효율적 수습을 위하여 지역대책본부에 통합자원봉사지원단을 설치·운영할 수 있다.
② 통합자원봉사지원단은 다음 각 호의 업무를 수행한다.
1. 자원봉사자의 모집·등록
2. 자원봉사자의 배치 및 운영
3. 자원봉사자에 대한 교육훈련
4. 자원봉사자에 대한 안전조치
5. 자원봉사 관련 정보의 수집 및 제공
6. 그 밖에 자원봉사 활동의 지원에 관한 사항
③ 행정안전부장관은 통합자원봉사지원단의 원활한 운영을 위하여 필요한 경우 지방자치단체에 대하여 행정 및 재정적 지원을 할 수 있다.
④ 행정안전부장관, 시·도지사 및 시장·군수·구청장은 통합자원봉사지원단의 원활한 운영을 위하여 필요한 경우 자원봉사 관련 업무 종사자에 대한 교육훈련을 실시할 수 있다.
⑤ 제1항부터 제4항까지에서 규정한 사항 외에 통합자원봉사지원단의 구성·운영에 관하여 필요한 사항은 해당 지방자치단체의 조례로 정한다.

제17조의3【대책지원본부】 ① 행정안전부장관은 수습본부 또는 지역대책본부의 재난상황의 관리와 재난 수습 등을 효율적으로 지원하기 위하여 필요한 경우에는 대책지원본부를 둘 수 있다.
② 대책지원본부의 장(이하 "대책지원본부장"이라 한다)은 행정안전부 소속 공무원 중에서 행정안전부장관이 지명하는 사람이 된다.
③ 대책지원본부장은 재난 수습 등을 효율적으로 지원하기 위하여 필요하면 관계 재난관리책임기관의 장에게 행정상 및 재정상의 조치, 소속 직원의 파견, 그 밖에 필요한 지원을 요청할 수 있다.
④ 대책지원본부의 구성과 운영 등에 필요한 사항은 대통령령으로 정한다.

3 재난안전상황실 등

1 재난안전상황실 B

제18조【재난안전상황실】 ① 행정안전부장관, 시·도지사 및 시장·군수·구청장은 재난정보의 수집·전파, 상황관리, 재난발생 시 초동조치 및 지휘 등의 업무를 수행하기 위하여 다음 각 호의 구분에 따른 상시 재난안전상황실을 설치·운영하여야 한다.
1. 행정안전부장관: 중앙재난안전상황실
2. 시·도지사 및 시장·군수·구청장: 시·도별 및 시·군·구별 재난안전상황실

② 삭제

③ 중앙행정기관의 장은 소관 업무분야의 재난상황을 관리하기 위하여 재난안전상황실을 설치·운영하거나 재난상황을 관리할 수 있는 체계를 갖추어야 한다.

④ 제3조 제5호 나목에 따른 재난관리책임기관의 장은 재난에 관한 상황관리를 위하여 재난안전상황실을 설치·운영할 수 있다.

⑤ 제1항 제2호, 제3항 및 제4항에 따른 재난안전상황실은 제1항 제1호에 따른 중앙재난안전상황실 및 다른 기관의 재난안전상황실과 유기적인 협조체제를 유지하고, 재난관리정보를 공유하여야 한다.

(1) 상시 재난안전상황실

① 행정안전부장관: 중앙재난안전상황실

② 시·도지사: 시·도별 재난안전상황실

③ 시장·군수·구청장: 시·군·구별 재난안전상황실

(2) 중앙행정기관의 재난안전상황실

소관 업무분야의 재난상황을 관리하기 위하여 재난안전상황실을 설치·운영하거나 재난상황을 관리할 수 있는 체계를 갖추어야 한다.

(3) 제3조 제5호 나목에 따른 재난관리책임기관의 재난안전상황실

재난에 관한 상황관리를 위하여 재난안전상황실을 설치·운영할 수 있다.

관계법규 재난안전상황실의 설치·운영

시행령	
제23조【재난안전상황실의 설치·운영】 ① 법 제18조에 따라 설치하는 재난안전상황실(이하 "재난안전상황실"이라 한다)은 다음 각 호의 요건을 모두 갖추어야 한다. 1. 신속한 재난정보의 수집·전파와 재난대비 자원의 관리·지원을 위한 재난방송 및 정보통신체계 2. 재난상황의 효율적 관리를 위한 각종 장비의 운영·관리체계 3. 재난안전상황실 운영을 위한 전담인력과 운영규정 4. 그 밖에 행정안전부장관이 정하여 고시하는 사항	② 행정안전부장관, 시·도지사, 시장·군수·구청장 및 소방서장은 재난으로 인하여 재난안전상황실이 그 기능의 전부 또는 일부를 수행할 수 없는 경우를 대비하여 대체상황실을 운영할 수 있다.

2 재난 신고 등 C

제19조【재난 신고 등】 ① 누구든지 재난의 발생이나 재난이 발생할 징후를 발견하였을 때에는 즉시 그 사실을 시장·군수·구청장·긴급구조기관, 그 밖의 관계 행정기관에 신고하여야 한다.
② 경찰관서의 장은 업무수행 중 재난의 발생이나 재난이 발생할 징후를 발견하였을 때에는 즉시 그 사실을 그 소재지 관할 시장·군수·구청장과 관할 긴급구조기관의 장에게 알려야 한다.
③ 제1항에 따른 신고를 받은 시장·군수·구청장과 그 밖의 관계 행정기관의 장은 관할 긴급구조기관의 장에게, 긴급구조기관의 장은 그 소재지 관할 시장·군수·구청장 및 재난관리주관기관의 장에게 통보하여 응급대처방안을 마련할 수 있도록 조치하여야 한다.

(1) 재난신고

누구든지 재난의 발생이나 재난이 발생할 징후를 발견하였을 때에는 즉시 그 사실을 시장·군수·구청장·긴급구조기관, 그 밖의 관계 행정기관에 신고하여야 한다.

(2) 경찰관서 장의 통보

경찰관서의 장은 업무수행 중 재난의 발생이나 재난이 발생할 징후를 발견하였을 때에는 즉시 그 사실을 그 소재지 관할 시장·군수·구청장과 관할 긴급구조기관의 장에게 알려야 한다.

(3) 신고를 받은 시장·군수·구청장과 그 밖의 관계 행정기관의 장의 조치

① 관할 긴급구조기관의 장에게, 긴급구조기관의 장은 그 소재지 관할 시장·군수·구청장 및 재난관리주관기관의 장에게 통보하여야 한다.
② 응급대처방안을 마련할 수 있도록 조치하여야 한다.

3 재난상황의 보고 C

제20조【재난상황의 보고】 ① 시장·군수·구청장, 소방서장, 해양경찰서장, 제3조 제5호 나목에 따른 재난관리책임기관의 장 또는 제26조 제1항에 따른 국가기반시설의 장은 그 관할구역, 소관 업무 또는 시설에서 재난이 발생하거나 발생할 우려가 있으면 대통령령으로 정하는 바에 따라 재난상황에 대해서는 즉시, 응급조치 및 수습현황에 대해서는 지체 없이 각각 행정안전부장관, 관계 재난관리주관기관의 장 및 시·도지사에게 보고하거나 통보하여야 한다. 이 경우 관계 재난관리주관기관의 장 및 시·도지사는 보고받은 사항을 확인·종합하여 행정안전부장관에게 통보하여야 한다.

② 삭제

③ 삭제

④ 시장·군수·구청장, 소방서장, 해양경찰서장, 제3조 제5호 나목에 따른 재난관리책임기관의 장 또는 제26조 제1항에 따른 국가기반시설의 장은 재난이 발생한 경우 또는 재난 발생을 신고받거나 통보받은 경우에는 즉시 관계 재난관리책임기관의 장에게 통보하여야 한다.

제21조【해외재난상황의 보고 및 관리】 ① 재외공관의 장은 관할 구역에서 해외재난이 발생하거나 발생할 우려가 있으면 즉시 그 상황을 외교부장관에게 보고하여야 한다.

② 제1항의 보고를 받은 외교부장관은 지체 없이 해외재난 발생 또는 발생 우려 지역에 거주하거나 체류하는 대한민국 국민(이하 이 조에서 "해외재난국민"이라 한다)의 생사확인 등 안전 여부를 확인하고, 행정안전부장관 및 관계 중앙행정기관의 장과 협의하여 해외재난국민의 보호를 위한 방안을 마련하여 시행하여야 한다.

③ 해외재난국민의 가족 등은 외교부장관에게 해외재난국민의 생사확인 등 안전 여부 확인을 요청할 수 있다. 이 경우 외교부장관은 특별한 사유가 없으면 그 요청에 따라야 한다.

④ 제2항 및 제3항에 따른 안전 여부 확인과 가족 등의 범위는 대통령령으로 정한다.

(1) 재난상황의 보고

① 시장·군수·구청장, 소방서장, 해양경찰서장, 제3조 제5호 나목에 따른 재난관리책임기관의 장 또는 제26조 제1항에 따른 국가핵심기반을 관리하는 기관·단체의 장(이하 "관리기관의 장"이라 한다)은 그 관할구역, 소관 업무 또는 시설에서 재난이 발생하거나 발생할 우려가 있으면 대통령령으로 정하는 바에 따라 재난상황에 대해서는 즉시, 응급조치 및 수습현황에 대해서는 지체 없이 각각 **행정안전부장관, 관계 재난관리주관기관의 장 및 시·도지사**에게 보고하거나 통보하여야 한다.

② 이 경우 관계 재난관리주관기관의 장 및 시·도지사는 보고받은 사항을 확인·종합하여 **행정안전부장관**에게 통보하여야 한다.

정희's 톡talk

국가 및 지방자치단체가 행하는 재난 및 안전관리에 관한 업무의 총괄·조정권자가 행정안전부장관이므로 재난상황을 보고받습니다.

(2) 해외재난상황의 보고 및 관리

① 재외공관의 장은 관할 구역에서 해외재난이 발생하거나 발생할 우려가 있으면 즉시 그 상황을 외교부장관에게 보고하여야 한다.

② 보고를 받은 외교부장관은 지체 없이 해외재난 발생 또는 발생 우려 지역에 거주하거나 체류하는 대한민국 국민("해외재난국민"이라 한다)의 생사확인 등 안전 여부를 확인하고, 행정안전부장관 및 관계 중앙행정기관의 장과 협의하여 해외재난국민의 보호를 위한 방안을 마련하여 시행하여야 한다.

(3) 재난상황의 보고 등(규칙 제5조)

① **재난상황의 보고자**: 시장 · 군수 · 구청장, 소방서장, 해양경찰서장, 재난관리책임기관의 장, 국가기반시설의 장

② **보고방법**

㉠ **최초 보고**: 인명피해 등 주요 재난 발생 시 지체 없이 서면(전자문서 포함), 팩스, 재난안전통신망 중 가장 빠른 방법으로 하는 보고

㉡ **중간 보고**: 전산시스템 등을 활용하여 재난 수습기간 중에 수시로 하는 보고

㉢ **최종 보고**: 재난 수습이 끝나거나 재난이 소멸된 후 종합하여 하는 보고

③ **보고횟수**: 재난상황의 보고자는 응급조치 내용을 응급복구조치 상황 및 응급구호조치 상황으로 구분하여 재난기간 중 1일 2회 이상 보고하여야 한다.

(4) 재난상황의 보고대상(규칙 제5조의2)

① 산불

② 국가기반시설에서 발생한 화재 · 붕괴 · 폭발

③ 국가기관, 지방자치단체, 공공기관, 지방공사 및 지방공단, 유치원, 학교 또는 학교에서 발생한 화재, 붕괴, 폭발

④ 접경지역에 있는 하천의 급격한 수량 증가나 제방의 붕괴 등을 일으켜 인명 또는 재산에 피해를 줄 수 있는 댐의 방류

⑤ 제1군감염병 및 제4군감염병의 발생

⑥ 단일 사고로서 사망 3명 이상(화재 또는 교통사고의 경우에는 5명 이상) 또는 부상 20명 이상의 재난

⑦ 「가축전염병 예방법」 제11조 제1항 각 호에 해당하는 가축의 발견

⑧ 지정문화재의 화재 등 관련 사고

⑨ 상수원보호구역의 수질오염 사고

⑩ 수질오염 사고

⑪ 유선 · 도선의 충돌, 좌초, 그 밖의 사고

⑫ 화학사고

⑬ 지진재해의 발생

⑭ 그 밖에 행정안전부장관이 정하여 고시하는 재난

관계법규 재난상황의 보고

시행령

제24조 【재난상황의 보고】 ① 법 제20조에 따른 재난상황의 보고 및 통보에는 다음 각 호의 사항이 포함되어야 한다.

1. 재난 발생의 일시 · 장소와 재난의 원인
2. 재난으로 인한 피해내용
3. 응급조치 사항
4. 대응 및 복구활동 사항
5. 향후 조치계획
6. 그 밖에 해당 재난을 수습할 책임이 있는 중앙행정기관의 장이 정하는 사항

② 법 제20조 제1항에 따라 시장 · 군수 · 구청장, 소방서장, 해양경찰서장, 법 제3조 제5호 나목에 따른 재난관리책임기관의 장 또는 법 제26조 제1항에 따른 국가기반시설의 장이 보고하여야 하는 재난의 구체적인 종류, 규모 및 보고방법 등은 행정안전부령으로 정한다.

③ 삭제

④ 시 · 도지사는 법 제20조 제1항에 따라 보고받은 사항이 다음 각 호의 어느 하나에 해당되는 경우에는 이를 종합하여 행정안전부장관 및 재난관리주관기관의 장에게 통보하여야 한다.

1. 재난이 2개 이상의 시 · 군 · 구에 걸쳐 발생한 경우
2. 그 밖에 재난의 신속한 수습을 위하여 중앙대책본부장 또는 재난관리주관기관의 장의 지휘 · 통제나 다른 시 · 도의 협력이 필요하다고 인정되는 재난

⑤ 법 제3조 제5호 나목에 따른 재난관리책임기관 중 시 · 도의 전부 또는 일부를 관할구역으로 하는 재난관리책임기관의 장은 해당 지역에서 소관 업무에 관계되는 재난이 발생하였을 때에는 즉시 그 사실을 재난이 발생한 지역의 관할 시 · 도지사 및 시장 · 군수 · 구청장에게 통보하여야 한다.

시행규칙

제5조 【재난상황의 보고 등】 ① 법 제20조 제1항에 따라 시장(「제주특별자치도 설치 및 국제자유도시 조성을 위한 특별법」 제11조 제1항에 따른 행정시장을 포함한다. 이하 같다) · 군수 · 구청장(자치구의 구청장을 말한다. 이하 같다), 소방서장, 해양경찰서장, 법 제3조 제5호 나목에 따른 재난관리책임기관의 장 또는 법 제26조 제1항에 따른 국가기반시설의 장(이하 "재난상황의 보고자"라 한다)은 다음 각 호의 구분에 따라 재난상황을 보고해야 한다.

1. **최초 보고**: 인명피해 등 주요 재난 발생 시 지체 없이 서면(전자문서를 포함한다), 팩스, 재난안전통신망 중 가장 빠른 방법으로 하는 보고
2. 【 ① 】: 별지 제1호 서식(법 제3조 제1항 가목에 따른 재난의 경우에는 별지 제2호 서식)에 따라 전산시스템 등을 활용하여 재난 수습기간 중에 수시로 하는 보고
3. **최종 보고**: 재난 수습이 끝나거나 재난이 소멸된 후 영 제24조 제1항에 따른 사항을 종합하여 하는 보고

② 법 제20조 제1항에 따라 재난상황의 보고자는 응급조치 내용을 별지 제3호 서식의 응급복구조치 상황 및 별지 제4호 서식의 응급구호조치 상황으로 구분하여 재난기간 중 1일 2회 이상 보고하여야 한다.

③ 법 제20조 제3항에 따른 재난상황과 응급조치 · 수습에 관한 보고 또는 통보는 별지 제5호 서식에 따른다.

제5조의2 【재난상황의 보고대상】 영 제24조 제2항에 따라 재난상황의 보고자가 보고하여야 하는 재난의 종류와 규모는 다음 각 호와 같다.

1. 산불
2. 국가기반시설에서 발생한 화재 · 붕괴 · 폭발
3. 국가기관, 지방자치단체, 공공기관, 지방공사 및 지방공단, 유치원, 학교 또는 학교에서 발생한 화재, 붕괴, 폭발
4. 접경지역에 있는 하천의 급격한 수량 증가나 제방의 붕괴 등을 일으켜 인명 또는 재산에 피해를 줄 수 있는 댐의 방류
5. 제1군감염병 및 제4군감염병의 발생
6. **단일 사고로서 사망 3명 이상(화재 또는 교통사고의 경우에는 5명 이상) 또는 부상 20명 이상의 재난**
7. 「가축전염병 예방법」 제11조 제1항 각 호에 해당하는 가축의 발견
8. 지정문화재의 화재 등 관련 사고
9. 상수원보호구역의 수질오염 사고
10. 수질오염 사고
11. 유선 · 도선의 충돌, 좌초, 그 밖의 사고
12. 화학사고
13. 지진재해의 발생
14. 그 밖에 행정안전부장관이 정하여 고시하는 재난

① 중간 보고

CHAPTER 3 안전관리계획

정희's 톡talk

국가안전관리기본계획의 수립

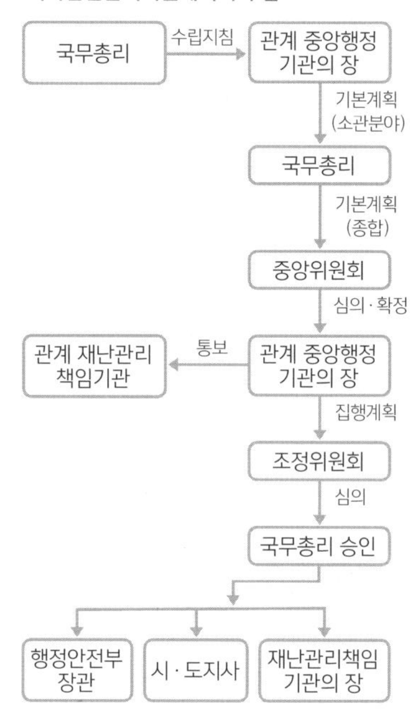

핵심 기출

안전관리기본계획, 재난의 예방·대비·대응·복구 등에 관한 사항으로 옳지 않은 것은?

17. 소방간부

① 행정안전부장관은 국가안전관리기본계획을 5년마다 수립하여야 한다.
② 행정안전부장관은 재난징후정보의 효율적 조사·분석 및 관리를 위하여 재난징후 정보 관리시스템을 운영할 수 있다.
③ 재난관리책임기관의 장은 매년 10월 31일까지 다음 해의 재난관리자원에 대한 비축·관리계획을 수립하고, 이를 행정안전부장관에게 제출하여야 한다.
④ 소방청장은 긴급구조기관이 긴급구조지원기관에 대한 능력을 평가하는데 필요한 평가지침을 매년 수립하여 다른 긴급구조기관의 장에게 통보하여야 한다.
⑤ 자연재난으로서 「자연재난 구호 및 복구 비용 부담기준 등에 관한 규정」에 따른 국고지원 대상 피해 기준금액의 2.5배를 초과하는 피해가 발생한 재난은 특별재난의 범위에 포함된다.

정답 ①

1 국가안전관리기본계획의 수립 등 C

제22조【국가안전관리기본계획의 수립 등】 ① 국무총리는 대통령령으로 정하는 바에 따라 5년마다 국가의 재난 및 안전관리업무에 관한 기본계획(이하 "국가안전관리기본계획"이라 한다)의 수립지침을 작성하여 관계 중앙행정기관의 장에게 통보하여야 한다.
② 제1항에 따른 수립지침에는 부처별로 중점적으로 추진할 안전관리기본계획의 수립에 관한 사항과 국가재난관리체계의 기본방향이 포함되어야 한다.
③ 관계 중앙행정기관의 장은 제1항에 따른 수립지침에 따라 5년마다 그 소관에 속하는 재난 및 안전관리업무에 관한 기본계획을 작성한 후 국무총리에게 제출하여야 한다.
④ 국무총리는 제3항에 따라 관계 중앙행정기관의 장이 제출한 기본계획을 종합하여 국가안전관리기본계획을 작성하여 중앙위원회의 심의를 거쳐 확정한 후 이를 관계 중앙행정기관의 장에게 통보하여야 한다.
⑤ 중앙행정기관의 장은 제4항에 따라 확정된 국가안전관리기본계획 중 그 소관 사항을 관계 재난관리책임기관(중앙행정기관과 지방자치단체는 제외한다)의 장에게 통보하여야 한다.
⑥ 국가안전관리기본계획을 변경하는 경우에는 제1항부터 제5항까지를 준용한다.
⑦ 국가안전관리기본계획과 제23조의 집행계획, 제24조의 시·도안전관리계획 및 제25조의 시·군·구안전관리계획은 「민방위기본법」에 따른 민방위계획 중 재난관리분야의 계획으로 본다.
⑧ 국가안전관리기본계획에는 다음 각 호의 사항이 포함되어야 한다.
1. 재난에 관한 대책
2. 생활안전, 교통안전, 산업안전, 시설안전, 범죄안전, 식품안전, 안전취약계층 안전 및 그 밖에 이에 준하는 안전관리에 관한 대책

(1) 국가안전관리기본계획의 수립 등

① **국무총리**는 5년마다 국가안전관리기본계획의 **수립지침**을 작성하여 관계 중앙행정기관의 장에게 통보하여야 한다.
② **관계 중앙행정기관의 장**은 수립지침에 따라 5년마다 그 소관에 속하는 재난 및 안전관리업무에 관한 **기본계획**을 작성한 후 **국무총리**에게 제출하여야 한다.
③ **국무총리**는 관계 중앙행정기관의 장이 **제출한 기본계획**을 종합하여 **국가안전관리기본계획**을 작성하여 **중앙위원회**의 심의를 거쳐 확정한 후 이를 관계 중앙행정기관의 장에게 통보하여야 한다.

(2) 국가안전관리기본계획 수립(영 제26조)

① **국무총리는 국가안전관리기본계획의 수립지침을 5년마다 작성해야 한다.**
② **국무총리는 국가안전관리기본계획을 5년마다 수립해야 한다.** 이 경우 관계 기관 및 전문가 등의 의견을 들을 수 있다.

2 집행계획 C

제23조【집행계획】 ① 관계 중앙행정기관의 장은 제22조 제4항에 따라 통보받은 국가안전관리기본계획에 따라 매년 그 소관 업무에 관한 집행계획을 작성하여 조정위원회의 심의를 거쳐 국무총리의 승인을 받아 확정한다.
② 관계 중앙행정기관의 장은 확정된 집행계획을 행정안전부장관, 시·도지사 및 제3조 제5호 나목에 따른 재난관리책임기관의 장에게 각각 통보하여야 한다.
③ 제3조 제5호 나목에 따른 재난관리책임기관의 장은 제2항에 따라 통보받은 집행계획에 따라 매년 세부집행계획을 작성하여 관할 시·도지사와 협의한 후 소속 중앙행정기관의 장의 승인을 받아 이를 확정하여야 한다. 이 경우 그 재난관리책임기관의 장이 공공기관이나 공공단체의 장인 경우에는 그 내용을 지부 등 지방조직에 통보하여야 한다.

제23조의2【국가안전관리기본계획 등과의 연계】 관계 중앙행정기관의 장은 소관 개별 법령에 따른 재난 및 안전과 관련된 계획을 수립하는 때에는 국가안전관리기본계획 및 제23조에 따른 집행계획과 연계하여 작성하여야 한다.

(1) 국가안전관리기본계획에 따른 집행계획

① **관계 중앙행정기관의 장**은 통보받은 국가안전관리기본계획에 따라 매년 그 소관 업무에 관한 집행계획을 작성하여 **조정위원회**의 심의를 거쳐 **국무총리**의 승인을 받아 확정한다.

② **세부집행계획**: 재난관리책임기관의 장은 통보받은 집행계획에 따라 **세부집행계획**을 작성하여 관할 시·도지사와 협의한 후 **소속 중앙행정기관**의 장의 승인을 받아 이를 확정하여야 한다.

(2) 집행계획의 작성 및 제출 등(영 제27조)

관계 중앙행정기관의 장은 매년 10월 31일까지 다음 연도의 집행계획을 작성하여 행정안전부장관에게 통보하여야 한다.

정희's 톡talk

집행계획
관계 중앙행정기관의 장은 조정위원회의 심의를 거쳐 국무총리의 승인을 받아 확정합니다(5년마다 수립).

관계법규 집행계획의 작성 및 제출

시행령	
제27조【집행계획의 작성 및 제출 등】 ① 관계 중앙행정기관의 장은 매년 10월 31일까지 다음 연도의 법 제23조 제1항에 따른 집행계획(이하 "집행계획"이라 한다)을 작성하여 행정안전부장관에게 통보하여야 한다. ② 행정안전부장관은 집행계획을 효율적으로 수립하기 위하여 필요한 경우에는 집행계획의 작성지침을 마련하여 관계 중앙행정기관의 장에게 통보할 수 있다. ③ 관계 중앙행정기관의 장은 집행계획을 작성하는 경우에 필요하면 제28조에 따라 세부집행계획을 작성하여야 하는 재난관리책임기관의 장에게 집행계획의 작성에 필요한 자료의 제출을 요청할 수 있다. ④ 삭제	⑤ 중앙행정기관의 장은 법 제23조 제1항에 따라 확정된 집행계획에 변경 사항이 있을 때에는 그 변경 사항을 행정안전부장관과 협의한 후 국무총리에게 보고하여야 한다. 다만, 다음 각 호의 어느 하나에 해당하는 경미한 사항은 보고를 생략할 수 있다. 1. 집행계획 중 재난 및 안전관리에 소요되는 비용 등의 단순 증감에 관한 사항 2. 다른 관계 중앙행정기관의 재난 및 안전관리에 영향을 미치지 않는 사항 3. 그 밖에 행정안전부장관이 집행계획의 기본방향에 영향을 미치지 않는 것으로 인정하는 사항

3 시 · 도안전관리계획의 수립 D

제24조 【시 · 도안전관리계획의 수립】 ① 행정안전부장관은 제22조 제4항에 따른 국가안전관리기본계획과 제23조 제1항에 따른 집행계획에 따라 매년 시 · 도의 재난 및 안전관리업무에 관한 계획(이하 "시 · 도안전관리계획"이라 한다)의 수립지침을 작성하여 이를 시 · 도지사에게 통보하여야 한다.

② 시 · 도의 전부 또는 일부를 관할 구역으로 하는 제3조 제5호 나목에 따른 재난관리책임기관의 장은 매년 그 소관 재난 및 안전관리업무에 관한 계획을 작성하여 관할 시 · 도지사에게 제출하여야 한다.

③ 시 · 도지사는 제1항에 따라 통보받은 수립지침과 제2항에 따라 제출받은 재난 및 안전관리업무에 관한 계획을 종합하여 시 · 도안전관리계획을 작성하고 시 · 도위원회의 심의를 거쳐 확정한다.

④ 시 · 도지사는 제3항에 따라 확정된 시 · 도안전관리계획을 행정안전부장관에게 보고하고, 제2항에 따른 재난관리책임기관의 장에게 통보하여야 한다.

제25조 【시 · 군 · 구안전관리계획의 수립】 ① 시 · 도지사는 제24조 제3항에 따라 확정된 시 · 도안전관리계획에 따라 매년 시 · 군 · 구의 재난 및 안전관리업무에 관한 계획(이하 "시 · 군 · 구안전관리계획"이라 한다)의 수립지침을 작성하여 시장 · 군수 · 구청장에게 통보하여야 한다.

② 시 · 군 · 구의 전부 또는 일부를 관할 구역으로 하는 제3조 제5호 나목에 따른 재난관리책임기관의 장은 매년 그 소관 재난 및 안전관리업무에 관한 계획을 작성하여 시장 · 군수 · 구청장에게 제출하여야 한다.

③ 시장 · 군수 · 구청장은 제1항에 따라 통보받은 수립지침과 제2항에 따라 제출받은 재난 및 안전관리업무에 관한 계획을 종합하여 시 · 군 · 구안전관리계획을 작성하고 시 · 군 · 구위원회의 심의를 거쳐 확정한다.

④ 시장 · 군수 · 구청장은 제3항에 따라 확정된 시 · 군 · 구안전관리계획을 시 · 도지사에게 보고하고, 제2항에 따른 재난관리책임기관의 장에게 통보하여야 한다.

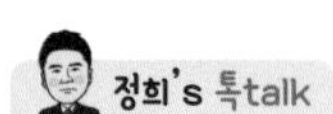

시 · 도안전관리계획의 수립
시 · 도지사는 시 · 도위원회의 심의를 거쳐 확정합니다.

시 · 군 · 구안전관리계획의 수립
시장 · 군수 · 구청장은 시 · 군 · 구위원회의 심의를 거쳐 확정합니다.

(1) 시 · 도안전관리계획의 수립

① **행정안전부장관**은 국가안전관리기본계획과 집행계획에 따라 매년 시 · 도안전관리계획의 수립지침을 작성하여 이를 **시 · 도지사**에게 통보하여야 한다.

② 시 · 도의 전부 또는 일부를 관할 구역으로 하는 재난관리책임기관의 장은 매년 그 소관 재난 및 안전관리업무에 관한 계획을 작성하여 관할 시 · 도지사에게 제출하여야 한다.

③ **시 · 도지사**는 통보받은 수립지침과 제출받은 재난 및 안전관리업무에 관한 계획을 종합하여 **시 · 도안전관리계획**을 작성하고 **시 · 도위원회의 심의를 거쳐 확정한다.**

(2) 시 · 군 · 구안전관리계획의 수립

① 시 · 도지사는 확정된 시 · 도안전관리계획에 따라 매년 시 · 군 · 구안전관리계획의 수립지침을 작성하여 시장 · 군수 · 구청장에게 통보하여야 한다.

② **시장 · 군수 · 구청장**은 통보받은 수립지침과 제출받은 재난 및 안전관리업무에 관한 계획을 종합하여 **시 · 군 · 구안전관리계획**을 작성하고 **시 · 군 · 구위원회의 심의를 거쳐 확정한다.**

4 집행계획 등 추진실적의 제출 및 보고 D

제25조의2【집행계획 등 추진실적의 제출 및 보고】 ① 관계 중앙행정기관의 장은 제23조 제1항에 따라 확정된 전년도 집행계획의 추진실적을 매년 행정안전부장관에게 제출하여야 한다.

② 제3조 제5호 나목에 따른 재난관리책임기관의 장(시 · 도 또는 시 · 군 · 구의 전부 또는 일부를 관할 구역으로 하는 제3조 제5호 나목에 따른 재난관리책임기관은 제외한다)은 제23조 제3항에 따라 확정된 전년도 세부집행계획의 추진실적을 매년 소속 중앙행정기관의 장에게 제출하여야 하고, 이를 제출받은 소속 중앙행정기관의 장은 해당 추진실적을 행정안전부장관에게 제출하여야 한다.

③ 시 · 군 · 구의 전부 또는 일부를 관할 구역으로 하는 제3조 제5호 나목에 따른 재난관리책임기관은 제25조 제3항에 따라 확정된 전년도 시 · 군 · 구안전관리계획에 따른 그 소관 재난 및 안전관리업무에 관한 계획의 추진실적을 매년 시장 · 군수 · 구청장에게 제출하여야 한다.

④ 시장 · 군수 · 구청장은 제25조 제3항에 따라 확정된 전년도 시 · 군 · 구안전관리계획의 추진실적 및 제3항에 따라 제출받은 추진실적을 매년 시 · 도지사에게 제출하여야 한다.

⑤ 시 · 도의 전부 또는 일부를 관할 구역으로 하는 제3조 제5호 나목에 따른 재난관리책임기관은 제24조 제3항에 따라 확정된 전년도 시 · 도안전관리계획에 따른 그 소관 재난 및 안전관리업무에 관한 계획의 추진실적을 매년 시 · 도지사에게 제출하여야 한다.

⑥ 시 · 도지사는 제24조 제3항에 따라 확정된 전년도 시 · 도안전관리계획의 추진실적 및 제4항과 제5항에 따라 제출받은 추진실적을 매년 행정안전부장관에게 제출하여야 한다.

⑦ 행정안전부장관은 제1항 · 제2항 · 제6항에 따라 제출받은 추진실적을 점검하고 종합 분석 · 평가한 보고서를 작성하여 매년 국무총리에게 제출하여야 한다.

⑧ 그 밖에 제1항부터 제7항까지에 따른 추진실적 및 보고서 등의 작성 · 제출 시기와 절차 등에 필요한 사항은 대통령령으로 정한다.

(1) 집행계획 등 추진실적의 제출

① 관계중앙행정기관의 장은 확정된 전년도 집행계획의 추진실적을 매년 행정안전부장관에게 제출하여야 한다.

② 시 · 도지사는 확정된 전년도 시 · 도안전관리계획의 추진실적 및 제출받은 추진실적을 매년 행정안전부장관에게 제출하여야 한다.

(2) 추진실적 점검 · 종합분석 · 평가 보고서

행정안전부장관은 제출받은 추진실적을 점검하고 종합 분석 · 평가한 보고서를 작성하여 매년 국무총리에게 제출하여야 한다.

CHAPTER 4 재난의 예방

1 재난관리책임기관의 장의 재난예방조치 등 B

정희's 톡talk

재난의 예방
1. 재난예방조치
2. 국가핵심기반시설의 지정
3. 특정관리대상지역
4. 재난방지시설의 관리
5. 재난안전분야 종사자 교육
6. 긴급안전점검
7. 재난예방을 위한 안전조치
8. 정부합동 안전 점검
9. 재난관리 실태 공시

핵심기출

「재난 및 안전관리 기본법」상 재난관리 단계와 활동내용의 연결이 옳지 않은 것은?

23. 공채

① 예방 단계 - 위험구역의 설정
② 대비 단계 - 재난현장 긴급통신수단의 마련
③ 대응 단계 - 재난 예보·경보체계 구축·운영
④ 복구 단계 - 특별재난지역 선포 및 지원

정답 ①

제25조의4【재난관리책임기관의 장의 재난예방조치 등】 ① 재난관리책임기관의 장은 소관 관리대상 업무의 분야에서 재난 발생을 사전에 방지하기 위하여 다음 각 호의 조치를 하여야 한다.

1. 재난에 대응할 조직의 구성 및 정비
2. 재난의 예측 및 예측정보 등의 제공·이용에 관한 체계의 구축
3. 재난 발생에 대비한 교육·훈련과 재난관리예방에 관한 홍보
4. 재난이 발생할 위험이 높은 분야에 대한 안전관리체계의 구축 및 안전관리규정의 제정
5. 제26조에 따라 지정된 국가기반시설의 관리
6. 제27조 제2항에 따른 특정관리대상지역에 관한 조치
7. 제29조에 따른 재난방지시설의 점검·관리

7의2. 제34조에 따른 재난관리자원의 관리

8. 그 밖에 재난을 예방하기 위하여 필요하다고 인정되는 사항

② 재난관리책임기관의 장은 제1항에 따른 재난예방조치를 효율적으로 시행하기 위하여 필요한 사업비를 확보하여야 한다.

③ 재난관리책임기관의 장은 다른 재난관리책임기관의 장에게 재난을 예방하기 위하여 필요한 협조를 요청할 수 있다. 이 경우 요청을 받은 다른 재난관리책임기관의 장은 특별한 사유가 없으면 요청에 따라야 한다.

④ 재난관리책임기관의 장은 재난관리의 실효성을 확보할 수 있도록 제1항 제4호에 따른 안전관리체계 및 안전관리규정을 정비·보완하여야 한다.

⑤ 재난관리책임기관의 장 및 국회·법원·헌법재판소·중앙선거관리위원회의 행정사무를 처리하는 기관의 장은 재난상황에서 해당 기관의 핵심기능을 유지하는 데 필요한 계획(이하 "기능연속성계획"이라 한다)을 수립·시행하여야 한다.

⑥ 행정안전부장관이 재난상황에서 해당 기관·단체의 핵심 기능을 유지하는 것이 특별히 필요하다고 인정하여 고시하는 기관·단체(민간단체를 포함한다) 및 민간업체는 기능연속성계획을 수립·시행하여야 한다. 이 경우 민간단체 및 민간업체에 대해서는 해당 단체 및 업체와 협의를 거쳐야 한다.

⑦ 행정안전부장관은 재난관리책임기관과 제6항에 따른 기관·단체 및 민간업체의 기능연속성계획 이행실태를 정기적으로 점검하고, 재난관리책임기관에 대해서는 그 결과를 제33조의2에 따른 재난관리체계 등에 대한 평가에 반영할 수 있다.

⑧ 기능연속성계획에 포함되어야 할 사항 및 계획수립의 절차 등은 국회규칙, 대법원규칙, 헌법재판소규칙, 중앙선거관리위원회규칙 및 대통령령으로 정한다.

(1) 재난관리책임기관의 장의 재난예방조치 등

① 재난에 대응할 조직의 구성 및 정비

② 재난의 예측 및 예측정보 등의 제공 · 이용에 관한 체계의 구축

③ 재난 발생에 대비한 교육 · 훈련과 재난관리예방에 관한 홍보

④ 재난이 발생할 위험이 높은 분야에 대한 안전관리체계의 구축 및 안전관리규정의 제정

⑤ 국가기반시설의 관리

⑥ **특정관리대상지역에 관한 조치**

⑦ **재난방지시설의 점검 · 관리**

⑧ **재난관리자원의 관리**

⑨ 재난을 예방하기 위하여 필요하다고 인정되는 사항

(2) 재난관리책임기관의 장의 재난예방조치 등을 위한 임무(제25조의2 제2항 ~ 제4항)

① 재난예방조치를 효율적으로 시행하기 위하여 필요한 사업비의 확보

② 다른 재난관리책임기관의 장에게 재난을 예방하기 위하여 필요한 협조의 요청

③ 재난관리의 실효성을 확보할 수 있도록 안전관리체계 및 안전관리규정의 정비 · 보완

(3) 기능연속성 계획 등

① 재난관리책임기관의 장 및 국회 · 법원 · 헌법재판소 · 중앙선거관리위원회의 행정사무를 처리하는 기관의 장은 재난상황에서 해당 기관의 핵심기능을 유지하는 데 필요한 계획(이하 "기능연속성계획"이라 한다)을 수립 · 시행하여야 한다.

② 행정안전부장관은 재난관리책임기관과 제6항에 따른 기관 · 단체 및 민간업체의 기능연속성계획 이행실태를 정기적으로 점검하고, 재난관리책임기관에 대해서는 그 결과를 제33조의2에 따른 재난관리체계 등에 대한 평가에 반영할 수 있다.

③ 기능연속성계획에 포함되어야 할 사항 및 계획수립의 절차 등은 국회규칙, 대법원규칙, 헌법재판소규칙, 중앙선거관리위원회규칙 및 대통령령으로 정한다.

(4) 재난 사전 방지조치(영 제29조의2)

① 행정안전부장관은 재난징후정보를 수집 · 분석하여 재난관리책임기관의 장에게 미리 필요한 조치를 하도록 요청할 수 있다.

② **재난징후정보**

㉠ 재난 발생 징후가 포착된 위치

㉡ 위험요인 발생 원인 및 상황

㉢ 위험요인 제거 및 조치사항

㉣ 그 밖에 재난 발생의 사전 방지를 위하여 필요한 사항

관계법규 기능연속성계획의 수립 등

시행령

제29조의2 【재난 사전 방지조치】 ① 【 ① 】은 **법 제25조의2 제1항에 따라 재난 발생을 사전에 방지하기 위하여 다음 각 호의 사항이 포함된 재난발생 징후 정보(이하 "재난징후정보"라 한다)를 수집·분석하여 관계 재난관리책임기관의 장에게 미리 필요한 조치를 하도록 요청할 수 있다.**

1. 재난 발생 징후가 포착된 위치
2. 위험요인 발생 원인 및 상황
3. 위험요인 제거 및 조치 사항
4. 그 밖에 재난 발생의 사전 방지를 위하여 필요한 사항

② 행정안전부장관은 재난징후정보의 수집·분석을 위하여 필요한 경우 국가정보원 등 국가안전보장과 관련된 기관의 장(이하 "국가안전보장 관련기관의 장"이라 한다)에게 국가안전보장과 관련된 정보의 제공을 요청할 수 있다. 다만, 국가안전보장 관련기관의 장은 행정안전부장관의 요청이 없어도 국가안전보장과 관련된 정보를 행정안전부장관에게 수시로 제공할 수 있다.

③ 행정안전부장관은 재난징후정보의 수집·분석을 위하여 필요한 경우 재난관리주관기관의 장에게 재난 및 안전관리와 관련된 정보의 제공을 요청할 수 있다.

④ 행정안전부장관은 재난징후정보의 효율적 조사·분석 및 관리를 위하여 재난징후정보 관리시스템을 운영할 수 있다.

제29조의3 【기능연속성계획의 수립 등】 ① 행정안전부장관은 법 제25조의2 제5항에 따른 계획(이하 "기능연속성계획"이라 한다)의 수립에 관한 지침을 작성하여 다음 각 호의 기관·단체 등(이하 "기능연속성계획수립기관"이라 한다)의 장에게 통보해야 한다.

1. 재난관리책임기관
2. 법 제25조의2 제6항에 따라 행정안전부장관이 고시하는 기관·단체(민간단체를 포함한다. 이하 이 조에서 같다) 및 민간업체

② 제1항에 따른 지침을 통보받은 관계 중앙행정기관의 장 및 시·도지사는 소관 업무 또는 관할 지역의 특수성을 반영한 지침을 작성하여 관계 재난관리책임기관의 장 및 관할 지역의 재난관리책임기관의 장에게 각각 통보할 수 있다.

③ **기능연속성계획에는 다음 각 호의 사항이 포함되어야 한다.**

1. 기능연속성계획수립기관의 핵심기능의 선정과 우선순위에 관한 사항
2. 재난상황에서 핵심기능을 유지하기 위한 의사결정권자 지정 및 그 권한의 대행에 관한 사항
3. 핵심기능의 유지를 위한 대체시설, 장비 등의 확보에 관한 사항
4. 재난상황에서의 소속 직원의 활동계획 등 기능연속성계획의 구체적인 시행절차에 관한 사항
5. 소속 직원 등에 대한 기능연속성계획의 교육·훈련에 관한 사항
6. 그 밖에 기능연속성계획수립기관의 장이 재난상황에서 해당 기관의 핵심기능을 유지하는 데 필요하다고 인정하는 사항

④ **기능연속성계획수립기관의 장은 기능연속성계획을 수립하거나 변경한 경우에는 수립 또는 변경 후 【 ② 】 이내에 행정안전부장관에게 통보해야 한다.** 이 경우 시장·군수·구청장은 시·도지사를 거쳐 통보하고, 별표 1의2에 따른 재난관리책임기관의 장은 관계 중앙행정기관의 장이나 시·도지사를 거쳐 통보한다.

⑤ 행정안전부장관은 법 제25조의2 제7항에 따라 기능연속성계획의 이행실태를 점검(이하 이 조에서 "이행실태점검"이라 한다)하는 경우에는 기능연속성계획수립기관의 장에게 미리 이행실태점검 계획을 통보해야 한다.

⑥ 행정안전부장관은 이행실태점검을 하는 경우에는 다음 각 호의 구분에 따라 해당 호에서 정하는 행정기관과 합동으로 점검을 할 수 있다.

1. 별표 1의2에 따른 재난관리책임기관과 법 제25조의2 제6항에 따라 행정안전부장관이 고시하는 기관·단체 및 민간업체: 관계 중앙행정기관의 장 또는 소관 지방자치단체의 장
2. 시·군·구: 시·도지사

⑦ 행정안전부장관은 이행실태점검 결과에 따라 기능연속성계획수립기관의 장에게 시정이나 보완 등을 요청할 수 있으며, 재난관리책임기관에 대해서는 시정이나 보완 등을 요청한 사항이 적정하게 반영되었는지를 법 제33조의2에 따른 재난관리체계 등에 대한 평가에 반영할 수 있다.

⑧ 제1항부터 제7항까지에서 규정한 사항 외에 기능연속성계획의 수립 및 이행실태점검에 필요한 사항은 행정안전부장관이 정한다.

① 행정안전부장관 ② 1개월

2 국가핵심기반의 지정 및 관리 등 C

제26조【국가핵심기반의 지정 등】 ① 관계 중앙행정기관의 장은 소관 분야의 국가핵심기반을 다음 각 호의 기준에 따라 조정위원회의 심의를 거쳐 지정할 수 있다.
1. 다른 국가핵심기반 등에 미치는 연쇄효과
2. 둘 이상의 중앙행정기관의 공동대응 필요성
3. 재난이 발생하는 경우 국가안전보장과 경제 · 사회에 미치는 피해 규모 및 범위
4. 재난의 발생 가능성 또는 그 복구의 용이성

② 관계 중앙행정기관의 장은 제1항에 따른 지정 여부를 결정하기 위하여 필요한 자료의 제출을 소관 재난관리책임기관의 장에게 요청할 수 있다.
③ 관계 중앙행정기관의 장은 소관 재난관리책임기관이 해당 업무를 폐지 · 정지 또는 변경하는 경우에는 조정위원회의 심의를 거쳐 국가핵심기반의 지정을 취소할 수 있다.
④ 삭제
⑤ 국가핵심기반의 지정 및 지정취소 등에 필요한 사항은 대통령령으로 정한다.

제26조의2【국가핵심기반의 관리 등】 ① 관계 중앙행정기관의 장은 제26조 제1항에 따라 국가핵심기반을 지정한 경우에는 대통령령으로 정하는 바에 따라 소관 분야 국가핵심기반 보호계획을 수립하여 해당 관리기관의 장에게 통보하여야 한다.
② 관리기관의 장은 제1항에 따라 통보받은 국가핵심기반 보호계획에 따라 소관 국가핵심기반에 대한 보호계획을 수립 · 시행하여야 한다.
③ 행정안전부장관 또는 관계 중앙행정기관의 장은 대통령령으로 정하는 바에 따라 국가핵심기반의 보호 및 관리 실태를 확인 · 점검할 수 있다.
④ 행정안전부장관은 국가핵심기반에 대한 데이터베이스를 구축 · 운영하고, 관계 중앙행정기관의 장이 재난관리정책의 수립 등에 이용할 수 있도록 통합지원할 수 있다.

(1) 국가핵심기반 지정기준

관계 중앙행정기관의 장은 소관 분야의 **국가핵심기반을 지정기준**을 다음의 기준에 따라 **조정위원회**의 심의를 거쳐 지정할 수 있다.

① 다른 기반시설이나 체계 등에 미치는 연쇄효과
② 둘 이상의 중앙행정기관의 공동대응 필요성
③ 재난이 발생하는 경우 국가안전보장과 경제 · 사회에 미치는 피해 규모 및 범위
④ 재난의 발생 가능성 또는 그 복구의 용이성

(2) 국가핵심기반의 관리 등

① 관계 중앙행정기관의 장은 국가핵심기반을 지정한 경우에는 대통령령으로 정하는 바에 따라 소관 분야 **국가핵심기반 보호계획**을 수립하여 해당 관리기관의 장에게 통보하여야 한다.
② 관리기관의 장은 통보받은 국가핵심기반 보호계획에 따라 소관 국가핵심기반에 대한 보호계획을 수립 · 시행하여야 한다.
③ 행정안전부장관 또는 관계 중앙행정기관의 장은 대통령령으로 정하는 바에 따라 국가핵심기반의 보호 및 관리실태를 확인 · 점검할 수 있다.
④ 행정안전부장관은 국가핵심기반에 대한 데이터베이스를 구축 · 운영할 수 있다.

관계법규 국가핵심기반의 지정 및 관리 등

시행령

제30조 【국가핵심기반의 지정 등】 ① 【 ① 】은 소관 재난관리책임기관의 장이나 해당 시설 관리자의 의견을 들어 법 제26조 제1항 각 호와 별표 2의 기준에 적합하게 국가핵심기반을 지정하여야 한다.

② 관계 중앙행정기관의 장은 제1항에 따라 국가핵심기반을 지정하려는 경우에는 미리 행정안전부장관과 협의를 거쳐 【 ② 】에 심의를 요청하여야 한다.

③ 관계 중앙행정기관의 장이 법 제26조 제3항에 따라 국가핵심기반의 지정을 취소하는 경우에 제2항을 준용한다.

④ 관계 중앙행정기관의 장은 법 제26조 제1항 및 제3항에 따라 국가핵심기반을 지정하거나 취소하는 경우에는 다음 각 호의 사항을 관보에 공고하여야 한다. 다만, 관계 중앙행정기관의 장이 국가의 안전보장을 위하여 필요하다고 인정하는 경우에는 공고를 생략할 수 있다.

1. 국가핵심기반의 명칭
2. 국가핵심기반의 관리 기관 또는 업체 및 그 장의 명칭
3. 국가핵심기반의 지정 또는 취소 사유

⑤ 행정안전부장관은 국가핵심기반으로 지정하여 관리할 필요가 있다고 인정되는 시설, 정보기술시스템 및 자산 등을 관계 중앙행정기관의 장에게 국가핵심기반으로 지정하도록 권고할 수 있다.

⑥ 제1항부터 제5항까지에서 규정한 사항 외에 국가핵심기반의 지정 등에 필요한 세부사항은 행정안전부장관이 정한다.

제30조의2 【국가핵심기반의 관리 등】 ① 행정안전부장관은 법 제26조의2 제1항에 따른 국가핵심기반 보호계획의 수립을 위한 지침을 작성하여 관계 중앙행정기관의 장에게 통보하여야 한다.

② 행정안전부장관 또는 관계 중앙행정기관의 장은 법 제26조의2 제3항에 따라 국가핵심기반의 보호 및 관리실태를 확인·점검(이하 "관리실태점검"이라 한다)하는 경우에는 국가핵심기반을 관리하는 기관·단체 등의 장(이하 "관리기관의 장"이라 한다)에게 미리 관리실태점검 계획을 통보하여야 한다. 다만, 긴급한 사유가 있는 경우에는 관리실태점검 계획의 통보를 생략할 수 있다.

③ 행정안전부장관 또는 관계 중앙행정기관의 장은 관리실태점검을 위하여 필요한 경우 국가정보원장에게 협조를 요청할 수 있다.

④ 관계 중앙행정기관의 장은 관리실태점검을 실시한 경우에는 그 결과를 행정안전부장관에게 통보하여야 한다.

⑤ 행정안전부장관 또는 관계 중앙행정기관의 장은 관리실태점검 결과 시정 등이 필요한 사항에 대하여 해당 관리기관의 장에게 시정 등을 권고할 수 있다.

[별표 2] 분야별 국가핵심기반의 지정기준(제30조 제1항 관련)

분야별	지정기준
에너지	전력·석유·가스 공급에 필요한 생산·공급시설과 비축시설
정보통신	• 교환기 등 주요 통신장비가 집중된 시설 및 정보통신 서비스의 전국상황 감시시설 • 국가행정을 운영·관리하는 데에 필요한 기간망과 주요 전산시스템
교통수송	인력 수송과 물류 기능을 담당하는 체계와 실제 운용하는 데에 필요한 교통·운송시설 및 이를 통제하는 시설
금융	은행 및 투자매매업·투자중개업을 운영하는 데에 필요한 시설이나 체계
보건의료	응급의료서비스를 제공하는 시설과 이를 지원하는 혈액관리 업무를 담당하는 시설
원자력	원자력시설의 안정적 운영에 필요한 주제어장치(主制御裝置)가 집중된 시설과 방사성폐기물을 영구 처분하기 위한 시설
환경	「폐기물관리법」에 따른 생활폐기물 처리를 위한 수집부터 소각·매립까지의 계통상의 시설
정부중요시설	중앙행정기관이 입주하고 있는 주요 시설
식용수	식용수 공급을 위한 담수(湛水)부터 정수(淨水)까지 계통상의 시설
문화재	「문화재보호법」 제2조 제3항 제1호에 따른 국가지정문화재로서 문화재청장이 특별히 관리할 필요가 있다고 인정하는 문화재
공동구	「국토의 계획 및 이용에 관한 법률」 제2조 제9호에 따른 공동구로서 행정안전부장관 또는 국토교통부장관이 특별히 관리할 필요가 있다고 인정하는 공동구

① 관계 중앙행정기관의 장 ② 조정위원회

3 특정관리대상지역 지정 및 관리 등 B

제27조【특정관리대상지역의 지정 및 관리 등】 ① 중앙행정기관의 장 또는 지방자치단체의 장은 재난이 발생할 위험이 높거나 재난예방을 위하여 계속적으로 관리할 필요가 있다고 인정되는 지역을 대통령령으로 정하는 바에 따라 특정관리대상지역으로 지정할 수 있다.
② 재난관리책임기관의 장은 제1항에 따라 지정된 특정관리대상지역에 대하여 대통령령으로 정하는 바에 따라 재난 발생의 위험성을 제거하기 위한 조치 등 특정관리대상지역의 관리·정비에 필요한 조치를 하여야 한다.
③ 중앙행정기관의 장, 지방자치단체의 장 및 재난관리책임기관의 장은 제1항 및 제2항에 따른 지정 및 조치 결과를 대통령령으로 정하는 바에 따라 행정안전부장관에게 보고하거나 통보하여야 한다.
④ 행정안전부장관은 제3항에 따라 보고받거나 통보받은 사항을 대통령령으로 정하는 바에 따라 정기적으로 또는 수시로 국무총리에게 보고하여야 한다.
⑤ 국무총리는 제4항에 따라 보고받은 사항 중 재난을 예방하기 위하여 필요하다고 인정하는 사항에 대해서는 중앙행정기관의 장, 지방자치단체의 장 또는 재난관리책임기관의 장에게 시정조치나 보완을 요구할 수 있다.
⑥ 제1항부터 제5항까지에서 규정한 사항 외에 특정관리대상지역의 지정, 관리 및 정비에 필요한 사항은 대통령령으로 정한다.

(1) 특정관리대상지역의 지정 및 관리 등

① **중앙행정기관의 장 또는 지방자치단체의 장**은 재난이 발생할 위험이 높거나 재난예방을 위하여 계속적으로 관리할 필요가 있다고 인정되는 지역을 **특정관리대상지역**으로 지정할 수 있다.

② 재난관리책임기관의 장은 지정된 특정관리대상지역에 대하여 재난 발생의 위험성을 제거하기 위한 조치 등 특정관리대상지역의 관리·정비에 필요한 조치를 하여야 한다.

③ 중앙행정기관의 장, 지방자치단체의 장 및 재난관리책임기관의 장은 지정 및 조치결과를 행정안전부장관에게 보고하거나 통보하여야 한다.

④ 행정안전부장관은 보고받거나 통보받은 사항을 정기적으로 또는 수시로 국무총리에게 보고하여야 한다.

⑤ **국무총리**는 보고받은 사항 중 재난을 예방하기 위하여 필요하다고 인정하는 사항에 대해서는 **중앙행정기관의 장, 지방자치단체의 장 또는 재난관리책임기관의 장**에게 시정조치나 보완을 요구할 수 있다.

(2) 특정관리대상지역의 안전등급 및 안전점검 등(영 34조의2)

① 재난관리책임기관의 장은 지정된 특정관리대상지역을 특정관리대상지역의 지정·관리 등에 관한 지침에서 정하는 **안전등급의 평가기준에 따라 등급으로 구분하여 관리**하여야 한다.

㉠ **A등급**: 안전도가 우수한 경우
㉡ **B등급**: 안전도가 양호한 경우
㉢ **C등급**: 안전도가 보통인 경우
㉣ **D등급**: 안전도가 미흡한 경우
㉤ **E등급**: 안전도가 불량한 경우

핵심기출

「재난 및 안전관리 기본법 시행령」상 특정관리대상 지역에 대한 안전등급의 평가기준에 따라 실시하여야 하는 정기안전점검 실시기준으로 옳지 않은 것은? 19. 소방간부

① 안전등급 A등급: 반기별 1회 이상
② 안전등급 B등급: 반기별 1회 이상
③ 안전등급 C등급: 반기별 2회 이상
④ 안전등급 D등급: 월 1회 이상
⑤ 안전등급 E등급: 월 2회 이상

정답 ③

② 재난관리책임기관의 장의 특정관리대상지역에 대한 안전점검

㉠ 정기안전점검

ⓐ A등급, B등급 또는 C등급에 해당하는 특정관리대상지역: 반기별 1회 이상

ⓑ D등급에 해당하는 특정관리대상지역: 월 1회 이상

ⓒ E등급에 해당하는 특정관리대상지역: 월 2회 이상

㉡ 수시안전점검: 재난관리책임기관의 장이 필요하다고 인정하는 경우

관계법규 특정관리대상지역의 지정

시행령

제31조【특정관리대상지역의 지정 등】 ① 중앙행정기관의 장 또는 지방자치단체의 장은 법 제27조 제1항에 따른 특정관리대상지역(이하 "특정관리대상지역"이라 한다)을 지정하기 위하여 소관 지역의 현황을【 ① 】정기적으로 또는 수시로 조사하여야 한다.
② 중앙행정기관의 장 또는 지방자치단체의 장은 다음 각 호의 어느 하나에 해당하는 지역을 제32조 제1항에 따른 특정관리대상지역의 지정·관리 등에 관한 지침에서 정하는 세부지정기준 등에 따라 특정관리대상지역으로 지정하거나 그 지정을 해제하여야 한다.
1. 자연재난으로 인한 피해의 위험이 높거나 피해가 우려되는 지역
2. 재난예방을 위하여 관리할 필요가 있다고 인정되는 지역으로서 별표 2의2에 해당하는 지역
3. 그 밖에 재난관리책임기관의 장이 재난의 예방을 위하여 특별히 관리할 필요가 있다고 인정하는 지역

③ 중앙행정기관의 장 또는 지방자치단체의 장은 제2항에 따라 특정관리대상지역을 지정하거나 해제할 때에는 행정안전부령으로 정하는 바에 따라 그 사실을 특정관리대상지역의 소유자·관리자 또는 점유자(이하 "관계인"이라 한다)에게 알려주어야 한다.

제32조【특정관리대상지역의 지정·관리 등에 관한 지침】 ① 관계 중앙행정기관의 장(재난관리책임기관이 지방자치단체인 경우에는 행정안전부장관을 말한다. 이하 이 조 및 제33조에서 같다)은 특정관리대상지역의 지정·관리 등에 관한 지침을 제정하여 관계 재난관리책임기관의 장에게 통보하여야 한다.
② 제1항에 따른 지침은 특정관리대상지역의 지정·관리 등에 필요한 다음 각 호의 사항을 포함하여야 한다.
1. 특정관리대상지역의 지정을 위한 세부기준에 관한 사항
2. 특정관리대상지역에 대한 조사 방법 및 특정관리대상지역의 지정·해제 절차 등에 관한 사항
3. 특정관리대상지역의 안전등급의 평가기준에 관한 사항
4. 특정관리대상지역의 안전점검과 유지·관리의 방법에 관한 사항
5. 그 밖에 관계 중앙행정기관의 장이 특정관리대상지역의 지정·관리 등에 필요하다고 인정하는 사항

제33조【재난발생의 위험성을 제거하기 위한 장기·단기 계획의 수립·시행】 ①【 ② 】은 법 제27조 제2항에 따라 특정관리대상지역으로부터 재난발생의 위험성을 제거하기 위한 다음 각 호의 사항이 포함된 장기·단기 계획을 수립하여 관계 중앙행정기관의 장에게 제출하여야 한다.
1. 특정관리대상지역의 정비·관리에 관한 기본 방침
2. 특정관리대상지역의 연도별 정비·관리계획에 관한 사항
3. 개별 특정관리대상지역의 세부 정비·관리계획에 관한 사항
4. 그 밖의 재원대책 등 필요한 사항

② 제1항에 따른 장기·단기 계획의 수립 및 시행에 필요한 세부 사항은 관계 중앙행정기관의 장이 정한다.

제34조【국고보조】 지방자치단체의 장이 제33조에 따라 특정관리대상지역(지방자치단체가 관리하는 특정관리대상지역 중 민간 소유 지역은 제외한다)의 위험성을 제거하기 위한 장·단기 계획을 수립하여 시행하는 경우 정부는 그 비용의 전부 또는 일부를 보조할 수 있다.

제34조의2【특정관리대상지역의 안전등급 및 안전점검 등】 ① 재난관리책임기관의 장은 제31조 제2항에 따라 지정된 특정관리대상지역을 제32조 제1항에 따른 특정관리대상지역의 지정·관리 등에 관한 지침에서 정하는 안전등급의 평가기준에 따라 다음 각 호의 어느 하나에 해당하는 등급으로 구분하여 관리하여야 한다.
1. A등급: 안전도가 우수한 경우
2. B등급: 안전도가 양호한 경우
3. C등급: 안전도가 보통인 경우
4. D등급: 안전도가 미흡한 경우
5. E등급: 안전도가 불량한 경우

② 재난관리책임기관의 장은 D등급 또는 E등급에 해당하거나 D등급 또는 E등급에서 상위 등급으로 조정되는 특정관리대상지역에 관한 다음 각 호의 사항을 해당 기관에서 발행하거나 관리하는 공보 또는 홈페이지 등에 공고하고, 이를 행정안전부장관에게 통보하여야 한다. D등급 또는 E등급에 해당하는 특정관리대상지역의 지정이 해제되는 경우에도 또한 같다.
1. 특정관리대상지역의 명칭 및 위치
2. 특정관리대상지역의 관계인의 인적사항
3. 해당 등급의 평가 사유(D등급 또는 E등급에 해당하는 특정관리대상지역의 지정이 해제되는 경우에는 그 사유를 말한다)

③ 재난관리책임기관의 장은 다음 각 호의 구분에 따라 특정관리대상지역에 대한 안전점검을 실시하여야 한다.
1. 정기안전점검
   가. A등급, B등급 또는 C등급에 해당하는 특정관리대상지역: 반기별 1회 이상
   나. D등급에 해당하는 특정관리대상지역:【 ③ 】이상
   다. E등급에 해당하는 특정관리대상지역:【 ④ 】이상
2. 수시안전점검: 재난관리책임기관의 장이 필요하다고 인정하는 경우

④ 행정안전부장관은 특정관리대상지역을 체계적으로 관리하기 위하여 정보화시스템을 구축·운영할 수 있다.
⑤ 재난관리책임기관의 장은 제4항에 따라 운영되는 정보화시스템을 이용하여 특정관리대상지역을 관리하여야 한다.

① 매년 ② 재난관리책임기관의 장 ③ 월 1회 ④ 월 2회

4 재난방지시설의 관리 D

제29조【재난방지시설의 관리】 ① 재난관리책임기관의 장은 관계 법령 또는 제3장의 안전관리계획에서 정하는 바에 따라 대통령령으로 정하는 재난방지시설을 점검·관리하여야 한다.
② 행정안전부장관은 재난방지시설의 관리 실태를 점검하고 필요한 경우 보수·보강 등의 조치를 재난관리책임기관의 장에게 요청할 수 있다. 이 경우 요청을 받은 재난관리책임기관의 장은 신속하게 조치를 이행하여야 한다.

(1) 재난방지시설의 관리

① **재난관리책임기관의 장**은 안전관리계획에서 정하는 바에 따라 **대통령령으로 정하는 재난방지시설**을 점검·관리하여야 한다.

② **행정안전부장관은** 재난방지시설의 관리 실태를 점검하고 필요한 경우 보수·보강 등의 조치를 재난관리책임기관의 장에게 요청할 수 있다. 이 경우 요청을 받은 재난관리책임기관의 장은 신속하게 조치를 이행하여야 한다.

(2) 재난방지시설의 범위(영 제37조)

① 소하천부속물 중 제방·호안·보 및 수문

② 하천시설 중 댐·하구둑·제방·호안·수제·보·갑문·수문·수로터널·운하 및 수문조사시설 중 홍수발생의 예보를 위한 시설

③ 방재시설

④ 하수도 중 하수관로 및 공공하수처리시설

⑤ 농업생산기반시설 중 저수지, 양수장, 우물 등 지하수이용시설, 배수장, 취입보, 용수로, 배수로, 웅덩이, 방조제, 제방

⑥ 사방시설

⑦ 댐

⑧ 유람선·낚시어선·모터보트·요트 또는 윈드서핑 등의 수용을 위한 레저용 기반시설

⑨ 도로의 부속물 중 방설·제설시설, 토사유출·낙석 방지 시설, 공동구, 터널·교량·지하도 및 육교

⑩ 재난 예보·경보시설

⑪ 항만시설

⑫ 행정안전부장관이 정하여 고시하는 재난을 예방하기 위하여 설치한 시설

5 재난안전분야 종사자 교육 B

제29조의2 【재난안전분야 종사자 교육】 ① 재난관리책임기관에서 재난 및 안전관리업무를 담당하는 공무원이나 직원은 행정안전부장관이 실시하는 전문교육(이하 "전문교육"이라 한다)을 행정안전부령으로 정하는 바에 따라 정기적으로 또는 수시로 받아야 한다.
② 행정안전부장관은 필요하다고 인정하면 대통령령으로 정하는 전문인력 및 시설기준을 갖춘 교육기관으로 하여금 전문교육을 대행하게 할 수 있다.
③ 행정안전부장관은 정당한 사유 없이 전문교육을 받지 아니한 자에 대하여 소속 재난관리책임기관의 장에게 징계할 것을 요구할 수 있다.
④ 전문교육의 종류 및 대상, 그 밖에 전문교육의 실시에 필요한 사항은 행정안전부령으로 정한다.

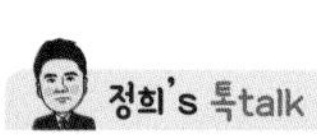

재난의 단계에 따른 교육 관련 규정
재난의 예방단계(제29조의2)에서는 재난안전분야 종사자 교육에 관한 규정이 있으며, 재난의 대응단계(제55조 제3항)에서는 긴급구조에 관한 교육 관련 규정이 있습니다.

긴급구조에 관한 교육(영 제66조 제1항)
긴급구조업무와 재난관리책임기관의 재난관리업무에 종사하는 사람은 긴급구조에 관한 교육을 받아야 합니다.
1. 신규교육: 해당 업무를 맡은 후 1년 이내에 받는 긴급구조교육
2. 정기교육: 신규교육을 받은 후 2년마다 받는 긴급구조교육

(1) 재난안전분야 종사자 교육

재난관리책임기관에서 재난 및 안전관리업무를 담당하는 공무원이나 직원은 **행정안전부장관**이 실시하는 **전문교육**을 정기적으로 또는 수시로 받아야 한다.

(2) 재난안전분야 종사자 교육 종류 등(규칙 제6조의2)

① **관리자 전문교육:** 7시간 이상
② **실무자 전문교육:** 14시간 이상
③ **전문교육기간:** 해당 업무를 맡은 후 **6개월** 이내에 신규교육을 받아야 하며, **신규교육을 받은 후 매 2년마다 정기교육**을 받아야 한다.

관계법규 재난안전분야 종사자 교육

<table>
<tr><th colspan="2">시행규칙</th></tr>
<tr><td>제6조의2 【재난안전분야 종사자 교육 종류 등】 ① 법 제29조의2에 따른 재난안전분야 종사자 전문교육(이하 이 조에서 "전문교육"이라 한다)은 관리자 전문교육과 실무자 전문교육으로 구분하며, 그 교육 대상자는 다음 각 호와 같다.
1. 관리자 전문교육: 다음 각 목에 해당하는 사람
가. 재난관리책임기관에서 재난 및 안전관리 업무를 담당하는 부서의 장
나. 시(「제주특별자치도 설치 및 국제자유도시 조성을 위한 특별법」 제10조 제2항에 따른 행정시를 포함한다. 이하 같다)·군·구(자치구를 말한다. 이하 같다)의 부단체장(부단체장이 2명 이상인 경우에는 재난 및 안전관리 업무를 관할하는 부단체장을 말한다)
다. 법 제75조의2에 따른 안전책임관
2. 실무자 전문교육: 재난관리책임기관에서 재난 및 안전관리 업무를 담당하는 부서의 공무원 또는 직원으로서 제1호에 해당하지 아니하는 사람</td><td>② 전문교육의 대상자는 해당 업무를 맡은 후 6개월 이내에 신규교육을 받아야 하며, 신규교육을 받은 후 매 【 ① 】 정기교육을 받아야 한다.
③ 전문교육의 이수시간은 다음 각 호와 같다.
1. 관리자 전문교육: 7시간 이상
2. 실무자 전문교육: 14시간 이상
④ 제1항부터 제3항까지에서 규정한 사항 외에 전문교육의 교육과정 운영 등에 관하여 필요한 사항은 행정안전부장관이 정한다.</td></tr>
</table>

① 2년마다

6 재난예방을 위한 긴급안전점검 등 D

제30조【재난예방을 위한 긴급안전점검 등】 ① 행정안전부장관 또는 재난관리책임기관(행정기관만을 말한다. 이하 이 조에서 같다)의 장은 대통령령으로 정하는 시설 및 지역에 재난이 발생할 우려가 있는 등 대통령령으로 정하는 긴급한 사유가 있으면 소속 공무원으로 하여금 긴급안전점검을 하게하고, 행정안전부장관은 다른 재난관리책임기관의 장에게 긴급안전점검을 하도록 요구할 수 있다. 이 경우 요구를 받은 재난관리책임기관의 장은 특별한 사유가 없으면 요구에 따라야 한다.
② 제1항에 따라 긴급안전점검을 하는 공무원은 관계인에게 필요한 질문을 하거나 관계 서류 등을 열람할 수 있다.
③ 제1항에 따른 긴급안전점검의 절차 및 방법, 긴급안전점검결과의 기록 · 유지 등에 필요한 사항은 대통령령으로 정한다.
④ 제1항에 따라 긴급안전점검을 하는 공무원은 그 권한을 표시하는 증표를 지니고 이를 관계인에게 보여 주어야 한다.
⑤ 행정안전부장관은 제1항에 따라 긴급안전점검을 하면 그 결과를 해당 재난관리책임기관의 장에게 통보하여야 한다.

(1) 재난예방을 위한 긴급안전점검 등

① **행정안전부장관 또는 재난관리책임기관의 장**(행정기관만을 말한다)은 대통령령으로 정하는 시설 및 지역에 재난이 발생할 우려가 있는 등 대통령령으로 정하는 긴급한 사유가 있으면 소속 공무원으로 하여금 긴급안전점검을 하게 하여야 한다.

② 행정안전부장관은 다른 재난관리책임기관의 장에게 긴급안전점검을 하도록 요구할 수 있다.

(2) 긴급안전점검 대상 시설 등(영 제38조 제1항)

① 긴급안전점검의 대상이 되는 시설 및 지역은 특정관리대상지역

② 행정안전부장관, 시 · 도지사 또는 시장 · 군수 · 구청장이 긴급안전점검이 필요하다고 인정하는 시설 및 지역

(3) 긴급안전점검이 필요한 긴급한 사유(영 제38조 제2항)

① 사회적으로 피해가 큰 재난이 발생하여 피해시설의 긴급한 안전점검이 필요하거나 이와 유사한 시설의 재난예방을 위하여 점검이 필요한 경우

② 계절적으로 재난 발생이 우려되는 취약시설에 대한 안전대책이 필요한 경우

(4) 긴급안전점검의 통지의 의무(영 제38조 제3항)

① 행정안전부장관과 재난관리책임기관의 장은 긴급안전점검을 실시할 때에는 미리 긴급안전점검 대상 시설 및 지역의 관계인에게 긴급안전점검의 목적 · 날짜 등을 서면으로 통지하여야 한다.

② 다만, 서면통지로는 긴급안전점검의 목적을 달성할 수 없는 경우에는 말로 통지할 수 있다.

관계법규 긴급안전점검 대상 시설 등

시행령	시행규칙
제38조【긴급안전점검 대상 시설 등】 ① 법 제30조 제1항에 따른 긴급안전점검(이하 "긴급안전점검"이라 한다)의 대상이 되는 시설 및 지역은 특정관리대상지역과 그 밖에 행정안전부장관, 시·도지사 또는 시장·군수·구청장이 긴급안전점검이 필요하다고 인정하는 시설 및 지역(이하 "긴급안전점검 대상 시설 및 지역"이라 한다)으로 한다. ② 법 제30조 제1항에 따라 **긴급안전점검이 필요한 긴급한 사유**는 다음 각 호와 같다. 1. **사회적으로 피해가 큰 재난이 발생하여 피해시설의 긴급한 안전점검이 필요하거나 이와 유사한 시설의 재난예방을 위하여 점검이 필요한 경우** 2. **계절적으로 재난 발생이 우려되는 취약시설에 대한 안전대책이 필요한 경우** ③ **행정안전부장관** 또는 **재난관리책임기관**(행정기관만을 말한다. 이하 이 조에서 같다)의 장은 긴급안전점검을 실시할 때에는 미리 긴급안전점검 대상 시설 및 지역의 관계인에게 긴급안전점검의 목적·날짜 등을 서면으로 통지하여야 한다. 다만, 서면 통지로는 긴급안전점검의 목적을 달성할 수 없는 경우에는 말로 통지할 수 있다. ④ **행정안전부장관 또는 재난관리책임기관의 장**은 긴급안전점검 대상 시설 및 지역이 국가안전보장과 관련된 경우 국가정보원장에게 긴급안전점검의 실시와 관련하여 협조를 요청할 수 있다. ⑤ **행정안전부장관 또는 재난관리책임기관의 장**은 긴급안전점검을 실시하였을 때에는 행정안전부령으로 정하는 긴급안전점검 대상 시설 및 지역의 관리에 관한 카드에 긴급안전점검 결과 및 안전조치 사항 등을 기록·유지하여야 한다.	**제7조【긴급안전점검 대상·지역 관리카드】** 영 제35조 제5항에 따른 긴급안전점검 대상 시설 및 지역의 관리에 관한 카드는 별지 제9호 서식에 따른다.

7 재난예방을 위한 안전조치 C

제31조【재난예방을 위한 안전조치】 ① 행정안전부장관 또는 재난관리책임기관(행정기관만을 말한다)의 장은 제30조에 따른 긴급안전점검 결과 재난 발생의 위험이 높다고 인정되는 시설 또는 지역에 대하여는 대통령령으로 정하는 바에 따라 그 소유자·관리자 또는 점유자에게 다음 각 호의 안전조치를 할 것을 명할 수 있다.

1. 정밀안전진단(시설만 해당한다). 이 경우 다른 법령에 시설의 정밀안전진단에 관한 기준이 있는 경우에는 그 기준에 따르고, 다른 법령의 적용을 받지 아니하는 시설에 대하여는 행정안전부령으로 정하는 기준에 따른다.
2. 보수(補修) 또는 보강 등 정비
3. 재난을 발생시킬 위험요인의 제거

② 제1항에 따른 안전조치명령을 받은 소유자·관리자 또는 점유자는 이행계획서를 작성하여 행정안전부장관 또는 재난관리책임기관의 장에게 제출한 후 안전조치를 하고, 행정안전부령으로 정하는 바에 따라 그 결과를 행정안전부장관 또는 재난관리책임기관의 장에게 통보하여야 한다.

③ 행정안전부장관 또는 재난관리책임기관의 장은 제1항에 따른 안전조치명령을 받은 자가 그 명령을 이행하지 아니하거나 이행할 수 없는 상태에 있고, 안전조치를 이행하지 아니할 경우 공중의 안전에 위해를 끼칠 수 있어 재난의 예방을 위하여 긴급하다고 판단하면 그 시설 또는 지역에 대하여 사용을 제한하거나 금지시킬 수 있다. 이 경우 그 제한하거나 금지하는 내용을 보기 쉬운 곳에 게시하여야 한다.

④ 행정안전부장관 또는 재난관리책임기관의 장은 제1항 제2호 또는 제3호에 따른 안전조치명령을 받아 이를 이행하여야 하는 자가 그 명령을 이행하지 아니하거나 이행할 수 없는 상태에 있고, 재난예방을 위하여 긴급하다고 판단하면 그 명령을 받아 이를 이행하여야 할 자를 갈음하여 필요한 안전조치를 할 수 있다. 이 경우 「행정대집행법」을 준용한다.

⑤ 행정안전부장관 또는 재난관리책임기관의 장은 제3항에 따른 안전조치를 할 때에는 미리 해당 소유자·관리자 또는 점유자에게 서면으로 이를 알려 주어야 한다. 다만, 긴급한 경우에는 구두로 알리되, 미리 구두로 알리는 것이 불가능하거나 상당한 시간이 걸려 공중의 안전에 위해를 끼칠 수 있는 경우에는 안전조치를 한 후 그 결과를 통보할 수 있다.

(1) 재난예방을 위한 안전조치

행정안전부장관 또는 재난관리책임기관의 장은 긴급안전점검 결과 재난 발생의 위험이 높다고 인정되는 시설 또는 지역에 대하여는 대통령령으로 정하는 바에 따라 **소유자·관리자 또는 점유자**에게 **안전조치**할 것을 명할 수 있다.

① **정밀안전진단**(시설만 해당)

② **보수 또는 보강 등 정비**

③ **재난을 발생시킬 위험요인의 제거**

(2) 안전조치명령서의 포함사항(영 제39조)

① 안전점검의 결과

② 안전조치를 명하는 이유

③ 안전조치의 이행기한

④ 안전조치를 하여야 하는 사항

⑤ 안전조치방법

⑥ 안전조치를 한 후 관계 재난관리책임기관의 장에게 통보하여야 하는 사항

(3) 이행계획서 작성 및 제출(제31조 제2항)

① **이행계획서의 작성권자:** 안전조치명령을 받은 소유자·관리자 또는 점유자

② **제출 및 통보:** 행정안전부장관 또는 재난관리책임기관의 장

③ **이행계획서 포함사항(영 제39조)**

㉠ 안전조치를 이행하는 관계인의 인적사항

㉡ 이행할 안전조치의 내용 및 방법

㉢ 안전조치의 이행기한

(4) 사용의 제한·금지 명령(제31조 제3항)

① **사용의 제한·금지 명령권자:** 행정안전부장관 또는 재난관리책임기관의 장

② **대상:** 안전조치명령을 받은 자가 그 명령을 이행하지 아니하거나 이행할 수 없는 상태에 있고, 안전조치를 이행하지 아니할 경우 공중의 안전에 위해를 끼칠 수 있어 재난의 예방을 위하여 긴급하다고 판단할 때 그 시설 또는 지역

관계법규

시행령	NOTE
제39조【안전조치명령】 ① 법 제31조 제1항에 따라 행정안전부장관 또는 재난관리책임기관의 장은 안전조치에 필요한 사항을 명하려는 경우에는 다음 각 호의 사항이 적힌 행정안전부령으로 정하는 안전조치명령서를 제38조 제1항에 따른 시설 및 지역의 관계인에게 통지하여야 한다. 1. 안전점검의 결과 2. 안전조치를 명하는 이유 3. 안전조치의 이행기한 4. 안전조치를 하여야 하는 사항 5. 안전조치 방법 6. 안전조치를 한 후 관계 재난관리책임기관의 장에게 통보하여야 하는 사항 ② 법 제31조 제2항에 따라 작성·제출하여야 하는 이행계획서에는 다음 각 호의 사항이 포함되어야 한다. 1. 안전조치를 이행하는 관계인의 인적사항 2. 이행할 안전조치의 내용 및 방법 3. 안전조치의 이행기한 ③ 행정안전부장관 또는 재난관리책임기관의 장은 법 제31조 제2항에 따라 안전조치 결과를 통보받은 경우에는 안전조치 이행 여부를 확인하여야 한다.	

8 안전취약계층에 대한 안전 환경 지원 D

제31조의2【안전취약계층에 대한 안전 환경 지원】 ① 제3조 제5호 가목에 따른 재난관리책임기관의 장은 안전취약계층이 재난이나 그 밖의 각종 사고로부터 안전을 확보할 수 있는 생활환경을 조성하기 위하여 안전용품의 제공 및 시설 개선 등 필요한 사항을 지원하기 위하여 노력하여야 한다.

② 제1항에 따른 지원의 대상, 범위, 방법 및 절차 등에 필요한 사항은 대통령령 또는 해당 지방자치단체의 조례로 정한다.

③ 행정안전부장관은 제3조 제5호 가목에 따른 재난관리책임기관의 장에게 제1항에 따른 지원이 원활히 수행되는 데 필요한 사항을 요청할 수 있다. 이 경우 요청을 받은 재난관리책임기관의 장은 특별한 사유가 없으면 요청에 따라야 한다.

④ 행정안전부장관은 제1항에 따른 지원과 관련하여 지방자치단체에 필요한 지원 및 지도를 할 수 있다.

(1) 안전취약계층에 대한 안전 환경 지원

재난관리책임기관의 장은 안전취약계층이 재난이나 그 밖의 각종 사고로부터 안전을 확보할 수 있는 생활환경을 조성하기 위하여 안전용품의 제공 및 시설 개선 등 필요한 사항을 지원하기 위하여 노력하여야 한다.

(2) 안전취약계층(영 제39조의2)

① 13세 미만의 어린이

② 65세 이상의 노인

③ 「장애인복지법」 제2조에 따른 장애인

④ 그 밖에 재난이나 그 밖의 각종 사고에 취약하다고 인정되는 사람

관계법규 안전취약계층에 대한 안전 환경 지원

시행령	NOTE
제39조의2【안전취약계층에 대한 안전 환경 지원】 ① 중앙행정기관의 장이 법 제31조의2 제1항에 따라 **안전취약계층**으로 지원하는 대상은 다음 각 호와 같다. 1. 【 ① 】 미만의 어린이 2. 65세 이상의 노인 3. 「장애인복지법」 제2조에 따른 장애인 4. 그 밖에 재난이나 그 밖의 각종 사고에 취약하다고 인정되는 사람 ② 중앙행정기관의 장은 제1항 각 호에 따른 안전취약계층에게 다음 각 호의 사항을 지원할 수 있다. 1. 안전관리를 위하여 필요한 소방 · 가스 · 전기 등의 안전점검 및 시설 개선 2. 어린이 보호구역 등 취약지역의 안전 확보를 위한 환경 개선 3. 재난 및 사고 예방을 위하여 필요한 안전장비 및 용품의 제공 4. 그 밖에 안전취약계층의 안전한 생활환경을 조성하기 위하여 필요하다고 인정되는 사항	
① 13세	

9 재난안전분야 제도개선 C

제31조의3【재난안전분야 제도개선】 ① 행정안전부장관은 재난 예방 및 국민 안전 확보를 위하여 재난안전분야 제도개선 과제(이하 "개선과제"라 한다)를 선정하여 재난관리주관기관의 장에게 개선과제의 이행을 요청할 수 있다.
② 행정안전부장관은 개선과제의 선정을 위하여 일반 국민, 지방자치단체 또는 민간단체 등으로부터 의견을 수렴할 수 있으며, 관련 분야 전문가에게 자문할 수 있다.
③ 제1항에 따른 요청을 받은 재난관리주관기관의 장은 행정안전부령으로 정하는 바에 따라 개선과제의 이행 요청에 대한 수용 여부를 행정안전부장관에게 통보하여야 한다.
④ 재난관리주관기관의 장은 제3항에 따라 개선과제의 이행 요청을 수용하기로 한 경우 해당 개선과제의 이행상황을 분기별로 점검하고 그 결과를 행정안전부장관에게 통보하여야 한다.

(1) 재난안전분야 제도개선 과제 선정

행정안전부장관은 재난 예방 및 국민 안전 확보를 위하여 재난안전분야 제도개선 과제(이하 "개선과제"라 한다)를 선정하여 재난관리주관기관의 장에게 개선과제의 이행을 요청할 수 있다.

(2) 의견 수렴

행정안전부장관은 개선과제의 선정을 위하여 일반 국민, 지방자치단체 또는 민간단체 등으로부터 의견을 수렴할 수 있으며, 관련 분야 전문가에게 자문할 수 있다.

(3) 개선과제의 이용 요청에 대한 수용 여부 통보

요청을 받은 재난관리주관기관의 장은 행정안전부령으로 정하는 바에 따라 개선과제의 이행 요청에 대한 수용 여부를 행정안전부장관에게 통보하여야 한다.

(4) 이행상황 점검·통보

재난관리주관기관의 장은 제3항에 따라 개선과제의 이행 요청을 수용하기로 한 경우 해당 개선과제의 이행상황을 분기별로 점검하고 그 결과를 행정안전부장관에게 통보하여야 한다.

10 정부합동 안전점검 C

제32조【정부합동 안전점검】 ① 행정안전부장관은 재난관리책임기관의 재난 및 안전관리 실태를 점검하기 위하여 대통령령으로 정하는 바에 따라 정부합동안전점검단(이하 "정부합동점검단"이라 한다)을 편성하여 안전점검을 실시할 수 있다.
② 행정안전부장관은 정부합동점검단을 편성하기 위하여 필요하면 관계 재난관리책임기관의 장에게 관련 공무원 또는 직원의 파견을 요청할 수 있다. 이 경우 요청을 받은 관계 재난관리책임기관의 장은 특별한 사유가 없으면 요청에 따라야 한다.
③ 행정안전부장관은 제1항에 따른 점검을 실시하면 점검결과를 관계 재난관리책임기관의 장에게 통보하고, 보완이나 개선이 필요한 사항에 대한 조치를 관계 재난관리책임기관의 장에게 요구할 수 있다.
④ 제3항에 따라 점검결과 및 조치 요구사항을 통보받은 관계 재난관리책임기관의 장은 조치계획을 수립하여 필요한 조치를 한 후 그 결과를 행정안전부장관에게 통보하여야 한다.

(1) 정부합동 안전점검

행정안전부장관은 재난관리책임기관의 재난 및 안전관리 실태를 점검하기 위하여 정부합동점검단을 편성하여 안전점검을 실시할 수 있다.

(2) 정부합동 안전점검의 구분(영 제39조의3)

① **정기점검:** 계절적 요인 등을 고려하여 정기적으로 실시하는 점검
② **수시점검:** 사회적 쟁점, 유사한 사고의 방지 등을 위하여 수시로 실시하는 점검

관계법규 정부합동안전점검단의 구성 및 점검방법 등

시행령	
제39조의3【정부합동안전점검단의 구성 및 점검방법 등】 ① 법 제32조 제1항에 따른 정부합동안전점검단(이하 "정부합동점검단"이라 한다)은 행정안전부장관이 소속 공무원과 관계 재난관리책임기관에서 파견된 공무원 또는 직원으로 구성한다. ② 정부합동점검단의 단장은【 ① 】이 지명한다. ③ 정부합동 안전점검은 다음 각 호의 구분에 따라 실시할 수 있다. 1. 정기점검: 계절적 요인 등을 고려하여 정기적으로 실시하는 점검 2. 수시점검: 사회적 쟁점, 유사한 사고의 방지 등을 위하여 수시로 실시하는 점검 ④ 제3항에 따라 정부합동 안전점검을 실시할 때에는 점검을 받는 재난관리책임기관의 장에게 미리 점검계획을 통보하여야 한다. 다만, 긴급한 수시점검의 경우에는 점검계획의 통보를 생략할 수 있다.	⑤ 정부합동 안전점검을 효율적으로 실시하기 위하여 필요한 경우에는 재난관리책임기관의 장에게 미리 점검에 필요한 자료를 제출하도록 요청하거나 점검대상 시설 등의 관계인 또는 전문가의 의견을 들을 수 있다. ⑥ 제5항에 따라 전문가의 의견을 들은 경우에는 예산의 범위에서 그 전문가에게 수당 등을 지급할 수 있다. ⑦ 행정안전부장관은 정부합동 안전점검의 효율성 제고와 업무의 중복 등을 방지하기 위하여 필요한 경우에는 관계 중앙행정기관으로부터 재난 및 안전관리 분야 점검계획을 제출받아 점검시기, 대상 및 분야 등을 조정할 수 있다.

① 행정안전부장관

11 집중안전점검기간 운영 등 D

제32조의2【사법경찰권】 제30조에 따라 긴급안전점검을 하는 공무원은 이 법에 규정된 범죄에 관하여는「사법경찰관리의 직무를 수행할 자와 그 직무범위에 관한 법률」에서 정하는 바에 따라 사법경찰관리의 직무를 수행한다.

제32조의3【집중안전점검기간 운영 등】 ① 행정안전부장관은 재난을 예방하고 국민의 안전의식을 높이기 위하여 재난관리책임기관의 장의 의견을 들어 매년 집중안전점검기간을 설정하고 그 운영에 필요한 계획을 수립하여야 한다.
② 행정안전부장관 및 재난관리책임기관의 장은 제1항에 따른 집중안전점검기간 동안에 재난이나 그 밖의 각종 사고의 발생이 우려되는 시설 등에 대하여 집중적으로 안전점검을 실시할 수 있다.
③ 행정안전부장관은 제2항에 따른 집중안전점검기간에 실시한 안전점검 결과로서 재난관리책임기관의 장이 관계 법령에 따라 공개하는 정보를 제66조의9 제2항에 따른 안전정보통합관리시스템을 통하여 공개할 수 있다.
④ 제1항부터 제3항까지에서 규정한 사항 외에 집중안전점검기간의 설정 및 운영 등에 필요한 사항은 대통령령으로 정한다.

(1) 집중안전점검기간 운영

① **행정안전부장관**은 재난을 예방하고 국민의 안전의식을 높이기 위하여 재난관리책임기관의 장의 의견을 들어 **매년 집중안전점검기간**을 설정하고 그 운영에 필요한 계획을 수립하여야 한다.

② **행정안전부장관** 및 **재난관리책임기관의 장**은 집중안전점검기간 동안에 재난이나 그 밖의 각종 사고의 발생이 우려되는 시설 등에 대하여 집중적으로 안전점검을 실시할 수 있다.

(2) 안전점검 결과 공개

행정안전부장관은 집중안전점검기간에 실시한 안전점검 결과로서 재난관리책임기관의 장이 관계 법령에 따라 공개하는 정보를 안전정보통합관리시스템을 통하여 **공개할 수 있다**.

12 안전관리전문기관에 대한 자료요구 등 D

제33조【안전관리전문기관에 대한 자료요구 등】 ① 행정안전부장관은 재난 예방을 효율적으로 추진하기 위하여 대통령령으로 정하는 안전관리전문기관에 안전점검 결과, 주요시설물의 설계도서 등 대통령령으로 정하는 안전관리에 필요한 자료를 요구할 수 있다.

② 제1항에 따라 자료를 요구받은 안전관리전문기관의 장은 특별한 사유가 없으면 요구에 따라야 한다.

제33조의2【재난관리체계 등에 대한 평가 등】 ① 행정안전부장관은 재난관리책임기관에 대하여 대통령령으로 정하는 바에 따라 다음 각 호의 사항을 정기적으로 평가할 수 있다.

1. 대규모재난의 발생에 대비한 단계별 예방 · 대응 및 복구과정
2. 제25조의4 제1항 제1호에 따른 재난에 대응할 조직의 구성 및 정비 실태
3. 제25조의4 제4항에 따른 안전관리체계 및 안전관리규정
4. 제68조에 따른 재난관리기금의 운용 현황

② 제1항에도 불구하고 공공기관에 대하여는 관할 중앙행정기관의 장이 평가를 하고, 시 · 군 · 구에 대하여는 시 · 도지사가 평가를 한다.

③ 행정안전부장관은 다음 각 호의 어느 하나에 해당하는 경우에는 제2항에 따른 평가에 대한 확인평가를 할 수 있다.

1. 제5항에 따른 우수한 기관을 선정하기 위하여 필요한 경우
2. 그 밖에 행정안전부장관이 재난 및 안전관리를 위하여 필요하다고 인정하는 경우

④ 행정안전부장관은 제1항과 제3항에 따른 평가 결과를 중앙위원회에 종합 보고한다.

⑤ 행정안전부장관은 필요하다고 인정하면 해당 재난관리책임기관의 장에게 시정조치나 보완을 요구할 수 있으며, 우수한 기관에 대하여는 예산지원 및 포상 등 필요한 조치를 할 수 있다. 다만, 공공기관의 장 및 시장 · 군수 · 구청장에게 시정조치나 보완 요구를 하려는 경우에는 관할 중앙행정기관의 장 및 시 · 도지사에게 한다.

⑥ 행정안전부장관은 제2항에 따른 공공기관에 대한 평가 결과를 「공공기관의 운영에 관한 법률」 제48조에 따른 공공기관 경영실적 평가에 반영하도록 기획재정부장관에게 요구할 수 있다.

제33조의3【재난관리 실태 공시 등】 ① 시장 · 군수 · 구청장은 다음 각 호의 사항이 포함된 재난관리 실태를 매년 1회 이상 관할 지역 주민에게 공시하여야 한다.

1. 전년도 재난의 발생 및 수습 현황
2. 제25조의4 제1항에 따른 재난예방조치 실적
3. 제67조에 따른 재난관리기금의 적립 현황
4. 제34조의5에 따른 현장조치 행동매뉴얼의 작성 · 운용 현황
5. 그 밖에 대통령령으로 정하는 재난관리에 관한 중요사항

② 행정안전부장관 또는 시 · 도지사는 제33조의2에 따른 평가 결과를 공개할 수 있다.

③ 제1항 및 제2항에 따른 공시 방법 및 시기 등 필요한 사항은 대통령령으로 정한다.

(1) 안전관리전문기관에 대한 자료요구

행정안전부장관은 안전점검결과, 주요시설물의 설계도서 등 대통령령으로 정하는 안전관리에 필요한 자료를 요구할 수 있다.

(2) 안전관리전문기관에 요구할 수 있는 자료(영 제41조)

① 안전관리 대상 시설물 현황 및 주요 시설물의 설계도서

② 안전관리점검 실시계획서

③ 안전관리점검 결과 및 조치의견

④ 정밀안전진단 결과 및 조치의견

⑤ 안전점검 위반자에 대한 처리사항 등 안전관리에 관련된 사항

(3) 재난관리 실태 공시 등

시장·군수·구청장은 재난관리 실태를 매년 1회 이상 관할 지역 주민에게 공시하여야 한다.

(4) 재난관리 실태 공시 포함사항

① 전년도 재난의 발생 및 수습 현황

② 재난예방조치 실적

③ 재난관리기금의 적립 현황

④ 현장조치 행동매뉴얼의 작성·운용 현황

⑤ 대통령령으로 정하는 재난관리에 관한 중요사항(영 제42조의2)

㉠ 「자연재해대책법」에 따른 지역안전도 진단 결과

㉡ 재난관리를 위하여 시장·군수·구청장이 지역주민에게 알릴 필요가 있다고 인정하는 사항

관계법규 재난관리실태 공시방법 및 시기 등

시행령	NOTE
제42조의2 【재난관리실태 공시방법 및 시기 등】 ① 법 제33조의3 제1항 제5호에서 "대통령령으로 정하는 재난관리에 관한 중요 사항"이란 다음 각 호의 사항을 말한다. 1. 「자연재해대책법」 제75조의2에 따른 지역안전도 진단 결과 2. 그 밖에 재난관리를 위하여 시장 · 군수 · 구청장이 지역주민에게 알릴 필요가 있다고 인정하는 사항 ② 시장 · 군수 · 구청장은 매년 3월 31일까지 법 제33조의3 제1항에 따른 재난관리 실태를 해당 지방자치단체의 인터넷 홈페이지 또는 공보에 공고해야 한다. ③ 법 제33조의3 제2항에 따라 공개하는 평가 결과에는 다음 각 호의 사항이 포함되어야 한다. 1. 평가시기 및 대상기관 2. 평가 결과 우수기관으로 선정된 기관	

CHAPTER 5 재난의 대비

1 재난관리자원의 비축 · 관리 B

제34조 【재난관리자원의 관리】 ① 재난관리책임기관의 장은 재난관리를 위하여 필요한 물품, 재산 및 인력 등의 물적 · 인적자원(이하 "재난관리자원"이라 한다)을 비축하거나 지정하는 등 체계적이고 효율적으로 관리하여야 한다.
② 재난관리자원의 관리에 관하여는 따로 법률로 정한다.

제34조의2 【재난현장 긴급통신수단의 마련】 ① 재난관리책임기관의 장은 재난의 발생으로 인하여 통신이 끊기는 상황에 대비하여 미리 유선이나 무선 또는 위성통신망을 활용할 수 있도록 긴급통신수단을 마련하여야 한다.
② 행정안전부장관은 재난현장에서 제1항에 따른 긴급통신수단(이하 "긴급통신수단"이라 한다)이 공동 활용될 수 있도록 하기 위하여 재난관리책임기관, 긴급구조기관 및 긴급구조지원기관에서 보유하고 있는 긴급통신수단의 보유 현황 등을 조사하고, 긴급통신수단을 관리하기 위한 체계를 구축 · 운영할 수 있다.
③ 행정안전부장관은 제2항에 따른 조사를 위하여 필요한 자료의 제출을 재난관리책임기관, 긴급구조기관 및 긴급구조지원기관의 장에게 요청할 수 있다. 이 경우 요청을 받은 관계 기관의 장은 특별한 사유가 없으면 요청에 따라야 한다.
④ 긴급통신수단을 관리하기 위한 체계를 구축 · 운영하는 데 필요한 사항은 대통령령으로 정한다.

(1) 재난관리자원

① **재난관리책임기관의 장**은 재난관리자원을 비축하거나 지정하는 등 체계적이고 효율적으로 관리하여야 한다.

② **재난관리자원**: 재난관리를 위하여 필요한 물품, 재산 및 인력 등의 물적 · 인적 자원

(2) 재난관리자원의 관리에 관하여는 따로 **법률**로 정한다.

(3) 재난현장 긴급통신수단

① **재난관리책임기관의 장**은 **긴급통신수단**을 마련하여야 한다.

② **행정안전부장관**은 재난현장에서 긴급통신수단이 공동 활용될 수 있도록 하기 위하여 재난관리책임기관, 긴급구조기관 및 긴급구조지원기관에서 보유하고 있는 긴급통신수단의 보유 현황 등을 조사하고, 긴급통신수단을 관리하기 위한 체계를 구축 · 운영할 수 있다.

(4) 긴급통신수단 점검

재난관리책임기관의 장은 긴급통신수단 관리지침에 따라 보유 중인 긴급통신수단이 효과적으로 연계되도록 수시로 점검하여야 한다.

정희's 톡talk

재난의 대비
1. 재난관리자원의 관리
2. 재난현장 긴급통신수단의 마련
3. 국가재난관리기준 제정 · 운영
4. 기능별 재난대응 활동계획 작성 · 활용
5. 재난분야위기관리매뉴얼작성 · 운용
6. 다중이용시설 등의 위기상황 매뉴얼 작성 · 운용
7. 안전기준의 등록 및 심의
8. 재난안전통신망 구축 · 운영
9. 재난대비훈련 기본계획 수립
10. 재난대비훈련 실시

핵심 기출

「재난 및 안전관리 기본법」상 재난관리의 대비단계 관리 사항을 있는 대로 모두 고른 것은? 22. 공채

ㄱ. 국가재난관리기준의 제정 · 운용
ㄴ. 재난 예보 · 경보체계 구축 · 운영
ㄷ. 재난안전분야 종사자 교육
ㄹ. 재난안전통신망의 구축 · 운영

① ㄱ, ㄴ　② ㄱ, ㄹ
③ ㄱ, ㄴ, ㄹ　④ ㄴ, ㄷ, ㄹ

정답 ②

2 국가재난관리기준 제정 · 운용 C

제34조의3【국가재난관리기준의 제정 · 운용 등】 ① 행정안전부장관은 재난관리를 효율적으로 수행하기 위하여 다음 각 호의 사항이 포함된 국가재난관리기준을 제정하여 운용하여야 한다. 다만, 「산업표준화법」 제12조에 따른 한국산업표준을 적용할 수 있는 사항에 대하여는 한국산업표준을 반영할 수 있다.
1. 재난분야 용어정의 및 표준체계 정립
2. 국가재난 대응체계에 대한 원칙
3. 재난경감 · 상황관리 · 유지관리 등에 관한 일반적 기준
4. 그 밖의 대통령령으로 정하는 사항

② 제1항의 기준을 제정 또는 개정할 때에는 미리 관계 중앙행정기관의 장의 의견을 들어야 한다.

③ 행정안전부장관은 재난관리책임기관의 장이 재난관리업무를 수행함에 있어 제1항의 국가재난관리기준을 적용하도록 권고할 수 있다.

정희's 톡talk

국가재난관리기준의 제정 · 운용은 재난관리 중 예방단계가 아닌 대비단계에 해당합니다.

(1) 국가재난관리기준의 제정 · 운용

행정안전부장관은 재난관리를 효율적으로 수행하기 위하여 다음의 사항이 포함된 국가재난관리기준을 제정하여 운용하여야 한다.

① 재난분야 용어정의 및 표준체계 정립
② 국가재난 대응체계에 대한 원칙
③ 재난경감 · 상황관리 · 유지관리 등에 관한 일반적 기준
④ 대통령령으로 정하는 사항

(2) 국가재난관리기준의 적용 권고

행정안전부장관은 재난관리책임기관의 장이 재난관리업무를 수행함에 있어 국가재난관리기준을 적용하도록 권고할 수 있다.

관계법규 국가재난관리기준 포함사항

시행령	
제43조의3【재난현장 긴급통신 수단의 마련】 ① 행정안전부장관은 법 제34조의2 제1항에 따른 긴급통신수단이 효율적으로 활용될 수 있도록 긴급통신수단 관리지침을 마련하여 재난관리책임기관, 긴급구조기관 및 긴급구조지원기관의 장에게 통보하여야 한다. ② 재난관리책임기관의 장은 제1항에 따른 긴급통신수단 관리지침에 따라 보유 중인 긴급통신수단이 효과적으로 연계되도록 수시로 점검하여야 한다.	**제43조의4【국가재난관리기준에 포함될 사항】** 법 제34조의3 제1항 제4호에서 "대통령령으로 정하는 사항"이란 다음 각 호의 사항을 말한다. 1. 재난에 관한 예보 · 경보의 발령 기준 2. 재난상황의 전파 3. 재난 발생 시 효과적인 지휘 · 통제 체제 마련 4. 재난관리를 효과적으로 수행하기 위한 관계기관 간 상호협력 방안 5. 재난관리체계에 대한 평가 기준이나 방법 6. 그 밖에 재난관리를 효율적으로 수행하기 위하여 행정안전부장관이 필요하다고 인정하는 사항

3 기능별 재난대응 활동계획 작성 · 활용 C

제34조의4【기능별 재난대응 활동계획의 작성 · 활용】 ① 재난관리책임기관의 장은 재난관리가 효율적으로 이루어질 수 있도록 대통령령으로 정하는 바에 따라 기능별 재난대응 활동계획(이하 "재난대응활동계획"이라 한다)을 작성하여 활용하여야 한다.
② 행정안전부장관은 재난대응활동계획의 작성에 필요한 작성지침을 재난관리책임기관의 장에게 통보할 수 있다.
③ 행정안전부장관은 재난관리책임기관의 장이 작성한 재난대응활동계획을 확인 · 점검하고, 필요하면 관계 재난관리책임기관의 장에게 시정을 요청할 수 있다. 이 경우 시정 요청을 받은 재난관리책임기관의 장은 특별한 사유가 없으면 요청에 따라야 한다.
④ 제1항부터 제3항까지에서 규정한 사항 외에 재난대응활동계획의 작성 · 운용 · 관리 등에 필요한 사항은 대통령령으로 정한다.

(1) 기능별 재난대응 활동계획 작성 및 활용

① **재난관리책임기관의 장**은 재난관리가 효율적으로 이루어질 수 있도록 대통령령으로 정하는 바에 따라 기능별 재난대응 활동계획을 작성하여 활용하여야 한다.

② **재난대응활동계획 포함사항**(영 제43조의5)

㉠ 재난상황관리 기능
㉡ 긴급 생활안정 지원 기능
㉢ 긴급 통신 지원 기능
㉣ 시설피해의 응급복구 기능
㉤ 에너지 공급 피해시설 복구 기능
㉥ 재난관리자원 지원 기능
㉦ 교통대책 기능
㉧ 의료 및 방역서비스 지원 기능
㉨ 재난현장 환경 정비 기능
㉩ 자원봉사 지원 및 관리 기능
㉪ 사회질서 유지 기능
㉫ 재난지역 수색, 구조 · 구급지원 기능
㉬ 재난 수습 홍보 기능

(2) **행정안전부장관**은 재난대응활동계획의 작성에 필요한 작성지침을 재난관리책임기관의 장에게 통보할 수 있다(제34조의4 제2항).

(3) 재난관리책임기관의 장은 재난대응활동계획 작성지침에 따라 기능별 재난대응 활동계획을 작성 · 활용하여야 한다(영 제43조의5 제2항).

정희's 톡talk

재난대응활동계획의 작성권자는 재난관리책임기관의 장입니다.

4 재난분야 위기관리 매뉴얼 A

제34조의5【재난분야 위기관리 매뉴얼 작성 · 운용】 ① 재난관리책임기관의 장은 재난을 효율적으로 관리하기 위하여 재난유형에 따라 다음 각 호의 위기관리 매뉴얼을 작성 · 운용하고, 이를 준수하도록 노력하여야 한다. 이 경우 재난대응활동계획과 위기관리 매뉴얼이 서로 연계되도록 하여야 한다.

1. 위기관리 표준매뉴얼: 국가적 차원에서 관리가 필요한 재난에 대하여 재난관리체계와 관계 기관의 임무와 역할을 규정한 문서로 위기대응 실무매뉴얼의 작성기준이 되며, 재난관리주관기관의 장이 작성한다. 다만, 다수의 재난관리주관기관이 관련되는 재난에 대해서는 관계 재난관리주관기관의 장과 협의하여 행정안전부장관이 위기관리 표준매뉴얼을 작성할 수 있다.
2. 위기대응 실무매뉴얼: 위기관리 표준매뉴얼에서 규정하는 기능과 역할에 따라 실제 재난대응에 필요한 조치사항 및 절차를 규정한 문서로 재난관리주관기관의 장과 관계 기관의 장이 작성한다. 이 경우 재난관리주관기관의 장은 위기대응 실무매뉴얼과 제1호에 따른 위기관리 표준매뉴얼을 통합하여 작성할 수 있다.
3. 현장조치 행동매뉴얼: 재난현장에서 임무를 직접 수행하는 기관의 행동조치 절차를 구체적으로 수록한 문서로 위기대응 실무매뉴얼을 작성한 기관의 장이 지정한 기관의 장이 작성하되, 시장 · 군수 · 구청장은 재난유형별 현장조치 행동매뉴얼을 통합하여 작성할 수 있다. 다만, 현장조치 행동매뉴얼 작성 기관의 장이 다른 법령에 따라 작성한 계획 · 매뉴얼 등에 재난유형별 현장조치 행동매뉴얼에 포함될 사항이 모두 포함되어 있는 경우 해당 재난유형에 대해서는 현장조치 행동매뉴얼이 작성된 것으로 본다.

(1) 위기관리 표준매뉴얼

① 국가적 차원에서 관리가 필요한 재난에 대하여 재난관리 체계와 관계 기관의 임무와 역할을 규정한 문서이다.

② 위기대응 실무매뉴얼의 작성 기준이 된다.

③ **재난관리주관기관의 장**이 작성한다.

(2) 위기대응 실무매뉴얼

① 위기관리 표준매뉴얼에서 규정하는 기능과 역할에 따라 **실제 재난대응에 필요한 조치사항 및 절차를 규정한 문서**이다.

② **재난관리주관기관의 장과 관계 기관의 장**이 작성한다.

③ 재난관리주관기관의 장은 위기대응 실무매뉴얼과 위기관리 표준매뉴얼을 통합하여 작성할 수 있다.

(3) 현장조치 행동매뉴얼

① **재난현장에서 임무를 직접 수행하는 기관의 행동조치 절차를 구체적으로 수록한 문서**이다.

② **위기대응 실무매뉴얼을 작성한 기관의 장이 지정한 기관의 장이 작성하되**, 시장 · 군수 · 구청장은 재난유형별 현장조치 행동매뉴얼을 통합하여 작성할 수 있다.

핵심기출

01 「재난 및 안전관리 기본법」상 재난현장에서 임무를 직접 수행하는 기관의 행동조치 절차를 구체적으로 수록한 문서는?

22. 공채

① 재난대응 활동계획
② 현장조치 행동매뉴얼
③ 위기대응 실무매뉴얼
④ 위기관리 표준매뉴얼

정답 ②

02 「재난 및 안전관리 기본법」상 재난관리책임기관의 장은 재난을 효율적으로 관리하기 위하여 재난유형에 따라 위기관리 매뉴얼을 작성 · 운용하여야 한다. ( )안에 들어갈 내용으로 옳은 것은?

21. 소방간부

> (ㄱ)매뉴얼은 국가적 차원에서 관리가 필요한 재난에 대하여 재난관리 체계와 관계 기관의 임무와 역할을 규정한 문서이고, (ㄴ)매뉴얼은 재난현장에서 임무를 직접 수행하는 기관의 행동조치 절차를 구체적으로 수록한 문서이다.

	ㄱ	ㄴ
①	위기관리 표준	위기대응 실무
②	위기관리 표준	현장조치 행동
③	위기대응 실무	현장조치 행동
④	위기대응 실무	위기관리 표준
⑤	현장조치 행동	위기관리 표준

정답 ②

4-2 재난분야 위기관리 매뉴얼 협의회 등 C

제34조의5【재난분야 위기관리 매뉴얼 작성·운용】 ② 행정안전부장관은 재난유형별 위기관리 매뉴얼의 작성 및 운용기준을 정하여 재난관리책임기관의 장에게 통보할 수 있다.
③ 재난관리주관기관의 장이 작성한 위기관리 표준매뉴얼은 행정안전부장관의 승인을 받아 이를 확정하고, 위기대응 실무매뉴얼과 연계하여 운용하여야 한다.
④ 재난관리주관기관의 장은 위기관리 표준매뉴얼 및 위기대응 실무매뉴얼을 정기적으로 점검하고 그 결과를 행정안전부장관에게 통보하여야 한다. 이 경우 매뉴얼의 점검을 위하여 필요한 때에는 관계 전문가의 의견을 들을 수 있다.
⑤ 행정안전부장관은 재난유형별 위기관리 매뉴얼의 표준화 및 실효성 제고를 위하여 대통령령으로 정하는 위기관리 매뉴얼협의회를 구성·운영할 수 있다.
⑥ 재난관리주관기관의 장은 소관 분야 재난유형의 위기대응 실무매뉴얼 및 현장조치 행동매뉴얼을 조정·승인하고 지도·관리를 하여야 하며, 소관분야 위기관리 매뉴얼을 새로이 작성하거나 변경한 때에는 이를 행정안전부장관에게 통보하여야 한다.
⑦ 시장·군수·구청장이 작성한 현장조치 행동매뉴얼에 대하여는 시·도지사의 승인을 받아야 한다. 시·도지사는 현장조치 행동매뉴얼을 승인하는 때에는 재난관리주관기관의 장이 작성한 위기대응 실무매뉴얼과 연계되도록 하여야 하며, 승인 결과를 재난관리주관기관의 장 및 행정안전부장관에게 보고하여야 한다.
⑧ 행정안전부장관은 위기관리 매뉴얼의 체계적인 운용을 위하여 관리시스템을 구축·운영할 수 있으며, 제3항부터 제7항까지의 규정에 따른 위기관리 매뉴얼의 작성·운용 등 필요한 사항은 대통령령으로 정한다.
⑨ 행정안전부장관은 재난관리업무를 효율적으로 하기 위하여 대통령령으로 정하는 바에 따라 위기관리에 필요한 매뉴얼 표준안을 연구·개발하여 보급할 수 있다. 이 경우 다음 각 호의 사항을 고려하여야 한다.
1. 재난유형에 따른 국민행동요령의 표준화
2. 재난유형에 따른 예방·대비·대응·복구 단계별 조치사항에 관한 연구 및 표준화
3. 재난현장에서의 대응과 상호협력 절차에 관한 연구 및 표준화
4. 안전취약계층의 특성을 반영한 연구·개발
5. 그 밖에 위기관리에 관한 매뉴얼의 개선·보완에 필요한 사항
⑩ 행정안전부장관은 위기관리 매뉴얼의 작성·운용 실태를 반기별로 점검하여야 하며, 필요한 경우 수시로 점검할 수 있고, 그 결과에 따라 이를 시정 또는 보완하기 위하여 위기관리 매뉴얼을 작성·운용하는 기관의 장에게 필요한 조치를 하도록 권고할 수 있다. 이 경우 권고를 받은 기관의 장은 특별한 사유가 없으면 이에 따라야 한다.

(1) 위기관리 매뉴얼협의회(제34조의5 제5항)

① 구성·운영권자: 행정안전부장관

② 목적: 재난유형별 위기관리 매뉴얼의 표준화 및 실효성 제고

(2) 위기관리 매뉴얼협의회의 구성·운영(영 제43조의6)

① 위기관리 매뉴얼협의회(협의회)는 **위원장 1명을 포함하여 200명 이내의 위원으**로 구성한다.

② **협의회 심의사항**

㉠ 위기관리 표준매뉴얼 및 위기대응 실무매뉴얼의 검토에 관한 사항

㉡ 위기관리 매뉴얼의 작성방법 및 운용기준 등에 관한 사항

㉢ 위기관리 매뉴얼의 개선에 관한 사항

㉣ 행정안전부장관이 위기관리 매뉴얼의 표준화 및 실효성 제고를 위하여 필요하다고 인정하는 사항

③ 협의회의 위원은 다음의 사람 중에서 행정안전부장관이 임명·위촉한다.

㉠ 재난관리주관기관에서 재난 및 안전관리 업무를 담당하는 부서의 과장급 이상 공무원

㉡ 재난관리책임기관에서 위기관리 매뉴얼에 관한 업무를 담당하는 공무원 또는 직원

㉢ 재난·안전관리 또는 위기관리 매뉴얼에 관한 학식과 경험이 풍부한 사람

④ 협의회의 위원장은 위원 중에서 행정안전부장관이 지명한다.

⑤ 위촉위원의 임기는 2년으로 하며, 위원의 사임 등으로 새로 위촉된 위원의 임기는 전임위원 임기의 남은 기간으로 한다.

(3) 위기대응 실무매뉴얼 및 현장조치 행동매뉴얼

① **조정·승인 및 지도·관리: 재난관리주관기관의 장**(제34조의5 제6항)

② **시장·군수·구청장이 작성한 현장조치 행동매뉴얼 승인권자: 시·도지사**(제34조의5 제7항)

(4) 위기관리 매뉴얼 표준안 고려사항(제34조의5 제9항)

행정안전부장관은 재난관리업무를 효율적으로 하기 위하여 대통령령으로 정하는 바에 따라 위기관리에 필요한 매뉴얼 표준안을 연구·개발하여 보급할 수 있다.

① 재난유형에 따른 국민행동요령의 표준화

② 재난유형에 따른 예방·대비·대응·복구 단계별 조치사항에 관한 연구 및 표준화

③ 재난현장에서의 대응과 상호협력 절차에 관한 연구 및 표준화

④ 안전취약계층의 특성을 반영한 연구·개발

⑤ 위기관리에 관한 매뉴얼의 개선·보완에 필요한 사항

(5) 위기관리 매뉴얼 작성·운용 실태 점검(제34조의5 제10항)

① **행정안전부장관**은 위기관리 매뉴얼의 작성·운용 실태를 반기별로 점검하여야 한다.

② 필요한 경우 수시로 점검할 수 있고, 그 결과에 따라 이를 시정 또는 보완하기 위하여 위기관리 매뉴얼을 작성·운용하는 기관의 장에게 필요한 조치를 하도록 권고할 수 있다.

③ 권고를 받은 기관의 장은 특별한 사유가 없으면 이에 따라야 한다.

핵심기출

「재난 및 안전관리 기본법」상 재난관리에 관한 내용으로 옳은 것은? 20. 공채

① 예방: 재난 발생을 사전에 방지하기 위하여 매년 재난대비훈련 계획을 수립하고, 관계 기관과 합동으로 재난대비훈련을 실시한다.

② 대비: 재난을 효율적으로 관리하기 위하여 재난유형에 따라 위기관리 매뉴얼을 작성·운용한다.

③ 대응: 재난 피해지역을 재해 이전 상태로 회복시키기 위하여 피해상황을 조사하고, 자체복구계획을 수립·시행한다.

④ 복구: 재난의 수습활동을 효율적으로 하기 위하여 재난관리자원의 비축·관리 및 긴급통신수단을 마련한다.

정답 ②

관계법규 위기관리 매뉴얼협의회의 구성 · 운영

시행령	NOTE
제43조의6【위기관리 매뉴얼협의회의 구성 · 운영】 ① 법 제34조의5 제5항에 따른 **위기관리 매뉴얼협의회**(이하 "협의회"라 한다)는 위원장 1명을 포함하여【 ① 】이내의 위원으로 구성한다. ② 협의회는 다음 각 호의 사항을 심의한다. 1. 위기관리 표준매뉴얼 및 위기대응 실무매뉴얼의 검토에 관한 사항 2. 위기관리 매뉴얼의 작성방법 및 운용기준 등에 관한 사항 3. 위기관리 매뉴얼의 개선에 관한 사항 4. 그 밖에 행정안전부장관이 위기관리 매뉴얼의 표준화 및 실효성 제고를 위하여 필요하다고 인정하는 사항 ③ 협의회의 위원은 다음 각 호의 사람 중에서 행정안전부장관이 임명하거나 위촉한다. 1. 재난관리주관기관에서 재난 및 안전관리 업무를 담당하는 부서의 과장급 이상 공무원 2. 재난관리책임기관에서 위기관리 매뉴얼에 관한 업무를 담당하는 공무원 또는 직원 3. 재난 및 안전관리 또는 위기관리 매뉴얼에 관한 학식과 경험이 풍부한 사람 ④ **협의회의 위원장은 위원 중에서 행정안전부장관이 지명한다.** ⑤ 위촉위원의 **임기는** 2년으로 하며, 위원의 사임 등으로 새로 위촉된 위원의 임기는 전임위원 임기의 남은 기간으로 한다. ⑥ 협의회의 회의에 출석하는 위원에게는 예산의 범위에서 수당과 여비 등을 지급할 수 있다. 다만, 공무원인 위원이 그 업무와 관련하여 회의에 참석하는 경우에는 그러하지 아니하다. ⑦ 제1항부터 제6항까지에서 규정한 사항 외에 협의회 운영에 필요한 사항은 행정안전부장관이 정한다. **제43조의7【위기관리 매뉴얼의 작성 · 운용】** ① 행정안전부장관은 법 제34조의5 제8항에 따른 관리시스템(이하 "관리시스템"이라 한다)을 구축 · 운영하기 위하여 재난관리책임기관의 장에게 관련 자료의 제출을 요청하거나 관리시스템을 통하여 위기관리 매뉴얼을 관리하도록 요청할 수 있다. ② 행정안전부장관은 법 제34조의5 제9항에 따라 위기관리에 필요한 표준화된 매뉴얼을 연구 · 개발할 때에는 다음 각 호의 사항을 고려하여야 한다. 1. 재난유형에 따른 국민행동요령의 표준화 2. 재난유형에 따른 예방 · 대비 · 대응 · 복구 단계별 조치사항에 관한 연구 및 표준화 3. 재난현장에서의 대응 및 상호협력 절차에 관한 연구 및 표준화 4. 그 밖에 위기관리 매뉴얼의 개선 · 보완에 필요한 사항 ③ 제1항과 제2항에서 규정한 사항 외에 위기관리 매뉴얼의 작성 및 운용에 관하여 필요한 사항은 행정안전부장관이 정한다.	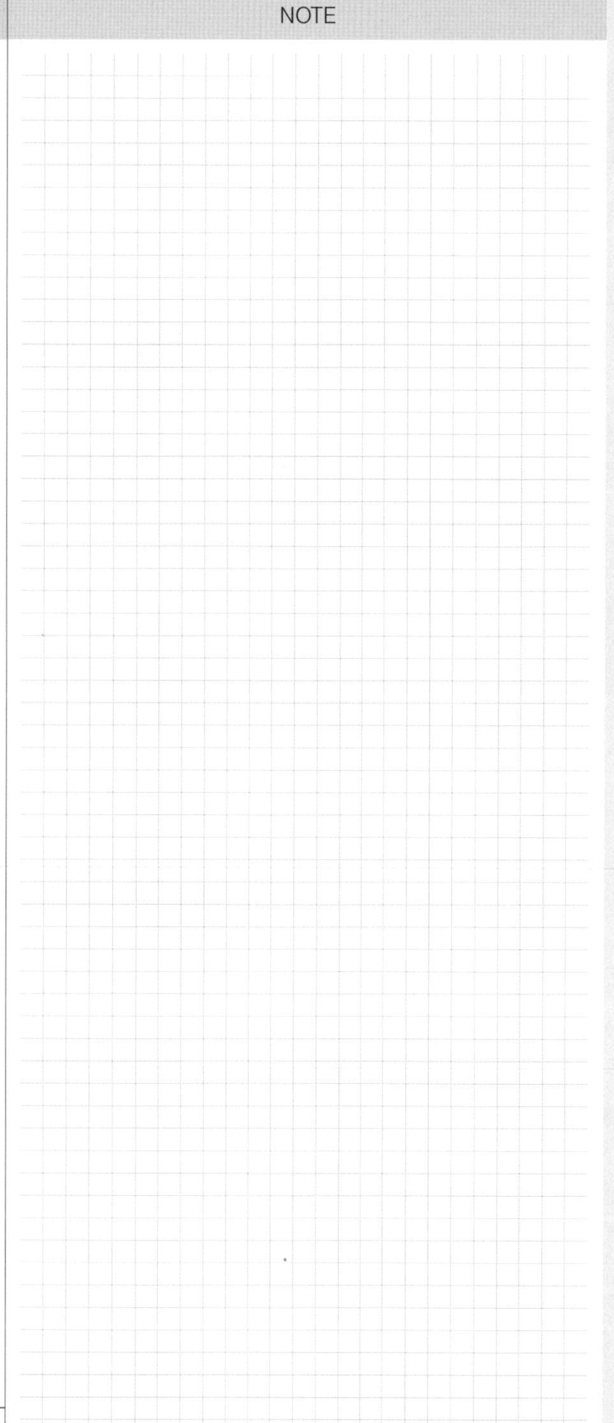
① 200명	

5 다중이용시설 등의 위기상황 매뉴얼 작성·운용 B

제34조의6 【다중이용시설 등의 위기상황 매뉴얼 작성·관리 및 훈련】 ① 대통령령으로 정하는 다중이용시설 등의 소유자·관리자 또는 점유자는 대통령령으로 정하는 바에 따라 위기상황에 대비한 매뉴얼(이하 "위기상황 매뉴얼"이라 한다)을 작성·관리하여야 한다. 다만, 다른 법령에서 위기상황에 대비한 대응계획 등의 작성·관리에 관하여 규정하고 있는 경우에는 그 법령에서 정하는 바에 따른다.
② 제1항에 따른 소유자·관리자 또는 점유자는 대통령령으로 정하는 바에 따라 위기상황 매뉴얼에 따른 훈련을 주기적으로 실시하여야 한다. 다만, 다른 법령에서 위기상황에 대비한 대응계획 등의 훈련에 관하여 규정하고 있는 경우에는 그 법령에서 정하는 바에 따른다.
③ 행정안전부장관, 관계 중앙행정기관의 장 또는 지방자치단체의 장은 위기상황 매뉴얼(제1항 단서 및 제2항 단서에 따른 위기상황에 대비한 대응계획 등을 포함한다)의 작성·관리 및 훈련실태를 점검하고 필요한 경우에는 개선명령을 할 수 있다.

(1) 위기상황 매뉴얼

① 다중이용시설 등의 **소유자·관리자 또는 점유자**는 위기상황 매뉴얼을 작성·관리하여야 한다.

② 다중이용시설 등의 소유자·관리자 또는 점유자는 위기상황 매뉴얼에 따른 훈련을 주기적으로 실시하여야 한다.

③ 행정안전부장관, 관계 중앙행정기관의 장 또는 지방자치단체의 장은 위기상황 매뉴얼의 작성·관리 및 훈련실태를 점검하고 필요한 경우에는 개선명령을 할 수 있다.

(2) 대통령령으로 정하는 다중이용시설(영 제43조의8)

① **「건축법 시행령」에 따른 다중이용 건축물**

② 다중이용 건축물에 따른 건축물에 준하는 건축물 또는 시설로서 행정안전부장관이 위기상황에 대비한 매뉴얼(위기상황 매뉴얼)의 작성·관리가 필요하다고 인정하여 고시하는 건축물 또는 시설

(3) 「건축법 시행령」에 따른 다중이용 건축물

① 다음에 해당하는 용도로 쓰는 바닥면적의 합계가 5,000m² **이상인 건축물**

㉠ 문화 및 집회시설(동물원 및 식물원 제외)

㉡ 종교시설

㉢ 판매시설

㉣ 운수시설 중 여객용 시설

㉤ 의료시설 중 종합병원

㉥ 숙박시설 중 관광숙박시설

② 16층 이상인 건축물

핵심기출

「재난 및 안전관리 기본법 시행령」상 다중이용시설의 관계인이 위기상황에 대비한 매뉴얼을 작성하여 이에 따른 훈련을 주기적으로 실시해야 하는 건축물 또는 시설에 해당하지 않는 것은? 19. 소방간부

① 바닥면적의 합계가 4,000m²인 판매시설
② 바닥면적의 합계가 5,000m²인 운수시설 여객용시설
③ 바닥면적의 합계가 6,000m²인 숙박시설 관광숙박시설
④ 바닥면적의 합계가 7,000m²인 의료시설 종합병원
⑤ 바닥면적의 합계가 8,000m²인 문화 및 집회시설(동물원 및 식물원은 제외)

정답 ①

(4) 위기유형(「다중이용시설 등의 위기상황 매뉴얼 작성방법 및 기준」 제2조)

① 테러, 화재, 침수, 폭설, 붕괴, 가스누출

② 그 외 시설 등의 환경 및 특성에 의해 발생할 수 있는 위기

관계법규 위기상황 매뉴얼 작성·관리

시행령	NOTE
제43조의8【위기상황 매뉴얼 작성·관리대상】 법 제34조의6 제1항 본문에서 "대통령령으로 정하는 다중이용시설 등의 소유자·관리자 또는 점유자"란 다음 각 호의 어느 하나에 해당하는 건축물 또는 시설(이하 "다중이용시설등"이라 한다)의 관계인을 말한다. 1.「건축법 시행령」 제2조 제17호 가목에 따른【 ① 】 2. 그 밖에 제1호에 따른 건축물에 준하는 건축물 또는 시설로서 행정안전부장관이 법 제34조의6 제1항 본문에 따른 위기상황에 대비한 매뉴얼(이하 "위기상황 매뉴얼"이라 한다)의 작성·관리가 필요하다고 인정하여 고시하는 건축물 또는 시설 **제43조의9【위기상황 매뉴얼의 작성·관리방법 등】** ① 법 제34조의6 제1항에 따라 다중이용시설등의 관계인이 작성·관리하여야 하는 위기상황 매뉴얼에는 다음 각 호의 사항이 포함되어야 한다. 1. 위기상황 대응조직의 체계 2. 위기상황 발생 시 구성원의 역할에 관한 사항 3. 위기상황별·단계별 대처방법에 관한 사항 4. 응급조치 및 피해복구에 관한 사항 5. 그 밖에 행정안전부장관이 위기상황의 효율적인 극복을 위하여 필요하다고 인정하여 고시하는 사항 ② 위기상황 매뉴얼을 작성·관리하는 관계인은 법 제34조의6 제2항에 따라 매년【 ② 】이상 위기상황 매뉴얼에 따른 훈련을 실시하여야 한다. ③ 위기상황 매뉴얼을 작성·관리하는 관계인은 제2항에 따른 훈련 결과를 반영하여 위기상황 매뉴얼이 실제 위기상황에서 무리 없이 작동하도록 지속적으로 보완·발전시켜야 한다. ④ 행정안전부장관은 관계 중앙행정기관의 장 또는 지방자치단체의 장에게 소관 분야의 위기상황에 대비한 위기상황 매뉴얼의 표준안을 작성·보급할 것을 요청할 수 있다. ⑤ 제1항부터 제4항까지에서 규정한 사항 외에 위기상황 매뉴얼의 작성 방법 및 기준 등에 관하여 필요한 사항은 행정안전부장관이 정하여 고시한다.	
① 다중이용 건축물 ② 1회	

6 안전기준의 등록 및 심의 D

제34조의7【안전기준의 등록 및 심의 등】 ① 행정안전부장관은 안전기준을 체계적으로 관리·운용하기 위하여 안전기준을 통합적으로 관리할 수 있는 체계를 갖추어야 한다.
② 중앙행정기관의 장은 관계 법률에서 정하는 바에 따라 안전기준을 신설 또는 변경하는 때에는 행정안전부장관에게 안전기준의 등록을 요청하여야 한다.
③ 행정안전부장관은 제2항에 따라 안전기준의 등록을 요청받은 때에는 안전기준심의회의 심의를 거쳐 이를 확정한 후 관계 중앙행정기관의 장에게 통보하여야 한다.
④ 중앙행정기관의 장이 신설 또는 변경하는 안전기준은 제34조의3에 따른 국가재난관리기준에 어긋나지 아니하여야 한다.
⑤ 안전기준의 등록 방법 및 절차와 안전기준심의회 구성 및 운영에 관하여는 대통령령으로 정한다.

(1) 안전기준의 등록 및 심의 등

① **행정안전부장관**: 안전기준을 통합적으로 관리할 수 있는 체계를 구축하여야 한다.
② **중앙행정기관의 장**: 안전기준을 신설·변경하는 때 행정안전부장관에게 안전기준의 등록을 요청하여야 한다.
③ **행정안전부장관**: 안전기준의 등록을 요청받은 때 안전기준심의회의 심의를 거쳐 이를 확정한 후 관계 중앙행정기관의 장에게 통보하여야 한다.
④ 중앙행정기관의 장이 신설 또는 변경하는 안전기준은 국가재난관리기준에 어긋나지 아니하여야 한다.

(2) 안전기준심의회(심의회)의 구성 및 운영(영 제43조의11)

① 의장을 포함한 20명 이내의 위원으로 구성한다.
② **심의회 의장**: 행정안전부의 재난안전관리사무를 담당하는 본부장
③ **심의회 심의·의결 사항**
㉠ 안전기준의 등록에 관한 사항
㉡ 안전기준의 신설, 조정 및 보완에 관한 사항
㉢ 의장이 회의에 부치는 사항
④ **위원의 임명권자**: 행정안전부장관
⑤ **위촉위원의 임기**: 2년(두 차례만 연임할 수 있다)
⑥ 심의회는 재적위원 과반수의 출석으로 개의하고, 출석위원 과반수의 찬성으로 의결한다.
⑦ 사무를 처리하기 위하여 간사 1명을 두며, 간사는 행정안전부 소속 공무원 중에서 의장이 지명한다.
⑧ 심의회는 심의의 전문성을 확보하기 위하여 필요한 경우에는 안전기준 분과위원회를 둘 수 있다.

관계법규 **안전기준의 등록 방법 및 절차와 안전기준심의회 구성 및 운영**

시행령	NOTE
제43조의10【안전기준의 등록방법 등】 ① 행정안전부장관은 법 제34조의7 제1항에 따른 통합적 관리체계를 갖추기 위하여 법 제34조의7 제2항에 따라 등록대상이 되는 안전기준을 조사하여 관계 중앙행정기관의 장에게 통보할 수 있으며, 관계 중앙행정기관의 장은 안전기준을 등록하는 등 필요한 조치를 하여야 한다. ② 행정안전부장관은 안전기준이 법 제34조의7 제3항에 따라 안전기준심의회를 거쳐 확정되었을 때에는 관보에 고시하여야 한다. ③ 제1항과 제2항에서 규정한 사항 외에 안전기준의 등록 및 고시 등에 필요한 사항은 행정안전부장관이 정한다. **제43조의11【안전기준심의회의 구성 및 운영 등】** ① 법 제34조의7 제3항에 따른 **안전기준심의회(심의회)는 의장을 포함한【 ① 】이내의 위원으로 구성한다.** ② 심의회는 다음 각 호의 사항을 심의 · 의결한다. 1. 안전기준의 등록에 관한 사항 2. 안전기준의 신설, 조정 및 보완에 관한 사항 3. 그 밖에 의장이 회의에 부치는 사항 ③ **심의회의 의장은 행정안전부의 재난안전관리사무를 담당하는 본부장이 된다.** ④ 심의회의 위원은 다음 각 호의 사람 중에서 성별을 고려하여 행정안전부장관이 임명하거나 위촉한다. 1. 관계 중앙행정기관의 고위공무원단에 속하는 일반직공무원 또는 이에 상당하는 공무원 2. 안전기준에 관한 학식과 경험이 풍부한 사람 ⑤ 위촉위원의 **임기는** 2년으로 하며, **두 차례만 연임할 수 있다.** ⑥ 위원의 사임 등으로 새로 위촉된 위원의 임기는 전임위원 임기의 남은 기간으로 한다. ⑦ 행정안전부장관은 심의회 위원이 다음 각 호의 어느 하나에 해당하는 경우에는 해당 위원을 해임 또는 해촉(解囑)할 수 있다. 1. 심신장애로 인하여 직무를 수행할 수 없게 된 경우 2. 직무와 관련된 비위사실이 있는 경우 3. 직무태만, 품위손상이나 그 밖의 사유로 인하여 위원으로 적합하지 아니하다고 인정되는 경우 4. 위원 스스로 직무를 수행하는 것이 곤란하다고 의사를 밝히는 경우 ⑧ 심의회는 재적위원 과반수의 출석으로 개의하고, 출석위원 과반수의 찬성으로 의결한다. ⑨ 사무를 처리하기 위하여 간사 1명을 두며, 간사는 행정안전부 소속 공무원 중에서 의장이 지명한다. ⑩ 심의회는 심의의 전문성을 확보하기 위하여 필요한 경우에는 안전기준 분과위원회를 둘 수 있다. ⑪ 심의회의 회의에 출석한 위원에게는 예산의 범위에서 수당과 여비 등을 지급할 수 있다. 다만, 공무원인 위원이 그 업무와 관련하여 회의에 참석하는 경우에는 그러하지 아니하다. ⑫ 제1항부터 제11항까지에서 규정한 사항 외에 심의회의 운영과 안전기준 분과위원회의 구성 · 운영 등에 필요한 사항은 행정안전부장관이 정한다.	
① 20명	

7 재난안전통신망 구축·운영 D

제34조의8【재난안전통신망의 구축·운영】 ① 행정안전부장관은 체계적인 재난관리를 위하여 재난안전통신망을 구축·운영하여야 하며, 재난관리책임기관·긴급구조기관 및 긴급구조지원기관(이하 "재난관련기관"이라 한다)은 재난관리에 재난안전통신망을 사용하여야 한다.
② 삭제
③ 재난안전통신망의 운영, 사용 등에 필요한 사항은 다른 법률로 정한다.

(1) 재난안전통신망

① 구축·운영: 행정안전부장관

② 재난관련기관: 재난관리책임기관·긴급구조기관 및 긴급구조지원기관

③ 재난관리기관은 재난관리에 재난안전통신망을 사용하여야 한다.

(2) 재난안전통신망의 운영 및 사용(영 제43조의12)

① 행정안전부장관은 재난안전통신망의 상시적인 운영을 위하여 필요한 인력·시설 및 장비를 갖추어야 한다.

② 재난관리기관은 재난관리에 관한 다음의 활동에 재난안전통신망을 사용하여야 한다.

㉠ 재난관리를 위한 상황의 보고 및 전파

㉡ 응급조치 등 재난 대응의 지시 및 보고

㉢ 체계적인 재난관리를 위하여 행정안전부장관이 재난안전통신망의 사용이 필요하다고 인정하여 고시하는 활동

(3) 재난안전통신망의 운영, 사용 등에 필요한 사항은 다른 법률로 정한다.

관계법규 재난안전통신망의 운영 및 사용

시행령
제43조의12【재난안전통신망의 운영 및 사용】 ① 행정안전부장관은 법 제34조의8 제1항에 따른 재난안전통신망(이하 "재난안전통신망"이라 한다)의 상시적인 운영을 위하여 필요한 인력, 시설 및 장비를 갖추어야 한다. ② 행정안전부장관은 재난안전통신망의 효율적 운영 및 관리를 위하여 필요하다고 인정하는 경우에는 다른 행정기관 및 공공기관에 대하여 해당 기관이 운영하는 재난안전 관련 통신망과의 연계를 요청할 수 있다. ③ 재난관리책임기관·긴급구조기관 및 긴급구조지원기관(이하 "재난관련기관"이라 한다)은 법 제34조의8 제1항에 따라 재난관리에 관한 다음 각 호의 활동에 재난안전통신망을 사용하여야 한다. 1. 재난관리를 위한 상황의 보고 및 전파 2. 응급조치 등 재난 대응의 지시 및 보고 3. 그 밖에 체계적인 재난관리를 위하여 행정안전부장관이 재난안전통신망의 사용이 필요하다고 인정하여 고시하는 활동 ④ 재난관련기관은 재난안전통신망을 사용할 때 재난안전통신망의 사용에 관하여 행정안전부장관이 정하여 고시하는 절차와 방법을 따라야 한다. ⑤ 행정안전부장관은 재난안전통신망의 운영 및 사용 등에 필요한 사항을 협의하기 위하여 재난관련기관이 참여하는 협의회를 구성·운영할 수 있다. ⑥ 행정안전부장관은 재난안전통신망의 효율적 운영 및 사용을 위하여 재난관련기관의 재난안전통신망 사용 현황에 관한 자료를 수집·분석할 수 있다. 이 경우 행정안전부장관은 재난관련기관에 대하여 자료 수집·분석에 필요한 협조를 요청할 수 있다. ⑦ 제1항부터 제6항까지에서 규정한 사항 외에 재난안전통신망의 운영 및 사용에 필요한 사항은 행정안전부장관이 정하여 고시한다.

8 재난대비훈련 기본계획 수립 D

제34조의9【재난대비훈련 기본계획 수립】 ① 행정안전부장관은 매년 재난대비훈련 기본계획을 수립하고 재난관리책임기관의 장에게 통보하여야 한다.
② 재난관리책임기관의 장은 제1항의 재난대비훈련 기본계획에 따라 소관분야별로 자체계획을 수립하여야 한다.
③ 행정안전부장관은 제1항에 따라 수립한 재난대비훈련 기본계획을 국회 소관상임위원회에 보고하여야 한다.

9 재난대비훈련 실시 C

제35조【재난대비훈련 실시】 ① 행정안전부장관, 중앙행정기관의 장, 시·도지사, 시장·군수·구청장 및 긴급구조기관(이하 "훈련주관기관"이라 한다)의 장은 대통령령으로 정하는 바에 따라 매년 정기적으로 또는 수시로 재난관리책임기관, 긴급구조지원기관 및 군부대 등 관계 기관(이하 "훈련참여기관"이라 한다)과 합동으로 재난대비훈련(제34조의5에 따른 위기관리 매뉴얼의 숙달훈련을 포함한다)을 실시하여야 한다.
② 훈련주관기관의 장은 제1항에 따른 재난대비훈련을 실시하려면 제34조의9 제2항에 따른 자체계획을 토대로 재난대비훈련 실시계획을 수립하여 훈련참여기관의 장에게 통보하여야 한다.
③ 훈련참여기관의 장은 제1항에 따른 재난대비훈련을 실시하면 훈련상황을 점검하고, 그 결과를 대통령령으로 정하는 바에 따라 훈련주관기관의 장에게 제출하여야 한다.
④ 훈련주관기관의 장은 대통령령으로 정하는 바에 따라 다음 각 호의 조치를 하여야 한다.
1. 훈련참여기관의 훈련과정 및 훈련결과에 대한 점검·평가
2. 훈련참여기관의 장에게 훈련과정에서 나타난 미비사항이나 개선·보완이 필요한 사항에 대한 보완조치 요구
3. 훈련과정에서 나타난 제34조의5 제1항 각 호의 위기관리 매뉴얼의 미비점에 대한 개선·보완 및 개선·보완조치 요구
⑤ 재난대비훈련의 효율적인 추진을 위한 절차·방법 등에 필요한 사항은 대통령령으로 정한다.

(1) 재난대비훈련 실시

① **훈련주관기관**의 장은 매년 정기적으로 또는 수시로 **훈련참여기관과 합동**으로 재난대비훈련을 실시하여야 한다.
  ㉠ **훈련주관기관: 행정안전부장관, 중앙행정기관의 장, 시·도지사, 시장·군수·구청장 및 긴급구조기관**
  ㉡ **훈련참여기관:** 재난관리책임기관, 긴급구조지원기관 및 군부대 등 관계 기관

② 훈련주관기관의 장은 재난대비훈련을 실시하려면 자체계획을 토대로 재난대비훈련 실시계획을 수립하여 훈련참여기관의 장에게 통보하여야 한다.

③ **훈련주관기관의 장의 조치사항**

㉠ 훈련참여기관의 훈련과정 및 훈련결과에 대한 점검 · 평가

㉡ 훈련참여기관의 장에게 훈련과정에서 나타난 미비사항이나 개선 · 보완이 필요한 사항에 대한 보완조치 요구

㉢ 훈련과정에서 나타난 위기관리 매뉴얼의 미비점에 대한 개선 · 보완 및 개선 · 보완조치 요구

시크릿노트

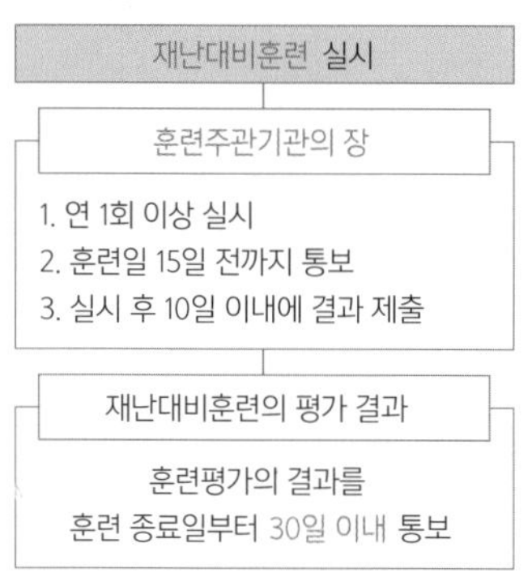

(2) 재난대비훈련 등(영 제43조의14)

① **훈련주관기관의 장**은 관계 기관과 합동으로 참여하는 재난대비훈련을 각각 소관 분야별로 주관하여 **연 1회 이상 실시하여야 한다.**

② 재난대비훈련에 참여하는 기관은 **자체훈련**을 수시로 실시할 수 있다.

③ 훈련주관기관의 장은 재난대비훈련을 실시하는 경우에는 **훈련일 15일 전까지** 훈련일시, 훈련장소, 훈련내용, 훈련방법, 훈련참여 인력 및 장비, 그 밖에 훈련에 필요한 사항을 훈련참여기관의 장에게 통보하여야 한다.

④ 훈련주관기관의 장은 재난대비훈련 수행에 필요한 능력을 기르기 위하여 재난대비훈련 참석자에게 재난대비훈련을 실시하기 전에 **사전교육**을 하여야 한다.

⑤ 훈련참여기관의 장은 재난대비훈련 실시 후 **10일 이내**에 그 결과를 훈련주관기관의 장에게 제출하여야 한다.

(3) 재난대비훈련의 평가(영 제43조의15)

① **훈련평가항목**

㉠ 분야별 전문인력 참여도 및 훈련목표 달성 정도

㉡ 장비의 종류 · 기능 및 수량 등 동원 실태

㉢ 유관기관과의 협력체제 구축 실태

㉣ 긴급구조대응계획 및 세부대응계획에 의한 임무의 수행 능력

㉤ 긴급구조기관 및 긴급구조지원기관 간의 지휘통신체계

㉥ 긴급구조요원의 임무 수행의 전문성 수준

㉦ 행정안전부장관이 정하는 평가에 필요한 사항

② **훈련평가 결과 통보 및 조치**

㉠ 훈련주관기관의 장은 **훈련평가의 결과**를 훈련 종료일부터 **30일 이내**에 재난관리책임기관의 장 및 관계 긴급구조지원기관의 장에게 통보하여야 한다.

㉡ 통보를 받은 재난관리책임기관의 장 및 긴급구조지원기관의 장은 평가 결과가 다음 훈련계획 수립 및 훈련을 실시하는 데 반영되도록 하는 등의 재난관리에 필요한 조치를 하여야 한다.

③ **우수기관의 포상**: 행정안전부장관은 평가 결과 우수기관에 대해서는 포상 등 필요한 조치를 할 수 있다.

④ **평가단의 구성**: 행정안전부장관은 체계적이고 효율적인 훈련평가를 위하여 필요한 경우 민간전문가로 이루어진 평가단을 구성하여 운영할 수 있다.

⑤ 그 외의 훈련평가에 필요한 사항은 행정안전부장관이 정하여 고시한다.

1 응급조치 등

1 재난사태 선포 A

제36조【재난사태 선포】 ① 행정안전부장관은 대통령령으로 정하는 재난이 발생하거나 발생할 우려가 있는 경우 사람의 생명·신체 및 재산에 미치는 중대한 영향이나 피해를 줄이기 위하여 긴급한 조치가 필요하다고 인정하면 중앙위원회의 심의를 거쳐 재난사태를 선포할 수 있다. 다만, 행정안전부장관은 재난상황이 긴급하여 중앙위원회의 심의를 거칠 시간적 여유가 없다고 인정하는 경우에는 중앙위원회의 심의를 거치지 아니하고 재난사태를 선포할 수 있다.

② 행정안전부장관은 제1항 단서에 따라 재난사태를 선포한 경우에는 지체 없이 중앙위원회의 승인을 받아야 하고, 승인을 받지 못하면 선포된 재난사태를 즉시 해제하여야 한다.

③ 제1항에도 불구하고 시·도지사는 관할 구역에서 재난이 발생하거나 발생할 우려가 있는 등 대통령령으로 정하는 경우 사람의 생명·신체 및 재산에 미치는 중대한 영향이나 피해를 줄이기 위하여 긴급한 조치가 필요하다고 인정하면 시·도위원회의 심의를 거쳐 재난사태를 선포할 수 있다. 이 경우 시·도지사는 지체 없이 그 사실을 행정안전부장관에게 통보하여야 한다.

④ 제3항에 따른 재난사태 선포에 대한 시·도위원회 심의의 생략 및 승인 등에 관하여는 제1항 단서 및 제2항을 준용한다. 이 경우 "행정안전부장관"은 "시·도지사"로, "중앙위원회"는 "시·도위원회"로 본다.

⑤ 행정안전부장관 및 지방자치단체의 장은 제1항에 따라 재난사태가 선포된 지역에 대하여 다음 각 호의 조치를 할 수 있다.

1. 재난경보의 발령, 재난관리자원의 동원, 위험구역 설정, 대피명령, 응급지원 등 이 법에 따른 응급조치
2. 해당 지역에 소재하는 행정기관 소속 공무원의 비상소집
3. 해당 지역에 대한 여행 등 이동 자제 권고
4. 「유아교육법」 제31조, 「초·중등교육법」 제64조 및 「고등교육법」 제61조에 따른 휴업명령 및 휴원·휴교 처분의 요청
5. 그 밖에 재난예방에 필요한 조치

⑥ 행정안전부장관 또는 시·도지사는 재난으로 인한 위험이 해소되었다고 인정하는 경우 또는 재난이 추가적으로 발생할 우려가 없어진 경우에는 선포된 재난사태를 즉시 해제하여야 한다.

(1) 재난사태 선포 등

① 재난사태 선포

㉠ 선포권자: 행정안전부장관

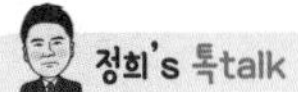

응급조치 등
1. 재난사태 선포
2. 응급조치
3. 위기경보의 발령
4. 재난 예보, 경보체계 구축·운영 등
5. 동원명령 등
6. 대피명령
7. 위험구역의 설정
8. 강제대피조치
9. 통행제한 등
10. 응원
11. 응급조치 등

핵심기출

재난 및 안전관리 기본법령상 재난사태 선포와 특별재난지역의 선포에 관한 설명으로 옳지 않은 것은? 24. 소방간부

① 재난사태 선포는 재난의 대응 활동에 해당된다.
② 특별재난지역의 선포는 재난의 복구 활동에 해당된다.
③ 재난사태 선포권자는 국무총리이다.
④ 재난사태 선포대상 재난은 재난 중 극심한 인명 또는 재산의 피해가 발생하거나 발생할 것으로 예상되어 시·도지사가 중앙대책본부장에게 재난사태의 선포를 건의하거나 중앙대책본부장이 재난사태의 선포가 필요하다고 인정하는 재난(「노동조합 및 노동관계조정법」 제4장에 따른 쟁의행위로 인한 국가핵심기반의 일시 정지는 제외한다)을 말한다.
⑤ 행정안전부장관 및 지방자치단체의 장은 재난사태가 선포된 지역에 대하여 재난경보의 발령, 인력·장비 및 물자의 동원, 위험구역 설정, 대피명령, 응급지원 등 이 법에 따른 응급조치, 해당 지역에 소재하는 행정기관 소속 공무원의 비상소집, 해당 지역에 대한 여행 등 이동 자제 권고 등의 조치를 할 수 있다.

정답 ③

㉡ 재난사태 심의: 중앙위원회

㉢ 재난사태: 대통령령으로 정하는 재난이 발생하거나 발생할 우려가 있는 경우 사람의 생명·신체 및 재산에 미치는 중대한 영향이나 피해를 줄이기 위하여 긴급한 조치가 필요하다고 인정되는 경우

② 단서조항: 행정안전부장관은 재난상황이 긴급하여 중앙위원회의 심의를 거칠 시간적 여유가 없다고 인정하는 경우에는 중앙위원회의 심의를 거치지 아니하고 재난사태를 선포할 수 있다.

(2) 단서조항에 해당하여 재난사태를 선포한 경우에는 지체 없이 중앙위원회의 승인을 받아야 하고, 승인을 받지 못하면 선포된 재난사태를 즉시 해제하여야 한다.

(3) 시·도지사의 재난사태 선포 및 통보

① 시·도지사는 관할 구역에서 재난이 발생하거나 발생할 우려가 있는 등 대통령령으로 정하는 경우 사람의 생명·신체 및 재산에 미치는 중대한 영향이나 피해를 줄이기 위하여 긴급한 조치가 필요하다고 인정하면 시·도위원회의 심의를 거쳐 재난사태를 선포할 수 있다.

② 이 경우 시·도지사는 지체 없이 그 사실을 행정안전부장관에게 통보하여야 한다.

(4) 행정안전부장관 및 지방자치단체의 장의 재난사태가 선포된 지역 조치사항

① 재난경보의 발령, 재난관리자원의 동원, 위험구역 설정, 대피명령, 응급지원 등 이 법에 따른 응급조치

② 해당 지역에 소재하는 행정기관 소속 공무원의 비상소집

③ 해당 지역에 대한 여행 등 이동 자제 권고

④ 유치원, 초·중등학교, 대학의 휴업명령 및 휴원·휴교 처분의 요청

⑤ 재난예방에 필요한 조치

(5) 재난사태의 해제

행정안전부장관 또는 시·도지사는 재난으로 인한 위험이 해소되었다고 인정하는 경우 또는 재난이 추가적으로 발생할 우려가 없어진 경우에는 선포된 재난사태를 즉시 해제하여야 한다.

핵심 기출

「재난 및 안전관리 기본법」에 대한 내용이다. ( ) 안에 들어갈 용어로 옳은 것은?

21. 공채

(가)은 대통령령으로 정하는 재난이 발생하거나 발생할 우려가 있는 경우 사람의 생명·신체 및 재산에 미치는 중대한 영향이나 피해를 줄이기 위하여 긴급한 조치가 필요하다고 인정하면 (나)의 심의를 거쳐 (다)을/를 선포할 수 있다.

	(가)	(나)	(가)
①	중앙재난안전대책본부장	안전정책조정 위원회	재난사태
②	행정안전부장관	중앙안전관리위원회	재난사태
③	중앙재난안전대책본부장	중앙안전관리위원회	특별재난지역
④	행정안전부장관	안전정책조정위원회	특별재난지역

정답 ②

관계법규 재난사태의 선포대상 재난

시행령	NOTE
제44조【재난사태의 선포대상 재난】 법 제36조 제1항 본문에서 "대통령령으로 정하는 재난"이란 재난 중 극심한 인명 또는 재산의 피해가 발생하거나 발생할 것으로 예상되어 시·도지사가 중앙대책본부장에게 재난사태의 선포를 건의하거나 중앙대책본부장이 재난사태의 선포가 필요하다고 인정하는 재난(「노동조합 및 노동관계조정법」 제4장에 따른 쟁의행위로 인한 국가기반시설의 일시 정지는 제외한다)을 말한다.	

2 응급조치 A

제37조【응급조치】 ① 제50조 제2항에 따른 시·도긴급구조통제단 및 시·군·구긴급구조통제단의 단장(이하 "지역통제단장"이라 한다)과 시장·군수·구청장은 재난이 발생할 우려가 있거나 재난이 발생하였을 때에는 즉시 관계 법령이나 재난대응활동계획 및 위기관리 매뉴얼에서 정하는 바에 따라 수방(水防)·진화·구조 및 구난(救難), 그 밖에 재난 발생을 예방하거나 피해를 줄이기 위하여 필요한 다음 각 호의 응급조치를 하여야 한다. 다만, 지역통제단장의 경우에는 제2호 중 진화에 관한 응급조치와 제4호 및 제6호의 응급조치만 하여야 한다.
1. 경보의 발령 또는 전달이나 피난의 권고 또는 지시
1의2. 제31조에 따른 안전조치
2. 진화·수방·지진방재, 그 밖의 응급조치와 구호
3. 피해시설의 응급복구 및 방역과 방범, 그 밖의 질서 유지
4. 긴급수송 및 구조 수단의 확보
5. 급수 수단의 확보, 긴급피난처 및 구호품 등 재난관리자원의 확보
6. 현장지휘통신체계의 확보
7. 그 밖에 재난 발생을 예방하거나 줄이기 위하여 필요한 사항으로서 대통령령으로 정하는 사항

② 시·군·구의 관할 구역에 소재하는 재난관리책임기관의 장은 시장·군수·구청장이나 지역통제단장이 요청하면 관계 법령이나 시·군·구안전관리계획에서 정하는 바에 따라 시장·군수·구청장이나 지역통제단장의 지휘 또는 조정하에 그 소관 업무에 관계되는 응급조치를 실시하거나 시장·군수·구청장이나 지역통제단장이 실시하는 응급조치에 협력하여야 한다.

(1) 응급조치

지역통제단장과 **시장·군수·구청장**은 재난이 발생할 우려가 있거나 재난이 발생하였을 때에는 즉시 수방(水防)·진화·구조 및 구난, 그 밖에 재난 발생을 예방하거나 피해를 줄이기 위한 **응급조치를 하여야 한다.**

(2) 시장·군수·구청장의 응급조치

① 경보의 발령 또는 전달이나 피난의 권고 또는 지시
② 재난예방을 위한 안전조치
③ **진화**·수방·지진방재, 그 밖의 응급조치와 구호
④ 피해시설의 응급복구 및 방역과 방범, 그 밖의 질서 유지
⑤ **긴급수송 및 구조 수단의 확보**
⑥ 급수 수단의 확보, 긴급피난처 및 구호품 등 재난관리자원의 확보
⑦ **현장지휘통신체계의 확보**
⑧ 재난 발생을 예방하거나 줄이기 위하여 필요한 사항으로서 대통령령으로 정하는 사항

핵심기출

「재난 및 안전관리 기본법」상 재난이 발생할 우려가 있거나 재난이 발생하였을 때에 즉시 취해야 하는 응급조치로 옳지 않은 것은?

18. 소방간부

① 급수 수단의 확보, 긴급피난처 및 구호품의 확보
② 피해시설의 응급복구 및 방역과 방범, 그 밖의 질서 유지
③ 긴급수송 및 구조 수단의 확보
④ 응급지원에 필요한 비용부담
⑤ 현장지휘통신체계의 확보

정답 ④

핵심 기출

시·도 긴급구조통제단장과 시·군·구 긴급구조통제단장의 응급조치사항에 해당하지 않는 것은? 17. 공채

① 긴급수송 수단 확보
② 경보의 발령
③ 현장지휘통신체계의 확보
④ 진화에 관한 응급조치

정답 ②

(3) 지역통제단장의 응급조치

① 진화에 관한 응급조치
② 긴급수송 및 구조 수단의 확보
③ 현장지휘통신체계의 확보

(4) 관할 구역 소재하는 재난관리책임기관의 장

시장·군수·구청장이나 지역통제단장이 요청하면 관계 법령이나 시·군·구안전관리계획에서 정하는 바에 따라 시장·군수·구청장이나 지역통제단장의 지휘 또는 조정하에 그 소관 업무에 관계되는 응급조치를 실시하거나 시장·군수·구청장이나 지역통제단장이 실시하는 응급조치에 협력하여야 한다.

(5) 응급조치를 위한 공무원의 파견 요청(영 제45조)

지역통제단장은 응급조치를 위하여 다음의 사항을 분명하게 밝혀 다른 지역통제단장 또는 시장·군수·구청장에게 소속 공무원의 파견을 요청할 수 있다.

① 파견요청 사유
② 파견대상 인원 및 직급
③ 파견기간
④ 그 밖에 파견에 필요한 사항 등

관계법규 응급조치

시행령	재난 및 안전관리 기본법
제45조【응급조치를 위한 공무원의 파견 요청 등】 법 제50조에 따른 시·도긴급구조통제단 및 시·군·구긴급구조통제단의 단장(이하 "지역통제단장"이라 한다)은 법 제37조 제1항에 따른 응급조치를 위하여 다음 각 호의 사항을 분명하게 밝혀 다른 지역통제단장 또는 시장·군수·구청장에게 소속 공무원의 파견을 요청할 수 있다. 1. 파견요청 사유 2. 파견대상 인원 및 직급 3. 파견기간 4. 그 밖에 파견에 필요한 사항 등	**제49조【중앙긴급구조통제단】** ① 긴급구조에 관한 사항의 총괄·조정, 긴급구조기관 및 긴급구조지원기관이 하는 긴급구조활동의 역할 분담과 지휘·통제를 위하여【 ① 】에 중앙긴급구조통제단(이하 "중앙통제단"이라 한다)을 둔다. ② 중앙통제단의 단장은【 ② 】이 된다. ③ 중앙통제단장은 긴급구조를 위하여 필요하면 긴급구조지원기관 간의 공조체제를 유지하기 위하여 관계 기관·단체의 장에게 소속 직원의 파견을 요청할 수 있다. 이 경우 요청을 받은 기관·단체의 장은 특별한 사유가 없으면 요청에 따라야 한다. **제50조【지역긴급구조통제단】** ① 지역별 긴급구조에 관한 사항의 총괄·조정, 해당 지역에 소재하는 긴급구조기관 및 긴급구조지원기관 간의 역할분담과 재난현장에서의 지휘·통제를 위하여 시·도의 소방본부에 시·도긴급구조통제단을 두고, 시·군·구의 소방서에 시·군·구긴급구조통제단을 둔다. ② 시·도긴급구조통제단과 시·군·구긴급구조통제단(이하 "지역통제단"이라 한다)에는 각각 단장 1명을 두되, 시·도긴급구조통제단의 단장은【 ③ 】이 되고 시·군·구긴급구조통제단의 단장은【 ④ 】이 된다. ③ 지역통제단장은 긴급구조를 위하여 필요하면 긴급구조지원기관 간의 공조체제를 유지하기 위하여 관계 기관·단체의 장에게 소속 직원의 파견을 요청할 수 있다. 이 경우 요청을 받은 기관·단체의 장은 특별한 사유가 없으면 요청에 따라야 한다.
	① 소방청 ② 소방청장 ③ 소방본부장 ④ 소방서장

3 위기경보의 발령 C

제38조【위기경보의 발령 등】 ① 재난관리주관기관의 장은 대통령령으로 정하는 재난에 대한 징후를 식별하거나 재난발생이 예상되는 경우에는 그 위험 수준, 발생 가능성 등을 판단하여 그에 부합되는 조치를 할 수 있도록 위기경보를 발령할 수 있다. 다만, 제34조의5 제1항 제1호 단서의 상황인 경우에는 행정안전부장관이 위기경보를 발령할 수 있다.
② 제1항에 따른 위기경보는 재난 피해의 전개 속도, 확대 가능성 등 재난상황의 심각성을 종합적으로 고려하여 관심 · 주의 · 경계 · 심각으로 구분할 수 있다. 다만, 다른 법령에서 재난 위기경보의 발령 기준을 따로 정하고 있는 경우에는 그 기준을 따른다.
③ 재난관리주관기관의 장은 심각 경보를 발령 또는 해제할 경우에는 행정안전부장관과 사전에 협의하여야 한다. 다만, 긴급한 경우에 재난관리주관기관의 장은 우선 조치한 후 지체 없이 행정안전부장관과 협의하여야 한다.
④ 재난관리책임기관의 장은 제1항에 따른 위기경보가 신속하게 발령될 수 있도록 재난과 관련한 위험정보를 얻으면 즉시 행정안전부장관, 재난관리주관기관의 장, 시 · 도지사 및 시장 · 군수 · 구청장에게 통보하여야 한다.

(1) 위기경보의 발령 등

① **위험경보 발령권자:** 재난관리주관기관의 장

② 다수의 재난관리주관기관이 관련되는 재난(제34조의5 제1항 제1호 단서)에 대해서는 **행정안전부장관**이 위기경보를 발령할 수 있다.

정희's 톡talk
제34조의5 제1항 제1호 단서조항
다수의 재난관리주관기관이 관련되는 재난에 대해서는 관계 재난관리주관기관의 장과 협의하여 행정안전부장관이 위기관리 표준매뉴얼을 작성할 수 있습니다.

(2) 위험경보의 구분: 관심 · 주의 · 경계 · 심각

(3) 심각경보의 발령 및 해제

① **재난관리주관기관의 장은 행정안전부장관과 사전에 협의하여야 한다.**

② 긴급한 경우에 재난관리주관기관의 장은 우선 조치한 후 지체 없이 행정안전부장관과 협의하여야 한다.

(4) 위험정보의 통보

재난관리책임기관의 장은 위기경보가 신속하게 발령될 수 있도록 재난과 관련한 위험정보를 얻으면 즉시 행정안전부장관, 재난관리주관기관의 장, 시 · 도지사 및 시장 · 군수 · 구청장에게 통보하여야 한다.

관계법규 위기경보의 발령

시행령	
제46조【위기경보의 발령대상 재난】 법 제38조 제1항 본문에서 "대통령령으로 정하는 재난"이란 다음 각 호의 어느 하나에 해당하는 재난을 말한다.	1. 자연재난 및 사회재난 2. 그 밖에 인명 또는 재산의 피해 정도가 매우 크고 그 영향이 광범위할 것으로 예상되어【 ① 】의 장이 위기경보의 발령이 필요하다고 인정하는 재난
① 재난관리주관기관	

4 재난 예보·경보체계 구축·운영 등 C

제38조의2【재난 예보·경보체계 구축·운영 등】 ① 재난관리책임기관의 장은 사람의 생명·신체 및 재산에 대한 피해가 예상되면 그 피해를 예방하거나 줄이기 위하여 재난에 관한 예보 또는 경보 체계를 구축·운영할 수 있다.

② 재난관리책임기관의 장은 재난에 관한 예보 또는 경보가 신속하게 실시될 수 있도록 재난과 관련한 위험정보를 얻으면 즉시 행정안전부장관, 재난관리주관기관의 장, 시·도지사 및 시장·군수·구청장에게 통보하여야 한다.

③ 행정안전부장관, 시·도지사 또는 시장·군수·구청장은 재난에 관한 예보·경보·통지나 응급조치를 실시하기 위하여 필요하면 다음 각 호의 조치를 요청할 수 있다. 다만, 다른 법령에 특별한 규정이 있을 때에는 그러하지 아니하다.

1. 전기통신시설의 소유자 또는 관리자에 대한 전기통신시설의 우선 사용
2. 「전기통신사업법」 제2조 제8호에 따른 전기통신사업자 중 대통령령으로 정하는 주요 전기통신사업자에 대한 필요한 정보의 문자나 음성 송신 또는 인터넷 홈페이지 게시
3. 「방송법」 제2조 제3호에 따른 방송사업자에 대한 필요한 정보의 신속한 방송
4. 「신문 등의 진흥에 관한 법률」 제2조 제3호 및 제4호에 따른 신문사업자 및 인터넷신문사업자 중 대통령령으로 정하는 주요 신문사업자 및 인터넷신문사업자에 대한 필요한 정보의 게재

④ 제3항에 따른 재난에 관한 예보·경보·통지 중 다음 각 호의 어느 하나에 해당하는 재난에 대해서는 기상청장이 예보·경보·통지를 실시한다. 이 경우 기상청장은 제3항 각 호의 조치를 요청할 수 있다.

1. 「지진·지진해일·화산의 관측 및 경보에 관한 법률」 제2조 제1호부터 제3호까지에 따른 지진·지진해일·화산
2. 대통령령으로 정하는 규모 이상의 호우 또는 태풍
3. 그 밖에 대통령령으로 정하는 자연재난

정희's 톡talk

재난 예보, 경보체계 구축·운영은 재난관리의 대응단계에 해당합니다. 주의하세요!

(1) 재난 예보·경보체계 구축·운영 등

① **구축·운영:** 재난관리책임기관의 장

② **위험정보의 통보:** 재난관리책임기관의 장은 재난과 관련한 위험정보를 얻으면 즉시 **행정안전부장관, 재난관리주관기관의 장, 시·도지사 및 시장·군수·구청장에게 통보하여야** 한다.

(2) 재난에 관한 예보·경보·통지나 응급조치를 위한 요청

행정안전부장관, 시·도지사 또는 시장·군수·구청장은 재난에 관한 예보·경보·통지나 응급조치를 실시하기 위하여 필요하면 다음의 조치를 요청할 수 있다.

① 전기통신시설의 소유자 또는 관리자에 대한 전기통신시설의 우선 사용

② 「전기통신사업법」에 따른 전기통신사업자 중 대통령령으로 정하는 주요 전기통신사업자에 대한 필요한 정보의 문자나 음성 송신 또는 인터넷 홈페이지 게시

③ 「방송법」에 따른 방송사업자에 대한 필요한 정보의 신속한 방송

④ 「신문 등의 진흥에 관한 법률」에 따른 신문사업자 및 인터넷신문사업자 중 대통령령으로 정하는 주요 신문사업자 및 인터넷신문사업자에 대한 필요한 정보의 게재

(3) **기상청장의 재난예보 · 경보 · 통지**

① 지진 · 지진해일 · 화산
② 대통령령으로 정하는 규모 이상의 호우 또는 태풍
③ 그 밖에 대통령령으로 정하는 자연재난

(4) **시 · 군 · 구종합계획(영 제47조의2)**

시장 · 군수 · 구청장은 시 · 군 · 구 재난 예보 · 경보체계 구축 종합계획(시 · 군 · 구종합계획)을 **5년 단위**로 수립하여 **시 · 도지사**에게 제출하여야 한다.

(5) **시 · 도종합계획(영 제47조의2)**

① **시 · 도지사**는 시 · 군 · 구종합계획을 기초로 시 · 도 재난 예보 · 경보체계 구축 종합계획(시 · 도종합계획)을 수립하여 **행정안전부장관**에게 제출하여야 한다.
② 행정안전부장관은 필요한 경우 시 · 도지사에게 시 · 도종합계획의 보완을 요청할 수 있다.

(6) **시 · 도종합계획과 시 · 군 · 구종합계획 포함사항(영 제47조의3)**

① 재난 예보 · 경보체계의 구축에 관한 기본방침
② 재난 예보 · 경보체계 구축 종합계획 수립 대상지역의 선정에 관한 사항
③ 종합적인 재난 예보 · 경보체계의 구축과 운영에 관한 사항
④ 그 밖에 재난으로부터 인명 피해와 재산 피해를 예방하기 위하여 필요한 사항

(7) **사업시행계획(법 제38조의2 제10항)**

시 · 도지사와 시장 · 군수 · 구청장은 각각 시 · 도종합계획과 시 · 군 · 구종합계획에 대한 사업시행계획을 매년 수립하여 행정안전부장관에게 제출하여야 한다.

(8) **방송요청사항(영 제47조)**

중앙대책본부장 및 지역대책본부장은 방송사업자에게 방송을 요청하는 경우에는 다음의 사항을 분명하게 밝혀야 한다.

① 기상상황
② 재난 예보 · 경보 및 재난상황
③ 피해를 줄이기 위하여 조치하여야 하는 사항
④ 국민 또는 주민의 협조사항
⑤ 재난유형별 국민행동요령
⑥ 그 밖에 피해를 예방하거나 경감하기 위하여 필요한 사항

(9) **재난문자방송에 대한 기준 · 운영 등(규칙 제11조의4)**

재난문자방송에는 태풍 · 호우(豪雨) · 대설 · 산불 등의 재난이 발생할 경우에 대비한 행동요령 등이 포함되어야 한다.

관계법규 재난 예보 · 경보체계 구축

시행령	재난 및 안전관리기본법
제47조【방송요청사항】 중앙대책본부장 및 지역대책본부장은 법 제38조의2 제3항 제3호에 따라 「방송법」 제2조 제3호에 따른 방송사업자에게 방송을 요청하는 경우에는 다음 각 호의 사항을 분명하게 밝혀야 한다. 1. 기상상황 2. 재난 예보 · 경보 및 재난상황 3. 피해를 줄이기 위하여 조치하여야 하는 사항 4. 국민 또는 주민의 협조사항 5. 재난유형별 국민행동요령 6. 그 밖에 피해를 예방하거나 경감하기 위하여 필요한 사항 **제47조의2【재난 예보 · 경보체계 구축 종합계획의 수립 등에 관한 사항】** ① 시 · 도지사 및 시장 · 군수 · 구청장은 법 제38조의2 제6항에 따른 시 · 군 · 구 재난 예보 · 경보체계 구축 종합계획(이하 "시 · 군 · 구종합계획"이라 한다) 또는 법 제38조의2 제7항에 따른 시 · 도 재난 예보 · 경보체계 구축 종합계획(이하 "시 · 도종합계획"이라 한다)을 수립할 때에는 다음 각 호의 사항을 중점적으로 검토하여 해당 계획에 반영하여야 한다. 1. 종합계획의 타당성 2. 재원확보 방안 3. 민방위시설 등 다른 사업과의 중복 또는 연계성 여부 4. 사업의 수혜도 등 평가 분석 5. 지역주민의 의견수렴 결과 6. 대피계획 등과 연계한 재해 예방활동 7. 그 밖에 여건변동 등의 반영 여부 ② 행정안전부장관은 시 · 도종합계획, 시 · 군 · 구종합계획의 수립을 위하여 필요한 지침 및 기준을 정하여 시 · 도지사 또는 시장 · 군수 · 구청장에게 통보할 수 있다. **제47조의3【재난 예보 · 경보체계 구축 사업시행계획의 수립 등에 관한 사항】** ① 법 제38조의2 제9항에 따른 시 · 도종합계획에 대한 재난 예보 · 경보체계 구축 사업시행계획(이하 "시 · 도사업시행계획"이라 한다)과 시 · 군 · 구종합계획에 대한 재난 예보 · 경보체계 구축 사업시행계획(이하 "시 · 군 · 구사업시행계획"이라 한다)에는 다음 각 호의 사항이 포함되어야 한다. 1. 사업의 필요성　　2. 사업의 효과 3. 사업의 시행기간　　4. 사업비 조달계획 5. 재난 예보 · 경보체계 구축 대상지역을 관할하는 지방자치단체의 재정현황 ② 시 · 도지사 및 시장 · 군수 · 구청장은 제1항에 따라 시 · 도사업시행계획과 시 · 군 · 구사업시행계획을 수립할 때에는 다음 각 호의 사항을 중점적으로 검토하여 해당 계획에 반영하여야 한다. 1. 재난 예보 · 경보체계 구축 종합계획에 부합하는지 여부 2. 사업의 타당성　　3. 사업비 확보 방안 4. 다른 사업과의 중복 또는 연계성 여부 5. 사업의 효과 분석　　6. 지역주민의 의견수렴 결과 ③ 행정안전부장관은 재난 예보 · 경보체계 구축 사업시행계획의 수립을 위하여 필요한 지침 및 기준을 정하여 시 · 도지사 또는 시장 · 군수 · 구청장에게 통보할 수 있다.	**제38조의2【재난 예보 · 경보체계 구축 · 운영 등】** ⑤ 제3항 및 제4항에 따른 요청을 받은 전기통신시설의 소유자 또는 관리자, 전기통신사업자, 방송사업자, 신문사업자, 인터넷신문사업자 및 디지털광고물 관리자는 정당한 사유가 없으면 요청에 따라야 한다. ⑥ 전기통신사업자나 방송사업자, 휴대전화 또는 내비게이션 제조업자는 제3항 및 제4항에 따른 재난의 예보 · 경보 실시 사항이 사용자의 휴대전화 등의 수신기 화면에 반드시 표시될 수 있도록 소프트웨어나 기계적 장치를 갖추어야 한다. ⑦ 시장 · 군수 · 구청장은 제41조에 따른 위험구역 및 「자연재해대책법」 제12조에 따른 자연재해위험개선지구 등 재난으로 인하여 사람의 생명 · 신체 및 재산에 대한 피해가 예상되는 지역에 대하여 그 피해를 예방하기 위하여 시 · 군 · 구 재난 예보 · 경보체계 구축 종합계획(이하 "시 · 군 · 구종합계획"이라 한다)을 5년 단위로 수립하여 시 · 도지사에게 제출하여야 한다. ⑧ 시 · 도지사는 제7항에 따른 시 · 군 · 구종합계획을 기초로 시 · 도 재난 예보 · 경보체계 구축 종합계획(이하 "시 · 도종합계획"이라 한다)을 수립하여 행정안전부장관에게 제출하여야 하며, 행정안전부장관은 필요한 경우 시 · 도지사에게 시 · 도종합계획의 보완을 요청할 수 있다. ⑨ 시 · 도종합계획과 시 · 군 · 구종합계획에는 다음 각 호의 사항이 포함되어야 한다. 1. 재난 예보 · 경보체계의 구축에 관한 기본방침 2. 재난 예보 · 경보체계 구축 종합계획 수립 대상지역의 선정에 관한 사항 3. 종합적인 재난 예보 · 경보체계의 구축과 운영에 관한 사항 4. 그 밖에 재난으로부터 인명 피해와 재산 피해를 예방하기 위하여 필요한 사항 ⑩ 시 · 도지사와 시장 · 군수 · 구청장은 각각 시 · 도종합계획과 시 · 군 · 구종합계획에 대한 사업시행계획을 매년 수립하여 행정안전부장관에게 제출하여야 한다. ⑪ 시 · 도지사와 시장 · 군수 · 구청장이 각각 시 · 도종합계획과 시 · 군 · 구종합계획을 변경하려는 경우에는 제7항과 제8항을 준용한다. ⑫ 제3항 및 제4항에 따른 요청의 절차, 시 · 도종합계획, 시 · 군 · 구종합계획 및 사업시행계획의 수립 등에 필요한 사항은 대통령령으로 정한다.

5 동원명령 등 D

제39조【동원명령 등】 ① 중앙대책본부장과 시장 · 군수 · 구청장(시 · 군 · 구대책본부가 운영되는 경우에는 해당 본부장을 말한다. 이하 제40조부터 제45조까지에서 같다)은 재난이 발생하거나 발생할 우려가 있다고 인정하면 다음 각 호의 조치를 할 수 있다.

1. 「민방위기본법」 제26조에 따른 민방위대의 동원
2. 응급조치를 위하여 재난관리책임기관의 장에 대한 관계 직원의 출동 또는 재난관리자원의 동원 등 필요한 조치의 요청
3. 동원 가능한 재난관리자원 등이 부족한 경우에는 국방부장관에 대한 군부대의 지원 요청

② 제1항에 따라 필요한 조치의 요청을 받은 기관의 장은 특별한 사유가 없으면 요청에 따라야 한다.

제40조【대피명령】 ① 시장 · 군수 · 구청장과 지역통제단장(대통령령으로 정하는 권한을 행사하는 경우에만 해당한다. 이하 이 조에서 같다)은 재난이 발생하거나 발생할 우려가 있는 경우에 사람의 생명 또는 신체에 대한 위해를 방지하기 위하여 필요하면 해당 지역 주민이나 그 지역 안에 있는 사람에게 대피하거나 선박 · 자동차 등을 대피시킬 것을 명할 수 있다. 이 경우 미리 대피장소를 지정할 수 있다.

② 제1항에 따른 대피명령을 받은 경우에는 즉시 명령에 따라야 한다.

제41조【위험구역의 설정】 ① 시장 · 군수 · 구청장과 지역통제단장(대통령령으로 정하는 권한을 행사하는 경우에만 해당한다. 이하 이 조에서 같다)은 재난이 발생하거나 발생할 우려가 있는 경우에 사람의 생명 또는 신체에 대한 위해 방지나 질서의 유지를 위하여 필요하면 위험구역을 설정하고, 응급조치에 종사하지 아니하는 사람에게 다음 각 호의 조치를 명할 수 있다.

1. 위험구역에 출입하는 행위나 그 밖의 행위의 금지 또는 제한
2. 위험구역에서의 퇴거 또는 대피

② 시장 · 군수 · 구청장과 지역통제단장은 제1항에 따라 위험구역을 설정할 때에는 그 구역의 범위와 제1항 제1호에 따라 금지되거나 제한되는 행위의 내용, 그 밖에 필요한 사항을 보기 쉬운 곳에 게시하여야 한다.

③ 관계 중앙행정기관의 장은 재난이 발생하거나 발생할 우려가 있는 경우로서 사람의 생명 또는 신체에 대한 위해 방지나 질서의 유지를 위하여 필요하다고 인정되는 경우에는 시장 · 군수 · 구청장과 지역통제단장에게 위험구역의 설정을 요청할 수 있다.

제42조【강제대피조치】 ① 시장 · 군수 · 구청장과 지역통제단장(대통령령으로 정하는 권한을 행사하는 경우에만 해당한다. 이하 이 조에서 같다)은 제40조 제1항에 따른 대피명령을 받은 사람 또는 제41조 제1항 제2호에 따른 위험구역에서의 퇴거나 대피명령을 받은 사람이 그 명령을 이행하지 아니하여 위급하다고 판단되면 그 지역 또는 위험구역 안의 주민이나 그 안에 있는 사람을 강제로 대피시키거나 퇴거시킬 수 있다.

② 시장 · 군수 · 구청장 및 지역통제단장은 제1항에 따라 주민 등을 강제로 대피 또는 퇴거시키기 위하여 필요하다고 인정하면 관할 경찰관서의 장에게 필요한 인력 및 장비의 지원을 요청할 수 있다.

③ 제2항에 따른 요청을 받은 경찰관서의 장은 특별한 사유가 없는 한 이에 응하여야 한다.

제43조【통행제한 등】 ① 시장·군수·구청장과 지역통제단장(대통령령으로 정하는 권한을 행사하는 경우에만 해당한다)은 응급조치에 필요한 물자를 긴급히 수송하거나 진화·구조 등을 하기 위하여 필요하면 대통령령으로 정하는 바에 따라 경찰관서의 장에게 도로의 구간을 지정하여 해당 긴급수송 등을 하는 차량 외의 차량의 통행을 금지하거나 제한하도록 요청할 수 있다.
② 제1항에 따른 요청을 받은 경찰관서의 장은 특별한 사유가 없으면 요청에 따라야 한다.

제44조【응원】 ① 시장·군수·구청장은 응급조치를 하기 위하여 필요하면 다른 시·군·구나 관할 구역에 있는 군부대 및 관계 행정기관의 장, 그 밖의 민간기관·단체의 장에게 재난관리자원의 지원 등 필요한 응원(應援)을 요청할 수 있다. 이 경우 응원을 요청받은 군부대의 장과 관계 행정기관의 장은 특별한 사유가 없으면 요청에 따라야 한다.
② 제1항에 따라 응원에 종사하는 사람은 그 응원을 요청한 시장·군수·구청장의 지휘에 따라 응급조치에 종사하여야 한다.

제45조【응급부담】 시장·군수·구청장과 지역통제단장(대통령령으로 정하는 권한을 행사하는 경우에만 해당한다)은 그 관할 구역에서 재난이 발생하거나 발생할 우려가 있어 응급조치를 하여야 할 급박한 사정이 있으면 해당 재난현장에 있는 사람이나 인근에 거주하는 사람에게 응급조치에 종사하게 하거나 대통령령으로 정하는 바에 따라 다른 사람의 토지·건축물·인공구조물, 그 밖의 소유물을 일시 사용할 수 있으며, 장애물을 변경하거나 제거할 수 있다.

(1) **동원명령권자:** 중앙대책본부장과 시장·군수·구청장

(2) 대피명령

① **대피명령권자:** 시장·군수·구청장과 지역통제단장

㉠ 해당 지역 주민이나 그 지역 안에 있는 사람에게 대피명령

㉡ 선박·자동차 등을 대피명령

② 대피명령의 경우 미리 대피장소를 지정할 수 있다.

③ 대피명령을 받은 경우에는 즉시 명령에 따라야 한다.

(3) 위험구역의 설정

① **위험구역 설정권자:** 시장·군수·구청장과 지역통제단장

② **응급조치에 종사하지 아니하는 사람에 대한 조치**

㉠ 위험구역에 출입하는 행위나 그 밖의 행위의 금지 또는 제한

㉡ 위험구역에서의 퇴거 또는 대피

(4) 강제대피조치

① **강제대피조치권자:** 시장·군수·구청장과 지역통제단장

② **강제 대피·퇴거시킬 수 있는 경우**

㉠ 대피명령을 받은 사람이 명령을 이행하지 아니하는 경우

㉡ 퇴거·대피명령을 받은 사람이 명령을 이행하지 아니하는 경우

(5) **통행제한권자:** 시장·군수·구청장과 지역통제단장

(6) 응원

① **응원요청권자:** 시장 · 군수 · 구청장

② 다른 시 · 군 · 구나 관할 구역에 있는 군부대 및 관계 행정기관의 장, 그 밖의 민간기관 · 단체의 장에게 재난관리자원의 지원 등 필요한 응원(應援)을 요청할 수 있다.

③ 응원에 종사하는 사람은 그 응원을 요청한 시장 · 군수 · 구청장의 지휘에 따라 응급조치에 종사하여야 한다.

(7) 응급부담

① **응급부담권자:** 시장 · 군수 · 구청장과 지역통제단장

② **응급부담상황:** 관할 구역에서 재난이 발생하거나 발생할 우려가 있어 응급조치를 하여야 할 급박한 사정이 있는 경우

③ 응급부담

㉠ 재난현장에 있는 사람이나 인근에 거주하는 사람에게 **응급조치 종사 명령**

㉡ 다른 사람의 토지 · 건축물 · 인공구조물, 그 밖의 소유물의 **일시 사용**

㉢ **장애물의 변경 또는 제거**

관계법규 동원명령 등

시행령
제48조【동원요청】 중앙대책본부장과 시장 · 군수 · 구청장(시 · 군 · 구대책본부가 운영되는 경우에는 해당 본부장을 말한다. 이하 제50조, 제51조, 제51조의2 및 제52조에서 같다)은 법 제39조 제1항에 따라 재난관리자원 등의 동원을 요청할 경우에는 행정안전부령으로 정하는 바에 따라 동원시기, 동원지역, 동원대상, 동원사유 및 동원중의 행동요령 등을 분명하게 밝혀 관계기관의 장에게 동원 요청을 해야 한다. **제49조【대피명령 등】** 법 제40조 제1항, 제41조 제1항 각 호 외의 부분, 제42조 제1항, 제43조 제1항 및 제45조에서 "대통령령으로 정하는 권한"이란 긴급구조에 관한 권한을 말한다. **제50조【강제대피 또는 강제퇴거 시 지원요청】** 시장 · 군수 · 구청장 및 지역통제단장은 법 제42조 제2항에 따라 지원을 요청하려는 경우에는 요청내용과 요청사유를 적은 서면으로 하여야 한다. 다만, 긴급한 경우에는 구두로 요청할 수 있다. **제51조의2【재난관리자원의 응원요청 및 조정】** ① 재난수습을 위하여 법 제44조 제1항에 따라 재난관리자원 등의 응원(應援)을 요청하는 경우에는 문서로 하여야 한다. 다만, 긴급한 응급조치를 위하여 불가피한 경우에는 말로 요청한 후 사후에 문서로 통보할 수 있다. ② 법 제34조 제3항에 따른 재난관리자원공동활용시스템을 통하여 전자적인 방법으로 응원을 요청한 경우에는 제1항에 따른 문서에 의한 것으로 본다. ③ 제1항과 제2항에 따라 응원 요청을 받은 기관의 장 또는 사람은 지체 없이 동의 여부를 알려 주어야 한다. ④ 행정안전부장관 또는 시 · 도지사는 원활한 응원을 위하여 재난관리책임기관의 장에게 직접 응원을 요청할 수 있다. 이 경우 응원 요청을 받은 재난관리책임기관의 장은 특별한 사유가 없으면 이에 협력하여야 한다. ⑤ 제1항부터 제4항까지에서 규정한 사항 외에 응원 요청, 응원 요청에 대한 동의 통보 등에 관한 사항은 행정안전부령으로 정한다. **제52조【응급부담의 절차】** ① 시장 · 군수 · 구청장 및 지역통제단장은 법 제45조에 따라 응급조치 종사명령을 할 때에는 그 대상자에게 행정안전부령으로 정하는 바에 따라 응급조치종사명령서를 발급하여야 한다. 다만, 긴급한 경우에는 구두로 응급조치 종사를 명한 후 행정안전부령으로 정하는 바에 따라 응급조치종사명령에 따른 사람에게 응급조치종사확인서를 발급하여야 한다. ② 시장 · 군수 · 구청장 및 지역통제단장은 법 제45조에 따라 다른 사람의 토지 · 건축물 · 공작물, 그 밖의 소유물을 일시 사용하거나 장애물을 변경 또는 제거할 때에는 행정안전부령으로 정하는 바에 따라 그 관계인에게 응급부담의 목적 · 기간 · 대상 및 내용 등을 분명하게 적은 응급부담명령서를 발급하여야 한다. 다만, 긴급한 경우에는 구두로 응급부담을 명한 후 행정안전부령으로 정하는 바에 따라 관계인에게 응급부담확인서를 발급하여야 한다. ③ 제2항 본문에 따른 응급부담명령서를 발급할 대상자를 알 수 없거나 그 소재지를 알 수 없을 때에는 이를 해당 시 · 군 · 구의 게시판에 15일 이상 게시하여야 한다. ④ 제2항 단서에 따라 구두로 응급부담을 명할 대상자가 없거나 그 소재지를 알 수 없을 때에는 응급부담조치를 한 후 그 사실을 해당 시 · 군 · 구의 게시판에 15일 이상 게시하여야 한다.

6 응급조치 등 D

제46조 【시 · 도지사가 실시하는 응급조치 등】 ① 시 · 도지사는 다음 각 호의 경우에는 제37조 제1항 및 제39조부터 제45조까지의 규정에 따른 응급조치를 할 수 있다.

1. 관할 구역에서 재난이 발생하거나 발생할 우려가 있는 경우로서 대통령령으로 정하는 경우
2. 둘 이상의 시 · 군 · 구에 걸쳐 재난이 발생하거나 발생할 우려가 있는 경우

② 시 · 도지사는 제1항에 따른 응급조치를 하기 위하여 필요하면 이 절에 따라 응급조치를 하여야 할 시장 · 군수 · 구청장에게 필요한 지시를 하거나 다른 시 · 도지사 및 시장 · 군수 · 구청장에게 응원을 요청할 수 있다.

제47조 【재난관리책임기관의 장의 응급조치】 제3조 제5호 나목에 따른 재난관리책임기관의 장은 재난이 발생하거나 발생할 우려가 있으면 즉시 그 소관 업무에 관하여 필요한 응급조치를 하고, 이 절에 따라 시 · 도지사, 시장 · 군수 · 구청장 또는 지역통제단장이 실시하는 응급조치가 원활히 수행될 수 있도록 필요한 협조를 하여야 한다.

제48조 【지역통제단장의 응급조치 등】 ① 지역통제단장은 긴급구조를 위하여 필요하면 중앙대책본부장, 시 · 도지사(시 · 도대책본부가 운영되는 경우에는 해당 본부장을 말한다. 이하 이 조에서 같다) 또는 시장 · 군수 · 구청장(시 · 군 · 구대책본부가 운영되는 경우에는 해당 본부장을 말한다. 이하 이 조에서 같다)에게 제37조, 제38조의2, 제39조 및 제44조에 따른 응급대책을 요청할 수 있고, 중앙대책본부장, 시 · 도지사 또는 시장 · 군수 · 구청장은 특별한 사유가 없으면 요청에 따라야 한다.

② 지역통제단장은 제37조에 따른 응급조치 및 제40조부터 제43조까지와 제45조에 따른 응급대책을 실시하였을 때에는 이를 즉시 해당 시장 · 군수 · 구청장에게 통보하여야 한다.

(1) 시 · 도지사가 실시하는 응급조치 등

① 시 · 도지사는 응급조치, 위기경보의 발령 등, 재난예보 · 경보체계의 구축 · 운영 등, 동원명령 등, 대피명령, 위험구역의 설정, 강제대피조치, 통행제한 등, 응원, 응급부담의 규정에 따른 응급조치를 할 수 있다.

② 시 · 도지사가 응급조치를 할 수 있는 경우

㉠ 관할 구역에서 재난이 발생하거나 발생할 우려가 있는 경우로서 대통령령으로 정하는 경우

㉡ 둘 이상의 시 · 군 · 구에 걸쳐 재난이 발생하거나 발생할 우려가 있는 경우

대통령령으로 정하는 경우
인명 또는 재산의 피해정도가 매우 크고 그 영향이 광범위하거나 광범위할 것으로 예상되어 시 · 도지사가 응급조치가 필요하다고 인정하는 경우입니다.

(2) 재난관리책임기관의 장의 응급조치

재난관리책임기관의 장은 재난이 발생하거나 발생할 우려가 있으면 즉시 그 소관 업무에 관하여 필요한 응급조치를 하여야 한다.

(3) 지역통제단장의 응급조치 등

지역통제단장은 긴급구조를 위하여 필요하면 중앙대책본부장, 시 · 도지사 또는 시장 · 군수 · 구청장에게 응급조치, 재난 예보 · 경보체계 구축 · 운영 등, 동원명령 및 응원에 따른 응급대책을 요청할 수 있다.

2 긴급구조

1 중앙긴급구조통제단 및 지역긴급구조통제단 A

제49조【중앙긴급구조통제단】 ① 긴급구조에 관한 사항의 총괄 · 조정, 긴급구조기관 및 긴급구조지원기관이 하는 긴급구조활동의 역할 분담과 지휘 · 통제를 위하여 소방청에 중앙긴급구조통제단(이하 "중앙통제단"이라 한다)을 둔다.
② 중앙통제단의 단장은 소방청장이 된다.
③ 중앙통제단장은 긴급구조를 위하여 필요하면 긴급구조지원기관 간의 공조체제를 유지하기 위하여 관계 기관 · 단체의 장에게 소속 직원의 파견을 요청할 수 있다. 이 경우 요청을 받은 기관 · 단체의 장은 특별한 사유가 없으면 요청에 따라야 한다.
④ 중앙통제단의 구성 · 기능 및 운영에 필요한 사항은 대통령령으로 정한다.

제50조【지역긴급구조통제단】 ① 지역별 긴급구조에 관한 사항의 총괄 · 조정, 해당 지역에 소재하는 긴급구조기관 및 긴급구조지원기관 간의 역할분담과 재난현장에서의 지휘 · 통제를 위하여 시 · 도의 소방본부에 시 · 도긴급구조통제단을 두고, 시 · 군 · 구의 소방서에 시 · 군 · 구긴급구조통제단을 둔다.
② 시 · 도긴급구조통제단과 시 · 군 · 구긴급구조통제단(이하 "지역통제단"이라 한다)에는 각각 단장 1명을 두되, 시 · 도긴급구조통제단의 단장은 소방본부장이 되고 시 · 군 · 구긴급구조통제단의 단장은 소방서장이 된다.
③ 지역통제단장은 긴급구조를 위하여 필요하면 긴급구조지원기관 간의 공조체제를 유지하기 위하여 관계 기관 · 단체의 장에게 소속 직원의 파견을 요청할 수 있다. 이 경우 요청을 받은 기관 · 단체의 장은 특별한 사유가 없으면 요청에 따라야 한다.
④ 지역통제단의 기능과 운영에 관한 사항은 대통령령으로 정한다.

(1) 중앙긴급구조통제단(중앙통제단)
- ① 소속: 소방청
- ② 중앙통제단 단장: 소방청장
- ③ 목적
  - ㉠ 긴급구조에 관한 사항의 총괄 · 조정
  - ㉡ 긴급구조기관 및 긴급구조지원기관이 하는 긴급구조활동의 역할 분담과 지휘 · 통제

(2) 시 · 도긴급구조통제단과 시 · 군 · 구긴급구조통제단(지역통제단)
- ① 지역통제단 소속
  - ㉠ 시 · 도긴급구조통제단: 시 · 도의 소방본부
  - ㉡ 시 · 군 · 구긴급구조통제단: 시 · 군 · 구의 소방서
- ② 지역통제단 단장
  - ㉠ 시 · 도긴급구조통제단장: 소방본부장
  - ㉡ 시 · 군 · 구긴급구조통제단장: 소방서장

정희's 톡talk

대응단계 긴급구조
1. 중앙긴급구조통제단
2. 지역긴급구조통제단
3. 긴급구조
4. 긴급구조 현장지휘
5. 긴급대응협력관
6. 긴급구조활동에 대한 평가
7. 긴급구조대응계획의 수립
8. 재난대비능력 보강
9. 해상에서의 긴급구조 등

핵심 기출

「재난 및 안전관리 기본법」상 긴급구조에 대한 설명으로 옳지 않은 것은? 19. 공채
① 중앙긴급구조통제단의 단장은 행정안전부장관이 된다.
② 시 · 도긴급구조통제단의 단장은 소방본부장이 된다.
③ 시 · 군 · 구긴급구조통제단의 단장은 소방서장이 된다.
④ 재난현장에서는 시 · 군 · 구긴급구조통제단장이 긴급구조활동을 지휘한다.

정답 ①

③ 목적

㉠ 지역별 긴급구조에 관한 사항의 총괄 · 조정

㉡ 해당 지역에 소재하는 긴급구조기관 및 긴급구조지원기관 간의 역할분담과 재난현장에서의 지휘 · 통제

(3) 중앙통제단의 기능(영 제54조)

① 국가 긴급구조대책의 총괄 · 조정

② 긴급구조활동의 지휘 · 통제

③ 긴급구조지원기관간의 역할분담 등 긴급구조를 위한 현장활동계획의 수립

④ 긴급구조대응계획의 집행

⑤ 중앙통제단의 장이 필요하다고 인정하는 사항

(4) 중앙통제단의 구성 및 운영(영 제55조)

① 중앙통제단 부단장: 소방청 차장

② 중앙통제단 조직: 대응계획부 · 현장지휘부 및 자원지원부

(5) 통제단의 구성 및 운영기준(「긴급구조대응활동 및 현장지휘에 관한 규칙」 제15조)

통제단장은 다음의 어느 하나에 해당하는 경우에는 영 제55조 제4항 또는 영 제57조에 따라 중앙통제단 또는 지역통제단(이하 "통제단"이라 한다)을 구성하여 운영해야 한다.

① 영 제63조 제1항 제2호 각 목의 어느 하나에 해당하는 기능의 수행이 필요한 경우

> **제63조 【긴급구조대응계획의 수립】** ① 법 제54조에 따라 긴급구조기관의 장이 수립하는 긴급구조대응계획은 기본계획, 기능별 긴급구조대응계획, 재난유형별 긴급구조대응계획으로 구분하되, 구분된 계획에 포함되어야 하는 사항은 다음 각 호와 같다.
>
> 2. 기능별 긴급구조대응계획
>
> 가. 지휘통제: 긴급구조체제 및 중앙통제단과 지역통제단의 운영체계 등에 관한 사항
>
> 나. 비상경고: 긴급대피, 상황 전파, 비상연락 등에 관한 사항
>
> 다. 대중정보: 주민보호를 위한 비상방송시스템 가동 등 긴급 공공정보 제공에 관한 사항 및 재난상황 등에 관한 정보 통제에 관한 사항
>
> 라. 피해상황분석: 재난현장상황 및 피해정보의 수집 · 분석 · 보고에 관한 사항
>
> 마. 구조 · 진압: 인명 수색 및 구조, 화재진압 등에 관한 사항
>
> 바. 응급의료: 대량 사상자 발생 시 응급의료서비스 제공에 관한 사항
>
> 사. 긴급오염통제: 오염 노출 통제, 긴급 감염병 방제 등 재난현장 공중보건에 관한 사항
>
> 아. 현장통제: 재난현장 접근 통제 및 치안 유지 등에 관한 사항
>
> 자. 긴급복구: 긴급구조활동을 원활하게 하기 위한 긴급구조차량 접근 도로 복구 등에 관한 사항
>
> 차. 긴급구호: 긴급구조요원 및 긴급대피 수용주민에 대한 위기 상담, 임시 의식주 제공 등에 관한 사항

카. 재난통신: 긴급구조기관 및 긴급구조지원기관 간 정보통신체계 운영 등에 관한 사항

② 긴급구조관련기관의 인력 및 장비의 동원이 필요하고, 동원된 자원 및 그 활동을 통합하여 지휘 · 조정 · 통제할 필요가 있는 경우

③ 그 밖에 통제단장이 재난의 종류 · 규모 및 피해상황 등을 종합적으로 고려하여 통제단의 운영이 필요하다고 인정하는 경우

(6) 현장응급의료소의 설치 등(「긴급구조대응활동 및 현장지휘에 관한 규칙」 제20조)

① **현장응급의료소 설치권자: 통제단장**

② **목적**

㉠ 재난현장에 출동한 응급의료관련자원의 총괄 · 지휘 · 조정 · 통제

㉡ 사상자의 분류 · 처치 · 이송

③ **의료소: 소장 1명, 분류반 · 응급처치반 · 이송반**

④ **의료소의 소장(의료소장): 의료소가 설치된 지역의 보건소장**

⑤ 분류반 · 응급처치반 및 이송반에는 반장을 두되, 반장은 의료소 요원 중에서 의료소장이 임명한다.

⑥ **의료소 편성: 의사 3명, 간호사 또는 1급응급구조사 4명, 지원요원 1명 이상**

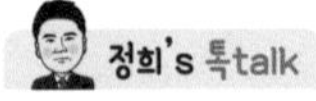

현장응급의료소
1. 설치권자: 통제단장
2. 의료소: 소장 1명, 분류반 · 응급처치반 · 이송반
3. 의료소 편성: 의사 3명, 간호사 또는 1급응급구조사 4명, 지원요원 1명 이상

관계법규 중앙통제단

시행령	긴급구조대응활동 및 현장지휘에 관한 규칙
제54조【중앙통제단의 기능】 중앙통제단은 법 제49조 제4항에 따라 다음 각 호의 기능을 수행한다. 1. 국가 긴급구조대책의 총괄 · 조정 2. 긴급구조활동의 지휘 · 통제 3. 【 ① 】간의 역할분담 등 긴급구조를 위한 현장활동계획의 수립 4. 긴급구조대응계획의 집행 5. 그 밖에 중앙통제단의 장(이하 "중앙통제단장"이라 한다)이 필요하다고 인정하는 사항 **제55조【중앙통제단의 구성 및 운영】** ① 중앙통제단장은 중앙통제단을 대표하고, 그 업무를 총괄한다. ② 중앙통제단에는 부단장을 두고 부단장은 중앙통제단장을 보좌하며 중앙통제단장이 부득이한 사유로 직무를 수행할 수 없을 경우에는 그 직무를 대행한다. ③ 제2항에 따른 **부단장은 소방청 차장**이 되며, **중앙통제단에는 대응계획부 · 현장지휘부 및 자원지원부를 둔다.** ④ 제1항부터 제3항까지에서 규정한 사항 외에 중앙통제단의 구성 및 운영에 필요한 사항은 **행정안전부령**으로 정한다. **제57조【지역긴급구조통제단의 기능 등】** 법 제50조에 따른 시 · 도긴급구조통제단 및 시 · 군 · 구긴급구조통제단(이하 "지역통제단"이라 한다)의 기능, 구성 및 운영에 대해서는 **제54조 및 제55조를 준용한다.** ① 긴급구조지원기관	**제12조【중앙통제단의 구성】** ① 영 제55조 제4항의 규정에 의하여 중앙통제단은 **별표** 3의 규정에 따라 구성하여야 한다. ② 법 제49조 제4항의 규정에 의하여 긴급구조지원기관의 장은 중앙통제단의 파견요청이 있는 경우에는 중앙통제단 대응계획부에 상시연락관을 파견하여야 한다. ③ 그 밖에 중앙통제단의 구성에 관한 세부사항은 긴급구조대응계획이 정하는 바에 의한다. **제13조【지역통제단의 구성】** ① 영 제57조의 규정에 의한 시 · 도긴급구조통제단 및 시 · 군 · 구긴급구조통제단(이하 "지역통제단"이라 한다)은 별표 4의 규정에 따라 구성하되, 시 · 군 · 구긴급구조통제단은 지역실정에 따라 구성 · 운영을 달리할 수 있다. ② 다음 각 호의 기관 및 단체는 지역통제단장이 법 제50조 제3항에 따라 파견을 요청하는 경우에는 시 · 도긴급구조통제단 및 시 · 군 · 구긴급구조통제단(이하 "지역통제단"이라 한다)의 대응계획부에 연락관을 파견해야 한다. 1. 영 제4조 제2호의 규정에 의한 군부대 2. 지방경찰청 및 경찰서(해양경찰서를 포함한다) 3. 보건소, 「응급의료에 관한 법률」 제26조 제1항에 따른 권역응급의료센터, 같은 법 제27조 제1항에 따른 응급의료지원센터 및 같은 법 제30조 제1항에 따른 지역응급의료센터 중 지역통제단장이 지정하는 기관 또는 센터 4. 그 밖에 지역통제단장이 지정하는 기관 및 단체 ③ 그 밖에 지역통제단의 구성 및 운영에 관한 세부사항은 긴급구조대응계획이 정하는 바에 의한다

긴급구조대응활동 및 현장지휘에 관한 규칙

제15조【통제단의 구성 및 운영기준】 통제단장은 다음 각 호의 어느 하나에 해당하는 경우에는 영 제55조 제4항 또는 영 제57조에 따라 중앙통제단 또는 지역통제단(이하 "통제단"이라 한다)을 구성하여 운영해야 한다.
1. 영 제63조 제1항 제2호 각 목의 어느 하나에 해당하는 기능의 수행이 필요한 경우
2. 긴급구조관련기관의 인력 및 장비의 동원이 필요하고, 동원된 자원 및 그 활동을 통합하여 지휘·조정·통제할 필요가 있는 경우
3. 그 밖에 통제단장이 재난의 종류·규모 및 피해상황 등을 종합적으로 고려하여 통제단의 운영이 필요하다고 인정하는 경우

제15조의2【대응단계 발령기준】 ① 현장지휘관은 현장대응을 위한 긴급구조기관의 인력 및 장비를 확보하기 위하여 대응단계를 발령할 수 있다.
② 제1항에 따른 대응단계 발령기준에 관한 세부 사항은 긴급구조대응계획에서 정하는 바에 따른다.

제20조【현장응급의료소의 설치 등】 ①【 ① 】은 재난현장에 출동한 응급의료관련자원을 총괄·지휘·조정·통제하고, 사상자를 분류·처치 또는 이송하기 위하여 사상자의 수에 따라 재난현장에 적정한 **현장응급의료소(이하 "의료소"라 한다)를 설치·운영하여야 한다.**
② 통제단장은 법 제49조 제3항 및 제50조 제3항에 따라 「의료법」 제3조 제2항에 따른 종합병원과 「응급의료에 관한 법률」 제2조 제5호에 따른 응급의료기관에 응급의료기구의 지원과 의료인 등의 파견을 요청할 수 있다.
③ 통제단장은 법 제16조 제2항에 따른 지역대책본부장으로부터 의료소의 설치에 필요한 인력·시설·물품 및 장비 등을 지원받아 구급차의 접근이 용이하고 유독가스 등으로부터 안전한 장소에 의료소를 설치하여야 한다.
④ **의료소에는 소장 1명과 분류반·응급처치반 및【 ② 】을 둔다.**
⑤ 의료소의 소장(이하 "의료소장"이라 한다)은 의료소가 설치된 지역을 관할하는 보건소장이 된다. 다만, 관할 보건소장이 재난현장에 도착하기 전에는 다음 각 호의 어느 하나에 해당하는 사람 중에서 긴급구조대응계획이 정하는 사람이 의료소장의 업무를 대행할 수 있다.
1. 「응급의료에 관한 법률」 제26조에 따른 권역응급의료센터의 장
2. 「응급의료에 관한 법률」 제27조 제1항에 따른 응급의료지원센터의 장
3. 「응급의료에 관한 법률」 제30조에 따른 지역응급의료센터의 장
4. 소방관서에 소속된 공중보건의

⑥ **의료소장**은 통제단장의 지휘를 받아 응급의료자원의 관리, 사상자의 분류·응급처치·이송 및 사상자 현황파악·보고 등 **의료소의 운영 전반을 지휘·감독한다.**
⑦ **분류반·응급처치반 및 이송반**에는 반장을 두되, 반장은 의료소 요원중에서 의료소장이 임명한다.
⑧ 의료소장 및 제7항에 따른 각 반의 반원은 별표 6의2에 따른 복장을 착용하여야 한다.
⑨ 의료소에는 응급의학 전문의를 포함한 **의사【 ③ 】, 간호사 또는 1급응급구조사 4명 및 지원요원 1명 이상으로 편성**한다. 다만, 통제단장은 필요한 의료인 등의 수를 조정하여 편성하도록 요청할 수 있다.
⑩ 소방공무원은 제5항에도 불구하고 의료소장이 재난현장에 도착하여 의료소를 운영하기 전까지 임시의료소를 운영할 수 있다. 이 경우 의료소장이 재난현장에 도착하면 사상자 현황, 임시의료소에서 조치한 분류·응급처치·이송 현황 및 현장 상황 등을 의료소장에게 인계하고, 그 사실을 통제단장에게 보고해야 한다.
⑪ 제1항부터 제10항까지에서 규정한 사항 외에 의료소의 설치 등에 관한 세부사항은 제10조에 따른 재난현장 표준작전절차 및 긴급구조대응계획이 정하는 바에 따른다.

제20조의2【임시영안소의 설치 등】 ① 통제단장은 사망자가 발생한 재난의 경우에 사망자를 의료기관에 이송하기 전에 임시로 안치하기 위하여 의료소에 임시영안소를 설치·운영할 수 있다.
② 임시영안소에는 통제선을 설치하고 출입을 통제하기 위한 운영인력을 배치하여야 한다.

제21조【지역통제단장 및 보건소장의 사전대비 업무】 ① 지역통제단장은 응급처치·이송·안치 등 재난현장활동의 방법에 관한 지침을 수립하고, 재난발생 시 의료소설치에 필요한 물품을 확보·관리하여야 한다. - 중략 -

제22조【분류반의 임무】 ① 제20조 제4항에 따른 분류반은 재난현장에서 발생한 사상자를 검진하여 사상자의 상태에 따라 사망·긴급·응급 및 비응급의 4단계로 분류한다.
② 분류반에는 사상자에 대한 검진 및 분류를 위하여 의사를 배치하여야 한다. - 중략 -

제23조【응급처치반의 임무】 ① 제20조 제4항의 규정에 의한 응급처치반은 분류반이 인계한 긴급·응급환자에 대한 응급처치를 담당한다. 이 경우 긴급·응급환자를 이동시키지 아니하고 응급처치반 요원이 이동하면서 응급처치를 할 수 있다.
② 응급처치반장은 우선순위를 정하여 긴급·응급환자에 대한 응급처치를 실시하고 현장에서의 수술 등을 위하여 의료인 등이 추가로 요구되는 경우에는 의료소장에게 지원을 요청한다.
- 중략 -

제24조【이송반의 임무】 ① 제20조 제4항에 따른 이송반은 사상자를 이송할 수 있도록 구급차 및 영구차를 확보 또는 통제하고, 각 의료기관과 긴밀한 연락체계를 유지하면서 분류반 및 응급처치반이 인계한 사상자를 이송조치한다.
② 제1항에 따른 사상자의 이송 우선순위는 **긴급환자, 응급환자, 비응급환자 및 사망자 순**으로 한다. - 중략 -

제25조【의료소에 대한 지원】 ① 통제단장은 재난이 발생하는 경우 의료소의 원활한 업무수행이 가능하도록 구급차 대기소 및 통행로를 지정·확보하고 의료소 설치구역의 질서를 유지하여야 한다. 이 경우 경찰공무원으로 하여금 지원하게 할 수 있다.
② 통제단장은 재난이 발생하는 경우 의료소장으로부터 의료소의 운영에 필요한 인력·시설 및 장비 등의 요구가 있는 때는 지체없이 지원하여야 한다.
③ 지역통제단장은 다수의 사상자가 발생하는 재난에 대비하여 연 1회 이상 응급의료관련 기관 또는 단체가 참여하는 의료소의 설치운영 및 지역별 응급의료체계의 가동연습 또는 훈련을 실시하여야 한다.

① 통제단장 ② 이송반 ③ 3명

2 긴급구조 B

제51조 【긴급구조】 ① 지역통제단장은 재난이 발생하면 소속 긴급구조요원을 재난현장에 신속히 출동시켜 필요한 긴급구조활동을 하게 하여야 한다.
② 지역통제단장은 긴급구조를 위하여 필요하면 긴급구조지원기관의 장에게 소속 긴급구조지원요원을 현장에 출동시키거나 긴급구조에 필요한 재난관리자원을 지원하는 등 긴급구조활동을 지원할 것을 요청할 수 있다. 이 경우 요청을 받은 기관의 장은 특별한 사유가 없으면 즉시 요청에 따라야 한다.
③ 제2항에 따른 요청에 따라 긴급구조활동에 참여한 민간 긴급구조지원기관에 대하여는 대통령령으로 정하는 바에 따라 그 경비의 전부 또는 일부를 지원할 수 있다.
④ 긴급구조활동을 하기 위하여 회전익항공기(이하 이 항에서 "헬기"라 한다)를 운항할 필요가 있으면 긴급구조기관의 장이 헬기의 운항과 관련되는 사항을 헬기운항통제기관에 통보하고 헬기를 운항할 수 있다. 이 경우 관계 법령에 따라 해당 헬기의 운항이 승인된 것으로 본다.

(1) 긴급구조

지역통제단장은 재난이 발생하면 소속 긴급구조요원을 재난현장에 신속히 출동시켜 필요한 긴급구조활동을 하게 하여야 한다.

(2) 민간 긴급구조지원기관 경비의 지원

긴급구조활동에 참여한 민간 긴급구조지원기관에 대하여는 대통령령으로 정하는 바에 따라 경비의 전부 또는 일부를 지원할 수 있다.

관계법규 민간 긴급구조지원기관

시행령	시행규칙
제58조 【민간 긴급구조지원기관에 대한 지원 등】 ① 법 제51조 제3항에 따라 긴급구조활동에 참여한 민간 긴급구조지원기관에 지원하는 경비는 긴급구조 참여자의 수, 동원장비 및 사용물품 등 긴급구조활동에 필요한 인적·물적 요소를 기준으로 지역통제단장이 정한다. ② 법 제51조 제3항에 따라 경비 지원을 받으려는 민간 긴급구조지원기관은 행정안전부령으로 정하는 바에 따라 지역통제단장에게 지원금의 지급신청을 하여야 한다. ③ 제2항에 따라 지원금의 지급신청을 받은 지역통제단장은 긴급구조활동에 대한 지원 사실을 확인한 후 예산의 범위에서 지원금의 전부 또는 일부를 지원한다. ④ 지역통제단장은 긴급구조활동에 참여하는 민간 긴급구조지원기관에 대하여 다음 각 호의 어느 하나에 해당하는 지원을 할 수 있다. 1. 긴급구조활동에 필요한 인력 및 장비의 지원 2. 긴급구조활동의 전문성 향상을 위한 교육 및 훈련 장소의 지원 3. 그 밖에 긴급구조능력 향상을 위한 홍보·세미나 등의 행사지원	**제14조 【지원금의 지급신청】** 영 제58조 제2항에 따른 민간긴급구조지원기관의 지원금 지급신청은 별지 제18호 서식에 따른다.

3 긴급구조 현장지휘 A

제52조 【긴급구조 현장지휘】 ① 재난현장에서는 시 · 군 · 구긴급구조통제단장이 긴급구조활동을 지휘한다. 다만, 치안활동과 관련된 사항은 관할 경찰관서의 장과 협의하여야 한다.

② 제1항에 따른 현장지휘는 다음 각 호의 사항에 관하여 한다.

1. 재난현장에서 인명의 탐색 · 구조
2. 긴급구조기관 및 긴급구조지원기관의 긴급구조요원 · 긴급구조지원요원 및 재난관리자원의 배치와 운용
3. 추가 재난의 방지를 위한 응급조치
4. 긴급구조지원기관 및 자원봉사자 등에 대한 임무의 부여
5. 사상자의 응급처치 및 의료기관으로의 이송
6. 긴급구조에 필요한 재난관리자원의 관리
7. 현장접근 통제, 현장 주변의 교통정리, 그 밖에 긴급구조활동을 효율적으로 하기 위하여 필요한 사항

③ 시 · 도긴급구조통제단장은 필요하다고 인정하면 제1항에도 불구하고 직접 현장지휘를 할 수 있다.

④ 중앙통제단장은 대통령령으로 정하는 대규모 재난이 발생하거나 그 밖에 필요하다고 인정하면 제1항 및 제3항에도 불구하고 직접 현장지휘를 할 수 있다.

⑤ 재난현장에서 긴급구조활동을 하는 긴급구조요원과 긴급구조지원기관의 재난관리자원에 대한 운용은 제1항 · 제3항 및 제4항에 따라 현장지휘를 하는 긴급구조통제단장(이하 "각급통제단장"이라 한다)의 지휘 · 통제에 따라야 한다.

⑥ 제16조 제2항에 따른 지역대책본부장은 각급통제단장이 수행하는 긴급구조활동에 적극 협력하여야 한다.

⑦ 시 · 군 · 구긴급구조통제단장은 제16조 제3항에 따라 설치 · 운영하는 통합지원본부의 장에게 긴급구조에 필요한 인력이나 물자 등의 지원을 요청할 수 있다. 이 경우 요청받은 기관의 장은 최대한 협조하여야 한다.

⑧ 재난현장의 구조활동 등 초동 조치상황에 대한 언론 발표 등은 각급통제단장이 지명하는 자가 한다.

⑨ 각급통제단장은 재난현장의 긴급구조 등 현장지휘를 효과적으로 하기 위하여 재난현장에 현장지휘소를 설치 · 운영할 수 있다. 이 경우 긴급구조활동에 참여하는 긴급구조지원기관의 현장지휘자는 현장지휘소에 대통령령으로 정하는 바에 따라 연락관을 파견하여야 한다.

⑩ 각급통제단장은 긴급구조활동을 종료하려는 때에는 재난현장에 참여한 지역사고수습본부장, 통합지원본부의 장 등과 협의를 거쳐 결정하여야 한다. 이 경우 각급통제단장은 긴급구조활동 종료 사실을 지역대책본부장 및 제5항에 따른 긴급구조지원기관의 장에게 통보하여야 한다.

⑪ 해양에서 발생한 재난의 긴급구조활동에 관하여는 제1항부터 제10항까지의 규정을 준용한다. 이 경우 시 · 군 · 구긴급구조통제단장, 시 · 도긴급구조통제단장, 중앙긴급구조통제단장은 「수상에서의 수색 · 구조 등에 관한 법률」 제7조에 따른 지역구조본부의 장, 광역구조본부의 장, 중앙구조본부의 장으로 각각 본다.

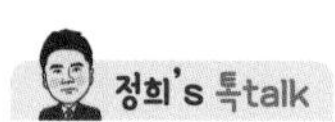

각급통제단장
1. 중앙통제단장
2. 시 · 도 긴급구조통제단장
3. 시 · 군 · 구 긴급구조통제단장

(1) 긴급구조 현장지휘

① 시·군·구긴급구조통제단장이 긴급구조활동을 지휘한다.

② 긴급구조 현장지휘사항

㉠ 재난현장에서 인명의 탐색·구조

㉡ 긴급구조기관 및 긴급구조지원기관의 긴급구조요원·긴급구조지원요원 및 재난관리자원의 배치와 운용

㉢ 추가 재난의 방지를 위한 응급조치

㉣ 긴급구조지원기관 및 자원봉사자 등에 대한 임무의 부여

㉤ 사상자의 응급처치 및 의료기관으로의 이송

㉥ 긴급구조에 필요한 재난관리자원의 관리

㉦ 현장접근 통제, 현장 주변의 교통정리

㉧ 그 밖에 긴급구조활동을 효율적으로 하기 위하여 필요한 사항

③ 시·도긴급구조통제단장은 필요하다고 인정하면 직접 현장지휘를 할 수 있다.

④ 중앙통제단장은 대통령령으로 정하는 대규모 재난이 발생하거나 그 밖에 필요하다고 인정하면 직접 현장지휘를 할 수 있다.

(2) 재난현장의 구조활동 등 초동 조치상황에 대한 언론 발표는 각급통제단장이 지명하는 자가 한다.

(3) 각급통제단장의 지휘·통제

① **각급통제단장:** 중앙통제단장, 시·도(시·군·구)긴급구조통제단장

② **재난현장에서의 지휘·통제:** 긴급구조활동을 하는 긴급구조요원과 긴급구조지원기관의 재난관리자원에 대한 운용은 각급통제단장의 지휘·통제에 따라야 한다.

(4) 현장지휘소 설치·운영

① 각급통제단장은 재난현장에 현장지휘소를 설치·운영할 수 있다.

② 이 경우 요청받은 기관의 장은 최대한 협조하여야 한다.

(5) 긴급구조활동의 종료

① 각급통제단장은 긴급구조활동을 종료하려는 때에는 재난현장에 참여한 지역사고수습본부장, 통합지원본부의 장 등과 협의를 거쳐 결정하여야 한다.

② 이 경우 각급통제단장은 긴급구조활동 종료 사실을 지역대책본부장 및 긴급구조지원기관의 장에게 통보하여야 한다.

(6) 해양에서 발생한 재난의 긴급구조활동

시·군·구긴급구조통제단장, 시·도긴급구조통제단장, 중앙긴급구조통제단장은 「수상에서의 수색·구조 등에 관한 법률」에 따른 지역구조본부의 장, 광역구조본부의 장, 중앙구조본부의 장으로 각각 본다.

핵심기출

01 「재난 및 안전관리 기본법」상 재난현장에서 시·군·구긴급구조통제단장의 긴급구조 현장지휘사항을 모두 고른 것은? 21. 공채

> ㄱ. 재난현장에서 인명의 탐색·구조
> ㄴ. 추가 재난의 방지를 위한 응급조치
> ㄷ. 사상자의 응급처치 및 의료기관으로의 이송
> ㄹ. 긴급구조에 필요한 물자의 관리

① ㄱ, ㄴ　② ㄱ, ㄴ, ㄷ
③ ㄴ, ㄷ, ㄹ　④ ㄱ, ㄴ, ㄷ, ㄹ

정답 ④

02 긴급구조 현장지휘에 관한 사항으로 옳지 않은 것은? 18. 상반기 공채

① 추가 재난의 방지를 위한 응급조치
② 긴급구조지원기관 및 자원봉사자 등에 대한 임무의 부여
③ 사상자의 응급처치 및 의료기관으로의 이송
④ 재난관리 책임기관의 인력·장비의 배치와 운용

정답 ④

관계법규 **긴급구조 현장지휘체계**

시행령	긴급구조대응활동 및 현장지휘에 관한 규칙
제59조【긴급구조 현장지휘체계】 ① 법 제52조에 따른 현장지휘(연락관을 파견하는 긴급구조지원기관의 현장지휘를 포함한다)는 다음 각 호의 재난이 발생하였을 때에는 행정안전부령으로 정하는 표준현장지휘체계에 따라야 한다. 1. 둘 이상의 지방자치단체의 관할구역에 걸친 재난 2. 하나의 지방자치단체 관할구역에서 여러 긴급구조기관 및 긴급구조지원기관이 공동으로 대응하는 재난 ② 법 제52조 제1항 및 제3항에 따른 지역통제단장의 현장지휘에 관한 사항은 긴급구조활동이 끝나거나 지역대책본부장이 필요하다고 판단하는 경우에는 지역통제단장과 지역대책본부장이 협의하여 행정안전부령으로 정하는 바에 따라 지역대책본부장이 수행할 수 있다. ③ 제1항 및 제2항에서 규정한 사항 외에 긴급구조활동의 현장지휘에 관한 사항은 행정안전부령으로 정하는 바에 따른다. **제60조【중앙통제단장이 현장지휘를 할 수 있는 재난】** 법 제52조 제4항에서 "대통령령으로 정하는 대규모 재난"이란 제13조 각 호의 어느 하나에 해당하는 재난을 말한다. **제13조【대규모 재난의 범위】** 1. 재난 중 인명 또는 재산의 피해 정도가 매우 크거나 재난의 영향이 사회적·경제적으로 광범위하여 주무부처의 장 또는 법 제16조 제2항에 따른 지역재난안전대책본부(지역대책본부)의 본부장(지역대책본부장)의 건의를 받아 법 제14조 제2항에 따른 중앙재난안전대책본부의 본부장(중앙대책본부장)이 인정하는 재난 2. 제1호에 따른 재난에 준하는 것으로서 중앙대책본부장이 재난관리를 위하여 법 제14조 제1항에 따른 중앙재난안전대책본부(중앙대책본부)의 설치가 필요하다고 판단하는 재난 **제61조【현장지휘소에 파견하는 연락관】** 법 제52조 제9항 후단에 따라 현장지휘소에 파견하는 연락관은 긴급구조지원기관의 공무원 또는 직원으로서 재난 관련 업무 실무책임자로 한다.	**제9조【표준현장지휘체계 등】** ① 영 제59조 제1항의 규정에 의한 연락관을 파견하는 긴급구조지원기관을 예시하면 다음과 같다. 1. 국방부 2. 경찰청 3. 산림청 4. 「재해구호법」 제29조의 규정에 의한 전국재해구호협회 5. 영 제4조 제6호 및 제7호의 규정에 의한 기관 및 단체 중 긴급구조기관의 장이 지정하는 기관 및 단체 - 중략 - ④ 제2항의 규정에 의한 표준용어 및 그 의미는 다음과 같다. 1. 자원집결지: 현장지휘관이 긴급구조활동에 필요한 자원을 특정장소에 집결 및 분류하여 자원대기소와 재난현장에 수송·배치하기 위하여 설치·운영하는 자원의 임시집결지 2. 자원대기소: 현장지휘관이 자원의 신속한 추가배치와 교대조의 휴식 및 대기 등을 위하여 현장지휘소 인근에 설치·운영하는 특정한 장소 및 시설 3. 수송대기지역: 자원집결지에서 자원수송을 위하여 구급차 외의 교통수단이 대기하는 장소 4. 구급차대기소: 제20조의 규정에 의한 현장응급의료소에서 사상자의 이송을 위하여 구급차의 도착순서 및 기능에 따라 임시 대기하는 장소 5. 선착대: 재난현장에 가장 먼저 도착한 긴급구조관련기관의 출동대 6. 단위지휘관: 제3항의 규정에 의한 표준지휘조직구조의 팀·분대·소대·중대 및 반의 현장활동을 지휘·조정 및 통제하는 자 7. 지휘참모: 통제단장의 임무수행을 보좌하거나 통제단장의 특정임무를 위임받아 수행하는 통제단의 각 부장과 제3항의 규정에 의한 표준지휘조직구조의 안전담당 및 연락공보담당 8. 비상헬기장: 현장지휘소 인근에서 응급환자의 이송, 자원 수송 등의 활동을 위하여 현장지휘관이 지정·운영하는 헬기이·착륙장소 **제14조【현장지휘소의 시설 및 장비】** ① 법 제52조 제5항에 따른 각급통제단장은 법 제52조 제9항에 따라 현장지휘소를 설치하는 경우에는 각 호의 시설 및 장비를 모두 갖추어야 한다. 1. 조명기구 및 발전장비 2. 확성기 및 방송장비 3. 재난대응구역지도 및 작전상황판 4. 개인용컴퓨터·프린터·복사기·팩스·휴대전화·카메라(스냅 및 동영상 촬영용을 말한다)·녹음기·간이책상 및 걸상 등 5. 지휘용 무전기 및 자원봉사자관리용 무전기 6. 종합상황실의 자원관리시스템과 연계되는 무선데이터 통신장비 7. 통제단 보고서양식 및 각종 상황처리대장 ② 제1항에서 규정한 사항 외에 현장지휘소의 설치에 필요한 세부사항은 긴급구조대응계획이 정하는 바에 따른다.

4 긴급대응협력관 B

제52조의2【긴급대응협력관】 긴급구조기관의 장은 긴급구조지원기관의 장에게 다음 각 호의 업무를 수행하는 긴급대응협력관을 대통령령으로 정하는 바에 따라 지정·운영하게 할 수 있다.
1. 평상시 해당 긴급구조지원기관의 긴급구조대응계획 수립 및 재난관리자원의 관리
2. 재난대응업무의 상호 협조 및 재난현장 지원업무 총괄

(1) 긴급대응협력관

① **긴급대응협력관의 지정·운영:** 긴급구조기관의 장은 긴급구조지원기관의 장에게 긴급대응협력관을 대통령령으로 정하는 바에 따라 지정·운영하게 할 수 있다.

② **긴급대응협력관의 업무**

㉠ 평상시 해당 긴급구조지원기관의 긴급구조대응계획 수립 및 재난관리자원의 관리

㉡ 재난대응업무의 상호 협조 및 재난현장 지원업무 총괄

(2) 긴급대응협력관의 지정·운영(영 제61조의2)

① **요청:** 사전에 문서로 요청하여야 한다.

② **지정, 지정 변경 또는 해제의 통보:** 그 사실이 있는 날부터 30일 이내

관계법규 긴급대응협력관

시행령	긴급대응협력관 지정 및 운영에 관한 규정
제61조의2【긴급대응협력관의 지정·운영】 ① 긴급구조기관의 장은 법 제52조의2에 따라 긴급구조지원기관의 장으로 하여금 같은 조에 따른 긴급대응협력관(이하 "긴급대응협력관"이라 한다)을 지정·운영하게 하려는 경우에는 긴급구조지원기관의 장에게 사전에 문서로 요청하여야 한다. ② 제1항에 따른 요청을 받은 긴급구조지원기관의 장은 법 제52조의2 각 호의 업무와 관련된 부서의 실무책임자를 긴급대응협력관으로 지정하여야 한다. ③ 긴급구조지원기관의 장은 긴급대응협력관을 지정하였거나 지정 변경 또는 해제하였을 때에는 그 사실이 있는 날부터 30일 이내에 해당 긴급구조기관의 장에게 통보하여야 한다. ④ 제1항부터 제3항까지에서 규정한 사항 외에 긴급대응협력관의 지정·운영에 필요한 사항은 소방청장이 정하여 고시한다.	**제1조【목적】** 이 고시는 「재난 및 안전관리기본법 시행령」 제61조의2에서 소방청장에게 위임한 긴급구조지원기관의 긴급대응협력관 지정·운영 등에 관하여 필요한 사항을 규정하는 것을 목적으로 한다. **제3조【긴급대응협력관의 임무】** 긴급대응협력관은 다음의 업무를 관장한다. 1. 「재난 및 안전관리기본법」 제35조의 재난대비 훈련에 대한 사항 2. 「재난 및 안전관리기본법」 제54조의 긴급구조대응계획에 관한 사항 3. 재난대비 기관별 대응활동 임무 및 인력·장비정보 공유방안 4. 긴급구조통제단 운영에 관한 사항 5. 재난대비 대국민 안전교육 및 훈련 등에 관한 사항 6. 「재난 및 안전관리기본법」 제55조의2의 긴급구조지원기관의 능력평가에 관한 사항 7. 그 밖에 재난대비 긴급구조에 관한 사항

5 긴급구조활동에 대한 평가 C

제53조【긴급구조활동에 대한 평가】 ① 중앙통제단장과 지역통제단장은 재난상황이 끝난 후 대통령령으로 정하는 바에 따라 긴급구조지원기관의 활동에 대하여 종합평가를 하여야 한다.
② 제1항에 따른 종합평가결과는 시 · 군 · 구긴급구조통제단장은 시 · 도긴급구조통제단장 및 시장 · 군수 · 구청장에게, 시 · 도긴급구조통제단장은 소방청장에게 보고하거나 통보하여야 한다.

(1) 긴급구조활동에 대한 평가
① 중앙통제단장과 지역통제단장: 긴급구조지원기관의 활동에 대한 종합평가
② 종합평가결과 보고 · 통보
㉠ 시 · 군 · 구긴급구조통제단장: 시 · 도긴급구조통제단장 및 시장 · 군수 · 구청장
㉡ 시 · 도긴급구조통제단장: 소방청장

(2) 긴급구조활동에 대한 평가(영 제62조)
① 긴급구조활동에 참여한 인력 및 장비
② 긴급구조대응계획의 이행 실태
③ 긴급구조요원의 전문성
④ 통합 현장 대응을 위한 통신의 적절성
⑤ 긴급구조교육 수료자 현황
⑥ 긴급구조대응상의 문제점 및 개선이 필요한 사항

관계법규 긴급구조활동 평가

시행령	긴급구조대응활동 및 현장지휘에 관한 규칙
제62조【긴급구조활동에 대한 평가】 ① 법 제53조 제1항에 따른 긴급구조지원기관의 활동에 대한 종합평가에는 다음 각 호의 사항이 포함되어야 한다. 1. 긴급구조활동에 참여한 인력 및 장비 2. 제63조에 따른 긴급구조대응계획의 이행 실태 3. 긴급구조요원의 전문성 4. 통합 현장 대응을 위한 통신의 적절성 5. 법 제55조 제3항에 따른 긴급구조교육 수료자 현황 6. 긴급구조대응상의 문제점 및 개선이 필요한 사항 ② 제1항에 따른 종합평가 결과를 통보받은 긴급구조지원기관의 장은 평가 결과에 따라 보완 등 적절한 조치를 하여야 한다. ③ 제1항 및 제2항에서 규정한 사항 외에 긴급구조활동 평가에 대한 사항은 행정안전부령으로 정한다.	**제39조【긴급구조활동평가단의 구성】** ① 통제단장은 재난상황이 종료된 후 긴급구조활동의 평가를 위하여 긴급구조기관에 긴급구조활동평가단(이하 "평가단"이라 한다)을 구성하여야 한다. ② 평가단의 단장은 통제단장으로 하고, 단원은 다음 각 호의 어느 하나에 해당하는 자와 민간전문가 2인 이상을 포함하여 5인 이상 7인 이하로 구성한다. 1. 통제단장 2. 통제단의 대응계획부장 또는 소속 반장 3. 자원지원부장 또는 소속 반장 4. 긴급구조지휘대장 5. 긴급복구부장 또는 소속 반장 6. 긴급구조활동에 참가한 기관 · 단체의 요원 또는 평가에 관한 전문지식과 경험이 풍부한 자 중에서 통제단장이 필요하다고 인정하는 자

6 긴급구조대응계획의 수립 등 A

제54조【긴급구조대응계획의 수립】 긴급구조기관의 장은 재난이 발생하는 경우 긴급구조기관과 긴급구조지원기관이 신속하고 효율적으로 긴급구조를 수행할 수 있도록 대통령령으로 정하는 바에 따라 재난의 규모와 유형에 따른 긴급구조대응계획을 수립·시행하여야 한다.

제54조의2【긴급구조 관련 특수번호 전화서비스의 통합·연계】 ① 행정안전부장관은 긴급구조 요청에 대한 신속한 대응을 위하여 대통령령으로 정하는 긴급구조 관련 특수번호 전화서비스(이하 "특수번호 전화서비스"라 한다)의 통합·연계 체계를 구축·운영하여야 한다.
② 행정안전부장관은 제1항에 따라 통합·연계되는 특수번호 전화서비스의 운영실태를 조사·분석하여 그 결과를 특수번호 전화서비스의 통합·연계 체계의 운영 개선에 활용할 수 있다.
③ 행정안전부장관은 필요한 경우 관계 중앙행정기관의 장 또는 대통령령으로 정하는 공공기관의 장에게 특수번호 전화서비스의 통합·연계 및 조사·분석 결과의 활용 등에 관한 협조를 요청할 수 있다. 이 경우 요청을 받은 해당 기관의 장은 특별한 사유가 없으면 협조하여야 한다.
④ 제1항부터 제3항까지에서 규정한 사항 외에 특수번호 전화서비스의 통합·연계 체계의 구축·운영 등에 필요한 사항은 대통령령으로 정한다.

(1) 긴급구조대응계획의 수립

① 긴급구조기관의 장은 재난이 발생하는 경우 긴급구조기관과 긴급구조지원기관이 신속하고 효율적으로 긴급구조를 수행할 수 있도록 대통령령으로 정하는 바에 따라 재난의 규모와 유형에 따른 긴급구조대응계획을 수립·시행하여야 한다.
- ㉠ **긴급구조기관의 장**: 긴급구조대응계획 수립·시행
- ㉡ **목적**: 긴급구조기관과 긴급구조지원기관이 신속·효율적 긴급구조 수행

② **긴급구조대응계획의 수립(영 제63조)**: 법 제54조에 따라 긴급구조기관의 장이 수립하는 긴급구조대응계획은 기본계획, 기능별 긴급구조대응계획, 재난유형별 긴급구조대응계획으로 구분한다.
- ㉠ **기본계획**
- ㉡ **기능별** 긴급구조대응계획
- ㉢ **재난유형별** 긴급구조대응계획

(2) 기본계획 포함사항

① 긴급구조대응계획의 **목적 및 적용범위**
② 긴급구조대응계획의 **기본방침과 절차**
③ 긴급구조대응계획의 **운영책임**에 관한 사항

시크릿 노트

긴급구조대응계획의 수립 등

구분
1. 기본계획
2. 기능별 긴급구조대응계획
3. 재난유형별 긴급구조대응계획

기본계획
1. 기본계획
2. 기능별 긴급구조대응계획
3. 재난유형별 긴급구조대응계획

기능별 긴급구조대응계획
1. 비상경고: 긴급대피·상황전파·비상연락
2. 피해상황분석: 재난현장상황 및 피해정보의 수집·분석·보고
3. 긴급오염통제: 오염 노출 통제, 긴급감염병 방제

재난유형별 긴급구조대응계획
1. 재난 발생 단계별 주요 긴급구조 대응활동 사항
2. 주요 재난유형별 대응 매뉴얼에 관한 사항
3. 비상경고 방송메시지 작성 등에 관한 사항

(3) 기능별 긴급구조대응계획 포함사항

① **지휘통제**: 긴급구조체제 및 중앙통제단과 지역통제단의 운영체계

② **비상경고**: 긴급대피 · 상황 전파 · 비상연락

③ **대중정보**: 주민보호를 위한 비상방송시스템 가동 등 긴급 공공정보 제공 및 재난상황 등에 관한 정보 통제에 관한 사항

④ **피해상황분석**: 재난현장상황 및 피해정보의 수집 · 분석 · 보고

⑤ **구조 · 진압**: 인명 수색 및 구조, 화재진압 등

⑥ **응급의료**: 대량 사상자 발생 시 응급의료서비스 제공

⑦ **긴급오염통제**: 오염 노출 통제, 긴급 감염병 방제 등 재난현장 공중보건

⑧ **현장통제**: 재난현장 접근 통제 및 치안 유지 등

⑨ **긴급복구**: 긴급구조차량 접근 도로 복구 등

⑩ **긴급구호**: 긴급구조요원 및 긴급대피 수용주민에 대한 위기 상담, 임시 의식주 제공 등

⑪ **재난통신**: 긴급구조기관 및 긴급구조지원기관 간 정보통신체계 운영 등

(4) 재난유형별 긴급구조대응계획 포함사항

① 재난 발생 단계별 주요 긴급구조 대응활동사항

② 주요 재난유형별 대응 매뉴얼에 관한 사항

③ 비상경고 방송메시지 작성 등에 관한 사항

(5) 긴급구조대응계획의 수립절차(영 제64조)

① 시 · 도긴급구조대응계획의 수립에 관한 지침

㉠ 수립에 관한 지침 작성자: 소방청장

㉡ 통보: 시 · 도긴급구조기관의 장

② 시 · 도긴급구조대응계획

㉠ 시 · 도긴급구조대응계획 작성자: 시 · 도긴급구조기관의 장

㉡ 보고: 소방청장

③ 시 · 군 · 구긴급구조대응계획의 수립에 관한 지침

㉠ 수립에 관한 지침 작성자: 시 · 도긴급구조기관의 장

㉡ 통보: 시 · 군 · 구긴급구조기관

④ 시 · 군 · 구긴급구조대응계획

㉠ 시 · 군 · 구긴급구조대응계획 작성자: 시 · 군 · 구긴급구조기관의 장

㉡ 보고: 시 · 도긴급구조기관의 장

(6) 긴급구조 관련 특수번호 전화서비스의 통합 · 연계(영 제64조의2)

① 화재 · 구조 · 구급 등에 관한 긴급구조 특수번호 전화서비스: 119

② 범죄 피해 등으로부터의 구조 등에 관한 긴급구조 특수번호 전화서비스: 112

핵심 기출

「재난 및 안전관리 기본법 시행령」상 긴급구조기관의 장이 수립하는 재난유형별 긴급구조대응계획에 포함되어야 할 내용으로 옳은 것은? 20. 소방간부

ㄱ. 긴급구조대응계획의 기본방침과 절차
ㄴ. 긴급구조대응계획의 목적 및 적용범위
ㄷ. 주요 재난유형별 대응 매뉴얼에 관한 사항
ㄹ. 비상경고 방송메시지 작성 등에 관한 사항
ㅁ. 긴급구조대응계획의 운영책임에 관한 사항
ㅂ. 재난 발생 단계별 주요 긴급구조 대응활동사항

① ㄱ, ㄴ, ㄷ ② ㄱ, ㄴ, ㅁ
③ ㄴ, ㄹ, ㅂ ④ ㄷ, ㄹ, ㅁ
⑤ ㄷ, ㄹ, ㅂ

정답 ⑤

관계법규 긴급구조대응계획

시행령	긴급구조대응활동 및 현장지휘에 관한 규칙
제63조【긴급구조대응계획의 수립】 ① 법 제54조에 따라 긴급구조기관의 장이 수립하는 긴급구조대응계획은 기본계획, 기능별 긴급구조대응계획, 재난유형별 긴급구조대응계획으로 구분하되, 구분된 계획에 포함되어야 하는 사항은 다음 각 호와 같다. 1. 기본계획 가. 긴급구조대응계획의 목적 및 적용범위 나. 긴급구조대응계획의 기본방침과 절차 다. 긴급구조대응계획의 운영책임에 관한 사항 2. 기능별 긴급구조대응계획 가. 지휘통제: 긴급구조체제 및 중앙통제단과 지역통제단의 운영체계 등에 관한 사항 나.【 ① 】: 긴급대피, 상황 전파, 비상연락 등에 관한 사항 다. 대중정보: 주민보호를 위한 비상방송시스템 가동 등 긴급 공공정보 제공에 관한 사항 및 재난상황 등에 관한 정보 통제에 관한 사항 라. 피해상황분석: 재난현장상황 및 피해정보의 수집 · 분석 · 보고에 관한 사항 마. 구조 · 진압: 인명 수색 및 구조, 화재진압 등에 관한 사항 바. 응급의료: 대량 사상자 발생 시 응급의료서비스 제공에 관한 사항 사.【 ② 】: 오염 노출 통제, 긴급 감염병 방제 등 재난현장 공중보건에 관한 사항 아. 현장통제: 재난현장 접근 통제 및 치안 유지 등에 관한 사항 자. 긴급복구: 긴급구조활동을 원활하게 하기 위한 긴급구조차량 접근 도로 복구 등에 관한 사항 차.【 ③ 】: 긴급구조요원 및 긴급대피 수용주민에 대한 위기상담, 임시 의식주 제공 등에 관한 사항 카. 재난통신: 긴급구조기관 및 긴급구조지원기관 간 정보통신체계 운영 등에 관한 사항 3. 재난유형별 긴급구조대응계획 가. 재난 발생 단계별 주요 긴급구조 대응활동 사항 나. 주요 재난유형별 대응 매뉴얼에 관한 사항 다.【 ④ 】등에 관한 사항 ② 긴급구조기관의 장은 긴급구조대응계획을 수립하기 위하여 필요한 경우에는 긴급구조지원기관의 장에게 소관별 긴급구조세부대응계획을 수립하여 제출하도록 요청할 수 있다. 이 경우 긴급구조기관의 장은 긴급구조세부대응계획의 작성에 필요한 긴급구조세부대응계획의 수립에 관한 지침을 작성하여 배포하여야 한다. **제64조【긴급구조대응계획의 수립절차】** ① 소방청장은 매년 법 제54조에 따라 시 · 도긴급구조대응계획의 수립에 관한 지침을 작성하여 시 · 도긴급구조기관의 장에게 전달하여야 한다. ② 시 · 도긴급구조기관의 장은 제1항에 따른 지침에 따라 시 · 도긴급구조대응계획을 작성하여 소방청장에게 보고하고 시 · 군 · 구긴급구조대응계획의 수립에 관한 지침을 작성하여 시 · 군 · 구긴급구조기관에 통보하여야 한다. ③ 시 · 군 · 구긴급구조기관의 장은 제2항에 따른 시 · 군 · 구긴급구조대응계획의 수립에 관한 지침에 따라 시 · 군 · 구긴급구조대응계획을 작성하여 시 · 도긴급구조기관의 장에게 보고하여야 한다.	**제35조【재난유형별 긴급구조대응계획의 작성체계】** 영 제63조 제1항 제3호의 규정에 의한 재난유형별 긴급구조대응계획은 다음의 재난유형별로 재난의 진행단계에 따라 조치하여야 하는 주요사항과 주민보호를 위한 대민정보사항을 포함하여 작성하여야 한다. 1. 홍수 2. 태풍 3. 폭설 4. 지진 5. 시설물 등의 붕괴 6. 가스 등의 붕괴 7. 다중이용시설의 대형화재 8. 유해화학물질(방사능을 포함한다)의 누출 및 확산 **제36조【긴급구조세부대응계획의 작성체계】** ① 영 제63조 제2항의 규정에 의하여 긴급구조세부대응계획을 작성하여야 하는 긴급구조지원기관의 장은 다음 각 호의 모든 사항을 포함하여 작성하되, 긴급구조지원기관의 여건에 맞게 다르게 작성할 수 있다. - 중략 -

① 비상경고 ② 긴급오염통제 ③ 긴급구호 ④ 비상경고 방송메시지 작성

재난관리론 9 해커스소방 김정희 소방학개론 기본서

7 재난대비능력 보강 A

제55조 【재난대비능력 보강】 ① 국가와 지방자치단체는 재난관리에 필요한 재난관리자원의 확보 · 확충, 통신망의 설치 · 정비 등 긴급구조능력을 보강하기 위하여 노력하고, 필요한 재정상의 조치를 마련하여야 한다.
② 긴급구조기관의 장은 긴급구조활동을 신속하고 효과적으로 할 수 있도록 긴급구조지휘대 등 긴급구조체제를 구축하고, 상시 소속 긴급구조요원 및 장비의 출동태세를 유지하여야 한다.
③ 긴급구조업무와 재난관리책임기관(행정기관 외의 기관만 해당한다)의 재난관리업무에 종사하는 사람은 대통령령으로 정하는 바에 따라 긴급구조에 관한 교육을 받아야 한다. 다만, 다른 법령에 따라 긴급구조에 관한 교육을 받은 경우에는 이 법에 따른 교육을 받은 것으로 본다.
④ 소방청장과 시 · 도지사는 제3항에 따른 교육을 담당할 교육기관을 지정할 수 있다.
⑤ 긴급구조기관의 장은 재난이 발생한 경우 사상자의 신속한 분류 · 응급처치 및 이송을 위하여 「의료법」 제3조에 따른 의료기관 및 「응급의료에 관한 법률」 제2조에 따른 응급의료기관등에 현장 응급의료에 필요한 재난관리자원 등에 관한 자료를 요청할 수 있다. 이 경우 자료의 요청을 받은 관계 기관의 장은 정당한 사유가 없으면 이에 따라야 한다.
⑥ 제5항에 따라 긴급구조기관의 장이 요청할 수 있는 자료의 종류는 대통령령으로 정한다.

(1) 재난대비능력 보강

① **재난대비능력 보강:** 국가와 지방자치단체
② 재난관리에 필요한 재난관리자원의 확보 · 확충, 통신망의 설치 · 정비 등

(2) 긴급구조지휘대 구성 · 운영

긴급구조기관의 장은 긴급구조지휘대 등 긴급구조체제를 구축하고, 상시 소속 긴급구조요원 및 장비의 출동태세를 유지하여야 한다.

① 긴급구조지휘대의 구성(영 제65조 제1항)
㉠ 현장지휘요원
㉡ 자원지원요원
㉢ 통신지원요원
㉣ 안전관리요원
㉤ 상황조사요원
㉥ 구급지휘요원

② 긴급구조지휘대 설치기준(영 제65조 제2항)
㉠ **소방서현장지휘대:** 소방서별로 설치 · 운영
㉡ **방면현장지휘대:** 2개 이상 4개 이하의 소방서별로 소방본부장이 1개를 설치 · 운영
㉢ **소방본부현장지휘대:** 소방본부별로 현장지휘대 설치 · 운영
㉣ **권역현장지휘대:** 2개 이상 4개 이하의 소방본부별로 소방청장이 1개를 설치 · 운영

(3) 긴급구조에 관한 교육 등

긴급구조업무와 재난관리책임기관의 재난관리업무에 종사하는 사람은 긴급구조에 관한 교육을 받아야 한다.

① **긴급구조에 관한 교육(영 제66조)**

㉠ **신규교육**: 해당 업무를 맡은 후 1년 이내에 받는 긴급구조교육

㉡ **정기교육**: 신규교육을 받은 후 2년마다 받는 긴급구조교육

② **긴급구조의 교육(규칙 제16조)**

㉠ 긴급구조대응계획 및 긴급구조세부대응계획의 수립 · 집행 및 운용방법

㉡ 재난 대응 행정실무

㉢ 긴급재난 대응 이론 및 기술

㉣ 긴급구조활동에 필요한 인명구조, 응급처치, 건축물구조 안전조치, 특수재난 대응방법 및 중앙통제단장이 필요하다고 인정하는 사항

③ **긴급구조 교육과정(규칙 제16조)**

㉠ 긴급구조 대응활동 실무자과정

㉡ 긴급구조 대응 행정실무자과정

㉢ 긴급구조 대응 현장지휘자과정

㉣ 중앙통제단장이 필요하다고 인정하는 교육과정

㉤ 시 · 도재난안전대책본부의 본부장 및 시 · 군 · 구재난안전대책본부의 본부장과 시 · 도긴급구조통제단의 단장 및 시 · 군 · 구긴급구조통제단의 단장이 필요하다고 인정하는 교육과정

(4) 긴급구조지휘대 구성(「긴급구조대응활동 및 현장지휘에 관한 규칙」 제16조)

긴급구조지휘대는 [별표 5]의 규정에 따라 구성 · 운영하되, 소방본부 및 소방서의 긴급구조지휘대는 상시 구성 · 운영하여야 한다.

① **긴급구조지휘대의 업무**

㉠ 통제단이 가동되기 전 재난 초기 시 현장지휘

㉡ 주요 긴급구조지원기관과의 합동으로 현장지휘의 조정 · 통제

㉢ 광범위한 지역에 걸친 재난 발생 시 전진지휘

㉣ 화재 등 일상적 사고의 발생 시 현장지휘

② **긴급구조지휘대 요원의 통제단 배치: 긴급구조지휘대를 구성하는 다음에 해당하는 자는 통제단이 설치 · 운영되는 경우에는 다음의 구분에 따라 통제단의 해당 부서에 배치된다.**

㉠ **현장지휘요원: 대응계획부**

㉡ **자원지원요원: 자원지원부**

㉢ **통신지원요원**: 현장지휘부

㉣ **안전관리요원**: 현장지휘부

㉤ **상황조사요원**: 현장지휘부

㉥ **구급지휘요원**: 현장지휘부

재난관리론 9 해커스소방 김정희 소방학개론 기본서

관계법규 긴급구조

시행령	긴급구조대응활동 및 현장지휘에 관한 규칙
제65조【긴급구조지휘대 구성·운영】 ① 법 제55조 제2항에 따른 긴급구조지휘대는 다음 각 호의 사람으로 구성하여야 한다. 1. 현장지휘요원 2. 자원지원요원 3.【 ① 】 4. 안전관리요원 5. 상황조사요원 6. 구급지휘요원 ② 법 제55조 제2항에 따른 긴급구조지휘대는 소방서현장지휘대, 방면현장지휘대, 소방본부현장지휘대 및 권역현장지휘대로 구분하되, 구분된 긴급구조지휘대의 설치기준은 다음 각 호와 같다. 1. 소방서현장지휘대: 소방서별로 설치·운영 2. 방면현장지휘대: 2개 이상 4개 이하의 소방서별로 소방본부장이 1개를 설치·운영 3. 소방본부현장지휘대: 소방본부별로 현장지휘대 설치·운영 4.【 ② 】: 2개 이상 4개 이하의 소방본부별로 소방청장이 1개를 설치·운영 ③ 제1항 및 제2항에서 규정한 사항 외에 긴급구조지휘대의 세부 운영기준은 행정안전부령으로 정한다. **제66조【긴급구조에 관한 교육】** ① 긴급구조지원기관에서 긴급구조업무와 재난관리업무를 담당하는 부서의 담당자 및 관리자는 법 제55조 제3항에 따라 다음 각 호의 구분에 따른 긴급구조에 관한 교육(이하 "긴급구조교육"이라 한다)을 받아야 한다. 1. 신규교육: 해당 업무를 맡은 후【 ③ 】이내에 받는 긴급구조교육 2. 정기교육: 신규교육을 받은 후 2년마다 받는 긴급구조교육 ② 제1항에서 규정한 사항 외에 재난관리업무에 종사하는 사람의 교육에 필요한 세부 사항은 행정안전부령으로 정한다. **제66조의2【긴급구조기관의 장이 요청할 수 있는 자료】** 긴급구조기관의 장은 법 제55조 제5항 전단에 따라 「의료법」 제3조에 따른 의료기관 및 「응급의료에 관한 법률」 제2조 제7호에 따른 응급의료기관등(이하 "해당 의료기관"이라 한다)에 대하여 다음 각 호의 사항에 관한 자료를 요청할 수 있다. 1. 응급의료 종사자 수 등 해당 의료기관의 응급의료 인력 2. 구급차량, 특수의료장비 등 해당 의료기관의 응급의료 장비 3. 병상, 수술실 등 해당 의료기관의 응급환자 수용능력	**제16조【긴급구조지휘대의 구성 및 기능】** ① 영 제65조 제3항의 규정에 의하여 긴급구조지휘대는 별표 5의 규정에 따라 구성·운영하되, 소방본부 및 소방서의 긴급구조지휘대는 상시 구성·운영하여야 한다. ② 영 제65조 제3항의 규정에 의하여 긴급구조지휘대는 다음 각 호의 기능을 수행한다. 1. 통제단이 가동되기 전 재난초기시 현장지휘 2. 주요 긴급구조지원기관과의 합동으로 현장지휘의 조정·통제 3. 광범위한 지역에 걸친 재난발생 시 전진지휘 4. 화재 등 일상적 사고의 발생 시 현장지휘 ③ 영 제65조 제1항에 따라 긴급구조지휘대를 구성하는 사람은 통제단이 설치·운영되는 경우 다음 각 호의 구분에 따라 통제단의 해당부서에 배치된다. 1. 현장지휘요원: 대응계획부 2. 자원지원요원: 자원지원부 3. 통신지원요원: 현장지휘부 4. 안전관리요원: 현장지휘부 5. 상황조사요원: 현장지휘부 6. 구급지휘요원: 현장지휘부
① 통신지원요원 ② 권역현장지휘대 ③ 1년	

참고 **긴급구조대응활동 및 현장지휘에 관한 규칙 [별표 1]** - 표준지휘조직도(제9조 제3항 관련)

1. 구성

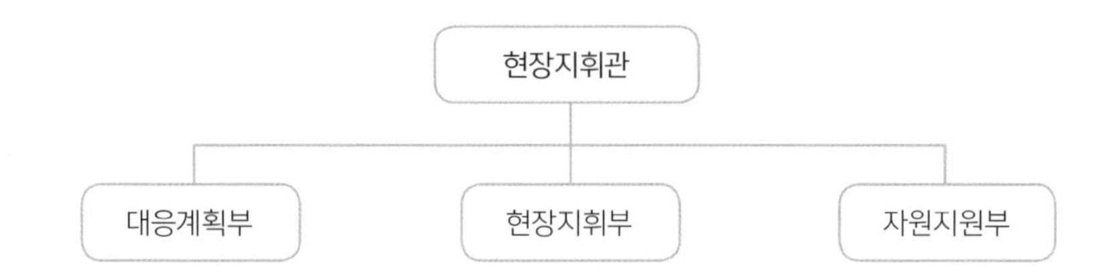

2. 부서별 임무

부서	임무
대응계획부	가. 긴급구조기관과 긴급구조지원기관·유관기관 등에 대한 통합 지휘·조정 나. 재난상황정보의 수집·분석 및 상황예측 다. 현장활동계획의 수립 및 배포 라. 대중정보 및 대중매체 홍보에 관한 사항 마. 유관기관과의 연락 및 보고에 관한 사항
현장지휘부	가. 진압·구조·응급의료 등에 대한 현장활동계획의 이행 나. 헬기 등을 이용한 진압·구조·응급의료 및 운항 통제, 비상헬기장 관리 등 다. 재난현장 등에 대한 경찰관서의 현장 통제 활동 관련 지휘·조정·통제 및 대피계획 지원 등 라. 현장활동 요원들의 안전수칙 수립 및 교육 마. 임무수행지역의 현장 안전진단 및 안전조치 바. 자원대기소 운영 및 교대조 관리
자원지원부	가. 대응자원 현황을 대응계획부에 제공하고, 대응계획부의 현장활동계획에 따라 자원의 배분 및 배치 나. 현장활동에 필요한 자원의 동원 및 관리 다. 긴급구조지원기관·지방자치단체 등의 긴급복구 및 오염방제 활동에 대한 지원 등

▶ 비고
1. 표준지휘조직은 재난상황에 따라 확대 또는 축소하여 운영할 수 있다.
2. 부서별 임무는 예시로서, 재난상황에 따라 임무를 선택하거나 새로운 임무를 추가할 수 있다.

참고 **긴급구조대응활동 및 현장지휘에 관한 규칙 [별표 2] - 긴급구조지원기관의 역할(제11조 제1호 관련)**

계획 번호	1	2	3	4	5	6	7	8	9	10	11
기능별 긴급 구조 대응계획 / 긴급구조 지원기관 등	지휘 통제	비상 경고	대중 정보	상황 분석	구조 진압	응급 의료	오염 통제	현장 통제	긴급 복구	긴급 구호	재난 통신
소방청	○	○	○	○	○	△	△	△	△	△	○
국방부	△				△	△	△	△	△	△	△
과학기술정보통신부		△	△	△			△		△	△	△
산업통상자원부				△			△		△		
보건복지부					△	○	△	△		△	△
환경부						△	○		△		△
국토교통부	△		△				△		○		

방송통신위원회			△						△		△
경찰청	△	△	△	△	△		△	○			△
기상청			△								
산림청					△						△
대한적십자사						△	△		△	○	

▶ 비고
1. "○"는 책임기관을 말한다.
2. "△"는 지원기관을 말한다.
3. 위 구분에도 불구하고 해양에서 발생한 재난에 대해서는 해양경찰청장이 기능별 긴급 구조대응계획의 모든 분야에서 책임기관이 된다.

참고 **긴급구조대응활동 및 현장지휘에 관한 규칙 [별표 3]** - 중앙통제단의 구성(제12조 제1항 관련)

1. 중앙통제단 조직도

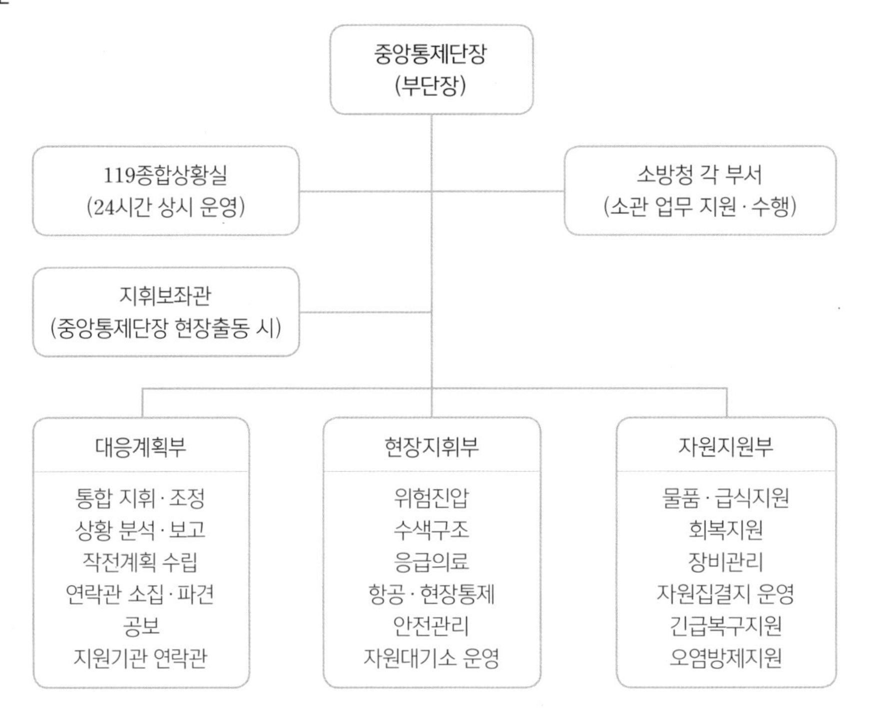

2. 부서별 임무

부서별	임무
중앙통제단장	가. 긴급구조활동의 총괄 지휘·조정·통제 나. 정부차원의 긴급구조대응계획의 가동
119종합상황실	가. 중앙통제단 지원기능 수행 나. 긴급구조대응계획 중 기능별 긴급구조대응계획 가동지원 다. 중앙재난안전대책본부 등 유관기관 등에 상황 전파 라. 대응계획부(공보)와 공동으로 긴급대피, 상황전파, 비상연락 등 실시
소방청 각 부서	가. 부서별 긴급구조대응계획 중 기능별 긴급구조대응계획 가동지원 나. 각 소속 기관·단체에 분담된 임무연락 및 이행완료 여부 보고

지휘보좌관	가. 중앙통제단장 보좌 나. 그 밖의 중앙통제단장 지원활동	
대응계획부	통합지휘 · 조정	가. 긴급구조체제 및 중앙통제단 운영체계 가동 나. 시 · 도 소방본부 및 권역별 긴급구조지휘대 자원의 지휘 · 조정 · 통제
	상황분석 · 보고	가. 재난상황 정보 종합 분석 · 보고 나. 중앙재난안전대책본부 등 유관기관 등에 상황 보고
	작전계획 수립	시 · 도긴급구조통제단 대응계획부의 작전계획 수립 · 지원
	연락관 소집 · 파견	가. 지원기관 연락관 소집 나. 현장상황관리관 파견 다. 지원기관 지원 · 협력에 관한 사항
	공보	가. 긴급 공공정보 제공과 재난상황 등에 관한 정보 등 비상방송시스템 가동 나. 대중매체 홍보에 관한 사항 다. 119종합상황실과 공동으로 긴급대피, 상황전파, 비상연락 등 실시
	지원기관 연락관	가. 중앙통제단과 공동으로 지원기관의 긴급구조지원활동 조정 · 통제 나. 대규모 재난 및 광범위한 지역에 걸친 재난발생 시 탐색구조 활동(국방부), 현장통제(경찰청), 응급의료(보건복지부) 지원 등
현장지휘부	위험진압	정부차원의 화재 등 위험진압 지원
	수색구조	정부차원의 수색 및 인명구조 등 지원
	응급의료	가. 정부차원의 응급의료자원 지원활동 나. 정부차원의 재난의료체계 가동 다. 시 · 도 응급의료 자원의 지휘 · 조정 · 통제
	항공 · 현장통제	가. 헬기 등 현장활동 지휘 · 조정 · 통제 나. 응급환자 원거리 항공이송 지휘 · 조정 · 통제 다. 정부차원의 대규모 대피계획 지원 라. 지방 경찰관서 현장통제자원의 지휘 · 조정 · 통제
	안전관리	시 · 도긴급구조통제단의 안전관리 지원
	자원대기소 운영	시 · 도긴급구조통제단의 자원대기소 운영 지원
자원지원부	물품 · 급식지원	정부차원의 물품 · 급식 지원
	회복지원	정부차원의 긴급 구호 활동 및 회복 지원
	장비관리	가. 정부차원의 장비 · 시설 지원 나. 정부차원의 재난통신지원 활동 다. 시 · 도긴급구조통제단 기술정보 지원
	자원집결지 운영	소방청 자원관리시스템을 통한 시 · 도긴급구조통제단 자원집결지 요구사항 지원
	긴급복구지원	가. 정부차원의 긴급시설복구 지원활동 나. 다른 지역 자원봉사자의 재난현장 집단수송 지원
	오염 · 방제지원	정부차원의 긴급오염 · 통제 · 방제 지원활동

▶ 비고
1. 중앙통제단 조직은 재난상황에 따라 확대 또는 축소하여 운영할 수 있다.
2. 부서별 임무는 예시로서, 재난상황에 따라 임무를 선택하거나 새로운 임무를 추가할 수 있다.

참고 **긴급구조대응활동 및 현장지휘에 관한 규칙 [별표 4]** - 지역통제단의 구성(제13조 제1항 관련)

1. 중앙통제단 조직도

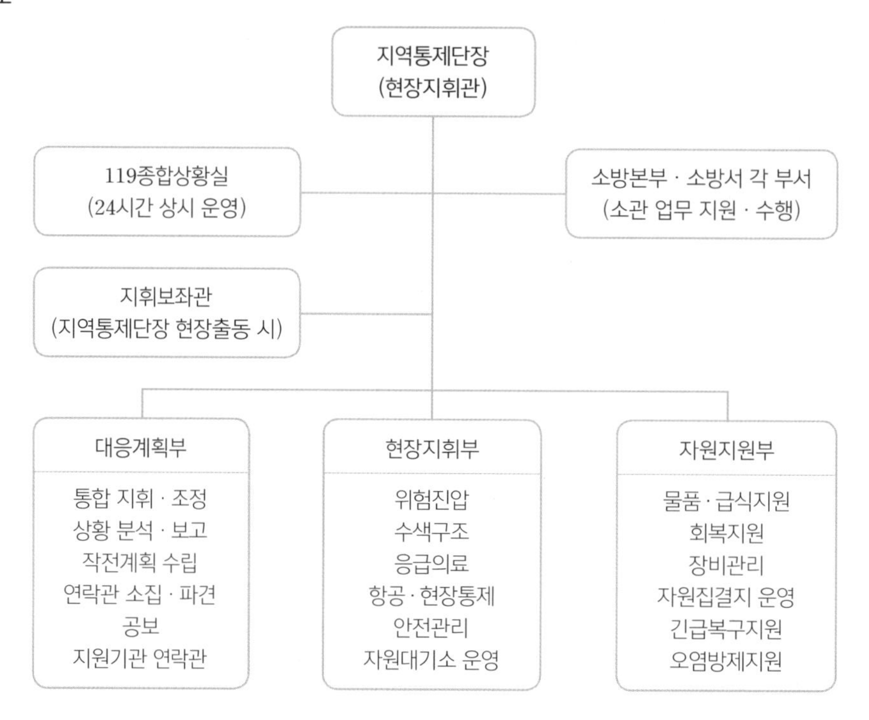

2. 부서별 임무

<table>
<tr><th>부서별</th><th colspan="2">임무</th></tr>
<tr><td>지역통제단장</td><td colspan="2">가. 긴급구조활동의 총괄 지휘 · 조정 · 통제
나. 정부차원의 긴급구조대응계획의 가동</td></tr>
<tr><td>119종합상황실</td><td colspan="2">가. 지역통제단 지원기능 수행
나. 긴급구조대응계획 중 기능별 긴급구조대응계획 가동지원
다. 소방청 및 지역재난안전대책본부 등 유관기관 등에 상황 전파
라. 대응계획부(공보)와 공동으로 긴급대피, 상황전파, 비상연락 등 실시</td></tr>
<tr><td>소방본부 · 소방서 각 부서</td><td colspan="2">가. 부서별 긴급구조대응계획 중 기능별 긴급구조대응계획 가동지원
나. 각 소속 기관 · 단체에 분담된 임무연락 및 이행완료 여부 보고</td></tr>
<tr><td>지휘보좌관</td><td colspan="2">가. 지역통제단장 보좌
나. 그 밖의 지역통제단장 지원활동</td></tr>
<tr><td rowspan="4">대응계획부</td><td>통합지휘 · 조정</td><td>가. 전반적 대응 목표 및 전략 결정
나. 대응활동계획의 공동 이행(소속기관별 임무분담 및 이행)
다. 전반적인 자원 활용 조정</td></tr>
<tr><td>상황분석 · 보고</td><td>가. 재난상황정보 수집 · 분석 및 대응목표 우선순위 설정
나. 재난상황 예측
다. 작전계획 임무담당자와 공동으로 대응활동계획 수립
라. 중앙통제단장 및 지역재난안전대책본부장 등에 상황 보고</td></tr>
<tr><td>작전계획 수립</td><td>가. 현장 대응활동계획 수립 및 배포
나. 작전계획에 따른 자원할당</td></tr>
<tr><td></td><td></td></tr>
</table>

대응계획부	연락관 소집·파견	가. 지원기관 연락관 소집 나. 현장상황관리관 파견 다. 지원기관 지원·협력에 관한 사항
	공보	가. 긴급 공공정보 제공과 재난상황 등에 관한 정보 등 비상방송시스템 가동 나. 대중매체 홍보에 관한 사항 다. 119종합상황실과 공동으로 긴급대피, 상황전파, 비상연락 등 실시
	지원기관 연락관	가. 지역통제단과 공동으로 지원기관의 긴급구조지원활동 조정·통제 나. 긴급구조지원기관 및 유관기관 별 긴급구조활동 지원
현장지휘부	위험진압	가. 시·도 차원의 화재 등 위험진압 지원 나. 각 시·군·구긴급구조통제단의 화재 등 위험진압 및 지원
	수색구조	가. 시·도 차원의 수색 및 인명구조 등 지원 나. 각 시·군·구긴급구조통제단의 수색·인명구조 및 지원
	응급의료	가. 시·도 차원의 응급의료 및 자원지원 활동 나. 대응구역별 응급의료자원의 지휘·조정·통제 다. 사상자 분산·이송 통제 라. 사상자 현황파악 및 보고자료 제공
	항공·현장통제	가. 항공대 운항통제 및 비상헬기장 관리 나. 응급환자 원거리 항공이송 통제 다. 시·도 및 시·군·구 대피계획 지원 라. 지방 경찰관서 현장통제자원의 지휘·조정·통제
	안전관리	가. 재난현장의 안전진단 및 안전조치 나. 현장활동 요원들의 안전수칙 수립 및 교육
	자원대기소 운영	자원대기소 운영
자원지원부	물품·급식지원	가. 긴급대응활동 참여자에 대한 물품 지원 나. 긴급구조요원 및 자원봉사자에 대한 의식주 지원
	회복지원	긴급대응활동 참여자에 대한 회복 지원
	장비관리	가. 통제단 운영지원 및 현장지휘소 설치 나. 현장 필요장비 동원 및 지원 다. 현장 필요시설 동원 및 지원 라. 현장지휘 및 자원관리에 필요한 통신지원
	자원집결지 운영	현장인력 지원 및 자원집결지 운영
	긴급복구지원	가. 시·도 차원의 긴급시설복구 및 자원지원 활동 나. 시·군·구긴급구조통제단 긴급시설복구 및 자원의 지휘·조정·통제 다. 긴급구조자원 수송지원
	오염·방제지원	가. 시·도 차원의 긴급오염통제 및 자원지원 활동 나. 시·군·구긴급구조통제단 긴급오염통제 및 자원의 지휘·조정·통제

▶ 비고
1. 지역통제단 조직은 재난상황에 따라 확대 또는 축소하여 운영할 수 있다.
2. 부서별 임무는 예시로서, 재난상황에 따라 임무를 선택하거나 새로운 임무를 추가할 수 있다.

참고 긴급구조대응활동 및 현장지휘에 관한 규칙 [별표 5] – 긴급구조지휘대(제16조 제1항 관련)

1. 구성

2. 임무

구분	주요 임무
지휘대장	가. 화재 등 재난사고의 발생 시 현장지휘·조정·통제 나. 통제단 가동 전 재난현장 지휘활동 등
현장지휘요원	가. 화재 등 재난사고의 발생 시 지휘대장 보좌 나. 통제단 가동 전 재난현장 대응활동 계획 수립 등
자원지원요원	가. 자원대기소, 자원집결지 선정 및 동원자원 관리 나. 긴급구조지원기관 및 응원협정체결기관 동원요청 등
통신지원요원	가. 재난현장 통신지원체계 유지·관리 나. 지휘대장의 현장활동대원 무전지휘 운영 지원 등
안전관리요원	가. 현장활동 안전사고 방지대책 수립 및 이행 나. 재난현장 안전진단 및 안전조치 등
상황조사요원	가. 재난현장과 119종합상황실 간 실시간 정보지원체계 구축 나. 현장상황 파악 및 통제단 가동을 위한 상황판단 정보 제공 등
구급지휘요원	가. 재난현장 재난의료체계 가동 나. 사상자 관리 및 병원수용능력 파악 등 의료자원 관리 등

8 긴급구조지원기관의 능력에 대한 평가 등 B

제55조의2【긴급구조지원기관의 능력에 대한 평가】 ① 긴급구조지원기관은 대통령령으로 정하는 바에 따라 긴급구조에 필요한 능력을 유지하여야 한다.
② 긴급구조기관의 장은 긴급구조지원기관의 능력을 평가할 수 있다. 다만, 상시 출동체계 및 자체 평가제도를 갖춘 기관과 민간 긴급구조지원기관에 대하여는 대통령령으로 정하는 바에 따라 평가를 하지 아니할 수 있다.
③ 긴급구조기관의 장은 제2항에 따른 평가 결과를 해당 긴급구조지원기관의 장에게 통보하여야 한다.
④ 제1항부터 제3항까지에서 규정한 사항 외에 긴급구조지원기관의 능력 평가에 필요한 사항은 대통령령으로 정한다.

제56조【해상에서의 긴급구조】 해상에서 발생한 선박이나 항공기 등의 조난사고의 긴급구조활동에 관하여는 「수상에서의 수색·구조 등에 관한 법률」 등 관계 법령에 따른다.

제57조【항공기 등 조난사고 시의 긴급구조 등】 ① 소방청장은 항공기 조난사고가 발생한 경우 항공기 수색과 인명구조를 위하여 항공기 수색·구조계획을 수립·시행하여야 한다. 다만, 다른 법령에 항공기의 수색·구조에 관한 특별한 규정이 있는 경우에는 그 법령에 따른다.
② 항공기의 수색·구조에 필요한 사항은 대통령령으로 정한다.
③ 국방부장관은 항공기나 선박의 조난사고가 발생하면 관계 법령에 따라 긴급구조업무에 책임이 있는 기관의 긴급구조활동에 대한 군의 지원을 신속하게 할 수 있도록 다음 각 호의 조치를 취하여야 한다.
1. 탐색구조본부의 설치·운영
2. 탐색구조부대의 지정 및 출동대기태세의 유지
3. 조난 항공기에 관한 정보 제공
④ 제3항 제1호에 따른 탐색구조본부의 구성과 운영에 필요한 사항은 국방부령으로 정한다.

(1) 긴급구조지원기관의 능력

① 대통령령으로 정하는 바에 따라 긴급구조에 필요한 능력을 유지하여야 한다.
② 긴급구조기관의 장은 긴급구조지원기관의 능력을 평가할 수 있다.

(2) 해상에서의 긴급구조

해상에서 발생한 선박이나 항공기 등의 조난사고의 긴급구조활동에 관하여는 「수상에서의 수색·구조 등에 관한 법률」 등 관계 법령에 따른다.

(3) 항공기 등 조난사고 시의 긴급구조 등

① **소방청장**은 항공기 조난사고가 발생한 경우 항공기 수색과 인명구조를 위하여 항공기 수색·구조계획을 수립·시행하여야 한다.
② **국방부장관**은 항공기나 선박의 조난사고가 발생하면 관계 법령에 따라 긴급구조업무에 책임이 있는 기관의 긴급구조활동에 대한 군의 지원을 신속하게 할 수 있도록 조치를 취하여야 한다.

정희's 톡talk

「수상에서의 수색·구조 등에 관한 법률」
1. "수난구호"란 수상에서 조난된 사람 및 선박, 항공기, 수상레저기구 등의 수색·구조·구난과 구조된 사람·선박등 및 물건의 보호·관리·사후처리에 관한 업무를 말합니다.
2. 수난구호의 관할: 해수면에서의 수난구호는 구조본부의 장이 수행하고, 내수면에서의 수난구호는 소방관서의 장이 수행합니다. 다만, 국제항행에 종사하는 내수면 운항선박에 대한 수난구호는 구조본부의 장과 소방관서의 장이 상호 협력하여 수행하여야 합니다.

핵심기출

「재난 및 안전관리 기본법」과 「수상에서의 수색·구조 등에 관한 법률」상 해상에서의 긴급구조 및 항공기 등 조난사고 시의 긴급구조에 관한 설명으로 옳지 않은 것은?

24. 소방간부

① 해상에서 발생한 선박이나 항공기 등의 조난사고의 긴급구조활동에 관하여는 「수상에서의 수색·구조 등에 관한 법률」 등 관계 법령에 따른다.
② 해수면에서의 수난구호는 구조본부의 장이 수행하고, 내수면에서의 수난구호는 소방관서의 장이 수행한다.
③ 국방부장관은 항공기 조난사고가 발생한 경우 항공기 수색과 인명구조를 위하여 항공기 수색·구조계획을 수립·시행하여야 한다.
④ 국방부장관은 항공기나 선박의 조난사고가 발생하면 관계 법령에 따라 긴급구조업무에 책임이 있는 기관의 긴급구조활동에 대한 군의 지원을 신속하게 할 수 있도록 조치를 취하여야 한다.
⑤ 국방부장관이 설치하는 탐색구조본부의 구성과 운영에 필요한 사항은 국방부령으로 정한다.

정답 ③

CHAPTER 7 재난의 복구

1 피해복구 및 복구계획

1 재난피해 신고 및 조사 C

제58조【재난피해 신고 및 조사】 ① 재난으로 피해를 입은 사람은 피해상황을 행정안전부령으로 정하는 바에 따라 시장·군수·구청장(시·군·구대책본부가 운영되는 경우에는 해당 본부장을 말한다. 이하 이 조에서 같다)에게 신고할 수 있으며, 피해 신고를 받은 시장·군수·구청장은 피해상황을 조사한 후 중앙대책본부장에게 보고하여야 한다.

② 재난관리책임기관의 장은 재난으로 인하여 피해가 발생한 경우에는 피해상황을 신속하게 조사한 후 그 결과를 중앙대책본부장에게 통보하여야 한다.

③ 중앙대책본부장은 재난피해의 조사를 위하여 필요한 경우에는 대통령령으로 정하는 바에 따라 관계 중앙행정기관 및 관계 재난관리책임기관의 장과 합동으로 중앙재난피해합동조사단을 편성하여 재난피해 상황을 조사할 수 있다.

④ 중앙대책본부장은 제3항에 따른 중앙재난피해합동조사단을 편성하기 위하여 관계 재난관리책임기관의 장에게 소속 공무원이나 직원의 파견을 요청할 수 있다. 이 경우 요청을 받은 관계 재난관리책임기관의 장은 특별한 사유가 없으면 요청에 따라야 한다.

⑤ 제1항 및 제2항에 따른 피해상황 조사의 방법 및 기준 등 필요한 사항은 중앙대책본부장이 정한다.

(1) 재난피해 신고 및 조사

① 재난으로 피해를 입은 사람은 **시장·군수·구청장**에게 신고할 수 있다.

② 피해 신고를 받은 시장·군수·구청장은 피해상황을 조사한 후 **중앙대책본부장**에게 보고하여야 한다.

③ **재난관리책임기관의 장**은 재난으로 인하여 피해가 발생한 경우에는 피해상황을 신속하게 조사한 후 그 결과를 **중앙대책본부장**에게 통보하여야 한다.

(2) 중앙재난피해합동조사단(재난피해조사단)

① **중앙대책본부장**: 중앙행정기관 및 관계 재난관리책임기관의 장과 합동으로 **중앙재난피해합동조사단**을 편성하여 재난피해상황을 조사할 수 있다.

② **재난피해조사단 구성·운영**

㉠ **단장**: 행정안전부 소속 공무원

㉡ 단장은 중앙대책본부장의 명을 받아 재난피해조사단에 관한 사무를 총괄하고 재난피해조사단에 소속된 직원을 지휘·감독한다.

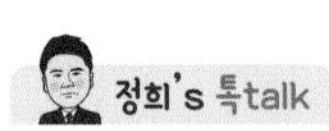

중앙재난피해합동조사단
1. 중앙대책본부장이 편성
2. 단장: 행정안전부 소속 공무원

ⓒ 중앙대책본부장은 재난 피해의 유형 · 규모에 따라 전문조사가 필요한 경우 전문조사사단을 구성 · 운영할 수 있다.

(3) 피해상황 조사의 방법 및 기준 등 필요한 사항은 중앙대책본부장이 정한다.

관계법규 중앙재난피해합동조사단 운영규정

중앙재난안전대책본부 중앙재난피해합동조사단 운영규정	NOTE
제1조【목적】 이 훈령은 「재난 및 안전관리 기본법」 제58조에 따른 중앙재난피해합동조사단 및 「자연재해대책법」제47조에 따른 중앙합동조사단의 운영에 필요한 사항을 규정함을 목적으로 한다. **제2조【적용범위】** 이 훈령은 「재난 및 안전관리 기본법」(이하 "법"이라 한다) 제3조 제1호에 해당하는 재난에 적용한다. **제3조【편성】** ① 【 ① 】(이하 "중앙대책본부장"이라 한다)은 재난 발생 시 신속한 피해조사와 복구계획(안) 작성을 위하여 필요한 경우 중앙대책본부장 소속하에 법 제58조에 따른 중앙재난피해합동조사단 및 「자연재해대책법」 제47조에 따른 중앙합동조사단(이하 "재난피해조사단"이라 한다)을 편성 · 운영할 수 있다. ② 중앙대책본부장은 행정안전부 소속 【 ② 】 이상 공무원을 재난피해조사단의 단장(이하 "재난피해조사단장"이라 한다)으로 한다. ③ 재난피해조사단장은 중앙대책본부장의 명을 받아 재난피해조사단에 관한 사무를 총괄하고 재난피해조사단에 소속된 직원을 지휘 · 감독한다. ④ 재난피해조사단의 인원수는 피해규모 및 현지여건, 전문성을 고려하여 중앙대책본부장이 정한다. ⑤ 중앙대책본부장은 피해조사나 재난복구계획 수립, 기술 자문 등을 위하여 필요한 경우 재난피해조사단에 관계부처와 지방자치단체의 공무원, 민간전문가 등을 참여시킬 수 있다. ⑥ 재난피해조사단의 조사단원은 피해조사 및 복구계획수립과 관련된 교육을 이수한 자를 우선 선정하여 편성할 수 있다.	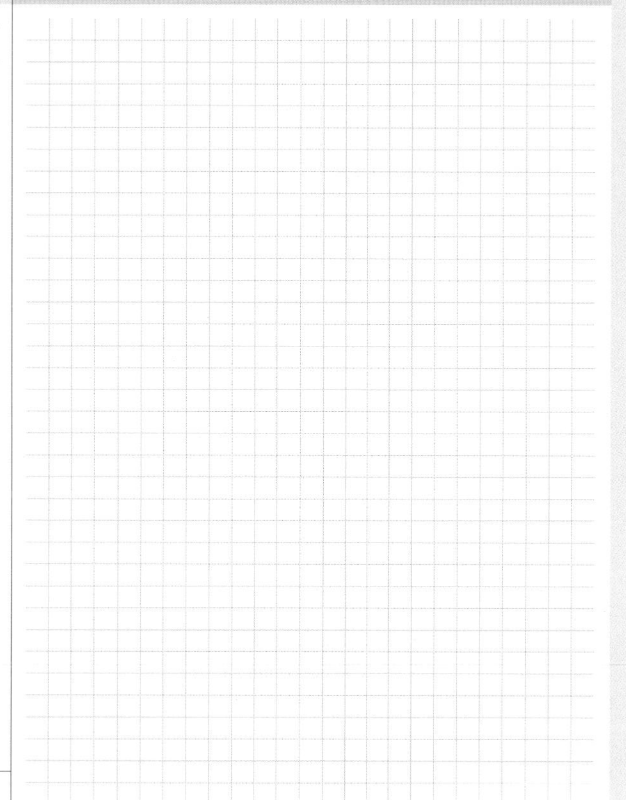
① 중앙재난안전대책본부장 ② 5급	

관계법규 중앙재난피해합동조사단

시행령	시행규칙
제67조【중앙재난피해합동조사단의 구성 · 운영】 ① 법 제58조 제3항에 따른 중앙재난피해합동조사단(이하 "재난피해조사단"이라 한다)의 단장은 행정안전부 소속 공무원으로 한다. ② 재난피해조사단의 단장은 중앙대책본부장의 명을 받아 재난피해조사단에 관한 사무를 총괄하고 재난피해조사단에 소속된 직원을 지휘 · 감독한다. ③ 중앙대책본부장은 재난 피해의 유형 · 규모에 따라 전문조사가 필요한 경우 전문조사단을 구성 · 운영할 수 있다. ④ 제1항부터 제3항까지에서 규정한 사항 외에 재난피해조사단의 편성 및 운영 등에 필요한 사항은 행정안전부령으로 정한다.	**제17조【재난합동조사단의 편성 및 운영 등】** ① 영 제67조 제4항에 따라 법 제58조 제3항에 따른 중앙재난피해합동조사단(이하 "재난피해조사단"이라 한다)을 편성하는 경우에는 관계부처 공무원 및 민간전문가를 포함시킬 수 있다. ② 재난피해조사단은 현지조사에 필요한 정보를 사전에 확보하기 위하여 관계 재난관리책임기관의 장에게 관련 자료를 요청할 수 있다. ③ 재난피해조사단의 조사 시기 및 기간 등은 재난의 유형, 피해 규모 및 현지 여건에 따라 달리 정할 수 있다. ④ 제1항부터 제3항까지에서 규정한 사항 외에 재난피해조사단의 운영에 필요한 세부 사항은 중앙대책본부장이 정한다.

참고 재난복구계획의 수립·시행 등

제59조【재난복구계획의 수립·시행】 ① 재난관리책임기관의 장은 사회재난으로 인한 피해[사회재난 중 제60조 제3항에 따라 특별재난지역으로 선포된 지역의 사회재난으로 인한 피해(이하 이 조에서 "특별재난지역 피해"라 한다)는 제외한다]에 대하여 제58조 제2항에 따른 피해조사를 마치면 지체 없이 자체복구계획을 수립·시행하여야 한다.
② 시·도지사 또는 시장·군수·구청장은 특별재난지역 피해에 대하여 관할구역의 피해상황을 종합하는 재난복구계획을 수립한 후 수습본부장 및 관계 중앙행정기관의 장과 협의를 거쳐 중앙대책본부장에게 제출하여야 한다.
③ 제2항에도 불구하고 긴급하게 복구를 실시하여야 하는 등 대통령령으로 정하는 특별한 사유가 있는 경우에는 수습본부장이 특별재난지역 피해에 대한 재난복구계획을 직접 수립하여 중앙대책본부장에게 제출할 수 있다.
④ 중앙대책본부장은 제2항 또는 제3항에 따라 제출받은 재난복구계획을 제14조 제3항 본문에 따른 중앙재난안전대책본부회의의 심의를 거쳐 확정하고, 이를 관계 재난관리책임기관의 장에게 통보하여야 한다.
⑤ 재난관리책임기관의 장은 제4항에 따라 재난복구계획을 통보받으면 그 재난복구계획에 따라 지체 없이 재난복구를 시행하여야 한다. 이 경우 지방자치단체의 장은 재난복구를 위하여 필요한 경비를 지방자치단체의 예산에 계상(計上)하여야 한다.

제59조의2【재난복구계획에 따라 시행하는 사업의 관리】 ① 재난관리책임기관의 장은 제59조 제1항에 따른 자체복구계획 또는 같은 조 제4항에 따른 재난복구계획에 따라 시행하는 사업이 체계적으로 관리되도록 하여야 한다.
② 중앙대책본부장은 제59조 제4항에 따른 재난복구계획에 따라 시행하는 사업이 효율적으로 추진될 수 있도록 대통령령으로 정하는 사업에 대하여 지도·점검하고, 필요하면 시정명령 또는 시정요청(현지 시정명령과 시정요청을 포함한다)을 할 수 있다. 이 경우 시정명령 또는 시정요청을 받은 관계 기관의 장은 정당한 사유가 없으면 이에 따라야 한다.
③ 제2항에 따른 지도·점검 등에 필요한 사항은 대통령령으로 정한다.

2 특별재난지역 선포 및 지원

1 특별재난지역의 선포 A

제60조 【특별재난지역의 선포】 ① 중앙대책본부장은 대통령령으로 정하는 규모의 재난이 발생하여 국가의 안녕 및 사회질서의 유지에 중대한 영향을 미치거나 피해를 효과적으로 수습하기 위하여 특별한 조치가 필요하다고 인정하거나 제3항에 따른 지역대책본부장의 요청이 타당하다고 인정하는 경우에는 중앙위원회의 심의를 거쳐 해당 지역을 특별재난지역으로 선포할 것을 대통령에게 건의할 수 있다.
② 제1항에 따라 대통령령으로 재난의 규모를 정할 때에는 다음 각 호의 사항을 고려하여야 한다.
1. 인명 또는 재산의 피해 정도
2. 재난지역 관할 지방자치단체의 재정 능력
3. 재난으로 피해를 입은 구역의 범위
③ 제1항에 따라 특별재난지역의 선포를 건의받은 대통령은 해당 지역을 특별재난지역으로 선포할 수 있다.
④ 지역대책본부장은 관할지역에서 발생한 재난으로 인하여 제1항에 따른 사유가 발생한 경우에는 중앙대책본부장에게 특별재난지역의 선포 건의를 요청할 수 있다.

(1) 특별재난지역

중앙대책본부장은 대통령령으로 정하는 규모의 재난이 발생하여 국가의 안녕 및 사회질서의 유지에 중대한 영향을 미치거나 피해를 효과적으로 수습하기 위하여 특별한 조치가 필요하다고 인정하거나 지역대책본부장의 요청이 타당하다고 인정하는 경우에는 중앙위원회의 심의를 거쳐 해당 지역을 특별재난지역으로 선포할 것을 대통령에게 건의할 수 있다.

(2) 대통령령으로 재난의 규모를 정할 때 고려사항

① 인명 또는 재산의 피해 정도
② 재난지역 관할 지방자치단체의 재정 능력
③ 재난으로 피해를 입은 구역의 범위

(3) 특별재난지역 선포권자

① **제청권자:** 중앙대책본부장
② **심의기구:** 중앙위원회
③ **선포권자:** 대통령

(4) 지역대책본부장의 특별재난지역의 선포 건의

지역대책본부장은 관할지역에서 발생한 재난으로 인하여 제60조 제1항에 따른 사유가 발생한 경우에는 중앙대책본부장에게 특별재난지역의 선포 건의를 요청할 수 있다.

핵심기출

01 「재난 및 안전관리 기본법」상 특별재난지역 선포권자는 누구인가? 17. 상반기 공채

① 대통령 ② 행정안전부장관
③ 소방본부장 ④ 시·도지사

정답 ①

02 다음은 「재난 및 안전관리 기본법」상 특별재난지역의 선포와 관련된 내용이다. ( ) 안에 들어갈 내용으로 옳은 것은? 18. 하반기 공채

> (㉠)은/는 대통령령으로 정하는 규모의 재난이 발생하여 특별한 조치가 필요하다고 인정하거나 지역대책본부장의 요청이 타당하다고 인정하는 경우에는 (㉡)의 심의를 거쳐 해당 지역을 특별재난지역으로 선포할 것을 대통령에게 건의할 수 있다.

	㉠	㉡
①	중앙재난안전대책본부장	안전정책조정위원회
②	중앙안전관리위원회	중앙사고수습본부
③	중앙안전관리위원회	중앙재난안전대책본부장
④	중앙재난안전대책본부장	중앙안전관리위원회

정답 ④

관계법규 특별재난의 범위 및 선포

시행령	NOTE
제69조 【특별재난의 범위 및 선포 등】 ① 법 제60조 제1항에서 "대통령령으로 정하는 규모의 재난"이란 다음 각 호의 어느 하나에 해당하는 재난을 말한다. 1. **자연재난**으로서 「자연재난 구호 및 복구 비용 부담기준 등에 관한 규정」 제5조 제1항에 따른 국고 지원 대상 피해 기준금액의 【 ① 】**를 초과하는 피해**가 발생한 재난 1의2. 자연재난으로서 「자연재난 구호 및 복구 비용 부담기준 등에 관한 규정」 제5조 제1항에 따른 국고 지원 대상에 해당하는 시·군·구의 관할 읍·면·동에 같은 항 각 호에 따른 국고 지원 대상 피해 기준금액의 **4분의** 1을 초과하는 피해가 발생한 재난 2. **사회재난**의 재난 중 재난이 발생한 해당 지방자치단체의 행정능력이나 재정능력으로는 재난의 수습이 곤란하여 국가적 차원의 지원이 필요하다고 인정되는 재난 3. 그 밖에 재난 발생으로 인한 생활기반 상실 등 극심한 피해의 효과적인 수습 및 복구를 위하여 국가적 차원의 특별한 조치가 필요하다고 인정되는 재난 ② 법 제60조 제2항에 따라 대통령이 특별재난지역을 선포하는 경우에 중앙대책본부장은 특별재난지역의 구체적인 범위를 정하여 공고하여야 한다.	
① 2.5배	

2 특별재난지역에 대한 지원 C

제61조【특별재난지역에 대한 지원】 국가나 지방자치단체는 제60조에 따라 특별재난지역으로 선포된 지역에 대하여는 제66조 제3항에 따른 지원을 하는 외에 대통령령으로 정하는 바에 따라 응급대책 및 재난구호와 복구에 필요한 행정상·재정상·금융상·의료상의 특별지원을 할 수 있다.

(1) 국가 또는 지방차치단체 특별재난지역으로 선포된 지역에 대하여 특별지원을 할 수 있다.

(2) 특별재난지역에 대한 지원(영 제70조 제6항)

중앙대책본부장 및 지역대책본부장은 특별재난지역이 선포되었을 때에는 재난응급대책의 실시와 재난의 구호 및 복구를 위하여 법 제59조 제2항에 따른 재난복구계획의 수립·시행 전에 재난대책을 위한 예비비, 재난관리기금·재해구호기금 및 의연금을 집행할 수 있다.

핵심기출

01 재난 및 안전관리 기본법령상 특별재난지역 선포에 관한 사항으로 옳지 않은 것은? 24. 소방간부

① 특별재난지역의 선포권자는 대통령이다.
② 중앙대책본부장은 특별재난지역의 선포를 대통령에게 건의할 수 있다.
③ 특별재난지역의 선포를 위해서는 중앙대책본부의 심의를 거쳐야 한다.
④ 지역대책본부장은 관할지역에서 발생한 재난에 대해 중앙대책본부장에게 특별재난지역의 선포 건의를 요청할 수 있다.
⑤ 특별재난지역을 선포하는 경우에 중앙대책본부장은 특별재난지역의 구체적인 범위를 정하여 공고하여야 한다.

정답 ③

02 「재난 및 안전관리 기본법」상 재난관리 단계별 조치사항의 연결이 옳지 않은 것은? 21. 공채

① 예방단계: 재난방지시설의 관리
② 대비단계: 재난현장 긴급통신수단의 마련
③ 대응단계: 특별재난지역의 선포
④ 복구단계: 피해조사 및 복구계획 수립·시행

정답 ③

관계법규 특별재난지역에 대한 지원

시행령	
제70조【특별재난지역에 대한 지원】 ① 법 제61조에 따라 국가가 제69조 제1항 제1호 및 제1호의2의 재난과 관련하여 **특별재난지역으로 선포한 지역에 대한 특별지원의 내용**은 다음 각 호와 같다. 1. 「자연재난 구호 및 복구 비용 부담기준 등에 관한 규정」 제7조에 따른 국고의 추가지원 2. 「자연재난 구호 및 복구 비용 부담기준 등에 관한 규정」 제4조에 따른 지원 3. 의료·방역·방제(防除) 및 쓰레기 수거 활동 등에 대한 지원 4. 「재해구호법」에 따른 의연금품의 지원 5. 농어업인의 영농·영어·시설·운전 자금 및 중소기업의 시설·운전 자금의 우선 융자, 상환 유예, 상환 기한 연기 및 그 이자 감면과 중소기업에 대한 특례보증 등의 지원 6. 그 밖에 재난응급대책의 실시와 재난의 구호 및 복구를 위한 지원 ② 삭제	③ 국가가 법 제61조에 따라 이 영 제69조 제1항 제2호에 해당하는 재난 및 그에 준하는 같은 항 제3호의 재난과 관련하여 **특별재난지역으로 선포한 지역에 대하여 하는 특별지원의 내용**은 다음 각 호와 같다. 1. 「사회재난 구호 및 복구 비용 부담기준 등에 관한 규정」에 따른 지원 2. 삭제 3. 삭제 4. 제1항 제3호 및 제5호에 해당하는 지원 5. 그 밖에 중앙대책본부장이 필요하다고 인정하는 지원 ④ 삭제 ⑤ 중앙대책본부장은 제3항에 따른 지원을 위한 피해금액과 복구비용의 산정, 국고지원 내용 등을 관계 중앙행정기관의 장과의 협의 및 중앙대책본부회의의 심의를 거쳐 확정한다. ⑥ 중앙대책본부장 및 지역대책본부장은 특별재난지역이 선포되었을 때에는 재난응급대책의 실시와 재난의 구호 및 복구를 위하여 법 제59조 제2항에 따른 재난복구계획의 수립·시행 전에 재난대책을 위한 예비비, 재난관리기금·재해구호기금 및 의연금을 집행할 수 있다.

3 재정 및 보상 등

1 비용 부담의 원칙 등 D

제62조【비용 부담의 원칙】 ① 재난관리에 필요한 비용은 이 법 또는 다른 법령에 특별한 규정이 있는 경우 외에는 이 법 또는 제3장의 안전관리계획에서 정하는 바에 따라 그 시행의 책임이 있는 자(제29조 제1항에 따른 재난방지시설의 경우에는 해당 재난방지시설의 유지 · 관리 책임이 있는 자를 말한다)가 부담한다. 다만, 제46조에 따라 시 · 도지사나 시장 · 군수 · 구청장이 다른 재난관리책임기관이 시행할 재난의 응급조치를 시행한 경우 그 비용은 그 응급조치를 시행할 책임이 있는 재난관리책임기관이 부담한다.
② 제1항 단서에 따른 비용은 관계 기관이 협의하여 정산한다.

제63조【응급지원에 필요한 비용】 ① 제44조 제1항, 제46조 또는 제48조 제1항에 따라 응원을 받은 자는 그 응원에 드는 비용을 부담하여야 한다.
② 제1항의 경우 그 응급조치로 인하여 다른 지방자치단체가 이익을 받은 경우에는 그 수익의 범위에서 이익을 받은 해당 지방자치단체가 그 비용의 일부를 분담하여야 한다.
③ 제1항과 제2항에 따른 비용은 관계 기관이 협의하여 정산한다.

제64조【손실보상】 ① 국가나 지방자치단체는 제39조 및 제45조(제46조에 따라 시 · 도지사가 행하는 경우를 포함한다)에 따른 조치로 인하여 손실이 발생하면 보상하여야 한다.
② 제1항에 따른 손실보상에 관하여는 손실을 입은 자와 그 조치를 한 중앙행정기관의 장, 시 · 도지사 또는 시장 · 군수 · 구청장이 협의하여야 한다.
③ 제2항에 따른 협의가 성립되지 아니하면 대통령령으로 정하는 바에 따라 「공익사업을 위한 토지 등의 취득 및 보상에 관한 법률」 제51조에 따른 관할 토지수용위원회에 재결을 신청할 수 있다.
④ 제3항에 따른 재결에 관하여는 「공익사업을 위한 토지 등의 취득 및 보상에 관한 법률」 제83조부터 제86조까지의 규정을 준용한다.

제65조【치료 및 보상】 ① 재난 발생 시 긴급구조활동과 응급대책 · 복구 등에 참여한 자원봉사자, 제45조에 따른 응급조치 종사명령을 받은 사람 및 제51조 제2항에 따라 긴급구조활동에 참여한 민간 긴급구조지원기관의 긴급구조지원요원이 응급조치나 긴급구조활동을 하다가 부상(신체적 · 정신적 손상을 말한다. 이하 이 조에서 같다)을 입은 경우 및 부상으로 인하여 장애를 입은 경우에는 치료(심리적 안정과 사회적응을 위한 상담지원을 포함한다)를 실시하고 보상금을 지급하며, 사망(부상으로 인하여 사망한 경우를 포함한다)한 경우에는 그 유족에게 보상금을 지급한다. 다만, 다른 법령에 따라 국가나 지방자치단체의 부담으로 같은 종류의 보상금을 받은 사람에게는 그 보상금에 상당하는 금액을 지급하지 아니한다.
② 재난의 응급대책 · 복구 및 긴급구조 등에 참여한 자원봉사자의 장비 등이 응급대책 · 복구 또는 긴급구조와 관련하여 고장나거나 파손된 경우에는 그 자원봉사자에게 수리비용을 보상할 수 있다.
③ 제1항에 따른 치료 및 보상금은 국가나 지방자치단체가 부담하며, 그 기준과 절차 등에 관한 사항은 대통령령으로 정한다.

제65조의2【포상】 국가와 지방자치단체는 긴급구조 등의 활성화를 위하여 긴급구조활동과 응급대책 · 복구 등에 참여하여 현저한 공로가 있는 자원봉사자에게 「상훈법」에 따라 훈장 또는 포장을 수여할 수 있다.

2 재난지역에 대한 국고보조 등의 지원 D

제66조【재난지역에 대한 국고보조 등의 지원】 ① 국가는 다음 각 호의 어느 하나에 해당하는 재난의 원활한 복구를 위하여 필요하면 대통령령으로 정하는 바에 따라 그 비용(제65조 제1항에 따른 보상금을 포함한다)의 전부 또는 일부를 국고에서 부담하거나 지방자치단체, 그 밖의 재난관리책임자에게 보조할 수 있다. 다만, 제39조 제1항(제46조 제1항에 따라 시·도지사가 하는 경우를 포함한다) 또는 제40조 제1항의 대피명령을 방해하거나 위반하여 발생한 피해에 대하여는 그러하지 아니하다.

1. 자연재난
2. 사회재난 중 제60조 제3항에 따라 특별재난지역으로 선포된 지역의 재난

② 제1항에 따른 재난복구사업의 재원은 대통령령으로 정하는 재난의 구호 및 재난의 복구비용 부담기준에 따라 국고의 부담금 또는 보조금과 지방자치단체의 부담금·의연금 등으로 충당하되, 지방자치단체의 부담금 중 시·도 및 시·군·구가 부담하는 기준은 행정안전부령으로 정한다.

③ 국가와 지방자치단체는 재난으로 피해를 입은 시설의 복구와 피해주민의 생계 안정 및 피해기업의 경영 안정을 위하여 다음 각 호의 지원을 할 수 있다. 다만, 다른 법령에 따라 국가 또는 지방자치단체가 같은 종류의 보상금 또는 지원금을 지급하거나, 제3조 제1호 나목에 해당하는 재난으로 피해를 유발한 원인자가 보험금 등을 지급하는 경우에는 그 보상금, 지원금 또는 보험금 등에 상당하는 금액은 지급하지 아니한다.

1. 사망자·실종자·부상자 등 피해주민에 대한 구호
2. 주거용 건축물의 복구비 지원
3. 고등학생의 학자금 면제
4. 자금의 융자, 보증, 상환기한의 연기, 그 이자의 감면 등 관계 법령에서 정하는 금융지원
5. 세입자 보조 등 생계안정 지원

5의2. 「소상공인기본법」 제2조에 따른 소상공인에 대한 지원

6. 관계 법령에서 정하는 바에 따라 국세·지방세, 건강보험료·연금보험료, 통신요금, 전기요금 등의 경감 또는 납부유예 등의 간접지원
7. 주 생계수단인 농업·어업·임업·염생산업(鹽生産業)에 피해를 입은 경우에 해당 시설의 복구를 위한 지원
8. 공공시설 피해에 대한 복구사업비 지원
9. 그 밖에 제14조 제3항 본문에 따른 중앙재난안전대책본부회의에서 결정한 지원 또는 제16조 제2항에 따른 지역재난안전대책본부회의에서 결정한 지원

④ 제3항에 따른 지원의 기준은 제1항 각 호의 어느 하나에 해당하는 재난에 대해서는 대통령령으로 정하고, 사회재난으로서 제60조 제3항에 따라 특별재난지역으로 선포되지 아니한 지역의 재난에 대해서는 해당 지방자치단체의 조례로 정한다.

국가는 자연재난 또는 사회재난 중 특별재난지역으로 선포된 지역의 재난의 원활한 복구를 위하여 필요하면 그 비용의 **전부 또는 일부**를 국고에서 부담하거나 지방자치단체, 그 밖의 재난관리책임자에게 보조할 수 있다(제66조 제1항).

핵심기출

「재난 및 안전관리 기본법」상 재난지역에 대한 국고보조 등의 지원에 대한 내용으로 옳지 않은 것은? 18. 소방간부

① 국가는 자연재난의 원활한 복구를 위하여 필요하면 대통령령으로 정하는 바에 따라 그 비용의 전부 또는 일부를 국고에서 부담하거나 지방자치단체, 그 밖의 재난 관리책임자에게 보조할 수 있다.
② 국가와 지방자치단체는 재난으로 피해를 입은 시설의 복구와 피해주민의 생계 안정을 위하여 주거용 건축물의 복구비를 지원할 수 있다.
③ 국가와 지방자치단체는 재난으로 피해를 입은 사람에 대하여 심리적 안정과 사회 적응을 위한 상담 활동을 지원할 수 있다.
④ 재난복구사업의 재원은 대통령령으로 정하는 재난의 구호 및 재난의 복구비용 부담기준에 따라 국고의 부담금 또는 보조금과 지방자치단체의 부담금·의연금 등으로 충당한다.
⑤ 국가와 지방자치단체로부터 재난으로 피해를 입은 시설의 복구와 피해주민의 생계 안정을 위해 지원되는 금품 또는 이를 지급받을 권리는 양도하거나 담보로 제공할 수 있다.

정답 ⑤

3 복구비 등의 선지급 및 반환 D

제66조의2【복구비 등의 선지급】 ① 지방자치단체의 장은 재난의 신속한 구호 및 복구를 위하여 필요하다고 판단되면 제66조에 따라 재난의 구호 및 복구를 위하여 지원하는 비용(이하 "복구비 등"이라 한다) 중 대통령령으로 정하는 항목에 대해서는 제59조 또는 「자연재해대책법」 제46조에 따른 복구계획 수립 전에 미리 지급할 수 있다.

② 제1항에 따라 복구비 등을 선지급 받으려는 자는 대통령령으로 정하는 바에 따라 재난으로 인한 피해 물량 등에 관하여 신고하여야 한다.

③ 지방자치단체의 장은 제1항에 따라 미리 복구비 등을 지급하기 위하여 피해 주민의 주(主) 생계수단을 판단하기 위한 다음 각 호의 사항에 대한 확인을 해당 각 호의 자에게 요청할 수 있다. 이 경우 확인을 요청받은 자는 특별한 사유가 없으면 요청에 따라야 한다.

1. 근로소득 및 사업소득 수준에 관한 사항: 국세청장 또는 관할 세무서장
2. 국민연금 가입 · 납입에 관한 사항: 「국민연금법」 제24조에 따른 국민연금공단의 이사장
3. 국민건강보험 가입 · 납입에 관한 사항: 「국민건강보험법」 제13조에 따른 국민건강보험공단의 이사장

④ 제1항에 따른 복구비 등 선지급을 위하여 필요한 선지급의 비율 · 절차 등에 관한 사항은 대통령령으로 정한다.

제66조의3【복구비 등의 반환】 ① 국가와 지방자치단체는 복구비 등을 받은 자가 다음 각 호의 어느 하나에 해당하는 경우에는 행정안전부령으로 정하는 바에 따라 그 받은 복구비 등을 반환하도록 명하여야 한다.

1. 부정한 방법으로 복구비 등을 받은 경우
2. 복구비 등을 받은 후 그 지급 사유가 소급하여 소멸된 경우
3. 그 밖에 대통령령으로 정하는 사유가 발생한 경우

② 제1항에 따라 반환명령을 받은 자는 즉시 복구비 등을 반환하여야 한다.

③ 제2항에 따라 반환하여야 할 반환금을 지정된 기한까지 반환하지 아니하면 국세 체납처분 또는 지방세 체납처분의 예에 따라 징수한다.

④ 제3항에 따른 반환금의 징수는 국세와 지방세를 제외하고는 다른 공과금에 우선한다.

정희's 톡talk

법 제66조의2 제4항에 따른 선지급의 비율은 시설의 종유 및 피해 규모 등에 따라 국고와 지방비에서 지원하는 금액을 합한 금액의 100분의 20 이상으로 하며, 구체적인 선지급 비율 및 절차 등에 관한 사항은 행정안전부장관이 관계 중앙행정기관의 장과 협의한 후 고시하여야 합니다.

지방자치단체의 장은 **재난의 구호 및 복구를 위하여 지원하는 비용(복구비 등)** 중 대통령령으로 정하는 항목에 대해서는 복구계획 수립 전에 **미리 지급할 수 있다**.

(1) 자연재난의 경우

「자연재난 구호 및 복구 비용 부담기준 등에 관한 규정」 제4조 제1항 제1호 가목 및 나목, 같은 항 제2호 가목부터 바목까지

(2) 사회재난의 경우

「사회재난 구호 및 복구 비용 부담기준 등에 관한 규정」 제3조 제1항 제1호

CHAPTER 8 안전문화 진흥 등

1 국민안전의 날 등 C

제66조의4【안전문화 진흥을 위한 시책의 추진】 ① 중앙행정기관의 장과 지방자치단체의 장은 소관 재난 및 안전관리업무와 관련하여 국민의 안전의식을 높이고 안전문화를 진흥시키기 위한 다음 각 호의 안전문화활동을 적극 추진하여야 한다.
1. 안전교육 및 안전훈련(응급상황시의 대처요령을 포함한다)
2. 안전의식을 높이기 위한 캠페인 및 홍보
2의2. 각종 사고를 예방하기 위한 안전신고활동 장려 · 지원
3. 안전행동요령 및 기준 · 절차 등에 관한 지침의 개발 · 보급
4. 안전문화 우수사례의 발굴 및 확산
5. 안전 관련 통계 현황의 관리 · 활용 및 공개
6. 안전에 관한 각종 조사 및 분석
6의2. 안전취약계층의 안전관리 강화
7. 그 밖에 안전문화를 진흥하기 위한 활동

② 행정안전부장관은 제1항에 따른 안전문화활동의 추진에 관한 총괄 · 조정 업무를 관장한다.
③ 지방자치단체의 장은 지역 내 안전문화활동에 주민과 관련 기관 · 단체가 참여할 수 있는 제도를 마련하여 시행할 수 있다.
④ 국가와 지방자치단체는 국민이 안전문화를 실천하고 체험할 수 있는 안전체험시설을 설치 · 운영할 수 있다.
⑤ 국가와 지방자치단체는 지방자치단체 또는 그 밖의 기관 · 단체에서 추진하는 안전문화활동을 위하여 필요한 예산을 지원할 수 있다.

제66조의7【국민안전의 날 등】 ① 국가는 국민의 안전의식 수준을 높이기 위하여 매년 4월 16일을 국민안전의 날로 정하여 필요한 행사 등을 한다.
② 국가는 대통령령으로 정하는 바에 따라 국민의 안전의식 수준을 높이기 위하여 안전점검의 날과 방재의 날을 정하여 필요한 행사 등을 할 수 있다.

제66조의8【안전관리헌장】 ① 국무총리는 재난을 예방하고, 재난이 발생할 경우 그 피해를 최소화하기 위하여 재난 및 안전관리업무에 종사하는 자가 지켜야 할 사항 등을 정한 안전관리헌장을 제정 · 고시하여야 한다.
② 재난관리책임기관의 장은 제1항에 따른 안전관리헌장을 실천하는 데 노력하여야 하며, 안전관리헌장을 누구나 쉽게 볼 수 있는 곳에 항상 게시하여야 한다.

(1) 안전문화 진흥을 위한 시책의 추진

① **안전문화 진흥을 위한 추진:** 중앙행정기관의 장과 지방자치단체의 장
② **안전문화활동 총괄 · 조정 업무권자:** 행정안전부장관

핵심기출

「재난 및 안전관리 기본법」 및 같은 법 시행령 상 효율적인 재난관리를 위해 실시하는 예방, 대비, 대응 및 복구 활동에 관한 내용으로 옳지 않은 것은? 20. 소방간부

① 국무총리는 국가안전관리기본계획을 5년마다 수립하여야 한다.
② 안전점검의 날은 매월 4일로 하고, 방재의 날은 매년 5월 25일로 한다.
③ 훈련주관기관의 장은 관계 기관과 합동으로 참여하는 재난대비훈련을 각각 소관 분야별로 주관하여 연 1회 이상 실시하여야 한다.
④ 행정안전부장관은 5년마다 재난 및 안전관리에 관한 과학기술의 진흥을 위하여 재난 및 안전관리기술개발종합계획을 수립하여야 한다.
⑤ 긴급구조지원기관에서 긴급구조업무와 재난관리업무를 담당하는 부서의 담당자 및 관리자는 신규교육을 받은 후 3년마다 정기적으로 긴급구조교육을 받아야 한다.

정답 ⑤

(2) 국민안전의 날 등

① **국민안전의 날:** 매년 4월 16일

② **안전점검의 날:** 매월 4일

③ **방재의 날:** 매년 5월 25일

(3) 안전관리헌장 제정 · 고시권자: 국무총리

2 안전정보의 구축 · 활용 등 D

제66조의9 【안전정보의 구축 · 활용】 ① 행정안전부장관은 재난 및 각종 사고로부터 국민의 생명과 신체 및 재산을 보호하기 위하여 다음 각 호의 정보(이하 "안전정보"라 한다)를 수집하여 체계적으로 관리하여야 한다.

1. 재난이나 그 밖의 각종 사고에 관한 통계, 지리정보 및 안전정책에 관한 정보

1의2. 안전취약계층의 재난 및 각종 사고 피해에 관한 통계

2. 제32조 제1항에 따른 안전 점검 결과
3. 제32조 제4항에 따른 조치 결과
4. 제33조의2 제1항부터 제3항까지에 따른 재난관리체계 등에 대한 평가 결과
5. 제55조의2 제2항에 따른 긴급구조지원기관의 능력 평가 결과
6. 제69조 제1항 및 제2항에 따른 재난원인조사 결과
7. 제69조 제5항 후단에 따른 개선권고 등의 조치결과에 관한 정보
8. 그 밖에 재난이나 각종 사고에 관한 정보로서 행정안전부장관이 수집 · 관리가 필요하다고 인정하는 정보

② 행정안전부장관은 안전정보를 체계적으로 관리하고 안전정보 및 다른 법령에 따라 재난관리책임기관의 장이 공개하는 시설 등에 대한 각종 안전점검 · 진단 등의 결과를 통합적으로 공개하기 위하여 안전정보통합관리시스템을 구축 · 운영하여야 한다.

③ 행정안전부장관은 안전정보통합관리시스템을 관계 행정기관 및 국민이 안전수준을 진단하고 개선하는 데 활용할 수 있도록 하여야 한다. - 중략 -

제66조의10 【안전지수의 공표 및 안전진단의 실시 등】 ① 행정안전부장관은 지역별 안전수준과 안전의식을 객관적으로 나타내는 지수(이하 "안전지수"라 한다)를 개발 · 조사하여 그 결과를 공표할 수 있다.

② 행정안전부장관은 제1항에 따라 공표된 안전지수를 고려하여 안전수준 및 안전의식의 개선이 필요하다고 인정되는 지방자치단체에 대해서는 안전환경 분석 및 개선방안 마련 등 안전진단(이하 "안전진단"이라 한다)을 실시할 수 있다.

③ 행정안전부장관은 안전지수의 조사 및 안전진단의 실시를 위하여 관계 행정기관의 장에게 필요한 자료를 요청할 수 있다. 이 경우 요청을 받은 관계 행정기관의 장은 특별한 사유가 없으면 요청에 따라야 한다.

④ 행정안전부장관은 안전지수의 개발 · 조사 및 안전진단의 실시에 관한 업무를 효율적으로 수행하기 위하여 필요한 경우 대통령령으로 정하는 기관 또는 단체로 하여금 그 업무를 대행하게 할 수 있다.

⑤ 안전지수의 조사 항목, 방법, 공표절차 및 안전진단의 실시 방법, 절차, 기준 등 필요한 사항은 대통령령으로 정한다.

제66조의11【지역축제 개최 시 안전관리조치】 ① 중앙행정기관의 장 또는 지방자치단체의 장은 대통령령으로 정하는 지역축제를 개최하려면 해당 지역축제가 안전하게 진행될 수 있도록 지역축제 안전관리계획을 수립하고, 그 밖에 안전관리에 필요한 조치를 하여야 한다. 다만, 다중의 참여가 예상되는 지역축제로서 개최자가 없거나 불분명한 경우에는 참여 예상 인원의 규모와 장소 등을 고려하여 대통령령으로 정하는 바에 따라 관할 지방자치단체의 장이 지역축제 안전관리계획을 수립하고 그 밖에 안전관리에 필요한 조치를 하여야 한다.

② 행정안전부장관 또는 시 · 도지사는 제1항에 따른 지역축제 안전관리계획의 이행 실태를 지도 · 점검할 수 있으며, 점검결과 보완이 필요한 사항에 대해서는 관계 기관의 장에게 시정을 요청할 수 있다. 이 경우 시정 요청을 받은 관계 기관의 장은 특별한 사유가 없으면 요청에 따라야 한다.

③ 중앙행정기관의 장 또는 지방자치단체의 장 외의 자가 대통령령으로 정하는 지역축제를 개최하려는 경우에는 해당 지역축제가 안전하게 진행될 수 있도록 지역축제 안전관리계획을 수립하여 대통령령으로 정하는 바에 따라 관할 시장 · 군수 · 구청장에게 사전에 통보하고, 그 밖에 안전관리에 필요한 조치를 하여야 한다. 지역축제 안전관리계획을 변경하려는 때에도 또한 같다.

④ 제3항에 따른 통보를 받은 관할 시장 · 군수 · 구청장은 필요하다고 인정되는 때에는 지역축제 안전관리계획에 대하여 보완을 요구할 수 있다. 이 경우 보완을 요구받은 자는 정당한 사유가 없으면 이에 따라야 한다.

⑤ 제1항 또는 제3항에 따른 지역축제의 안전관리를 위하여 필요한 경우 중앙행정기관의 장 또는 지방자치단체의 장(제3항에 따른 지역축제의 경우에는 관할 시장 · 군수 · 구청장을 말한다. 이하 이 항 및 제6항에서 같다)은 관할 경찰관서, 소방관서 및 그 밖에 관계 기관의 장에게 협조 또는 해당 기관의 소관 사항에 대한 역할 분담을 요청할 수 있다. 이 경우 요청을 받은 기관의 장은 특별한 사유가 없으면 이에 따라야 한다.

⑥ 제1항 또는 제3항에 따른 지역축제의 안전관리를 위하여 필요한 경우 중앙행정기관의 장 또는 지방자치단체의 장은 대통령령으로 정하는 바에 따라 관할 경찰관서, 소방관서 및 그 밖에 관계 기관 · 단체 등이 참여하는 지역안전협의회를 구성 · 운영할 수 있다.

⑦ 제1항부터 제4항까지의 규정에 따른 지역축제 안전관리계획의 내용, 수립절차 및 제5항에 따른 협조 또는 역할 분담의 요청 등에 필요한 사항은 대통령령으로 정한다.

제66조의12【안전사업지구의 지정 및 지원】 ① 행정안전부장관은 지역사회의 안전수준을 높이기 위하여 시 · 군 · 구를 대상으로 안전사업지구를 지정하여 필요한 지원할 수 있다.

② 제1항에 따른 안전사업지구의 지정기준, 지정절차 등 필요한 사항은 대통령령으로 정한다.

관계법규 **지역축제 개최 시 안전관리조치**

시행령

제73조의9【지역축제 개최 시 안전관리조치】 ① 법 제66조의11 제1항 본문 및 같은 조 제3항에서 "대통령령으로 정하는 지역축제"란 각각 다음 각 호의 어느 하나에 해당하는 지역축제를 말한다.
1. 축제기간 중 순간 최대 관람객이 1천명 이상이 될 것으로 예상되는 지역축제
2. 축제장소나 축제에 사용하는 재료 등에 사고 위험이 있는 지역축제로서 다음 각 목의 어느 하나에 해당하는 지역축제
   가. 산 또는 수면에서 개최하는 지역축제
   나. 불, 폭죽, 석유류 또는 가연성 가스 등의 폭발성 물질을 사용하는 지역축제

② 법 제66조의11 제1항 및 제3항에 따른 지역축제 안전관리계획(이하 "지역축제 안전관리계획"이라 한다)에는 각각 다음 각 호의 사항이 포함되어야 한다.
1. 지역축제의 개요
2. 해당 지역축제의 안전관리업무를 담당하는 사람 및 관리조직과 임무에 관한 사항
3. 화재예방 및 다중운집 등에 따른 인명피해 방지조치에 관한 사항
4. 안전관리인력의 확보 및 배치계획
5. 비상시 대응요령, 담당 기관과 담당자 연락처

③ 법 제66조의11 제1항 및 제3항에 따라 지역축제를 개최하려는 자가 지역축제 안전관리계획을 수립하려면 개최지를 관할하는 지방자치단체, 소방관서 및 경찰관서 등 안전관리 유관기관의 의견을 미리 들어야 한다.

④ 법 제66조의11 제1항 단서에 따른 지역축제 안전관리계획은 제1항 제1호에 따른 지역축제(제1항 제1호에 따른 지역축제 외의 지역축제로서 관할 시장·군수·구청장이 참여 예상 인원의 규모와 장소 등을 고려하여 지역축제 안전관리계획의 수립이 필요하다고 인정하는 지역축제를 포함한다)로서 개최자가 없거나 불분명한 경우 관할 시장·군수·구청장이 수립한다.

⑤ 제4항에도 불구하고 다음 각 호의 어느 하나에 해당하는 경우에는 시·도지사가 제4항에 따른 관할 시·군·구의 지역축제 안전관리계획을 받아 이를 종합하여 지역축제 안전관리계획을 수립할 수 있다. 이 경우 해당 시·도지사 및 관할 시장·군수·구청장은 지역축제 안전관리계획에 따라 안전관리에 필요한 조치를 해야 한다.
1. 시장·군수·구청장이 해당 지역축제에 대해 시·군·구의 안전관리 역량을 넘는 규모로 판단하거나 광범위한 지역에서의 다중운집이 있을 것으로 예상하여 시·도지사에게 지역축제 안전관리계획의 수립을 요청하는 경우
2. 동일한 지역축제가 2개 이상의 시·군·구에서 동시에 열리는 경우
3. 그 밖에 지역축제의 안전한 진행을 위해 시·도지사가 지역축제 안전관리계획을 수립할 필요가 있다고 인정하는 경우

⑥ 법 제66조의11 제3항에 따라 지역축제를 개최하려는 자는 지역축제 안전관리계획을 수립하여 축제 개최일 3주 전까지 관할 시장·군수·구청장에게 제출해야 한다. 이 경우 지역축제 안전관리계획을 변경하려는 경우에는 해당 축제 개최일 7일 전까지 변경된 내용을 제출해야 한다.

⑦ 행정안전부장관은 지역축제 안전관리계획이 효율적으로 수립·관리될 수 있도록 하기 위하여 지역축제 안전관리 매뉴얼을 작성하여 중앙행정기관의 장 또는 지방자치단체의 장에게 통보하고 행정안전부 인터넷 홈페이지 등을 통하여 공개할 수 있다.

⑧ 중앙행정기관의 장 또는 지방자치단체의 장(법 제66조의11 제3항에 따른 지역축제의 경우에는 관할 시장·군수·구청장을 말한다. 이하 이 항에서 같다)은 법 제66조의11 제5항에 따라 관할 경찰관서, 소방관서 및 그 밖의 관계 기관의 장에게 다음 각 호의 구분에 따른 사항의 협조 또는 역할 분담을 요청할 수 있다. 다만, 법 제66조의11 제3항에 따른 지역축제의 경우에는 개최자가 시장·군수·구청장에게 신청하는 경우에만 관할 경찰관서 등의 장에게 요청할 수 있다.
1. 관할 경찰관서의 장
   가. 교통 및 보행 안전관리, 질서유지 등을 위한 경찰관 배치
   나. 범죄 예방을 위한 순찰
   다. 다중운집 위험정보 수집 및 관계기관 공유
   라. 지역축제 행사장 현장 경찰연락관 운영
   마. 그 밖에 가목부터 라목까지의 규정에 준하는 사항으로서 관할 경찰관서의 소관 업무 중 지역축제 안전관리를 위해 필요한 사항
2. 관할 소방관서의 장
   가. 긴급자동차 대기 및 소방관 배치
   나. 소방안전점검
   다. 지역축제 행사장 현장 소방연락관 운영
   라. 그 밖에 가목부터 다목까지의 규정에 준하는 사항으로서 관할 소방관서의 소관 업무 중 지역축제 안전관리를 위해 필요한 사항
3. 그 밖의 관계 기관의 장
   중앙행정기관의 장 또는 지방자치단체의 장이 지역축제의 안전관리를 위해 필요하다고 인정하는 사항

⑨ 법 제66조의11 제6항에 따라 지역축제의 안전관리에 관한 다음 각 호의 사항을 협의하기 위하여 시·도지사 소속으로 시·도 지역안전협의회를, 시장·군수·구청장 소속으로 시·군·구 지역안전협의회를 둔다.
1. 지역축제 안전관리계획의 수립·이행에 관한 사항
2. 지역축제 안전관리계획 이행 및 비상시 대처를 위한 기관 간 협조체계의 구축에 관한 사항
3. 지역축제의 안전점검에 관한 사항

- 중략 -

CHAPTER 9 보칙

1 재난관리기기금의 적립 등 B

제66조의13【재난 및 안전관리를 위한 특별교부세 교부】「지방교부세법」제9조 제1항 제2호에 따른 특별교부세는「지방교부세법」에 따라 행정안전부장관이 교부 등을 행한다. 이 경우 특별교부세의 교부는 지방자치단체의 재난 및 안전관리 수요에 한정한다.

제67조【재난관리기금의 적립】 ① 지방자치단체는 재난관리에 드는 비용에 충당하기 위하여 매년 재난관리기금을 적립하여야 한다.
② 제1항에 따른 재난관리기금의 매년도 최저적립액은 최근 3년 동안의「지방세법」에 의한 보통세의 수입결산액의 평균연액의 100분의 1에 해당하는 금액으로 한다.

제68조【재난관리기금의 운용 등】 ① 재난관리기금에서 생기는 수입은 그 전액을 재난관리기금에 편입하여야 한다.
② 제67조 제2항에 따른 매년도 최저적립액 중 대통령령으로 정하는 일정 비율 이상은 응급복구 또는 긴급한 조치에 우선적으로 사용하여야 한다.
③ 제1항 및 제2항에 따른 재난관리기금의 용도·운용 및 관리에 필요한 사항은 대통령령으로 정한다.

(1) 재난 및 안전관리를 위한 특별교부세 교부

행정안전부장관이 교부 등을 행한다.

(2) 재난관리기금

① **지방자치단체의 장:** 매년 재난관리기금의 적립

② **재난관리기금의 매년도 최저적립액:** 최근 3년 동안의「지방세법」에 의한 보통세의 수입결산액의 평균연액의 100분의 1에 해당하는 금액

(3) 재난관리기금의 운용

재난관리기금에서 생기는 수입은 전액 재난관리기금으로 편입된다.

관계법규 재난관리기금

시행령
제75조【재난관리기금의 운용·관리】 ① 시·도지사 및 시장·군수·구청장은 전용 계좌를 개설하여 법 제67조에 따라 매년 적립하는 재난관리기금을 관리하여야 한다. ② 시·도지사 및 시장·군수·구청장은 법 제67조 제2항에 따른 매년도 최저적립액(이하 "최저적립액"이라 한다)의 100분의 15 이상의 금액(이하 "의무예치금액"이라 한다)을 금융회사 등에 예치하여 관리하여야 한다. 다만, 의무예치금액의 누적 금액이 해당 연도를 기준으로 법 제67조 제2항에 따른 매년도 최저적립액의 10배를 초과한 경우에는 해당 연도의 의무예치금액을 매년도 최저적립액의 100분의 5로 낮추어 예치할 수 있다. ③ 법 제68조 제2항에서 "대통령령으로 정하는 일정 비율"이란 해당 연도의 최저적립액의 100분의 21을 말한다. ④ 제74조에 따른 용도로 사용할 수 있는 재난관리기금은 제2항에 따른 금액을 제외하고 남은 금액과 그 이자를 초과할 수 없다. 다만,「자연재난 구호 및 복구 비용 부담기준 등에 관한 규정」제5조 제1항에 따른 국고 지원 대상 피해기준금액의 5배를 초과하는 피해가 발생한 경우에는 의무예치금액의 일부를 사용할 수 있다. ⑤ 제1항부터 제4항까지 규정한 사항 외에 재난관리기금의 운용·관리에 필요한 사항은 해당 지방자치단체의 조례로 정한다.

2 재난원인조사 B

제69조 【재난원인조사】 ① 행정안전부장관은 재난이나 그 밖의 각종 사고의 발생원인과 재난 발생 시 대응과정에 관한 조사·분석·평가(제34조의5 제1항에 따른 위기관리 매뉴얼의 준수 여부에 대한 평가를 포함한다. 이하 "재난원인조사"라 한다)가 필요하다고 인정하는 경우 직접 재난원인조사를 실시하거나, 재난관리책임기관의 장으로 하여금 재난원인조사를 실시하고 그 결과를 제출하게 할 수 있다.

② 행정안전부장관은 다음 각 호의 어느 하나에 해당하는 재난의 경우에는 재난안전 분야 전문가 및 전문기관 등이 공동으로 참여하는 정부합동 재난원인조사단(이하 "재난원인조사단"이라 한다)을 편성하고, 이를 현지에 파견하여 재난원인조사를 실시할 수 있다.

1. 인명 또는 재산의 피해 정도가 매우 크거나 재난의 영향이 사회적·경제적으로 광범위한 재난으로서 대통령령으로 정하는 재난
2. 제1호에 따른 재난에 준하는 재난으로서 행정안전부장관이 체계적인 재난원인조사가 필요하다고 인정하는 재난

③ 재난원인조사단은 대통령령으로 정하는 바에 따라 재난원인조사 결과를 조정위원회에 보고하여야 한다.

④ 행정안전부장관은 재난원인조사를 위하여 필요하면 관계 기관의 장 또는 관계인에게 소속직원의 파견(관계 기관의 장에 대한 요청의 경우로 한정한다), 관계 서류의 열람 및 자료제출 등의 요청을 할 수 있다. 이 경우 요청을 받은 관계 기관의 장 또는 관계인은 특별한 사유가 없으면 요청에 따라야 한다.

⑤ 행정안전부장관은 제1항 및 제2항에 따라 실시한 재난원인조사 결과 개선 등이 필요한 사항에 대해서는 관계 기관의 장에게 그 결과를 통보하거나 개선권고 등의 필요한 조치를 요청할 수 있다. 이 경우 요청을 받은 관계 기관의 장은 대통령령으로 정하는 바에 따라 개선권고 등에 따른 조치계획과 조치결과를 행정안전부장관에게 통보하여야 한다.

⑥ 행정안전부장관은 재난원인조사단의 재난원인조사 결과를 신속히 국회 소관 상임위원회에 제출·보고하여야 한다.

⑦ 재난원인조사단의 권한, 편성 및 운영 등에 필요한 사항은 대통령령으로 정한다.

(1) 재난원인조사

① **행정안전부장관**은 직접 재난원인조사를 실시하거나, **재난관리책임기관의 장**으로 하여금 재난원인조사를 실시하고 그 결과를 제출하게 할 수 있다.

② **재난원인조사**

㉠ 재난이나 그 밖의 각종 사고의 발생원인

㉡ 재난 발생 시 대응과정에 관한 조사·분석·평가가 필요하다고 인정하는 경우

㉢ 위기관리 매뉴얼의 준수 여부에 대한 평가가 필요하다고 인정하는 경우

(2) 재난원인조사단

① **재난원인조사단 편성·조사실시권자: 행정안전부장관**

② **재난원인조사단를 편성하는 재난**

㉠ 인명 또는 재산의 피해 정도가 매우 크거나 재난의 영향이 사회적·경제적으로 광범위한 재난으로서 대통령령으로 정하는 재난

㉡ ㉠에 따른 재난에 준하는 재난으로서 행정안전부장관이 체계적인 재난원인조사가 필요하다고 인정하는 재난

관계법규 재난원인조사

시행령

제75조의3【재난원인조사 등】 ① 행정안전부장관은 법 제69조 제1항 또는 제2항에 따라 재난원인조사를 실시하거나 재난관리책임기관의 장으로 하여금 재난원인조사를 실시하게 하려는 경우에는 제75조의4 제1항에 따른 국가재난원인조사협의회의 심의를 거쳐 조사 실시 여부 및 방법을 결정해야 한다. 다만, 긴급한 조사가 요구되는 경우에는 제75조의4 제1항에 따른 국가재난원인조사협의회의 심의를 생략할 수 있다.

② 법 제69조 제2항 제1호에서 "대통령령으로 정하는 재난"이란 다음 각 호의 재난을 말한다.

1. 특별재난지역을 선포하게 한 재난
2. 중앙재난안전대책본부, 지역재난안전대책본부 또는 중앙사고수습본부를 구성·운영하게 한 재난
3. 반복적으로 발생하는 재난으로서 행정안전부장관이 재발 방지를 위하여 재난원인조사가 필요하다고 판단하는 재난

③ 법 제69조 제2항에 따른 정부합동 재난원인조사단(이하 "재난원인조사단"이라 한다)은 재난원인조사단의 단장(이하 "조사단장"이라 한다)을 포함한 50명 이내의 조사단원으로 편성한다.

④ 조사단장은 제5항 제4호 및 제5호에 해당하는 조사단원 중에서 행정안전부장관이 지명한다.

⑤ 행정안전부장관은 다음 각 호의 사람 중에서 조사단원을 선발한다. 이 경우 제4호 및 제5호에 해당하는 조사단원이 과반수가 되도록 해야 한다.

1. 행정안전부 소속 재난 및 안전관리 업무 담당 공무원
2. 관계 중앙행정기관 소속 재난 및 안전관리 업무 담당 공무원 중에서 해당 중앙행정기관의 장이 추천하는 공무원
3. 국립재난안전연구원 또는 국립과학수사연구원에서 해당 재난 및 사고 분야의 업무를 담당하는 연구원
4. 발생한 재난 및 사고 분야에 대하여 학식과 경험이 풍부한 사람
5. 그 밖에 재난원인조사의 공정성 및 전문성을 확보하기 위하여 행정안전부장관이 필요하다고 인정하는 사람

⑥ 조사단장은 조사단원을 지휘하고, 재난원인조사단의 운영을 총괄한다.

⑦ 재난원인조사는 행정안전부령으로 정하는 바에 따라 예비조사와 본조사로 구분하여 실시할 수 있으며, 본조사의 경우 조사단장은 재난발생지역 지방자치단체 또는 관계 기관 등에 정밀분석을 하도록 하거나 관계 기관과 합동으로 조사 또는 연구를 실시할 수 있다.

⑧ 재난원인조사단은 최종적인 조사를 마쳤을 때에는 다음 각 호의 사항을 포함한 조사결과보고서를 작성하여야 하고, 조사결과의 공정성 및 신뢰성을 확보하기 위하여 지방자치단체, 관계 기관 및 관계 전문가 등을 참여시켜 그 조사결과보고서를 검토하게 할 수 있다.

1. 조사목적, 피해상황 및 현장정보
2. 현장조사 내용
3. 재난원인 분석 내용
4. 재난대응과정에 대한 조사·분석·평가(법 제34조의5 제1항에 따른 위기관리 매뉴얼의 준수 여부에 대한 평가를 포함한다)에 대한 내용
5. 권고사항 및 개선대책 등 조치사항
6. 그 밖에 재난의 재발방지 등을 위하여 필요한 내용

⑨ 재난원인조사단은 법 제69조 제3항에 따라 이 조 제6항에 따른 조사결과보고서 작성을 완료한 날부터 3개월 이내에 그 결과를 조정위원회에 보고하여야 한다.

⑩ 법 제69조 제5항에 따라 개선권고를 받은 관계 기관의 장은 1개월 이내에 다음 각 호의 내용을 포함한 조치계획을 행정안전부장관에게 서면으로 통보하여야 한다.

1. 개선권고 사항별 추진계획
2. 개선권고 이행에 필요한 법령 등 제도개선 계획
3. 개선권고 이행에 필요한 업무처리 기준·방법·절차 등 업무체계 개선 계획
4. 개선권고 이행에 필요한 교육·훈련·점검·홍보 등 안전문화 개선 계획
5. 개선권고 이행에 필요한 예산·시설·인력 등 인프라 확충 계획

⑪ 행정안전부장관은 법 제69조 제5항에 따라 관계 기관의 장에게 개선권고한 사항에 관하여 매년 그 조치결과를 점검·확인하고, 점검·확인 결과 미흡한 사항에 대하여 시정 또는 보완 등을 요구할 수 있다.

⑫ 행정안전부장관은 유사한 재난 및 사고의 재발을 방지하기 위하여 국립재난안전연구원으로 하여금 과학적인 재난원인 조사·분석을 수행하고 이와 관련한 자료를 관리하도록 할 수 있다.

⑬ 행정안전부장관은 다음 각 호의 어느 하나에 해당하는 경우에는 재난원인조사를 실시하지 않을 수 있다.

1. 재난이나 사고와 관련해 수사나 재판이 진행 중인 경우
2. 다른 법령에서 재난관리책임기관의 장이 해당 재난이나 사고의 원인을 조사하도록 규정하고 있는 경우

⑭ 행정안전부장관은 제13항 제2호에 해당하여 재난원인조사를 실시하지 않는 경우 해당 재난관리책임기관의 장에게 조사결과보고서의 제출을 요청할 수 있다. 이 경우 요청을 받은 재난관리책임기관의 장은 특별한 사유가 없으면 요청에 따라야 한다.

⑮ 행정안전부장관은 제14항에 따라 제출받은 조사결과보고서를 검토하여 해당 재난관리책임기관의 장에게 조사기구의 편성 및 조사 방법에 대한 개선을 권고할 수 있다.

시행령	
⑯ 행정안전부장관이 법 제69조 제1항에 따라 직접 재난원인조사를 실시할 경우에는 행정안전부장관이 정하는 바에 따라 재난원인조사반을 편성하여 운영할 수 있다. 이 경우 재난원인조사반의 구성·운영·권한 등에 관하여는 제3항부터 제8항까지를 준용하며, "재난원인조사단"은 "재난원인조사반"으로, "조사단장"은 "조사반장"으로, "조사단원"은 "조사반원"으로 본다. ⑰ 재난원인조사와 관련한 조사·연구·자문 등에 참여한 관계 전문가에게는 예산의 범위에서 수당·여비·연구비 및 그 밖에 필요한 경비를 지급할 수 있다. 다만, 공무원이 소관 업무와 직접적으로 관련되어 참여하는 경우에는 그렇지 않다.	⑱ 제1항부터 제17항까지에서 규정한 사항 외에 재난원인조사의 실시 및 개선권고 등에 필요한 사항은 행정안전부령으로 정하고, 재난원인조사단의 운영에 필요한 사항은 행정안전부장관이 정한다.

관계법규 국가재난원인조사협의회

시행령

제75조의4【국가재난원인조사협의회】 ① 행정안전부장관은 다음 각 호의 사항을 심의·조정하기 위하여 국가재난원인조사협의회(이하 "국가재난원인조사협의회"라 한다)를 구성·운영할 수 있다.

1. 법 제69조 제1항 또는 제2항에 따른 재난원인조사의 실시 여부 및 방법에 관한 사항
2. 법 제69조 제1항 또는 제2항에 따라 실시한 재난원인조사 결과의 검토에 관한 사항
3. 제75조의3 제11항에 따른 조치결과 점검·확인 및 미흡 사항에 대한 시정·보완에 관한 사항
4. 그 밖에 행정안전부장관이 재난원인조사와 관련하여 심의 또는 조정이 필요하다고 인정하는 사항

② 국가재난원인조사협의회는 위원장 1명과 부위원장 1명을 포함하여 20명 이상 30명 이내의 위원으로 구성한다.

③ 국가재난원인조사협의회의 위원장은 제4항 제2호에 해당하는 위원 중에서 호선한다.

④ 국가재난원인조사협의회의 위원은 다음 각 호의 사람 중에서 행정안전부장관이 임명하거나 위촉한다. 이 경우 제2호에 해당하는 위원이 과반수가 되도록 해야 한다.

1. 다음 각 목의 기관의 고위공무원단에 속하는 일반직공무원(경찰청의 경우에는 경무관 이상의 경찰공무원을, 소방청의 경우에는 소방감 이상의 소방공무원을 말한다) 중에서 소속 기관의 장의 추천을 받은 사람
   가. 과학기술정보통신부, 행정안전부, 농림축산식품부, 산업통상자원부, 환경부, 고용노동부, 국토교통부 및 해양수산부
   나. 경찰청, 소방청, 산림청 및 질병관리청
   다. 그 밖에 행정안전부장관이 필요하다고 인정하는 행정기관
2. 재난원인조사 분야에 학식과 경험이 풍부한 사람

⑤ 제4항 제2호에 해당하는 위원의 임기는 2년으로 한다.

⑥ 국가재난원인조사협의회의 업무를 효율적으로 수행하는 데 필요한 경우 국가재난원인조사협의회에 국가재난원인조사협의회의 위원으로 구성되는 분과협의회(이하 "분과협의회"라 한다)를 둘 수 있다. 이 경우 분과협의회의 심의는 국가재난원인조사협의회의 심의로 본다.

⑦ 국가재난원인조사협의회 및 분과협의회에서 심의할 안건을 미리 검토하고, 국가재난원인조사협의회에서 위임받은 사항을 처리하기 위하여 국가재난원인조사협의회에 제4항 제1호 각 목의 기관 소속 공무원 및 관계 전문가로 구성되는 실무협의회(이하 "실무협의회"라 한다)를 둘 수 있다.

⑧ 국가재난원인조사협의회, 분과협의회 및 실무협의회의 회의에 출석하는 위원에게는 예산의 범위에서 수당과 여비 등을 지급할 수 있다. 다만, 공무원인 위원이 그 업무와 관련하여 회의에 참석하는 경우에는 그렇지 않다.

⑨ 제1항부터 제8항까지에서 규정한 사항 외에 국가재난원인조사협의회, 분과협의회 및 실무협의회의 구성 및 운영에 필요한 사항은 행정안전부장관이 정한다.

제80조의2【연구개발사업 성과의 활용실태 조사·분석 등】 ① 행정안전부장관은 연구개발사업이 체계적이고 효율적으로 추진될 수 있도록 지원하기 위해 필요한 경우 연구개발사업 성과의 활용 실태를 조사·분석할 수 있다.

② 행정안전부장관은 제1항에 따른 조사·분석을 위해 필요한 경우 관계 중앙행정기관의 장에게 연구개발사업 성과의 재난현장 및 안전관리분야에서의 활용 실태에 관한 자료의 제출을 요청할 수 있다.

3 재난상황의 기록 관리 C

제70조【재난상황의 기록 관리】 ① 재난관리책임기관의 장은 다음 각 호의 사항을 기록하고, 이를 보관하여야 한다. 이 경우 시장·군수·구청장을 제외한 재난관리책임기관의 장은 그 기록사항을 시장·군수·구청장에게 통보하여야 한다.

1. 소관 시설·재산 등에 관한 피해상황을 포함한 재난상황

1의2. 재난 발생 시 대응과정 및 조치사항

2. 제69조 제1항에 따른 재난원인조사(재난관리책임기관의 장이 실시한 재난원인조사에 한정한다) 결과

3. 제69조 제5항 후단에 따른 개선권고 등의 조치결과

4. 그 밖에 재난관리책임기관의 장이 기록·보관이 필요하다고 인정하는 사항

② 행정안전부장관은 매년 재난상황 등을 기록한 재해연보 또는 재난연감을 작성하여야 한다.

③ 행정안전부장관은 제2항에 따른 재해연보 또는 재난연감을 작성하기 위하여 필요한 경우 재난관리책임기관의 장에게 관련 자료의 제출을 요청할 수 있다. 이 경우 요청을 받은 재난관리책임기관의 장은 요청에 적극 협조하여야 한다.

④ 재난관리주관기관의 장은 제14조에 따른 대규모 재난과 제60조에 따라 특별재난지역으로 선포된 사회재난 또는 재난상황 등을 기록하여 관리할 특별한 필요성이 인정되는 재난에 관하여 재난수습 완료 후 수습상황과 재난예방 및 피해를 줄이기 위한 제도 개선의견 등을 기록한 재난백서를 작성하여야 한다. 이 경우 관계 기관의 장이 재난대응에 참고할 수 있도록 재난백서를 통보하여야 한다.

⑤ 재난관리주관기관의 장은 제4항에 따른 재난백서를 신속히 국회 소관 상임위원회에 제출·보고하여야 한다.

⑥ 재난상황의 작성·보관 및 관리에 필요한 사항은 대통령령으로 정한다.

(1) 재난상황의 기록 관리사항

① 소관 시설·재산 등에 관한 피해상황을 포함한 재난상황

② 재난 발생 시 대응과정 및 조치사항

③ 제69조 제1항에 따른 재난원인조사(재난관리책임기관의 장이 실시한 재난원인조사에 한정) 결과

④ 제69조 제5항 후단에 따른 개선권고 등의 조치결과

⑤ 그 밖에 재난관리책임기관의 장이 기록·보관이 필요하다고 인정하는 사항

(2) 재해연보(재난연감) 작성

① 작성권자: 행정안전부장관

② 작성기준: 매년 작성하여야 한다.

(3) 재난관리주관기관 장의 재난백서 작성

대규모 재난과 특별재난지역으로 선포된 사회재난 또는 재난상황 등을 기록하여 관리할 특별한 필요성이 인정되는 재난에 관하여 재난수습 완료 후 수습상황과 재난예방 및 피해를 줄이기 위한 제도 개선의견 등을 기록한 재난백서를 작성하여야 한다.

4 재난 및 안전관리에 필요한 과학기술의 진흥 등 C

제71조【재난 및 안전관리에 필요한 과학기술의 진흥 등】 ① 정부는 재난 및 안전관리에 필요한 연구 · 실험 · 조사 · 기술개발(이하 "연구개발사업"이라 한다) 및 전문인력 양성 등 재난 및 안전관리 분야의 과학기술 진흥시책을 마련하여 추진하여야 한다.

② 행정안전부장관은 연구개발사업을 하는 데에 드는 비용의 전부 또는 일부를 예산의 범위에서 출연금으로 지원할 수 있다.

③ 행정안전부장관은 연구개발사업을 효율적으로 추진하기 위하여 다음 각 호의 어느 하나에 해당하는 기관 · 단체 또는 사업자와 협약을 맺어 연구개발사업을 실시하게 할 수 있다.

1. 국공립 연구기관
2. 「특정연구기관 육성법」에 따른 특정연구기관
3. 「과학기술분야 정부출연연구기관 등의 설립 · 운영 및 육성에 관한 법률」에 따라 설립된 과학기술분야 정부출연연구기관
4. 「고등교육법」에 따른 대학 · 산업대학 · 전문대학 및 기술대학
5. 「민법」 또는 다른 법률에 따라 설립된 법인으로서 재난 또는 안전 분야의 연구기관
6. 「기초연구진흥 및 기술개발지원에 관한 법률」 제14조의2 제1항에 따라 인정받은 기업부설연구소 또는 기업의 연구개발전담부서

④ 행정안전부장관은 연구개발사업을 효율적으로 추진하기 위하여 행정안전부 소속 연구기관이나 그 밖에 대통령령으로 정하는 기관 · 단체 또는 사업자 중에서 연구개발사업의 총괄기관을 지정하여 그 총괄기관에게 연구개발사업의 기획 · 관리 · 평가, 제3항에 따른 협약의 체결, 개발된 기술의 보급 · 진흥 등에 관한 업무를 하도록 할 수 있다.

⑤ 제2항에 따른 출연금의 지급 · 사용 및 관리와 제3항에 따른 협약의 체결방법 등 연구개발사업의 실시에 필요한 사항은 대통령령으로 정한다.

제71조의2【재난 및 안전관리기술개발 종합계획의 수립 등】 ① 행정안전부장관은 제71조 제1항의 재난 및 안전관리에 관한 과학기술의 진흥을 위하여 5년마다 관계 중앙행정기관의 재난 및 안전관리기술개발에 관한 계획을 종합하여 조정위원회의 심의와 「국가과학기술자문회의법」에 따른 국가과학기술자문회의의 심의를 거쳐 재난 및 안전관리기술개발 종합계획(이하 "개발계획"이라 한다)을 수립하여야 한다.

② 관계 중앙행정기관의 장은 개발계획에 따라 소관 업무에 관한 해당 연도 시행계획을 수립하고 추진하여야 한다.

③ 개발계획 및 시행계획에 포함하여야 할 사항 및 계획수립의 절차 등에 관하여는 대통령령으로 정한다.

제72조【연구개발사업 성과의 사업화 지원】 ① 행정안전부장관은 연구개발사업의 성과를 사업화하는 「중소기업기본법」 제2조에 따른 중소기업(이하 "중소기업"이라 한다)이나 그 밖의 법인 또는 사업자 등에 대하여 다음 각 호의 지원을 할 수 있다. 이 경우 중소기업에 대한 지원을 우선적으로 실시할 수 있다.

1. 시제품(試製品)의 개발 · 제작 및 설비투자에 필요한 비용의 지원
2. 연구개발사업의 성과로 발생한 특허권 등 지식재산권의 전용실시권(專用實施權) 또는 통상실시권(通常實施權)의 설정 · 허락 또는 그 알선
3. 사업화로 생산된 재난 및 안전 관련 제품 등의 우선 구매

핵심 기출

「재난 및 안전관리 기본법」 및 동법 시행령에 따라 수립해야 하는 계획의 내용이다. ( ) 안에 들어갈 내용으로 옳은 것은? 22. 소방간부

> (가) (ㄱ)은/는 재난 및 안전관리에 관한 과학기술의 진흥을 위하여 (ㄴ)년마다 관계 중앙행정기관의 재난 및 안전관리기술개발에 관한 계획을 종합하여 조정위원회의 심의와 「국가과학기술자문회의법」에 따른 국가과학기술자문회의의 심의를 거쳐 재난 및 안전관리기술개발 종합계획을 수립하여야 한다.
> (나) (ㄷ)은/는 국가안전관리기본계획을 (ㄹ)년마다 수립해야 한다.

	ㄱ	ㄴ	ㄷ	ㄹ
①	국무총리	1	행정안전부장관	1
②	과학기술정보통신부장관	5	행정안전부장관	5
③	행정안전부장관	1	국무총리	1
④	국무총리	5	국무총리	5
⑤	행정안전부장관	5	국무총리	5

정답 ⑤

4. 연구개발사업에 사용되거나 생산된 기기·설비 및 시제품 등의 사용권 부여 또는 그 알선
5. 그 밖에 사업화를 위하여 필요한 사항으로서 행정안전부령으로 정하는 사항
② 제1항에 따른 지원의 방법 및 절차 등에 관하여 필요한 사항은 대통령령으로 정한다.

5 기술료의 징수 및 사용 등 D

제73조【기술료의 징수 및 사용】 ① 행정안전부장관은 연구개발사업의 성과를 사업화함으로써 수익이 발생할 경우에는 사업자로부터 그 수익의 일부에 해당하는 금액(이하 "기술료"라 한다)을 징수할 수 있다.
② 행정안전부장관은 기술료를 다음 각 호의 사업에 사용할 수 있다.
1. 재난 및 안전관리 연구개발사업
2. 그 밖에 재난 및 안전관리와 관련된 기술의 육성을 위한 사업으로서 대통령령으로 정하는 사업
③ 기술료의 징수대상, 징수방법 및 사용 등에 필요한 사항은 대통령령으로 정한다.

(1) 기술료의 징수권자 - 행정안전부장관

행정안전부장관은 연구개발사업의 성과를 사업화함으로써 수익이 발생할 경우에는 사업자로부터 그 수익의 일부에 해당하는 금액(기술료)을 징수할 수 있다.

(2) 기술료의 사용

① 재난 및 안전관리 연구개발사업
② 그 밖에 재난 및 안전관리와 관련된 기술의 육성을 위한 사업으로서 대통령령으로 정하는 사업

관계법규 기술료의 징수 및 사용 등

시행령
제81조【기술료의 징수 및 사용 등】 ① 법 제73조 제1항에 따라 징수하는 기술료는 법 제71조 제2항에 따라 행정안전부장관이 출연한 금액에 상당하는 범위에서 법 제71조 제3항에 따른 협약에서 정한 금액으로 한다. ② 행정안전부장관은 제1항에 따른 기술료를 법 제71조 제3항에 따른 협약에서 정하는 바에 따라 일정기간 균등분할 납부하게 할 수 있으며, 기술료를 한꺼번에 또는 미리 납부하는 자에 대해서는 기술료 중 일정 금액을 감면할 수 있다. ③ 법 제73조 제2항 제2호에서 "대통령령으로 정하는 사업"이란 다음 각 호의 사업을 말한다. 1. 법 제72조에 따른 연구개발사업 성과의 사업화 지원 2. 우수한 기술을 개발한 기관·단체 또는 사업자 및 연구원에 대한 포상 등의 지원 3. 그 밖에 행정안전부장관이 재난 및 안전관리와 관련된 기술의 육성을 위하여 필요하다고 인정하는 사업 ④ 제1항부터 제3항까지에서 규정한 사항 외에 기술료의 징수·관리 및 사용에 관한 세부사항은 행정안전부장관이 정하여 고시한다.

6 재난관리정보통신체계의 구축·운영 등 D

제74조【재난관리정보통신체계의 구축·운영】 ① 행정안전부장관과 재난관리책임기관·긴급구조기관 및 긴급구조지원기관의 장은 재난관리업무를 효율적으로 추진하기 위하여 대통령령으로 정하는 바에 따라 재난관리정보통신체계를 구축·운영할 수 있다.

② 재난관리책임기관·긴급구조기관 및 긴급구조지원기관의 장은 제1항에 따른 재난관리정보통신체계의 구축에 필요한 자료를 관계 재난관리책임기관·긴급구조기관 및 긴급구조지원기관의 장에게 요청할 수 있다. 이 경우 요청을 받은 기관의 장은 특별한 사유가 없으면 요청에 따라야 한다.

③ 행정안전부장관은 재난관리책임기관·긴급구조기관 및 긴급구조지원기관의 장이 제1항에 따라 구축하는 재난관리정보통신체계가 연계·운영되거나 표준화가 이루어지도록 종합적인 재난관리정보통신체계를 구축·운영할 수 있으며, 재난관리책임기관·긴급구조기관 및 긴급구조지원기관의 장은 특별한 사유가 없으면 이에 협조하여야 한다.

제74조의2【재난관리정보의 공동이용】 ① 재난관리책임기관·긴급구조기관 및 긴급구조지원기관은 재난관리업무를 효율적으로 처리하기 위하여 수집·보유하고 있는 재난관리정보를 다른 재난관리책임기관·긴급구조기관 및 긴급구조지원기관과 공동이용하여야 한다.

② 제1항에 따라 공동이용되는 재난관리정보를 제공하는 기관은 해당 정보의 정확성을 유지하도록 노력하여야 한다.

③ 재난관리정보의 처리를 하는 재난관리책임기관·긴급구조기관·긴급구조지원기관 또는 재난관리업무를 위탁받아 그 업무에 종사하거나 종사하였던 자는 직무상 알게 된 재난관리정보를 누설하거나 권한 없이 다른 사람이 이용하도록 제공하는 등 부당한 목적으로 사용하여서는 아니 된다.

④ 제1항에 따른 공유 대상 재난관리정보의 범위, 재난관리정보의 공동이용절차 등에 관하여 필요한 사항은 대통령령으로 정한다.

제74조의3【정보 제공 요청 등】 ① 행정안전부장관(제14조 제1항에 따른 중앙대책본부가 운영되는 경우에는 해당 본부장을 말한다. 이하 이 조에서 같다), 시·도지사 또는 시장·군수·구청장(제16조 제1항에 따른 시·도대책본부 또는 시·군·구대책본부가 운영되는 경우에는 해당 본부장을 말한다. 이하 이 조에서 같다)은 재난의 예방·대비와 신속한 재난 대응을 위하여 필요한 경우 재난으로 인하여 생명·신체에 대한 피해를 입은 사람과 생명·신체에 대한 피해 발생이 우려되는 사람(이하 "재난피해자등"이라 한다)에 대한 다음 각 호에 해당하는 정보의 제공을 관계 중앙행정기관(그 소속기관 및 책임운영기관을 포함한다)의 장, 지방자치단체의 장, 「공공기관의 운영에 관한 법률」 제4조에 따른 공공기관의 장, 「전기통신사업법」 제2조 제8호에 따른 전기통신사업자, 그 밖의 법인·단체 또는 개인에게 요청할 수 있으며, 요청을 받은 자는 정당한 사유가 없으면 이에 따라야 한다.

1. 성명, 주민등록번호, 주소 및 전화번호(휴대전화번호를 포함한다)
2. 재난피해자등의 이동경로 파악 및 수색·구조를 위한 다음 각 목의 정보
   가. 「개인정보 보호법」 제2조 제7호에 따른 고정형 영상정보처리기기를 통하여 수집된 정보

나. 「대중교통의 육성 및 이용촉진에 관한 법률」 제2조 제6호에 따른 교통카드의 사용명세
다. 「여신전문금융업법」 제2조 제3호 · 제6호 및 제8호에 따른 신용카드 · 직불카드 · 선불카드의 사용일시, 사용장소(재난 발생 지역 및 그 주변 지역에서 사용한 내역으로 한정한다)
라. 「의료법」 제17조에 따른 처방전의 의료기관 명칭, 전화번호 및 같은 법 제22조에 따른 진료기록부상의 진료일시

② 행정안전부장관, 시 · 도지사 또는 시장 · 군수 · 구청장은 재난피해자등의 「위치정보의 보호 및 이용 등에 관한 법률」 제2조 제2호에 따른 개인위치정보의 제공을 「전기통신사업법」 제2조 제8호에 따른 전기통신사업자와 「위치정보의 보호 및 이용 등에 관한 법률」 제2조 제6호에 따른 위치정보사업을 하는 자에게 요청할 수 있고, 요청을 받은 자는 「통신비밀보호법」 제3조에도 불구하고 정당한 사유가 없으면 이에 따라야 한다.

③ 행정안전부장관, 시 · 도지사 또는 시장 · 군수 · 구청장은 제1항 및 제2항에 따라 수집된 정보를 관계 재난관리책임기관 · 긴급구조기관 · 긴급구조지원기관, 그 밖에 재난 대응 관련 업무를 수행하는 기관에 제공할 수 있다.

④ 행정안전부장관, 시 · 도지사 또는 시장 · 군수 · 구청장은 제1항 및 제2항에 따라 수집된 정보의 주체에게 다음 각 호의 사실을 통지하여야 한다.

1. 재난 예방 · 대비 · 대응을 위하여 필요한 정보가 수집되었다는 사실
2. 제1호의 정보가 다른 기관에 제공되었을 경우 그 사실
3. 수집된 정보는 이 법에 따른 재난 예방 · 대비 · 대응 관련 업무 이외의 목적으로 사용할 수 없으며, 업무 종료 시 지체 없이 파기된다는 사실

⑤ 누구든지 제1항 및 제2항에 따라 수집된 정보를 이 법에 따른 재난 예방 · 대비 · 대응 이외의 목적으로 사용할 수 없으며, 업무 종료 시 지체 없이 해당 정보를 파기하여야 한다.

⑥ 제1항 및 제2항에 따라 수집된 정보의 보호 및 관리에 관한 사항은 이 법에서 정한 것을 제외하고는 「개인정보 보호법」에 따른다.

⑦ 행정안전부장관 또는 지방자치단체의 장은 특정 지역에서 다중운집으로 인하여 재난이나 각종 사고가 발생하거나 발생할 우려가 있는 경우 해당 지역에 있는 불특정 다수인의 기지국(「전파법」 제2조 제1항 제6호에 따른 무선국 중 기지국을 말한다) 접속 정보의 제공을 제2항에 따른 전기통신사업자 또는 위치정보사업을 하는 자에게 요청할 수 있고, 요청을 받은 자는 정당한 사유가 없으면 이에 따라야 한다.

⑧ 행정안전부장관 또는 지방자치단체의 장은 제7항에 따라 수집된 정보를 관계 재난관리책임기관 · 긴급구조기관 · 긴급구조지원기관, 그 밖에 재난 대응 관련 업무를 수행하는 기관에 제공할 수 있다. 다만, 재난 대응 관련 업무를 수행하는 데 필요하여 해당 기관의 장이 제7항에 따라 수집된 정보의 제공을 요청하는 경우 행정안전부장관 또는 지방자치단체의 장은 특별한 사유가 없으면 그 요청에 따라야 한다.

⑨ 제2항에 따른 개인위치정보 및 제7항에 따른 기지국 접속 정보의 제공을 요청하는 방법 및 절차, 제3항 및 제8항에 따른 정보 제공의 대상 · 범위 및 제4항에 따른 통지의 방법 등에 필요한 사항은 대통령령으로 정한다.

⑩ 제1항 및 제2항의 경우 재난의 예방 · 대비를 위한 정보 등의 제공 요청은 재난이 발생할 우려가 현저하여 긴급하다고 판단되는 때로 한정하며, 시 · 도지사 또는 시장 · 군수 · 구청장은 행정안전부장관을 거쳐 해당 정보 등의 제공을 요청할 수 있다.

7 안전관리자문단의 구성 · 운영 등 D

제74조의4【재난안전데이터의 수집 등】 ① 행정안전부장관은 데이터에 기반한 재난 및 안전관리를 위하여 재난안전데이터의 수집 · 연계 · 분석 · 활용 · 공유 · 공개(이하 "수집등"이라 한다)를 하여야 한다.

② 행정안전부장관은 효율적인 재난안전데이터의 수집등을 위하여 재난안전데이터통합관리시스템을 구축 · 운영할 수 있다.

③ 행정안전부장관은 재난안전데이터의 수집등을 위하여 재난관리책임기관의 장에게 필요한 데이터의 제공을 요청할 수 있다. 이 경우 요청을 받은 재난관리책임기관의 장은 특별한 사유가 없으면 이에 따라야 한다.

④ 행정안전부장관은 재난안전데이터의 수집등 및 관련 전문인력의 양성, 재난안전데이터통합관리시스템의 구축 · 운영 등을 위하여 재난안전데이터센터를 설치 · 운영할 수 있다.

⑤ 제1항부터 제4항까지에 따른 재난안전데이터의 수집등, 재난안전데이터통합관리시스템의 구축 · 운영, 데이터 제공의 대상 · 범위 및 재난안전데이터센터의 설치 · 운영 등에 필요한 사항은 대통령령으로 정한다.

제75조【안전관리자문단의 구성 · 운영】 ① 지방자치단체의 장은 재난 및 안전관리 업무의 기술적 자문을 위하여 민간전문가로 구성된 안전관리자문단을 구성 · 운영할 수 있다.

② 제1항에 따른 안전관리자문단의 구성과 운영에 관하여는 해당 지방자치단체의 조례로 정한다.

제75조의2【안전책임관】 ① 재난관리책임기관의 장은 해당 기관의 재난 및 안전관리업무를 총괄하는 안전책임관 및 담당직원을 소속 공무원 또는 임직원 중에서 임명할 수 있다. [시행일: 2025.3.20.]

② 안전책임관은 해당 기관의 재난 및 안전관리업무와 관련하여 다음 각 호의 사항을 담당한다.

1. 재난이나 그 밖의 각종 사고가 발생하거나 발생할 우려가 있는 경우 초기대응 및 보고에 관한 사항
2. 위기관리 매뉴얼의 작성 · 관리에 관한 사항
3. 재난 및 안전관리와 관련된 교육 · 훈련에 관한 사항
4. 그 밖에 해당 중앙행정기관의 장이 재난 및 안전관리업무를 위하여 필요하다고 인정하는 사항

③ 제1항에 따른 안전책임관의 임명 및 운영에 필요한 사항은 대통령령으로 정한다.

제75조의3【공인재난관리사 자격증 교부 등】 ① 행정안전부장관은 재난의 예방 · 대비 · 대응 · 복구 등의 업무수행 역량을 검정하는 자격시험(이하 "공인재난관리사 자격시험"이라 한다)에 합격하고 행정안전부령으로 정하는 연수과정을 수료한 사람에게 공인재난관리사의 자격증을 교부할 수 있다.

② 다음 각 호의 어느 하나에 해당하는 사람은 공인재난관리사가 될 수 없다.

1. 피성년후견인
2. 금고 이상의 실형을 선고받고 그 집행이 끝나거나 집행을 받지 아니하기로 확정된 후 2년이 지나지 아니한 사람
3. 금고 이상의 형의 집행유예를 선고받고 그 유예기간 중에 있는 사람

③ 공인재난관리사 자격시험은 제1차 시험과 제2차 시험으로 구분하여 실시하되 「국가기술자격법」 또는 다른 법률에 따른 재난 및 안전관리와 관련된 자격을 보유한 사람 등 대통령령으로 정하는 사람에 대하여는 제1차 시험을 면제할 수 있다.
④ 공인재난관리사 자격의 취득과 관련된 다음 각 호의 사항을 심의하기 위하여 행정안전부에 공인재난관리사자격심의위원회를 둘 수 있다.
1. 공인재난관리사 자격시험 과목 등 시험에 관한 사항
2. 공인재난관리사 자격시험 선발 인원의 결정에 관한 사항
3. 공인재난관리사 자격시험의 일부면제 대상자의 요건에 관한 사항
4. 그 밖에 공인재난관리사 자격의 취득과 관련한 주요 사항
⑤ 부정한 방법으로 공인재난관리사 자격시험에 응시한 사람 또는 공인재난관리사 자격시험에서 부정행위를 한 사람에 대해서는 그 시험을 정지시키거나 합격을 무효로 한다. 이 경우 공인재난관리사 자격시험이 정지되거나 합격이 무효처리된 사람은 그 처분일부터 3년간 공인재난관리사 자격시험에 응시할 수 없다.
⑥ 행정안전부장관은 공인재난관리사가 다음 각 호의 어느 하나에 해당하는 경우 그 자격을 취소하여야 한다.
1. 거짓이나 그 밖의 부정한 방법으로 자격을 취득한 경우
2. 제2항 각 호의 어느 하나에 해당하게 된 경우
3. 자격증을 다른 사람에게 빌려주거나 양도한 경우
⑦ 누구든지 제1항에 따라 교부받은 자격증을 다른 사람에게 빌려주거나 빌려서는 아니 되며, 이를 알선하여서도 아니 된다.
⑧ 행정안전부장관은 제6항에 따라 자격을 취소하려면 청문을 하여야 한다.
⑨ 공인재난관리사 자격시험의 시험과목, 시험방법, 응시자격, 공인재난관리사자격심의위원회의 구성 및 운영, 그 밖에 시험에 관하여 필요한 사항은 대통령령으로 정한다.
[시행일: 2025.3.20.]

제75조의4【재난관리 전문인력의 배치 등】 ① 재난관리책임기관의 장은 재난 및 안전관리 업무의 전문성 및 효율성을 위하여 공인재난관리사 자격을 가진 사람 등 대통령령으로 정하는 재난관리 전문인력을 해당 업무에 배치하도록 노력하여야 한다.
② 행정안전부장관은 제1항에 따른 재난관리 전문인력 배치의 이행실태를 확인·점검할 수 있고, 그 결과에 따라 필요한 경우 재난관리책임기관에 행정적·재정적 지원을 할 수 있다.
[시행일: 2025.3.20.]

8 재난안전의무보험의 평가 및 개선권고 등 D

제76조 【재난안전 관련 보험·공제의 개발·보급 등】 ① 국가는 국민과 지방자치단체가 자기의 책임과 노력으로 재난이나 그 밖의 각종 사고에 대비할 수 있도록 재난안전 관련 보험 또는 공제를 개발·보급하기 위하여 노력하여야 한다.

② 국가는 대통령령으로 정하는 바에 따라 예산의 범위에서 보험료·공제회비의 일부 및 보험·공제의 운영과 관리 등에 필요한 비용의 일부를 지원할 수 있다.

제76조의2 【재난안전의무보험에 관한 법령이 갖추어야 할 기준 등】 ① 재난안전의무보험에 관한 법령을 주관하는 중앙행정기관의 장은 재난안전의무보험에 관한 법령을 제정·개정하는 경우에는 해당 법령에 다음 각 호의 기준이 적정하게 반영되도록 노력하여야 한다.

1. 재난이나 그 밖의 각종 사고로 인한 사람의 생명·신체에 대한 손해를 적절히 보상하도록 대통령령으로 정하는 수준의 보상 한도를 정할 것
2. 법률에 따른 재난안전의무보험의 가입의무자를 신속히 확인하고 관리할 수 있는 체계를 갖출 것
3. 법률에 따른 재난안전의무보험의 가입의무자에 해당함에도 가입을 게을리 한 자 또는 가입하지 아니한 자 등에 대하여 가입을 독려하거나 제재할 수 있는 방안을 마련할 것
4. 보험회사, 공제회 등 재난안전의무보험에 관한 법령에 따라 재난안전의무보험 관련 사업을 하는 자(이하 "보험사업자"라 한다)가 대통령령으로 정하는 정당한 사유 없이 재난안전의무보험에 대한 가입 요청 또는 계약 체결을 거부하거나 보험계약 등을 해제·해지하는 것을 제한하도록 할 것 - 이하 생략 -

제76조의3 【재난안전의무보험의 평가 및 개선권고 등】 ① 행정안전부장관은 재난안전의무보험에 관한 법령과 재난안전의무보험의 관리·운용 등이 제76조의2 제1항에 따른 기준에 적합한지 등을 분석·평가하기 위하여 필요한 경우에는 재난안전의무보험 관련 법령을 주관하거나 재난안전의무보험의 운용을 주관하는 중앙행정기관의 장 등에게 관련 자료의 제출을 요청할 수 있다. 이 경우 자료의 제출을 요청받은 중앙행정기관의 장 등은 특별한 사유가 없으면 이에 따라야 한다.

② 행정안전부장관은 제1항에 따른 재난안전의무보험 등의 분석·평가 결과 해당 재난안전의무보험 등이 제76조의2 제1항에 따른 기준에 적합하지 아니하다고 인정하는 경우에는 재난안전의무보험 관련 법령을 주관하거나 재난안전의무보험의 운용을 주관하는 중앙행정기관의 장 등에게 관련 법령의 개정권고, 재난안전의무보험의 관리·운용에 대한 개선권고 등을 할 수 있다.

③ 행정안전부장관은 제2항에 따른 관련 법령의 개정권고 및 재난안전의무보험의 관리·운용에 대한 개선권고에 관한 사항이 효과적으로 추진될 수 있도록 재난안전의무보험에 관한 법령을 주관하는 중앙행정기관의 장으로부터 재난안전의무보험 제도개선에 관한 계획을 제출받아 이를 종합한 정비계획(이하 "정비계획"이라 한다)을 수립할 수 있다.

- 중략 -

제76조의4【재난안전의무보험 종합정보시스템의 구축·운영 등】 ① 행정안전부장관은 재난안전의무보험 관리·운용의 효율성을 높이고, 재난안전의무보험 관련 자료 또는 정보를 체계적으로 수집하여 종합적으로 관리할 수 있도록 재난안전의무보험 종합정보시스템을 구축·운영할 수 있다.

② 행정안전부장관은 제1항에 따른 재난안전의무보험 종합정보시스템의 구축·운영을 위하여 필요한 경우에는 관계 중앙행정기관의 장, 지방자치단체의 장, 공공기관, 보험사업자 또는 「보험업법」에 따른 보험 관계 단체의 장 등에게 관련 자료 또는 정보의 제공을 요청하거나 그가 관리·운영하는 재난안전의무보험 관련 전산시스템과 연계하여 자료 또는 정보를 수집할 수 있다. 이 경우 관련 자료 또는 정보의 제공을 요청받거나 전산시스템과의 연계 요청을 받은 자는 「개인정보 보호법」 제18조 제1항에도 불구하고 특별한 사유가 없으면 이에 따라야 한다.

- 중략 -

제76조의5【재난취약시설 보험·공제의 가입 등】 ① 삭제

② 다음 각 호에 해당하는 시설 중 대통령령으로 정하는 시설(이하 "재난취약시설"이라 한다)을 소유·관리 또는 점유하는 자는 해당 시설에서 발생하는 화재, 붕괴, 폭발 등으로 인한 타인의 생명·신체나 재산상의 손해를 보상하기 위하여 보험 또는 공제에 가입하여야 한다. 이 경우 다른 법률에 따라 그 손해의 보상내용을 충족하는 보험 또는 공제에 가입한 경우에는 이 법에 따른 보험 또는 공제에 가입한 것으로 본다.

1. 「시설물의 안전 및 유지관리에 관한 특별법」 제2조에 따른 시설물
2. 삭제
3. 그 밖에 재난이 발생할 경우 타인에게 중대한 피해를 입힐 우려가 있는 시설

③ 제2항에 따른 보험 또는 공제의 종류, 보상한도액 및 그 밖에 필요한 사항은 대통령령으로 정한다.

④ 행정안전부장관은 제2항에 따른 보험 또는 공제의 가입관리 업무를 위하여 필요한 경우 대통령령으로 정하는 바에 따라 중앙행정기관의 장 또는 지방자치단체의 장에게 행정적 조치를 하도록 요청하거나 관계 행정기관, 보험회사 및 보험 관련 단체에 보험 또는 공제의 가입관리 업무에 필요한 자료를 요청할 수 있다. 이 경우 요청을 받은 자는 정당한 사유가 없으면 이에 따라야 한다.

⑤ 보험사업자는 재난취약시설을 소유·관리 또는 점유하는 자(이하 "재난취약시설소유자등"이라 한다)가 제2항 전단에 따른 보험 또는 공제(이하 "재난취약시설보험등"이라 한다)에 가입하려는 때에는 계약의 체결을 거부할 수 없다. 다만, 재난취약시설소유자등이 영업정지 처분을 받아 재난취약시설을 본래의 사용 목적으로 더 이상 사용할 수 없게 된 경우 등 대통령령으로 정하는 경우에는 그러하지 아니하다.

⑥ 재난취약시설에서 화재가 발생할 개연성이 높은 경우 등 대통령령으로 정하는 사유가 있는 경우에는 다수의 보험사업자가 공동으로 재난취약시설보험등의 계약을 체결할 수 있다. 이 경우 보험사업자는 해당 재난취약시설소유자등에게 공동계약체결의 절차 및 보험료·공제회비 등에 대한 안내를 하여야 한다.

⑦ 재난취약시설보험등의 보험금지급청구권 또는 공제급여청구권은 양도·압류하거나 담보로 제공할 수 없다.

9 재난관리 의무 위반에 대한 징계 요구 등 D

제77조【재난관리 의무 위반에 대한 징계 요구 등】 ① 국무총리 또는 행정안전부장관은 재난관리책임기관의 장이 이 법에 따른 조치를 하지 아니한 경우에는 대통령령으로 정하는 바에 따라 기관경고 등 필요한 조치를 할 수 있다.
② 행정안전부장관, 시 · 도지사 또는 시장 · 군수 · 구청장은 이 법에 따른 재난예방조치 · 재난응급조치 · 안전점검 · 재난상황관리 · 재난복구 등의 업무를 수행할 때 지시를 위반하거나 부과된 임무를 게을리한 재난관리책임기관의 공무원 또는 직원의 명단을 해당 공무원 또는 직원의 소속 기관의 장 또는 단체의 장에게 통보하고, 그 소속 기관의 장 또는 단체의 장에게 해당 공무원 또는 직원에 대한 징계 등을 요구할 수 있다. 이 경우 그 사실을 입증할 수 있는 관계 자료를 그 소속 기관 또는 단체의 장에게 함께 통보하여야 한다.
③ 중앙통제단장 또는 지역통제단장은 제52조 제5항에 따른 현장지휘에 따르지 아니하거나 부과된 임무를 게을리한 긴급구조요원의 명단을 해당 긴급구조요원의 소속 기관 또는 단체의 장에게 통보하고, 그 소속 기관의 장 또는 단체의 장에게 해당 긴급구조요원에 대한 징계를 요구할 수 있다. 이 경우 그 사실을 입증할 수 있는 관계 자료를 그 소속 기관 또는 단체의 장에게 함께 통보하여야 한다.
④ 제2항과 제3항에 따라 통보를 받은 소속 기관의 장 또는 단체의 장은 해당 공무원 또는 직원에 대한 징계 등 적절한 조치를 하고, 그 결과를 해당 기관의 장에게 통보하여야 한다.
⑤ 행정안전부장관, 시 · 도지사, 시장 · 군수 · 구청장, 중앙통제단장 및 지역통제단장은 제2항 및 제3항에 따른 사실 입증을 위한 전담기구를 편성하는 등 소속 공무원으로 하여금 필요한 조사를 하게 할 수 있다. 이 경우 조사공무원은 그 권한을 표시하는 증표를 제시하여야 한다.
⑥ 행정안전부장관은 제5항에 따른 조사의 실효성 제고를 위하여 대통령령으로 정하는 전담기구 협의회를 구성 · 운영할 수 있다.
⑦ 제2항 · 제3항에 따른 통보 및 제5항에 따른 조사에 필요한 사항은 대통령령으로 정한다.

제77조의2【적극행정에 대한 면책】 ① 제77조 제2항 및 제3항에 따른 재난관리책임기관의 공무원, 직원 및 긴급구조요원이 재난안전 사고를 예방하고 피해를 최소화하기 위하여 업무를 적극적으로 추진한 결과에 대하여 그의 행위에 고의 또는 중대한 과실이 없는 경우에는 같은 조 제2항 및 제3항에 따른 명단 통보 및 징계 등 요구를 하지 아니하거나 같은 조 제4항에 따른 징계 등의 책임을 묻지 아니한다.
② 다음 각 호의 사람이 제61조 또는 제66조 제3항에 따른 지원 업무를 적극적으로 처리한 결과에 대하여 그의 행위에 고의나 중대한 과실이 없는 경우에는 관계 법령에 따른 징계 또는 제재 등 책임을 묻지 아니한다. - 중략 -

제78조【권한의 위임 및 위탁】 ① 이 법에 따른 행정안전부장관의 권한은 그 일부를 대통령령으로 정하는 바에 따라 시 · 도지사에게 위임할 수 있다.
② 행정안전부장관은 제66조의10에 따른 안전지수의 개발 · 조사 및 안전진단의 실시에 관한 권한의 일부를 대통령령으로 정하는 바에 따라 그 소속 연구기관의 장에게 위임할 수 있다.

③ 행정안전부장관은 제33조의2에 따른 평가 등의 업무의 일부, 제72조에 따른 연구개발사업 성과의 사업화 지원, 제73조에 따른 기술료의 징수·사용, 제75조의3 제1항에 따른 자격시험·연수 실시 및 자격증 교부에 관한 업무를 대통령령으로 정하는 바에 따라 전문기관 등에 위탁할 수 있다. [시행일: 2025.3.20.]
④ 행정안전부장관은 제76조의4 제1항에 따른 재난안전의무보험 종합정보시스템의 구축·운영에 관한 업무를 대통령령으로 정하는 바에 따라 「보험업법」 제176조에 따른 보험요율 산출기관에 위탁할 수 있다.

CHAPTER 10 벌칙

1 벌칙 D

제78조의3 【벌칙】 제31조 제1항에 따른 안전조치명령을 이행하지 아니한 자는 3년 이하의 징역 또는 3천만원 이하의 벌금에 처한다.

제78조의4 【벌칙】 제74조의3 제5항을 위반하여 재난예방 · 대비 · 대응 이외의 목적으로 정보를 사용하거나 업무가 종료되었음에도 해당 정보를 파기하지 아니한 자는 2년 이하의 징역 또는 2천만원 이하의 벌금에 처한다.

제79조 【벌칙】 다음 각 호의 어느 하나에 해당하는 자는 1년 이하의 징역 또는 1천만원 이하의 벌금에 처한다.

1. 삭제
2. 정당한 사유 없이 제30조 제1항에 따른 긴급안전점검을 거부 또는 기피하거나 방해한 자
3. 삭제
4. 정당한 사유 없이 제41조 제1항 제1호(제46조 제1항에 따른 경우를 포함한다)에 따른 위험구역에 출입하는 행위나 그 밖의 행위의 금지명령 또는 제한명령을 위반한 자
5. 정당한 사유 없이 제74조의3 제1항에 따른 행정안전부장관, 시 · 도지사 또는 시장 · 군수 · 구청장의 요청에 따르지 아니한 자
6. 정당한 사유 없이 제74조의3 제2항에 따른 행정안전부장관, 시 · 도지사 또는 시장 · 군수 · 구청장의 요청에 따르지 아니한 자

6의2. 제75조의3 제7항을 위반하여 다른 사람에게 자격증을 빌려주거나 빌린 자 또는 이를 알선한 자 [시행일: 2025.3.20.]

7. 제76조의4 제4항을 위반하여 업무상 알게 된 재난안전의무보험 관련 자료 또는 정보를 누설하거나 권한 없이 다른 사람이 이용하도록 제공하는 등 부당한 목적으로 사용한 자

제80조 【벌칙】 다음 각 호의 어느 하나에 해당하는 자는 500만원 이하의 벌금에 처한다.

1. 정당한 사유 없이 제45조(제46조 제1항에 따른 경우를 포함한다)에 따른 토지 · 건축물 · 인공구조물, 그 밖의 소유물의 일시 사용 또는 장애물의 변경이나 제거를 거부 또는 방해한 자
2. 제74조의2 제3항을 위반하여 직무상 알게 된 재난관리정보를 누설하거나 권한 없이 다른 사람이 이용하도록 제공하는 등 부당한 목적으로 사용한 자
3. 정당한 사유 없이 제74조의3 제7항에 따른 행정안전부장관 또는 지방자치단체의 장의 요청에 따르지 아니한 자

제81조 【양벌규정】 법인의 대표자나 법인 또는 개인의 대리인, 사용인, 그 밖의 종업원이 그 법인 또는 개인의 업무에 관하여 제78조의3, 제79조 또는 제80조의 위반행위를 하면 그 행위자를 벌하는 외에 그 법인 또는 개인에게도 해당 조문의 벌금형을 과(科)한다. 다만, 법인 또는 개인이 그 위반행위를 방지하기 위하여 해당 업무에 관하여 상당한 주의와 감독을 게을리하지 아니한 경우에는 그러하지 아니하다.

2 과태료 D

제82조【과태료】 ① 다음 각 호의 어느 하나에 해당하는 사람에게는 200만원 이하의 과태료를 부과한다.

1. 제34조의6 제1항 본문에 따른 위기상황 매뉴얼을 작성 · 관리하지 아니한 소유자 · 관리자 또는 점유자

1의2. 제34조의6 제2항 본문에 따른 훈련을 실시하지 아니한 소유자 · 관리자 또는 점유자

1의3. 제34조의6 제3항에 따른 개선명령을 이행하지 아니한 소유자 · 관리자 또는 점유자

2. 제40조 제1항(제46조 제1항에 따른 경우를 포함한다)에 따른 대피명령을 위반한 사람
3. 제41조 제1항 제2호(제46조 제1항에 따른 경우를 포함한다)에 따른 위험구역에서의 퇴거명령 또는 대피명령을 위반한 사람

② 다음 각 호의 어느 하나에 해당하는 자에게는 300만원 이하의 과태료를 부과한다.

1. 제76조의5 제2항을 위반하여 보험 또는 공제에 가입하지 아니한 자
2. 제76조의5 제5항을 위반하여 재난취약시설보험등의 가입에 관한 계약의 체결을 거부한 보험사업자

③ 제1항 및 제2항에 따른 과태료는 대통령령으로 정하는 바에 따라 다음 각 호의 자가 부과 · 징수한다.

1. 시 · 도지사 또는 시장 · 군수 · 구청장: 제1항에 따른 과태료
2. 보험 또는 공제의 가입 대상 시설의 허가 · 인가 · 등록 · 신고 등의 업무를 처리한 관계 행정기관의 장: 제2항에 따른 과태료

(1) 200만원 이하의 과태료

① 위기상황 매뉴얼을 작성 · 관리하지 아니한 소유자 · 관리자 또는 점유자

② 위기상황 매뉴얼에 따른 훈련을 실시하지 아니한 소유자 · 관리자 또는 점유자

③ 위기상황 매뉴얼의 작성 · 관리 및 훈련실태개선명령을 이행하지 아니한 소유자 · 관리자 또는 점유자

④ 대피명령을 위반한 사람

⑤ 위험구역에서의 퇴거명령 또는 대피명령을 위반한 사람

(2) 300만원 이하의 과태료

관련규정을 위반하여 재난취약시설 보험 · 공제의 가입하지 않은 자에게는 300만원 이하의 과태료를 부과한다.

(3) 과태료 부과

과태료는 대통령령으로 정하는 바에 따라 다음의 자가 부과 · 징수한다.

① **시 · 도지사 또는 시장 · 군수 · 구청장:** (1)에 따른 200만원 이하의 과태료

② **보험 또는 공제의 가입 대상 시설의 허가 · 인가 · 등록 · 신고 등의 업무를 처리한 관계 행정기관의 장:** (2)에 따른 300만원 이하의 과태료

해커스소방 **김정희 소방학개론** 기본서

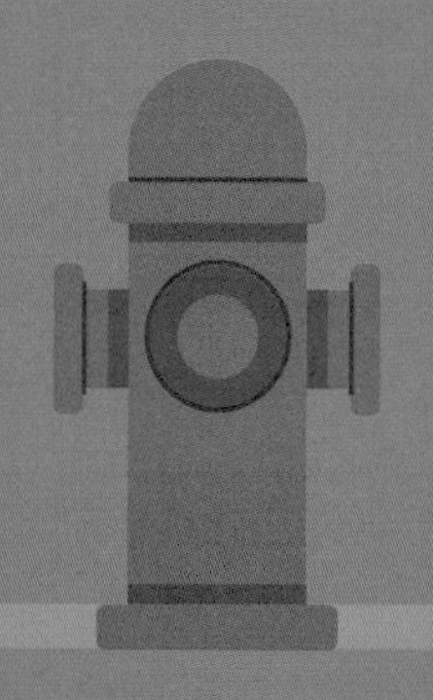

부록

MINI 법령집

01 긴급구조대응활동 및 현장지휘에 관한 규칙

02 소방공무원법

03 소방공무원임용령

04 의용소방대 설치 및 운영에 관한 법률

05 의용소방대 설치 및 운영에 관한 법률 시행규칙

06 화재조사 및 보고규정

07 119구조 · 구급에 관한 법률

08 119구조 · 구급에 관한 법률 시행령

09 119구조 · 구급에 관한 법률 시행규칙

01 긴급구조대응활동 및 현장지휘에 관한 규칙

[시행 2024.1.22.] [행정안전부령 제458호, 2024.1.22., 일부개정]

제1장 총칙

제1조(목적) 이 규칙은 각종 재난이 발생하는 경우 현장지휘체계를 확립하고 긴급구조대응활동을 신속하고 효율적으로 수행하기 위하여 「재난 및 안전관리 기본법」 및 같은 법 시행령에서 위임된 사항 및 그 시행에 필요한 사항을 규정함을 목적으로 한다.

제2조(정의) 이 규칙에서 사용하는 용어의 뜻은 다음과 같다.

1. "긴급구조관련기관"이란 다음 각 목의 어느 하나에 해당하는 기관을 말한다.
   가. 「재난 및 안전관리 기본법」(이하 "법"이라 한다) 제3조 제7호에 따른 긴급구조기관
   나. 법 제3조 제8호 및 「재난 및 안전관리 기본법 시행령」(이하 "영"이라 한다) 제4조에 따른 긴급구조지원기관
   다. 현장에 참여하는 자원봉사기관 및 단체
2. "기관별지휘소"란 재난현장에 출동하는 긴급구조관련기관별로 소속 직원을 지휘·조정·통제하는 장소 또는 지휘차량·선박·항공기 등을 말한다.
3. "현장지휘소"란 법 제49조 제2항에 따른 중앙긴급구조통제단장(이하 "중앙통제단장"이라 한다), 법 제50조 제2항에 따른 시·도긴급구조통제단장(이하 "시·도긴급구조통제단장"이라 한다) 또는 시·군·구긴급구조통제단장(이하 "시·군·구긴급구조통제단장"이라 한다)이 법 제52조 제9항에 따라 재난현장에서 기관별지휘소를 총괄하여 지휘·조정 또는 통제하는 등의 재난현장지휘를 효과적으로 수행하기 위하여 설치·운영하는 장소 또는 지휘차량·선박·항공기 등을 말한다.
4. "현장지휘관"이란 긴급구조의 업무를 지휘하는 다음 각 목의 어느 하나에 해당하는 사람을 말한다.
   가. 중앙통제단장
   나. 시·도긴급구조통제단장 또는 시·군·구긴급구조통제단장(이하 "지역통제단장"이라 한다)
   다. 통제단장(중앙통제단장 및 지역통제단장을 말한다. 이하 같다)의 사전명령에 따라 현장지휘를 하는 소방관서 선착대의 장 또는 법 제55조 제2항에 따른 긴급구조지휘대(이하 "긴급구조지휘대"라 한다)의 장
5. "재난대응구역"이란 법 제14조 제1항 및 영 제13조에 따른 대규모 재난이 발생하여 시·도긴급구조통제단장의 지휘통제가 마비된 경우에 시·군·구긴급구조통제단장이 관할구역 안에서 자체적으로 재난에 대응하기 위하여 설정하는 구역을 말한다.

제2장 긴급구조 대비체제의 구축

제3조(재난의 최초접수자의 임무) 법 제19조의 규정에 의한 종합상황실에 근무하는 상황근무자로서 재난을 최초로 접수한 자는 즉시 긴급구조기관에 긴급구조활동에 필요한 출동을 지령하고, 즉시 재난발생상황을 통제단장에게 보고함과 동시에 긴급구조관련기관에 통보하여야 한다. 다만, 재난의 규모 등을 판단하여 종합상황실을 설치한 기관에서 자체대응이 가능하거나 소규모 재난인 경우에는 긴급구조관련기관에의 통보를 늦추거나 하지 아니할 수 있다.

제4조(현장지휘관 등의 임무) ① 제2조 제4호 다목에 따른 현장지휘관은 재난이 발생한 경우에 재난의 종류·규모 등을 통제단장에게 보고해야 한다. 이 경우 보고를 받은 통제단장은 통제단의 설치·운영과 지원출동여부를 결정해야 한다.

② 제1항에 따른 현장지휘관은 재난현장 조치상황과 재난현장지원에 필요한 사항 등을 수시로 통제단장에게 보고해야 한다.

③ 제2항에 따라 보고를 받은 지역통제단장은 상급기관의 지원이 필요하다고 판단하는 경우에는 시·군·구긴급구조통제단장은 시·도긴급구조통제단장에게, 시·도긴급구조통제단장은 중앙통제단장에게 각각 보고하여 특별시·광역시·특별자치시·도·특별자치도(이하 "시·도"라 한다) 또는 중앙의 긴급구조지원활동이 신속히 이루어질 수 있도록 해야 한다.

제5조(관련지휘관의 통제권한 행사) 통제단장은 재난현장에 도착이 지연되어 초기에 적정한 조치를 취할 수 없는 때에는 먼저 도착한 현장지휘관으로 하여금 통제단장의 권한중 일부 또는 전부를 행사하도록 할 수 있다.

제6조(긴급구조체제의 구축) 법 제55조 제2항에 따라 긴급구조기관의 장이 구축해야 하는 긴급구조체제에는 다음 각 호의 사항이 모두 포함되어야 한다.

1. 종합상황실과 법 제38조의2 제3항 제3호에 따라 재난 관련 방송요청을 받은방송사업자 간의 긴급방송체제
2. 법 제14조 제3항에 따른 중앙대책본부장, 법 제16조 제2항에 따른 지역대책본부장, 통제단장 및 긴급구조지원기관의 장과의 비상연락통신체제
3. 아마추어무선통신(HAM) 등 긴급구조 보조통신체제
4. 비상경고체제
5. 긴급구조관련기관에 대한 제7조에 따른 통합지휘조정통제센터

6. 자원관리체제

7. 자원지원수용체제. 다만, 법 제54조에 따른 긴급구조대응계획(이하 "긴급구조대응계획"이라 한다)에 자원지원수용체제에 관한 사항이 포함되어 있는 경우 또는 제6호의 자원관리체제가 구축되어 있는 경우에는 자원지원수용체제를 생략할 수 있다.

8. 제9조 제2항에 따른 표준현장지휘체계

9. 종합상황실과 해양경찰관서 상황실 간의 연계체제

제7조(통합지휘조정통제센터의 구성 및 기능) ① 제6조 제5호에 따른 통합지휘조정통제센터(이하 이 조에서 "통제센터"라 한다)는 상시 운영체제를 갖추어야 한다.

② 통제센터의 운영요원은 법 제52조 제9항 후단에 따른 연락관 중 통신업무를 담당하는 연락관으로 구성 · 운영한다.

③ 통제센터의 기능은 다음과 같다.

1. 재난신고 접수에 따라 긴급구조관련기관 소속 자원의 출동지시
2. 긴급구조관련기관간의 상호연락 및 협조체제의 유지
3. 긴급구조대응계획에 의한 비상지원임무
4. 기관별지휘소 간 통합대응을 위한 통신연락 등에 관한 사항

④ 제1항부터 제3항까지에서 규정한 사항 외에 통제센터의 구성 및 운영에 관한 세부사항은 긴급구조대응계획이 정하는 바에 따른다.

제8조(자원지원수용체제의 수립) ① 긴급구조기관의 장은 긴급구조관련기관과 협의하여 제6조 제7호에 따른 자원지원수용체제를 재난의 유형별로 수립하되, 다음 각 호의 모든 내용을 포함해야 한다.

1. 긴급구조관련기관의 명칭 · 위치와 기관장 또는 대표자의 성명
2. 협조 담당부서 및 담당자의 긴급연락망
3. 전문인력과 장비의 배치계획 및 담당업무
4. 전문인력에 대한 국가기술자격 그 밖에 이에 준하는 자격보유현황의 파악 및 관리
5. 현장지휘자 및 연락관의 지정

② 긴급구조기관의 장은 자원지원수용체제의 원활한 운영을 위하여 재난이 발생하는 경우 필요한 전문지식과 기술에 대한 자문을 얻거나 중장비 운전원 및 용접공 등 특수기능인력을 민간으로부터 지원받기 위한 응원협정을 체결하고 그 협정의 내용을 수시로 점검하여야 한다.

제3장 표준현장지휘체계

제9조(표준현장지휘체계 등) ① 영 제61조에 따라 연락관을 파견하는 긴급구조지원기관을 예시하면 다음 각 호와 같다.

1. 국방부
2. 경찰청
3. 산림청
4. 「재해구호법」 제29조에 따른 전국재해구호협회
5. 영 제4조 제6호 및 제7호에 따른 기관 및 단체 중 긴급구조기관의 장이 지정하는 기관 및 단체

② 영 제59조 제1항 각 호 외의 부분에서 "행정안전부령으로 정하는 표준현장지휘체계"란 긴급구조기관 및 긴급구조지원기관이 체계적인 현장대응과 상호협조체제를 유지하기 위하여 공통으로 사용하는 표준지휘조직도, 표준용어 및 재난현장 표준작전절차를 말한다.

③ 제2항에 따른 표준지휘조직도(이하 "표준지휘조직도"라 한다)는 별표 1과 같다.

④ 제2항에 따른 표준용어 및 그 의미는 다음 각 호와 같다.

1. 자원집결지: 현장지휘관이 긴급구조활동에 필요한 자원을 집결 및 분류하여 자원대기소와 재난현장에 수송 · 배치하기 위하여 설치 · 운영하는 특정한 장소 또는 시설
2. 자원대기소: 현장지휘관이 자원의 신속한 추가배치와 교대조의 휴식 및 대기 등을 위하여 현장지휘소 인근에 설치 · 운영하는 특정한 장소 또는 시설
3. 수송대기지역: 자원집결지에서 자원수송을 위하여 구급차 외의 교통수단이 대기하는 장소
4. 구급차대기소: 제20조에 따른 현장응급의료소에서 사상자의 이송을 위하여 구급차의 도착순서 및 기능에 따라 구급차가 임시 대기하는 장소
5. 선착대: 재난현장에 가장 먼저 도착한 긴급구조관련기관의 출동대
6. 삭제
7. 삭제
8. 비상헬기장: 현장지휘소 인근에서 응급환자의 이송, 자원 수송 등의 활동을 위하여 현장지휘관이 지정 · 운영하는 헬기 이 · 착륙장소

제10조(재난현장 표준작전절차) ① 제9조 제2항에 따른 재난현장 표준작전절차는 소방청장이 다음 각 호의 구분에 따라 작성한다.

1. 지휘통제절차: 표준작전절차(SOP) 100부터 199까지의 일련번호를 부여하여 작성한다.
2. 화재유형별 표준작전절차: 표준작전절차(SOP) 200부터 299까지의 일련번호를 부여하여 작성한다.
3. 사고유형별 표준작전절차: 표준작전절차(SOP) 300부터 399까지의 일련번호를 부여하여 작성한다.
4. 구급단계별 표준작전절차: 표준작전절차(SOP) 400부터 499까지의 일련번호를 부여하여 작성한다.
5. 상황단계별 표준작전절차: 표준작전절차(SOP) 500부터 599까지의 일련번호를 부여하여 작성한다.

6. 현장 안전관리 표준지침: 표준지침(SSG) 1부터 99까지의 일련 번호를 부여하여 작성한다.

② 긴급구조기관의 장은 제1항의 규정에 의한 재난현장 표준작전절차를 사용하되 지역특성에 따라 이를 변경하여 적용할 수 있다.

③ 그 밖에 재난현장 표준작전절차에 관한 사항은 소방청장이 정하는 바에 의한다.

제4장 통제단 등의 설치·운영

제11조(긴급구조지원기관 등의 역할) 긴급구조기관과 긴급구조지원기관은 다음 각 호의 구분에 따라 책임기관 또는 지원기관으로서의 역할을 수행한다.

1. 법 제3조 제7호의 규정에 의한 긴급구조기관과 영 제4조 제1호 및 제3호의 긴급구조지원기관: 별표 2의 규정에 의한 역할
2. 영 제4조 제2호·제4호 내지 제7호의 긴급구조지원기관: 긴급구조대응계획이 정하는 역할

제11조의2(긴급구조기관의 인력 및 장비 동원) ① 중앙통제단장은 다음 각 호의 어느 하나에 해당하는 재난이 발생한 경우에는 영 제54조 제2호에 따라 긴급구조활동에 필요한 긴급구조기관의 인력과 장비 등을 동원할 수 있다.

1. 재난이 발생한 시·도의 대응능력으로는 대응이 어렵다고 인정되는 재난
2. 국가적 차원에서 긴급구조활동의 수행이 필요하다고 인정되는 재난

② 중앙통제단장은 제1항에 따라 긴급구조기관의 인력과 장비 등을 동원한 경우에는 예산의 범위에서 해당 긴급구조기관에 필요한 경비를 지원할 수 있다.

③ 제1항 및 제2항에서 규정한 사항 외에 긴급구조기관의 인력 및 장비 등의 동원 범위·규모와 그 운영 등에 필요한 사항은 소방청장이 정한다.

제12조(중앙통제단의 구성) ① 영 제55조 제4항에 따라 법 제49조 제1항의 중앙긴급구조통제단(이하 "중앙통제단"이라 한다)을 구성하는 경우에는 별표 3에 따른다.

② 긴급구조지원기관의 장은 중앙통제단장이 법 제49조 제3항에 따라 파견을 요청하는 경우에는 중앙통제단 대응계획부에 상시 연락관을 파견해야 한다.

③ 제1항 및 제2항에서 규정한 사항 외에 중앙통제단의 구성 및 운영에 관한 세부사항은 긴급구조대응계획이 정하는 바에 따른다.

제13조(지역통제단의 구성) ① 영 제57조에 따라 법 제50조 제1항의 시·도긴급구조통제단(이하 "시·도긴급구조통제단"이라 한다) 및 시·군·구긴급구조통제단(이하 "시·군·구긴급구조통제단"이라 한다)을 구성하는 경우에는 별표 4에 따른다. 다만, 시·군·구긴급구조통제단은 지역 실정에 따라 구성·운영을 달리할 수 있다.

② 다음 각 호의 기관 및 단체는 지역통제단장이 법 제50조 제3항에 따라 파견을 요청하는 경우에는 시·도긴급구조통제단 및 시·군·구긴급구조통제단(이하 "지역통제단"이라 한다)의 대응계획부에 연락관을 파견해야 한다.

1. 영 제4조 제2호에 따른 군부대
2. 시·도경찰청 및 경찰서(지방해양경찰청 및 해양경찰서를 포함한다)
3. 보건소, 「응급의료에 관한 법률」 제26조 제1항에 따른 권역응급의료센터, 같은 법 제27조 제1항에 따른 응급의료지원센터 및 같은 법 제30조 제1항에 따른 지역응급의료센터 중 지역통제단장이 지정하는 기관 또는 센터
4. 그 밖에 지역통제단장이 지정하는 기관 및 단체

③ 제1항 및 제2항에서 규정한 사항 외에 지역통제단의 구성 및 운영에 관한 세부사항은 긴급구조대응계획이 정하는 바에 따른다.

제14조(현장지휘소의 시설 및 장비) ① 법 제52조 제5항에 따른 각급통제단장은 법 제52조 제9항에 따라 현장지휘소를 설치하는 경우에는 다음 각 호의 시설 및 장비를 모두 갖추어야 한다.

1. 조명기구 및 발전장비
2. 확성기 및 방송장비
3. 재난대응구역지도 및 작전상황판
4. 개인용컴퓨터·프린터·복사기·팩스·휴대전화·카메라(스냅 및 동영상 촬영용을 말한다)·녹음기·간이책상 및 의자 등
5. 지휘용 무전기 및 자원관리용 무전기
6. 종합상황실의 자원관리시스템과 연계되는 무선데이터 통신장비
7. 통제단 보고서양식 및 각종 상황처리대장

② 제1항에서 규정한 사항 외에 현장지휘소의 설치에 필요한 세부사항은 긴급구조대응계획이 정하는 바에 따른다.

제15조(통제단의 구성 및 운영기준) 통제단장은 다음 각 호의 어느 하나에 해당하는 경우에는 영 제55조 제4항 또는 영 제57조에 따라 중앙통제단 또는 지역통제단(이하 "통제단"이라 한다)을 구성하여 운영해야 한다.

1. 영 제63조 제1항 제2호 각 목의 어느 하나에 해당하는 기능의 수행이 필요한 경우
2. 긴급구조관련기관의 인력 및 장비의 동원이 필요하고, 동원된 자원 및 그 활동을 통합하여 지휘·조정·통제할 필요가 있는 경우

3. 그 밖에 통제단장이 재난의 종류 · 규모 및 피해상황 등을 종합적으로 고려하여 통제단의 운영이 필요하다고 인정하는 경우

제15조의2(대응단계 발령기준) ① 현장지휘관은 현장대응을 위한 긴급구조기관의 인력 및 장비를 확보하기 위하여 대응단계를 발령할 수 있다.

② 제1항에 따른 대응단계 발령기준에 관한 세부 사항은 긴급구조대응계획에서 정하는 바에 따른다.

제16조(긴급구조지휘대의 구성 및 기능) ① 영 제65조 제3항의 규정에 의하여 긴급구조지휘대는 별표 5의 규정에 따라 구성 · 운영하되, 소방본부 및 소방서의 긴급구조지휘대는 상시 구성 · 운영하여야 한다.

② 영 제65조 제3항의 규정에 의하여 긴급구조지휘대는 다음 각 호의 기능을 수행한다.

1. 통제단이 가동되기 전 재난초기시 현장지휘
2. 주요 긴급구조지원기관과의 합동으로 현장지휘의 조정 · 통제
3. 광범위한 지역에 걸친 재난발생시 전진지휘
4. 화재 등 일상적 사고의 발생시 현장지휘

③ 영 제65조 제1항에 따라 긴급구조지휘대를 구성하는 사람은 통제단이 설치 · 운영되는 경우 다음 각 호의 구분에 따라 통제단의 해당부서에 배치된다.

1. 현장지휘요원: 현장지휘부
2. 자원지원요원: 자원지원부
3. 통신지원요원: 현장지휘부
4. 안전관리요원: 현장지휘부
5. 상황조사요원: 대응계획부
6. 구급지휘요원: 현장지휘부

제17조(통제선의 설치) ① 통제단장 및 시 · 도경찰청장 또는 경찰서장은 재난현장 주위의 주민보호와 원활한 긴급구조활동에 필요한 최소한의 통제규모를 설정하여 통제선을 설치할 수 있다.

② 제1항에 따른 통제선은 제1통제선과 제2통제선으로 구분하되, 제1통제선은 통제단장이 긴급구조활동에 직접 참여하는 인력 및 장비만을 출입할 수 있도록 설치하고, 제2통제선은 시 · 도경찰청장 또는 경찰서장(이하 "경찰관서장"이라 한다)이 구조 · 구급차량 등의 출동주행에 지장이 없도록 긴급구조활동에 직접 참여하거나 긴급구조활동을 지원하는 인력 및 장비만을 출입할 수 있도록 설치 · 운영한다.

③ 제1항에 따른 통제선 표지의 형식은 별표 6과 같다.

④ 통제단장은 제2항에도 불구하고 다음 각 호의 어느 하나에 해당하는 사람에게 별지 제1호서식에 따른 출입증을 부착하도록 하여 제1통제선 안으로 출입하도록 할 수 있다.

1. 제1통제선 구역 내 소방대상물 관계자 및 근무자
2. 전기 · 가스 · 수도 · 토목 · 건축 · 통신 및 교통분야 등의 구조업무 지원자
3. 「응급의료에 관한 법률」 제2조 제4호에 따른 응급의료종사자
4. 취재인력 등 보도업무 종사자
5. 수사업무에 종사하는 사람
6. 그 밖에 통제단장이 긴급구조활동에 필요하다고 인정하는 사람

⑤ 경찰관서장은 제2항에도 불구하고 제4항에 따라 통제단장이 발급한 출입증을 가진 사람에 대하여는 제2통제선 안으로 출입하도록 해야 하며, 긴급구조활동에 필요하다고 인정하는 사람에 대하여는 제2통제선 안으로 출입하도록 할 수 있다.

⑥ 통제단장은 제4항에 따라 출입증을 발급하는 경우에는 별지 제1호의2서식의 출입증 배포관리대장에 이를 기록하고 관리해야 한다.

제18조(자원집결지의 설치 · 운영) ① 현장지휘관은 다음 각 호의 어느 하나의 장소를 자원집결지로 설치 · 운영하여야 한다.

1. 버스터미널 및 기차역
2. 선박터미널 및 공항
3. 체육관 및 운동장
4. 대형 주차장
5. 그 밖에 교통수단의 접근 및 활용이 편리한 장소

② 현장지휘관은 제1항의 규정에 의하여 자원집결지를 설치하고자 하는 경우에는 지역통제단별로 1개소 이상을 미리 지정하고 유사시 즉시 운용가능하도록 관리 및 운용계획을 수립 · 시행하여야 한다.

③ 현장지휘관은 자원집결지에 다음 각 호의 반을 편성 · 운용해야 하며, 제2항에 따른 자원집결지 관리 및 운용계획에 그 편성에 관한 사항을 포함해야 한다.

1. 자원집결반
2. 자원분배반
3. 행정지원반
4. 그 밖에 현장지휘관이 필요하다고 인정하는 반

④ 현장지휘관은 자원집결지에 모인 자원을 분류하고 다음 각 호에 규정된 순서에 따라 자원대기소에 자원을 수송 및 배치하여야 한다.

1. 인명구조와 관련되어 긴급히 필요한 자원
2. 안전, 보건위생 및 응급의료와 관련된 자원
3. 긴급구조 작전수행에 반드시 필요한 자원
4. 긴급구조 및 긴급복구에 일반적으로 필요한 자원

⑤ 그 밖에 자원집결지의 설치 · 운영에 필요한 세부사항은 긴급구조대응계획이 정하는 바에 의한다.

제19조(자원대기소의 설치 · 운영) ① 현장지휘관은 재난현장에서의 체계적인 자원관리를 위하여 자원대기소를 설치 · 운영할 수 있다.

② 제1항에 따른 자원대기소는 재난현장에 자원을 효율적으로 배치 · 대기하기 용이하도록 현장지휘소 인근에 설치해야 한다.

③ 긴급구조지원기관 및 자원봉사단체는 자원집결지를 거치지 않고 재난현장에 도착한 경우에는 자원대기소의 장에게 그 사실을 통보 또는 보고하고 자원대기소의 장의 배치지시가 있을 때까지 자원대기소에 대기해야 한다.

④ 자원대기소는 붕괴사고 · 대형화재 등 좁은지역에서 발생하는 재난의 경우에는 제18조에 따른 자원집결지의 기능을 동시에 수행할 수 있다.

⑤ 현장지휘관은 자원대기소에 모인 인적자원을 배치 · 대기 · 교대조로 분류하여 관리해야 한다.

⑥ 제1항부터 제5항까지에서 규정한 사항 외에 자원대기소의 설치 · 운영에 필요한 세부사항은 긴급구조대응계획이 정하는 바에 따른다.

제5장 현장응급의료소의 설치 · 운영

제20조(현장응급의료소의 설치 등) ① 통제단장은 재난현장에 출동한 응급의료관련자원을 총괄 · 지휘 · 조정 · 통제하고, 사상자를 분류 · 처치 또는 이송하기 위하여 사상자의 수에 따라 재난현장에 적정한 현장응급의료소(이하 "의료소"라 한다)를 설치 · 운영해야 한다.

② 통제단장은 법 제49조 제3항 및 제50조 제3항에 따라 「의료법」 제3조 제2항에 따른 종합병원과 「응급의료에 관한 법률」 제2조 제5호에 따른 응급의료기관에 응급의료기구의 지원과 의료인 등의 파견을 요청할 수 있다.

③ 통제단장은 법 제16조 제2항에 따른 지역대책본부장으로부터 의료소의 설치에 필요한 인력 · 시설 · 물품 및 장비 등을 지원받아 구급차의 접근이 용이하고 유독가스 등으로부터 안전한 장소에 의료소를 설치해야 한다.

④ 의료소에는 소장 1명과 분류반 · 응급처치반 및 이송반을 둔다.

⑤ 의료소의 소장(이하 "의료소장"이라 한다)은 의료소가 설치된 지역을 관할하는 보건소장이 된다. 다만, 관할 보건소장이 재난현장에 도착하기 전에는 다음 각 호의 어느 하나에 해당하는 사람 중에서긴급구조대응계획이 정하는 사람이 의료소장의 업무를 대행할 수 있다.

1. 「응급의료에 관한 법률」 제26조에 따른 권역응급의료센터의 장
2. 「응급의료에 관한 법률」 제27조 제1항에 따른 응급의료지원센터의 장
3. 「응급의료에 관한 법률」 제30조에 따른 지역응급의료센터의 장
4. 삭제

⑥ 의료소장은 통제단장의 지휘를 받아 응급의료자원의 관리, 사상자의 분류 · 응급처치 · 이송 및 사상자 현황파악 · 보고 등 의료소의 운영 전반을 지휘 · 감독한다.

⑦ 분류반 · 응급처치반 및 이송반에는 반장을 두되, 반장은 의료소 요원중에서 의료소장이 임명한다.

⑧ 의료소장 및 제7항에 따른 각 반의 반원은 별표 6의2에 따른 복장을 착용해야 한다.

⑨ 의료소에는 응급의학 전문의를 포함한 의사 3명, 간호사 또는 1급응급구조사 4명 및 지원요원 1명 이상으로 편성한다. 다만, 통제단장은 필요한 의료인 등의 수를 조정하여 편성하도록 요청할 수 있다.

⑩ 소방공무원은 제5항에도 불구하고 의료소장이 재난현장에 도착하여 의료소를 운영하기 전까지 임시의료소를 운영할 수 있다. 이 경우 의료소장이 재난현장에 도착하면 사상자 현황, 임시의료소에서 조치한 분류 · 응급처치 · 이송 현황 및 현장 상황 등을 의료소장에게 인계하고, 그 사실을 통제단장에게 보고해야 한다.

⑪ 제1항부터 제10항까지에서 규정한 사항 외에 의료소의 설치 등에 관한 세부사항은 제10조에 따른 재난현장 표준작전절차 및 긴급구조대응계획이 정하는 바에 따른다.

제20조의2(임시영안소의 설치 등) ① 통제단장은 사망자가 발생한 재난의 경우에 사망자를 의료기관에 이송하기 전에 임시로 안치하기 위하여 의료소에 임시영안소를 설치 · 운영할 수 있다.

② 임시영안소에는 통제선을 설치하고 출입을 통제하기 위한 운영인력을 배치하여야 한다.

제21조(지역통제단장 및 보건소장의 사전대비 업무) ① 지역통제단장은 응급처치 · 이송 · 안치 등 재난현장활동의 방법에 관한 지침을 수립하고, 재난발생시 의료소설치에 필요한 물품을 확보 · 관리하여야 한다.

② 보건소장은 항상 의료소 조직을 편성 · 관리하여야 하며, 관할 소방서장의 요구가 있는 때에는 이를 통보하여야 한다.

③ 보건소장은 관할지역에 소재한 「의료법」 제3조 제2항 제3호에 따른 병원급 의료기관에 대하여 다음 각 호의 사항을 모두 파악 · 관리하여야 하며, 관할 소방서장의 요구가 있는 경우에는 이를 통보하여야 한다.

1. 병원별 전문과목 및 전문의, 간호사, 응급구조사, 간호조무사 확보현황
2. 구급차 및 응급의료장비의 확보현황
3. 입원실, 응급실 및 중환자실의 병상, 예비병상 및 수술실의 확보현황

4. 당직의사 및 「응급의료에 관한 법률」 제2조 제4호에 따른 응급의료종사자(간호조무사를 포함한다)의 현황
5. 외과, 정형외과 등 응급의료관련 전문의와 의사의 비상연락망
6. 특수의료장비의 보유현황
7. 영안실 현황
8. 별지 제1호의3서식의 병원별 수용능력표

제22조(분류반의 임무) ① 제20조 제4항에 따른 분류반은 재난현장에서 발생한 사상자를 검진하여 사상자의 상태에 따라 사망·긴급·응급 및 비응급의 4단계로 분류한다.

② 분류반에는 사상자에 대한 검진 및 분류를 위하여 의사, 간호사 또는 1급응급구조사를 배치해야 한다.

③ 분류된 사상자에게는 별표 7의 중증도 분류표 총 2부를 가슴부위 등 잘 보이는 곳에 부착한다. 다만, 중증도 분류 정보를 전자적인 형태로 표시 및 기록·저장할 수 있는 전자장치를 가슴부위 등에 부착하는 방법으로 중증도 분류표 부착을 대신할 수 있으며, 이 경우 단말기 등을 통하여 저장된 사상자 정보의 확인이 가능하도록 해야 한다.

④ 제3항에 따라 중증도 분류표를 부착한 사상자 중 긴급·응급환자는 응급처치반으로, 사망자와 비응급환자는 이송반으로 인계한다. 다만, 현장에서의 응급처치보다 이송이 시급하다고 판단되는 긴급·응급환자의 경우에는 이송반으로 인계할 수 있다.

제23조(응급처치반의 임무) ① 제20조 제4항의 규정에 의한 응급처치반은 분류반이 인계한 긴급·응급환자에 대한 응급처치를 담당한다. 이 경우 긴급·응급환자를 이동시키지 아니하고 응급처치반 요원이 이동하면서 응급처치를 할 수 있다.

② 응급처치반장은 우선순위를 정하여 긴급·응급환자에 대한 응급처치를 실시하고 현장에서의 수술 등을 위하여 의료인 등이 추가로 요구되는 경우에는 의료소장에게 지원을 요청한다.

③ 응급처치반은 응급처치에 필요한 기구 및 장비를 갖추어야 한다. 다만, 응급처치에 필요한 기구 및 장비를 탑재한 구급차를 현장에 배치한 경우에는 응급처치기구 및 장비의 일부를 비치하지 아니할 수 있다.

④ 응급처치반은 제22조 제4항 본문에 따라 인계받은 긴급·응급환자의 응급처치사항을 제22조 제3항에 따라 부착된 중증도 분류표에 기록하여 긴급·응급환자와 함께 신속히 이송반에게 인계한다.

제24조(이송반의 임무) ① 제20조 제4항에 따른 이송반은 사상자를 이송할 수 있도록 구급차 및 영구차를 확보 또는 통제하고, 각 의료기관과 긴밀한 연락체계를 유지하면서 분류반 및 응급처치반이 인계한 사상자를 이송조치한다.

② 제1항에 따른 사상자의 이송 우선순위는 긴급환자, 응급환자, 비응급환자 및 사망자 순으로 한다.

③ 사상자를 이송하려는 이송반장 또는 이송반원은 별지 제2호서식의 사상자 이송현황을 지체 없이 이송반에 제출해야 하며 제22조 제3항에 따라 부착된 중증도 분류표 및 구급일지를 기록·보관한다. 이 경우 사상자를 이송하는 이송반장 또는 이송반원은 중증도 분류표(전자장치는 제외한다) 중 1부는 이송반에 보관하고, 나머지 1부는 이송의료기관이 보관할 수 있도록 인계해야 한다.

④ 이송반장은 다수의 사상자가 발생한 재난이 발생한 경우에는 병원별 수용능력을 실시간으로 조사하여 별지 제1호의3서식의 병원별 수용능력표를 작성하고, 병원별 수용능력표에 따라 사상자를 분산하여 이송해야 한다.

⑤ 이송반장이 재난현장에의 도착이 지연되어 제4항에 따른 임무를 수행할 수 없는 때에는 긴급구조지휘대에 파견된 응급의료연락관이 이송반장의 임무를 대행한다.

제25조(의료소에 대한 지원) ① 통제단장은 재난이 발생하는 경우 의료소의 원활한 업무수행이 가능하도록 구급차 대기소 및 통행로를 지정·확보하고 의료소 설치구역의 질서를 유지하여야 한다. 이 경우 경찰공무원으로 하여금 지원하게 할 수 있다.

② 통제단장은 재난이 발생하는 경우 의료소장으로부터 의료소의 운영에 필요한 인력·시설 및 장비 등의 요구가 있는 때는 지체없이 지원하여야 한다.

③ 지역통제단장은 다수의 사상자가 발생하는 재난에 대비하여 연 1회 이상 응급의료관련 기관 또는 단체가 참여하는 의료소의 설치운영 및 지역별 응급의료체계의 가동연습 또는 훈련을 실시하여야 한다.

제6장 구조활동상황의 보도안내 등

제26조(공동취재단의 구성) ① 통제단장은 언론기관의 효율적인 재난현장 취재를 위하여 공동취재단을 구성·운영하도록 할 수 있다.

② 제1항에 따른 공동취재단은 신문·방송(유선방송 및 인터넷매체를 포함한다) 및 통신사가 서로 협의하여 구성하되, 재난현장에 출입할 수 있는 공동취재단의 규모 및 취재장소 등은 통제단장이 정한다.

③ 공동취재단원은 별표 8의 공동취재단 표지를 가슴에 부착해야 한다.

제27조(재난방송을 위한 취재구역등의 설정) 통제단장은 법 제38조의2 제3항에 따라 「방송법」 제2조 제3호에 따른 방송사업자의 재난방송이 원활하게 될 수 있도록 재난상황 및 현장여건 등을 고려하여 취재구역·촬영구역·취재시간 및 취재안내자를 정할 수 있다.

제28조(재난방송사업자에 대한 협조) 통제단장은 법 제38조의2 제3항 제3호에 따라 재난방송을 하는 방송사업자에 대하여 다음 각 호의 조치를 할 수 있다.

1. 재난관련 모든 정보의 최우선 제공
2. 그 밖에 재난방송에 필요한 시설물, 전력의 공급 및 교통통제에 관한 정보 등의 제공

제7장 긴급구조대응계획의 작성 및 운용 등

제29조(심의위원회의 구성 및 운영) ① 긴급구조기관의 장은 영 제64조 제5항의 규정에 의하여 긴급구조대응계획을 수립하는 경우에는 긴급구조기관에 긴급구조대응계획심의위원회(이하 "위원회"라 한다)를 구성하여 위원회의 심의를 거쳐 확정하여야 한다.

② 제1항의 규정에 의한 위원회의 위원장은 긴급구조기관의 장이 되고, 위원은 긴급구조지원기관의 장으로 구성하되 위원장을 포함하여 7인 이상 11인 이하로 한다.

③ 그 밖에 위원회의 구성 및 운영에 관한 사항은 각 긴급구조기관의 장이 정한다.

제30조(긴급구조대응계획의 작성책임) ① 긴급구조기관의 장은 긴급구조대응계획 중 영 제63조 제1항 제2호 바목부터 차목까지의 규정에 따른 기능별 긴급구조대응계획을 작성하는 경우 별표 2에 따른 책임기관과 공동으로 작성해야 한다.

② 제1항에 따라 기능별 긴급구조대응계획을 작성한 긴급구조지원기관의 장은 영 제63조 제2항에 따른 긴급구조세부대응계획을 작성하지 않을 수 있다.

제31조(긴급구조대응계획의 배포·관리) ① 긴급구조기관의 장은 영 제63조 및 영 제64조의 규정에 의하여 긴급구조대응계획을 작성하거나 변경하는 경우에는 이를 긴급구조지원기관 등 관련기관 및 단체와 통제단의 반장급 이상의 지휘관에게 2부 이상을 배포하고 별지 제3호서식의 긴급구조대응계획 배포관리대장에 기록·관리하여야 한다.

② 영 제64조 제4항의 규정에 의하여 긴급구조대응계획을 변경하는 경우에는 다음 각 호의 관리대장 및 일지를 기록·관리하여야 한다.

1. 별지 제4호서식의 긴급구조대응계획 수정일지
2. 별지 제5호서식의 긴급구조대응계획 수정배포 관리대장

③ 그 밖에 긴급구조대응계획의 배포·관리에 관한 세부사항은 소방청장이 정한다.

제32조(기본계획의 작성체계) 영 제63조 제1항 제1호에 따른 기본계획은 다음 각 호의 모든 사항을 포함하여 작성하되, 긴급구조기관의 여건을 고려하여 다르게 작성할 수 있다.

1. 긴급구조지원기관의 임무와 긴급구조대응계획에 따라 대응활동에 참여하는 자원봉사자의 기본임무에 관한 사항
2. 영 제63조 제1항 제2호의 규정에 의한 기능별 긴급구조대응계획의 운영책임 및 주요임무에 관한 사항
3. 통제단의 부서별 책임자의 지정 및 단계별 운영기준 등 제6조의 규정에 의한 긴급구조체제에 관한 사항
4. 긴급구조의 통신체계와 대체상황실 운영기준 등 종합상황실 운영에 관한 사항
5. 재난대응구역 운영의 방법 및 절차에 관한 사항

제33조(기능별 긴급구조대응계획의 작성체계) 영 제63조 제1항 제2호의 기능별 긴급구조대응계획의 작성체계는 별표 9와 같다.

제34조(기능별 긴급구조대응체제의 구축) ① 통제단장이 영 제63조 제1항 제2호 나목부터 마목까지의 규정에 따른 기능별 긴급구조대응계획을 이행하는데 필요한 기능별 재난대응체제는 별표 10과 같다.

② 통제단장 및 별표 2에 따른 기능별책임기관의 장은 영 제63조 제1항 제2호 바목부터 카목까지의 규정에 따른 기능별 긴급구조대응계획을 이행하는데 필요한 사전대비체제를 구축해야 한다.

③ 제1항 및 제2항에서 규정한 사항 외에 세부대응체계 및 절차는 긴급구조대응계획이 정하는 바에 따른다.

제35조(재난유형별 긴급구조대응계획의 작성체계) 영 제63조 제1항 제3호에 따른 재난유형별 긴급구조대응계획은 다음 각 호의 재난유형별로 재난의 진행단계에 따라 조치해야 하는 주요사항과 주민보호를 위한 대민정보사항을 포함하여 작성해야 한다.

1. 홍수
2. 태풍
3. 폭설
4. 지진
5. 시설물 등의 붕괴
6. 가스 폭발
7. 다중이용시설의 대형화재
8. 유해화학물질(방사능을 포함한다)의 누출 및 확산

제36조(긴급구조세부대응계획의 작성체계) ① 영 제63조 제2항의 규정에 의하여 긴급구조세부대응계획을 작성하여야 하는 긴급구조지원기관의 장은 다음 각 호의 모든 사항을 포함하여 작성하되, 긴급구조지원기관의 여건에 맞게 다르게 작성할 수 있다.

1. 계획의 목적
2. 지휘체계와 부서별 책임자의 지정(현장지휘소 파견 연락관의 지정을 포함한다)
3. 단계별 지휘체계의 운영기준

4. 부서별 임무수행의 절차 및 지침
5. 현장지휘소와의 통신체계 및 협조절차
6. 긴급구조 출동자원의 현황
7. 주요 지휘관 및 구성원의 비상연락체계

② 제1항의 규정에 의하여 긴급구조세부대응계획을 작성하는 경우에는 제9조 제4항 각 호의 표준용어를 사용하여야 한다.

제37조(긴급구조세부대응계획의 작성절차) ① 영 제63조 제2항의 규정에 의하여 긴급구조기관의 장은 긴급구조세부대응계획의 수립·운용지침을 매년 작성하여 각급 긴급구조지원기관의 장에게 통보하여야 한다.

② 긴급구조지원기관의 장은 제1항의 규정에 의한 지침에 따라 긴급구조세부대응계획을 작성하여 긴급구조기관의 장에게 통보하고 소속 각 부서 책임자에게 배포하여야 한다.

③ 그 밖에 긴급구조세부대응계획의 작성에 관한 세부사항은 소방청장이 정한다.

제8장 긴급구조활동에 대한 평가

제38조(긴급구조활동 평가항목) ① 영 제62조 제3항의 규정에 의하여 통제단장은 다음 각 호의 모든 사항을 포함하여 긴급구조활동을 평가하여야 한다.

1. 긴급구조활동에 참여한 인력 및 장비 운용
   가. 자원 동원현황
   나. 필요한 대응자원의 확보·관리 및 배분
2. 긴급구조대응계획서의 이행실태
   가. 지휘통제 및 비상경고체계
      (1) 작전 전략과 전술
      (2) 현장지휘소 운영
      (3) 현장통제대책
      (4) 긴급구조관련기관·단체 간 상호협조
      (5) 통제·조정의 이행
      (6) 사전 경보전파 및 대피유도활동
   나. 대중정보 및 상황분석 체계
      (1) 대중매체와 주민들에 대한 재난정보 제공
      (2) 재난정보 제공에 따른 주민들의 대응행동
      (3) 통합작전계획의 수립을 위한 정보의 수집 및 분석
      (4) 긴급구조관련기관·단체의 정보 공유
      (5) 잘못 전달된 정보 및 유언비어의 시정
      (6) 대중매체와 주민의 불평
   다. 대피 및 대피소 운영체계
      (1) 대피를 위한 수송체계
      (2) 주민대피유도
      (3) 대피소 시설의 규모 및 편의성
      (4) 임시거주시설의 규모 및 편의성
      (5) 대피소 수용자들에 대한 음식·담요·전기공급 등 지원사항
   라. 현장통제 및 구조진압체계
      (1) 재난지역에 대한 경찰통제선 선정과 교통통제
      (2) 범죄발생 예방활동
      (3) 진압작전수행
      (4) 소방용수 등 자원공급
      (5) 탐색 및 구조활동
      (6) 「화재의 예방 및 안전관리에 관한 법률」에 따른 자위소방대, 「의용소방대 설치 및 운영에 관한 법률」에 따른 의용소방대 및 「민방위기본법」에 따른 민방위대 등의 임무 수행
      (7) 긴급구조관련기관 간 협조체제
   마. 응급의료체계
      (1) 환자분류체계
      (2) 현장응급처치
      (3) 환자 분산이송 및 병원선택
      (4) 의료자원 공급 및 의료기관 간 협조체제
      (5) 현장 임시영안소의 설치·운영
      (6) 사상자 명단 관리 및 발표
   바. 긴급복구 및 긴급구조체계
      (1) 잔해물 제거 및 긴급구조활동 지원
      (2) 피해평가작업의 지원활동
      (3) 2차 피해방지 및 보호작업
      (4) 응급복구 및 피해조사의 시기
      (5) 구호기관의 지원활동
      (6) 상황 및 시기에 적합한 구호물자 제공
3. 긴급구조요원의 전문성
   가. 경보접수 후 긴급조치
   나. 긴급구조관련기관·단체가 제공한 재난상황정보의 정확성
   다. 자원집결지와 자원대기소의 운영 및 자원통제
   라. 상황정보 및 자원정보와 작전계획의 연계
   마. 단위책임자들의 작전계획서 활용
   바. 대피명령의 시기
   사. 위험물질 누출 및 확산 통제
4. 통합 현장대응을 위한 통신의 적절성
   가. 통신 시설·장비의 성능 및 작동
   나. 비상소집활동 및 책임자 등의 응소
   다. 대체 통신수단 확보

5. 긴급구조교육수료자의 교육실적
가. 긴급구조 업무담당자 및 관리자의 교육이수율
나. 긴급구조 현장활동요원의 긴급구조교육과정 및 교육이수율
다. 긴급구조관련기관별 자체교육 및 훈련 실적
6. 그 밖에 긴급구조대응상의 개선을 요하는 사항
가. 예방 가능하였던 사상자의 존재
나. 수송수단의 확보
다. 수송장비의 유지 및 수리작업
라. 비상 및 임시수송로 확보
마. 대응요원들의 불필요한 사상
바. 대응자원의 분실
사. 전문적 지식 · 기술 · 의학 · 법률 등에 관한 자문체계 운영
아. 대응 및 긴급복구작업에 소요된 비용 근거자료 기록관리
자. 통제단 운영에 대한 기록유지
② 그 밖에 평가기준에 관한 사항은 소방청장이 정한다.

제39조(긴급구조활동평가단의 구성) ① 통제단장은 재난상황이 종료된 후 긴급구조활동의 평가를 위하여 긴급구조기관에 긴급구조활동평가단(이하 "평가단"이라 한다)을 구성하여야 한다.
② 평가단은 단장 1명을 포함하여 5명 이상 7명 이하로 구성한다.
③ 평가단의 단장은 통제단장으로 하고, 단원은 다음 각 호의 사람 중에서 통제단장이 임명하거나 위촉한다. 이 경우 제3호에 해당하는 사람 중 민간전문가 2명 이상이 포함되어야 한다.
1. 통제단의 각 부장. 다만, 단장이 필요하다고 인정하는 경우에는 각 부 소속 요원
2. 긴급구조지휘대의 장
3. 긴급구조활동에 참가한 기관 · 단체의 요원 또는 평가에 관한 전문지식과 경험이 풍부한 사람 중에서 단장이 필요하다고 인정하는 사람

제40조(재난활동보고서등의 제출요청 등) ① 영 제62조 제3항의 규정에 의하여 통제단장은 긴급구조활동의 평가를 위하여 긴급구조활동에 참여한 긴급구조지원기관의 장에게 일정한 기간을 정하여 긴급구조대응계획이 정하는 바에 따라 재난활동보고서와 관련자료의 제출을 요청하여야 한다.
② 평가단의 단장은 평가와 관련된 업무를 수행함에 있어서 긴급구조지원기관의 장과 관계인의 출석 · 의견진술 및 자료제출 등을 요구할 수 있다.

제41조(평가실시) ① 평가단의 단장은 제40조 제1항의 규정에 의한 재난활동보고서 및 관련자료와 대응기간동안 통제단에서 작성한 각종 서류, 동영상 및 사진, 긴급구조활동에 참여한 기관 · 단체 책임자들과의 면담 자료 등을 근거로 긴급구조활동에 대한 평가를 실시한다.
② 긴급구조지원기관에 대한 평가는 제38조 제1항의 규정에 의한 평가항목을 기준으로 소방청장이 정하는 평가표에 의하여 실시한다. 다만, 영 제63조 제2항의 규정에 의하여 긴급구조세부대응계획을 작성한 긴급구조지원기관에 대한 긴급구조활동의 평가는 제36조의 규정에 의한 긴급구조세부대응계획을 기준으로 실시한다.
③ 평가항목별 평가수준은 1부터 5까지로 한다.

제42조(평가결과의 보고 및 통보) ① 평가단은 긴급구조대응계획에서 정하는 평가결과보고서를 지체 없이 제출하여야 하며, 시 · 군 · 구긴급구조통제단장은 시 · 도긴급구조통제단장 및시장(「제주특별자치도 설치 및 국제자유도시 조성을 위한 특별법」 제17조 제1항에 따른 행정시장을 포함한다) · 군수 · 구청장(자치구의 구청장을 말한다)에게, 시 · 도긴급구조통제단장은 소방청장 및 특별시장 · 광역시장 · 특별자치시장 · 도지사 · 특별자치도지사에게 각각 보고하거나 통보하여야 한다.
② 통제단장은 평가결과 시정을 요하거나 개선 · 보완할 사항이 있는 경우에는 그 사항을 평가종료 후 1월 이내에 해당 긴급구조지원기관의 장에게 통보하여야 한다.

제43조(평가결과의 조치) 긴급구조지원기관의 장은 통제단장으로부터 제42조 제2항의 규정에 의한 통보를 받은 경우에는 긴급구조세부대응계획의 수정, 긴급구조활동에 대한 제도 및 대응체제의 개선, 예산의 우선지원 등 필요한 대책을 강구하여야 한다.

제44조(평가결과의 통보 등) 통제단장은 평가결과 다음 사항을 당해 긴급구조지원기관의 장에게 통보할 수 있다.
1. 우수 재난대응관리자 또는 종사자의 현황
2. 재난대응을 하지 아니하거나 부적절하게 대응한 관리자 또는 종사자의 현황

02 소방공무원법

[시행 2024.8.14.] [법률 제20411호, 2024.3.26., 일부개정]

제1조(목적) 이 법은 소방공무원의 책임 및 직무의 중요성과 신분 및 근무조건의 특수성에 비추어 그 임용, 교육훈련, 복무, 신분보장 등에 관하여 「국가공무원법」에 대한 특례를 규정하는 것을 목적으로 한다.

제2조(정의) 이 법에서 사용하는 용어의 뜻은 다음과 같다.

1. "임용"이란 신규채용·승진·전보·파견·강임·휴직·직위해제·정직·강등·복직·면직·해임 및 파면을 말한다.
2. "전보"란 소방공무원의 같은 계급 및 자격 내에서의 근무기관이나 부서를 달리하는 임용을 말한다.
3. "강임"이란 동종의 직무 내에서 하위의 직위에 임명하는 것을 말한다.
4. "복직"이란 휴직·직위해제 또는 정직(강등에 따른 정직을 포함한다) 중에 있는 소방공무원을 직위에 복귀시키는 것을 말한다.

제3조(계급 구분) 소방공무원의 계급은 다음과 같이 구분한다.

소방총감(消防總監)
소방정감(消防正監)
소방감(消防監)
소방준감(消防准監)
소방정(消防正)
소방령(消防領)
소방경(消防警)
소방위(消防尉)
소방장(消防長)
소방교(消防校)
소방사(消防士)

제4조(소방공무원인사위원회의 설치) ① 소방공무원의 인사(人事)에 관한 중요사항에 대하여 소방청장의 자문에 응하게 하기 위하여 소방청에 소방공무원인사위원회(이하 "인사위원회"라 한다)를 둔다. 다만, 제6조 제3항 및 제4항에 따라 특별시장·광역시장·특별자치시장·도지사·특별자치도지사(이하 "시·도지사"라 한다)가 임용권을 행사하는 경우에는 특별시·광역시·특별자치시·도·특별자치도(이하 "시·도"라 한다)에 인사위원회를 둔다.
② 인사위원회의 구성 및 운영에 필요한 사항은 대통령령으로 정한다.

제5조(인사위원회의 기능) 인사위원회는 다음 각 호의 사항을 심의한다.

1. 소방공무원의 인사행정에 관한 방침과 기준 및 기본계획에 관한 사항
2. 소방공무원의 인사에 관한 법령의 제정·개정 또는 폐지에 관한 사항
3. 그 밖에 소방청장과 시·도지사가 해당 인사위원회의 회의에 부치는 사항

제6조(임용권자) ① 소방령 이상의 소방공무원은 소방청장의 제청으로 국무총리를 거쳐 대통령이 임용한다. 다만, 소방총감은 대통령이 임명하고, 소방령 이상 소방준감 이하의 소방공무원에 대한 전보, 휴직, 직위해제, 강등, 정직 및 복직은 소방청장이 한다.
② 소방경 이하의 소방공무원은 소방청장이 임용한다.
③ 대통령은 제1항에 따른 임용권의 일부를 대통령령으로 정하는 바에 따라 소방청장 또는 시·도지사에게 위임할 수 있다.
④ 소방청장은 제1항 단서 후단 및 제2항에 따른 임용권의 일부를 대통령령으로 정하는 바에 따라 시·도지사 및 소방청 소속기관의 장에게 위임할 수 있다.
⑤ 시·도지사는 제3항 및 제4항에 따라 위임받은 임용권의 일부를 대통령령으로 정하는 바에 따라 그 소속기관의 장에게 다시 위임할 수 있다.
⑥ 임용권자(임용권을 위임받은 사람을 포함한다. 이하 같다)는 대통령령으로 정하는 바에 따라 소속 소방공무원의 인사기록을 작성·보관하여야 한다.

제7조(신규채용) ① 소방공무원의 신규채용은 공개경쟁시험으로 한다. 다만, 소방위의 신규채용은 대통령령으로 정하는 자격을 갖추고 공개경쟁시험으로 선발된 사람(이하 "소방간부후보생"이라 한다)으로서 정하여진 교육훈련을 마친 사람 중에서 한다.
② 다음 각 호의 어느 하나에 해당하는 경우에는 경력 등 응시요건을 정하여 같은 사유에 해당하는 다수인을 대상으로 경쟁의 방법으로 채용하는 시험(이하 "경력경쟁채용시험"이라 한다)으로 소방공무원을 채용할 수 있다. 다만, 다수인을 대상으로 시험을 실시하는 것이 적당하지 아니하여 대통령령으로 정하는 경우에는 다수인을 대상으로 하지 아니한 시험으로 소방공무원을 채용할 수 있다.

1. 「국가공무원법」 제70조 제1항 제3호에 따라 직위가 없어지거나 과원이 되어 퇴직한 소방공무원이나 같은 법 제71조 제1항 제1호에 따라 신체 · 정신상의 장애로 장기 요양이 필요하여 휴직하였다가 휴직기간이 만료되어 퇴직한 소방공무원을 퇴직한 날부터 3년(「공무원 재해보상법」에 따른 공무상 부상 또는 질병으로 인한 휴직의 경우에는 5년) 이내에 퇴직 시에 재직하였던 계급 또는 그에 상응하는 계급의 소방공무원으로 재임용하는 경우
2. 공개경쟁시험으로 임용하는 것이 부적당한 경우에 임용예정 직무에 관련된 자격증 소지자를 임용하는 경우
3. 임용예정직에 상응하는 근무실적 또는 연구실적이 있거나 소방에 관한 전문기술교육을 받은 사람을 임용하는 경우
4. 「국가공무원법」 또는 「지방공무원법」에 따른 5급 공무원의 공개경쟁채용시험이나 「사법시험법」(법률 제9747호로 폐지되기 전의 것을 말한다)에 따른 사법시험 또는 「변호사시험법」에 따른 변호사시험에 합격한 사람을 소방령 이하의 소방공무원으로 임용하는 경우
5. 삭제
6. 외국어에 능통한 사람을 임용하는 경우
7. 경찰공무원을 그 계급에 상응하는 소방공무원으로 임용하는 경우
8. 소방 업무에 경험이 있는 의용소방대원을 소방사 계급의 소방공무원으로 임용하는 경우

③ 제1항 단서에 따른 소방간부후보생의 교육훈련, 제2항 각 호 외의 부분 본문 및 단서에 따른 채용시험(이하 "경력경쟁채용시험등"이라 한다)을 통하여 채용할 수 있는 소방공무원의 계급, 임용예정직에 관련된 자격증의 구분, 근무실적 또는 연구실적, 의용소방대원을 소방공무원으로 임용할 수 있는 지역과 그 승진 및 전보 등에 관하여 필요한 사항은 대통령령으로 정한다.

제8조(시험 또는 임용 방해 행위의 금지) 누구든지 소방공무원의 시험 또는 임용에 관하여 고의로 방해하거나 부당한 영향을 미치는 행위를 하여서는 아니 된다.

제9조(소방공무원의 인사교류) ① 소방청장은 소방공무원의 능력을 발전시키고 소방사무의 연계성을 높이기 위하여 소방청과 시 · 도 간 및 시 · 도 상호 간에 인사교류가 필요하다고 인정하면 인사교류계획을 수립하여 이를 실시할 수 있다.

② 제1항에 따른 인사교류의 대상, 절차, 그 밖에 인사교류에 필요한 사항은 대통령령으로 정한다.

제10조(시보임용) ① 소방공무원을 신규채용할 때에는 소방장 이하는 6개월간 시보로 임용하고, 소방위 이상은 1년간 시보로 임용하며, 그 기간이 만료된 다음 날에 정규 소방공무원으로 임용한다. 다만, 대통령령으로 정하는 경우에는 시보임용을 면제하거나 그 기간을 단축할 수 있다.

② 휴직기간, 직위해제기간 및 징계에 의한 정직처분 또는 감봉처분을 받은 기간은 제1항의 시보임용 기간에 포함하지 아니한다.

③ 소방공무원으로 임용되기 전에 그 임용과 관련하여 소방공무원 교육훈련기관에서 교육훈련을 받은 기간은 제1항의 시보임용 기간에 포함한다.

④ 시보임용 기간 중에 있는 소방공무원이 근무성적 또는 교육훈련성적이 불량할 때에는 「국가공무원법」 제68조 또는 제70조에도 불구하고 면직시키거나 면직을 제청할 수 있다.

제11조(시험실시기관) 소방공무원의 신규채용시험 및 승진시험과 소방간부후보생 선발시험은 소방청장이 실시한다. 다만, 소방청장이 필요하다고 인정할 때에는 대통령령으로 정하는 바에 따라 그 권한의 일부를 시 · 도지사 또는 소방청 소속기관의 장에게 위임할 수 있다.

제12조(임용시험의 응시 자격 및 방법) 소방공무원의 신규채용시험 및 승진시험과 소방간부후보생 선발시험의 응시 자격, 시험방법, 그 밖에 시험 실시에 필요한 사항은 대통령령으로 정한다.

제13조(임용후보자명부) ① 제11조에 따른 시험실시기관의 장은 시험 합격자의 명단을 임용권자에게 보내야 한다.

② 임용권자는 신규채용시험에 합격한 사람(소방간부후보생 선발시험에 합격하여 정하여진 교육훈련을 마친 사람을 포함한다)과 승진시험에 합격한 사람을 대통령령으로 정하는 바에 따라 성적순으로 각각 신규채용후보자명부 또는 시험승진후보자명부에 등재하여야 한다.

③ 제2항에 따른 명부의 유효기간은 2년의 범위에서 대통령령으로 정한다. 다만, 임용권자는 필요에 따라 1년의 범위에서 그 기간을 연장할 수 있다.

④ 제2항에 따른 명부의 작성 및 운영에 필요한 사항은 대통령령으로 정한다.

제14조(승진) ① 소방공무원은 바로 아래 하위계급에 있는 소방공무원 중에서 근무성적, 경력평정, 그 밖의 능력을 실증(實證)하여 승진임용한다.

② 소방준감 이하 계급으로의 승진은 승진심사에 의하여 한다. 다만, 소방령 이하 계급으로의 승진은 대통령령으로 정하는 비율에 따라 승진심사와 승진시험을 병행할 수 있다.

③ 소방정 이하 계급의 소방공무원에 대해서는 대통령령으로 정하는 바에 따라 계급별로 승진심사대상자명부를 작성하여야 한다.

④ 소방준감 이하 계급으로의 승진은 제16조 제3항에 따른 심사승진후보자명부의 순위에 따른다. 다만, 소방령 이하 계급으로의 승진 중 시험에 의한 승진은 제13조 제2항에 따른 시험승진후보자명부 순위에 따른다.

⑤ 소방공무원의 승진에 필요한 계급별 최저근무연수, 승진의 제한, 그 밖에 승진에 필요한 사항은 대통령령으로 정한다.

제14조의2(순직한 승진후보자의 승진) 제14조에 따른 심사승진후보자명부 또는 시험승진후보자명부에 등재된 사람이 승진임용 전에 순직한 경우 그 사망일 전날을 승진일로 하여 승진 예정 계급으로 승진한 것으로 본다.

제15조(근속승진) ① 제14조 제2항에도 불구하고 해당 계급에서 다음 각 호의 기간 동안 재직한 사람은 소방교, 소방장, 소방위, 소방경으로 근속승진임용을 할 수 있다. 다만, 인사교류 경력이 있거나 주요 업무의 추진 실적이 우수한 공무원 등 소방행정 발전에 기여한 공이 크다고 인정되는 경우에는 대통령령으로 정하는 바에 따라 그 기간을 단축할 수 있다.

1. 소방사를 소방교로 근속승진임용하려는 경우: 해당 계급에서 4년 이상 근속자
2. 소방교를 소방장으로 근속승진임용하려는 경우: 해당 계급에서 5년 이상 근속자
3. 소방장을 소방위로 근속승진임용하려는 경우: 해당 계급에서 6년 6개월 이상 근속자
4. 소방위를 소방경으로 근속승진임용하려는 경우: 해당 계급에서 8년 이상 근속자

② 제1항에 따라 근속승진한 소방공무원이 근무하는 기간에는 그에 해당하는 계급의 정원이 따로 있는 것으로 보고, 종전 계급의 정원은 감축된 것으로 본다.

③ 제1항의 따른 근속승진임용의 기준, 절차 등에 관하여 필요한 사항은 대통령령으로 정한다.

제16조(승진심사위원회) ① 제14조 제2항에 따른 승진심사를 하기 위하여 소방청에 중앙승진심사위원회를 두고, 소방청 및 대통령령으로 정하는 소속기관에 보통승진심사위원회를 둔다. 다만, 제6조 제3항 및 제4항에 따라 시·도지사가 임용권을 행사하는 경우에는 시·도에 보통승진심사위원회를 둔다.

② 제1항에 따라 설치된 승진심사위원회(이하 "승진심사위원회"라 한다)는 제14조 제3항에 따라 작성된 계급별 승진심사대상자명부의 선순위자(先順位者) 순으로 승진임용하려는 결원의 5배수의 범위에서 승진후보자를 심사·선발한다.

③ 제2항에 따라 승진후보자로 선발된 사람에 대해서는 승진심사위원회가 설치된 소속기관의 장이 각 계급별로 심사승진후보자명부를 작성한다.

④ 승진심사위원회의 구성·관할 및 운영에 필요한 사항은 대통령령으로 정한다.

제17조(특별유공자 등의 특별승진) 소방공무원으로서 순직한 사람과 「국가공무원법」 제40조의4 제1항 제1호부터 제4호까지의 어느 하나에 해당되는 사람에 대해서는 제14조에도 불구하고 대통령령으로 정하는 바에 따라 1계급 특별승진시킬 수 있다. 다만, 소방위 이하의 소방공무원으로서 모든 소방공무원의 귀감이 되는 공을 세우고 순직한 사람에 대해서는 2계급 특별승진시킬 수 있다.

제18조(보훈) 소방공무원으로서 교육훈련 또는 직무수행 중 사망한 사람(공무상의 질병으로 사망한 사람을 포함한다) 및 상이(공무상의 질병을 포함한다)를 입고 퇴직한 사람과 그 유족 또는 가족은 「국가유공자 등 예우 및 지원에 관한 법률」 또는 「보훈보상대상자 지원에 관한 법률」에 따른 예우 또는 지원을 받는다.

제19조(특별위로금) ① 소방공무원이 공무상 질병 또는 부상으로 인하여 치료 등의 요양을 하는 경우에는 특별위로금을 지급할 수 있다.

② 제1항에 따른 특별위로금의 지급 기준 및 방법 등은 대통령령으로 정한다.

제20조(교육훈련) ① 소방청장은 모든 소방공무원에게 균등한 교육훈련의 기회가 주어지도록 교육훈련에 관한 종합적인 기획 및 조정을 하여야 하며, 소방공무원의 교육훈련을 위한 소방학교를 설치·운영하여야 한다.

② 시·도지사는 소속 소방공무원의 교육훈련을 위한 교육훈련기관을 설치·운영할 수 있다.

③ 소방청장 또는 시·도지사는 교육훈련을 위하여 필요할 때에는 대통령령으로 정하는 바에 따라 소방공무원을 국내외의 교육기관에 위탁하거나 「지방공무원 교육훈련법」 제8조에 따른 교육훈련기관에서 교육훈련을 받게 할 수 있다.

④ 제1항과 제2항에 따른 소방공무원의 교육훈련에 관한 기획·조정, 교육훈련기관의 설치·운영에 필요한 사항과 제3항에 따라 교육훈련을 받은 소방공무원의 복무에 관한 사항은 대통령령으로 정한다.

제21조(거짓 보고 등의 금지) ① 소방공무원은 직무에 관한 보고나 통보를 거짓으로 하여서는 아니 된다.

② 소방공무원은 직무를 게을리하거나 유기(遺棄)해서는 아니 된다.

제22조(지휘권 남용 등의 금지) 화재 진압 또는 구조 · 구급 활동을 할 때 소방공무원을 지휘 · 감독하는 사람은 정당한 이유 없이 그 직무수행을 거부 또는 유기하거나 소방공무원을 지정된 근무지에서 진출 · 후퇴 또는 이탈하게 하여서는 아니 된다.

제23조(복제) ① 소방공무원은 제복을 착용하여야 한다.

② 소방공무원의 복제(服制)에 관한 사항은 행정안전부령으로 정한다.

제24조(복무규정) 소방공무원의 복무에 관하여는 이 법이나 「국가공무원법」에 규정된 것을 제외하고는 대통령령으로 정한다.

제24조의2(공상소방공무원의 휴직기간) 소방공무원이 「공무원 재해보상법」 제5조 제2호 각 목에 해당하는 직무를 수행하다가 「국가공무원법」 제72조 제1호 각 목의 어느 하나에 해당하는 공무상 질병 또는 부상을 입어 휴직하는 경우 그 휴직기간은 같은 호 단서에도 불구하고 5년 이내로 하되, 의학적 소견 등을 고려하여 대통령령으로 정하는 바에 따라 3년의 범위에서 연장할 수 있다.

제25조(정년) ① 소방공무원의 정년은 다음과 같다.

1. 연령정년: 60세
2. 계급정년

소방감: 4년

소방준감: 6년

소방정: 11년

소방령: 14년

② 제1항 제2호의 계급정년을 산정(算定)할 때에는 근속 여부와 관계없이 소방공무원 또는 경찰공무원으로서 그 계급에 상응하는 계급으로 근무한 연수(年數)를 포함한다.

③ 징계로 인하여 강등(소방경으로 강등된 경우를 포함한다)된 소방공무원의 계급정년은 제1항 제2호에도 불구하고 다음 각 호에 따른다.

1. 강등된 계급의 계급정년은 강등되기 전 계급 중 가장 높은 계급의 계급정년으로 한다.
2. 계급정년을 산정할 때에는 강등되기 전 계급의 근무연수와 강등 이후의 근무연수를 합산한다.

④ 소방청장은 전시, 사변, 그 밖에 이에 준하는 비상사태에서는 2년의 범위에서 제1항 제2호에 따른 계급정년을 연장할 수 있다. 이 경우 소방령 이상의 소방공무원에 대해서는 행정안전부장관의 제청으로 국무총리를 거쳐 대통령의 승인을 받아야 한다.

⑤ 소방공무원은 그 정년이 되는 날이 1월에서 6월 사이에 있는 경우에는 6월 30일에 당연히 퇴직하고, 7월에서 12월 사이에 있는 경우에는 12월 31일에 당연히 퇴직한다.

제26조(심사청구) 「국가공무원법」 제75조에 따라 처분사유 설명서를 받은 소방공무원이 그 처분에 불복할 때에는 그 설명서를 받은 날부터 30일 이내에, 같은 조에서 정한 처분 외에 본인의 의사에 반한 불리한 처분을 받은 소방공무원은 그 처분이 있음을 안 날부터 30일 이내에 같은 법에 따라 설치된 소청심사위원회에 이에 대한 심사를 청구할 수 있다. 이 경우 변호사를 대리인으로 선임할 수 있다.

제27조(고충심사위원회) ① 소방공무원의 인사상담 및 고충을 심사하기 위하여 소방청, 시 · 도 및 대통령령으로 정하는 소방기관에 소방공무원 고충심사위원회를 둔다.

② 소방공무원 고충심사위원회의 심사를 거친 소방공무원의 재심청구와 소방령 이상의 소방공무원의 인사상담 및 고충은 「국가공무원법」에 따라 설치된 중앙고충심사위원회에서 심사한다.

③ 소방공무원 고충심사위원회의 구성, 심사 절차 및 운영에 필요한 사항은 대통령령으로 정한다.

제28조(징계위원회) ① 소방준감 이상의 소방공무원에 대한 징계의결은 「국가공무원법」에 따라 국무총리 소속으로 설치된 징계위원회에서 한다.

② 소방정 이하의 소방공무원에 대한 징계의결을 하기 위하여 소방청 및 대통령령으로 정하는 소방기관에 소방공무원 징계위원회를 둔다.

③ 제1항 및 제2항에도 불구하고 제6조 제3항 및 같은 조 제4항에 따라 시 · 도지사가 임용권을 행사하는 소방공무원에 대한 징계의결을 하기 위하여 시 · 도 및 대통령령으로 정하는 소방기관에 징계위원회를 둔다.

④ 소방공무원 징계위원회의 구성 · 관할 · 운영, 징계의결의 요구 절차, 징계 대상자의 진술권, 그 밖에 필요한 사항은 대통령령으로 정한다.

제29조(징계 절차) ① 소방공무원의 징계는 관할 징계위원회의 의결을 거쳐 그 징계위원회가 설치된 기관의 장이 하되, 「국가공무원법」에 따라 국무총리 소속으로 설치된 징계위원회에서 의결한 징계는 소방청장이 한다. 다만, 파면과 해임은 관할 징계위원회의 의결을 거쳐 그 소방공무원의 임용권자(임용권을 위임받은 사람은 제외한다)가 한다.

② 제1항에도 불구하고 제6조 제3항 및 같은 조 제4항에 따라 시 · 도지사가 임용권을 행사하는 소방공무원의 징계는 관할 징계위원회의 의결을 거쳐 임용권자가 한다. 다만, 시 · 도 소속 소방기관에 설치된 소방공무원 징계위원회에서 의결한 정직 · 감봉 및 견책은 그 징계위원회가 설치된 기관의 장이 한다.

③ 소방공무원의 징계의결을 요구한 기관의 장은 관할 징계위원회의 의결이 경(輕)하다고 인정할 때에는 그 처분을 하기 전에 직근(直近) 상급기관에 설치된 징계위원회(다음 각 호의 어느 하나에 해당하는 징계위원회의 의결에 대해서는 그 구분에 따른 징계위원회를 말한다)에 심사 또는 재심사를 청구할 수 있다. 이 경우 소속 공무원을 대리인으로 지정할 수 있다.

1. 「국가공무원법」에 따라 국무총리 소속으로 설치된 징계위원회의 의결: 국무총리 소속으로 설치된 징계위원회
2. 소방청 및 그 소속기관에 설치된 소방공무원 징계위원회의 의결: 소방청에 설치된 소방공무원 징계위원회
3. 시 · 도에 설치된 소방공무원 징계위원회의 의결: 소방청에 설치된 소방공무원 징계위원회
4. 시 · 도 소속 소방기관에 설치된 소방공무원 징계위원회의 의결: 시 · 도에 설치된 소방공무원 징계위원회

제30조(행정소송의 피고) 징계처분, 휴직처분, 면직처분, 그 밖에 의사에 반하는 불리한 처분에 대한 행정소송의 경우에는 소방청장을 피고로 한다. 다만, 제6조 제3항 및 제4항에 따라 시 · 도지사가 임용권을 행사하는 경우에는 관할 시 · 도지사를 피고로 한다.

제31조(소방간부후보생의 보수 등) 교육 중인 소방간부후보생에게는 대통령령으로 정하는 바에 따라 보수와 그 밖의 실비(實費)를 지급한다.

제32조(소방청장의 지휘 · 감독) 소방청장은 소방공무원의 인사행정이 이 법과 「국가공무원법」에 따라 운영되도록 지휘 · 감독한다.

제33조(「국가공무원법」과의 관계) ① 「국가공무원법」을 소방공무원에게 적용할 때에는 다음 각 호에 따른다.

1. 「국가공무원법」 제32조의4 제1항 중 "국가기관의 장"은 "임용권자 또는 임용제청권자"로 본다.
2. 「국가공무원법」 제32조의5 제1항 및 제43조 중 "직급"은 "계급"으로 본다.
3. 「국가공무원법」 제68조, 제78조 제1항 제1호 및 같은 조 제2항, 제80조 제7항 및 제8항 중 "이 법"은 "이 법 및 「국가공무원법」"으로 본다.
4. 「국가공무원법」 제71조 제2항 제3호 중 "중앙인사관장기관의 장"은 "소방청장"으로 본다.
5. 「국가공무원법」 제73조의4 제2항 중 "제40조 · 제40조의2 및 제41조"는 "이 법 제14조 및 제16조"로, "직급"은 "계급"으로 본다.

② 제1항 제3호에도 불구하고 소방공무원 중 소방총감과 소방정감에 대해서는 「국가공무원법」 제68조 본문을 적용하지 아니한다.

제34조(벌칙) 다음 각 호의 어느 하나에 해당하는 자는 5년 이하의 징역 또는 금고에 처한다.

1. 화재 진압 업무에 동원된 소방공무원으로서 제21조 제1항을 위반하여 거짓 보고나 통보를 하거나 같은 조 제2항을 위반하여 직무를 게을리하거나 유기한 자
2. 화재 진압 업무에 동원된 소방공무원으로서 「국가공무원법」 제57조를 위반하여 상관의 직무상 명령에 불복하거나 같은 법 제58조 제1항을 위반하여 직장을 이탈한 자
3. 화재 진압 또는 구조 · 구급 활동을 할 때 소방공무원을 지휘 · 감독하는 자로서 제22조를 위반하여 정당한 이유 없이 그 직무수행을 거부 또는 유기하거나 소방공무원을 지정된 근무지에서 진출 · 후퇴 또는 이탈하게 한 자

03 소방공무원임용령

[시행 2024.1.1.] [대통령령 제32565호, 2022.4 5., 일부개정]

제1장 총칙

제1조(적용범위) 소방공무원의 임용은 다른 법령에 특별한 규정이 있는 경우를 제외하고는 이 영이 정하는 바에 의한다.

제2조(정의) 이 영에서 사용되는 용어의 정의는 다음과 같다.

1. "임용"이라 함은 신규채용 · 승진 · 전보 · 파견 · 강임 · 휴직 · 직위해제 · 정직 · 강등 · 복직 · 면직 · 해임 및 파면을 말한다.
2. "복직"이라 함은 휴직 · 직위해제 또는 정직(강등에 따른 정직을 포함한다) 중에 있는 소방공무원을 직위에 복귀시키는 것을 말한다.
3. "소방기관"이라 함은 소방청, 특별시 · 광역시 · 특별자치시 · 도 · 특별자치도(이하 "시 · 도"라 한다)와 중앙소방학교 · 중앙119구조본부 · 국립소방연구원 · 지방소방학교 · 서울종합방재센터 · 소방서 · 119특수대응단 및 소방체험관을 말한다.
4. "필수보직기간"이란 소방공무원이 다른 직위로 전보되기 전까지 현 직위에서 근무하여야 하는 최소기간을 말한다.

제3조(임용권의 위임) ① 대통령은 「소방공무원법」(이하 "법"이라 한다) 제6조 제3항에 따라 소방청과 그 소속기관의 소방정 및 소방령에 대한 임용권과 소방정인 지방소방학교장에 대한 임용권을 소방청장에게 위임하고, 시 · 도 소속 소방령 이상의 소방공무원(소방본부장 및 지방소방학교장은 제외한다)에 대한 임용권을 특별시장 · 광역시장 · 특별자치시장 · 도지사 · 특별자치도지사(이하 "시 · 도지사"라 한다)에게 위임한다.

② 소방청장은 법 제6조 제4항에 따라 중앙소방학교 소속 소방공무원 중 소방령에 대한 전보 · 휴직 · 직위해제 · 정직 및 복직에 관한 권한과 소방경 이하의 소방공무원에 대한 임용권을 중앙소방학교장에게 위임한다.

③ 소방청장은 법 제6조 제4항에 따라 중앙119구조본부 소속 소방공무원 중 소방령에 대한 전보 · 휴직 · 직위해제 · 정직 및 복직에 관한 권한과 소방경 이하의 소방공무원에 대한 임용권을 중앙119구조본부장에게 위임한다.

④ 중앙119구조본부장은 119특수구조대 소속 소방경 이하의 소방공무원에 대한 해당 119특수구조대 안에서의 전보권을 해당 119특수구조대장에게 다시 위임한다.

⑤ 소방청장은 법 제6조 제4항에 따라 다음 각 호의 권한을 시 · 도지사에게 위임한다.

1. 시 · 도 소속 소방령 이상 소방준감 이하의 소방공무원(소방본부장 및 지방소방학교장은 제외한다)에 대한 전보, 휴직, 직위해제, 강등, 정직 및 복직에 관한 권한
2. 소방정인 지방소방학교장에 대한 휴직, 직위해제, 정직 및 복직에 관한 권한
3. 시 · 도 소속 소방경 이하의 소방공무원에 대한 임용권

⑥ 시 · 도지사는 법 제6조 제5항에 따라 그 관할구역 안의 지방소방학교 · 서울종합방재센터 · 소방서 · 119특수대응단 · 소방체험관 소속 소방경 이하(서울소방학교 · 경기소방학교 및 서울종합방재센터의 경우에는 소방령 이하)의 소방공무원에 대한 해당 기관 안에서의 전보권과 소방위 이하의 소방공무원에 대한 휴직 · 직위해제 · 정직 및 복직에 관한 권한을 지방소방학교장 · 서울종합방재센터장 · 소방서장 · 119특수대응단장 또는 소방체험관장에게 위임한다.

⑦ 제2항 및 제3항에 따라 임용권을 위임받은 중앙소방학교장 및 중앙119구조본부장은 소속 소방공무원을 승진시키려면 미리 소방청장에게 보고하여야 한다.

⑧ 소방청장은 소방공무원의 정원의 조정 또는 소방기관 상호간의 인사교류 등 인사행정 운영상 필요한 때에는 제2항, 제3항 및 제5항 제2호에도 불구하고 그 임용권을 직접 행사할 수 있다.

제3조의2(임명장) ① 임용권자(제3조에 따라 임용권을 위임받은 사람을 포함한다. 이하 같다)는 소방공무원으로 신규채용되거나 승진되는 소방공무원에게 임명장을 수여한다. 이 경우 소속 소방기관의 장이 대리 수여할 수 있다.

② 임명장에는 임용권자의 직인을 날인한다. 이 경우 대통령이 임용하는 공무원의 임명장에는 국새(國璽)를 함께 날인한다.

③ 제2항 전단에도 불구하고 제3조 제1항에 따라 대통령이 소방청장 또는 시 · 도지사에게 임용권을 위임한 소방령 이상의 소방공무원의 임명장에는 임용권자의 직인을 갈음하여 대통령의 직인과 국새를 날인한다.

제4조(임용시기) ① 소방공무원은 임용장 또는 임용통지서에 기재된 일자에 임용된 것으로 보며 임용일자를 소급해서는 아니 된다.

② 사망으로 인한 면직은 사망한 다음 날에 면직된 것으로 본다.

③ 임용일자는 그 임용장 또는 임용통지서가 피임용자에게 송달되는 기간 및 사무인계에 필요한 기간을 참작하여 정하여야 한다.

제5조(임용시기의 특례) 소방공무원의 임용은 제4조 제1항에도 불구하고 다음 각 호의 어느 하나에 해당하는 경우에는 다음 각 호의 구분에 따른 일자에 임용한다.

1. 법 제17조에 따라 순직한 사람을 다음 각 목의 어느 하나에 해당하는 날을 임용일자로 하여 특별승진임용하는 경우
   가. 재직 중 사망한 경우: 사망일의 전날

나. 퇴직 후 사망한 경우: 퇴직일의 전날

2. 「국가공무원법」 제70조 제1항 제4호에 따라 직권으로 면직시키는 경우: 휴직기간의 만료일 또는 휴직사유의 소멸일

3. 시보임용예정자가 제24조 제1항에 따른 소방공무원의 직무수행과 관련한 실무수습 중 사망한 경우: 사망일의 전날

제5조의2(인사원칙의 사전공개) 임용권자 또는 임용제청권자는 소속 소방공무원에 대한 인사원칙 및 기준을 미리 정하여 공지하여야 하고, 정기인사 및 이에 준하는 대규모 인사를 실시할 때에는 1개월 이전에 해당 인사의 세부기준 등을 미리 소속 소방공무원에게 공지하여야 함을 원칙으로 한다.

제6조(결원의 적기보충) 임용권자 또는 임용제청권자는 해당 기관에 결원이 있는 경우에는 지체없이 결원보충에 필요한 조치를 하여야 한다.

제7조(통계보고) 소방청장은 소방공무원의 인사에 관한 통계보고의 제도를 정하여 시·도지사, 중앙소방학교장, 중앙119구조본부장 및 국립소방연구원장으로부터 정기 또는 수시로 필요한 보고를 받을 수 있다.

제7조의2(소방공무원 인사협의회) ① 소방청장은 소방공무원의 임용, 인사교류, 교육훈련 등 인사에 관한 중요사항을 시·도와 협의하기 위하여 소방공무원 인사협의회를 구성·운영할 수 있다.

② 소방공무원 인사협의회의 구성 및 운영, 그 밖에 필요한 사항은 소방청장이 정한다.

제2장 소방공무원인사위원회

제8조(소방공무원인사위원회의 구성) ① 법 제4조에 따른 소방공무원인사위원회(이하 "인사위원회"라 한다)는 위원장을 포함한 5명 이상 7명 이하의 위원으로 구성한다.

② 소방청에 설치된 인사위원회의 위원장은 소방청 차장이, 시·도에 설치된 인사위원회의 위원장은 소방본부장이 되고, 위원은 인사위원회가 설치된 기관의 장이 소속 소방정 이상의 소방공무원 중에서 임명한다.

제9조(위원장의 직무) ① 위원장은 인사위원회의 사무를 총괄하며, 인사위원회를 대표한다.

② 위원장이 부득이한 사유로 직무를 수행할 수 없는 때에는 위원중에서 최상위의 직위 또는 선임의 공무원이 그 직무를 대행한다.

제10조(회의) ① 위원장은 인사위원회의 회의를 소집하고 그 의장이 된다.

② 회의는 재적위원 3분의 2 이상의 출석과 출석위원 과반수의 찬성으로 의결한다.

제11조(간사) ① 인사위원회에 간사 약간인을 둔다.

② 간사는 인사위원회가 설치된 기관의 장이 소속공무원중에서 임명한다.

③ 간사는 위원장의 명을 받아 인사위원회의 사무를 처리한다.

제12조(심의사항의 보고) 위원장은 인사위원회에서 심의된 사항을 지체없이 당해 인사위원회가 설치된 기관의 장에게 보고하여야 한다.

제13조(운영세칙) 이 영에 규정된 것외에 인사위원회의 운영에 관하여 필요한 사항은 인사위원회의 의결을 거쳐 위원장이 이를 정한다.

제3장 신규채용

제14조(경력경쟁채용등에서 임용직위 제한) 법 제7조 제2항 각 호 외의 부분 본문 및 단서에 따른 채용시험(이하 "경력경쟁채용시험등"이라 한다)을 통하여 채용(이하 "경력경쟁채용등"이라 한다)된 소방공무원을 처음 임용하는 경우에는 그 시험실시 당시의 임용예정 직위 외의 직위에 임용할 수 없다.

제15조(경력경쟁채용등의 요건 등) ① 종전의 재직기관에서 감봉 이상의 징계처분을 받은 사람은 경력경쟁채용등을 할 수 없다. 다만, 「공무원 인사기록·통계 및 인사사무 처리 규정」 제9조 제1항 및 그 밖의 인사 관계 법령에 따라 징계처분의 기록이 말소된 사람(해당 법령에 따라 징계처분 기록의 말소 사유에 해당하는 사람을 포함한다)은 그러하지 아니하다.

② 법 제7조 제2항 제1호에 따른 경력경쟁채용등은 전 재직기관에 전력(前歷)을 조회하여 그 퇴직사유가 확인된 경우로 한정한다.

③ 법 제7조 제2항 제2호에 따른 경력경쟁채용등을 할 수 있는 사람은 행정안전부령으로 정하는 임용예정분야별 자격증 소지자 및 경력기준에 해당하는 사람이어야 한다.

④ 법 제7조 제2항 제3호에 따른 근무실적 또는 연구실적이 있는 사람의 경력경쟁채용등은 다음 각 호의 어느 하나에 해당하는 사람으로 한정한다.

1. 국가기관·지방자치단체·공공기관 그 밖의 이에 준하는 기관의 임용예정직위에 관련있는 직무분야의 근무 또는 연구경력이 3년(소방공무원 외의 공무원으로서 다음 각 목에 해당하는 사람을 해당 부문·분야의 소방공무원으로 경력경쟁채용등을 하는 경우에는 2년) 이상으로서 해당 임용예정계급에 상응하는 근무 또는 연구경력이 1년 이상인 사람

가. 소방기관에서 별표 1에 따른 특수기술부문에 근무한 경력이 있는 사람

나. 국가기관에서 구조업무와 관련있는 직무분야에 근무한 경력이 있는 사람

2. 퇴직한 소방공무원으로서 임용예정계급에 상응하는 근무경력이 1년 이상인 사람
3. 의무소방원으로 임용되어 정해진 복무를 마친 사람

⑤ 법 제7조 제2항 제3호에 따른 소방에 관한 전문기술교육을 받은 사람의 경력경쟁채용등은 「초 · 중등교육법」 및 「고등교육법」에 따라 설치된 고등학교 · 전문대학 또는 대학(대학원을 포함한다)에서 행정안전부령으로 정하는 임용예정분야별 교육과정을 이수한 사람과 법령에 따라 이와 동등 이상의 학력이 있다고 인정되는 사람이어야 한다.

⑥ 삭제

⑦ 법 제7조 제2항 제6호에 따른 외국어에 능통한 사람의 경력경쟁채용등은 소방위 이하 소방공무원으로 채용하는 경우로 한정하며, 그 외국어 능력은 해당 외국어를 모국어로 사용하는 국가의 국민이 고등학교교육 또는 이에 준하는 학교교육을 마치고 작문이나 회화를 할 수 있는 수준이어야 한다.

⑧ 법 제7조 제2항 제7호에 따른 경력경쟁채용등은 경위 이하의 경찰공무원으로서 최근 5년 이내에 화재감식 또는 범죄수사업무에 종사한 경력이 2년 이상인 사람이어야 한다.

⑨ 법 제7조 제2항 제8호에 따른 경력경쟁채용등은 다음 각 호의 어느 하나에 해당하는 지역에서 이미 5년 이상 의용소방대원으로 계속하여 근무하고 있는 사람을 그 지역에 소방서 · 119지역대 또는 119안전센터가 처음으로 설치된 날로부터 1년 이내에 그 지역의 소방공무원으로 임용하는 경우로 한정한다. 이 경우 경력경쟁채용등을 할 수 있는 인원은 처음으로 설치되는 소방서 · 119지역대 또는 119안전센터의 공무원의 정원 중 소방사 정원의 3분의 1 이내로 한다.
1. 소방서를 처음으로 설치하는 시 · 군지역
2. 소방서가 설치되어 있지 아니한 시 · 군지역에 119지역대 또는 119안전센터를 처음으로 설치하는 경우 그 관할에 속하는 시지역 또는 읍 · 면지역

⑩ 제3항부터 제6항까지, 제8항 및 제9항에 따른 임용예정계급별 자격증의 구분, 근무 또는 연구실적, 소방에 관련된 교육과정, 그 밖의 기준에 관한 사항은 행정안전부령으로 정한다.

제16조(채용후보자의 등록) ① 법 제7조에 따른 공개경쟁채용시험 또는 경력경쟁채용시험등에 합격한 사람과 같은 조 제1항 단서에 따른 소방간부후보생(이하 "소방간부후보생"이라 한다)으로서 제24조 제1항에 따른 교육훈련을 마친 사람은 행정안전부령으로 정하는 바에 따라 임용권자 또는 임용제청권자에게 채용후보자 등록을 하여야 한다.

② 제1항의 채용후보자등록을 하지 아니한 사람은 소방공무원으로 임용될 의사가 없는 것으로 본다.

제17조(채용후보자명부의 작성) ① 법 제13조 제2항에 따른 채용후보자명부는 임용예정계급별로 작성하되, 채용후보자의 서류를 심사하여 임용적격자만을 등재한다.

② 임용권자 또는 임용제청권자는 제1항의 규정에 의한 채용후보자명부에의 등재여부를 본인에게 알려야 한다.

제18조(채용후보자명부의 유효기간) ① 법 제13조 제2항에 따른 채용후보자명부의 유효기간은 2년으로 하되, 임용권자는 필요에 따라 1년의 범위에서 그 기간을 연장할 수 있다.

② 임용권자는 제1항의 규정에 의하여 채용후보자명부의 유효기간을 연장한 때에는 이를 즉시 본인에게 알려야 한다.

제19조(신규채용방법) ① 임용권자는 채용후보자명부의 등재순위에 따라 임용하여야 한다. 다만, 채용후보자가 소방공무원으로 임용되기 전에 임용과 관련하여 소방공무원 교육훈련기관에서 교육훈련을 받은 경우에는 그 교육훈련성적 순위에 따라 임용하여야 한다.

② 제1항에도 불구하고 임용권자는 다음 각 호의 어느 하나에 해당하는 경우에는 그 순위에 관계없이 임용할 수 있다.
1. 임용예정기관에 근무하고 있는 소방공무원 외의 공무원을 소방공무원으로 임용하는 경우
2. 6개월 이상 소방공무원으로 근무한 경력이 있거나 임용예정직위에 관련된 특별한 자격이 있는 사람을 임용하는 경우
3. 도서 · 벽지 · 군사분계선 인접지역 등 특수지역 근무희망자를 그 지역에 배치하기 위하여 임용하는 경우
4. 채용후보자의 피부양가족이 거주하고 있는 지역에 근무할 채용후보자를 임용하는 경우
5. 제5조 제3호에 따라 소방공무원의 직무수행과 관련한 실무수습 중 사망한 시보임용예정자를 소급하여 임용하는 경우

③ 임용권자는 제17조 제1항에 따라 채용후보자명부에 등재된 사람 중 제18조에 따른 채용후보자명부의 유효기간이 만료될 때까지 임용되지 아니한 사람(제20조에 따라 그때까지 임용 또는 임용제청이 유예된 사람은 제외한다)에 대하여는 해당 기관에 그 직급에 해당하는 정원이 따로 있는 것으로 보고 임용할 수 있다. 이 경우따로 있는 것으로 보는 정원은 그 신규임용후보자가 임용된 후 해당 직급에 이에 상응하는 결원이 발생한 때에 소멸한 것으로 본다.

제20조(임용의 유예) ① 임용권자 또는 임용제청권자는 채용후보자가 다음 각 호의 1에 해당하는 경우에는 채용후보자명부의 유효기간의 범위 안에서 기간을 정하여 임용 또는 임용제청을 유예할 수 있다. 다만, 유예기간중이라도 그 사유가 소멸하는 경우에는 임용 또는 임용제청을 하여야 한다.
1. 학업의 계속

2. 6월 이상의 장기요양을 요하는 질병이 있는 경우
3. 「병역법」에 따른 병역의무복무를 위하여 징집 또는 소집되는 경우
4. 임신하거나 출산한 경우
5. 그 밖에 임용 또는 임용제청의 유예가 부득이하다고 인정되는 경우

② 제1항의 규정에 의한 임용 또는 임용제청의 유예를 받고자 하는 자는 그 사유를 증명할 수 있는 자료를 첨부하여 임용권자 또는 임용제청권자가 정하는 기간 내에 유예신청을 하여야 한다. 이 경우 유예를 원하는 기간을 명시하여야 한다.

제21조(채용후보자의 자격상실) 채용후보자가 다음 각 호의 어느 하나에 해당하는 경우에는 채용후보자의 자격을 상실한다. 다만, 제5호에 해당하는 경우에는 제22조의2에 따른 임용심사위원회의 의결을 거쳐야 한다.

1. 채용후보자가 임용 또는 임용제청에 응하지 않은 경우
2. 채용후보자로서 받아야 할 교육훈련에 응하지 않은 경우
3. 채용후보자로서 받은 교육훈련과정의 졸업요건을 갖추지 못한 경우
4. 채용후보자로서 교육훈련을 받는 중 질병, 병역 복무 또는 그 밖에 교육훈련을 계속할 수 없는 불가피한 사정 외의 사유로 퇴교처분을 받은 경우
5. 채용후보자로서 품위를 크게 손상하는 행위를 함으로써 소방공무원으로서의 직무를 수행하기 곤란하다고 인정되는 경우
6. 법 또는 법에 따른 명령을 위반하여 「소방공무원 징계령」 제1조의2 제1호에 따른 중징계(이하 "중징계"라 한다) 사유에 해당하는 비위를 저지른 경우
7. 법 또는 법에 따른 명령을 위반하여 「소방공무원 징계령」 제1조의2 제2호에 따른 경징계(이하 "경징계"라 한다) 사유에 해당하는 비위를 2회 이상 저지른 경우

제22조(시보임용 소방공무원) ① 임용권자 또는 임용제청권자는 시보임용기간 중의 소방공무원(이하 "시보임용소방공무원"이라 한다)에 대하여 근무상황을 항상 지도 · 감독하여야 한다.

② 임용권자 또는 임용제청권자는 시보임용소방공무원이 다음 각 호의 어느 하나에 해당하여 정규소방공무원으로 임용하는 것이 부적당하다고 인정되는 경우에는 제22조의2에 따른 임용심사위원회의 의결을 거쳐 면직시키거나 면직을 제청할 수 있다.

1. 제24조 제1항에 따른 교육훈련과정의 졸업요건을 갖추지 못한 경우
2. 제24조 제1항에 따른 교육훈련을 받는 중 질병, 병역 복무 또는 그 밖에 교육훈련을 계속할 수 없는 불가피한 사정 외의 사유로 퇴교처분을 받은 경우
3. 근무성적 또는 교육훈련 성적이 매우 불량하여 성실한 근무수행을 기대하기 어렵다고 인정되는 경우
4. 소방공무원으로서 품위를 크게 손상하는 행위를 함으로써 소방공무원으로서의 직무를 수행하기 곤란하다고 인정되는 경우
5. 법 또는 법에 따른 명령을 위반하여 중징계 사유에 해당하는 비위를 저지른 경우
6. 법 또는 법에 따른 명령을 위반하여 경징계 사유에 해당하는 비위를 2회 이상 저지른 경우

제22조의2(임용심사위원회) ① 다음 각 호의 어느 하나에 해당하는 경우 그 적부(適否)를 심사하게 하기 위하여 임용권자 또는 임용제청권자 소속으로 임용심사위원회를 둔다.

1. 제21조 제5호의 사유로 채용후보자 자격상실 여부를 결정하려는 경우
2. 시보임용소방공무원을 정규소방공무원으로 임용 또는 임용제청하려는 경우
3. 시보임용소방공무원을 면직 또는 면직 제청하려는 경우

② 제1항에 따른 임용심사위원회의 구성 및 운영에 필요한 사항은 행정안전부령으로 정한다.

제23조(시보임용의 면제 및 기간단축) ① 제24조에 따라 시보임용예정자가 받은 교육훈련기간은 이를 시보로 임용되어 근무한 것으로 보아 시보임용 기간을 단축할 수 있다.

② 다음 각 호의 1에 해당하는 경우에는 시보임용을 면제한다.

1. 소방공무원으로서 소방공무원승진임용규정에서 정하는 상위계급에의 승진에 필요한 자격요건을 갖춘 자가 승진예정계급에 해당하는 계급의 공개경쟁채용시험에 합격하여 임용되는 경우
2. 정규의 소방공무원이었던 자가 퇴직당시의 계급 또는 그 하위의 계급으로 임용되는 경우

제24조(시보임용소방공무원등에 대한 교육훈련) ① 임용권자 또는 임용제청권자는 시보임용소방공무원 또는 시보임용예정자에 대하여 소방학교 또는 각급 공무원교육원 기타 소방기관에 위탁하여 일정한 기간 직무수행에 필요한 교육훈련(실무수습을 포함한다)을 시킬 수 있다.

② 임용권자 또는 임용제청권자는 시보임용예정자가 제1항에 따른 교육훈련과정의 졸업요건을 갖추지 못한 경우에는 시보임용을 하지 않을 수 있다.

③ 제1항의 규정에 의하여 교육을 받는 시보임용예정자에 대하여는 예산의 범위 안에서 임용예정계급의 1호봉에 해당하는 봉급의 80퍼센트에 상당하는 금액 등을 지급할 수 있다.

제4장 보직관리

제25조(보직관리의 원칙) ① 임용권자 또는 임용제청권자는 법령에서 따로 정하거나 다음 각 호의 경우를 제외하고는 소속 소방공무원을 하나의 직위에 임용해야 한다.

1. 「국가공무원법」 제43조에 따라 별도정원이 인정되는 휴직자의 복직, 파견된 사람의 복귀 또는 파면·해임·면직된 사람의 복귀 시에 해당 기관에 그에 해당하는 계급의 결원이 없어서 그 계급의 정원에 최초로 결원이 생길 때까지 해당 계급에 해당하는 소방공무원을 보직 없이 근무하게 하는 경우. 이 경우 해당 기관이란 해당 공무원에 대한 임용권자 또는 임용제청권자를 장으로 하는 기관과 그 소속기관을 말한다.
2. 제30조 제1항 제6호에 따른 1년 이상의 해외 파견근무를 위하여 특히 필요하다고 인정하여 2주 이내의 기간 동안 소속 소방공무원을 보직 없이 근무하게 하는 경우
3. 제31조에 따라 결원보충이 승인된 파견자 중 다음 각 목의 훈련을 위한 파견준비를 위하여 특히 필요하다고 인정하여 2주 이내의 기간 동안 소속 소방공무원을 보직 없이 근무하게 하는 경우
   가. 「공무원 인재개발법」 제13조에 따른 6개월 이상의 위탁교육훈련
   나. 「국제과학기술협력 규정」에 따른 1년 이상의 장기 국외훈련
4. 직제의 신설·개편·폐지 시 2개월 이내의 기간 동안 소속 소방공무원을 기관의 신설준비 등을 위하여 보직 없이 근무하게 하는 경우

② 임용권자 또는 임용제청권자는 소속 소방공무원을 보직할 때 해당 소방공무원의 전공분야·교육훈련·근무경력 및 적성 등을 고려하여 능력을 적절히 발전시킬 수 있도록 하여야 한다.

③ 상위계급의 직위에 하위계급자를 보직하는 경우는 해당 기관에 상위계급의 결원이 있고, 「소방공무원 승진임용 규정」에 따른 승진임용후보자가 없는 경우로 한정한다.

④ 특수한 자격증을 소지한 사람은 특별한 사정이 없으면 그 자격증과 관련되는 직위에 보직하여야 한다.

⑤ 임용권자 또는 임용제청권자는 소방공무원을 보직하는 경우에는 특별한 사정이 없으면 배우자 또는 직계존속이 거주하는 지역을 고려하여 보직해야 한다.

⑥ 임용권자 또는 임용제청권자는 이 영이 정하는 보직관리기준 외에 소방공무원의 보직에 관하여 필요한 세부기준(전보의 기준을 포함한다)을 정하여 실시하여야 한다.

제26조(초임 소방공무원의 보직) ① 소방간부후보생을 소방위로 임용할 때에는 최하급 소방기관에 보직하여야 한다.

② 신규채용을 통해 소방사로 임용된 사람은 최하급 소방기관에 보직해야 한다. 다만, 행정안전부령으로 정하는 자격증소지자를 해당 자격 관련부서에 보직하는 경우에는 그렇지 않다.

제27조(위탁교육훈련이수자의 보직) 법 제20조 제3항에 따라 위탁교육훈련을 받은 소방공무원의 최초보직은 소방공무원교육훈련기관의 교수요원으로 하여야 한다. 다만, 교수요원으로 보직할 수 없거나 곤란한 경우에는 그 교육훈련내용과 관련되는 직위에 보직하여야 한다.

제27조의2(전문직위의 운영 등) ① 소방청장은 전문성이 특히 요구되는 직위를 「공무원임용령」 제43조의3에 따른 전문직위(이하 "전문직위"라 한다)로 지정하여 관리할 수 있다.

② 전문직위에 임용된 소방공무원은 3년의 범위에서 소방청장이 정하는 기간이 지나야 다른 직위로 전보할 수 있다. 다만, 직무수행에 필요한 능력·기술 및 경력 등의 직무수행요건이 같은 직위 간 전보 등 소방청장이 정하는 경우에는 기간에 관계없이 전보할 수 있다.

③ 제1항 및 제2항에서 규정한 사항 외에 전문직위의 지정, 전문직위 전문관의 선발 및 관리 등 전문직위의 운영에 필요한 사항은 소방청장이 정한다.

제28조(필수보직기간 및 전보의 제한) ① 소방공무원의 필수보직기간(휴직기간, 직위해제처분기간, 강등 및 정직 처분으로 인하여 직무에 종사하지 않은 기간은 포함하지 않는다. 이하 이 조에서 같다)은 1년으로 한다. 다만, 다음 각 호의 경우에는 그렇지 않다.

1. 직제상의 최저단위 보조기관 내에서의 전보의 경우
2. 기구의 개편, 직제 또는 정원의 변경으로 인한 전보의 경우
3. 임용권자를 달리하는 기관 간의 전보의 경우
4. 당해 소방공무원의 승진 또는 강임의 경우

4의2. 소방공무원을 전문직위로 전보하는 경우

5. 임용예정직위에 관련된 2월 이상의 특수훈련경력이 있는 자 또는 임용예정직위에 상응한 6월 이상의 근무경력 또는 연구실적이 있는 자를 당해 직위에 보직하는 경우
6. 징계처분을 받은 경우
7. 형사사건에 관련되어 수사기관에서 조사를 받고 있는 경우
8. 공개경쟁채용시험에 합격하고 시보임용 중인 경우
9. 소방령 이하의 소방공무원을 그 배우자 또는 직계존속이 거주하는 시·도 지역의 소방기관으로 전보하는 경우
10. 임신 중인 소방공무원 또는 출산 후 1년이 지나지 않은 소방공무원의 모성보호, 육아 등을 위해 필요한 경우
11. 그 밖에 소방기관의 장이 보직관리를 위하여 전보할 필요가 있다고 특별히 인정하는 경우

② 중앙소방학교 및 지방소방학교 교수요원의 필수보직기간은 2년으로 한다. 다만, 기구의 개편, 직제 · 정원의 변경 또는 교육과정의 개편 또는 폐지가 있거나 교수요원으로서 부적당하다고 인정될 때에는 그렇지 않다.
③ 법 제7조 제2항 제1호부터 제4호까지의 규정, 제6호 및 제7호에 따라 경력경쟁채용시험등을 통하여 채용된 소방공무원은 최초로 그 직위에 임용된 날부터 다음 각 호의 구분에 따른 필수보직기간이 지나야 다른 직위 또는 임용권자를 달리하는 기관에 전보될 수 있다. 다만, 제1항 제1호 · 제2호 · 제4호(승진 또는 강임된 소방공무원을 그 직급에 맞는 직위로 전보하는 경우로 한정한다) · 제6호 및 제7호의 경우에는 그렇지 않다.
1. 법 제7조 제2항 제1호 및 제4호: 2년
2. 법 제7조 제2항 제2호 · 제3호 · 제6호 및 제7호: 5년
④ 법 제7조 제2항 제8호에 따라 경력경쟁채용시험등을 통하여 채용된 소방공무원은 최초로 그 직위에 임용된 날부터 5년의 필수보직기간이 지나야 최초 임용기관 외의 다른 기관으로 전보될 수 있다. 다만, 기구의 개편, 직제 또는 정원의 변경으로 인하여 직위가 없어지거나 정원이 초과되어 전보할 경우에는 그렇지 않다.
⑤ 임용권자는 승진시험 요구중에 있는 소속 소방공무원을 승진대상자명부작성단위를 달리하는 기관에 전보할 수 없다.
⑥ 다음 각 호의 어느 하나에 해당하는 임용일은 제1항에 따른 필수보직기간을 계산할 때 해당 직위에 임용된 날로 보지 아니한다.
1. 직제상의 최저단위 보조기관 내에서의 전보일
1의2. 승진임용일, 강등일 또는 강임일
2. 시보공무원의 정규공무원으로의 임용일
3. 기구의 개편, 직제 또는 정원의 변경으로 소속 · 직위 또는 직급의 명칭만 변경하여 재발령되는 경우 그 임용일. 다만, 담당 직무가 변경되지 아니한 경우만 해당한다.

제29조(소방공무원의 인사교류 등) ① 소방청장은 법 제9조 제1항에 따라 다음 각 호에 해당하는 경우 시 · 도 상호간 소방공무원의 인사교류계획을 수립하여 실시할 수 있다.
1. 시 · 도 간 인력의 균형있는 배치와 소방행정의 균형있는 발전을 위하여 시 · 도 소속 소방령 이상의 소방공무원을 교류하는 경우
2. 시 · 도 간의 협조체제 증진 및 소방공무원의 능력발전을 위하여 시 · 도 간 교류하는 경우
3. 시 · 도 소속 소방경 이하의 소방공무원의 연고지배치를 위하여 필요한 경우
② 제1항에 따른 인사교류의 인원(같은 항 제3호에 따라 실시하는 인원을 제외한다)은 필요한 최소한으로 하되, 소방청장은 시 · 도 간 교류인원을 정할 때에는 미리 해당 시 · 도지사의 의견을 들어야 한다.
③ 소방청장은 인사교류계획을 수립함에 있어서 시 · 도지사로부터 교류대상자의 추천이 있거나 해당 시 · 도로 전입요청이 있는 경우에는 이를 최대한 반영하여야 하며, 해당 시 · 도지사의 동의 없이는 인사교류대상자의 직위를 미리 지정하여서는 아니된다.
④ 소방청장은 법 제9조 제1항에 따라 인력의 균형있는 배치와 효율적인 활용, 소방공무원의 종합적 능력발전 기회 부여 및 소방사무의 연계성을 높이기 위하여 소방청과 시 · 도 간 소방공무원 인사교류계획을 수립하여 실시할 수 있다.
⑤ 소방청과 시 · 도 간 및 시 · 도 상호간에 인사교류를 하는 경우에는 인사교류 대상자 본인의 동의나 신청이 있어야 한다. 다만, 소방청과 그 소속기관 소속 소방공무원으로서 시 · 도 소속 소방공무원으로의 임용예정계급이 인사교류 당시의 계급보다 상위계급인 경우에는 동의를 받지 않을 수 있다.
⑥ 소방청장은 소방인력 관리를 위해 필요한 경우에는 소방청과 시 · 도 간 및 시 · 도 상호간의 인사교류를 제한할 수 있다.
⑦ 제1항부터 제6항까지에서 규정한 사항 외에 인사교류에 필요한 사항은 소방청장이 정한다.

제30조(파견근무) ① 임용권자 또는 임용제청권자는 다음 각 호의 어느 하나에 해당하는 경우에는 「국가공무원법」 제32조의4에 따라 소방공무원을 파견할 수 있다.
1. 다른 국가기관 또는 지방자치단체나 그 외의 기관 · 단체에서 국가적 사업을 수행하기 위하여 특히 필요한 경우
2. 다른 기관의 업무폭주로 인한 행정지원의 경우
3. 관련 기관 간의 긴밀한 협조가 필요한 특수업무를 공동수행하기 위하여 필요한 경우
4. 「공무원 인재개발법」 또는 법 제20조 제3항(이 영 제3조 제1항 및 같은 조 제5항 제1호 · 제3호에 따라 시 · 도지사가 임용권을 행사하는 소방공무원에 한정한다)에 따른 교육훈련을 위하여 필요한 경우
5. 「공무원 인재개발법」에 따른 공무원교육훈련기관의 교수요원으로 선발되거나 그 밖에 교육훈련 관련 업무수행을 위하여 필요한 경우
6. 국제기구, 외국의 정부 또는 연구기관에서의 업무수행 및 능력개발을 위하여 필요한 경우
7. 국내의 연구기관, 민간기관 및 단체에서의 업무수행 · 능력개발이나 국가정책 수립과 관련된 자료수집 등을 위하여 필요한 경우
② 제1항에 따른 파견기간은 다음 각 호와 같다.
1. 제1항 제1호부터 제3호까지 및 제7호에 따른 파견기간은 2년 이내로 하되, 필요한 경우에는 총 파견기간이 5년을 초과하지 않는 범위에서 파견기간을 연장할 수 있다.

2. 제1항 제5호에 따른 파견기간은 1년 이내로 하되, 필요한 경우에는 총 파견기간이 2년을 초과하지 않는 범위에서 파견기간을 연장할 수 있다.
3. 제1항 제4호 및 제6호에 따른 파견기간은 그 교육훈련 · 업무수행 및 능력개발을 위하여 필요한 기간으로 한다.

③ 제1항 제1호부터 제3호까지 및 제5호에 따라 소속 소방공무원을 파견하려면 파견받을 기관의 장이 임용권자 또는 임용제청권자에게 미리 요청하여야 한다.

④ 제1항에 따라 소속 소방공무원(제3조 제1항 및 같은 조 제5항 제1호 · 제3호에 따라 시 · 도지사가 임용권을 행사하는 소방공무원은 제외한다)을 파견하는 경우로서 다음 각 호의 어느 하나에 해당하는 경우에는 임용권자 또는 임용제청권자가 인사혁신처장과 협의하여야 한다. 다만, 인사혁신처장이 「행정기관의 조직과 정원에 관한 통칙」 제24조의2에 따라 별도정원의 직급 · 규모 등에 대하여 행정안전부장관과 협의된 파견기간의 범위에서 소방경 이하 소방공무원의 파견기간을 연장하거나 소방경 이하 소방공무원의 파견기간이 끝난 후 그 자리를 교체하는 경우에는 인사혁신처장과의 협의를 생략할 수 있다.

1. 제1항 제1호부터 제3호까지 및 제6호 · 제7호에 따라 소속 소방공무원을 파견하는 경우
2. 제1호에 따른 파견기간을 연장하는 경우
3. 제1호에 따른 파견 중 파견기간이 끝나기 전에 파견자를 복귀시키는 경우로서 인사혁신처장이 정하는 사유에 해당하는 경우

⑤ 제4항 본문에도 불구하고 파견기간이 1년 미만인 경우에는 인사혁신처장의 협의를 거치지 아니하고 소방청장의 승인을 받아 파견할 수 있다.

제30조의2(육아휴직) 「국가공무원법」 제71조 제2항 제4호에 따른 휴직(이하 "육아휴직"이라 한다) 명령은 그 소방공무원이 원하는 경우 이를 분할하여 할 수 있다.

제30조의3(시간선택제근무) ① 임용권자 또는 임용제청권자는 소방공무원이 원할 때에는 「국가공무원법」 제26조의2에 따라 통상적인 근무시간보다 짧은 시간을 근무하는 소방공무원(이하 "시간선택제전환소방공무원"이라 한다)으로 지정할 수 있다. 다만, 상시근무체제를 유지하기 위한 교대제 근무자는 제외한다.

② 제1항에 따른 시간선택제전환소방공무원의 근무시간은 「국가공무원 복무규정」 제9조에도 불구하고 1주당 15시간 이상 35시간 이하의 범위에서 임용권자 또는 임용제청권자가 정한다.

③ 임용권자 또는 임용제청권자는 제1항에 따라 시간선택제전환소방공무원을 지정한 경우에는 그 공무원의 남은 근무시간의 범위에서 「공무원임용령」에 따른 시간선택제임기제공무원을 채용할 수 있다.

④ 제2항 및 제3항에서 규정한 사항 외에 시간선택제전환소방공무원의 지정에 필요한 사항은 행정안전부령으로 정한다.

제30조의4(출산휴가자 또는 육아휴직자 등의 업무를 대행하는 소방공무원) ① 임용권자 또는 임용제청권자는 소방공무원이 다음 각 호의 어느 하나에 해당하는 경우에는 그 공무원의 업무를 해당 임용권자 또는 임용제청권자에게 소속된 다른 소방공무원에게 대행하도록 명할 수 있다. 다만, 해당 소방공무원의 휴직으로 인하여 「국가공무원법」 제43조 제1항 및 제2항에 따라 결원을 보충하거나, 시간선택제근무로 인하여 제30조의3 제3항에 따라 시간선택제임기제공무원을 채용하는 경우에는 그렇지 않다.

1. 「국가공무원법」 제71조 제1항 및 제2항에 따른 휴직을 하는 경우
2. 「소방공무원 복무규정」 제10조에 따라 준용되는 「국가공무원 복무규정」 제18조 제1항 또는 제2항에 따른 병가를 가는 경우
3. 「소방공무원 복무규정」 제10조에 따라 준용되는 「국가공무원 복무규정」 제20조 제2항에 따른 출산휴가 또는 같은 조 제10항에 따른 유산휴가 · 사산휴가를 가는 경우(「소방공무원 복무규정」 제11조에 따라 시 · 도 소속 소방공무원이 해당 시 · 도 조례에 따라 출산휴가 또는 유산휴가 · 사산휴가를 가는 경우를 포함한다)
4. 시간선택제전환소방공무원으로 지정된 경우. 이 경우 시간선택제전환소방공무원의 근무시간 외의 업무로 한정한다.

② 제1항에 따라 병가, 출산휴가 또는 유산휴가 · 사산휴가 또는 육아휴직 중인 소방공무원의 업무를 대행하는 소방공무원 및 시간선택제전환소방공무원의 근무시간 외의 업무를 대행하는 소방공무원에게는 예산의 범위에서 「공무원수당 등에 관한 규정」으로 정하는 바에 따라 수당을 지급할 수 있다.

제30조의5(직제상 파견) ① 제30조 제1항 제1호부터 제3호까지의 규정에 따른 파견 중 파견 소방공무원의 정원이 파견받는 기관의 조직과 정원에 관한 법령에 규정되어 있는 경우(이하 "직제상 파견"이라 한다)에는 같은 조 제4항 각 호 외의 부분 본문 및 같은 항 각 호에도 불구하고 인사혁신처장과 협의 없이 소속 소방공무원을 파견하거나 파견기간을 연장할 수 있으며, 파견기간 종료 전에 파견자를 복귀시킬 수 있다.

② 제30조 제2항 제1호에도 불구하고 직제상 파견의 파견기간은 2년을 초과할 수 있고, 총 파견기간은 5년을 초과하여 연장할 수 있다.

③ 제1항에 따라 파견하거나 파견기간을 연장한 경우 또는 파견기간 종료 전에 파견자를 복귀시킨 경우에는 그 사실을 인사혁신처장에게 통보해야 한다.

제31조(별도 정원의 범위) ① 「국가공무원법」 제43조 제3항에 따라 정원이 따로 있는 것으로 보는 경우는 다음 각 호와 같다.

1. 제30조 제1항(제4호는 제외한다)에 따른 1년 이상의 파견
2. 제30조 제1항 제4호에 따른 소방청과 그 소속기관 소속 소방공무원, 소방본부장 및 지방소방학교장에 대한 6개월 이상의 파견
3. 삭제
4. 정년잔여기간이 1년 이내에 있는 자의 퇴직 후의 사회적응능력 배양을 위한 연수(계급정년해당자는 본인의 신청이 있는 경우에 한한다)

② 제1항 제1호 및 제2호에 해당하여 결원을 보충하는 경우에 소방청장은 미리 행정안전부장관과 협의하여야 하며, 시 · 도지사는 행정안전부장관의 승인을 받아야 한다. 다만, 제3조 제1항 및 같은 조 제5항 제1호 · 제3호에 따라 시 · 도지사가 임용권을 행사하는 소방령 이하의 소방공무원을 보충하는 경우에는 승인을 받지 않고 보충할 수 있다.

③ 제3조 제1항 및 같은 조 제5항 제1호 · 제3호에 따라 시 · 도지사가 임용권을 행사하는 소방공무원을 대상으로 법 제20조 제3항에 따라 국내외 위탁교육을 실시할 때 다음 각 호의 어느 하나에 해당하는 경우에는 그 훈련기간 동안 그 인원에 해당하는 정원이 해당 기관에 따로 있는 것으로 본다.

1. 시 · 도지사가 「소방공무원 교육훈련규정」 제37조에 따라 훈련기간이 6개월 이상인 국외 위탁교육훈련계획을 수립 · 시행함에 따라 결원 보충이 필요한 경우
2. 소방청장이 「소방공무원 교육훈련규정」 제37조에 따라 수립하는 훈련기간이 6개월 이상인 교육훈련계획에 따라 교육훈련 대상자의 직급 및 인원이 기관별로 결정된 경우
3. 시 · 도지사가 「소방공무원 교육훈련규정」 제37조에 따라 소속 소방경 이하의 소방공무원을 대상으로 훈련기간이 6개월 이상인 국내 위탁교육훈련계획을 수립 · 시행함에 따라 결원 보충이 필요한 경우

④ 다음 각 호의 어느 하나에 해당하는 경우에는 「국가공무원법」 제43조 제2항에 따라 정원이 따로 있는 것으로 보고 결원을 보충할 수 있다.

1. 병가와 연속되는 「국가공무원법」 제71조 제1항 제1호에 따른 휴직(이하 "질병휴직"이라 한다)을 명하는 경우로서 질병휴직을 명한 이후의 병가기간과 질병휴직기간을 합하여 6개월 이상인 경우
2. 출산휴가와 연속되는 육아휴직을 명하는 경우로서 육아휴직을 명한 이후의 출산휴가기간과 육아휴직기간을 합하여 6개월 이상인 경우
3. 육아휴직과 연속되는 출산휴가를 승인하는 경우로서 출산휴가를 승인한 이후의 육아휴직기간(출산휴가를 승인하면서 이와 연속된 육아휴직을 명하는 경우에는 해당 육아휴직기간을 포함한다)과 출산휴가기간을 합하여 6개월 이상인 경우

제32조 삭제

제5장 채용시험

제33조(시험실시의 원칙) 소방공무원의 채용시험은 계급별로 실시한다. 다만, 결원보충을 원활히 하기 위하여 필요하다고 인정될 때에는 직무분야별 · 성별 · 근무예정지역 또는 근무예정기관별로 구분하여 실시할 수 있다.

제34조(시험실시권) ① 소방청장은 법 제11조 단서에 따라 시 · 도 소속 소방경 이하 소방공무원을 신규채용하는 경우 신규채용시험의 실시권을 시 · 도지사에게 위임할 수 있다.

② 삭제

③ 시 · 도지사는 제1항에 따라 시 · 도 소속 소방경 이하 소방공무원의 신규채용시험을 실시하는 경우 시험의 문제출제를 소방청장에게 의뢰할 수 있다. 이 경우 시험 문제출제를 위한 비용 부담 등에 필요한 사항은 시 · 도지사와 소방청장이 협의하여 정한다.

제35조(공개경쟁채용시험의 공고) ① 법 제11조 본문에 따른 시험실시기관 또는 같은 조 단서 및 제34조에 따라 시험실시권의 위임을 받은 자(이하 "시험실시권자"라 한다)는 소방공무원공개경쟁채용시험을 실시하고자 할 때에는 임용예정계급, 응시자격, 선발예정인원, 시험의 방법 · 시기 · 장소 · 시험과목 및 배점에 관한 사항을 시험실시 20일 전까지 공고하여야 한다. 다만, 시험 일정 등 미리 공고할 필요가 있는 사항은 시험 실시 90일 전까지 공고하여야 한다.

② 제1항의 규정에 의한 공고내용을 변경하고자 할 때에는 시험실시 7일 전까지 그 변경 내용을 공고하여야 한다.

제36조(시험의 방법) ① 소방공무원의 채용시험은 다음 각 호의 방법에 따른다.

1. 필기시험
   교양부문과 전문부문으로 구분하되, 교양부문은 일반교양 정도를, 전문부문은 직무수행에 필요한 지식과 그 응용능력을 검정하는 것으로 한다.
2. 체력시험
   직무수행에 필요한 민첩성 · 근력 · 지구력 등 체력을 검정하는 것으로 한다.

3. 신체검사

직무수행에 필요한 신체조건 및 건강상태를 검정하는 것으로 한다. 이 경우 신체검사는 시험실시권자가 지정하는 기관에서 발급하는 신체검사서로 대체한다.

4. 종합적성검사

직무수행에 필요한 적성과 자질을 종합적으로 검정하는 것으로 한다.

5. 면접시험

직무수행에 필요한 능력, 발전성 및 적격성을 검정하는 것으로 한다.

6. 실기시험

직무수행에 필요한 지식 및 기술을 실기 등의 방법에 따라 검정하는 것으로 한다.

7. 서류전형

직무수행에 관련되는 자격 및 경력 등을 서면으로 심사하는 것으로 한다.

② 법 제7조 제1항에 따라 교육훈련을 마친 소방간부후보생에 대한 소방위로의 신규채용은 그 교육훈련과정에서 이수한 과목을 검정하는 것으로 한다.

③ 제2항에 따른 검정의 방법 · 합격자의 결정등에 관하여 필요한 사항은 소방청장의 승인을 얻어 중앙소방학교의 장이 정한다.

제37조(시험의 구분등) ① 소방공무원의 공개경쟁채용시험은 다음 각 호의 단계에 따라 순차적으로 실시한다. 다만, 시험실시권자는 업무내용의 특수성이나 그 밖의 사유로 필요하다고 인정될 때에는 그 순서를 변경하여 실시할 수 있으며, 소방사의 경우에는 제2차시험을 실시하지 않는다.

1. 제1차시험: 선택형 필기시험. 다만, 기입형을 가미할 수 있다.
2. 제2차시험: 논문형 필기시험. 다만, 과목별로 기입형을 가미할 수 있다.
3. 제3차시험: 체력시험
4. 제4차시험: 신체검사
5. 제5차시험: 종합적성검사
6. 제6차시험: 면접시험. 다만, 실기시험을 병행할 수 있다.

② 시험실시권자가 필요하다고 인정할 때에는 제1차시험과 제2차시험을 동시에 실시할 수 있다.

③ 제1항에 따른 시험에 응시하는 사람은 전(前) 단계의 시험에 합격하지 않으면 다음 단계의 시험에 응시할 수 없다. 다만, 시험실시권자가 필요하다고 인정하는 경우에는 전 단계의 시험의 합격 결정 전에 다음 단계의 시험을 실시할 수 있으며, 전 단계의 시험에 합격하지 않은 사람의 다음 단계의 시험은 무효로 한다.

④ 제2항의 규정에 의하여 제1차시험과 제2차시험을 동시에 실시하는 경우에 제1차시험 성적이 제46조의 규정에 의한 합격기준 점수에 미달된 때에는 제2차시험은 이를 무효로 한다.

제38조(소방간부후보생 선발시험) 법 제7조 제1항 단서에 따른 소방간부후보생 선발시험에 관하여는 제35조, 제36조 제1항 및 제37조(제1항 제2호는 제외한다)를 준용한다.

제39조(경력경쟁채용시험등) ① 법 제7조 제2항에 따른 경력경쟁채용시험등은 신체검사와 다음 각 호의 구분에 따른 방법에 따른다. 다만, 소방준감 이상의 소방공무원을 경력경쟁채용등으로 채용하려는 경우에는 서류전형의 방법으로 해야 하며, 제2호의 방법으로 소방정 이하의 소방공무원을 경력경쟁채용등으로 채용하려는 경우로서 시험실시권자가 업무 내용의 특수성 등을 고려하여 필요하다고 인정하는 경우에는 체력시험을 실시하지 않을 수 있다.

1. 법 제7조 제2항 제1호 및 제4호에 따른 경력경쟁채용시험등의 경우에는 서류전형 · 종합적성검사와 면접시험. 다만, 시험실시권자가 필요하다고 인정하는 경우에는 체력시험을 병행할 수 있다.
2. 법 제7조 제2항 제2호 · 제3호 및 제6호부터 제8호까지의 규정에 따른 경력경쟁채용시험등의 경우에는 서류전형 · 체력시험 · 종합적성검사 · 면접시험과 필기시험 또는 실기시험. 다만, 업무의 특수성 등을 고려하여 필요하다고 인정되는 경우에는 필기시험과 실기시험을 모두 병행하여 실시할 수 있다.
3. 삭제

② 제1항에 따른 신체검사는 시험실시권자가 지정하는 기관에서 발급하는 신체검사서에 따른다. 다만, 사업용 또는 운송용 조종사의 경우에는 「항공안전법」 제40조에 따른 항공신체검사증명에 따른다.

③ 제1항 제2호에 따른 필기시험은 선택형으로 하되, 기입형 또는 논문형을 추가할 수 있다.

제40조(경력경쟁채용시험등의 요구) ① 임용권자와 시험실시권자가 다른 경우에, 임용권자는 소방공무원을 경력경쟁채용등을 하려는 경우에는 임용예정직위의 내용 · 임용예정자의 학력 · 경력 · 연구실적과 그 밖에 필요한 사항을 첨부하여 시험실시권자에게 시험을 요구하여야 한다.

② 제1항에 따른 요구를 받은 시험실시권자는 경력경쟁채용시험등을 통한 채용이 타당하다고 인정될 때에는 시험을 실시하여야 한다.

제41조 삭제

제42조(채용시험의 가점) ① 소방사 공개경쟁채용시험이나 소방간부후보생선발시험에 다음 각 호의 사람이 응시하는 경우에는 그 사람이 취득한 점수에 행정안전부령으로 정하는 가점비율에 따른 점수를 제2항 각 호의 방법에 따라 가산한다.

1. 소방업무 관련 분야 자격증 또는 면허증을 취득한 사람
2. 사무관리 분야 자격증을 취득한 사람
3. 한국어능력검정시험에서 일정 기준점수 또는 등급 이상을 취득한 사람
4. 외국어능력검정시험에서 일정 기준점수 또는 등급 이상을 취득한 사람

② 제1항에 따른 점수의 가산은 다음 각 호의 방법에 따른다.

1. 시험 단계별 득점을 각각 100점으로 환산한 후 제46조 제5항 제1호 각 목에 따른 비율을 적용하여 합산한 점수의 5퍼센트 이내에서 가산한다.
2. 제1항 각 호에 따른 동일한 분야에서 가점 인정대상이 두 개 이상인 경우에는 각 분야별로 본인에게 유리한 것 하나만을 가산한다.

제43조(응시연령 및 신체조건 등) ① 소방공무원의 채용시험에 응시할 수 있는 자의 연령은 별표2와 같다.

② 소방간부후보생 선발시험에 응시할 수 있는 사람의 나이는 21세 이상 40세 이하로 한다.

③ 소방공무원의 채용시험 및 소방간부후보생 선발시험에 응시할 수 있는 신체조건 및 건강상태와 체력시험의 평가기준 및 방법은 행정안전부령으로 정한다.

④ 소방간부후보생 선발시험 또는 소방사 공개경쟁채용시험에 응시하고자 하는 자는 「도로교통법」 제80조 제2항 제1호에 따른 제1종 운전면허 중 대형면허 또는 보통면허를 받은 자이어야 한다.

⑤ 임용권자는 소방장 이하 소방공무원의 경력경쟁채용시험등에 응시하려는 사람에 대해서도 제4항에 따른 응시자격을 갖추도록 할 수 있다.

⑥ 제15조 제4항에 따라 소방공무원 외의 공무원으로서 소방기관에서 소방업무를 담당한 경력이 있는 자를 소방공무원으로 임용하는 경우에는 제1항을 적용하지 아니한다.

제44조(필기시험) 소방공무원 공개경쟁채용시험의 필기시험과목은 별표 3과 같고, 소방간부후보생 선발시험의 필기시험과목은 별표 4와 같으며, 소방공무원 경력경쟁채용시험등의 필기시험과목은 별표 5와 같다. 다만, 별표 3, 별표 4 및 별표 5의 시험과목 중 다음 각 호의 시험과목은 해당 호에서 정하는 시험으로 대체한다.

1. 필수과목 중 영어 과목: 별표 6에서 정한 영어능력검정시험
2. 필수과목 중 한국사 과목: 별표 9에서 정한 한국사능력검정시험

제45조(출제수준) 소방공무원 채용시험의 출제수준은 소방위 이상 및 소방간부후보생선발시험에 있어서는 소방행정의 기획 및 관리에 필요한 능력 · 지식을 검정할 수 있는 정도로 하고, 소방장 및 소방교에 있어서는 소방업무수행에 필요한 전문적 능력 · 지식을 검정할 수 있는 정도로 하며,소방사에 있어서는 소방업무수행에 필요한 기본적인 능력 · 지식을 검정할 수 있는 정도로 한다.

제46조(시험의 합격결정) ① 소방공무원의 공개경쟁채용시험 및 소방간부후보생 선발시험의 합격자 결정은 다음 각 호의 방법에 따른다.

1. 필기시험: 각 과목 40퍼센트 이상을 득점하고, 전 과목 총점의 60퍼센트 이상을 득점한 사람 중에서 선발예정인원의 3배수 범위에서 고득점자순으로 결정
2. 체력시험: 전 종목 총점의 50퍼센트 이상을 득점한 사람
3. 신체검사: 제43조 제3항에 따른 신체조건 및 건강상태에 적합한 사람

② 경력경쟁채용시험등의 필기시험 또는 실기시험의 경우에는 매 과목 40퍼센트 이상, 전 과목 총점의 60퍼센트 이상의 득점자 중에서 선발예정인원의 3배수의 범위에서 시험성적을 고려하여 점수가 높은 사람부터 차례로 합격자를 결정하고, 체력시험과 신체검사의 합격자 결정에 관하여는 제1항 제2호 및 제3호를 준용한다.

③ 종합적성검사의 결과는 면접시험에 반영한다.

④ 면접시험의 합격자 결정은 다음 각 호의 평정요소에 대한 시험위원의 점수를 합산하여 총점의 50퍼센트 이상을 득점한 사람으로 한다. 다만, 시험위원의 과반수가 어느 하나의 평정요소에 대하여 40퍼센트 미만의 점수를 평정한 경우 불합격으로 한다.

1. 문제해결 능력
2. 의사소통 능력
3. 소방공무원으로서의 공직관
4. 협업 능력
5. 침착성 및 책임감

⑤ 최종합격자의 결정은 면접시험의 합격자 중에서 다음 각 호의 방법에 따라 산정한 성적의 순위에 따른다.

1. 제37조 제1항의 공개경쟁채용시험 및 제38조의 소방간부후보생 선발시험: 다음 각 목의 시험 단계별 성적을 해당 목에서 정하는 비율을 적용하여 합산한 점수에 제42조에 따른 가점을 반영한 성적
   가. 필기시험 성적(제1차시험과 제2차시험을 구분하여 실시할 때에는 이를 합산한 성적을 말한다. 이하 같다): 50퍼센트
   나. 체력시험 성적: 25퍼센트

다. 면접시험 성적(실기시험을 병행할 때에는 이를 포함한 점수를 말한다): 25퍼센트

2. 제39조의 경력경쟁채용시험등: 다음 각 목의 구분에 따라 산정한 성적

가. 면접시험만을 실시하는 경우: 면접시험성적 100퍼센트

나. 필기시험과 면접시험을 실시하는 경우: 필기시험성적 75퍼센트 및 면접시험성적 25퍼센트의 비율로 합산한 성적

다. 체력시험과 면접시험을 실시하는 경우: 체력시험 성적 25퍼센트 및 면접시험 성적 75퍼센트의 비율로 합산한 성적

라. 실기시험과 면접시험을 실시하는 경우: 실기시험성적 75퍼센트 및 면접시험성적 25퍼센트의 비율로 합산한 성적

마. 필기시험 · 체력시험 및 면접시험을 실시하는 경우: 필기시험 성적 50퍼센트, 체력시험 성적 25퍼센트 및 면접시험 성적 25퍼센트의 비율로 합산한 성적

바. 체력시험 · 실기시험 및 면접시험을 실시하는 경우: 체력시험 성적 25퍼센트, 실기시험 성적 50퍼센트 및 면접시험 성적 25퍼센트의 비율로 합산한 성적

사. 필기시험 · 체력시험 · 실기시험 및 면접시험을 실시하는 경우: 필기시험 성적 30퍼센트, 체력시험 성적 15퍼센트, 실기시험 성적 30퍼센트 및 면접시험 성적 25퍼센트의 비율로 합산한 성적

⑥ 임용권자는 공개경쟁채용시험 · 경력경쟁채용시험등 및 소방간부후보생 선발시험의 경우 최종합격자가 임용을 포기하는 등의 사정으로 결원을 보충할 필요가 있을 때에는 최종합격자 발표일부터 6개월 이내에 제5항에 따라 추가 합격자를 결정할 수 있다.

⑦ 임용권자는 공개경쟁채용시험 · 경력경쟁채용시험등 및 소방간부후보생 선발시험의 최종합격자가 제51조에 따른 부정행위로 인해 합격이 취소되어 결원을 보충할 필요가 있다고 인정하는 경우 최종합격자의 다음 순위자를 특정할 수 있으면 제6항에도 불구하고 최종합격자 발표일부터 3년 이내에 다음 순위자를 추가 합격자로 결정할 수 있다.

제46조의2 삭제

제47조(동점자의 합격결정) 공개경쟁채용시험 · 경력경쟁채용시험등 및 소방간부후보생 선발시험의 합격자를 결정할 때 선발예정인원을 초과하여 동점자가 있는 경우에는 그 선발예정인원에 불구하고 모두 합격자로 한다. 이 경우 동점자의 결정은 총득점을 기준으로 하되, 소수점 이하 둘째자리까지 계산한다.

제48조(시험합격자명단의 송부등) ① 시험실시권자가 법 제13조 제1항에 따라 시험합격자명단을 임용권자에게 송부함에 있어서, 2 이상의 임용권자의 요구에 의하여 동시에 시험을 실시한 경우(근무예정지역별로 시험을 실시한 경우를 제외한다)에는 미리 생활연고지 · 근무희망지 및 시험성적 등을 고려하여 합격자를 배정하고 각 임용권자에게 그 명단을 송부하여야 한다.

② 시험실시권자는 시험에 합격한 자에 대하여 시험합격의 통지를 하여야 한다.

제49조(응시수수료) ① 소방공무원의 채용시험 및 소방간부후보생 선발시험의 응시자는 다음의 구분에 의한 응시수수료를 납부하여야 한다.

1. 소방령 이상 소방공무원의 채용시험: 일반직 5급 이상 국가공무원의 채용시험 응시수수료
2. 소방경, 소방위 및 소방장 채용시험: 일반직 6 · 7급 국가공무원의 채용시험 응시수수료
3. 소방교 이하 소방공무원의 채용시험: 일반직 8 · 9급 국가공무원의 채용시험 응시수수료
4. 소방간부후보생선발시험: 일반직 6 · 7급 국가공무원의 채용시험 응시수수료

② 제1항에 따른 응시수수료의 납부 방법은 다음 각 호의 구분에 따른다. 다만, 인터넷으로 응시원서를 제출하는 경우에는 정보통신망을 이용한 전자화폐 · 전자결제 등의 방법으로 내야 한다.

1. 소방청장이 실시하는 시험에 응시하는 경우: 수입인지
2. 시 · 도지사가 실시하는 시험에 응시하는 경우: 해당 지방자치단체의 수입증지

③ 제1항에 따른 응시수수료는 다음 각 호의 어느 하나에 해당하는 경우에는 해당 금액을 반환해야 한다.

1. 응시수수료를 과오납한 경우에는 과오납한 금액
2. 시험실시권자의 귀책사유로 시험에 응시하지 못한 경우에는 납부한 응시수수료의 전액
3. 시험실시일 3일 전까지 응시의사를 철회하는 경우에는 납부한 응시수수료의 전액

④ 시험실시권자는 제1항에도 불구하고 응시원서 접수 당시 「국민기초생활 보장법」에 따른 수급자 또는 차상위계층에 속하는 사람이거나 「한부모가족지원법」에 따른 지원대상자인 사람에 대해서는 소방청장이 정하는 바에 따라 응시수수료를 면제할 수 있다.

⑤ 시험실시권자는 제4항에 따라 응시수수료를 면제하려는 경우에는 「전자정부법」 제36조 제1항에 따른 행정정보의 공동이용(이하 "행정정보의 공동이용"이라 한다)을 통하여 면제대상인지를 확인해야 한다. 다만, 응시자가 확인에 동의하지 않거나 행정정보의 공동이용을 통하여 서류를 확인할 수 없는 경우에는 시험실시권자가 정하는 기간 내에 응시수수료 면제대상자임을 증명할 수 있는 자료를 제출하도록 해야 한다.

제50조(시험위원의 임명 등) ① 시험실시권자는 소방공무원의 채용시험 및 소방간부후보생선발시험의 출제·채점·면접시험·실기시험·서류전형 기타 시험의 실시에 관하여 필요한 사항을 담당하게 하기 위하여 다음 각 호의 1에 해당하는 자를 시험위원으로 임명 또는 위촉할 수 있다.

1. 당해 직무분야의 전문적인 학식 또는 능력이 있는 자
2. 임용 예정직무에 관한 실무에 정통한 자

② 제1항의 규정에 의하여 시험위원으로 임명 또는 위촉된 자는 시험실시권자가 요구하는 시험문제 작성상의 유의사항 및 서약서 등에 의한 준수사항을 성실히 이행하여야 한다.

③ 시험실시권자는 제2항의 규정을 위반함으로써 시험의 신뢰도를 크게 떨어뜨리는 행위를 한 시험위원이 있을 때에는 그 명단을 다른 시험실시권자에게 통보하고 당해 시험위원이 소속하고 있는 기관의 장에게 당해인에 대한 징계등 적절한 조치를 할 것을 요청하여야 한다.

④ 시험실시권자는 제3항의 규정에 의한 통보를 받은 자에 대하여는 그로부터 5년간 당해인을 소방공무원 채용시험 및 소방간부후보생 선발시험의 시험위원으로 임명 또는 위촉하여서는 아니된다.

⑤ 제1항의 규정에 의하여 시험위원으로 임명 또는 위촉된 자에 대하여는 예산의 범위 안에서 수당을 지급할 수 있다.

제51조(부정행위자에 대한 조치) ① 소방공무원의 채용시험 또는 소방간부후보생 선발시험에서다음 각 호의 어느 하나에 해당하는 행위를 한 사람에 대해서는 그 시험을 정지 또는 무효로 하거나 합격을 취소하고, 그 처분이 있은 날부터 5년간 이 영에 따른 시험의 응시자격을 정지한다.

1. 다른 수험생의 답안지를 보거나 본인의 답안지를 보여주는 행위
2. 대리 시험을 의뢰하거나 대리로 시험에 응시하는 행위
3. 통신기기, 그 밖의 신호 등을 이용하여 해당 시험 내용에 관하여 다른 사람과 의사소통하는 행위
4. 부정한 자료를 가지고 있거나 이용하는 행위
5. 병역, 가점 또는 영어능력검정시험 성적에 관한 사항 등 시험에 관한 증명서류에 거짓 사실을 적거나 그 서류를 위조·변조하여 시험결과에 부당한 영향을 주는 행위
6. 체력시험에 영향을 미칠 목적으로 인사혁신처장이 정하여 고시하는 금지약물을 복용하거나 금지방법을 사용하는 행위
7. 그 밖에 부정한 수단으로 본인 또는 다른 사람의 시험결과에 영향을 미치는 행위

② 소방공무원의 채용시험 또는 소방간부후보생 선발시험에서 다음 각 호의 어느 하나에 해당하는 행위를 한 사람에 대해서는 그 시험을 정지하거나 무효로 한다.

1. 시험 시작 전에 시험문제를 열람하는 행위
2. 시험 시작 전 또는 종료 후에 답안을 작성하는 행위
3. 허용되지 아니한 통신기기 또는 전자계산기기를 가지고 있는 행위
4. 그 밖에 시험의 공정한 관리에 영향을 미치는 행위로서 시험실시권자가 시험의 정지 또는 무효 처리기준으로 정하여 공고한 행위

③ 다른 법령에 의한 국가공무원 또는 지방공무원의 임용시험에서 부정행위를 하여 당해 시험에의 응시자격이 정지 중에 있는 자는 그 기간 중 이 영에 의한 시험에 응시할 수 없다.

④ 시험실시권자는 제1항에 따른 처분을 할 때에는 그 이유를 붙여 처분을 받는 사람에게 알리고, 그 명단을 관보에 게재해야 한다.

⑤ 부정행위를 한 응시자가 공무원일 경우에는 시험실시권자는 관할 징계위원회에 징계의결을 요구하거나 그 공무원이 소속하고 있는 기관의 장에게 이를 요구하여야 한다.

⑥ 시험실시권자는 인사혁신처장이 정하는 바에 따라 제1항 제6호에 해당하는지 여부를 확인할 수 있다.

제52조(시험실시결과보고) 시험실시권자는 시험을 실시한 때에는 그 시험의 실시내용 및 결과를 소방청장에게 보고하여야 한다.

제53조(합격증명서 등의 발급) ① 시험실시권자는 채용시험 합격자에 대하여 본인의 신청에 따라 합격증명서 등을 발급한다.

② 합격증명서 등을 발급받으려는 사람은 1통에 200원의 수수료를 수입인지 또는 수입증지로 내야 한다. 다만, 인터넷으로 합격증명서 등의 발급을 신청하는 경우에는 정보통신망을 이용한 전자화폐·전자결제 등의 방법으로 내야 하며, 합격증명서 등을 전자문서로 발급받는 경우에는 무료로 한다.

제6장 신분보장

제54조(강임의 범위) 소방공무원을 강임할 때에는 바로 하위계급에 임용하여야 한다.

제55조(강임자의 우선승진 임용방법) 동일계급에 강임된 자가 2인 이상인 경우의 우선 승진임용 순위는 강임일자 순으로 하되, 강임일자가 같은 경우에는 강임되기 전의 계급에 임용된 일자의 순에 의한다.

제56조 삭제

제57조 삭제

제58조 삭제

제59조(보훈) ① 법 제18조에 따른 예우 또는 지원을 받으려는 사람은 「국가유공자 등 예우 및 지원에 관한 법률」 제6조 또는 「보훈보상대상자 지원에 관한 법률」 제4조에 따라 등록신청을 하여야 한다.

② 소방청장은 제1항에 따른 등록신청과 관련하여 「국가유공자 등 예우 및 지원에 관한 법률 시행령」 제9조 제2항 또는 「보훈보상대상자 지원에 관한 법률 시행령」 제6조 제2항에 따라 국가보훈부장관으로부터 국가유공자 또는 보훈보상대상자 요건과 관련된 사실의 확인에 대한 요청을 받으면 그 요건과 관련된 사실을 확인하여 지체 없이 국가보훈부장관에게 통보하여야 한다.

제60조(특별위로금) ① 법 제19조에 따른 특별위로금(이하 이 조에서 "위로금"이라 한다)은 다음 각 호의 어느 하나에 해당하는 활동이나 교육·훈련으로 인하여 질병에 걸리거나 부상을 입어 「공무원 재해보상법」 제9조에 따라 요양급여의 지급대상자로 결정된 소방공무원에게 지급한다.

1. 「소방기본법」 제16조 제1항에 따른 소방활동
2. 「소방기본법」 제16조의2에 따른 소방지원활동
3. 「소방기본법」 제16조의3에 따른 생활안전활동
4. 「소방기본법」 제17조 제1항에 따른 소방교육·훈련

② 위로금은 제1항에 따른 공무상요양으로 소방공무원이 요양하면서 출근하지 아니한 기간에 대하여 지급하되, 36개월을 넘지 아니하는 범위에서 지급한다.

③ 위로금은 「공무원수당 등에 관한 규정」 제15조 제3항에 따른 기준호봉을 기준으로 산정하되, 구체적인 산정방법은 별표 8에 따른다.

④ 위로금을 지급받으려는 소방공무원 또는 그 유족은 행정안전부령으로 정하는 특별위로금 지급신청서에 공무상요양 승인결정서 사본 등 행정안전부령으로 정하는 서류를 첨부하여 다음 각 호의 어느 하나에 해당하는 날부터 6개월 이내에 소방기관의 장에게 신청하여야 한다.

1. 업무에 복귀한 날
2. 요양 중 사망하거나 퇴직한 경우는 각각 사망일 또는 퇴직일
3. 「공무원 재해보상법」에 따른 요양급여의 결정에 대한 불복절차가 인용 결정으로 최종 확정된 경우에는 확정된 날

제61조 삭제

제7장 보칙

제62조(민감정보 및 고유식별정보의 처리) 시험실시권자 제5장에 따른 채용시험에 관한 사무를 수행하기 위하여 불가피한 경우에는 「개인정보 보호법」 제23조에 따른 건강에 관한 정보 또는 같은 법 시행령 제19조 제1호에 따른 주민등록번호가 포함된 자료를 처리할 수 있다.

제63조(규제의 재검토) 소방청장은 제43조 제2항에 따른 소방간부후보생 선발시험의 응시연령에 대하여 2014년 1월 1일을 기준으로 3년마다(매 3년이 되는 해의 1월 1일 전까지를 말한다) 그 타당성을 검토하여 개선 등의 조치를 해야 한다.

04 의용소방대 설치 및 운영에 관한 법률

[시행 2021.6.9.] [법률 제17576호, 2020.12.8., 일부개정]

제1장 총칙

제1조(목적) 이 법은 화재진압, 구조·구급 등의 소방업무를 체계적으로 보조하기 위하여 의용소방대 설치 및 운영 등에 필요한 사항을 규정함을 목적으로 한다.

제2조(의용소방대의 설치 등) ① 특별시장·광역시장·특별자치시장·도지사·특별자치도지사(이하 "시·도지사"라 한다) 또는 소방서장은 재난현장에서 화재진압, 구조·구급 등의 활동과 화재예방활동에 관한 업무(이하 "소방업무"라 한다)를 보조하기 위하여 의용소방대를 설치할 수 있다.

② 제1항에 따른 의용소방대는 특별시·광역시·특별자치시·도·특별자치도(이하 "시·도"라 한다), 시·읍 또는 면에 둔다.

③ 시·도지사 또는 소방서장은 필요한 경우 관할 구역을 따로 정하여 그 지역에 의용소방대를 설치할 수 있다.

④ 시·도지사 또는 소방서장은 필요한 경우 제2항 또는 제3항에 따른 의용소방대를 화재진압 등을 전담하는 의용소방대(이하 "전담의용소방대"라 한다)로 운영할 수 있다. 이 경우 관할 구역의 특성과 관할 면적 또는 출동거리 등을 고려하여야 한다.

⑤ 그 밖에 의용소방대의 설치 등에 필요한 사항은 행정안전부령으로 정한다.

제2조의2(의용소방대의 날 제정과 운영) ① 의용소방대의 숭고한 봉사와 희생정신을 알리고 그 업적을 기리기 위하여 매년 3월 19일을 의용소방대의 날로 정하여 기념행사를 한다.

② 의용소방대의 날 기념행사에 관하여 필요한 사항은 소방청장 또는 시·도지사가 따로 정하여 시행할 수 있다.

제2장 의용소방대원의 임명·해임 및 조직 등

제3조(의용소방대원의 임명) 시·도지사 또는 소방서장은 그 지역에 거주 또는 상주하는 주민 가운데 희망하는 사람으로서 다음 각 호의 어느 하나에 해당하는 사람을 의용소방대원으로 임명한다.

1. 관할 구역 내에서 안정된 사업장에 근무하는 사람
2. 신체가 건강하고 협동정신이 강한 사람
3. 희생정신과 봉사정신이 투철하다고 인정되는 사람
4. 「소방시설공사업법」 제28조에 따른 소방기술 관련 자격·학력 또는 경력이 있는 사람
5. 의사·간호사 또는 응급구조사 자격을 가진 사람
6. 기타 의용소방대의 활동에 필요한 기술과 재능을 보유한 사람

제4조(의용소방대원의 해임) ① 시·도지사 또는 소방서장은 의용소방대원이 다음 각 호의 어느 하나에 해당하는 때에는 해임하여야 한다.

1. 소재를 알 수 없는 경우
2. 관할 구역 외로 이주한 경우. 다만, 신속한 재난현장 도착 등 대원으로서 활동하는 데 지장이 없다고 인정되는 경우에는 그러하지 아니하다.
3. 심신장애로 직무를 수행할 수 없다고 인정되는 경우
4. 직무를 태만히 하거나 직무상의 의무를 이행하지 아니한 경우
5. 제11조에 따른 행위금지 의무를 위반한 경우
6. 그 밖에 행정안전부령으로 정하는 사유에 해당하는 경우

② 그 밖에 의용소방대원의 해임절차 등에 필요한 사항은 행정안전부령으로 정한다.

제5조(정년) 의용소방대원의 정년은 65세로 한다.

제6조(조직) ① 의용소방대에는 대장·부대장·부장·반장 또는 대원을 둔다.

② 대장 및 부대장은 의용소방대원 중 관할 소방서장의 추천에 따라 시·도지사가 임명한다.

③ 그 밖에 의용소방대의 조직 등에 필요한 사항은 행정안전부령으로 정한다.

제7조(임무) 의용소방대의 임무는 다음 각 호와 같다.

1. 화재의 경계와 진압업무의 보조
2. 구조·구급 업무의 보조
3. 화재 등 재난 발생 시 대피 및 구호업무의 보조
4. 화재예방업무의 보조
5. 그 밖에 행정안전부령으로 정하는 사항

제8조(복장착용 등) ① 의용소방대원이 제7조에 따른 임무(제10조 제2항에 따른 전담의용소방대 활동을 포함한다. 이하 같다)를 수행하는 경우에는 복장을 착용하고 신분증을 소지하여야 한다.

② 소방본부장 또는 소방서장은 의용소방대원 또는 의용소방대원 이었던 자가 경력증명발급을 신청하는 경우에는 경력증명서를 발급하고 관리하여야 한다.

③ 의용소방대원의 복장·신분증과 경력증명서 등에 필요한 사항은 행정안전부령으로 정한다.

제3장 의용소방대원의 복무와 교육훈련 등

제9조(의용소방대원의 근무 등) ① 의용소방대원은 비상근(非常勤)으로 한다.
② 소방본부장 또는 소방서장은 소방업무를 보조하게 하기 위하여 필요한 때에는 의용소방대원을 소집할 수 있다.

제10조(재난현장 출동 등) ① 의용소방대원은 제9조 제2항에 따른 소집명령에 따라 화재, 구조·구급 등 재난현장에 출동하여 소방본부장 또는 소방서장의 지휘와 감독을 받아 소방업무를 보조한다.
② 전담의용소방대원은 제1항에도 불구하고 소방본부장 또는 소방서장의 소집명령이 없어도 긴급하거나 통신두절 등 특별한 경우에는 자체적으로 화재진압을 수행할 수 있다. 이 경우 전담의용소방대장은 화재진압에 관하여 행정안전부령으로 정하는 바에 따라 소방본부장 또는 소방서장에게 보고하여야 한다.
③ 시·도지사 또는 소방서장은 의용소방대에 대하여 「공유재산 및 물품 관리법」에도 불구하고 소방장비 등 필요한 물품을 무상으로 대여하거나 사용하게 할 수 있다.
④ 제3항에 따른 대여 또는 사용에 필요한 사항은 행정안전부령으로 정한다.

제11조(행위의 금지) 의용소방대원은 의용소방대의 명칭을 사용하여 다음 각 호의 어느 하나에 해당하는 행위를 하여서는 아니 된다.
1. 기부금을 모금하는 행위
2. 영리목적으로 의용소방대의 명의를 사용하는 행위
3. 정치활동에 관여하는 행위
4. 소송·분쟁·쟁의에 참여하는 행위
5. 그 밖에 의용소방대의 명예가 훼손되는 행위

제12조(복무에 대한 지도·감독) 소방본부장 또는 소방서장은 의용소방대원이 그 품위를 유지할 수 있도록 복무에 대한 지도·감독을 실시하여야 한다.

제13조(교육 및 훈련) ① 소방청장, 소방본부장 또는 소방서장은 의용소방대원에 대하여 교육(임무 수행과 관련한 보건안전교육을 포함한다)·훈련을 실시하여야 한다.
② 제1항에 따른 교육·훈련의 내용, 주기, 방법 등에 필요한 사항은 행정안전부령으로 정한다.

제4장 의용소방대원의 경비 및 재해보상 등

제14조(경비의 부담) ① 의용소방대의 운영과 활동 등에 필요한 경비는 해당 시·도지사가 부담한다.
② 국가는 제1항에 따른 경비의 일부를 예산의 범위에서 지원할 수 있다.

제15조(소집수당 등) ① 시·도지사는 의용소방대원이 제7조에 따른 임무를 수행하는 때에는 예산의 범위에서 수당을 지급할 수 있다.
② 제1항에 따른 수당의 지급방법 등에 필요한 사항은 행정안전부령으로 정하는 기준에 따라 시·도의 조례로 정한다.

제16조(활동비 지원) 시장·군수·구청장(자치구의 구청장을 말한다)은 관할 구역에서 의용소방대원이 제7조에 따른 임무를 수행하는 경우 그 임무 수행에 필요한 비용의 전부 또는 일부를 지원할 수 있다.

제16조의2(성과중심의 포상 등) ① 소방본부장 또는 소방서장은 의용소방대 및 의용소방대원별로 활동실적을 평가·관리하고, 이를 토대로 성과중심의 포상 등을 실시할 수 있다.
② 제1항에 따른 의용소방대 및 의용소방대원별 활동실적 평가·관리 방법 및 포상 등에 관하여 필요한 사항은 행정안전부령으로 정하는 기준에 따라 시·도의 조례로 정한다.

제17조(재해보상 등) ① 시·도지사는 의용소방대원이 제7조에 따른 임무의 수행 또는 제13조에 따른 교육·훈련으로 인하여 질병에 걸리거나 부상을 입거나 사망한 때에는 행정안전부령으로 정하는 범위에서 시·도의 조례로 정하는 바에 따라 보상금을 지급하여야 한다.
② 시·도지사는 제1항에 따른 보상금 지급을 위하여 보험에 가입할 수 있다.

제5장 전국의용소방대연합회 설립 등

제18조(전국의용소방대연합회 설립) ① 재난관리를 위한 자율적 봉사활동의 효율적 운영 및 상호협조 증진을 위하여 전국의용소방대연합회(이하 "전국연합회"라 한다)를 설립할 수 있다.
② 전국연합회의 구성 및 조직 등에 필요한 사항은 행정안전부령으로 정한다.

제19조(업무) 전국연합회의 업무는 다음 각 호와 같다.
1. 의용소방대의 효율적 운영을 위한 연구에 관한 사항
2. 대규모 재난현장의 구조·지원 활동을 위한 네트워크 구축에 관한 사항
3. 의용소방대원의 복지증진에 관한 사항
4. 그 밖에 의용소방대의 활성화에 필요한 사항

제20조(회의) ① 전국연합회의 회의는 정기총회 및 임시총회로 구분한다.
② 정기총회는 1년에 한 번 개최하고, 다음 각 호의 사항을 의결한다.
1. 전국연합회의 회칙 및 운영과 관련된 사항

2. 전국연합회 기능 수행을 위한 사업계획에 관한 사항

3. 회계감사 결과에 관한 사항

4. 그 밖에 회장이 총회에 안건으로 상정하는 사항

③ 임시총회는 전국연합회의 회장 또는 재적회원 3분의 1 이상이 요구하는 경우 소집한다.

④ 그 밖에 회의운영에 필요한 사항은 행정안전부령으로 정한다.

제21조(전국연합회의 지원) 소방청장은 국민의 소방방재 봉사활동의 참여증진을 위하여 전국연합회의 설립 및 운영을 지원할 수 있다.

제22조(전국연합회의 지도 및 관리 · 감독) 소방청장은 전국연합회의 운영 등에 대하여 지도 및 관리 · 감독을 할 수 있다.

05 의용소방대 설치 및 운영에 관한 법률 시행규칙

[시행 2022.12.1.] [행정안전부령 제361호, 2022.12.1., 타법개정]

제1장 총칙

제1조(목적) 이 규칙은 「의용소방대 설치 및 운영에 관한 법률」에서 위임된 사항과 그 시행에 필요한 사항을 규정함을 목적으로 한다.

제2조(의용소방대의 설치 등) ① 특별시장·광역시장·특별자치시장·도지사·특별자치도지사(이하 "시·도지사"라 한다) 또는 소방서장은 「의용소방대 설치 및 운영에 관한 법률」(이하 "법"이라 한다) 제2조 제1항에 따라 의용소방대를 설치하는 경우 남성만으로 구성하는 의용소방대, 여성만으로 구성하는 의용소방대 또는 남성과 여성으로 구성하는 의용소방대로 구분하여 설치할 수 있다.

② 시·도지사 또는 소방서장은 지역특수성에 따라 소방업무 관련 전문기술·자격자 등으로 구성하는 전문의용소방대(이하 "전문의용소방대"라 한다)를 설치할 수 있다.

③ 시·도지사 또는 소방서장은 법 제2조 제4항에 따른 전담의용소방대(이하 "전담의용소방대"라 한다)를 운영하려는 경우에는 별표 1에 따른 시설과 장비를 갖추어야 한다.

④ 제1항부터 제3항까지에서 규정한 사항 외에 의용소방대의 설치 등에 필요한 세부적인 사항은 특별시·광역시·특별자치시·도 또는 특별자치도(이하 "시·도"라 한다)의 조례로 정한다.

제3조(의용소방대의 명칭) 제2조에 따른 의용소방대의 명칭·구성 및 역할은 별표 2와 같다.

제4조(의용소방대의 표지) ① 의용소방대에는 의용소방대 기(旗)를 두고, 의용소방대 표지 및 현판을 설치한다.

② 의용소방대 기의 도안 및 규격 등은 별표 3과 같고, 의용소방대의 표지 및 현판의 도안 및 규격 등은 별표 4와 같다.

제2장 의용소방대원의 임명 및 조직 등

제5조(임명구비서류) ① 법 제3조에 따라 의용소방대원으로 임명받으려는 사람은 별지 제1호서식의 의용소방대 입대신청서에 다음 각 호의 서류를 첨부하여 시·도지사 또는 소방서장에게 제출해야 하며, 이 경우 시·도지사 또는 소방서장은 「전자정부법」 제36조 제1항에 따른 행정정보의 공동이용을 통하여 신청인의 주민등록등본 또는 외국인등록 사실증명을 확인해야 한다. 다만, 신청인이 확인에 동의하지 않는 경우에는 그 서류를 신청인이 직접 첨부하도록 해야 한다.

1. 이력서 1부
2. 소방업무 관련 자격증 사본 1부(자격증 소지자에 한정한다)
3. 사진(가로 3센티미터, 세로 4센티미터) 2장
4. 신청인 명의의 통장 사본 1부

② 시·도지사 또는 소방서장은 법 제3조에 따라 임명된 의용소방대원에 대해서는 별지 제2호서식의 의용소방대원 관리카드를 작성하고 관리하여야 한다.

③ 제1항 및 제2항에서 규정한 사항 외에 의용소방대원의 임명 절차 등에 관한 세부적인 사항은 시·도의 조례로 정한다.

제6조(의용소방대원의 해임사유 등) ① 법 제4조 제1항 제6호에서 "행정안전부령으로 정하는 사유"란 다음 각 호의 사유를 말한다.

1. 다음 각 목의 구분에 따른 교육 및 훈련의 참석 기준에 미달하는 경우
   가. 전담의용소방대원: 다음의 모든 교육 및 훈련 참석시간
      1) 제18조 제1항 단서에 따른 교육 및 훈련 연 12시간 이상
      2) 제18조 제1항 제1호에 따른 기본교육(해당되는 경우에 한정한다) 18시간 이상
   나. 신규 임명된 후 2년이 지나지 아니한 의용소방대원: 제18조 제1항 제1호에 따른 기본교육 18시간 이상
   다. 가목 및나목 외의 의용소방대원: 제18조 제1항 제2호에 따른 전문교육 연 6시간 이상
2. 법 제14조부터 제16조까지의 규정에 따른 경비, 소집수당 또는 활동비 등의 집행과 관련하여 비위사실(非違事實)이 있는 경우

② 시·도지사 또는 소방서장은 의용소방대원에게 해임의 사유가 있다고 인정될 때에는 해당 의용소방대원에게 그 사실을 증명할 만한 충분한 사유를 명확히 밝혀 통지하여야 한다.

③ 시·도지사 또는 소방서장은 법 제4조 제1항 제3호부터 제5호까지에 따른 사유로 의용소방대원을 해임하는 경우에는 제12조 제1항에 따른 의용소방대 운영위원회의 심의를 거쳐야 한다. 이 경우 해임대상자는 운영위원회에 출석하여 의견을 진술하거나 운영위원회 개최일 전날까지 의견서를 제출할 수 있다.

④ 시·도지사 또는 소방서장은 의용소방대원을 해임하였을 때에는 해당 의용소방대원 및 소속 의용소방대장에게 그 사실을 통지하여야 한다.

⑤ 제1항부터 제4항까지에서 규정한 사항 외에 의용소방대원의 해임 절차 및 방법 등에 관한 세부적인 사항은 시·도의 조례로 정한다.

제7조(정년) 의용소방대원은 그 정년에 이른 날이 1월부터 6월 사이에 있으면 6월 30일에, 7월부터 12월 사이에 있으면 12월 31일에 각각 당연히 퇴직한다.

제8조(조직) ① 법 제6조에 따른 의용소방대의 조직 및 분장사무는 별표 5와 같다.

② 제1항에서 규정한 사항 외에 의용소방대의 조직 등에 관한 세부적인 사항은 시 · 도의 조례로 정한다.

제9조(대장 및 부대장) ① 관할 소방서장은 법 제6조 제2항에 따라 대장 및 부대장을 시 · 도지사에게 추천할 때에는 운영위원회의 심의를 거쳐야 한다.

② 대장은 소방본부장 및 소방서장의 명을 받아 소속 의용소방대의 업무를 총괄하고 의용소방대원을 지휘 · 감독한다.

③ 부대장은 대장을 보좌하고, 대장이 부득이한 사유로 직무를 수행할 수 없는 경우에는 그 직무를 대리한다.

제10조(대장 등의 임기) ① 대장의 임기는 3년으로 하며, 한 차례만 연임할 수 있다.

② 부대장의 임기는 3년으로 한다.

③ 제1항 및 제2항에서 규정한 사항 외에 의용소방대원의 임기에 관한 사항은 시 · 도의 조례로 정한다.

제11조(정원 등) ① 의용소방대에 두는 의용소방대원의 정원은 다음 각 호와 같다.

1. 시 · 도: 60명 이내
2. 시 · 읍: 60명 이내
3. 면: 50명 이내
4. 법 제2조 제3항에 따라 관할 구역을 따로 정한 지역에 설치하는 의용소방대: 50명 이내
5. 전문의용소방대: 50명 이내

② 의용소방대원은 관할 행정구역(동 · 리) 단위로 균형있게 배치되도록 임명하여야 한다.

③ 시 · 도지사 또는 소방서장은 제1항에서 정하고 있는 정원의 범위 내에서 시 · 도의 조례로 정원을 따로 정할 수 있다.

④ 제1항에도 불구하고 시 · 도지사 또는 소방서장은 행정구역이 통폐합 되는 경우 행정구역 통폐합 이전 각각의 의용소방대 조직과 정원을 그대로 운영할 수 있다.

제12조(의용소방대 운영위원회) ① 시 · 도지사 및 소방서장은 의용소방대 운영에 관한 중요사항을 심의하기 위하여 의용소방대 운영위원회(이하 "운영위원회"라 한다)를 구성 · 운영하여야 한다.

② 운영위원회는 다음 각 호의 사항을 심의한다.

1. 제6조 제3항에 따른 의용소방대원의 해임에 관한 사항
2. 제9조 제1항에 따른 대장 및 부대장의 추천에 관한 사항

2의2. 법 제16조의2에 따른 의용소방대 및 의용소방대원별 활동 실적 평가 및 포상에 관한 사항

3. 법 제17조에 따른 재해보상금 지급결정에 관한 사항
4. 그 밖에 의용소방대 운영에 필요한 사항

③ 제1항 및 제2항에서 규정한 사항 외에 운영위원회의 구성 및 운영 등에 관하여 필요한 세부적인 사항은 시 · 도의 조례로 정한다.

제13조(임무) 법 제7조 제5호에서 "행정안전부령으로 정하는 사항"이란 다음 각 호의 사항을 말한다.

1. 집회, 공연 등 각종 행사장의 안전을 위한 지원활동
2. 주민생활의 안전을 위한 지원활동
3. 그 밖에 화재예방 홍보 등 소방서장이 필요하다고 인정하는 사항

제14조(복장) ① 법 제8조 제3항에 따른 의용소방대원의 복장은 별표 6과 같다.

② 제1항에 따른 복장은 시 · 도지사 또는 소방서장이 예산의 범위에서 구매하여 의용소방대원에게 지급한다.

③ 복장의 착용기간에 관하여는 「소방공무원 복제 규칙」 제4조를 준용한다.

제15조(신분증명서 등) ① 시 · 도지사 또는 소방서장은 의용소방대원에게 별표 7에 따른 신분증명서를 발급하여야 한다.

② 시 · 도지사 또는 소방서장은 제1항에 따라 신분증명서를 발급한경우에는 별지 제3호서식의 의용소방대원증 발급대장에 이를 기록하고 관리하여야 한다.

③ 시 · 도지사 또는 소방서장은 의용소방대원 또는 의용소방대원 이었던 자가 법 제8조 제2항에 따라 경력증명발급을 신청하는 경우에는 별지 제4호서식의 의용소방대원 경력(재직)증명서를 발급하고, 이를 별지 제5호서식의 의용소방대원 경력(재직)증명서 발급대장에 기록하고 관리하여야 한다.

제3장 복무와 교육훈련

제16조(전담의용소방대의 운영) ① 전담의용소방대장은 법 제10조 제2항 전단에 따라 자체적으로 화재진압을 수행하였을 때에는 임무 수행 후 즉시 별지 제6호서식의 전담의용소방대 활동보고서를 소방본부장 또는 소방서장에게 제출하여야 한다.

② 제1항에서 규정한 사항 외에 전담의용소방대의 운영에 관하여 필요한 세부적인 사항은 시 · 도의 조례로 정한다.

제17조(무상대여) ① 시 · 도지사 또는 소방서장은 법 제10조 제3항에 따라 의용소방대에 대하여 다음 각 호의 소방장비 등 물품을 무상으로 대여하거나 사용하게 할 수 있다.

1. 소방용 통신시설
2. 소방용 차량
3. 화재진압장비 · 구조구급장비 및 보호장비
4. 그 밖의 집기 및 사무용품 등

② 의용소방대원은 제1항에 따른 소방장비 등 물품을 기능 및 용도에 맞게 사용 또는 운용하여야 한다.

③ 제1항 및 제2항에서 규정한 사항 외에 소방장비 등의 무상대여 등에 관하여 필요한 세부적인 사항은 시·도의 조례로 정한다.

제17조의2(장비의 지급) ① 시·도지사는 예산의 범위에서 의용소방대원에게 진압장비 및 개인안전장비 등의 소방장비를 지급할 수 있다.

② 제1항에 따른 소방장비의 지급에 관하여 필요한 세부적인 사항은 시·도의 조례로 정한다.

제18조(교육 및 훈련) ① 소방본부장 또는 소방서장은 다음 각 호의 구분에 따른 의용소방대원에 대하여 해당 호에서 정하는 교육 및 훈련을 실시하여야 한다. 다만, 제1호에 따른 기본교육을 이수한 전담의용소방대원에 대하여는 제2호에 따른 전문교육에 갈음하여 매월 2시간 이상 장비조작 및 화재진압 등에 관한 교육 및 훈련을 실시하여야 한다.

1. 신규 임명된 후 2년이 지나지 아니한 의용소방대원: 다음 각 목의 사항에 관한 기본교육 36시간
   가. 의용소방대 제도
   나. 화재 진압장비 사용방법
   다. 위험물 및 전기·가스 안전관리
   라. 그 밖에 의용소방대원으로서의 기본자질 함양을 위하여 소방청장이 필요하다고 인정하는 사항
2. 제1호에 따른 기본교육을 이수한 의용소방대원: 다음 각 목의 사항에 관한 전문교육 연 12시간
   가. 수난(水難) 구조
   나. 산악 구조
   다. 소방자동차의 구조 및 점검
   라. 그 밖에 의용소방대원의 전문성 강화를 위하여 소방청장이 필요하다고 인정하는 사항

② 제1항에 따른 기본교육 및 전문교육의 내용 및 운영에 관한 세부적인 사항은 소방청장이 정한다.

③ 제1항에도 불구하고 소방본부장 또는 소방서장은 의용소방대원의 소방활동에 관한 전문성 강화를 위하여 별도의 교육 및 훈련을 실시할 수 있다.

④ 소방청장, 소방본부장 또는 소방서장은 제1항에 따른 교육·훈련을 「소방공무원법」 제20조 제1항 또는 제2항에 따라 설치된 소방학교 또는 교육훈련기관이나 「소방기본법」 제40조에 따른 한국소방안전원 등에 위탁하여 운영할 수 있다.

⑤ 소방청장, 소방본부장 또는 소방서장은 의용소방대원의 교육·훈련에 필요한 장비 및 교재를 개발하여 보급할 수 있다.

⑥ 제1항부터 제4항까지에서 규정한 사항 외에 의용소방대원의 교육·훈련에 필요한 세부적인 사항은 시·도의 조례로 정한다.

제4장 의용소방대원의 경비 및 재해보상 등

제19조(소집수당 등) ① 법 제15조 제1항에 따른 소집수당은 소방위에게 적용되는 시간외근무수당 단가로 지급한다.

② 제1항에 따른 소집수당은 1시간 단위로 계산하여 지급하되, 1일에 8시간을 초과할 수 없다. 다만, 전담의용소방대원과 「재난 및 안전관리 기본법」 제60조에 따라 특별재난지역으로 선포된 지역에서 법 제7조에 따른 임무를 수행하는 의용소방대원에게는 시·도의 조례로 정하는 바에 따라 1일 8시간을 초과하여 지급할 수 있다.

③ 제1항 및 제2항에서 규정한 사항 외에 소집수당 등의 지급방법 및 절차 등에 관한 세부적인 사항은 시·도의 조례로 정한다.

제20조(성과중심의 포상 등) ① 소방본부장 또는 소방서장은 법 제16조의2 제1항에 따라 의용소방대 및 의용소방대원별로 활동실적을 평가하고 관리해야 한다. 이 경우 필요하면 소방본부장은 활동실적 평가 및 관리를 위한 시스템을 구축·운영할 수 있다.

② 소방본부장 또는 소방서장은 제1항에 따른 활동실적에 따라 운영경비를 지급하고, 포상기회를 부여하는 등 성과중심으로 포상하고 관리해야 한다.

③ 제1항 및 제2항에서 규정한 사항 외에 의용소방대 및 의용소방대원의 활동실적 평가, 관리 및 포상에 필요한 세부적인 사항은 시·도의 조례로 정한다.

제21조(재해보상) ① 법 제17조에 따른 재해보상의 종류는 다음 각 호와 같다.

1. 요양보상
2. 장애보상
3. 장례보상
4. 유족보상

② 제1항에 따른 재해보상의 종류별 지급기준은 별표 8과 같다.

③ 제1항 및 제2항에서 규정한 사항 외에 재해보상금의 지급방법 및 절차 등에 관한 세부적인 사항은 시·도의 조례로 정한다.

제5장 전국의용소방대연합회 등

제22조(지역의용소방대연합회의 설립) ① 의용소방대 상호간의 교류, 소방정보 교환 및 의용소방대원의 복지향상 등을 위하여 법 제18조에 따른 전국의용소방대연합회의 지부(支部)로서 시·도 또는 시·군·구 등에 지역의용소방대연합회(이하 "지역연합회"라 한다)를 설립할 수 있다.

② 지역연합회의 구성 및 조직 등에 필요한 사항은 시·도의 조례로 정한다.

제23조(전국의용소방대연합회의 구성 등) ① 법 제18조 제1항에 따른 전국의용소방대연합회(이하 "전국연합회"라 한다)는 제22조 제1항에 따른 각 시·도 지역연합회의 대표 2명씩으로 구성한다.
② 전국연합회에 회장 1명, 부회장 2명, 감사 2명 및 사무총장 1명을 두되(회장, 부회장 및 사무총장은 임원으로 한다), 회장, 부회장 및 감사는 총회에서 선출하고, 사무총장은 회장이 임명한다.
③ 전국연합회 임원 및 감사의 임기는 다음 각 호와 같다.
1. 회장의 임기는 3년으로 하고 한 번만 연임할 수 있다.
2. 부회장 및 사무총장의 임기는 3년으로 한다.
3. 감사의 임기는 3년으로 한다. 다만, 시·도 지역연합회 대표의 임기가 종료되는 경우 감사의 임기도 만료되는 것으로 한다.
④ 회장은 전국연합회를 대표하고, 법 제20조 제1항에 따른 정기총회 및 임시총회의 의장이 되며, 전국연합회의 사무를 총괄한다.
⑤ 부회장은 회장을 보좌하고, 회장이 부득이한 사유로 직무를 수행할 수 없을 때에는 회장이 미리 지명한 부회장이 그 직무를 대행한다.
⑥ 감사는 업무집행 및 예산을 감사한다.
⑦ 사무총장은 회장의 명을 받아 사무를 처리한다.

제24조(전국연합회의 분과위원회) ① 전국연합회의 효율적 운영을 위하여 운영분과위원회, 연구개발분과위원회, 자원봉사분과위원회를 두되, 각 분과위원회의 위원수는 15명 이내로 한다.
② 분과위원회의 기능은 다음 각 호와 같다.
1. 운영분과위원회: 전국연합회 운영에 관한 사항
2. 연구개발분과위원회: 의용소방대 관련 연구사업 및 의용소방대의 처우 개선에 관한 사항
3. 자원봉사분과위원회 : 대형재난과 관련한 시·도 간 상호 지원 네트워크 구축에 관한 사항
③ 분과위원회의 위원장은 회장이 지명한다.
④ 분과위원회의 위원장은 필요시 해당 분과위원회를 소집한다.

제25조(전국연합회의 회의운영) ① 법 제20조 제1항에 따른 정기총회는 매년 1월 또는 2월에 개최한다.
② 정기총회와 임시총회는 재적회원 과반수의 출석으로 개회하고, 출석회원 과반수의 찬성으로 의결한다.
③ 총회의 의사에 관하여는 의사록을 작성하고, 회원에게 공개하여야 한다.

제26조 삭제

06 화재조사 및 보고규정

[시행 2023.3.8.] [소방청훈령 제311호, 2023.3.8., 전부개정]

제1조(목적) 이 규정은 「소방의 화재조사에 관한 법률」및 같은 법 시행령, 시행규칙에 따라 화재조사의 집행과 보고 및 사무처리에 필요한 사항을 정하는 것을 목적으로 한다.

제2조(정의) ① 이 규정에서 사용하는 용어의 정의는 다음과 같다.

1. "감식"이란 화재원인의 판정을 위하여 전문적인 지식, 기술 및 경험을 활용하여 주로 시각에 의한 종합적인 판단으로 구체적인 사실관계를 명확하게 규명하는 것을 말한다.
2. "감정"이란 화재와 관계되는 물건의 형상, 구조, 재질, 성분, 성질 등 이와 관련된 모든 현상에 대하여 과학적 방법에 의한 필요한 실험을 행하고 그 결과를 근거로 화재원인을 밝히는 자료를 얻는 것을 말한다.
3. "발화"란 열원에 의하여 가연물질에 지속적으로 불이 붙는 현상을 말한다.
4. "발화열원"이란 발화의 최초 원인이 된 불꽃 또는 열을 말한다.
5. "발화지점"이란 열원과 가연물이 상호작용하여 화재가 시작된 지점을 말한다.
6. "발화장소"란 화재가 발생한 장소를 말한다.
7. "최초착화물"이란 발화열원에 의해 불이 붙은 최초의 가연물을 말한다.
8. "발화요인"이란 발화열원에 의하여 발화로 이어진 연소현상에 영향을 준 인적 · 물적 · 자연적인 요인을 말한다.
9. "발화관련 기기"란 발화에 관련된 불꽃 또는 열을 발생시킨 기기 또는 장치나 제품을 말한다.
10. "동력원"이란 발화관련 기기나 제품을 작동 또는 연소시킬 때 사용되어진 연료 또는 에너지를 말한다.
11. "연소확대물"이란 연소가 확대되는데 있어 결정적 영향을 미친 가연물을 말한다.
12. "재구입비"란 화재 당시의 피해물과 같거나 비슷한 것을 재건축(설계 감리비를 포함한다) 또는 재취득하는데 필요한 금액을 말한다.
13. "내용연수"란 고정자산을 경제적으로 사용할 수 있는 연수를 말한다.
14. "손해율"이란 피해물의 종류, 손상 상태 및 정도에 따라 피해금액을 적정화시키는 일정한 비율을 말한다.
15. "잔가율"이란 화재 당시에 피해물의 재구입비에 대한 현재가의 비율을 말한다.
16. "최종잔가율"이란 피해물의 내용연수가 다한 경우 잔존하는 가치의 재구입비에 대한 비율을 말한다.
17. "화재현장"이란 화재가 발생하여 소방대 및 관계인 등에 의해 소화활동이 행하여지고 있거나 행하여진 장소를 말한다.
18. "접수"란 119종합상황실(이하 "상황실"이라 한다)에서 유 · 무선 전화 또는 다매체를 통하여 화재 등의 신고를 받는 것을 말한다.
19. "출동"이란 화재를 접수하고 상황실로부터 출동지령을 받아 소방대가 차고 등에서 출발하는 것을 말한다.
20. "도착"이란 출동지령을 받고 출동한 소방대가 현장에 도착하는 것을 말한다.
21. "선착대"란 화재현장에 가장 먼저 도착한 소방대를 말한다.
22. "초진"이란 소방대의 소화활동으로 화재확대의 위험이 현저하게 줄어들거나 없어진 상태를 말한다.
23. "잔불정리"란 화재 초진 후 잔불을 점검하고 처리하는 것을 말한다. 이 단계에서는 열에 의한 수증기나 화염 없이 연기만 발생하는 연소현상이 포함될 수 있다.
24. "완진"이란 소방대에 의한 소화활동의 필요성이 사라진 것을 말한다.
25. "철수"란 진화가 끝난 후, 소방대가 화재현장에서 복귀하는 것을 말한다.
26. "재발화감시"란 화재를 진화한 후 화재가 재발되지 않도록 감시조를 편성하여 일정 시간 동안 감시하는 것을 말한다.

② 이 규정에서 사용하는 용어의 뜻은 제1항에서 규정하는 것을 제외하고는 「소방기본법」, 「소방의 화재조사에 관한 법률」,「화재의 예방 및 안전관리에 관한 법률」,「소방시설 설치 및 관리에 관한 법률」에서 정하는 바에 따른다.

제3조(화재조사의 개시 및 원칙) ①「소방의 화재조사에 관한 법률」(이하 "법"이라 한다) 제5조 제1항에 따라 화재조사관(이하 "조사관"이라 한다)은 화재발생 사실을 인지하는 즉시 화재조사(이하 "조사"라 한다)를 시작해야 한다.

② 소방관서장은 「소방의 화재조사에 관한 법률 시행령」(이하 "영"이라 한다) 제4조 제1항에 따라 조사관을 근무 교대조별로 2인 이상 배치하고, 「소방의 화재조사에 관한 법률 시행규칙」(이하 "규칙"이라 한다) 제3조에 따른 장비 · 시설을 기준 이상으로 확보하여 조사업무를 수행하도록 하여야 한다.

③ 조사는 물적 증거를 바탕으로 과학적인 방법을 통해 합리적인 사실의 규명을 원칙으로 한다.

제4조(화재조사관의 책무) ① 조사관은 조사에 필요한 전문적 지식과 기술의 습득에 노력하여 조사업무를 능률적이고 효율적으로 수행해야 한다.

② 조사관은 그 직무를 이용하여 관계인등의 민사분쟁에 개입해서는 아니 된다.

제5조(화재출동대원 협조) ① 화재현장에 출동하는 소방대원은 조사에 도움이 되는 사항을 확인하고, 화재현장에서도 소방활동 중에 파악한 정보를 조사관에게 알려주어야 한다.

② 화재현장의 선착대 선임자는 철수 후 지체 없이 국가화재정보시스템에 별지 제2호서식 화재현장출동보고서를 작성 · 입력해야 한다.

제6조(관계인등 협조) ① 화재현장과 기타 관계있는 장소에 출입할 때에는 관계인등의 입회 하에 실시하는 것을 원칙으로 한다.

② 조사관은 조사에 필요한 자료 등을 관계인등에게 요구할 수 있으며, 관계인등이 반환을 요구할 때는 조사의 목적을 달성한 후 관계인등에게 반환해야 한다.

제7조(관계인등 진술) ① 법 제9조 제1항에 따라 관계인등에게 질문을 할 때에는 시기, 장소 등을 고려하여 진술하는 사람으로부터 임의진술을 얻도록 해야 하며 진술의 자유 또는 신체의 자유를 침해하여 임의성을 의심할 만한 방법을 취해서는 아니 된다.

② 관계인등에게 질문을 할 때에는 희망하는 진술내용을 얻기 위하여 상대방에게 암시하는 등의 방법으로 유도해서는 아니 된다.

③ 획득한 진술이 소문 등에 의한 사항인 경우 그 사실을 직접 경험한 관계인등의 진술을 얻도록 해야 한다.

④ 관계인등에 대한 질문 사항은 별지 제10호서식 질문기록서에 작성하여 그 증거를 확보한다.

제8조(감식 및 감정) ① 소방관서장은 조사 시 전문지식과 기술이 필요하다고 인정되는 경우 국립소방연구원 또는 화재감정기관 등에 감정을 의뢰할 수 있다.

② 소방관서장은 과학적이고 합리적인 화재원인 규명을 위하여 화재현장에서 수거한 물품에 대하여 감정을 실시하고 화재원인 입증을 위한 재현실험 등을 할 수 있다.

제9조(화재 유형) ① 법 제2조 제1항 제1호의 화재는 다음 각 호와 같이 그 유형을 구분한다.

1. 건축 · 구조물화재: 건축물, 구조물 또는 그 수용물이 소손된 것
2. 자동차 · 철도차량화재: 자동차, 철도차량 및 피견인 차량 또는 그 적재물이 소손된 것
3. 위험물 · 가스제조소등 화재: 위험물제조소등, 가스제조 · 저장 · 취급시설 등이 소손된 것
4. 선박 · 항공기화재: 선박, 항공기 또는 그 적재물이 소손된 것
5. 임야화재: 산림, 야산, 들판의 수목, 잡초, 경작물 등이 소손된 것
6. 기타화재: 위의 각 호에 해당되지 않는 화재

② 제1항의 화재가 복합되어 발생한 경우에는 화재의 구분을 화재피해금액이 큰 것으로 한다. 다만, 화재피해금액으로 구분하는 것이 사회관념상 적당하지 않을 경우에는 발화장소로 화재를 구분한다.

제10조(화재건수 결정) 1건의 화재란 1개의 발화지점에서 확대된 것으로 발화부터 진화까지를 말한다. 다만, 다음 경우는 각 호에 따른다.

1. 동일범이 아닌 각기 다른 사람에 의한 방화, 불장난은 동일 대상물에서 발화했더라도 각각 별건의 화재로 한다.
2. 동일 소방대상물의 발화점이 2개소 이상 있는 다음의 화재는 1건의 화재로 한다.
   가. 누전점이 동일한 누전에 의한 화재
   나. 지진, 낙뢰 등 자연현상에 의한 다발화재
3. 발화지점이 한 곳인 화재현장이 둘 이상의 관할구역에 걸친 화재는발화지점이 속한 소방서에서 1건의 화재로 산정한다. 다만, 발화지점 확인이 어려운 경우에는 화재피해금액이 큰 관할구역 소방서의 화재 건수로 산정한다.

제11조(발화일시 결정) 발화일시의 결정은 관계인등의 화재발견상황통보(인지)시간 및 화재발생 건물의 구조, 재질 상태와 화기취급 등의 상황을 종합적으로 검토하여 결정한다. 다만, 자체진화 등 사후인지 화재로 그 결정이 곤란한 경우에는 발화시간을 추정할 수 있다.

제12조(화재의 분류) 화재원인 및 장소 등 화재의 분류는 소방청장이 정하는 국가화재분류체계에 의한 분류표에 의하여 분류한다.

제13조(사상자) 사상자는 화재현장에서 사망한 사람과 부상당한 사람을 말한다. 다만, 화재현장에서 부상을 당한 후 72시간 이내에 사망한 경우에는 당해 화재로 인한 사망으로 본다.

제14조(부상자 분류) 부상의 정도는 의사의 진단을 기초로 하여 다음 각 호와 같이 분류한다.

1. 중상: 3주 이상의 입원치료를 필요로 하는 부상을 말한다.
2. 경상: 중상 이외의 부상(입원치료를 필요로 하지 않는 것도 포함한다)을 말한다. 다만, 병원 치료를 필요로 하지 않고 단순하게 연기를 흡입한 사람은 제외한다.

제15조(건물 동수 산정) 건물 동수의 산정은 별표 1에 따른다.

제16조(소실정도) ① 건축 · 구조물의 소실정도는 다음의 각 호에 따른다.

1. 전소: 건물의 70% 이상(입체면적에 대한 비율을 말한다. 이하 같다)이 소실되었거나 또는 그 미만이라도 잔존부분을 보수하여도 재사용이 불가능한 것
2. 반소: 건물의 30% 이상 70% 미만이 소실된 것
3. 부분소: 제1호, 제2호에 해당하지 아니하는 것

② 자동차 · 철도차량, 선박 · 항공기 등의 소실정도는 제1항의 규정을 준용한다.

제17조(소실면적 산정) ① 건물의 소실면적 산정은 소실 바닥면적으로 산정한다.

② 수손 및 기타 파손의 경우에도 제1항의 규정을 준용한다.

제18조(화재피해금액 산정) ① 화재피해금액은 화재 당시의 피해물과 동일한 구조, 용도, 질, 규모를 재건축 또는 재구입하는데 소요되는 가액에서 경과연수 등에 따른 감가공제를 하고 현재가액을 산정하는 실질적 · 구체적 방식에 따른다. 다만, 회계장부상 현재가액이 입증된 경우에는 그에 따른다.

② 제1항의 규정에도 불구하고 정확한 피해물품을 확인하기 곤란한 경우에는 소방청장이 정하는 「화재피해금액 산정매뉴얼」(이하 "매뉴얼"이라 한다)의 간이평가방식으로 산정할 수 있다.

③ 건물 등 자산에 대한 최종잔가율은 건물 · 부대설비 · 구축물 · 가재도구는 20%로 하며, 그 이외의 자산은 10%로 정한다.

④ 건물 등 자산에 대한 내용연수는 매뉴얼에서 정한 바에 따른다.

⑤ 대상별 화재피해금액 산정기준은 별표 2에 따른다.

⑥ 관계인은 화재피해금액 산정에 이의가 있는 경우 별지 제12호서식 또는 별지 제12호의2서식에 따라 관할 소방관서장에게 재산피해신고를 할 수 있다.

⑦ 제6항에 따른 신고서를 접수한 관할 소방관서장은 화재피해금액을 재산정해야 한다.

제19조(세대수 산정) 세대수는 거주와 생계를 함께 하고 있는 사람들의 집단 또는 하나의 가구를 구성하여 살고 있는 독신자로서 자신의 주거에 사용되는 건물에 대하여 재산권을 행사할 수 있는 사람을 1세대로 산정한다.

제20조(화재합동조사단 운영 및 종료) ① 소방관서장은 영 제7조 제1항에 해당하는 화재가 발생한 경우 다음 각 호에 따라 화재합동조사단을 구성하여 운영하는 것을 원칙으로 한다.

1. 소방청장: 사상자가 30명 이상이거나 2개 시 · 도 이상에 걸쳐 발생한 화재(임야화재는 제외한다. 이하 같다)
2. 소방본부장: 사상자가 20명 이상이거나 2개 시 · 군 · 구 이상에 발생한 화재
3. 소방서장: 사망자가 5명 이상이거나 사상자가 10명 이상 또는 재산피해액이 100억원 이상 발생한 화재

② 제1항에도 불구하고 소방관서장은 영 제7조 제1항 제2호 및 「소방기본법 시행규칙」제3조 제2항 제1호에 해당하는 화재에 대하여 화재합동조사단을 구성하여 운영할 수 있다.

③ 소방관서장은 영 제7조 제2항과 영 제7조 제4항에 해당하는 자 중에서 단장 1명과 단원 4명 이상을 화재합동조사단원으로 임명하거나 위촉할 수 있다.

④ 화재합동조사단원은 화재현장 지휘자 및 조사관, 출동 소방대원과 협력하여 조사와 관련된 정보를 수집할 수 있다.

⑤ 소방관서장은 화재합동조사단의 조사가 완료되었거나, 계속 유지할 필요가 없는 경우 업무를 종료하고 해산시킬 수 있다.

제21조(조사서류의 서식) 조사에 필요한 서류의 서식은 다음 각 호에 따른다.

1. 화재 · 구조 · 구급상황보고서: 별지 제1호서식
2. 화재현장출동보고서: 별지 제2호서식
3. 화재발생종합보고서: 별지 제3호서식
4. 화재현황조사서: 별지 제4호서식
5. 화재현장조사서: 별지 제5호서식
6. 화재현장조사서(임야화재, 기타화재): 별지 제5호의2서식
7. 화재유형별조사서(건축 · 구조물화재): 별지 제6호서식
8. 화재유형별조사서(자동차 · 철도차량화재): 별지 제6호의2서식
9. 화재유형별조사서(위험물 · 가스제조소등 화재): 별지 제6호의3서식
10. 화재유형별조사서(선박 · 항공기화재): 별지 제6호의4서식
11. 화재유형별조사서(임야화재): 별지 제6호의5서식
12. 화재피해조사서(인명피해): 별지 제7호서식
13. 화재피해조사서(재산피해): 별지 제7호의2서식
14. 방화 · 방화의심 조사서: 별지 제8호서식
15. 소방시설등 활용조사서: 별지 제9호서식
16. 질문기록서: 별지 제10호서식
17. 화재감식 · 감정 결과보고서: 별지 제11호서식
18. 재산피해신고서: 별지 제12호서식
19. 재산피해신고서(자동차, 철도, 선박, 항공기): 별지 제12호의2서식
20. 사후조사 의뢰서: 별지 제13호서식

제22조(조사 보고) ① 조사관이 조사를 시작한 때에는 소방관서장에게 지체 없이 별지 제1호서식 화재 · 구조 · 구급상황보고서를 작성 · 보고해야 한다.

② 조사의 최종 결과보고는 다음 각 호에 따른다.

1. 「소방기본법 시행규칙」 제3조 제2항 제1호에 해당하는 화재: 별지 제1호서식 내지 제11호서식까지 작성하여 화재 발생일로부터 30일 이내에 보고해야 한다.

2. 제1호에 해당하지 않는 화재: 별지 제1호서식 내지 제11호서식까지 작성하여 화재 발생일로부터 15일 이내에 보고해야 한다.

③ 제2항에도 불구하고 다음 각 호의 정당한 사유가 있는 경우에는 소방관서장에게 사전 보고를 한 후 필요한 기간만큼 조사 보고일을 연장할 수 있다.

1. 법 제5조 제1항 단서에 따른 수사기관의 범죄수사가 진행 중인 경우
2. 화재감정기관 등에 감정을 의뢰한 경우
3. 추가 화재현장조사 등이 필요한 경우

④ 제3항에 따라 조사 보고일을 연장한 경우 그 사유가 해소된 날부터 10일 이내에 소방관서장에게 조사결과를 보고해야 한다.

⑤ 치외법권지역 등 조사권을 행사할 수 없는 경우는 조사 가능한 내용만 조사하여 제21조 각 호의 조사 서식 중 해당 서류를 작성·보고한다.

⑥ 소방본부장 및 소방서장은 제2항에 따른 조사결과 서류를 영 제14조에 따라 국가화재정보시스템에 입력·관리해야 하며 영구보존방법에 따라 보존해야 한다.

제23조(화재증명원의 발급) ① 소방관서장은 화재증명원을 발급받으려는 자가 규칙 제9조 제1항에 따라 발급신청을 하면 규칙 별지 제3호서식에 따라 화재증명원을 발급해야 한다. 이 경우 「민원 처리에 관한 법률」 제12조의2 제3항에 따른 통합전자민원창구로 신청하면 전자민원문서로 발급해야 한다.

② 소방관서장은 화재피해자로부터 소방대가 출동하지 아니한 화재장소의 화재증명원 발급신청이 있는 경우 조사관으로 하여금 사후 조사를 실시하게 할 수 있다. 이 경우 민원인이 제출한 별지 제13호서식의 사후조사 의뢰서의 내용에 따라 발화장소 및 발화지점의 현장이 보존되어 있는 경우에만 조사를 하며, 별지 제2호서식의 화재현장출동보고서 작성은 생략할 수 있다.

③ 화재증명원 발급 시 인명피해 및 재산피해 내역을 기재한다. 다만, 조사가 진행 중인 경우에는 "조사 중"으로 기재한다.

④ 재산피해내역 중 피해금액은 기재하지 아니하며 피해물건만 종류별로 구분하여 기재한다. 다만, 민원인의 요구가 있는 경우에는 피해금액을 기재하여 발급할 수 있다.

⑤ 화재증명원 발급신청을 받은 소방관서장은 발화장소 관할 지역과 관계없이 발화장소 관할 소방서로부터 화재사실을 확인받아 화재증명원을 발급할 수 있다.

제24조(화재통계관리) 소방청장은 화재통계를 소방정책에 반영하고 유사한 화재를 예방하기 위해 매년 통계연감을 작성하여 국가화재정보시스템 등에 공표해야 한다.

제25조(조사관의 교육훈련) ① 규칙 제5조 제4항에 따라 조사에 관한 교육훈련에 필요한 과목은 별표 3으로 한다.

② 제1항의 교육과목별 시간과 방법은 소방본부장, 소방서장 또는 「소방공무원 교육훈련규정」 제13조에 따라 교육과정을 운영하는 교육훈련기관의 장이 정한다. 다만, 규칙 제5조 제2항에 따른 의무 보수교육 시간은 4시간 이상으로 한다.

③ 소방관서장은 조사관에 대하여 연구과제 부여, 학술대회 개최, 조사 관련 전문기관에 위탁훈련·교육을 실시하는 등 조사능력 향상에 노력하여야 한다.

제26조(유효기간) 이 훈령은 「훈령·예규 등의 발령 및 관리에 관한 규정」에 따라 이 훈령을 발령한 후의 법령이나 현실 여건의 변화 등을 검토하여야 하는 2025년 12월 31일까지 효력을 가진다.

07 119구조·구급에 관한 법률

[시행 2024.7.3.] [법률 제19871호, 2024.1.2., 일부개정]

제1장 총칙

제1조(목적) 이 법은 화재, 재난·재해 및 테러, 그 밖의 위급한 상황에서 119구조·구급의 효율적 운영에 관하여 필요한 사항을 규정함으로써 국가의 구조·구급 업무 역량을 강화하고 국민의 생명·신체 및 재산을 보호하며 삶의 질 향상에 이바지함을 목적으로 한다.

제2조(정의) 이 법에서 사용하는 용어의 뜻은 다음과 같다.

1. "구조"란 화재, 재난·재해 및 테러, 그 밖의 위급한 상황(이하 "위급상황"이라 한다)에서 외부의 도움을 필요로 하는 사람(이하 "요구조자"라 한다)의 생명, 신체 및 재산을 보호하기 위하여 수행하는 모든 활동을 말한다.
2. "119구조대"란 탐색 및 구조활동에 필요한 장비를 갖추고 소방공무원으로 편성된 단위조직을 말한다.
3. "구급"이란 응급환자에 대하여 행하는 상담, 응급처치 및 이송 등의 활동을 말한다.
4. "119구급대"란 구급활동에 필요한 장비를 갖추고 소방공무원으로 편성된 단위조직을 말한다.
5. "응급환자"란 「응급의료에 관한 법률」 제2조 제1호의 응급환자를 말한다.
6. "응급처치"란 「응급의료에 관한 법률」 제2조 제3호의 응급처치를 말한다.
7. "구급차등"이란 「응급의료에 관한 법률」 제2조 제6호의 구급차등을 말한다.
8. "지도의사"란 「응급의료에 관한 법률」 제52조의 지도의사를 말한다.
9. "119항공대"란 항공기, 구조·구급 장비 및 119항공대원으로 구성된 단위조직을 말한다.
10. "119항공대원"이란 구조·구급을 위한 119항공대에 근무하는 조종사, 정비사, 항공교통관제사, 운항관리사, 119구조·구급대원을 말한다.
11. "119구조견"이란 위급상황에서 「소방기본법」 제4조에 따른 소방활동의 보조를 목적으로 소방기관에서 운용하는 개를 말한다.
12. "119구조견대"란 위급상황에서 119구조견을 활용하여 「소방기본법」 제4조에 따른 소방활동을 수행하는 소방공무원으로 편성된 단위조직을 말한다.

제3조(국가 등의 책무) ① 국가와 지방자치단체는 119구조·구급(이하 "구조·구급"이라 한다)과 관련된 새로운 기술의 연구·개발 및 구조·구급서비스의 질을 향상시키기 위한 시책을 강구하고 추진하여야 한다.

② 국가와 지방자치단체는 구조·구급업무를 효과적으로 수행하기 위한 체계의 구축 및 구조·구급장비의 구비, 그 밖에 구조·구급활동에 필요한 기반을 마련하여야 한다.

③ 국가와 지방자치단체는 국민이 위급상황에서 자신의 생명과 신체를 보호할 수 있는 대응능력을 향상시키기 위한 교육과 홍보에 적극 노력하여야 한다.

제4조(국민의 권리와 의무) ① 누구든지 위급상황에 처한 경우에는 국가와 지방자치단체로부터 신속한 구조와 구급을 통하여 생활의 안전을 영위할 권리를 가진다.

② 누구든지 119구조대원·119구급대원·119항공대원(이하 "구조·구급대원"이라 한다)이 위급상황에서 구조·구급활동을 위하여 필요한 협조를 요청하는 경우에는 특별한 사유가 없으면 이에 협조하여야 한다.

③ 누구든지 위급상황에 처한 요구조자를 발견한 때에는 이를 지체 없이 소방기관 또는 관계 행정기관에 알려야 하며, 119구조대·119구급대·119항공대(이하 "구조·구급대"라 한다)가 도착할 때까지 요구조자를 구출하거나 부상 등이 악화되지 아니하도록 노력하여야 한다.

제5조(다른 법률과의 관계) 구조·구급활동에 관하여 다른 법률에 특별한 규정이 있는 경우를 제외하고는 이 법에서 정하는 바에 따른다.

제2장 구조·구급 기본계획 등

제6조(구조·구급 기본계획 등의 수립·시행) ① 소방청장은 제3조의 업무를 수행하기 위하여 관계 중앙행정기관의 장과 협의하여 대통령령으로 정하는 바에 따라 구조·구급 기본계획(이하 "기본계획"이라 한다)을 수립·시행하여야 한다.

② 기본계획에는 다음 각 호의 사항이 포함되어야 한다.

1. 구조·구급서비스의 질 향상을 위한 정책의 기본방향에 관한 사항
2. 구조·구급에 필요한 체계의 구축, 기술의 연구개발 및 보급에 관한 사항
3. 구조·구급에 필요한 장비의 구비에 관한 사항
4. 구조·구급 전문인력 양성에 관한 사항

5. 구조 · 구급활동에 필요한 기반조성에 관한 사항
6. 구조 · 구급의 교육과 홍보에 관한 사항
7. 그 밖에 구조 · 구급업무의 효율적 수행을 위하여 필요한 사항
③ 소방청장은 기본계획에 따라 매년 연도별 구조 · 구급 집행계획(이하 "집행계획"이라 한다)을 수립 · 시행하여야 한다.
④ 소방청장은 제1항 및 제3항에 따라 수립된 기본계획 및 집행계획을 관계 중앙행정기관의 장, 특별시장 · 광역시장 · 특별자치시장 · 도지사 · 특별자치도지사(이하 "시 · 도지사"라 한다)에게 통보하고 국회 소관 상임위원회에 제출하여야 한다.
⑤ 소방청장은 기본계획 및 집행계획을 수립하기 위하여 필요한 경우에는 관계 중앙행정기관의 장 또는 시 · 도지사에게 관련 자료의 제출을 요청할 수 있다. 이 경우 자료제출을 요청받은 관계 중앙행정기관의 장 또는 시 · 도지사는 특별한 사유가 없으면 이에 따라야 한다.

제7조(시 · 도 구조 · 구급집행계획의 수립 · 시행) ① 소방본부장은 기본계획 및 집행계획에 따라 관할 지역에서 신속하고 원활한 구조 · 구급활동을 위하여 매년 특별시 · 광역시 · 특별자치시 · 도 · 특별자치도(이하 "시 · 도"라 한다) 구조 · 구급 집행계획(이하 "시 · 도 집행계획"이라 한다)을 수립하여 소방청장에게 제출하여야 한다.
② 소방본부장은 시 · 도 집행계획을 수립하기 위하여 필요한 경우에는 해당 특별자치도지사 · 시장 · 군수 · 구청장(자치구의 구청장을 말한다. 이하 같다)에게 관련 자료의 제출을 요청 할 수 있다. 이 경우 자료제출을 요청받은 해당 특별자치도지사 · 시장 · 군수 · 구청장은 특별한 사유가 없으면 이에 따라야 한다.
③ 시 · 도 집행계획의 수립시기 · 내용, 그 밖에 필요한 사항은 대통령령으로 정한다.

제3장 구조대 및 구급대 등의 편성 · 운영

제8조(119구조대의 편성과 운영) ① 소방청장 · 소방본부장 또는 소방서장(이하 "소방청장등"이라 한다)은 위급상황에서 요구조자의 생명 등을 신속하고 안전하게 구조하는 업무를 수행하기 위하여 대통령령으로 정하는 바에 따라 119구조대(이하 "구조대"라 한다)를 편성하여 운영하여야 한다.
② 구조대의 종류, 구조대원의 자격기준, 그 밖에 필요한 사항은 대통령령으로 정한다.
③ 구조대는 행정안전부령으로 정하는 장비를 구비하여야 한다.

제9조(국제구조대의 편성과 운영) ① 소방청장은 국외에서대형재난 등이 발생한 경우 재외국민의 보호 또는 재난발생국의 국민에 대한 인도주의적 구조 활동을 위하여 국제구조대를 편성하여 운영할 수 있다.
② 소방청장은 외교부장관과 협의를 거쳐 제1항에 따른 국제구조대를 재난발생국에 파견할 수 있다.
③ 소방청장은 제1항에 따른 국제구조대를 국외에 파견할 것에 대비하여 구조대원에 대한 교육훈련 등을 실시할 수 있다.
④ 소방청장은 제1항에 따른 국제구조대의 국외재난대응능력을 향상시키기 위하여 국제연합 등 관련 국제기구와의 협력체계 구축, 해외재난정보의 수집 및 기술연구 등을 위한 시책을 추진할 수 있다.
⑤ 소방청장은 제2항에 따라 국제구조대를 재난발생국에 파견하기 위하여 필요한 경우 관계 중앙행정기관의 장 또는 시 · 도지사에게 직원의 파견 및 장비의 지원을 요청할 수 있다. 이 경우 관계 중앙행정기관의 장 또는 시 · 도지사는 특별한 사유가 없으면 요청에 따라야 한다.
⑥ 제1항부터 제5항까지의 규정에 따른 국제구조대의 편성, 파견, 교육훈련 및 국제구조대원의 귀국 후 건강관리와 그 밖에 필요한 사항은 대통령령으로 정한다.
⑦ 제1항에 따른 국제구조대는 행정안전부령으로 정하는 장비를 구비하여야 한다.

제10조(119구급대의 편성과 운영) ① 소방청장등은 위급상황에서 발생한 응급환자를 응급처치하거나 의료기관에 긴급히 이송하는 등의 구급업무를 수행하기 위하여 대통령령으로 정하는 바에 따라 119구급대(이하 "구급대"라 한다)를 편성하여 운영하여야 한다.
② 구급대의 종류, 구급대원의 자격기준, 이송대상자, 그 밖에 필요한 사항은 대통령령으로 정한다.
③ 구급대는 행정안전부령으로 정하는 장비를 구비하여야 한다.
④ 소방청장은 응급환자가 신속하고 적절한 응급처치를 받을 수 있도록 「의료법」 제27조에도 불구하고 대통령령으로 정하는 바에 따라 보건복지부장관과 협의하여 구급대원의 자격별 응급처치의 범위를 정할 수 있다. 다만, 대통령령으로 정하는 범위는 「응급의료에 관한 법률」 제41조에서 정한 내용을 초과하지 아니한다.
⑤ 소방청장은 구급대원의 자격별 응급처치를 위한 교육 · 평가 및 응급처치의 품질관리 등에 관한 계획을 수립 · 시행하여야 한다.

제10조의2(119구급상황관리센터의 설치 · 운영 등) ① 소방청장은 119구급대원 등에게 응급환자 이송에 관한 정보를 효율적으로 제공하기 위하여 소방청과 시 · 도 소방본부에 119구급상황관리센터(이하 "구급상황센터"라 한다)를 설치 · 운영하여야 한다.
② 구급상황센터에서는 다음 각 호의 업무를 수행한다.
1. 응급환자에 대한 안내 · 상담 및 지도

2. 응급환자를 이송 중인 사람에 대한 응급처치의 지도 및 이송병원 안내
3. 제1호 및 제2호와 관련된 정보의 활용 및 제공
4. 119구급이송 관련 정보망의 설치 및 관리 · 운영
5. 제23조의2 제1항 및 제23조의3 제1항에 따른 감염병환자등의 이송 등 중요사항 보고 및 전파
6. 재외국민, 영해 · 공해상 선원 및 항공기 승무원 · 승객 등에 대한 의료상담 등 응급의료서비스 제공

③ 구급상황센터의 설치 · 운영, 그 밖에 필요한 사항은 대통령령으로 정한다.

④ 보건복지부장관은 제2항에 따른 업무를 평가할 수 있으며, 소방청장은 그 평가와 관련한 자료의 수집을 위하여 보건복지부장관이 요청하는 경우 제22조 제1항의 기록 등 필요한 자료를 제공하여야 한다.

⑤ 소방청장은 응급환자의 이송정보가 「응급의료에 관한 법률」 제25조 제1항 제6호의 응급의료 전산망과 연계될 수 있도록 하여야 한다.

제10조의3(119구급차의 운용) ① 소방청장등은 응급환자를 의료기관에 긴급히 이송하기 위하여 구급차(이하 "119구급차"라 한다)를 운용하여야 한다.

② 119구급차의 배치기준, 장비(의료장비 및 구급의약품은 제외한다) 등 119구급차의 운용에 관하여 응급의료 관계 법령에 규정되어 있지 아니하거나 응급의료 관계 법령에 규정된 내용을 초과하여 규정할 필요가 있는 사항은 행정안전부령으로 정한다.

제10조의4(국제구급대의 편성과 운영) ① 소방청장은 국외에서 대형재난 등이 발생한 경우 재외국민에 대한 구급 활동, 재외국민 응급환자의 국내 의료기관 이송 또는 재난발생국 국민에 대한 인도주의적 구급 활동을 위하여 국제구급대를 편성하여 운영할 수 있다. 이 경우 이송과 관련된 사항은 「재외국민보호를 위한 영사조력법」 제19조에 따른다.

② 국제구급대의 편성, 파견, 교육훈련 및 국제구급대원의 귀국 후 건강관리 등에 관하여는 제9조 제2항부터 제7항까지를 준용한다. 이 경우 "국제구조대"는 "국제구급대"로, "구조대원"은 "구급대원"으로 본다.

제11조(구조 · 구급대의 통합 편성과 운영) ① 소방청장등은 제8조 제1항, 제10조 제1항 및 제12조 제1항에도 불구하고 구조 · 구급대를 통합하여 편성 · 운영할 수 있다.

② 소방청장은 제9조 제1항 및 제10조의4 제1항에도 불구하고 국제구조대 · 국제구급대를 통합하여 편성 · 운영할 수 있다.

제12조(119항공대의 편성과 운영) ① 소방청장 또는 소방본부장은 초고층 건축물 등에서 요구조자의 생명을 안전하게 구조하거나 도서 · 벽지에서 발생한 응급환자를 의료기관에 긴급히 이송하기 위하여 119항공대(이하 "항공대"라 한다)를 편성하여 운영한다.

② 항공대의 편성과 운영, 업무 및 항공대원의 자격기준, 그 밖에 필요한 사항은 대통령령으로 정한다.

③ 항공대는 행정안전부령으로 정하는 장비를 구비하여야 한다.

제12조의2(119항공운항관제실 설치 · 운영 등) ① 소방청장은 소방항공기의 안전하고 신속한 출동과 체계적인 현장활동의 관리 · 조정 · 통제를 위하여 소방청에 119항공운항관제실을 설치 · 운영하여야 한다.

② 제1항에 따른 119항공운항관제실의 업무는 다음 각 호와 같다.
1. 재난현장 출동 소방헬기의 운항 · 통제 · 조정에 관한 사항
2. 관계 중앙행정기관 소속의 응급의료헬기 출동 요청에 관한 사항
3. 관계 중앙행정기관 소속의 헬기 출동 요청 및 공역통제 · 현장 지휘에 관한 사항
4. 소방항공기 통합 정보 및 안전관리 시스템의 설치 · 관리 · 운영에 관한 사항
5. 소방항공기의 효율적 운항관리를 위한 교육 · 훈련 계획 등의 수립에 관한 사항

③ 119항공운항관제실 설치 · 운영 등에 필요한 사항은 대통령령으로 정한다.

제12조의3(119항공정비실의 설치 · 운영 등) ① 소방청장은 제12조 제1항에 따라 편성된 항공대의 소방헬기를 전문적으로 통합정비 및 관리하기 위하여 소방청에 119항공정비실(이하 "정비실"이라 한다)을 설치 · 운영할 수 있다.

② 정비실에서는 다음 각 호의 업무를 수행한다.
1. 소방헬기 정비운영 계획 수립 및 시행 등에 관한 사항
2. 중대한 결함 해소 및 중정비 업무 수행 등에 관한 사항
3. 정비에 필요한 전문장비 등의 운영 · 관리에 관한 사항
4. 정비에 필요한 부품 수급 등의 운영 · 관리에 관한 사항
5. 정비사의 교육훈련 및 자격유지에 관한 사항
6. 소방헬기 정비교범 및 정비 관련 문서 · 기록의 관리 · 유지에 관한 사항
7. 그 밖에 소방헬기 정비를 위하여 필요한 사항

③ 정비실의 설치 · 운영, 그 밖에 필요한 사항은 대통령령으로 정한다.

④ 정비실의 인력 · 시설 및 장비기준 등에 필요한 사항은 행정안전부령으로 정한다.

제12조의4(119구조견대의 편성과 운영) ① 소방청장과 소방본부장은 위급상황에서 「소방기본법」 제4조에 따른 소방활동의 보조 및 효율적 업무 수행을 위하여 119구조견대를 편성하여 운영한다.

② 소방청장은 119구조견(이하 "구조견"이라 한다)의 양성·보급 및 구조견 운용자의 교육·훈련을 위하여 구조견 양성·보급기관을 설치·운영하여야 한다.

③ 제1항에 따른 119구조견대의 편성·운영 및 제2항에 따른 구조견 양성·보급 기관의 설치·운영, 그 밖에 필요한 사항은 대통령령으로 정한다.

④ 119구조견대는 행정안전부령으로 정하는 장비를 구비하여야 한다.

제4장 구조·구급활동 등

제13조(구조·구급활동) ① 소방청장등은 위급상황이 발생한 때에는 구조·구급대를 현장에 신속하게 출동시켜 인명구조, 응급처치 및 구급차등의 이송, 그 밖에 필요한 활동을 하게 하여야 한다.

② 누구든지 제1항에 따른 구조·구급활동을 방해하여서는 아니 된다.

③ 소방청장등은 대통령령으로 정하는 위급하지 아니한 경우에는 구조·구급대를 출동시키지 아니할 수 있다.

제14조(유관기관과의 협력) ① 소방청장등은 구조·구급활동을 함에 있어서 필요한 경우에는 시·도지사 또는 시장·군수·구청장에게 협력을 요청할 수 있다.

② 시·도지사 또는 시장·군수·구청장은 특별한 사유가 없으면 제1항의 요청에 따라야 한다.

제15조(구조·구급활동을 위한 긴급조치) ① 소방청장등은 구조·구급활동을 위하여 필요하다고 인정하는 때에는 다른 사람의 토지·건물 또는 그 밖의 물건을 일시사용, 사용의 제한 또는 처분을 하거나 토지·건물에 출입할 수 있다.

② 소방청장등은 제1항에 따른 조치로 인하여 손실을 입은 자가 있는 경우에는 대통령령으로 정하는 바에 따라 그 손실을 보상하여야 한다.

제16조(구조된 사람과 물건의 인도·인계) ① 소방청장등은 제13조 제1항에 따른 구조활동으로 구조된 사람(이하 "구조된 사람"이라 한다) 또는 신원이 확인된 사망자를 그 보호자 또는 유족에게 지체 없이 인도하여야 한다.

② 소방청장등은 제13조 제1항에 따른 구조·구급활동과 관련하여 회수된 물건(이하 "구조된 물건"이라 한다)의 소유자가 있는 경우에는 소유자에게 그 물건을 인계하여야 한다.

③ 소방청장등은 다음 각 호의 어느 하나에 해당하는 때에는 구조된 사람, 사망자 또는 구조된 물건을 특별자치도지사·시장·군수·구청장(「재난 및 안전관리 기본법」 제14조 또는 제16조에 따른 재난안전대책본부가 구성된 경우 해당 재난안전대책본부장을 말한다. 이하 같다)에게 인도하거나 인계하여야 한다.

1. 구조된 사람이나 사망자의 신원이 확인되지 아니한 때
2. 구조된 사람이나 사망자를 인도받을 보호자 또는 유족이 없는 때
3. 구조된 물건의 소유자를 알 수 없는 때

제17조(구조된 사람의 보호) 제16조 제3항에 따라 구조된 사람을 인도받은 특별자치도지사·시장·군수·구청장은 구조된 사람에게 숙소·급식·의류의 제공과 치료 등 필요한 보호조치를 취하여야 하며, 사망자에 대하여는 영안실에 안치하는 등 적절한 조치를 취하여야 한다.

제18조(구조된 물건의 처리) ① 제16조 제3항에 따라 구조된 물건을 인계받은 특별자치도지사·시장·군수·구청장은 이를 안전하게 보관하여야 한다.

② 제1항에 따라 인계받은 물건의 처리절차와 그 밖에 필요한 사항은 대통령령으로 정한다.

제19조(가족 및 유관기관의 연락) ① 구조·구급대원은 제13조 제1항에 따른 구조·구급활동을 함에 있어 현장에 보호자가 없는 요구조자 또는 응급환자를 구조하거나 응급처치를 한 후에는 그 가족이나 관계자에게 구조경위, 요구조자 또는 응급환자의 상태 등을 즉시 알려야 한다.

② 구조·구급대원은 요구조자와 응급환자의 가족이나 관계자의 연락처를 알 수 없는 때에는 위급상황이 발생한 해당 지역의 특별자치도지사·시장·군수·구청장에게 그 사실을 통보하여야 한다.

③ 구조·구급대원은 요구조자와 응급환자의 신원을 확인할 수 없는 경우에는 경찰관서에 신원의 확인을 의뢰할 수 있다.

제20조(구조·구급활동을 위한 지원요청) ① 소방청장등은 구조·구급활동을 함에 있어서 인력과 장비가 부족한 경우에는 대통령령으로 정하는 바에 따라 관할구역 안의 의료기관, 「응급의료에 관한 법률」 제44조에 따른 구급차등의 운용자 및 구조·구급과 관련된 기관 또는 단체(이하 이 조에서 "의료기관등"이라 한다)에 대하여 구조·구급에 필요한 인력 및 장비의 지원을 요청할 수 있다. 이 경우 요청을 받은 의료기관등은 정당한 사유가 없으면 이에 따라야 한다.

② 제1항의 지원요청에 따라 구조·구급활동에 참여하는 사람은 소방청장등의 조치에 따라야 한다.

③ 제1항에 따라 지원활동에 참여한 구급차등의 운용자는 소방청장등이 지정하는 의료기관으로 응급환자를 이송하여야 한다.

④ 소방청장등은 행정안전부령으로 정하는 바에 따라 제1항에 따른 지원요청대상 의료기관등의 현황을 관리하여야 한다.

⑤ 소방청장등은 제1항에 따라 구조·구급활동에 참여한 의료기관등에 대하여는 그 비용을 보상할 수 있다.

제21조(구조·구급대원과 경찰공무원의 협력) ① 구조·구급대원은 범죄사건과 관련된 위급상황 등에서 구조·구급활동을 하는 경우에는 경찰공무원과 상호 협력하여야 한다.

② 구조·구급대원은 요구조자나 응급환자가 범죄사건과 관련이 있다고 의심할만한 정황이 있는 경우에는 즉시 경찰관서에 그 사실을 통보하고 현장의 증거보존에 유의하면서 구조·구급활동을 하여야 한다. 다만, 생명이 위독한 경우에는 먼저 구조하거나 의료기관으로 이송하고 경찰관서에 그 사실을 통보할 수 있다.

제22조(구조·구급활동의 기록관리) ① 소방청장등은 구조·구급활동상황 등을 기록하고 이를 보관하여야 한다.

② 구조·구급활동상황일지의 작성·보관 및 관리, 그 밖에 필요한 사항은 행정안전부령으로 정한다.

제22조의2(이송환자에 대한 정보 수집) 소방청장등은 구급대가 응급환자를 의료기관으로 이송한 경우 이송환자의 수 및 증상을 파악하고 응급처치의 적절성을 자체적으로 평가하기 위하여 필요한 범위에서 해당 의료기관에 주된 증상, 사망여부 및 상해의 경중 등 응급환자의 진단 및 상태에 관한 정보를 요청할 수 있다. 이 경우 요청을 받은 의료기관은 정당한 사유가 없으면 이에 따라야 한다.

제23조(구조·구급대원에 대한 안전사고방지대책등 수립·시행) ① 소방청장은 구조·구급대원의 안전사고방지대책, 감염방지대책, 건강관리대책 등(이하 "안전사고방지대책등"이라 한다)을 수립·시행하여야 한다.

② 안전사고방지대책등의 수립에 관하여 필요한 사항은 대통령령으로 정한다.

제23조의2(감염병환자등의 이송 등) ① 소방청장등은 「감염병의 예방 및 관리에 관한 법률」 제2조 제13호부터 제15호까지 및 제15호의2의 감염병환자, 감염병의사환자, 병원체보유자 또는 감염병의심자(이하 "감염병환자등"이라 한다)의 이송 등의 업무를 수행할 수 있다.

② 제1항에 따른 감염병환자등의 이송 범위, 방법, 그 밖에 필요한 사항은 대통령령으로 정한다.

제23조의3(감염병환자등의 통보 등) ① 질병관리청장 및 의료기관의 장은 구급대가 이송한 응급환자가 감염병환자등인 경우에는 그 사실을 소방청장등에게 즉시 통보하여야 한다. 이 경우 정보시스템을 활용하여 통보할 수 있다.

② 소방청장등은 감염병환자등과 접촉한 구조·구급대원이 적절한 치료를 받을 수 있도록 조치하여야 한다.

③ 제1항에 따른 감염병환자등에 대한 구체적인 통보대상, 통보방법 및 절차, 제2항에 따른 조치 방법 등에 필요한 사항은 대통령령으로 정한다.

제24조(구조·구급활동으로 인한 형의 감면) 다음 각 호의 어느 하나에 해당하는 자가 구조·구급활동으로 인하여 요구조자를 사상에 이르게 한 경우 그 구조·구급활동 등이 불가피하고 구조·구급대원 등에게 중대한 과실이 없는 때에는 그 정상을 참작하여 「형법」 제266조부터 제268조까지의 형을 감경하거나 면제할 수 있다.

1. 제4조 제3항에 따라 위급상황에 처한 요구조자를 구출하거나 필요한 조치를 한 자
2. 제13조 제1항에 따라 구조·구급활동을 한 자

제5장 보칙

제25조(구조·구급대원의 전문성 강화 등) ① 소방청장은 국민에게 질 높은 구조와 구급서비스를 제공하기 위하여 전문 구조·구급대원의 양성과 기술향상을 위하여 필요한 교육훈련 프로그램을 운영하여야 한다.

② 구조·구급대원은 업무와 관련된 새로운 지식과 전문기술의 습득 등을 위하여 행정안전부령으로 정하는 바에 따라 소방청장이 실시하는 교육훈련을 받아야 한다.

③ 소방청장은 구조·구급대원의 전문성을 향상시키기 위하여 필요한 경우 제2항에 따른 교육훈련을 국내외 교육기관 등에 위탁하여 실시할 수 있다.

④ 제2항 및 제3항에 따른 교육훈련의 방법·시간 및 내용, 그 밖에 필요한 사항은 행정안전부령으로 정한다.

제25조의2(구급지도의사) ① 소방청장등은 구급대원에 대한 교육·훈련과 구급활동에 대한 지도·평가 등을 수행하기 위하여 지도의사(이하 "구급지도의사"라 한다)를 선임하거나 위촉하여야 한다.

② 구급지도의사의 배치기준, 업무, 선임방법 등 구급지도의사의 선임·위촉에 관하여 응급의료 관계 법령에 규정되어 있지 아니하거나 응급의료 관계 법령에 규정된 내용을 초과하여 규정할 필요가 있는 사항은 대통령령으로 정한다.

제26조(구조 · 구급활동의 평가) ① 소방청장은 매년 시 · 도 소방본부의 구조 · 구급활동에 대하여 종합평가를 실시하고 그 결과를 시 · 도 소방본부장에게 통보하여야 한다.
② 소방청장은 제1항에 따른 종합평가결과에 따라 시 · 도 소방본부에 대하여 행정적 · 재정적 지원을 할 수 있다.
③ 제1항에 따른 평가방법 및 항목, 그 밖에 필요한 사항은 대통령령으로 정한다.

제27조(구조 · 구급정책협의회) ① 제3조 제1항에 따른 구조 · 구급 관련 새로운 기술의 연구 · 개발 등과 기본계획 및 집행계획에 관하여 필요한 사항을 관계 중앙행정기관 등과 협의하기 위하여 소방청에 중앙 구조 · 구급정책협의회를 둔다.
② 시 · 도 집행계획의 수립 · 시행에 필요한 사항을 해당 시 · 도의 구조 · 구급관련기관 등과 협의하기 위하여 시 · 도 소방본부에 시 · 도 구조 · 구급정책협의회를 둔다.
③ 제1항 및 제2항에 따른 구조 · 구급정책협의회의 구성 · 기능 및 운영, 그 밖에 필요한 사항은 대통령령으로 정한다.

제27조의2(응급처치에 관한 교육) ① 소방청장등은 국민의 응급처치 능력 향상을 위하여 심폐소생술 등 응급처치에 관한 교육 및 홍보를 실시할 수 있다.
② 응급처치의 교육 내용 · 방법, 홍보 및 그 밖에 필요한 사항은 대통령령으로 정한다.

제6장 벌칙

제28조(벌칙) 정당한 사유 없이 제13조 제2항을 위반하여 구조 · 구급활동을 방해한 자는 5년 이하의 징역 또는 5천만원 이하의 벌금에 처한다.

제29조(벌칙) 정당한 사유 없이 제15조 제1항에 따른 토지 · 물건 등의 일시사용, 사용의 제한, 처분 또는 토지 · 건물에 출입을 거부 또는 방해한 자는 300만원 이하의 벌금에 처한다.

제29조의2(벌칙) 제23조의3 제1항을 위반하여 통보를 하지 아니하거나 거짓으로 통보한 자는 200만원 이하의 벌금에 처한다.

제29조의3(「형법」상 감경규정에 관한 특례) 음주 또는 약물로 인한 심신장애 상태에서 폭행 또는 협박을 행사하여 제13조 제2항의 죄를 범한 때에는 「형법」 제10조 제1항 및 제2항을 적용하지 아니할 수 있다.

제30조(과태료) ① 제4조 제3항을 위반하여 위급상황을 소방기관 또는 관계 행정기관에 거짓으로 알린 자에게는 500만원 이하의 과태료를 부과한다.
② 제1항에 따른 과태료는 대통령령으로 정하는 바에 따라 소방청장등 또는 관계 행정기관의 장이 부과 · 징수한다.

08 119구조·구급에 관한 법률 시행령

[시행 2024.4.23.] [대통령령 제34433호, 2024.4.23., 일부개정]

제1장 총칙

제1조(목적) 이 영은 「119구조 · 구급에 관한 법률」에서 위임된 사항과 그 시행에 필요한 사항을 규정함을 목적으로 한다.

제2장 구조 · 구급 기본계획 등

제2조(구조 · 구급 기본계획의 수립 · 시행) ① 「119구조 · 구급에 관한 법률」(이하 "법"이라 한다) 제6조 제1항에 따른 구조 · 구급 기본계획(이하 "기본계획"이라 한다)은 법 제27조 제1항에 따른 중앙 구조 · 구급정책협의회(이하 "중앙 정책협의회"라 한다)의 협의를 거쳐 5년마다 수립하여야 한다.

② 기본계획은 계획 시행 전년도 8월 31일까지 수립하여야 한다.

③ 소방청장은 구조 · 구급 시책상 필요한 경우 중앙 정책협의회의 협의를 거쳐 기본계획을 변경할 수 있다.

④ 소방청장은 제3항에 따라 변경된 기본계획을 지체 없이 관계 중앙행정기관의 장, 특별시장 · 광역시장 · 특별자치시장 · 도지사 · 특별자치도지사(이하 "시 · 도지사"라 한다)에게 통보하고 국회 소관 상임위원회에 제출하여야 한다.

제3조(구조 · 구급 집행계획의 수립 · 시행) ① 법 제6조 제3항에 따른 구조 · 구급 집행계획(이하 "집행계획"이라 한다)은 중앙 정책협의회의 협의를 거쳐 계획 시행 전년도 10월 31일까지 수립하여야 한다.

② 집행계획에는 다음 각 호의 사항이 포함되어야 한다.

1. 기본계획 집행을 위하여 필요한 사항
2. 구조 · 구급대원의 안전사고 방지, 감염 방지 및 건강관리를 위하여 필요한 사항
3. 그 밖에 구조 · 구급활동과 관련하여 중앙 정책협의회에서 필요하다고 결정한 사항

제4조(시 · 도 구조 · 구급 집행계획의 수립 · 시행) ① 법 제7조 제1항에 따른 특별시 · 광역시 · 특별자치시 · 도 · 특별자치도(이하 "시 · 도"라 한다) 구조 · 구급 집행계획(이하 "시 · 도 집행계획"이라 한다)은 법 제27조 제2항에 따른 시 · 도 구조 · 구급정책협의회(이하 "시 · 도 정책협의회"라 한다)의 협의를 거쳐 계획 시행 전년도 12월 31일까지 수립하여 야 한다.

② 시 · 도 집행계획에는 다음 각 호의 사항이 포함되어야 한다.

1. 기본계획 및 집행계획에 대한 시 · 도의 세부 집행계획
2. 구조 · 구급대원의 안전사고 방지, 감염 방지 및 건강관리를 위하여 필요한 세부 집행계획
3. 법 제26조 제1항의 평가 결과에 따른 조치계획
4. 그 밖에 구조 · 구급활동과 관련하여 시 · 도 정책협의회에서 필요하다고 결정한 사항

제3장 구조대 및 구급대 등의 편성 · 운영

제5조(119구조대의 편성과 운영) ① 법 제8조 제1항에 따른 119구조대(이하 "구조대"라 한다)는 다음 각 호의 구분에 따라 편성 · 운영한다.

1. 일반구조대: 시 · 도의 규칙으로 정하는 바에 따라 소방서마다 1개 대(隊) 이상 설치하되, 소방서가 없는 시 · 군 · 구(자치구를 말한다. 이하 같다)의 경우에는 해당 시 · 군 · 구 지역의 중심지에 있는 119안전센터에 설치할 수 있다.
2. 특수구조대: 소방대상물, 지역 특성, 재난 발생 유형 및 빈도 등을 고려하여 시 · 도의 규칙으로 정하는 바에 따라 다음 각 목의 구분에 따른 지역을 관할하는 소방서에 다음 각 목의 구분에 따라 설치한다. 다만, 라목에 따른 고속국도구조대는 제3호에 따라 설치되는 직할구조대에 설치할 수 있다.
   가. 화학구조대: 화학공장이 밀집한 지역
   나. 수난구조대: 「내수면어업법」 제2조 제1호에 따른 내수면지역
   다. 산악구조대: 「자연공원법」 제2조 제1호에 따른 자연공원 등 산악지역
   라. 고속국도구조대: 「도로법」 제10조 제1호에 따른 고속국도(이하 "고속국도"라 한다)
   마. 지하철구조대: 「도시철도법」 제2조 제3호 가목에 따른 도시철도의 역사(驛舍) 및 역 시설
3. 직할구조대: 대형 · 특수 재난사고의 구조, 현장 지휘 및 테러현장 등의 지원 등을 위하여 소방청 또는 시 · 도 소방본부에 설치하되, 시 · 도 소방본부에 설치하는 경우에는 시 · 도의 규칙으로 정하는 바에 따른다.
4. 테러대응구조대: 테러 및 특수재난에 전문적으로 대응하기 위하여 소방청과 시 · 도 소방본부에 각각 설치하며, 시 · 도 소방본부에 설치하는 경우에는 시 · 도의 규칙으로 정하는 바에 따른다.

② 구조대의 출동구역은 행정안전부령으로 정한다.

③ 소방청장 · 소방본부장 또는 소방서장(이하 "소방청장등"이라 한다)은 여름철 물놀이 장소에서의 안전을 확보하기 위하여 필요한 경우 민간 자원봉사자로 구성된 구조대(이하 "119시민수상구조대"라 한다)를 지원할 수 있다.

④ 119시민수상구조대의 운영, 그 밖에 필요한 사항은 시 · 도의 조례로 정한다.

제6조(구조대원의 자격기준) ① 구조대원은 소방공무원으로서 다음 각 호의 어느 하나에 해당하는 자격을 갖추어야 한다.

1. 소방청장이 실시하는 인명구조사 교육을 받았거나 인명구조사 시험에 합격한 사람
2. 국가 · 지방자치단체 및 「공공기관의 운영에 관한 법률」 제4조에 따른 공공기관의 구조 관련 분야에서 근무한 경력이 2년 이상인 사람
3. 「응급의료에 관한 법률」 제36조에 따른 응급구조사 자격을 가진 사람으로서 소방청장이 실시하는 구조업무에 관한 교육을 받은 사람

② 제1항 제1호에 따른 인명구조사 교육의 내용, 인명구조사 시험과목 · 방법, 같은 항 제3호에 따른 구조업무에 관한 교육의 내용, 그 밖에 필요한 사항은 소방청장이 정한다.

③ 소방청장은 제1항 및 제2항에 따른 교육과 인명구조사 시험을 「소방공무원법」 제20조 제1항 또는 제2항에 따라 설치된 소방학교 또는 교육훈련기관에서 실시하도록 할 수 있다.

제7조(국제구조대 · 국제구급대의 편성 및 운영) ① 소방청장은 법 제9조 제1항 및 제10조의4 제1항에 따라 국제구조대 · 국제구급대를 편성 · 운영하는 경우 다음 각 호의 구분에 따른 임무를 수행할 수 있도록 구성해야 한다.

1. 국제구조대: 인명 탐색 및 구조, 안전평가, 상담, 응급처치, 응급이송, 시설관리, 공보연락 등의 임무
2. 국제구급대: 안전평가, 상담, 응급처치, 응급이송, 시설관리, 공보연락 등의 임무

② 소방청장은 국제구조대 · 국제구급대의 효율적 운영을 위하여 필요한 경우 국제구조대 · 국제구급대를 제5조 제1항 제3호에 따라 소방청에 설치하는 직할구조대에 설치할 수 있다.

③ 국제구조대 · 국제구급대의 파견 규모 및 기간은 재난유형과 파견지역의 피해 등을 종합적으로 고려하여 외교부장관과 협의하여 소방청장이 정한다.

④ 제1항부터 제3항까지에서 규정한 사항 외에 국제구조대 · 국제구급대의 편성 · 운영에 필요한 사항은 소방청장이 정한다.

제8조(국제구조대원 · 국제구급대원의 교육훈련) ① 소방청장은 법 제9조 제3항(법 제10조의4 제2항에 따라 준용되는 경우를 포함한다)에 따라 교육훈련을 실시하는 경우 다음 각 호의 구분에 따른 내용을 포함시켜야 한다.

1. 국제구조대원
   가. 전문 교육훈련: 붕괴건물 탐색 및 인명구조, 방사능 및 유해화학물질 사고 대응, 유엔재난평가조정요원 교육 등의 내용
   나. 일반 교육훈련: 응급처치, 기초통신, 구조 관련 영어, 국제구조대 윤리 등의 내용
2. 국제구급대원
   가. 전문 교육훈련: 국제 항공이송 관련 교육, 해외 응급의료체계 등의 내용
   나. 일반 교육훈련: 기초통신, 구급 관련 영어, 국제구급대 윤리 등의 내용

② 소방청장은 국제구조대원의 재난대응능력 및 국제구급대원의 구급대응능력을 높이기 위하여 필요한 경우에는 국외 교육훈련을 실시할 수 있다.

제9조(국제구조대원 · 국제구급대원의 건강관리) ① 소방청장은 국제구조대원 · 국제구급대원을 파견하기 전에 감염병 등에 대비한 적절한 조치를 하여야 한다.

② 소방청장은 철수한 국제구조대원 · 국제구급대원에 대하여 부상, 감염병, 외상 후 스트레스 장애 등에 대한 검진을 하여야 한다.

제10조(119구급대의 편성과 운영) ① 법 제10조 제1항에 따른 119구급대(이하 "구급대"라 한다)는 다음 각 호의 구분에 따라 편성 · 운영한다.

1. 일반구급대: 시 · 도의 규칙으로 정하는 바에 따라 소방서마다 1개 대 이상 설치하되, 소방서가 설치되지 아니한 시 · 군 · 구의 경우에는 해당 시 · 군 · 구 지역의 중심지에 소재한 119안전센터에 설치할 수 있다.
2. 고속국도구급대: 교통사고 발생 빈도 등을 고려하여 소방청, 시 · 도 소방본부 또는 고속국도를 관할하는 소방서에 설치하되, 시 · 도 소방본부 또는 소방서에 설치하는 경우에는 시 · 도의 규칙으로 정하는 바에 따른다.

② 구급대의 출동구역은 행정안전부령으로 정한다.

③ 삭제

④ 삭제

제11조(구급대원의 자격기준) 구급대원은 소방공무원으로서 다음 각 호의 어느 하나에 해당하는 자격을 갖추어야 한다. 다만, 제4호에 해당하는 구급대원은 구급차 운전과 구급에 관한 보조업무만 할 수 있다.

1. 「의료법」 제2조 제1항에 따른 의료인
2. 「응급의료에 관한 법률」 제36조 제2항에 따라 1급 응급구조사 자격을 취득한 사람
3. 「응급의료에 관한 법률」 제36조 제3항에 따라 2급 응급구조사 자격을 취득한 사람
4. 소방청장이 실시하는 구급업무에 관한 교육을 받은 사람

제12조(응급환자의 이송 등) ① 구급대원은 응급환자를 의료기관으로 이송하기 전이나 이송하는 과정에서 응급처치가 필요한 경우에는 가능한 범위에서 응급처치를 실시하여야 한다.

② 소방청장은 구급대원의 자격별 응급처치 범위 등 현장응급처치 표준지침을 정하여 운영할 수 있다.

③ 구급대원은 환자의 질병내용 및 중증도(重症度), 지역별 특성 등을 고려하여 소방청장 또는 소방본부장이 작성한 이송병원 선정지침에 따라 응급환자를 의료기관으로 이송하여야 한다. 다만, 환자의 상태를 보아 이송할 경우에 생명이 위험하거나 환자의 증상을 악화시킬 것으로 판단되는 경우로서 의사의 의료지도가 가능한 경우에는 의사의 의료지도에 따른다.

④ 제3항에 따른 이송병원 선정지침이 작성되지 아니한 경우에는 환자의 질병내용 및 중증도 등을 고려하여 환자의 치료에 적합하고 최단시간에 이송이 가능한 의료기관으로 이송하여야 한다.

⑤ 구급대원은 이송하려는 응급환자가 감염병 및 정신질환을 앓고 있다고 판단되는 경우에는 시·군·구 보건소의 관계 공무원 등에게 필요한 협조를 요청할 수 있다.

⑥ 구급대원은 이송하려는 응급환자가 자기 또는 타인의 생명·신체와 재산에 위해(危害)를 입힐 우려가 있다고 인정되는 경우에는 환자의 보호자 또는 관계 기관의 공무원 등에게 동승(同乘)을 요청할 수 있다.

⑦ 소방청장은 제2항에 따른 현장응급처치 표준지침 및 제3항에 따른 이송병원 선정지침을 작성하는 경우에는 보건복지부장관과 협의하여야 한다.

제13조 삭제

제13조의2(119구급상황관리센터의 설치 및 운영) ① 법 제10조의2 제1항에 따른 119구급상황관리센터(이하 "구급상황센터"라 한다)에는 다음 각 호의 어느 하나에 해당하는 자격을 갖춘 사람을 배치하여 24시간 근무체제를 유지하여야 한다.

1. 「의료법」 제2조 제1항에 따른 의료인
2. 「응급의료에 관한 법률」 제36조 제2항에 따라 1급 응급구조사 자격을 취득한 사람
3. 「응급의료에 관한 법률」 제36조 제3항에 따라 2급 응급구조사 자격을 취득한 사람
4. 「응급의료에 관한 법률」에 따른 응급의료정보센터(이하 "응급의료정보센터"라 한다)에서 2년 이상 응급의료에 관한 상담 경력이 있는 사람

② 소방청장은 법 제10조의2 제2항 제4호에 따른 119구급이송 관련 정보망을 설치하는 경우 다음 각 호의 정보가 효율적으로 연계되어 구급대 및 구급상황센터에 근무하는 사람에게 제공될 수 있도록 하여야 한다.

1. 「응급의료에 관한 법률」 제27조 제2항 제3호에 따라 응급의료정보센터가 제공하는 「응급의료에 관한 법률 시행령」 제24조 제1항 각 호의 정보
2. 구급대의 출동 상황, 응급환자의 처리 및 이송 상황

③ 구급상황센터는 법 제10조의2 제2항 제5호에 따라 법 제23조의2 제1항에 따른 감염병환자등(이하 "감염병환자등"이라 한다)의 현재 상태 및 이송 관련 사항 등 중요사항을 구급대원 및 이송 의료기관, 관할 보건소 등 관계 기관에 전파·보고해야 한다.

④ 구급상황센터에 근무하는 사람은 이송병원 정보를 제공하려면 제2항 제1호에 따른 정보를 활용하여 이송병원을 안내하여야 한다.

⑤ 소방본부장은 구급상황센터의 운영현황을 파악하고 응급환자 이송정보제공 체계를 효율화하기 위하여 매 반기별로 소방청장에게 구급상황센터의 운영상황을 종합하여 보고하여야 한다.

⑥ 구급상황센터의 설치·운영에 관한 세부사항은 구급상황센터를 소방청에 설치하는 경우에는 소방청장이, 시·도 소방본부에 설치하는 경우에는 시·도의 규칙으로 정한다. 다만, 시·도 소방본부에 설치하는 구급상황센터의 설치·운영에 관한 세부사항 중 필수적으로 배치되는 인력의 임용, 보수 등 인사에 관한 사항은 소방청장이 정하는 바에 따른다.

제13조의3(재외국민 등에 대한 의료상담 및 응급의료서비스) ① 구급상황센터는 법 제10조의2 제2항 제6호에 따라 재외국민, 영해·공해상 선원 및 항공기 승무원·승객 등(이하 "재외국민등"이라 한다)에게 다음 각 호의 응급의료서비스를 제공한다.

1. 응급질환 관련 상담 및 응급의료 관련 정보 제공
2. 「재외국민보호를 위한 영사조력법」 제2조 제4호에 따른 해외위난상황 발생 시 재외국민에 대한 응급의료 상담 등 필요한 조치 제공 및 업무 지원
3. 영해·공해상 선원 및 항공기 승무원·승객에 대한 위급상황 발생 시 인명구조, 응급처치 및 이송 등 응급의료서비스 지원
4. 재외공관에 대한 의료상담 및 응급의료서비스 인력의 지원
5. 그 밖에 구급상황센터에서 재외국민등에게 제공할 필요가 있다고 소방청장이 판단하여 정하는 응급의료서비스

② 소방청장은 구급상황센터가 제1항에 따른 응급의료서비스를 제공하는 데 필요한 경우에는 관계 기관에 협력을 요청할 수 있다.

제14조(119구조구급센터의 편성과 운영) ① 소방청장등은 효율적인 인력 운영을 위하여 필요한 경우에는 법 제11조에 따라 구조대와 구급대를 통합하여 119구조구급센터를 설치할 수 있다.

② 시·도 소방본부 또는 소방서에 119구조구급센터를 설치할 때에는 시·도의 규칙으로 정하는 바에 따른다.

제15조(119항공대의 편성과 운영) ① 소방청장은 119항공대를 제5조 제1항 제3호에 따라 소방청에 설치하는 직할구조대에 설치할 수 있다.

② 소방본부장은 시 · 도 규칙으로 정하는 바에 따라 119항공대를 편성하여 운영하되, 효율적인 인력 운영을 위하여 필요한 경우에는 시 · 도 소방본부에 설치하는 직할구조대에 설치할 수 있다.

제16조(119항공대의 업무) 119항공대는 다음 각 호의 업무를 수행한다.

1. 인명구조 및 응급환자의 이송(의사가 동승한 응급환자의 병원 간 이송을 포함한다)
2. 화재 진압
3. 장기이식환자 및 장기의 이송
4. 항공 수색 및 구조 활동
5. 공중 소방 지휘통제 및 소방에 필요한 인력 · 장비 등의 운반
6. 방역 또는 방재 업무의 지원
7. 그 밖에 재난관리를 위하여 필요한 업무

제17조(119항공대원의 자격기준) 119항공대원은 제6조에 따른 구조대원의 자격기준 또는 제11조에 따른 구급대원의 자격기준을 갖추고, 소방청장이 실시하는 항공 구조 · 구급과 관련된 교육을 마친 사람으로 한다.

제18조(항공기의 운항 등) ① 119항공대의 항공기(이하 "항공기"라 한다)는 조종사 2명이 탑승하되, 해상비행 · 계기비행(計器飛行) 및 긴급 구조 · 구급 활동을 위하여 필요한 경우에는 정비사 1명을 추가로 탑승시킬 수 있다.

② 조종사의 비행시간은 1일 8시간을 초과할 수 없다. 다만, 구조 · 구급 및 화재 진압 등을 위하여 필요한 경우로서 소방청장 또는 소방본부장이 비행시간의 연장을 승인한 경우에는 그러하지 아니하다.

③ 조종사는 항공기의 안전을 확보하기 위하여 탑승자의 위험물 소지 여부를 점검해야 하며, 탑승자는 119항공대원의 지시에 따라야 한다.

④ 항공기의 검사 등 유지 · 관리에 필요한 사항은 소방청장이 정한다.

⑤ 소방청장 및 소방본부장은 항공기의 안전운항을 위하여 운항통제관을 둔다.

제19조(119항공기사고조사단) ① 소방청장 또는 시 · 도지사는 항공기 사고(「항공 · 철도 사고조사에 관한 법률」 제3조 제2항 각 호에 따른 항공사고는 제외한다)의 원인에 대한 조사 및 사고수습 등을 위하여 각각 119항공기사고조사단(이하 이 조에서 "조사단"이라 한다)을 편성 · 운영할 수 있다.

② 조사단의 편성 · 운영, 그 밖에 필요한 사항은 소방청의 경우에는 소방청장이 정하고, 시 · 도의 경우에는 해당 시 · 도의 규칙으로 정한다.

제19조의2(119항공운항관제실의 설치 · 운영) ① 소방청장은 법 제12조의2 제1항에 따른 119항공운항관제실에 다음 각 호의 어느 하나에 해당하는 사람을 1명 이상 배치하여 24시간 근무체제로 운영한다.

1. 「항공안전법」 제35조 제7호의 항공교통관제사 자격증명을 받은 사람
2. 「항공안전법」 제35조 제9호의 운항관리사 자격증명을 받은 사람
3. 그 밖에 항공운항관제 경력이 3년 이상인 사람으로서 소방청장이 인정하는 사람

② 소방청장은 법 제12조의2 제2항 각 호의 업무를 효율적으로 수행하기 위하여 항공기의 운항정보 및 안전관리 등을 위한 시스템(이하 "운항관리시스템"이라 한다)을 구축 · 운영해야 한다.

③ 소방청장은 운항관리시스템이 소방청과 시 · 도 소방본부 간에 상호 연계될 수 있도록 관리해야 한다.

④ 제1항부터 제3항까지에서 규정한 사항 외에 제1항에 따른 119항공운항관제실의 설치 · 운영에 필요한 세부사항은 소방청장이 정한다.

제19조의3(119항공정비실의 설치 · 운영) ① 소방청장은 법 제12조의3 제1항에 따른 119항공정비실에 「항공안전법」 제35조 제8호의 항공정비사 자격증명을 받은 사람을 배치하여 운영한다.

② 제1항에 따른 119항공정비실의 설치 · 운영에 필요한 세부사항은 소방청장이 정한다.

제19조의4(119구조견대의 편성 · 운영) ① 소방청장은 법 제12조의4 제1항에 따른 119구조견대(이하 "구조견대"라 한다)를 중앙119구조본부에 편성 · 운영한다.

② 소방본부장은 시 · 도의 규칙으로 정하는 바에 따라 시 · 도 소방본부에 구조견대를 편성하여 운영한다.

③ 구조견대의 출동구역은 행정안전부령으로 정한다.

④ 제1항부터 제3항까지에서 규정한 사항 외에 구조견대의 편성 · 운영에 필요한 사항은 중앙119구조본부에 두는 경우에는 소방청장이 정하고, 시 · 도 소방본부에 두는 경우에는 해당 시 · 도의 규칙으로 정한다.

제19조의5(119구조견 양성 · 보급기관의 설치 · 운영 등) ① 소방청장은 법 제12조의4 제2항에 따라 119구조견(이하 "구조견"이라 한다)의 양성 · 보급 및 구조견 운용자의 교육 · 훈련을 위한 구조견 양성 · 보급기관을 중앙119구조본부에 설치 · 운영한다.

② 제1항에 따른 구조견 양성 · 보급기관의 설치 · 운영 및 교육 · 훈련의 내용 등에 필요한 사항은 소방청장이 정한다.

제4장 구조 · 구급활동 등

제20조(구조 · 구급 요청의 거절) ① 구조대원은 법 제13조 제3항에 따라 다음 각 호의 어느 하나에 해당하는 경우에는 구조출동 요청을 거절할 수 있다. 다만, 다른 수단으로 조치하는 것이 불가능한 경우에는 그러하지 아니하다.

1. 단순 문 개방의 요청을 받은 경우
2. 시설물에 대한 단순 안전조치 및 장애물 단순 제거의 요청을 받은 경우
3. 동물의 단순 처리 · 포획 · 구조 요청을 받은 경우
4. 그 밖에 주민생활 불편해소 차원의 단순 민원 등 구조활동의 필요성이 없다고 인정되는 경우

② 구급대원은 법 제13조 제3항에 따라 구급대상자가 다음 각 호의 어느 하나에 해당하는 비응급환자인 경우에는 구급출동 요청을 거절할 수 있다. 이 경우 구급대원은 구급대상자의 병력 · 증상 및 주변 상황을 종합적으로 평가하여 구급대상자의 응급 여부를 판단하여야 한다.

1. 단순 치통환자
2. 단순 감기환자. 다만, 섭씨 38도 이상의 고열 또는 호흡곤란이 있는 경우는 제외한다.
3. 혈압 등 생체징후가 안정된 타박상 환자
4. 술에 취한 사람. 다만, 강한 자극에도 의식이 회복되지 아니하거나 외상이 있는 경우는 제외한다.
5. 만성질환자로서 검진 또는 입원 목적의 이송 요청자
6. 단순 열상(裂傷) 또는 찰과상(擦過傷)으로 지속적인 출혈이 없는 외상환자
7. 병원 간 이송 또는 자택으로의 이송 요청자. 다만, 의사가 동승한 응급환자의 병원 간 이송은 제외한다.

③ 구조 · 구급대원은 법 제2조 제1호에 따른 요구조자(이하 "요구조자"라 한다) 또는 응급환자가 구조 · 구급대원에게 폭력을 행사하는 등 구조 · 구급활동을 방해하는 경우에는 구조 · 구급활동을 거절할 수 있다.

④ 구조 · 구급대원은 제1항부터 제3항까지의 규정에 따라 구조 또는 구급 요청을 거절한 경우 구조 또는 구급을 요청한 사람이나 목격자에게 그 내용을 알리고, 행정안전부령으로 정하는 바에 따라 그 내용을 기록 · 관리하여야 한다.

제21조(응급환자 등의 이송 거부) ① 구급대원은 응급환자 또는 그 보호자[응급환자의 의사(意思)를 확인할 수 없는 경우만 해당한다]가 의료기관으로의 이송을 거부하는 경우에는 이송하지 아니할 수 있다. 다만, 응급환자의 병력 · 증상 및 주변 상황을 종합적으로 평가하여 즉시 필요한 응급처치를 받지 아니하면 생명을 보존할 수 없거나 심신상의 중대한 위해를 입을 가능성이 있다고 인정할 만한 상당한 이유가 있는 경우에는 환자의 이송을 위하여 최대한 노력하여야 한다.

② 구급대원은 제1항에 따라 응급환자를 이송하지 아니하는 경우 행정안전부령으로 정하는 바에 따라 그 내용을 기록 · 관리하여야 한다.

제22조(손실보상) ① 소방청장등은 법 제15조 제1항에 따른 조치로 인한 손실을 보상할 때에는 손실을 입은 자와 먼저 협의하여야 한다.

② 제1항에 따른 손실보상에 관한 협의는 법 제15조 제1항에 따른 조치가 있는 날부터 60일 이내에 하여야 한다.

③ 소방청장등은 제2항에 따른 협의가 성립되지 아니하면 「공익사업을 위한 토지 등의 취득 및 보상에 관한 법률」 제51조에 따른 관할 토지수용위원회에 재결(裁決)을 신청할 수 있다.

④ 제3항에 따른 재결에 관하여는 「공익사업을 위한 토지 등의 취득 및 보상에 관한 법률」 제83조부터 제87조까지의 규정을 준용한다.

제23조(구조된 물건의 처리) ① 특별자치도지사 · 시장 · 군수 · 구청장(「재난 및 안전관리 기본법」 제14조 또는 제16조에 따른 재난안전대책본부가 구성된 경우에는 해당 재난안전대책본부장을 말한다. 이하 같다)은 법 제18조 제2항에 따라 구조 · 구급과 관련하여 회수된 물건(이하 "구조된 물건"이라 한다)을 인계받은 경우 인계받은 날부터 14일 동안 해당 지방자치단체의 게시판 및 인터넷 홈페이지에 공고하여야 한다.

② 특별자치도지사 · 시장 · 군수 · 구청장은 구조된 물건의 소유자 또는 청구권한이 있는 자(이하 "소유자등"이라 한다)가 나타나 그 물건을 인계할 때에는 소유자등임을 확인할 수 있는 서류를 제출하게 하거나 구조된 물건에 관하여 필요한 질문을 하는 등의 방법으로 구조된 물건의 소유자등임을 확인하여야 한다.

③ 특별자치도지사 · 시장 · 군수 · 구청장은 구조된 물건이 멸실 · 훼손될 우려가 있거나 보관에 지나치게 많은 비용이나 불편이 발생할 때에는 그 물건을 매각할 수 있다. 다만, 구조된 물건이 관계 법령에 따라 일반인의 소유 또는 소지가 제한되거나 금지된 물건일 때에는 관계 법령에 따라 이를 적법하게 소유하거나 소지할 수 있는 자에게 매각하는 경우가 아니면 매각할 수 없다.

④ 제3항에 따라 구조된 물건을 매각하는 경우 매각 사실을 해당 지방자치단체의 게시판 및 인터넷 홈페이지에 공고하고, 매각방법은 「지방자치단체를 당사자로 하는 계약에 관한 법률」의 규정을 준용하여 경쟁입찰에 의한다. 다만, 급히 매각하지 아니하면 그 가치가 현저하게 감소될 염려가 있는 구조된 물건은 수의계약에 의하여 매각할 수 있다.

제24조(구조·구급활동을 위한 지원 요청) ① 법 제20조 제1항에 따른 구조·구급에 필요한 인력과 장비의 지원을 요청할 때에는 팩스·전화 등의 신속한 방법으로 하여야 한다.

② 제1항 외에 의료기관에 대한 지원 요청에 필요한 사항은 보건복지부장관과 협의하여 소방청장이 정하고, 구조·구급과 관련된 기관 또는 단체에 대한 지원 요청에 관하여 필요한 사항은 관할 구역의 구조·구급과 관련된 기관 또는 단체의 장과 협의하여 소방본부장 또는 소방서장이 정한다.

제25조(안전사고방지대책) ① 소방청장은 법 제23조 제1항에 따라 구조·구급대원의 안전사고 방지를 위하여 안전관리 표준지침을 마련하여 시행하여야 한다.

② 제1항의 안전관리 표준지침은 구조활동과 구급활동으로 구분하되 유형별 안전관리 기본수칙과 행동매뉴얼을 포함하여야 한다.

제25조의2(감염병환자등의 통보대상 및 통보 방법 등) ① 질병관리청장 및 의료기관의 장은 법 제23조의2 제1항에 따라 구급대가 이송한 감염병환자등과 관련된 감염병이 다음 각 호의 어느 하나에 해당하는 경우에는 소방청장등에게 그 사실을 즉시 통보해야 한다.

1. 「감염병의 예방 및 관리에 관한 법률」 제2조 제2호에 따른 제1급 감염병
2. 「감염병의 예방 및 관리에 관한 법률」 제2조 제3호 가목, 다목 또는 하목에 따른 결핵, 홍역 또는 수막구균 감염증
3. 그 밖에 구급대원의 안전 확보 및 감염병 확산 방지를 위하여 소방청장이 보건복지부, 질병관리청 등 관계 기관과 협의하여 지정하는 감염병

② 제1항에 따른 통보의 방법은 다음 각 호의 구분에 따른다.

1. 질병관리청장이 통보하는 경우: 행정안전부령으로 정하는 감염병 발생 통보서를 정보시스템을 통하여 소방청장에게 통보
2. 의료기관의 장이 통보하는 경우: 행정안전부령으로 정하는 감염병 발생 통보서를 정보시스템, 서면 또는 팩스를 통하여 소방청장 또는 관할 시·도 소방본부장에게 통보. 다만, 부득이한 사유로 정보시스템 등으로 통보하기 어려운 경우에는 구두 또는 전화(문자메시지를 포함한다)로 감염병환자등의 감염병명 및 감염병의 발생정보 등을 통보할 수 있다.

③ 제2항에 따라 정보를 통보받은 자는 법 및 이 영에 따른 감염병과 관련된 구조·구급 업무 외의 목적으로 정보를 사용할 수 없고, 업무 종료 시 지체 없이 파기해야 한다.

④ 소방청장은 구조·구급활동을 위하여 필요하다고 인정하는 경우에는 구급대가 이송한 감염병환자등 외에 제1항 각 호의 어느 하나에 해당하는 감염병과 관련된 감염병환자등에 대한 정보를 「감염병의 예방 및 관리에 관한 법률」 제76조의2 제3항에 따라 제공하여 줄 것을 질병관리청장에게 요청할 수 있다.

제26조(감염관리대책) ① 소방청장등은 구조·구급대원의 감염 방지를 위하여 구조·구급대원이 소독을 할 수 있도록 소방서별로 119감염관리실을 1개소 이상 설치하여야 한다.

② 구조·구급대원은 근무 중 위험물·유독물 및 방사성물질(이하 "유해물질등"이라 한다)에 노출되거나 감염성 질병에 걸린 요구조자 또는 응급환자와 접촉한 경우에는 그 사실을 안 때부터 48시간 이내에 소방청장등에게 보고하여야 한다.

③ 법 제23조의2 제1항에 따른 통보를 받거나 이 조 제2항에 따른 보고를 받은 소방청장등은 유해물질등에 노출되거나 감염성 질병에 걸린 요구조자 또는 응급환자와 접촉한 구조·구급대원이 적절한 진료를 받을 수 있도록 조치하고, 접촉일부터 15일 동안 구조·구급대원의 감염성 질병 발병 여부를 추적·관리하여야 한다. 이 경우 잠복기가 긴 질환에 대해서는 잠복기를 고려하여 추적·관리 기간을 연장할 수 있다.

④ 제1항에 따른 119감염관리실의 규격·성능 및 119감염관리실에 설치하여야 하는 장비 등 세부 기준은 소방청장이 정한다.

제27조(건강관리대책) ① 소방청장등은 소속 구조·구급대원에 대하여 연 2회 이상 정기건강검진을 실시하여야 한다. 다만, 구조·구급대원이 「국민건강보험법」 제52조에 따른 건강검진을 받은 경우에는 1회의 정기건강검진으로 인정할 수 있다.

② 신규채용 된 소방공무원을 구조·구급대원으로 배치하는 경우에는 공무원 채용신체검사 결과를 1회의 정기건강검진으로 인정할 수 있다.

③ 소방청장등은 제1항에 따른 정기건강검진의 결과 구조·구급대원으로 부적합하다고 인정되는 구조·구급대원에 대해서는 구조·구급대원으로서의 배치를 중지하고 건강 회복을 위하여 필요한 조치를 하여야 한다.

④ 구조·구급대원은 구조·구급업무 수행으로 인하여 신체적·정신적 장애가 발생하였다고 판단하는 경우에는 그 사실을 해당 소방청장등에게 보고하여야 한다.

⑤ 제4항에 따른 보고를 받은 소방청장등은 해당 구조·구급대원이 의료인의 진료를 받을 수 있도록 조치하여야 한다.

⑥ 구조 · 구급대원의 정기건강검진 항목은 행정안전부령으로 정한다.

제5장 보칙

제27조의2(구급지도의사의 선임 등) ① 소방청장등은 법 제25조의2 제1항에 따라 각 기관별로 1명 이상의 지도의사(이하 "구급지도의사"라 한다)를 선임하거나 위촉해야 한다. 이 경우 의사로 구성된 의료 전문 기관 · 단체의 추천을 받아 소방청 또는 소방본부 단위로 각 기관별 구급지도의사를 선임하거나 위촉할 수 있다.

② 구급지도의사의 임기는 2년으로 한다.

③ 구급지도의사의 업무는 다음 각 호와 같다.

1. 구급대원에 대한 교육 및 훈련
2. 접수된 구급신고에 대한 응급의료 상담
3. 응급환자 발생 현장에서의 구급대원에 대한 응급의료 지도
4. 구급대원의 구급활동 등에 대한 평가
5. 응급처치 방법 · 절차의 개발
6. 재난 등으로 인한 현장출동 요청 시 현장 지원
7. 그 밖에 구급대원에 대한 교육 · 훈련 및 구급활동에 대한 지도 · 평가와 관련하여 응급의료 관계 법령에 규정되어 있지 아니하거나 응급의료 관계 법령에 규정된 내용을 초과하여 규정할 필요가 있다고 소방청장이 판단하여 정하는 업무

④ 소방청장등은 구급지도의사가 다음 각 호의 어느 하나에 해당하는 경우에는 해당 구급지도의사를 해임하거나 해촉할 수 있다.

1. 심신장애로 인하여 직무를 수행할 수 없게 된 경우
2. 직무와 관련된 비위사실이 있는 경우
3. 직무태만, 품위손상이나 그 밖의 사유로 인하여 구급지도의사로 적합하지 아니하다고 인정되는 경우
4. 구급지도의사 스스로 직무를 수행하는 것이 곤란하다고 의사를 밝히는 경우

⑤ 소방청장등은 제3항에 따른 구급지도의사의 업무 실적을 관리하여야 한다.

⑥ 소방청장등은 제3항에 따른 구급지도의사의 업무 실적에 따라 구급지도의사에게 예산의 범위에서 수당을 지급할 수 있다.

⑦ 제1항부터 제6항까지에서 규정한 사항 외에 구급지도의사의 선임 또는 위촉 기준, 업무 및 실적 관리 등과 관련하여 필요한 세부적인 사항은 소방청장이 정한다.

제28조(구조 · 구급활동의 평가) ① 법 제26조에 따른 시 · 도 소방본부의 구조 · 구급활동에 대한 종합평가(이하 "종합평가"라 한다)는 다음 각 호의 평가항목 중 구조 · 구급 환경 특성에 맞는 평가항목을 선정하여 실시하여야 한다.

1. 구조 · 구급서비스의 품질관리
2. 구조 · 구급대원의 전문성 수준
3. 구조 · 구급대원에 대한 안전사고방지대책, 감염방지대책, 건강관리대책
4. 구조 · 구급장비의 확보 및 유지 · 관리 실태
5. 관계 기관과의 협력체제 구축 실태
6. 그 밖에 소방청장이 정하는 평가에 필요한 사항

② 종합평가는 서면평가와 현장평가로 구분하여 실시하되, 서면평가는 모든 시 · 도 소방본부를 대상으로 실시하고, 현장평가는 서면평가 결과에 따라 필요한 시 · 도 소방본부를 대상으로 실시한다.

③ 소방본부장은 종합평가를 위하여 시 · 도 집행계획의 시행 결과를 다음 해 2월 말일까지 소방청장에게 제출하여야 한다.

제29조(중앙 정책협의회의 구성 및 기능) ① 중앙 정책협의회는 위원장 및 부위원장 각 1명을 포함한 20명 이내의 위원으로 구성한다.

② 중앙 정책협의회 위원장은 소방청장이 되고, 부위원장은 민간위원 중에서 호선(互選)한다.

③ 위원은 다음 각 호의 사람 중에서 소방청장이 임명하거나 위촉한다.

1. 관계 중앙행정기관 소속 고위공무원단에 속하는 일반직공무원(이에 상당하는 특정직 · 별정직 공무원을 포함한다) 중에서 소속 기관의 장이 추천하는 사람
2. 긴급구조, 응급의료, 재난관리, 그 밖에 구조 · 구급업무에 관한 학식과 경험이 풍부한 사람

④ 위촉위원의 임기는 2년으로 한다.

⑤ 중앙 정책협의회의 효율적인 운영을 위하여 중앙 정책협의회에 간사 1명을 두며, 간사는 소방청의 구조 · 구급업무를 담당하는 소방공무원 중에서 소방청장이 지명한다.

⑥ 중앙 정책협의회는 다음 각 호의 사항을 협의 · 조정한다.

1. 기본계획 및 집행계획의 수립 · 시행에 관한 사항
2. 기본계획 변경에 관한 사항
3. 종합평가와 그 결과 활용에 관한 사항
4. 구조 · 구급과 관련된 새로운 기술의 연구 · 개발에 관한 사항
5. 그 밖에 구조 · 구급업무와 관련하여 위원장이 회의에 부치는 사항

제29조의2(중앙 정책협의회 위원의 해임 및 해촉) 소방청장은 제29조 제3항 제1호 또는 제2호에 따른 위원이 다음 각 호의 어느 하나에 해당하는 경우에는 해당 위원을 해임 또는 해촉(解囑)할 수 있다.

1. 심신장애로 인하여 직무를 수행할 수 없게 된 경우
2. 직무와 관련된 비위사실이 있는 경우
3. 직무태만, 품위손상이나 그 밖의 사유로 인하여 위원으로 적합하지 아니하다고 인정되는 경우

4. 위원 스스로 직무를 수행하는 것이 곤란하다고 의사를 밝히는 경우

제30조(중앙 정책협의회의 운영) ① 중앙 정책협의회의 정기회의는 연 1회 개최하며, 임시회의는 위원장이 필요하다고 인정하거나 위원이 소집을 요구할 때 개최한다.

② 중앙 정책협의회의 회의는 재적위원 과반수의 출석으로 개의(開議)하고, 출석위원 과반수의 찬성으로 의결한다.

③ 중앙 정책협의회의 회의에 출석한 위원에게는 예산의 범위에서 수당과 여비를 지급할 수 있다. 다만, 공무원인 위원이 그 소관 업무와 직접적으로 관련되어 출석하는 경우에는 그러하지 아니하다.

④ 중앙 정책협의회의 업무를 효율적으로 운영하기 위하여 필요하면 중앙 정책협의회의 의결을 거쳐 분과위원회를 둘 수 있다.

⑤ 제1항부터 제4항까지에서 규정한 사항 외에 중앙협의회 운영에 필요한 사항은 중앙 정책협의회의 의결을 거쳐 위원장이 정한다.

제31조(시·도 정책협의회의 구성 및 기능) ① 시·도 정책협의회는 위원장 및 부위원장 각 1명을 포함한 15명 이내의 위원으로 구성한다.

② 시·도 정책협의회 위원장은 소방본부장이 되고, 부위원장은 위원 중에서 호선한다.

③ 위원은 다음 각 호의 사람 중에서 시·도지사가 임명하거나 위촉한다.

1. 해당 시·도의 구조·구급업무를 담당하는 소방정(消防正) 이상 소방공무원
2. 해당 시·도의 응급의료업무를 담당하는 4급 이상 일반직공무원(이에 상당하는 특정직·별정직 공무원을 포함한다)
3. 긴급구조, 응급의료, 재난관리, 그 밖에 구조·구급업무에 관한 학식과 경험이 풍부한 사람
4. 「재난 및 안전관리기본법」 제3조 제7호에 따른 긴급구조기관과 긴급구조활동에 관한 응원(應援) 협정을 체결한 기관 및 단체를 대표하는 사람

④ 위촉위원의 임기는 2년으로 한다.

⑤ 시·도 정책협의회의 효율적인 운영을 위하여 시·도 정책협의회에 간사 1명을 두며, 간사는 시·도 소방본부의 구조·구급업무를 담당하는 소방공무원 중에서 소방본부장이 지명한다.

⑥ 시·도 정책협의회는 다음 각 호의 사항을 협의·조정한다.

1. 시·도 집행계획 수립에 관한 사항
2. 시·도 집행계획 시행 결과 활용에 관한 사항
3. 시·도 종합평가 결과 활용에 관한 사항
4. 그 밖에 구조·구급업무와 관련하여 위원장이 회의에 부치는 사항

제31조의2(시·도 정책협의회 위원의 해촉) 시·도지사는 제31조 제3항 제3호 또는 제4호에 따른 위원이 제29조의2 각 호의 어느 하나에 해당하는 경우에는 해당 위원을 해촉(解囑)할 수 있다.

제32조(시·도 정책협의회의 운영) 시·도 정책협의회의 운영에 관하여는 제30조를 준용한다. 이 경우 "중앙 정책협의회"는 "시·도 정책협의회"로 본다.

제32조의2(응급처치에 관한 교육) ① 법 제27조의2 제1항에 따른 응급처치에 관한 교육(이하 "응급처치 교육"이라 한다)의 내용·방법 및 시간은 별표 1과 같다.

② 소방청장등은 응급처치 교육을 효과적으로 실시하기 위하여 매년 10월 31일까지 다음 연도 응급처치 교육에 관한 계획을 수립하여야 한다. 이 경우 「응급의료에 관한 법률」 제14조 제2항에 따른 교육계획과 연계하여야 한다.

③ 제2항에 따른 응급처치 교육에 관한 계획에는 연령·직업 등을 고려한 교육대상별 교육지도안 작성 및 실습계획이 포함되어야 한다.

④ 소방청장등은 매년 3월 31일까지 전년도 응급처치 교육 결과를 분석하여 제2항에 따른 응급처치 교육에 관한 계획에 반영하여야 한다.

⑤ 소방청장등은 응급처치 교육을 실시하기 위한 장비와 인력을 갖추어야 한다.

⑥ 제5항에 따라 갖추어야 할 응급처치 교육 장비와 인력의 세부적인 사항은 소방청장이 정하여 고시한다.

제32조의3(응급처치에 관한 홍보) ① 소방청장등은 법 제27조의2 제1항에 따른 응급처치에 관한 홍보(이하 "응급처치 홍보"라 한다)를 효과적으로 실시하기 위하여 매년 10월 31일까지 다음 연도 응급처치 홍보에 관한 계획을 수립하여야 한다. 이 경우 「응급의료에 관한 법률」 제14조 제2항에 따른 홍보계획과 연계하여야 한다.

② 소방청장등은 매년 3월 31일까지 전년도 응급처치 홍보 결과를 분석하여 제1항에 따른 응급처치 홍보에 관한 계획에 반영하여야 한다.

제32조의4(민감정보 및 고유식별정보의 처리) 소방청장등은 다음 각 호의 사무를 수행하기 위하여 불가피한 경우 「개인정보 보호법」 제23조에 따른 건강에 관한 정보나 같은 법 시행령 제19조에 따른 주민등록번호, 여권번호, 운전면허의 면허번호 또는 외국인등록번호가 포함된 자료를 처리할 수 있다.

1. 법 및 이 영에 따른 구조·구급활동에 관한 사무
2. 법 제22조에 따른 구조·구급활동의 기록관리에 관한 사무

제33조(과태료의 부과기준) 법 제30조 제1항에 따른 과태료의 부과기준은 별표 2와 같다.

09 119구조·구급에 관한 법률 시행규칙

[시행 2024.4.23.] [행정안전부령 제479호, 2024.4.23., 일부개정]

제1조(목적) 이 규칙은 「119구조 · 구급에 관한 법률」 및 같은 법 시행령에서 위임된 사항과 그 시행에 필요한 사항을 규정함을 목적으로 한다.

제2조(기술경연대회) ① 소방청장 · 소방본부장 또는 소방서장(이하 "소방청장등"이라 한다)은 「119구조 · 구급에 관한 법률」(이하 "법"이라 한다) 제3조 제1항에 따른 구조 · 구급 기술의 개발 · 보급을 위하여 기술경연대회를 개최할 수 있다.

② 제1항에 따른 기술경연대회의 운영에 필요한 구체적인 사항은 소방청장이 정한다.

제3조(119구조대에서 갖추어야 할 장비의 기준) ① 「119구조 · 구급에 관한 법률 시행령」(이하 "영"이라 한다) 제5조에 따른 119구조대(이하 "구조대"라 한다) 중 특별시 · 광역시 · 특별자치시 · 도 · 특별자치도(이하 "시 · 도"라 한다) 소방본부 및 소방서(119안전센터를 포함한다)에 설치하는 구조대에서 법 제8조 제3항에 따라 갖추어야 하는 장비의 기본적인 사항은 「소방력 기준에 관한 규칙」 및 「소방장비관리법 시행규칙」에 따른다.

② 소방청에 설치하는 구조대에서 법 제8조 제3항에 따라 갖추어야 하는 장비의 기본적인 사항은 제1항을 준용한다.

③ 제1항과 제2항에서 규정한 사항 외에 구조대가 갖추어야 하는 장비에 관하여 필요한 사항은 소방청장이 정한다.

제4조 삭제

제5조(구조대의 출동구역) ① 영 제5조 제2항에 따른 구조대의 출동구역은 다음 각 호와 같다.

1. 소방청에 설치하는 직할구조대 및 테러대응구조대: 전국
2. 시 · 도 소방본부에 설치하는 직할구조대 및 테러대응구조대: 관할 시 · 도
3. 소방청 직할구조대에 설치하는 고속국도구조대: 소방청장이 한국도로공사와 협의하여 정하는 지역
4. 그 밖의 구조대: 소방서 관할 구역

② 구조대는 제1항에도 불구하고 다음 각 호의 어느 하나에 해당하는 경우에는 소방청장등의 요청이나 지시에 따라 출동구역 밖으로 출동할 수 있다.

1. 지리적 · 지형적 여건상 신속한 출동이 가능한 경우
2. 대형재난이 발생한 경우
3. 그 밖에 소방청장이나 소방본부장이 필요하다고 인정하는 경우

제6조(국제구조대 · 국제구급대에서 갖추어야 할 장비의 기준) ① 법 제9조 제7항(법 제10조의4 제2항에 따라 준용되는 경우를 포함한다)에서 "행정안전부령으로 정하는 장비"란 다음 각 호의 구분에 따른 장비를 말한다.

1. 국제구조대
   가. 구조장비
   나. 구급장비
   다. 정보통신장비
   라. 측정장비 중 공통측정장비 및 화생방 등 측정장비
   마. 보호장비
   바. 보조장비
2. 국제구급대
   가. 구급장비
   나. 정보통신장비
   다. 보호장비
   라. 보조장비 중 기록보존장비 및 현장지휘소 운영장비

② 제1항에 따른 장비의 구체적인 내용에 관하여 필요한 사항은 소방청장이 정한다.

제7조(119구급대에서 갖추어야 할 장비의 기준) ① 영 제10조에 따른 119구급대(이하 "구급대"라 한다) 중 시 · 도 소방본부 및 소방서(119안전센터를 포함한다)에 설치하는 구급대에서 법 제10조 제3항에 따라 갖추어야 하는 장비의 기본적인 사항은 「소방장비관리법 시행규칙」에 따른다.

② 소방청에 설치하는 구급대에서 법 제10조 제3항에 따라 갖추어야 하는 장비의 기본적인 사항은 제1항을 준용한다.

③ 제1항에서 규정한 사항 외에 구급대가 갖추어야 하는 장비에 관하여 필요한 사항은 소방청장이 정한다.

제7조의2(119구급차의 배치 · 운용기준) ① 법 제10조의3 제2항에 따른 119구급차의 배치기준은 「소방력 기준에 관한 규칙」 별표 1 제4호에서 정하는 바에 따른다.

② 그 밖에 119구급차 차량의 성능 · 특성, 표식 및 도장 등 표준규격에 관한 사항은 소방청장이 정한다.

제8조(구급대의 출동구역) ① 영 제10조 제2항에 따른 구급대의 출동구역은 다음 각 호와 같다.

1. 일반구급대 및 소방서에 설치하는 고속국도구급대: 구급대가 설치되어 있는 지역 관할 시 · 도

2. 소방청 또는 시 · 도 소방본부에 설치하는 고속국도구급대: 고속국도로 진입하는 도로 및 인근 구급대의 배치 상황 등을 고려하여 소방청장 또는 소방본부장이 관련 시 · 도의 소방본부장 및 한국도로공사와 협의하여 정한 구역

② 구급대는 제1항에도 불구하고 다음 각 호의 어느 하나에 해당하는 경우에는 소방청장등의 요청이나 지시에 따라 출동구역 밖으로 출동할 수 있다.

1. 지리적 · 지형적 여건상 신속한 출동이 가능한 경우
2. 대형재난이 발생한 경우
3. 그 밖에 소방청장이나 소방본부장이 필요하다고 인정하는 경우

제9조(119항공대에서 갖추어야 할 장비의 기준) ① 법 제12조 제3항에 따라 시 · 도 소방본부에 설치하는 119항공대에서 갖추어야 할 장비의 기본적인 사항은 「소방력 기준에 관한 규칙」 및 「소방장비관리법 시행규칙」에 따른다.

② 법 제12조 제3항에 따라 소방청에 설치하는 119항공대에서 갖추어야 할 장비의 기본적인 사항은 제1항을 준용하되, 119항공대에 두는 항공기(이하 "항공기"라 한다)는 3대 이상 갖추어야 한다.

③ 제1항 및 제2항에서 규정한 사항 외에 119항공대가 갖추어야 하는 장비에 관하여 필요한 사항은 소방청장이 정한다.

제10조(119항공대의 출동구역) ① 119항공대의 출동 구역은 다음 각 호에 따른다.

1. 소방청에 설치된 경우: 전국
2. 소방본부에 설치된 경우: 관할 시 · 도

② 소방청장 또는 소방본부장은 제1항에도 불구하고 대형재난 등이 발생하여 항공기를 이용한 구조 · 구급활동이 필요하다고 인정되는 경우에는 해당 소방본부장에게 출동구역 밖으로의 출동을 요청할 수 있다.

③ 제2항에 따른 요청을 받은 소방본부장은 특별한 사유가 없으면 제2항의 요청에 따라야 한다.

제10조의2(119항공정비실의 시설 및 장비 기준) ① 법 제12조의3 제1항에 따른 119항공정비실에 갖추어야 할 시설은 다음 각 호와 같다.

1. 항공기를 수용할 수 있는 격납시설
2. 항공기 정비에 필요한 계류장 및 이착륙 시설
3. 항공기 정비용 장비 · 공구 · 자재의 보관 시설
4. 기술관리 및 품질관리 수행을 위한 사무실 및 교육시설
5. 그 밖에 정비 등을 수행하기 위한 환기, 조명, 온도 및 습도조절 설비

② 제1항에 따른 119항공정비실에 갖추어야 할 장비는 다음 각 호와 같다.

1. 항공기를 기동시킬 수 있는 항공기동장비
2. 정비작업 지원을 위한 지상지원장비
3. 정비에 직접 사용되는 항공정비장비
4. 그 밖에 보유 기종별 특성에 맞는 정비장비

③ 제1항 및 제2항에서 규정한 사항 외에 119항공정비실의 시설 및 장비에 관하여 필요한 사항은 소방청장이 정한다.

제10조의3(119구조견대에서 갖추어야 할 장비의 기준) ① 법 제12조의4 제4항에서 "행정안전부령으로 정하는 장비"란 다음 각 호의 장비를 말한다.

1. 119구조견(이하 "구조견"이라 한다) 및 구조견 운용자 출동 장비
2. 구조견 및 구조견 운용자 훈련용 장비
3. 구조견 사육 · 관리용 장비
4. 그 밖에 구조견 운용 등에 필요하다고 인정되는 장비

② 제1항에 따른 장비의 구체적인 내용에 관하여 필요한 사항은 소방청장이 정한다.

제10조의4(119구조견대의 출동구역) ① 영 제19조의2 제3항에 따른 119구조견대(이하 "구조견대"라 한다)의 출동구역은 다음 각 호와 같다.

1. 중앙119구조본부에 편성하는 구조견대: 전국
2. 시 · 도 소방본부에 편성하는 구조견대: 관할 시 · 도

② 제1항에도 불구하고 구조견대는 소방청장 또는 소방본부장의 요청이나 지시에 따라 출동구역 밖으로 출동할 수 있다.

제11조(구조 · 구급요청의 거절) ① 영 제20조 제1항에 따라 구조요청을 거절한 구조대원은 별지 제1호서식의 구조 거절 확인서를 작성하여 소속 소방관서장에게 보고하고, 소속 소방관서에 3년간 보관하여야 한다.

② 영 제20조 제2항에 따라 구급요청을 거절한 구급대원은 별지 제2호서식의 구급 거절 · 거부 확인서(이하 "구급 거절 · 거부 확인서"라 한다)를 작성하여 소속 소방관서장에게 보고하고, 소속 소방관서에 3년간 보관하여야 한다.

제12조(응급환자 등의 이송 거부) ① 구급대원은 영 제21조 제1항에 따라 응급환자를 이송하지 아니하는 경우 구급 거절 · 거부 확인서를 작성하여 이송을 거부한 응급환자 또는 그 보호자(이하 "이송거부자"라 한다)에게 서명을 받아야 한다. 다만, 이송거부자가 2회에 걸쳐 서명을 거부한 경우에는 구급 거절 · 거부 확인서에 그 사실을 표시하여야 한다.

② 구급대원은 이송거부자가 제1항 단서에 따라 서명을 거부한 경우에는 이를 목격한 사람에게 관련 내용을 알리고 구급 거절 · 거부 확인서에 목격자의 성명과 연락처를 기재한 후 목격자에게 서명을 받아야 한다.

③ 제1항 및 제2항의 규정에 따라 구급 거절 · 거부 확인서를 작성한 구급대원은 소속 소방관서장에게 보고하고, 구급 거절 · 거부 확인서를 소속 소방관서에 3년간 보관하여야 한다.

제13조(구조된 사람과 물건의 인도 · 인계) ① 소방청장등이 법 제16조 제3항에 따라 특별자치도지사 · 시장 · 군수 · 구청장(「재난 및 안전관리 기본법」 제14조 또는 제16조에 따른 재난안전대책본부가 구성된 경우에는 해당 재난안전대책본부장을 말한다. 이하 같다)에게 구조된 사람, 사망자 및 구조 · 구급활동과 관련하여 회수된 물건을 인도하거나 인계하는 경우에는 명단(신원을 확인할 수 없는 경우에는 인상착의를 기재할 수 있다) 또는 목록을 작성하여 확인한 후 함께 인도하거나 인계하여야 한다.

② 제1항에 따른 인도 · 인계는 구조 · 구급상황이 발생한 지역을 관할하는 특별자치도지사 · 시장 · 군수 · 구청장에게 하되, 관할 특별자치도지사 · 시장 · 군수 · 구청장이 분명하지 아니할 때에는 구조 · 구급상황 발생 현장에서 인도 · 인계하기 쉬운 지역의 특별자치도지사 · 시장 · 군수 · 구청장에게 한다.

제14조(구급활동 지원) 소방청장등은 법 제20조 제1항에 따라 지원을 요청받은 의료기관에 소속된 의사가 구급활동을 지원(자원봉사인 경우를 포함한다)하는 경우에는 법 제10조의2 제1항에 따른 119구급상황관리센터나 구급차에 배치하여 응급처치를 지도하게 하거나 직접 구급활동을 하게 할 수 있다.

제15조(구조 · 구급활동 지원요청대상 의료기관등의 현황관리) ① 소방청장등은 법 제20조 제2항에 따라 관할구역 안의 의료기관 및 구조 · 구급과 관련된 기관 또는 단체의 현황을 관리하기 위하여별지 제3호서식의 구조 · 구급 지원요청 관리대장을 작성 · 관리하여야 한다.

② 제1항에 따른 구조 · 구급 지원요청 관리대장은 전자적 처리가 불가능한 특별한 사유가 없으면 전자적 처리가 가능한 방법으로 작성 · 관리하여야 한다.

제16조(구조 · 구급활동에 필요한 조사) 소방청장등은 구조 · 구급업무의 원활한 수행을 위하여 교통, 지리, 그 밖에 필요한 사항을 조사할 수 있다.

제17조(구조활동상황의 기록관리) ① 구조대원은 법 제22조에 따라 별지 제4호서식의 구조활동일지에 구조활동상황을 상세히 기록하고, 소속 소방관서에 3년간 보관해야 한다.

② 소방본부장은 구조활동상황을 종합하여 연 2회 소방청장에게 보고하여야 한다.

제18조(구급활동상황의 기록유지) ① 구급대원은 법 제22조에 따라별지 제5호서식의 구급활동일지(이하 "구급활동일지"라 한다)에 구급활동상황을 상세히 기록하고, 소속 소방관서에 3년간 보관해야 한다.

② 구급대원이 응급환자를 의사에게 인계하는 경우에는 구급활동일지(제18조의2에 따라 이동단말기로 작성하는 경우를 포함한다)에 환자를 인계받은 의사의 서명을 받고, 구급활동일지(이동단말기에 작성한 경우에는 전자적 파일이나 인쇄물을 말한다) 1부를 그 의사에게 제출해야 한다.

③ 구급대원은 구급출동하여 심폐정지환자를 발견한 경우 또는 중증외상환자, 심혈관질환자 및 뇌혈관질환자를 의료기관으로 이송한 경우에는 소방청장이 정하는 바에 따라 구급활동에 관한 세부 상황표를 작성하고, 소속 소방관서에 3년간 보관해야 한다.

④ 소방본부장은 구급활동상황을 종합하여 연 2회 소방청장에게 보고하여야 한다.

제18조의2(이동단말기의 활용) 구조 · 구급대원은 구조차 또는 구급차에 이동단말기가 설치되어 있는 경우에는 구조 · 구급활동과 관련하여 작성하는 확인서, 일지 및 상황표 등을 이동단말기로 작성할 수 있다.

제19조(구조 · 구급증명서) ① 다음 각 호의 어느 하나에 해당하는 자가 구조대나 구급대에 의한 구조 · 구급활동을 증명하는 서류를 요구하는 경우에는 별지 제7호서식의 구조 · 구급증명 신청서(전자문서로 된 신청서를 포함한다)를 작성하여 소방청장등에게 신청하여야 한다.

1. 인명구조, 응급처치 등을 받은 사람(이하 "구조 · 구급자"라 한다)
2. 구조 · 구급자의 보호자
3. 공공단체 또는 보험회사 등 환자이송과 관련된 기관이나 단체
4. 제1호부터 제3호까지에 해당하는 자의 위임을 받은 자

② 소방청장등은 제1항에 따라 구조 · 구급증명 신청을 받은 경우에는 다음 각 호의 서류 중 관련 서류를 통하여 신청인의 신원 등을 확인한 후 별지 제8호서식의 구조 · 구급증명서를 발급하여야 한다.

1. 주민등록증, 운전면허증, 여권, 공무원증 등 본인을 확인할 수 있는 신분증
2. 위임 등을 증명할 수 있는 서류
3. 구조 · 구급자의 보험가입을 증명할 수 있는 서류
4. 그 밖에 구조 · 구급활동에 관한 증명자료가 필요함을 입증할 수 있는 서류

③ 구조 · 구급자의 보호자가 제1항에 따른 구조 · 구급증명을 신청하는 경우에는 소방청장등은 「전자정부법」 제36조 제1항에 따른 행정정보의 공동이용을 통하여 주민등록표 등본 또는 가족관계증명서를 확인하여 보호자임을 확인하여야 한다. 다만, 신청인이 확인에 동의하지 아니하는 경우에는 그 서류를 첨부하도록 하여야 한다.

제19조의2(감염병환자 등의 발생 통보) 영 제25조의2 제2항 제1호 및 제2호에서 "행정안전부령으로 정하는 감염병 발생 통보서"란 별지 제8호의2서식을 말한다.

제20조(감염성 질병 및 유해물질 등 접촉 보고서) 구조·구급대원이 영 제26조 제2항에 따라 근무 중 위험물·유독물 및 방사성물질에 노출되거나 감염성 질병에 걸린 요구조자 또는 응급환자와의 접촉 사실을 소방청장등에게 보고하는 경우에는 별지 제9호서식의 감염성 질병 및 유해물질 등 접촉 보고서를 작성하여 보고하여야 한다.

제21조(검진기록의 보관) 소방청장등은 다음 각 호의 자료를 구조·구급대원이 퇴직할 때까지 「소방공무원임용령 시행규칙」 제17조에 따른 소방공무원인사기록철에 함께 보관하여야 한다.

1. 제20조에 따른 감염성 질병·유해물질 등 접촉 보고서 및 영 제26조 제3항에 따른 진료 기록부
2. 영 제27조 제1항에 따른 정기건강검진 결과서 및 같은 조 제5항에 따른 진료 기록부
3. 그 밖에 구조·구급대원의 병력을 추정할 수 있는 자료

제22조(구조·구급대원의 정기건강검진 항목) 영 제27조 제6항에 따른 구조·구급대원의 정기건강검진 항목은 별표와 같다.

제23조(구급차 등의 소독) 소방청장등은 주 1회 이상 구급차 및 응급처치기구 등을 소독하여야 한다.

제24조(구조대원의 교육훈련) ① 법 제25조에 따른 구조대원의 교육훈련은 일상교육훈련 및 특별구조훈련으로 구분한다.

② 일상교육훈련은 구조대원의 일일근무 중 실시하고 구조장비 조작과 안전관리에 관한 내용을 포함해야 한다.

③ 구조대원은 연 40시간 이상 다음 각 호의 내용을 포함하는 특별구조훈련을 받아야 한다.

1. 방사능 누출, 생화학테러 등 유해화학물질 사고에 대비한 화학구조훈련
2. 하천[호소(湖沼: 호수와 늪)를 포함한다], 해상(海上)에서의 익수·조난·실종 등에 대비한 수난구조훈련
3. 산악·암벽 등에서의 조난·실종·추락 등에 대비한 산악구조훈련
4. 그 밖의 재난에 대비한 특별한 교육훈련

④ 제1항부터 제3항까지에서 규정한 사항 외에 구조대원의 교육훈련에 필요한 세부사항은 소방청장이 정한다.

제25조(119항공대 소속 조종사 및 정비사 등에 대한 교육훈련) ① 법 제25조에 따른 교육훈련 중 119항공대 소속 조종사, 정비사 및 구조·구급대원에 대한 교육훈련은 다음 각 호의 구분에 따른다.

1. 조종사
   가. 비행교육훈련
      1) 기종전환교육훈련(신규임용자 포함)
      2) 자격회복훈련
      3) 기술유지비행훈련
   나. 조종전문교육훈련
      1) 해상생환훈련
      2) 항공안전관리교육
      3) 계기비행훈련
      4) 비상절차훈련
      5) 항공기상상황관리교육
      6) 그 밖의 항공안전 및 기술향상에 관한 교육훈련
2. 정비사
   가. 해상생환훈련
   나. 항공안전관리교육
   다. 항공정비실무교육
   라. 그 밖의 항공안전 및 기술향상에 관한 교육훈련
3. 구조·구급대원: 연 40시간 이상 다음 각 목의 내용을 포함하는 항공구조훈련을 받을 것
   가. 구조·구난(救難)과 관련된 기초학문 및 이론 교육
   나. 항공구조기법 및 항공구조장비와 관련된 이론 및 실기 교육
   다. 항공구조활동 시 응급처치와 관련된 이론 및 실기 교육
   라. 항공구조활동과 관련된 안전교육
   마. 그 밖의 항공구조활동에 관한 교육훈련

② 제1항에 따른 교육훈련의 세부사항은 소방청장이 정한다.

제26조(구급대원의 교육훈련) ① 법 제25조에 따른 구급대원의 교육훈련은 일상교육훈련 및 특별교육훈련으로 구분한다.

② 일상교육훈련은 구급대원의 일일근무 중 실시하고 구급장비 조작과 안전관리에 관한 내용을 포함해야 한다.

③ 구급대원은 연간 40시간 이상 다음 각 호의 내용을 포함하는 특별교육훈련을 받아야 한다. 다만, 소방청장은 법 제23조의2 제1항에 따른 감염병환자등이 대규모로 발생하는 등의 사유로 구급대원의 업무과중이 우려되는 경우에는 구급대원이 이수해야 하는 연간 특별교육훈련 시간을 줄임할 수 있다.

1. 임상실습 교육훈련
2. 전문 분야별 응급처치교육
3. 그 밖에 구급활동과 관련된 교육훈련

④ 소방청장등은 구급대원의 교육을 위하여 소방청장이 정하는 응급처치용 실습기자재와 실습공간을 확보하여야 한다.

⑤ 소방청장은 구급대원에 대한 체계적인 교육훈련을 실시하기 위해 소방공무원으로서 다음 각 호의 어느 하나에 해당하는 자격을 갖춘 사람 중 소방청장이 정하는 교육과정을 수료한 사람을 구급전문교육사로 선발할 수 있다.

1. 「의료법」 제2조 제1항에 따른 의료인
2. 「응급의료에 관한 법률」 제36조 제2항에 따라 1급 응급구조사 자격을 취득한 사람

⑥ 제1항부터 제5항까지에서 규정한 사항 외에 구급대원의 교육훈련 및 구급전문교육사의 선발·운영 등에 필요한 세부적인 사항은 소방청장이 정한다.

MEMO

MEMO

김정희

약력
고려대학교 공학석사
고려대학교 공학박사 과정
미국 워싱턴 주립대학 MIS과정 수료
현 | 해커스소방 소방학개론, 소방관계법규 강의
현 | 충청소방학교 강의
현 | 한국화재소방학회 건축도시방재분과 위원
현 | 한국화재소방학회 정회원
현 | 대한건축학회 정회원
전 | 국제대학교, 호서대학교, 목원대학교 강의
전 | 에듀윌, 에듀피디, 아모르이그잼, 윌비스 강의
전 | 국가공무원학원, 종로소방학원, 대전제일고시학원 강의

저서
해커스소방 김정희 소방학개론 기본서
해커스소방 김정희 소방관계법규 기본서
해커스소방 김정희 소방관계법규 3단 비교 빈칸노트
해커스소방 김정희 소방학개론 핵심정리+OX문제
해커스소방 김정희 소방관계법규 핵심정리+OX문제
해커스소방 김정희 소방학개론 단원별 기출문제집
해커스소방 김정희 소방관계법규 단원별 기출문제집
해커스소방 김정희 소방학개론 단원별 실전문제집
해커스소방 김정희 소방관계법규 단원별 실전문제집
해커스소방 김정희 소방학개론 실전동형모의고사
해커스소방 김정희 소방관계법규 실전동형모의고사

2025 대비 최신개정판

해커스소방 김정희 소방학개론

기본서 | 2권

개정 4판 1쇄 발행 2024년 5월 22일

지은이	김정희 편저
펴낸곳	해커스패스
펴낸이	해커스소방 출판팀
주소	서울특별시 강남구 강남대로 428 해커스소방
고객센터	1588-4055
교재 관련 문의	gosi@hackerspass.com 해커스소방 사이트(fire.Hackers.com) 교재 Q&A 게시판
학원 강의 및 동영상강의	fire.Hackers.com
ISBN	2권: 979-11-7244-091-6 (14350) 세트: 979-11-7244-089-3 (14350)
Serial Number	04-01-01